VIOLENCIA CONTRA LA MUJER EN LA PAREJA:

LA PAREJA:

Investigación comparada y situación en España

VIOLENCIA CONTRA LA MUJER EN LA PAREJA:

Investigación comparada y situación en España

JUAN J. MEDINA
Profesor de Criminología y Política Social
Departamento de Ciencia Social Aplicada
Universidad de Manchester

Prólogo de
FRANCISCO MUÑOZ CONDE
Catedrático de Derecho penal

tirant lo blanch
Valencia, 2002

© JUAN J. MEDINA

© TIRANT LO BLANCH
EDITA: TIRANT LO BLANCH
C/ Artes Gráficas, 14 - 46010 - Valencia
TELFS.: 96/361 00 48 - 50
FAX: 96/369 41 51
Email:tlb@tirant.com
http://www.tirant.com
Librería virtual: http://www.tirant.es
DEPOSITO LEGAL: V - 567 - 2002
I.S.B.N.: 84 - 8442 - 511 - 8
IMPRIME: GUADA LITOGRAFIA, S.L. - PMc

ÍNDICE

CAPÍTULO III
CIFRAS SOBRE VIOLENCIA EN LA PAREJA

SEGUNDA PARTE
PERSPECTIVAS TEÓRICAS E INVESTIGACIÓN SOBRE LA VIOLENCIA EN LA PAREJA

CAPÍTULO IV
LA VIOLENCIA EN LA PAREJA COMO EVENTO

CAPÍTULO VI

FACTORES INDIVIDUALES DE RIESGO O GRUPOS DE ESPECIAL RIESGO

CAPÍTULO VII
LA ECOLOGÍA Y LA GEOGRAFÍA SOCIAL DE LA VIOLENCIA DOMÉSTICA

CAPÍTULO VIII
CARACTERÍSTICAS DE LA FAMILIA Y VIOLENCIA DOMÉSTICA

CAPÍTULO XII
**EL SISTEMA DE JUSTICIA PENAL Y LA VIOLENCIA
DOMÉSTICA II**

CAPÍTULO XIII
ATENCIÓN A LAS VÍCTIMAS: LA RESPUESTA DE OTRAS INSTITUCIONES SOCIALES

PRÓLOGO

Entre los grupos de víctimas que más están representadas en las actuales encuestas de victimización y que han sido objetos de especiales estudios e investigaciones se encuentran las mujeres maltratadas en el ámbito familiar por su pareja o cónyuge. Probablemente, ninguna relación de convivencia humana es tan conflictiva y productora de violencia como la familia, y dentro de ella la conyugal o de pareja. Las diferencias de género y roles en una función, por lo demás tan indispensable para la supervivencia de la especie, como es la reproducción, es ya de por sí una fuente de conflictos que se manifiestan y exteriorizan en muchos ámbitos. Sin embargo, la misma necesidad existencial de la pareja como fuente de vida y núcleo de otras formas de convivencia más complejas, imponen la presencia de unas normas que aseguren la coexistencia pacífica entre las diversas manifestaciones de la misma condición humana. Pero, como casi siempre sucede en toda regulación y ordenación de conflictos humanos, siempre hay una parte del conflicto que recibe peor trato o que resulta perjudicada en la solución final que se adopta. Ello no debería ser así y mucho menos en los conflictos entre seres iguales o de igual derecho como son los miembros de una pareja; pero, salvo en alguna época muy lejana o en algún caso o situación muy concreta y, por eso, anecdótica, es un hecho incontrovertible que, por lo menos en nuestra tradición cultural y jurídica occidental (probablemente, en otras aun más claramente), la parte perjudicada en los conflictos de la vida en pareja ha sido tradicionalmente la mujer. Y esto, no sólo ya por el propio condicionamiento biológico de la mujer en la función reproductora («parirás los hijos con dolor»), sino en la distribución de los roles y derechos que siempre ha beneficiado al hombre y ha perjudicado a la mujer: desde la incapacidad para administrar personalmente sus bienes hasta la preterición a favor del varón en la sucesión de la Corona (todavía vigente en la Constitución española), pasando por otra serie de obstáculos sociales y jurídicos que le han impedido ejercer determinadas profesiones, tener derecho al voto, etc, la mujer ha tenido (y tiene todavía) que afrontar una serie de limitaciones que la han convertido históricamente en un ciudadano de «segunda categoría», siempre supeditada a los intereses de los ciudadanos de «primera» que son los hombres.

Esta imagen de subordinación social y jurídica de la mujer al hombre ha sido corroborada e incluso celebrada por ilustres pensadores («cuando vayas a ver la mujer, llévate el látigo», decía Nieztsche; «las mujeres son infantiles, bobas y de cortos alcances......una especie de escalón intermedio entre el niño y el hombre, el cual es la persona humana propiamente dicha», «la mujer...ese ser de cabellos largos, ideas cortas», decía

Schopenhauer). También en la tradición y en el refranero popular se encuentran «perlas» de este jaez: «la mujer con la pata quebrada y en casa». Y todavía en algunos «comics» e historietas, algunas de ellas tan populares como la serie televisiva de dibujos animados «Los Picapiedra», se representa al hombre primitivo con el hacha de piedra al hombro y tirando del pelo a la mujer a la que arrastra por el suelo. Estas ideas se han traducido incluso en decisiones jurisprudenciales que, guiadas por un espíritu proteccionista más propio de una actitud paternalista-machista que de una auténtica comprensión de la situación de la mujer, justificaban la condena del varón por un delito de estupro fraudulento, basándose en que la mujer es «un ser frágil, quebradizo, débil, inexperto, inmaduro e irreflexivo» (STS 31 mayo 1974). Son, sin duda, estereotipos, «clichés» no del todo superados, que en cualquier caso han servido de pretexto y justificación de muchos abusos, malos tratos, violaciones e incluso asesinatos de mujeres que se han venido perpetrando a lo largo y ancho de la Historia de la Humanidad hasta nuestros días.

Esta situación está, al menos en teoría, cambiando; y este cambio se debe fundamentalmente a la concienciación de su situación que las mujeres han experimentado en los últimos años. En pocos sectores de la sociedad se ha producido una concienciación crítica de su situación tan grande como entre las mujeres. La «concienciación de clase» de la que hablaba Karl Marx, como forma de superación de la alienación de la clase trabajadora, ha sido, en parte, sustituida por una «concienciación de género», a través de la cual las mujeres han adoptado posturas reivindicativas y han conseguido liberarse de la otra parte de la humanidad a la que han estado tradicionalmente sometidas. El (o los) movimiento(s) feminista(s) ha(n) conseguido, por lo menos en buena parte de los países del hemisferio occidental, conquistas que hasta hace pocos años eran inimaginables. Tanto política, como jurídicamente, las mujeres han conseguido, al menos en teoría, la igualdad y la plena equiparación en derechos con los hombres, y los están ejerciendo, compitiendo y ganando, en terrenos que hasta hace poco tenían completamente vedados. Pocos son ya los obstáculos que puedan oponerse a esta tendencia a la liberación de la mujer; por lo menos en la mayoría de los países del área de cultura occidental, no así en otros muchos en los que todavía predominan tanto jurídica, como socialmente, actitudes machistas-paternalistas, cuando no brutalmente represivas de la mujer, como en Afganistán o algunos países africanos. Pero, en todo caso y en todos los países, el más grave e insalvable de todos los obstáculos sigue siendo todavía la violencia, el maltrato, la fuerza bruta que el hombre, generalmente más fuerte físicamente, puede ejercer para humillar y aplastar la mujer y el derecho de la misma a ser tratada como un igual y a ser respetada como mujer. Desde el primer momento hay que advertir que esta violencia no es privativa de la relación entre hombre y mujer, sino que desgraciadamente es un ingrediente habitual en todas las relaciones humanas, pero la violencia que ejerce el hombre sobre la mujer tiene unas connotaciones específicas que merecen un estudio pormenorizado.

Precisamente, esto es lo que hace Juanjo MEDINA ARIZA en este trabajo que constituyó su tesis doctoral. El conocimiento empírico de las tasas de criminalidad real es hoy en día un elemento imprescindible de una buena Política criminal y de una correcta regulación legal del problema; tanto más en un terreno como éste tan dominado por prejuicios y tabúes ancestrales y en el que ni las propias víctimas se atreven a denunciar los abusos de que son diariamente objeto por parte de su cónyuge o compañero. Las «encuestas de victimización» han demostrado que éste es uno de los problemas más graves de cuantos tienen las sociedades modernas. Siguiendo una distinción bastante frecuente en la Criminología contemporánea entre teorías de la criminalidad y teorías del delito, Juanjo MEDINA diferencia entre la violencia en la pareja como fenómeno social y esa misma violencia como evento, es decir, como acto particularizado entre protagonistas concretos. Esta distinción es útil en este ámbito porque, mientras el «retrato robot» de la mujer maltratada se suele basar en datos sociodemográficos obtenidos de las mujeres que acuden a las casas de acogida (edad media, 32, 5 años; setenta por ciento, casadas; con una media de convivencia con el compañero maltratador de diez años; una media de 7, 5 años de sufrimiento de malos tratos; dos hijos y bajo nivel educativo), la violencia en la pareja como evento concreto tiene componentes situacionales e interactivos que no sólo deben ser tenidos en cuenta para el análisis e incluso valoración juridicopenal del caso concreto (por ejemplo, para la interpretación del concepto de «habitualidad» en el delito de malos tratos tipificado en el art.153 del Código penal español), sino para la propia «prevención situacional», a la que Juanjo MEDINA ha dedicado también varios trabajos. Dicha prevención situacional se caracteriza por tratar de modificar y reducir las oportunidades para la comisión de delitos, en lugar de incidir sobre las causas últimas de la delincuencia. Entre los factores de riesgo situacional que fomentan la violencia contra la mujer en la pareja se encuentran, en su opinión, el consumo de alcohol por parte del hombre y la existencia de armas en el hogar. Pero también cita la presencia de terceros, como parientes que conviven con la pareja, vecinos, amigos, hijos comunes o de uno de los miembros de la pareja que, muchas veces, más que como mediadores actúan como verdaderos provocadores (inocentes o no) del conflicto. De todos modos, Juanjo MEDINA advierte las limitaciones que presenta la prevención situacional entre íntimos y las críticas que la misma ha despertado en algunos ámbitos de la Criminología, al desplazar la responsabilidad sobre la prevención del delito a la víctimas, perpetuando la discriminación de las mismas.

En otro capítulo estudia los factores evolutivos en la relación de pareja, la edad, la relación entre embarazo y malos tratos, el aprendizaje y la transmisión intergeneracional de la violencia. Un capítulo interesante es también el dedicado a la ecología y geografía social de la violencia social pues, tal como demuestran las numerosas encuestas y estadísticas realizadas tanto en Estados Unidos, como en otros países y concretamente en España la Encuesta sobre Seguridad Personal de la Mujer en la España Urbana (1999), la violencia contra la mujer en la pareja no tiene una distribución espacial aleatoria, sino que tiende a concentrarse en determinados espacios geográficos, generalmente los barrios marginales más pobres de las grandes ciudades, en los que incluso se considera una conducta normal.

En estos momentos es imposible siquiera hacer un recuento de los otros muchos factores que pueden en mayor o menor medida determinar la violencia contra la mujer en la pareja, de los que, en todo caso, Juanjo MEDINA informa de manera clara y exhaustiva. Pero, como él mismo reconoce, la concienciación social de este problema no hubiera sido posible sin la aportación fundamental de la literatura feminista, que, a través de la crítica al patriarcado y las «masculinidades», ha demostrado claramente la relación existente entre género y este tipo de violencia. El problema consiste ahora en saber cómo controlar la situación y reducir los costos económicos, morales, políticos y sociales de la violencia doméstica. El II Plan integral contra la Violencia Doméstica, aprobado por el Consejo de Ministros del Gobierno español el 11 de mayo del 2001, aparte de un aumento sensible del presupuesto dedicado a este tema (13.072 millones de pesetas), prevé una serie de medidas de carácter preventivo, legislativo, asistencial e investigador, que, independientemente de la eficacia que tengan, ponen de relieve la importancia social y política que ha adquirido este problema. La principal medida sancionatoria o cautelar que se prevé para estos casos, el alejamiento del maltratador del hogar o la prohibición de aproximación a la víctima, resuelve, en cierto modo, aunque de forma insuficiente, el problema más acuciante, pues, como demuestra Juanjo MEDINA, el principal factor de riesgo para la mujer es el momento previo o inmediatamente posterior a la ruptura de la convivencia. Pero, en todo caso, esta medida viene, por fin, a romper el mito del «síndrome de la mujer maltratada», que tanto predicamento gozó en Estados Unidos en los años 80 a raíz del caso de Judith Norman, en el que se trató de demostrar, con una más que cuestionable analogía, que igual que el «perro maltratado» no abandonaba al amo que al mismo tiempo que lo maltrataba lo alimentaba, la mujer maltratada tenía una dependencia casi masoquista del hombre maltratador. Ahora se sabe que el peligro no ya de ser maltratada, sino de ser asesinada, aumenta precisamente en el momento de la ruptura. La mujer también lo sabe, o lo intuye, y aguanta, hasta que no puede más, hasta que un día termina como Ana Orantes, golpeada, atada a una silla, rociada con gasolina y quemada por su marido hasta su muerte, o como Teresa M.M, popularmente conocida como «Tani» que, harta ya de los malos tratos de su compañero, del que tenía seis hijos menores de edad, le disparó «a cañón tocante» con una pistola un tiro que le entró por la región temporal derecha y le salió por la parietal izquierda, matándolo.

Quizás con trabajos como el que ha realizado Juanjo MEDINA, lleguemos por fin a tomar conciencia de la realidad del problema, y de este modo no esté lejano el día en que casos como éstos pasen al Museo de la Historia, como la rueca y el hacha de piedra, y que la violencia, desgraciadamente inherente a la propia convivencia social, quede reducida en el ámbito de la pareja al hecho mismo, ya de por sí siempre doloroso y traumático, de la ruptura de la relación de convivencia, cuando dos seres humanos constatan que, por las razones que sean, el proyecto de vida en común ya no es posible y cada uno tiene que irse por su lado. Felicito, pues, a Juanjo MEDINA por este excelente trabajo de investigación llevado a cabo pausada y seriamente en una de las más prestigiosas escuelas de Criminología, en la Universidad de Rutgers, y en el que una vez más pone de relieve su buen hacer como criminólogo y su enorme sensibilidad con la situación de las mujeres víctimas de la violencia en la pareja.

Sevilla, mayo 2001
FRANCISCO MUÑOZ CONDE,
Catedrático de Derecho penal

A MODO DE INTRODUCCIÓN

Los malos tratos, el término que ha sido elegido en España para designar la violencia contra la mujer en la pareja, han recibido considerable atención durante los últimos años en nuestro país. Numerosas propuestas políticas han sido sugeridas e implementadas para confrontar este grave problema social. Sin embargo, ausente en estos debates ha sido una juiciosa consideración de la abundante literatura sobre los malos tratos que se ha generado, sobre todo en el ámbito anglosajón, durante las tres últimas décadas. Haberlo hecho nos habría permitido no incurrir en los mismos errores que las primeras respuestas a este problema presentaron tanto en los Estados Unidos como en el Reino Unido y que en parte se han reproducido en España. Aún estamos a tiempo de corregir algunos de estos problemas y la falta de una tradición investigadora criminológica sobre los malos tratos en nuestro país puede suplirse, al menos parcialmente, con un análisis sosegado de la literatura comparada.

Son muchos los profesionales que en su ámbito laboral tienen que confrontar el problema de los malos tratos. Jueces, policías, fiscales, abogados, trabajadores sociales, médicos y otras profesionales del sistema de salud pública en su práctica cotidiana se encuentran con los principales protagonistas de esta historia, los agresores y sus víctimas. Es a ellos sobre todo a quienes este texto está dirigido. Son muchos los estereotipos que existen sobre este problema y que dificultan un adecuado tratamiento del mismo. Es, por tanto, fundamental el familiarizarse con lo que verdaderamente hemos aprendido sobre este problema social si queremos ser capaces de confrontarlo ordenadamente. Espero que este texto ayude a ello y estimule el debate y la reflexión.

Antes de pasar al primer capítulo, me gustaría dedicar unas líneas a agradecer a quienes me han ayudado durante estos años a finalizar este proyecto. Primero a mi familia y a Cecilia. Y después esa otra amplia familia, mis maestros y compañeros universitarios. Francisco Muñoz Conde me recibió como tutor en el Departamento de Derecho Penal cuando en 1993 decidí empezar mis estudios de doctorado y desde entonces me prestó todo su apoyo y ha tratado de darme consejo sincero sobre mi carrera académica. Con él aprendí algo que ha marcado mi especialización y la configuración de mi agenda de investigación, que compromiso intelectual y compromiso político no son incompatibles, sino necesariamente complementarios. He de mostrar mi agradecimiento también a Rosa Barberet y Borja Mapelli, codirectores de mi primera tesis doctoral, Jeffrey Fagan y Mercer Sullivan, codirectores de mi segunda tesis doctoral, así como los miembros de los tribunales de ambas tesis (Elena Larrauri, Patricia Laurenzo, Antonio García Pablos, Paz del

Corral, Manolo Grosso, Jeannette Covington, Freda Adler y Elin Waring). A mi formación como criminólogo también han contribuido de manera notable el personal docente de la sección de Sevilla del Instituto Andaluz Interuniversitario de Criminología y de la Escuela de Justicia Criminal de Rutgers University, en especial Marcus Felson y la madraza de Phyllis Schultze, la mejor bibliotecaria del mundo. En *Victim Services* Rob Davis me dio la oportunidad de conocer y trabajar con otros expertos en el tema de violencia doméstica y victimología en general; en el Departamento de Salud Pública de Nueva York aprendí con Susan Wilt la utilidad del enfoque de salud pública en el estudio y prevención de la violencia; Michael Greene y mis compañeros del *Violence Institute of New Jersey* pacientemente aguantaron los cambios de humor asociados con el proceso de finalización de mis doctorados; mientras que Rebecca y Russell Dobash en mi nuevo hogar, la Universidad de Manchester, han sido una constante fuente de inspiración intelectual. El apoyo financiero de la Fundación Ramón Areces, la Junta de Andalucía, el Ministerio de Asuntos Exteriores, HEUNI, la *Law and Society Association, University of New Hampshire, Rutgers University, el National Consortium on Violence Research,* y el *National Institute of Justice* han sido requisitos indispensables para poder formarme como criminólogo y terminar mis tesis doctorales. Por otro lado, la primera encuesta nacional sobre malos tratos que se cita en este volumen, no confundir con la macroencuesta del Instituto de la Mujer decía: «no podría haberse realizado sin el generoso apoyo financiero del Ministerio de Educación, el Instituto de la Mujer y el Instituto Andaluz de la Mujer y sin el apoyo institucional del Instituto Andaluz Interuniveritario de Criminología.

Este trabajo está dedicado a aquellas mujeres cuyas voces no puedo suplir, las víctimas de los malos tratos.

DR. JUAN J. MEDINA
Profesor de Criminología y Política Social
Departamento de Ciencia Social Aplicada
Universidad de Manchester

## PRIMERA PARTE

INTRODUCCIÓN: LA DEFINICIÓN SOCIAL DE LOS MALOS TRATOS

«How does it happen that the same generous-hearted gentlemen, who would themselves fly to render succour to a lady in distress, yet read of the beatings, burnings, kickings, and "cloggings" of poor women well-nigh every morning in their newspapers without once setting their teeth, and saying, "This must be stopped! We can stand it no longer"» (Frances Power Cobber, 1878)

## Capítulo I

INTRODUCCIÓN: EL DESCUBRIMIENTO DE LOS MALOS TRATOS

I. INTRODUCCIÓN

Aunque el problema de la violencia contra la pareja puede remontarse casi a los inicios de este tipo de relaciones, su definición como un problema social es mucho más reciente. El descubrimiento de los malos tratos no sólo en nuestro país, sino en el resto del mundo fue fundamentalmente el producto de la lucha política y de denuncia del movimiento de liberación de la mujer y más específicamente de lo que se ha denominado como el movimiento de las mujeres maltratadas. Mujeres como Frances Power Cobbe (Bauer y Ritt, 1988) el siglo pasado y muchas otras este siglo denunciaron la brutalidad masculina y la opresión de las mujeres en el ámbito doméstico; opresión y violencia que todavía coexiste con la desigualdad entre hombres y mujeres en la mayoría de los ámbitos sociales y países (UNDP, 1996)[1].

Aunque los precedentes de la denuncia de los malos tratos pueden incluso encontrarse en tradiciones no feministas, como, por ejemplo, las comunidades puritanas del siglo pasado en los Estados Unidos (Pleck, 1989), es el movimiento feminista quien logra el reconocimiento en nuestros días de este problema como uno de primer orden y alcance internacional. Decir que este problema ha alcanzado dichas dimensiones en el discurso público no es exagerado si tomamos en consideración las declaraciones de diversos organismos de las Naciones Unidas o del parlamento europeo en este sentido[2], así como la respuesta proporcionada a otros niveles por la comunidad internacional (Heise, 1997; EL PAÍS, 22-10-2000).

Algunos autores han sugerido que el movimiento de las mujeres maltratadas forma parte del más amplio movimiento de las víctimas. El resurgir de la víctima es también un fenómeno que ha adquirido relevan-

---

[1]   En el informe anual de 1996 UNDP, España figura en décima posición en el índice de desarrollo humano, mientras que en el índice de igualdad de género ocupamos la posición número 20 y en el índice de poder de las mujeres el número 25. Estas cifras son indicativas de cómo aún nos queda camino por recorrer. En todo caso, España es citada en dicho informe como un buen ejemplo de país en el que, pese a haberse experimentado un moderado desarrollo económico, se ha producido un importante cambio en la situación de la mujer.

[2]   Para un análisis crítico del uso de este tipo de estrategias políticas y jurídicas para confrontar la violencia doméstica, véase Tomasevski (1999).

cia en el discurso público en fechas relativamente recientes. Aunque históricamente las víctimas ocuparon un lugar central en la reparación de las ofensas, la aparición del Estado moderno consagró la progresiva marginación de las víctimas dentro de este proceso. El movimiento de marginación de la víctima contribuyó a reducir la arbitrariedad y carácter sanguinario que había caracterizado la relación entre víctimas, agresores y sus familias (Von Hentig, 1948).

Sin embargo, más recientemente, muchos llegaron a considerar que el proceso de marginación fue demasiado lejos hasta el punto de limitar el acceso a la justicia, propiamente dicho, de las mismas. Hoy en día, por ejemplo, no es del todo extraño escuchar a fiscales que, basándose en su Estatuto Orgánico, señalan que su función no es representar a las víctimas, sino garantizar la legalidad del proceso penal[3]. Por su parte tanto la policía como otras instancias del sistema de justicia penal operan como filtros selectivos de las denuncias que llegan a su conocimiento.

Durante los años 60, al mismo tiempo que tenían lugar importantes convulsiones sociales, surgió el movimiento de defensa de las víctimas y, vinculado de alguna manera al mismo, el movimiento de las mujeres maltratadas (Kennedy y Sacco, 1998). Sin lugar a dudas la coincidencia temporal, así como la relativa y parcial similitud de sus agendas en materia político-criminal invita a reflexionar sobre los parecidos de ambos movimientos, aunque dicha reflexión escapa del ámbito y propósito de este estudio.

En todo caso, es necesario destacar que el movimiento de las mujeres maltratadas sobre todo, y muy especialmente por encima de su vinculación con el movimiento de asistencia a las víctimas, forma parte del movimiento más amplio de liberación de las mujeres. Este hecho resulta especialmente cierto en España, donde las oficinas de atención a la víctima tratan de enfatizar que no se ocupan sólo de los problemas de las mujeres, y fueron las víctimas del terrorismo las que despertaron la atención inicial por la problemática de las víctimas. Por otro lado, ya veremos cómo el pensamiento feminista y radical de los 60, 70 y 80 concebía a la violencia contra la mujer como el fundamento mismo del patriarcado y a su vez causa y consecuencia de las desigualdades de género. De ahí que no deba de extrañarnos que la eliminación de la violencia contra la mujer y, en particular, la violencia contra la mujer en el ámbito de las relaciones de pareja formara parte de la agenda feminista y del movimiento de liberación de la mujer (Dobash y Dobash, 1979;

---

[3]   Tal fue el consenso manifestado por un grupo de jueces, fiscales y secretarios judiciales durante una ponencia que presenté en un curso de formación continuada para los mismos organizado por el Consejo General del Poder Judicial a finales de 1997.

Dobash y Dobash, 1992) y que sea con este movimiento con el que presenta una vinculación más estrecha.

A lo largo de este capítulo presentaré de una manera muy esquemática cómo los malos tratos vinieron a ser definidos como un problema social en nuestro país y las respuestas que dicha definición han generado. Dicho repaso histórico será comparado con la experiencia anglosajona en este mismo ámbito. La referencia a la experiencia anglosajona resulta obligada por varias razones. En primer lugar, el descubrimiento de los malos tratos en dichas sociedades como un problema social merecedor de una respuesta social contundente precede al descubrimiento de los malos tratos en nuestro país. Pero sobre todo ha sido en el ámbito anglosajón en el que se ha desarrollado una tradición de investigación sobre la realidad del maltrato, los maltratadores y sus víctimas. Un objetivo fundamental de este volumen es presentar este material en nuestro país, donde la investigación sobre los malos tratos se encuentra en su infancia y puede beneficiarse de la experiencia adquirida en el ámbito anglosajón[4]. Para entender las controversias y la dirección adoptada por dicha tradición investigadora es preciso adquirir un cierto sentido del contexto histórico y social en el que se produjo.

II. EL DESCUBRIMIENTO DE LOS MALOS TRATOS EN EL ÁMBITO ANGLOSAJÓN

El descubrimiento de este problema en los Estados Unidos fue documentado por Susan Schechter en su libro *Women and Male Violence: The Visions and Struggles of the Battered Women's Movement* publicado en 1982. Rebecca y Russell Dobash (1992) más recientemente actualizaban esta historia y la comparaban con el desarrollo experimentado en el Reino Unido. En ambos países el problema de los malos tratos fue «descubierto» por grupos feministas y organizaciones de mujeres.

A mediados del siglo XX, el cambio de normas culturales, provocado parcialmente por la incorporación de la mujer al mercado de trabajo y los movimientos de derechos civiles y de liberación de la mujer, hizo que esferas y conductas que se habían considerado históricamente como

---

[4]   Ello no quiere decir en modo alguno que los resultados de estudios realizados fuera de nuestras fronteras puedan extrapolarse sin más a nuestro país. Es preciso comprender las diferencias socioeconómicas y culturales entre los países anglosajones, en particular los Estados Unidos de América, y nuestro país. Pero ser consciente de dichas diferencias contextuales tampoco puede llevarnos de manera pendular al otro extremo, al rechazo de dicho cuerpo de evidencia de manera radical hasta que pueda ser replicado en nuestro país.

privadas se convirtiesen en materia de debate público. Primero, se descubrió el problema del maltrato infantil cuando varios equipos de pediatras comenzaron a cuestionar el pretendido carácter accidental de las lesiones físicas de los niños que llegaban a sus consultas (Helfer y Kempe, 1968). Casi a la vez grupos de mujeres y organizaciones feministas de base comenzaron a prestar más atención a la situación de las mujeres maltratadas.

En 1964 se creo la primera casa de acogida en los Estados Unidos, en particular en el Estado de California por una organización que trataba con alcohólicos. Poco después, durante los 70, el movimiento de liberación de la mujer se identificó con la causa de las mujeres maltratadas y se empezaron a crear teléfonos de urgencia, casas de acogida y otros servicios especializados. El movimiento, en sentido estricto, no se puede decir que nació hasta la creación en 1973 y 1974 respectivamente de los refugios de Minnesota (Women's Advocates) y de Boston (Transition House), aunque el amplio reconocimiento público tampoco se produjo hasta más tarde. En Inglaterra, por otro lado, el movimiento surge de manera muy parecida, e incluso antes, con la creación en 1972 de la primera casa de acogida vinculada al movimiento *Chiswick Women's Aid* (Dobash y Dobash, 1979)[5].

Sería erróneo, sin embargo, presentar o concebir el movimiento de la mujer maltratada de una manera monolítica, como una tendencia en la que no existían o existen corrientes diferentes. En Estados Unidos, desde el principio, surgieron diferencias en el enfoque que se daba a este problema y la manera de tratarlo entre las organizaciones de base popular y las profesionales. Aunque había bastante solapamiento entre estos dos grupos de activistas, también existían diferencias en su educación formal y credenciales, así como en el énfasis que se daba a su identidad como profesionales y en el contexto organizativo de su trabajo: la casa de acogida en contraste con la agencia pública de asistencia o la práctica privada (Davies et al., 1998).

Las organizaciones de base subrayaban la necesidad de respuestas de apoyo que devolvieran la capacidad de decisión a las mujeres maltratadas. Estos servicios eran ofrecidos por mujeres sin ninguna otra formación y credenciales que sus propias experiencias personales y su trayec-

---

5   La historia de este refugio es ciertamente curiosa. Comenzó con una manifestación en contra de una medida que eliminaba la leche gratuita para los colegios y acabó en la creación de este refugio. La manifestación dio lugar a la creación de sentimientos de solidaridad entre las mujeres que cuando comenzaron a hablar sobre sus problemas descubrieron el denominador común de los malos tratos y decidieron crear partiendo desde cero dicha casa de acogida (Dobash y Dobash, 1979).

toria dentro del movimiento feminista. En este contexto la consejera o asesora era una voluntaria que ocupaba una posición de igualdad. Mas que una profesional ofreciendo servicios, se trataba de una amiga ofreciendo apoyo. El enfoque profesional, en cambio, se acercaba más al modelo de prestación de servicios sociales, psicológicos o legales individuales dentro de una oficina o agencia (Schechter, 1982; Dobash y Dobash, 1992). Subyacente en cada modelo existía una concepción diferente sobre las capacidades cognitivas y habilidades de las mujeres maltratadas. Para las activistas de base, las mujeres maltratadas son capaces de tomar decisiones adecuadas que hay que respetar; para las profesionales, la situación de victimización obviamente altera la capacidad de tomar decisiones inteligentes o adecuadas y las mujeres tienen que ser orientadas y «rehabilitadas» (Schechter, 1982; Dobash y Dobash, 1992; Davies et al., 1998).

Este tipo de divergencia de enfoques y enfrentamientos también se dio en el Reino Unido donde el modelo terapéutico fue asumido por Chiswick, mientras que la *National Women's Aid Federation* asumió una visión un tanto más progresista (Dobash y Dobash, 1992). Estas tensiones entre los valores de profesionalización y voluntariado, así como neutralidad política y activismo feminista siguen observándose hoy y, con diferentes matices, también se ha producido en relación con la atención a víctimas de otros tipos de delitos.

Por otro lado, también existen diferencias dentro del pensamiento feminista. En un sentido amplio, se distingue entre feminismo de primera, segunda y tercera generación (Daly y Maher, 1998). Otras autoras identifican corrientes más específicas dentro del feminismo de segunda y tercera generación. Así, se habla del feminismo liberal, marxista, socialista, existencial, psicoanalítico y postmoderno (Gelsthorpe, 1998). Por el momento baste señalar que el movimiento de las mujeres maltratadas, aunque unido por el objetivo común de la eliminación de la violencia contra la mujer, en realidad engloba un amplio y diverso conjunto de tendencias.

De manera muy significativa en los Estados Unidos, al movimiento de la mujer maltratada se unieron determinados sectores de la comunidad científica y terapéutica en la denuncia del problema de los malos tratos. Así, a mediados de la década de los 70 un grupo de sociólogos asociados con la Universidad de New Hampshire y encabezados por Murray Straus realizaron la primera encuesta sobre violencia familiar en los Estados Unidos, publicando cifras que advertían sobre la gran prevalencia e incidencia de este problema social. Poco a poco, otros profesionales de las ciencias sociales y humanas siguieron las huellas de Straus y sus colegas y comenzaron a realizar estudios sobre diversas facetas del problema de los malos tratos (Straus et al., 1981).

A su vez, la numerosa comunidad terapéutica en los Estados Unidos también se implicó en el diseño y aplicación de intervenciones con mujeres maltratadas y hombres violentos. El interés de la comunidad investigadora y terapéutica obedecía a agendas diferentes que la perseguida por la del movimiento de la mujer maltratada, lo que condujo a enfrentamientos que todavía perduran entre algunos representantes de las mismas sobre métodos empleados, supuestos descubrimientos sobre la realidad del maltrato y potenciales técnicas de intervención con víctimas y agresores en este contexto. Las mismas tensiones se produjeron entre sectores de la comunidad académica que empleaban marcos teóricos tradicionales dentro de sus disciplinas y aquellos que, desde fuera o dentro de dicha comunidad, proponían diversos modelos feministas de entendimiento y prevención de los malos tratos.

A pesar de ello, el respaldo de estas comunidades, terapéutica y académica, a la causa del movimiento de la mujer maltratada facilitó su legitimación y la posterior adopción de respuestas sociales y legales contra el maltrato. En la actualidad, aunque siguen existiendo debates, muchos de ellos se han atenuado. Así, existe una mayor modestia, sensibilidad y compromiso por parte de la mayoría de investigadores y terapeutas. Estos generalmente, aunque sea a nivel retórico, admiten el papel que la situación social y cultural de la mujer juega en los malos tratos. Las organizaciones de mujeres, por otro lado, son conscientes de las ventajas que supone el colaborar con la comunidad académica y terapéutica, y descalificaciones genéricas, y un tanto estridentes, de toda posición rival como «patriarcal» son cada vez menos comunes.

Fue precisamente un estudio realizado por un criminólogo, el experimento de Minneapolis, uno de los hitos más importantes en el desarrollo de las respuestas legales al problema de los malos tratos en los Estados Unidos (Sherman, 1992). Este experimento policial se presentó como la prueba de que la detención de los maltratadores, y por extensión la criminalización y castigo de los mismos, servía para prevenir la violencia doméstica. La enorme publicidad que se dio a este experimento consiguió lo que los grupos de mujeres habían venido reivindicando durante mucho tiempo: que la mayoría de los departamentos de policía en aquel país adoptaran una respuesta más contundente contra los malos tratos. De hecho, a raíz de este experimento muchos Estados promulgaron leyes que obligaban a los agentes de policía a detener al maltratador cada vez que se enfrentasen a una falta de malos tratos. Evidentemente, otro tipo de factores, como las demandas por responsabilidad civil objetiva, que obligaron a los departamentos de policía a pagar millones de dólares a víctimas de malos tratos que no habían sido capaces de proteger, también jugaron un papel importante en el desarrollo de este tipo de políticas (Dobash y Dobash, 1992).

Como veremos más adelante, éste no fue sino uno de los muchos cambios adoptados por el sistema de justicia penal para responder a los malos tratos en Estados Unidos, un país en el que el énfasis se puso en el endurecimiento de la respuesta penal y el desarrollo de fórmulas legales para prevenir el maltrato, al margen de que también se prestara una atención especial a la asistencia y cobertura de las necesidades de las víctimas (Fagan, 1996). Este »éxito» del movimiento de la mujer maltratada en parte se explica porque el objetivo de endurecimiento de respuestas penales al maltrato coincidía con la agenda de poderosos grupos conservadores en los Estados Unidos interesados en el endurecimiento de las respuestas penales para el control de un abanico más amplio de desviaciones sociales que, en última instancia, afectaba de manera desproporcionada a determinados sectores de la población. En este terreno, por tanto, se produjo una extraña alianza entre sectores progresistas y sectores más conservadores (Cfr. Larrauri, 1991).

III. EL DESCUBRIMIENTO DE LOS MALOS TRATOS EN ESPAÑA

III.a. Las raíces del movimiento de la mujer maltratada en España

En España, aunque nunca ha existido un gran interés científico en el tema de los malos tratos, antes de 1997 ya existían varios artículos tratando de esbozar la situación del movimiento de la mujer maltratada, así como sus conquistas en nuestro país. Así, por ejemplo, Miller y Barberet (1995) comparaban el escenario estadounidense con el español, Threlfall (1996) examinaba este movimiento dentro del contexto más amplio del movimiento feminista en España, mientras que Valiente (1996) se centraba en las limitaciones de las reformas administrativas realizadas hasta el momento[6]. A estos trabajos más académicos, ha de

---

[6]   Al margen de estos estudios sobre el movimiento de la mujer maltratada, existe una creciente literatura en castellano, no siempre caracterizada por una alta cualidad científica, que aborda el problema de los malos tratos en nuestro país. Anabel Cerezo (1998) proporciona una enumeración extensiva de estos estudios y de literatura gris sobre el problema de los malos tratos en nuestro país. Dicha tesis, dicho sea de paso, también constituye una de las raras excepciones que tratan de analizar la problemática de los malos tratos en nuestro país. Enrique Echeburúa y Paz del Corral, por otro lado, constituyen un punto de referencia obligado por su labor pionera en esta materia en nuestro país desde una perspectiva psicológica y terapéutica. Desde el descubrimiento de los malos tratos en 1997 el número de publicaciones y traducciones de obras extranjeras ha aumentado de forma considerable.

sumarse el ejemplar trabajo de denuncia de autores como Lidia Falcón (1991) desde una perspectiva feminista y Xavier Caño (1995) desde una perspectiva periodística.

Estos trabajos ponen claramente de manifiesto que al igual que en Estados Unidos y el Reino Unido, fueron las feministas quienes descubrieron el problema de los malos tratos en España y comenzaron a crear una respuesta organizada contra el mismo a finales de los años 70. Celia Valiente (1996) ha atribuido el retraso en la aparición de este movimiento, si comparamos nuestra situación con otros países de nuestro entorno, a la dictadura franquista de carácter abiertamente anti-feminista.

El movimiento de la mujer maltratada, que dicho sea de paso nunca adoptó dicha denominación en nuestro país, comienza cuando un grupo de quince mujeres profesionales pertenecientes a diversos sectores (abogadas, trabajadoras sociales y psicólogas) crearon la Comisión de Investigación de los Malos Tratos (Miller y Barberet, 1995). Dicha comisión se dedicó a concienciar a la sociedad sobre el problema de los malos tratos y estableció contactos con diferentes organismos gubernamentales (Miller y Barberet, 1995).

La causa de la mujer maltratada en nuestro país obtuvo una clara victoria cuando en 1983 el gobierno socialista creó el Instituto de la Mujer. El Instituto desde sus comienzos desarrolló un interés en el tema y promocionó a través del impulso de medidas legislativas y gubernamentales la eliminación y penalización de la violencia contra la mujer. El Instituto contribuyó a crear centros de información para la mujer así como casas de acogida para mujeres maltratadas. El Instituto también colabora desde entonces con el Ministerio del Interior y Justicia a través del desarrollo de seminarios educativos con personal de las fuerzas y cuerpos de seguridad del Estado y del personal judicial. Sin lugar a dudas, el Instituto ha sido uno de los grandes motores para el cambio de la situación social de la mujer y las mujeres víctimas de violencia en particular (Miller y Barberet, 1995; Thefall, 1996).

III.b. El Informe de la Comisión de Derechos Humanos del Senado sobre Malos Tratos y sus consecuencias

Uno de los momentos más importantes en el desarrollo de un discurso público sobre este tema y en la elaboración de soluciones para el mismo lo constituyó el Informe de la Comisión de Derechos Humanos del Senado sobre Malos Tratos (1989). La historia de este informe puede remontarse a 1986 cuando la Comisión de Derechos Humanos del Senado tomó el acuerdo de crear dentro de su seno la Ponencia de Investigación de Malos Tratos a las Mujeres. Esta ponencia tenía su antecedente en otra de la misma denominación, que fue creada en la anterior legislatura dentro de la misma Comisión y que por diversas circunstancias, después de recoger abundante material sobre el objeto de su investigación, no elevó un informe final al Pleno del Senado.

La Comisión estuvo formada por un grupo de cinco senadores, tres socialistas, un conservador y un representante del grupo mixto, inicialmente coordinados por Miguel Ángel Quintanilla y posteriormente por María Lucia Urcelay. La Ponencia partió de la documentación recogida en la anterior legislatura que abarcaba desde información escrita procedente de distintos organismos públicos como el Gobierno, el Fiscal General del Estado o el Consejo General del Poder Judicial a informes proporcionados por entidades privadas como la anteriormente citada Comisión de Malos Tratos, la Asociación Española de Mujeres Separadas y Divorciadas y cartas particulares de personas exponiendo sus casos. El método de trabajo de la Ponencia supuso la actualización del material escrito, con nuevos informes, la recogida de testimonio oral de representantes de diversos organismos públicos (Consejo General del Poder Judicial, Instituto de la Mujer, Guardia Civil, Policía Nacional, etc.) y asociaciones privadas (p.ej., Asociación Nacional para la Investigación de los Malos Tratos a la Mujer), la realización de visitas a diversas casas de acogida de distinta dependencia institucional y el examen de documentación comparada y procedente de organismos internacionales (Naciones Unidas y Consejo de Europa)[7].

Conviene resaltar que tanto en Estados Unidos, como en el Reino Unido, también las instituciones parlamentarias, presionadas por el movimiento de la mujer maltratada, afrontaron este problema por medio de la creación de comisiones y audiencias similares. Sin embargo, existieron diferencias notables entre sus experiencias y las nuestras. En el Reino Unido la comisión sobre malos tratos se reunió, más de diez años antes que en nuestro país, en 1974. El método de trabajo de esta comisión fue parecido al de la comisión española. En los Estados Unidos el primer encuentro en la Casa Blanca se remonta a 1977. Seis meses después la *US Commission on Civil Rights* celebraba audiencias para considerar si las mujeres maltratadas recibían protección equitativa en la legislación entonces vigente. El método de trabajo fue parecido, aunque la recogida de testimonios orales seguía un esquema menos inquisitorial que el adoptado en el Reino Unido (Dobash y Dobash, 1992).

El producto de estas comisiones se materializó en informes con recomendaciones sobre el problema. El informe británico aunque no asumía un discurso feminista sobre las causas de este problema, sino que expresaba mayor simpatía por explicaciones de tipo individualista y

---

[7]   Para más detalles ver el propio Informe.

psicológicas, no obstante asumía el recetario feminista para dar solución al mismo y proponía la creación de refugios, así como la facilitación de salidas laborales a estas mujeres y la adopción de medidas legislativas para garantizar vivienda a estas mujeres. No obstante, no se ofrecían propuestas concretas en determinadas materias, se reconocía la necesidad de moderar los costes económicos y no se prestaba gran atención a la respuesta policial. En Estados Unidos, el tono de las audiencias fue más favorable al discurso feminista, al menos a cierto tipo de discurso feminista (liberal), sin embargo, las propuestas gubernativas posteriores diferían de este discurso (Para más detalles ver Dobash y Dobash, 1992).

Nuestro informe, el publicado en el Boletín de las Cortes por la Comisión de Derechos Humanos en 1989, al igual que el informe americano expresaba una mayor simpatía por el discurso feminista y no necesariamente por un discurso feminista conservador. El Informe supuso un reconocimiento público de la seriedad y magnitud de este problema social. Lo que es más importante, explica el maltrato como el producto de razones históricas y culturales que lo permiten y legitiman. Se reconoce que el ordenamiento jurídico actual sigue manteniendo»como eco de esas influencias históricas y culturales, actitudes de tolerancia hacia la violencia dentro de la familia» (p.12183). Pero es en el siguiente párrafo donde de una manera más clara se expresan las causas verdaderas de la violencia doméstica:

«Los malos tratos que sufren las mujeres dentro del hogar tienen su causa no tanto en factores que pueden ser desencadenantes de la agresión concreta (el alcohol, el paro, la pobreza...) como, de acuerdo con las opiniones más extendidas, en la situación estructural de desigualdad real en la que aún se encuentra la mujer dentro de la sociedad. La dependencia económica, el reparto de papeles y funciones dentro de la familia, en la que la mujer sigue teniendo la consideración de subordinada, el mantenimiento de los estereotipos sexuales, son causas profundas que posibilitan los malos tratos sobre las mujeres, razón por la que aquellas no pueden estimarse solo como alteraciones accidentales en las relaciones entre individuos»

Se reconoce, a su vez, que el carácter privado e íntimo del contexto en que esta violencia tiene lugar constituye un impedimento significativo al desarrollo de soluciones efectivas tanto por la existencia de prejuicios que invitan a la inhibición como por la dificultad de la obtención de pruebas en este contexto. Sería erróneo, sin embargo, pensar que el Informe no da cabida a otras interpretaciones del fenómeno de los malos tratos. Así, por ejemplo, en la misma página admite que:

«hay factores que coadyuvan a la existencia y persistencia de los malos tratos y que podemos considerarlos como factores desencadenantes. El alcohol, el paro, la drogadicción, la pobreza o las aglomeraciones urbanas pueden presentarse como causas próximas de malos tratos, especialmente en las capas de población menos favorecidas...»

O, por ejemplo, en la página siguiente se indica que esta violencia »según la doctrina más reciente en este asunto, se transmite de un miembro de la familia a otro y de generación en generación». Sin embargo, aunque se dan cabida a otros factores de riesgo, queda claro desde el principio cuales son las «causas profundas» de este fenómeno: la discriminación contra las mujeres.

El Informe también asume otras reivindicaciones del discurso feminista como, por ejemplo, la relevancia de los malos tratos psicológicos. Pero sobre todo el Informe destaca que a pesar del interés creciente de diferentes organismos públicos, «aún queda un gran campo que cubrir en este fenómeno, que requiere medidas diversas y que competen a diferentes Administraciones». El Informe hacía recomendaciones en cuatro áreas especificas: conocimiento e investigación, prevención, medidas policiales y judiciales y servicios sociales.

En el primer capítulo, el Informe insistía en la necesidad de mejorar las estadísticas policiales sobre la materia y en la idea que los organismos adecuados concedieran fondos para financiar estudios científicos sobre los malos tratos. Por lo que se refería a prevención, recomendaba acciones de información, formación (incluyendo educación de jóvenes) y difusión, encaminadas a provocar un cambio de mentalidad en cuanto a la consideración del problema como algo privado o sin importancia, así como medidas que cambiaran el estatus de desigualdad de la mujer. En materia policial, recomendaba la extensión del servicio de atención a la mujer (SAM) y la creación de unidades similares en la Guardia Civil. En materia judicial, hacía un llamamiento a la diligencia y celeridad en la prestación de servicios a estas mujeres tanto en el ámbito penal como civil por parte de fiscales, abogados de oficio, jueces y médicos forense, así como el mantenimiento de mejores archivos y estadísticas sobre estas situaciones. También invitaba a estos actores a que proporcionaran información a las víctimas sobre sus derechos y otros recursos sociales y subrayaba la necesidad de facilitar servicios de asesoría jurídica gratuita a las mismas. Finalmente, en materia de servicios sociales se destacaba la necesidad de consolidar una red adecuada de refugios, la facilitación de medios para garantizar la reinserción social de estas mujeres (formación laboral, prioridad para acceder a vivienda pública, procura de ayudas a la subsistencia, etc.) y la atención de las necesidades de sus hijos (concesión de becas para estudios, transporte, comedor, etc.), así como la necesidad de planificar mejor y evaluar la eficacia de los servicios prestados. Al margen de estos cuatro capítulos, se proponían determinadas medidas legislativas para eliminar algunas disposiciones normativas para evitarles problemas a las mujeres maltratadas en procesos de separación o divorcio, en particular relativas a la custodia de los hijos.

Ese mismo año, poco después de la publicación del Informe, se producía una importante reforma del Código Penal español. Dicha reforma pretendía modificar la regulación del delito de lesiones en general y una de las novedades introducidas como consecuencia de las presiones feministas y como respuesta al Plan para la Igualdad de Oportunidades de las Mujeres 1988-1990 fue un tipo específico de malos tratos en la familia (Carracedo Bullido, 1998). Este tipo (art. 425) castigaba con una pena de arresto mayor a quienes ejercieran habitualmente violencia física contra los miembros de su familia. Muy destacable resultaba la utilización de un concepto amplio de familia que incluía al cónyuge o persona a la que se estuviese unido por análoga relación de afectividad, así como a los hijos sujetos a la patria potestad, o pupilo, menor o incapaces sometidos a tutela o guarda de hecho.

Sin embargo, las particularidades de la redacción del tipo invitaban poco al optimismo sobre su utilización, de manera que la doctrina penal española pronto comenzó a emplearlo como un ejemplo paradigmático de derecho penal simbólico: derecho que no se llega a aplicar y cuya única finalidad es la de mandar el mensaje de que se está haciendo algo en relación con un determinado problema. El nuevo Código Penal, aprobado unos años más tarde, introdujo pocos cambios en la materia. El nuevo tipo penal era prácticamente una copia exacta del anterior. Subsistían, por tanto, los problemas de aplicación de este tipo a maridos separados o divorciados, así como la debatida interpretación del concepto de habitualidad.

A pesar de estos documentos y las reformas, era evidente la resistencia por parte de los funcionarios del sistema de justicia penal a adoptar una filosofía punitiva en relación con este problema (Carracedo Bullido, 1998). Así, por ejemplo, a pesar de que la doctrina ya aceptaba entonces que el marido puede ser sujeto activo de violación y no permitía que la tesis del error sirviera de puerta de escape, incluso hoy todavía existen resistencias judiciales para llegar hasta las ultimas consecuencias de esta valoración[8]. Miller y Barberet (1995) en sus entrevistas con personal del

---

[8] Por ejemplo, durante el año 97, teníamos ocasión de asistir a la polémica producida por una Juez que consideraba que la violación marital no puede ser equiparable a la violación realizada por un extraño y que de alguna manera admitía la tesis del error. Según esta jueza «los efectos del delito sobre la víctima no pueden ser más graves ni cabe un mayor reproche para el agresor, cuando se trata de un ataque contra la libertad sexual cometido por el marido, que cuando ese ataque se produce por un desconocido». La sentencia añadía que «el padecimiento psíquico de la víctima es muy superior cuando se ve atacada por un desconocido». Que dicha afirmación no es sostenida por la literatura criminológica contemporánea (Russell, 1982; Finkelhor y Yllo, 1983; Browne, 1987; Whatley, 1993; Campbell, 1997; Bergen, 1997; Maiuro et al., 1997) no sirvió para que dicha jueza adscrita a la Audiencia de Barcelona rebajara la pena de diez a dos años a este hombre que violó

sistema de justicia penal destacaban como estos operarios tendían a definir los malos tratos como un problema social y, por tanto, más allá de su jurisdicción y capacidad de actuación.

Aunque no existía evidencia empírica permitiendo defender la posición de que el sistema de justicia penal actuaba con un carácter discriminatorio en estos casos, sí que existía evidencia histórica, local, o más o menos anecdótica que permitía afirmar que el sistema de justicia penal no siempre o en todos sitios trataba seriamente estos casos. Pero quizá lo más evidente en la respuesta legal española eran las observaciones realizadas por comentaristas e instituciones extranjeras: la evidente falta de aplicación de adicionales medidas preventivas. De ahí que no deba de sorprendernos que observadores externos como el Departamento de Estado de los Estados Unidos en su informe anual sobre violaciones de derechos humanos destacara en 1997 las lagunas existentes en el ordenamiento jurídico español en este sentido[9].

III.c. La muerte de Ana Orantes

El trabajo de la comisión o el Instituto de la Mujer, así como la reforma del Código penal eran, sin embargo, asuntos conocidos por pocos y sin una amplia resonancia pública, en el sentido de que la mayoría de la opinión pública no prestaba demasiada atención a estas cuestiones. Esta situación cambió con la muerte de Ana Orantes[10]. Ana Orantes no fue, ni será la única mujer asesinada por su marido en nuestro país. En 1997

---

a su esposa basándose en dichas consideraciones. Aunque algunos consideraron inicialmente que éste era simplemente un caso anecdótico poco representativo del panorama judicial español, y la polémica levantada daba muestra del malestar público con este tipo de pronunciamientos, lo cierto es que la Fiscalía del Tribunal Supremo decidió no recurrir dicha sentencia por no encontrar motivos suficientes para ello, evidenciando las limitaciones de la respuesta legal en nuestro país a estos problemas.

9   Observaciones replicadas en los análisis de estudiosos extranjeros como Mónica Threlfall (1996).

10 En diciembre de 1997 José P.A. arrastró a su ex-mujer, Ana, hasta el patio exterior del domicilio familiar de la calle Serval, del barrio del Ventorrillo, del municipio granadino de Cullar Vega. Una vez fuera, José golpeó a su mujer hasta dejarla casi inconsciente, la ató a una silla, la roció con un liquido inflamable y le prendió fuego. Uno de los hijos del matrimonio, que llegaba entonces del colegio, alertó a los vecinos y a la Guardia Civil de la localidad. Pero era demasiado tarde. Aunque un agente intentó apagar el fuego con mantas, no consiguió salvar la vida de la mujer, que ya se encontraba calcinada. Dos horas y medias después la Guardia Civil detenía al agresor cuando éste se entregaba (EL MUNDO, 18-11-98; EL PAÍS, 18-11-98). Esta mujer era Ana Orantes y su muerte marcó un antes y un después en el movimiento de la mujer maltratada en España y en la respuesta política y social a este problema

murieron 97 a manos de sus familiares. Sin embargo, la muerte de Orantes desencadenó una serie de respuestas que no tenían precedentes en la historia de la respuesta social a los malos tratos en España. En parte, la crisis pudo estar ligada a las peculiaridades y espectacularidad del caso que simbolizaba de una manera dramática el salvajismo de algunos hombres y la ineficiente respuesta del sistema de justicia penal, la administración y la sociedad en general a este problema. Ana había sido maltratada por su marido durante los 40 años de su matrimonio. De hecho se había separado dos años antes por razón del maltrato que sufría repetidamente a las manos de su marido. Sin embargo, la separación no fue la solución a sus problemas. A pesar de los antecedentes de maltrato, la sentencia judicial que concedía la separación condenó a Ana a compartir el chalet en el que vivía con su marido. Ella vivía en el piso de arriba y él en el de abajo. En ese contexto, como era de esperar, los malos tratos continuaron ante la pasividad de todos.

Pero la crisis también estuvo producida por el interés especial en este caso de los medios de comunicación españoles. Sólo unas semanas antes Ana había denunciado públicamente en la televisión andaluza que su marido le daba continuas palizas, que la forzaba borracho a mantener relaciones sexuales, y que temía por su vida. En muchos sentidos la suya era la crónica de una muerte anunciada. El hecho de que la narración de su maltrato se produjera en uno de los coloquialmente denominados programas de «tele-basura» y que el agresor usara la aparición en este programa como la justificación del acto homicida final, provocó un cierto debate sobre el papel de los medios de tono autocrítico y la prolongación de la historia de Ana como noticia. Por otro lado, se había ido produciendo una especie de acumulación de tensión en relación con este tema durante todo el año a medida que se habían aireado por la prensa el contenido de declaraciones internacionales sobre el tema y otros casos de malos tratos especialmente dramáticos o significativos, como el asesinato de la funcionaria de prisiones Mercedes Collado (EL PAÍS, 12, 13 y 19-5-97) en Cuenca o la granadina María Campoy asesinada por su marido, miembro de la guardia civil (EL PAÍS, 7-6-97). Se daba así lo que en el lenguaje de los *media* se denomina «casi tendencias» (Best, 1999). En última instancia la espectacularidad del caso y estos elementos elevaban el tono melodramático de la historia, y el melodrama vende periódicos y aumenta índices de audiencia (Postman, 1986; Best, 1999).

En las semanas que siguieron a la muerte de Ana Orantes, y en un periodo de tiempo muy corto, se produjeron varias muertes adicionales de mujeres a manos de sus maridos, ex-maridos, o novios. Estas muertes y otros casos menores de violencia contra la mujer fueron aireados por una prensa y televisión que durante estos días se encontraba especialmente sensible a estos temas y a su relevancia como noticia. De hecho, aunque este tipo de noticias normalmente había ocupado su espacio en las páginas de sucesos o, en el mejor de los casos, de sociedad, ahora pasaban a las paginas nacionales e incluso a primera página y eran objeto de secciones especiales y documentales detallados.

El revuelo que se armó fue considerable. El día después que se producía la muerte de Ana Orantes diferentes agrupaciones de mujeres exigían medidas para solucionar el problema de los malos tratos y criticaban a los jueces por machistas y blandos. También el día después en el Congreso, diputadas de todos los grupos parlamentarios mostraron su disposición a exigir reformas legales para combatir la violencia contra las mujeres. Las parlamentarias españolas se concentraron espontáneamente ante los medios de comunicación y expresaron su repulsa y condena por el hecho de que fueran ya tantas las mujeres muertas en el 97 como consecuencia de la violencia doméstica. Las diputadas, de todas las tendencias políticas, pedían soluciones políticas para acabar con lo que alguna de ellas denominaban como terrorismo privado. Al funeral de Ana Orantes acudieron más de 100 mujeres, a las que durante la siguientes semanas se sumaron miles de ciudadanos que se manifestaron en toda España. Además, numerosos políticos, esta vez hombres, se sumaban a las diputadas españolas mostrando su pesar y su rechazo a los malos tratos.

A medida que fue pasando el tiempo diversos políticos fueron ofreciendo propuestas más concretas sobre como atajar este problema y demandando una respuesta más contundente, sobre todo por parte de la justicia penal[11]. No todos, sin embargo, compartían esta opinión. En esta fase inicial jueces y fiscales, a través de sus asociaciones, hacían declaraciones

---

[11]   Dos días después de la muerte de Orantes, María Jesús Sainz del PP, presentaba una proposición no de ley para que se elaborase un informe que estudiara la legislación actual para impulsar las modificaciones legislativas necesarias. Dicha comisión debería contar con aportaciones de jueces, fiscales, organizaciones no gubernamentales, asistentes sociales y psicólogos que sugirieran las medidas necesarias. El PSOE, por su parte, también presentaba otra proposición no de ley, pero de carácter más expeditiva e inmediata. El PSOE sugería que el gobierno llamara la atención al Fiscal General del Estado para que ordenase a los fiscales perseguir con diligencia las denuncias de mujeres maltratadas y solicitaran medidas de seguridad en la tramitación de los procesos. En opinión del PSOE más que reformar el Código Penal, lo que hacía falta era agilizar la aplicación de la justicia y garantizar la adopción de medidas de seguridad. El portavoz del gobierno, por su parte, anunció que el gobierno estaba estudiando la reforma del Código Penal en esta materia. La ministra de justicia, Margarita Mariscal, y el ministro de asuntos sociales, Javier Arenas, insistieron en estos primeros días en la necesidad de reformar el Código Penal. Una reforma que era considerada innecesaria por parte de sus oponentes del PSOE «en la medida en que estas situaciones ya estaban reguladas en el mismo».

mostrando su resistencia a la introducción de reformas para combatir los malos tratos por considerar que el sistema de justicia penal no puede hacer nada por las víctimas del maltrato, ya que consideraban que éste es un problema cultural que requiere otro tipo de soluciones[12].

En Marzo, el defensor del pueblo, Fernando Álvarez Miranda, proporcionaba un primer avance de las reformas que su oficina consideraba necesarias para mejorar la situación de las mujeres maltratadas desde una perspectiva legal (EL PAÍS, 4-3-98). Poco después se comenzaban a filtrar los detalles sobre el plan gubernamental para atajar los malos tratos. Entre las medidas destacadas por la prensa se encontraba las órdenes de alejamiento, el castigo penal del maltrato psicológico como una forma específica de tipo delictivo, la creación de una base de datos informáticos a disposición de los tribunales, la creación de nuevas casas de acogida, así como la creación de oficinas de atención a estas mujeres en los palacios de justicia.

Las órdenes de alejamiento constituían la cara de la moneda. Quizás su »novedad», obviedad o el hecho de que hubiera constituido una reivindicación conocida de los colectivos de mujeres le otorgó este carácter. Con menos agrado recibió la prensa otras medidas. Una de ellas, la creación de servicios de mediación, no llego a plasmarse en el plan final. Quizás no era el lugar ni el momento más apropiado para plantear semejante tipo de medida, sobre todo si tenemos en cuenta que la imagen de la mujer maltratada entonces dominante era el de los casos más

---

[12] Muchas de estas declaraciones mostraban una escasa sensibilidad y sentido de la oportunidad. Por ejemplo, José Luis Requero, el portavoz de la Asociación Profesional de la Magistratura, justo el día después de la muerte de Ana Orantes y conociendo las circunstancias del caso, se mostraba convencido de que el ordenamiento jurídico de España era suficiente para amparar a las mujeres que son víctimas de malos tratos (EL PAÍS, 19-11-98). Estas declaraciones en buena medida fueron respaldadas por la mayor parte de las asociaciones fiscales y de jueces a través de sus comentarios sobre la ineficacia de la respuesta del sistema de justicia penal en estos casos. En opinión de estos fiscales y jueces, los políticos, organizaciones feministas y mujeres maltratadas deberían entender que la policía y el sistema de justicia penal, en su propia concepción de los mismos, no tiene ninguna eficacia contra los malos tratos. Como algunos señalaban, éste es un «problema cultural» que no se resuelve con un enfoque policial o penal, sino con la adopción de otro tipo de soluciones. Aunque en el fondo lo que estos fiscales y jueces venían a señalar no era muy diferente de lo manifestado por el representante socialista, en otras palabras, que no era preciso ampliar el Código Penal, el tono era mucho menos sensible o político y también existían ciertas sutiles diferencias. No es lo mismo decir que no es preciso reformar el Código Penal que ya cubre estos temas, que sugerir que el Código Penal no es la vía en ningún caso para atajar este problema y que los representantes del sistema de justicia penal, policía y fiscales, tampoco pueden hacer nada para mejorar la situación de las mujeres maltratadas.

extremos de violencia entre íntimos. Mejor suerte corrió el tratamiento psicológico de los maltratadores. Aunque era inicialmente criticado en la prensa, que recogía opiniones contrarias al mismo, y no del agrado de algunas asociaciones de mujeres, el tratamiento fue recogido en el plan aprobado finalmente (EL MUNDO, 9-4-98).

A finales de abril el plan era presentado oficialmente y era aprobado por el Consejo de Ministros con un presupuesto aproximado de 9.000 millones de pesetas. Pocas voces se oyeron criticando el contenido del plan, quizás la única excepción la constituía la incorporación del tratamiento dentro del conjunto de medidas. De hecho, una encuesta publicada por el diario EL MUNDO (2-5-98) apuntaba que el plan contra los malos tratos constituía la mejor acción del gobierno de Aznar en opinión de los ciudadanos españoles. El 65.1% de los entrevistados consideraba positivo dicho plan. Más críticas, y con buenas razones, fueron las organizaciones de mujeres con el proceso de elaboración del plan, en particular con el escaso protagonismo desempeñado por las mismas en la negociación para la redacción del mismo. Acusación que fue rechazada por la entonces directora del Instituto de la Mujer. Quizás alentado por la popularidad y rentabilidad política de esta medida, y en todo caso de una manera elogiable, el gobierno español planteó a la Unión Europea la necesidad de un plan comunitario contra los malos tratos (ABC, 1-5-98).

Al terminar el verano llegaron más novedades. La Ministra de Justicia insistía en la idea de reforma del Código Penal, el Fiscal General del Estado ante la nueva crisis filtraba a los medios el borrador de una resolución por la que se planteaba crear un plan de choque y el Defensor del Pueblo español completaba un Informe sobre la Mujer Maltratada (1998) más completo y crítico de la respuesta legal y administrativa al problema de la mujer maltratada.

El anteproyecto de ley orgánica elaborado por el Ministerio de Justicia proponía reformas del Código Penal y la Ley de Enjuiciamiento Criminal. En particular, se introducían algunas de las medidas contempladas en el Plan del Gobierno tal y como la regulación de la prohibición de acercamiento a la víctima como una nueva pena, la tipificación de la violencia psicológica, la adecuación de las penas para no perjudicar económicamente a las víctimas, permitir la adopción de órdenes de alejamiento de manera cautelar y posibilitar la acción de oficio en los delitos de malos tratos. A finales de octubre de 1998, el Consejo General del Poder Judicial hacía público el informe sobre este proyecto destacando su oportunidad y acierto, así como algunas recomendaciones de tipo técnico, entre otras la incorporación de una definición legal de la habitualidad como comportamiento social en lugar de como criterio técnico-jurídico, y de tipo más sustantivo, pero también la posibilidad de que el propio código permitiera a los jueces suspender la pena si los autores de malos tratos se sometían a terapias adecuadas para reformar su comportamiento. Con la aprobación del Consejo se iniciaba la accidentada tramitación parlamentaria de este proyecto. A mediados de abril de 1999, el Congreso, en un desafortunado incidente, rechazaba estas medidas. La ausencia parlamentaria de diputados del PP y el voto en contra del PSOE, para expresar su rechazo a una serie de medidas en materia de pornografía y delitos sexuales incluidas por el PP durante el paso del proyecto por el Senado, provocó este dislate. La reacción de las asociaciones feministas no se hizo esperar y en menos de dos semanas se iniciaba de nuevo la tramitación con una aprobación del proyecto por el Pleno del Congreso y un pacto de no presentación de enmiendas para facilitar el proceso. El proceso culminaba con la aprobación definitiva de estas reformas el 26 de mayo de 1999.

Tanto las reformas como el proceso de elaboración de las mismas fue objeto de valoraciones diversas. Los portavoces del PP, demostrando un escaso conocimiento de causa, aseguraban que la nueva legislación era»la más moderna, progresista e innovadora de todos los países del entorno» (EL MUNDO, 26-5-99). Aunque los representantes socialistas valoraban positivamente la reforma, a última hora en el senado decidieron apoyar unas enmiendas presentadas por el grupo mixto que finalmente no fueron aprobadas y que pretendían dar una mayor peso penal a las amenazas, así como facilitar incluso más la aplicación de las ordenes de alejamiento. Por su parte, las asociaciones de mujeres, con buenas razones, criticaban el esperpéntico proceso legislativo, así como las cláusulas restrictivas asociadas a la figura legal de la orden de alejamiento. Ciertamente, las medidas legislativas aprobadas no solamente son modestas, sino, como tendremos ocasión de ver más detenidamente distan de ser las más modernas, progresistas e innovadoras en relación con la problemática de los malos tratos.

III.d. *Valoración general del I Plan de Acción contra la Violencia Doméstica*

Aunque determinadas medidas son comentadas en diversos apartados de este texto de una manera integrada con el análisis de la investigación comparada sobre instituciones semejantes en otros países, y a pesar de que es difícil valorar medidas que no han sido propiamente evaluadas en nuestro país, conviene realizar aquí algunas consideraciones generales sobre los planes.

En primer lugar, tenemos que destacar su carácter fundamentalmente político. Por más que el gobierno tuviera la buena intención de resolver el problema de los malos tratos, otro objetivo del plan era obviamente el de dar una buena imagen del gobierno. Como las organizaciones de mujeres han señalado, lo esencial es la implementación de este plan. Lo que suena bien en el papel, a la hora de la verdad puede quedarse en nada si no se adoptan los mecanismos necesarios para su implementación. Da la sensación, sobre todo tras estudiar minuciosamente los presupuestos, de que muchas de estas medidas no van gozar de una implementación que las haga efectivas, tal es el caso, por ejemplo, del tratamiento de los maltratadores[13].

El plan, como no podía ser de otra manera, es ambiguo dado su carácter general. Dicha ambigüedad es positiva, en cuanto que permitirá una mayor flexibilidad a la hora de implementar las diferentes medidas contempladas. Sin embargo, dicha ambigüedad no justifica la ausencia de referencia a las necesidades de poblaciones específicas como las víctimas de malos tratos que pertenecen a minorías étnicas como los gitanos, las víctimas de malos tratos con problemas de drogadicción o alcoholismo, las inmigrantes legales e ilegales víctimas de malos tratos, las mujeres no casadas pero conviviendo de hecho con sus maltratadores, o las lesbianas y homosexuales víctimas de malos tratos por citar a algunas de las ausencias más notables. En la medida en que las necesidades especiales de estas mujeres y hombres no son reconocidas, ni siquiera mencionadas en el plan, hay que realizar un juicio un tanto pesimista sobre la cobertura de las mismas.

---

[13] Así, por ejemplo, el plan de la Junta de Andalucía reconoce la necesidad del tratamiento psicológico y a continuación reconoce una partida anual de 5 millones para el mismo. Semejante cantidad resulta irrisoria si se toma en cuenta el número de denuncias de malos tratos que se presentan en nuestra CCAA. La falta de juicios serios sobre las necesidades económicas y los costes no es exclusiva de la Junta de Andalucía. La memoria económica del anteproyecto de Ley Orgánica en la que se amplía el delito de malos tratos y se aprueban las órdenes de alejamiento resulta más ridícula aun, al mantener que la aprobación de esta ley «no conlleva gasto alguno». En otras palabras, una ley que crea nuevos supuestos penales y en ese sentido obliga a detener, procesar y condenar a sujetos que en la actualidad no lo son; una ley que crea un nuevo tipo de medida de protección como son las órdenes de alejamiento cuya violación dará lugar a llamadas de urgencia a la policía, obligando al envío de coches patrulla e intervención policial pertinente, así como a la adopción de procedimientos para tratar con estos violadores, en realidad no cuesta nada. Evidentemente, la falta de previsión es clara, pues a no ser que estas medidas legislativas no piensen aplicarse, lo más normal es que su aplicación genere algún coste, aunque sea simplemente en la forma de mas papeleo judicial. Que existe falta de previsión es una hipótesis, otra alternativa es que se es consciente de la insuficiencia de los medios destinados, pero al menos se quiere dar la sensación inmediata de que se está haciendo algo. La nueva Ley del Menor demuestra como éste es un problema general en nuestro país que es indicativo de la falta de una clara y explícita política criminal.

Ya hay quienes han reconocido los potenciales problemas de coordinación en esta materia a varios niveles[14]. Resultan, por tanto, laudables los esfuerzos que se están adoptando para tratar de reducir potenciales problemas derivados de la falta de colaboración y coordinación de manera sistemática entre las diferentes agencias y profesionales con responsabilidades públicas sobre el problema de los malos tratos. No obstante, y siguiendo las tendencias comparadas, se debería fomentar un grado mayor de colaboración y coordinación.

En esta misma línea habría que insistir en que no hay que perder una perspectiva general del problema y saber integrar las diferentes medidas y reivindicaciones dentro de políticas sociales y político criminales más amplias. Como argumentaré más adelante, los malos tratos, en cierto grado, no son sino otra cara de la violencia en general y su debida prevención debe coordinarse y planificarse de manera conjunta con la prevención del comportamiento violento en general. En el caso de los malos tratos existen ciertas connotaciones que invitan a reflexionar sobre temas de género y política familiar, sin embargo, sería erróneo pensar que estas connotaciones no se presentan en otras formas de comportamiento violento.

Otro capítulo que merece ser criticado es el referido a evaluación. Aunque durante la gestación del plan los funcionarios de Ministerios Sociales anunciaron que dicho plan contemplaría esta dimensión del problema, lo cierto es que las disposiciones existentes en el mismo sobre este capítulo son insuficientes. El plan de una manera un tanto ambigua se refiere a la realización de una macroencuesta, a ser realizada por el CIS, sobre este problema, así como a la realización de algunas entrevistas en profundidad con personal encargado de la aplicación de estas medidas. La evaluación de las medidas que se proponen requieren, sin embargo, mucho más que eso.

---

[14] Solo como ejemplo habría que citar una situación cercana al autor. Durante los últimos cuatro años, la Sección de Sevilla del Instituto Andaluz de Criminología ha buscado fondos para realizar una encuesta nacional sobre los malos tratos. Tras escuchar numerosas negativas y una constante lucha con diferentes instancias administrativas, conseguimos acumular suficiente dinero procedente del Instituto de la Mujer, del Instituto Andaluz de la Mujer y del Ministerio de Educación para realizar dicha encuesta. El cuestionario y método fue planificado durante cuatro años de intenso trabajo de consultas bibliográficas e intercambios personales con autoridades internacionales en la materia. A pesar de que fue el propio Instituto de la Mujer el que reconocía una buena parte de la financiación y, en todo caso, el resto de la financiación era de procedencia gubernamental, es decir, conocedores de nuestros esfuerzos y planes, el plan contemplaba la realización de una encuesta similar por parte del CIS. Semejante duplicidad de esfuerzos en una situación de recursos limitados resulta absolutamente criticable.

En el capítulo sobre justicia y malos tratos veremos la cantidad de cuasi-experimentos y experimentos que se han realizado en el ámbito anglosajón para evaluar medidas como la creación de órganos jurisdiccionales especializados, las órdenes de protección o el tratamiento psicológico de los maltratadores. Igualmente en el capítulo sobre policía tendremos ocasión de observar la complejidad metodológica requerida por los estudios orientados a evaluar diversas iniciativas policiales con la finalidad de prevenir los malos tratos. Veremos así como esta macroencuesta y las paralelas entrevistas distan de ser la forma de evaluar estas medidas.

El plan no puede ser evaluado de manera global. O, dicho de otra manera, dicha evaluación global en términos de actitudes públicas hacia el mismo tan solo constituye una mínima porción de lo que verdaderamente significaría la evaluación de las medidas propuestas. Lo mismo puede decirse de la realización de entrevistas en profundidad con los funcionarios públicos con responsabilidad sobre el tema. Dicho tipo de estudios no solo nos ofrece las impresiones interesadas de los mismos, sino que nos enseña poco sobre la manera en que las medidas propuestas por el plan están afectando la vida de las mujeres maltratadas. Examinar las estadísticas policiales nacionales para dictaminar el éxito o fracaso de estas políticas como veremos más adelante tampoco es adecuado, ya que ignora la variedad de factores institucionales y personales que configuran estas estadísticas en los casos de violencia no letal y, por otro lado, ignora que con el bajo volumen de violencia doméstica letal es muy difícil, por no decir imposible, realizar juicios sobre lo que significan cambios en estas tasas inestables.

La evaluación del Plan, o mejor dicho, de las medidas aprobadas por el plan requiere el establecimiento de un programa de investigación con un respaldo económico considerable. Dicho programa debería promover la evaluación individualizada de las diferentes intervenciones sugeridas por el plan, además de las adoptadas por otras instituciones de motu propio, así como la valoración del nivel de implementación de las mismas (Para adicionales detalles sobre lo que supone desarrollar la evaluación de políticas, ver Campbell y Russo, 1999).

De manera poco afortunada, hasta ahora el debate público sobre el impacto del programa se ha limitado a valorar la cantidad de dinero que se ha invertido y los programas que se han realizado con dicha inversión. Estos son indudablemente aspectos relevantes. Así, por ejemplo, se ha destacado que el número de casas de acogida ha aumentado en un 53% y que desde la aprobación del plan se han realizado más de 560 cursos de formación a los que han asistido más de 21.000 profesionales de la docencia, de las Fuerzas y Cuerpos de Seguridad del Estado, de los órganos judiciales y de los servicios sociales y sanitarios (ABC, 24-10-

2000). Estas cifras son, no cabe duda, indicativas del esfuerzo realizado en los últimos años y dejan traslucir que los malos tratos han sido una prioridad del gobierno. Pero tales datos no pueden interpretarse tal cual como una evaluación de estas políticas, para ello habría que poder determinar en qué medida el dinero invertido ha tenido un impacto en los niveles de malos tratos. Como las organizaciones de mujeres han señalado, muchas de estas medidas son fundamentalmente simbólicas (EL PAÍS, 22-10-2000). Así, por ejemplo, los cursos educativos son de muy corta duración, no existen directrices generales sobre los contenidos temáticos de los mismo, ni tampoco está clara cual es la formación profesional de quienes los imparte. Ello no quiere decir que en todo caso sean una chapuza, sino simplemente que para poder valorarlos adecuadamente es preciso realizar estudios al respecto.

III.e. ¿Dónde estamos ahora?

Han transcurrido más de cuatro años desde que se «descubrieron» los malos tratos en nuestro país. Sería absurdo afirmar que se no se ha progresado nada en este tiempo, pero lo cierto es que ninguna de las medidas introducidas han sido evaluadas con propiedad, por lo que es difícil sacar conclusiones bien informadas al respecto[15]. Es claro, en todo caso, que existe una mayor predisposición por parte de los organismos públicos hacia la problemática de los malos tratos. Otros problemas sociales como el terrorismo y la inmigración han desplazado la causa de las mujeres maltratadas a un segundo plano en las portadas de los periódicos, pero será difícil volver al estado de negligencia y abandono característico antes de 1997.

El desarrollo de estudios sobre los malos tratos es más fácil ahora que hace una década, dado que existe también una mayor predisposición a financiar este tipo de estudios. Los problemas de institucionalización de la criminología en nuestro país, sin embargo coartan el pleno desarrollo de un sólido cuerpo de conocimientos científicos sobre este problema, sobre todo si a los mismos unimos los numerosos problemas de las universidades españolas y la ausencia de *thinking tanks* en nuestro país. Las reticencias de las autoridades educativas españolas a crear un área de conocimiento en criminología que acompañe al más probable recono-

---

[15] El testimonio de Juan Carlos Aparicio, por ejemplo, sobre la evolución del plan en junio del 2000 era positiva, sin embargo, su evaluación del plan se limitaba a detallar en que medida se había invertido dinero en las diferentes partidas del mismo, sin que realmente se dieran datos fiables sobre la medida en que el dinero invertido se empleó de una manera efectiva en la prevención de los malos tratos y la mejora de la atención a las víctimas de este problema (ABC, 10-6-2000).

cimiento de una licenciatura en criminología tendrá consecuencias negativas de largo plazo en el desarrollo de la joven criminología española y, por consiguiente, en el desarrollo de estudios sobre problemas criminales como los malos tratos a la mujer y las respuestas institucionales y sociales a los mismos.

El desarrollo de nuevas políticas y prácticas en relación con los malos tratos no se ha detenido. Por ejemplo, el Consejo General del Poder Judicial aprobó a finales de marzo del 2001 una serie de recomendaciones para mejorar la respuesta del sistema de justicia penal a este fenómeno. Al mismo tiempo cuando este volumen sea publicado contaremos con el II Plan de Acción contra la Violencia Doméstica, a ser aprobado durante la primavera del 2001.

En nuestro país ciertamente tenemos una historia corta en el tratamiento de estos temas y esto se refleja en numerosas dimensiones. Por ejemplo, aún se aprecia una falta de conocimiento de la literatura comparada en estas cuestiones y se incurren en errores de tipo conceptual que pueden favorecer los estereotipos sobre los malos tratos. El citado informe del Consejo General del Poder Judicial, por ejemplo, sin matiz alguno y sin distinguir entre la noción de factor de riesgo y causa, nos indica como «las personas maltratadas en edades tempranas acaban convirtiéndose, con el paso del tiempo, en maltratadores». Ya veremos más adelante que éste evidentemente es un factor de riesgo de los malos tratos, pero eso no significa que todas los menores que sufren malos tratos se conviertan en maltratadores como el tenor literal de esta frase indica. Ésta, y otras declaraciones oficiales, aunque pueden considerarse de escasa importancia, lo cierto es que contribuyen a crear una imagen pública de los malos tratos que no se corresponden con la realidad de los mismos y que sólo puede ser superada a través de una mejor comunicación con los expertos en el tema.

La falta de conocimiento de la experiencia comparada también se traduce en la constante reinvención del paraguas. Muchos de los debates sobre, por ejemplo, el tratamiento de maltratadores, la coordinación de juzgados de lo penal y lo civil, o las órdenes de alejamiento, han sido desarrollados con gran detalle en otros países y han generado un cuerpo de conocimientos que podría habernos ahorrado algunas de las limitaciones evidentes en las primeras medidas adoptadas. Ya veremos que tal es, por ejemplo, el caso de la regulación de las órdenes de alejamiento en nuestro país.

A pesar de la novedad del tema y del desconocimiento generalizado de la experiencia comparada al respecto, como veremos más adelante la mayoría de los españoles considera los malos tratos como un problema de gravedad y se han discutido soluciones frescas y novedosas desde una perspectiva comparada. Algunas de las medidas sugeridas, debatidas o implementadas en mayor o menor medida constituyen ejemplos dignos de exportación. Así, por ejemplo, aunque en otros países existen juzgados especializados en violencia doméstica, en ningún país existe una red de los mismos como la sugerida por el Informe del Consejo General del Poder Judicial de marzo del 2001. Otras medidas dignas de elogio como, por ejemplo, la existencia de salarios sociales para mujeres maltratadas que los necesiten tampoco son excesivamente comunes en otras latitudes.

En este contexto de continua discusión sobre soluciones, las organizaciones de mujeres han adquirido un mayor protagonismo y se han convertido en actores a tomar en consideración a la hora de desarrollar estas nuevas políticas. De una manera loable, ellas se han encargado de mantener viva la llama. Menos relevancia, en cambio, se ha concedido por parte de los organismos públicos a la comunidad científica con experiencia en el tema. En esta área, en particular, cuando existen contactos con la comunidad científica sigue prevaleciendo el enchufismo y el clientelismo, tan característicos de nuestros ambientes académicos como perjudiciales e innecesarios. Esto no es positivo. En mi opinión el desarrollo de soluciones efectivas pasa por un mayor dialogo entre las diferentes autoridades con medios para financiar y desarrollar soluciones y con la responsabilidad para hacerlo, las asociaciones de mujeres que trabajan directamente con las mujeres maltratadas, otras organizaciones no gubernamentales con un interés en el tema (asociaciones de inmigrantes, asociaciones de romaníes, organizaciones *lobbying* por una legislación adecuada en uniones de hecho, etc.) y los científicos sociales que a través de la realización de estudios en la materia también han acumulado conocimientos sobre el tema.

También se ha podido observar una apropiación política de los malos tratos. Esto es inevitable dado que los malos tratos son una cuestión política enlazada con las desigualdades de poder existentes en la sociedad actual. Pero cuando hablo de apropiación política me refiero a los usos de estas cuestiones por nuestra clase política con una motivación consciente o subconsciente de tipo populista. Algunas organizaciones de mujeres son, por ejemplo, muy críticas del Plan del gobierno. Desde esta perspectiva se asume que el Plan ha sido un fracaso y que el gobierno, consciente de la popularidad del tema, anuncia muchas medidas que después no implementa o que no tienen el alcance anunciado a través de las pertinentes notas de prensa (EL PAIS, 22-10-2000). En los ejemplos que a continuación expongo veremos, sin embargo, que éste no es un problema que afecta tan sólo al gobierno, sino también a otras actores y formaciones políticas.

Esta apropiación política del tema de los malos tratos es coherente con el mayor papel del electorado femenino y, en ocasiones, nos proporciona buenos ejemplos de la falta de comunicación con la comunidad científica.

La polémica que surgió en verano de 2000 en torno a unas declaraciones del Alcalde de Madrid, respaldadas por el Presidente de la Xunta Gallega, sobre la mayor prevalencia de los malos tratos en las parejas de hecho es un buen ejemplo de ambos fenómenos, la apropiación política y la referida falta de comunicación con los expertos. EL PAÍS y representantes del PSOE criticaron severamente estas declaraciones como carentes de base alguna y el Ministro de Trabajo y Asuntos Sociales del PP no se atrevió a respaldar a sus correligionarios (EL PAÍS, 15-6-2000). Todo ello cuanto la investigación comparada y las encuestas nacionales sobre malos tratos conducidas en España demuestran que efectivamente las parejas de hecho exhiben un mayor riesgo de sufrir malos tratos, algo que algunos atribuyen a la inexistencia de una institucionalización y reconocimiento legal suficiente de las mismas (ver capítulo en factores de riesgo familiares). Es evidente, a mi juicio, que existían censurables connotaciones morales en las declaraciones del Alcalde de Madrid, pero enfatizar dichas connotaciones y negar la realidad del problema de malos tratos es hacer un uso populista del tema para derribar al oponente e ignorar los datos generados por la comunidad científica en la materia. El hecho que la autoridad con responsabilidad en el tema, el Ministro de Asuntos Sociales, no respaldara estas declaraciones es particularmente preocupante en cuanto que obliga a cuestionar los planes del Gobierno para prevenir los malos tratos en las parejas de hecho.

Y ésta no es la única tendencia preocupante. Aunque ignorar las buenas intenciones de los actores políticos sería pecar de excesivo cinismo se comienzan a observar en relación con los malos tratos discursos políticos que recuerdan los debates sobre *law and order* que tanto daño han hecho en el ámbito anglosajón (Downes y Morgan, 1997; Morgan y Newburn, 1997). Las cuestiones sobre seguridad ciudadana y justicia penal, al margen del problema del terrorismo y de episodios muy concretos (por ejemplo, el debate sobre la Ley de Seguridad Ciudadana), se puede decir que no han constituido elementos centrales en los discursos electorales y la propaganda política en España. Nunca en todo caso con el carácter casi monopolizador que estos debates toman en los países anglosajones, donde si un candidato no es *tough enough on crime* (lo suficientemente punitivo) no tiene ninguna posibilidad de ganar. Es de agradecer a nuestra clase política que haya sido capaz de evitar semejante degradación del discurso público, sin embargo, en el debate sobre los malos tratos, y con el respaldo de algunas organizaciones de mujeres, empiezan a notarse tendencias preocupantes al respecto.

Es significativo que algunas de estas tendencias hayan tomado forma en lugares insospechados. Las propuestas de Bono sobre las medidas de dudosa efectividad sobre la publicación y difusión de la identidad de los maltratadores son, en este sentido, un buen ejemplo. La perversión del concepto de *reintegrative shaming* (reintegración a través de la vergüenza social) implícito en las propuestas tendentes a dar publicidad a los nombres de los maltratadores es algo que posiblemente avergonzaría al pobre Braithwaite. Braithwaite, el criminólogo australiano que desarrolló este concepto tomando como inspiración formas de justicia indígena en Nueva Zelanda, siempre advirtió del peligro de estigmatización de respuestas excesivamente punitivas, evidente en las propuestas de Bono, y ponía el énfasis en el primer elemento del binomio conceptual, la reintegración (Braithwaite, 1989)[16].

Tanto la posición de Bono como la de Rodríguez Zapatero parecen indicar que el PSOE ha optado por tomar la Tercera Vía, preconizada por Giddens, en materia político criminal[17] Algunas de las políticas del PP (p.ej., cumplimiento íntegro de las penas) también se pueden enmarcar entre estas tendencias punitivas. Conviene destacar, sin embargo, una importante diferencia con otros países de nuestro entorno y, en particular, con el Reino Unido. Aunque en el contexto anglosajón debates sobre *law and order* y los usos populistas de estas cuestiones son comunes y han degradado el nivel de discusión pública sobre seguridad ciudadana, es cierto que al menos se han traducido en políticas criminales explícitas. Sería recomendable que las formaciones políticas españolas como, por ejemplo, *New Labour* en el Reino Unido, desarrollen una política criminal sistemática, explícita, orientada a la obtención de resultados y, a ser posible, menos punitiva y más inspirada en principios de justicia social que la adoptada por nuestros vecinos[18]. El problema de la ausencia de este tipo de políticas en España es que cada nuevo problema político criminal que surge, como los malos tratos, recibe respuestas relativamente aisladas, que no se enmarcan en un paradigma coherente y explícito.

En este sentido es cuanto menos curiosa, y quizás digna de elogio, la actitud del Consejo General del Poder Judicial en cuanto que parece tener

---

[16]   El Ayuntamiento de Granada ha puesto en marcha un plan que, a pesar de su más sólido fundamento en teoría criminológica, no deja de presentar un talante polémico y que, dependiendo del modo de su aplicación, también puede dar lugar a resultados negativos y a una violación de los derechos civiles de los inculpados. El ayuntamiento, así, notifica a las empresas donde trabajan los maltratadores de su conducta esperando que dicha notificación sirva como un elemento disuasorio de suficiente peso (EL PAÍS, 22-10-2000). Como en tantas otras ocasiones el programa de intervención no está siendo evaluado.

[17]   El 22 de Enero del 2001 Rodríguez Zapatero emplazaba a Aznar a debatir los 10 problemas que en la actualidad confronta España. De manera significativa, los malos tratos y la inseguridad ciudadana formaban parte de esta lista: «aumenta la inseguridad ciudadana» (EL PAÍS, 23-1-2001).

[18]   Una buena revisión de estas políticas en materia policial se encuentra en Reiner (2000) The Politics of the Police. Oxford: Oxford University Press.

una visión del problema que sin ignorar sus particularidades trata de integrarlo de una manera coherente con las respuestas generales dadas al problema de la justicia penal. El Consejo, además, como demostró en la elaboración del Libro Blanco sobre la Justicia, parece cometido a inspirar sus políticas en un mejor conocimiento de la realidad judicial a través de la realización de estudios sobre la misma desde una perspectiva sociológica y criminológica. El Consejo quizás por su posición, no especializada en cuestiones de malos tratos, está aprovechando, y con ello no quiero decir que sea un mal uso, el tema de los malos tratos para sugerir una serie de reformas, al margen de otras más específicas en esta materia, que de alguna manera sirven para consolidar su visión comprensiva del sistema de justicia penal. Así, por ejemplo, la sugerencia de eliminar las faltas de malos tratos, como veremos más adelante, no hace sino consolidar lo que ya había manifestado en el Libro Blanco de la Justicia sobre las faltas en general. Por otra parte, la sugerencia, también como veremos más adelante, de crear una especie de *probation officer* en estos casos se constituye en una especie de Caballo de Troya para esta figura que podría a extenderse a otros supuestos más allá de los malos tratos.

Pero volviendo a la cuestión del castigo de los maltratadores. Éste es un problema, sin duda, delicado y que requiere ser pensado desde una perspectiva más amplia que reflexione sobre el papel de las sanciones penales en general, no solamente en los casos de malos tratos. Lo que, por supuesto, no debe eximirnos de considerar que estos presenten una problemática especial y se puedan considerar en varias dimensiones excepcionales. No cabe duda que la falta de sanción legal disfrutada por maltratadores en el pasado y que todavía experimentan (Alemany Rojo, 1999) es algo que debe ser corregido. Encuestas realizadas en nuestro país sugieren que esto es lo que quieren la mayoría de los españoles. La penalización del maltrato psicológico y la modificación del criterio de habitualidad en el tipo de malos tratos sistemáticos por la reforma del 99, así como la insistencia en la aplicación de la legislación existente, un problema que estudios como el realizado por Themis demuestra (Alemany Rojo, 1999) y que es reivindicada por las organizaciones de mujeres, son pasos en la dirección correcta. Sin embargo, no debemos llevar el péndulo al otro extremo y caer en la promoción de tendencias excesivamente punitivas que no solo son poco eficaces, sino contraproducentes por estigmatizantes y embrutecedoras[19]. La cuestión reside en encontrar el

---

[19] «There are no quick fixes, and any politician who gives the impresión that there are —who suggests that we shall all sleep safer in our beds if we vote for some tough-sounding measure- is almost certainly selling the public short. Therein lies public irresponsibility and social danger; the whittling a way of civil liberties dearly fought for over many years; the granting of powers to state bureaucracies that in

punto medio ideal, algo que puede resultar sumamente difícil si nos dejamos llevar por nuestras compartidas antipatías contra los maltratadores, a los que no deberíamos convertir en chivos expiatorios de algo en lo que prácticamente todos los hombres españoles seguimos siendo más o menos responsables y beneficiarios: la continua posición de inferioridad social y familiar de la mujer.

No sería justo, sin embargo, dar una nota excesivamente negativa a nuestros responsables políticos en materia de malos tratos. A pesar de algunas estridencias en los discursos políticos sobre el problema de los malos tratos y algunas tendencias preocupantes, nuestra clase política en general ha reaccionado de una forma sensible y adecuada a este problema. El esfuerzo realizado ha sido considerable. Pero esto no nos debe conducir a la autocomplacencia. Existe aún un amplio margen para la mejora como las organizaciones de mujeres nos recuerdan continuamente. En este volumen veremos que más allá de pedir más contundencia al sistema judicial, existen otras posibilidades de reforma orientadas a mejorar la respuesta dada a las víctimas del maltrato y a hacer la prevención del maltrato más efectiva. Por otro lado, hemos de ser conscientes de las limitaciones de toda política criminal en un marco socioeconómico tendente a incrementar los niveles de polarización y exclusión social (Reiner, 2000). En este contexto, las medidas preventivas por eficaces que sean no van a ser capaces de frenar el aumento de inseguridad ciudadana y violencia en años venideros.

IV. CONCLUSIONES

La violencia contra la mujer no es un fenómeno nuevo, aunque ha sido más recientemente cuando la sociedad y la administración pública española en particular han comenzado a prestar una mayor atención a este problema. El movimiento de las mujeres maltratadas está vinculado al más amplio movimiento de las víctimas, aunque presenta una conexión más estrecha con el pensamiento y acción feminista. La muerte de Ana Orantes a finales de 1997 fue el desencadenante de un conjunto de reacciones por parte de la sociedad y las autoridades españolas al

---

the long run may serve to oppress rather than safeguard the citizen; the growth of public expenditure which serves little purpose other than the vested interest of those minorities who derive income from it; the scapegoating of minorities whose commitment to the rule of law and the democratic process is undermined; the división of communities into the have-nots who are vulnerable to crime and the haves who, either because they live in low-crime areas or because they are better equipped to protect themselves, are largely immune to its ravages...» (Morgan and Newburn, 1997).

problema de los malos tratos. Aunque bien intencionadas, en su mayor parte, estas reacciones no siempre han estado informadas por el conocimiento científico que se ha acumulado durante las dos últimas décadas,, sobre el problema de los malos tratos en el ámbito comparado. En parte ello se debe a la debilidad académica de la criminología en nuestro país, la relativa falta de interés por parte de otras ciencias sociales con una mayor presencia académica en nuestro país por este problema, la falta de relaciones fructíferas de comunicación entre la universidad y la administración y por la más que centenaria falta de interés de la administración pública y la clase política española en este tipo de información para guiar el desarrollo de políticas e iniciativas públicas.

## Capítulo II

EL CONCEPTO DE LOS MALOS TRATOS

I. INTRODUCCIÓN: EL CONCEPTO DE VIOLENCIA Y EL DEBATE ENTORNO AL CONCEPTO DE VIOLENCIA DOMÉSTICA

Durante los últimos años, como hemos visto en el primer capítulo, se ha hablado mucho sobre los malos tratos, pero no se ha reflexionado lo suficiente sobre lo que queremos decir cuando hablamos de malos tratos. En realidad no es posible ofrecer una definición de los malos tratos capaz de satisfacer a todas las personas implicadas en su estudio, discusión y tratamiento. Son muy diversos los intereses profesionales, las expectativas sociales y políticas y los planos de actuación que se conjugan en el afrontamiento de los malos tratos en el ámbito doméstico y, consecuentemente, también son muy diferentes los modos de entender este problema social (Medina, 1994).

No es extraño que la definición de los malos tratos sea tan difícil, si tenemos en cuenta que el propio concepto de violencia, como un fenómeno más genérico, también está sujeto a debate (Medina, 1994). Si bien tradicionalmente se entendía que la violencia hacía referencia al comportamiento interpersonal o agresión directa que lesiona la integridad física o la vida de una persona, hoy en día también se atiende a concepciones más amplias y, por tanto, ambiguas. Así, por ejemplo, se habla de *violencia estructural*, como la diferencia entre la realización actual y la realización virtual de la persona; de *violencia institucional*, como una forma de violencia que conserva parte del concepto clásico de la misma, pero que lo contextualiza en unas determinadas relaciones verticales de desigualdad; o de *violencia simbólica*, como el poder hacer que la validez de significados mediante signos sea tan efectiva que otra gente se identifique con ellos (Waldman, 1993; Pross, 1983).

Aun cuando pudiera parecer que esta discusión no tiene relevancia si estamos hablando de malos tratos (pegar a una mujer es una forma clara de violencia de comportamiento), lo cierto es que sí resulta de interés, al menos desde cierta perspectiva. De hecho, autoras feministas han establecido conexiones con estos conceptos más amplios de violencia para tratar de entender los malos tratos. El pensamiento feminista tradicional ha considerado que la violencia contra la mujer es un fenómeno estructural inherente a la hegemonía patriarcal. Así, se sostiene la existencia de un maltrato primario por el que la sociedad queda dividida en dos clases asimétricas de individuos, en función de la pertenencia a uno u otro sexo, resultando la masculinidad el rasgo de supremacía (Sánchez, 1992). Este maltrato primario se perpetuaría, desde esta perspectiva, a través de la imposición de un sistema regulador de las relaciones sociales que lo legitiman (instituciones como el pacto social masculino del matrimonio, la división sexual del trabajo, la enajenación del propio cuerpo, etc.). Así, podemos comprobar como se recogen y se desarrollan los conceptos de violencia estructural e institucional al estudiarse el fenómeno de las disputas familiares violentas. Como Lima Malvido (1988, p. 288) ha señalado:

> «Los golpes que reciben las esposas son casos de violencia de comportamiento, pero las pautas de organización socioeconómica y política que hacen que las mujeres sean víctimas de su marido, son ejemplos de violencia estructural»

Las autoras feministas señalan que utilizar este tipo de conceptos ofrece determinadas ventajas. En primer lugar, no pueden entenderse los malos tratos como el producto de formas de vida inmediatas (materiales o psíquicas), olvidando que son una constante histórica y que no son simplemente hechos aislados, sino el resultado de un modelo social que los posibilita e institucionaliza. A su vez, esta manera de conceptualizar los malos tratos permitiría distinguir entre violencias visibles e invisibles, llamando la atención sobre las injusticias sociales que se cometen contra la mujer aun hoy en los adelantados países occidentales. Esta violencia invisible se traduce en aspectos tales como la relegación de la mujer al ámbito de lo doméstico, tanto en sus intereses como en sus expectativas, la subordinación de la madre a los deseos de los demás miembros de la familia, la gratuidad de su trabajo pese a la elevada productividad del mismo, su negación como sujeto con deseos propios, la socialización familiar en un papel sexual de inferioridad, etcétera (Sánchez, 1992).

En este trabajo, aunque reconozco el interés de dichas reflexiones basadas en la teoría feminista, sin embargo, voy a referirme a un concepto más restringido, aunque igualmente polémico, de malos tratos como comportamiento interpersonal. La violencia como comportamiento interpersonal es el posible objeto de intervención desde el punto de vista penal y el ser más fácil de precisar facilita su estudio[20]. Ahora bien, debe tenerse muy presente que este comportamiento interpersonal se produce en un determinado contexto cultural y en el marco de un determinado modelo de relaciones socioeconómicas y de género que coloca a las mujeres en una situación de desigualdad.

---

[20] Aunque el CGPJ parece sugerir en su informe que la violencia estructural entra dentro del tipo recogido en el artículo 153 del CP, ésta es obviamente una errata. El Derecho Penal tiene a las personas, y en todo caso a las personas jurídicas, como su ámbito de regulación. Y las relaciones de desigualdad de base social (por ejemplo, él trabaja, ella no) en modo alguno pueden considerarse objeto de un tipo penal.

Durante los últimos años ha existido un interés creciente entre los investigadores en este campo por lograr una definición más ajustada de la violencia doméstica como comportamiento interpersonal, no obstante también se han producido numerosos debates al respecto. Ciertamente, la violencia doméstica se ha definido operativamente de maneras muy diferentes. Algunos investigadores argumentan que el carácter contradictorio de algunos de los descubrimientos sobre este fenómeno podría deberse a las diversas definiciones que se han utilizado.

Por otro lado, cada vez hay más autores que hablan sobre *tipos* de violencia doméstica. De acuerdo con esta perspectiva la violencia doméstica presenta diferentes grados y puede ser clasificada teniendo en cuenta varios criterios. De hecho, en este capítulo discutiré como algunos autores consideran que las diversas medidas de violencia doméstica empleadas en esta área de investigación en numerosas ocasiones están orientadas a medir diferentes síndromes de conductas violentas en el hogar. Como también veremos en el capítulo sobre factores individuales de riesgo, la literatura psicológica ha avanzado también tipologías de hombres violentos que se corresponderían con las diferentes tipologías conductuales que se han documentado o sugerido. Estos diferentes tipos de patrones de conducta de violencia en el hogar no se corresponden exactamente con las clasificaciones de violencia doméstica que a veces se observa en parte de la literatura, distinguiendo entre violencia verbal, física, patrimonial, o sexual; sino que van más allá de tan simples presentaciones. Ciertamente, como veremos en este capítulo, la diferencia entre las diversas formas de manifestarse la violencia (medios verbales, ataques físicos, o con una intencionalidad sexual) ha sido cuestionada por la investigación realizada hasta la fecha. Además, habría que señalar que el problema de la definición de la violencia entre íntimos no carece de connotaciones políticas. Ha existido un agrio debate sobre la etiqueta más adecuada para este fenómeno. Este debate es precisamente el que nos ocupará en la próxima sección.

Por otra parte, la prensa, no solo en nuestro país, ha enfatizado casos como los de Ana Orantes, casos dramáticos y de una especial seriedad. Al hacerlo, estos casos han venido a definir una imagen cultural de las mujeres maltratadas. Una imagen que esconde el carácter común de la violencia contra la mujer y que puede crear problemas para la prevención del maltrato. Como Martha Mahoney (1991) ha señalado, son las propias mujeres maltratadas las que no se identifican con este estereotipo. En la medida en que se insista en una imagen del maltrato que solo contemple las situaciones de tortura extrema y sistemática, que sin duda se dan, será difícil que las mujeres que no han sufrido todavía semejantes extremos de violencia se identifiquen como mujeres maltratadas. Es por ello por lo que resulta esencial reconocer la complejidad y diversidad de situaciones que se incluyen bajo la rúbrica de violencia en la pareja.

II. UNA CUESTIÓN DE NOMBRES

Algo tan elemental como la designación terminológica de este problema social ha sido durante mucho tiempo objeto de agria polémica entre autores feministas y específicos grupos de sociólogos y psicólogos interesados en el estudio de la familia. La escuela de Frankfurt y posteriormente variaciones de teoría psicoanalítica y social normalmente asociadas con lo que se ha venido a etiquetar como teorías posmodernas[21] han reconocido el estudio del lenguaje y el análisis de textos como una parte fundamental de toda labor de análisis social y cultural. Ésta es una cuestión que se ha hecho evidente en la discusión sobre los malos tratos. Ha existido un polémico debate sobre las diferentes denominaciones de este problema y las implicaciones que diferentes denominaciones conllevan desde una perspectiva ideológica. «El nombre comienza a crear una imagen del problema», señalan Rebecca y Russell Dobash (1990a) al hablar de esta cuestión.

Ciertamente, los malos tratos han recibido numerosas denominaciones en el ámbito anglosajón: violencia contra la mujer, abuso de esposas, violencia masculina, violencia marital, violencia en la pareja, violencia doméstica, violencia familiar, etc. En España los términos más comunes han sido mujeres maltratadas o simplemente malos tratos. Como Russell y Rebecca Dobash (1990a) han demostrado, cada uno de estos términos sugiere una idea diferente sobre la naturaleza del problema, sus causas e, incluso, sus posibles soluciones.

El empleo del término violencia contra la mujer destaca el hecho de que las mujeres son violentadas de manera sistemática como consecuencia de su condición de género y, por tanto, es un término que resulta claramente compatible con la visión feminista del problema. El termino abuso de esposas o mujeres maltratadas también deja claro quienes son las víctimas de esta situación, mientras que términos más neutrales desde un punto de vista de género como violencia marital o violencia en la pareja, al no destacar de manera tan evidente dicho desequilibrio, es el término preferido por aquellos que en algún momento han sugerido una posible equivalencia del grado de violencia ejercido por ambos miembros de la pareja. No obstante, también hay quienes han criticado que se hable de mujeres maltratadas, enfatizando el papel de víctimas de las mujeres, en lugar de hablar de hombres maltratadores, enfatizando el papel de los hombres como agresores. Hay quien señala que el termino violencia familiar, en cambio, diluye la condición de víctimas de las mujeres y

---

[21]   Sobre las mismas ver, entre otros, Lemert (1997) y Giddens (1990). Sobre postmodernismo, teoría social contemporánea y criminología ver Arrigo (1999) y Sparks (1997).

tiende a resaltar las similitudes, sin duda existentes hasta cierto punto, de estas victimizaciones con las sufridas por otros miembros del ámbito familiar (p.ej., abuso infantil), a pesar de las posibles diferencias en motivación y contexto de las mismas, y sobre todo ignorando la relevancia teórica de la variable de género. También hay quienes, de forma un tanto exagerada, prefieren llamar a estas mujeres «supervivientes» en lugar de etiquetarlas como «víctimas» por las connotaciones de pasividad que este término supuestamente conlleva (Dobash y Dobash, 1990a; Hoyle, 1998).

En España, la opinión pública parece tener claro que éste es un problema de mujeres maltratadas y de hombres violentos, aunque algunos intentos de cambiar esta imagen ha habido. Sin embargo, el término malos tratos es ciertamente correcto en la mayoría de los casos, pues la mayoría de las instancias de violencia contra la mujer en el ámbito domestico consideradas aisladamente no adquieren una entidad objetiva lo suficientemente seria como para merecer, por ejemplo, la consideración penal de lesiones en tanto que no causan heridas físicas serias. Sin embargo, el término diluye la gravedad que estas situaciones pueden llegar a presentar en otras ocasiones. La autora norteamericana Isabel Marcus (1994) ha sugerido el empleo del término terrorismo en el hogar para designar este tipo de situaciones. El uso del término terrorismo tiene dos propósitos. En primer lugar, Marcus pretende destacar las terribles y devastadoras consecuencias de estas conductas. Por otro lado, Marcus, de manera deliberada, pretende destacar la fundamentación y las implicaciones políticas y para la participación en la vida social que la violencia en el ámbito doméstico, o contra la mujer en general, tiene. En nuestro país algunas activistas y representantes políticos han aceptado esta terminología y hablan, por tanto, de terrorismo doméstico.

La elección del término violencia contra la mujer en la pareja para el título de este libro obedece, como puede deducirse de esta exposición, no solo a razones puramente estilísticas. Como podrá observarse a lo largo de este texto, concibo la violencia en la pareja como un fenómeno en el que la víctima es fundamentalmente la mujer, aunque puede haber instancias en que ello no es así. No utilizo el término de malos tratos, común en la literatura española, porque me parece demasiado suave. Aunque existen diversos grados de violencia en la pareja, el término malos tratos sólo captura las formas menores de violencia, aquellas que efectivamente pueden ser calificadas como simples malos tratos. El uso de dicho término, por un lado, no captura todas las situaciones que ocupan mi atención y, por otra parte, menosprecia la seriedad de este fenómeno. Tampoco utilizo el término terrorismo en el hogar porque el mismo parece forzar una interpretación del problema que solo presta atención a los casos más serios y minoritarios de abuso. No obstante, a lo largo de este texto, y como posiblemente el lector atento ha podido observar, utilizaré por razones puramente estilísticas[22] términos diversos para referirme a este problema.

III. DIFERENTES PAUTAS DE VIOLENCIA EN LA PAREJA

La violencia entre íntimos no es un fenómeno homogéneo. En cierto modo, los investigadores interesados en este fenómeno siempre han sido conscientes de la diferencia entre el simple abuso físico (*physical abuse*) y la repetición de palizas (*battering*). El término inglés *battered women* (mujeres golpeadas) hace referencia a aquellas mujeres que han sido golpeadas repetidamente, a menudo experimentado diferentes tipos de acciones violentas en un mismo incidente, y usualmente, en el momento en que son identificadas como tales, han experimentado una serie de dichos incidentes, cada uno de ellos conformando un conjunto de acciones violentas. Por otra parte, abuso físico se define como cualquier acto de ataque físico de una persona contra otra, con o sin el resultado de una lesión o daño evidente (Browne, 1987). El reconocimiento retórico de esta distinción en cambio no siempre se ha traducido en estrategias metodológicas adecuadas. Durante mucho tiempo resultados de estudios analizando un tipo particular de violencia se han generalizado a otro tipo más o menos serio, creando confusión y polémica.

Los investigadores interesados en este tema han empleado diversas estrategias para tratar de distinguir los casos más serios de abuso de aquellos que no lo son tanto. Straus (1990a, 1990b, 1990e), por ejemplo, distingue en su conocida Escala de Tácticas de Conflicto (ver en el próximo capítulo) entre violencia menor y violencia severa. En esta obra presentaré de manera incidental datos procedentes de la Encuesta sobre

---

[22]   La expresión violencia contra la mujer en la pareja es relativamente larga y tras unas cuantas repeticiones puede resultar cansina. Por ello, olvidando un poco la semántica emplearé términos diversos (p.ej., violencia doméstica, violencia entre íntimos, etc.) para referirme al problema que constituye el objeto central de mi análisis: la violencia contra la mujer en la pareja. También existe polémica sobre el uso del término víctimas y algunos autores, sobre todo en el Reino Unido, prefieren el uso del término supervivientes. Se dice que la palabra víctimas indica pasividad y que sugiere que las mujeres maltratadas no toman medidas para evitar su victimización. Me parece importante destacar ambos aspectos, pero no creo que ello sea argumento lo suficientemente convincente como para satanizar el uso del vocablo víctima. El término superviviente, por otro lado, sugiere que todas las víctimas de malos tratos se encuentran en peligro de muerte, lo cual es una exageración que no se corresponde con la realidad. Entiendo su uso como recurso propagandístico, pero no me parece adecuado en cuanto que también ofrece una visión distorsionada de este fenómeno.

Seguridad de la Mujer en la España Urbana, la primera encuesta nacional sobre los malos tratos y que fue realizada por el Instituto Andaluz de Criminología, en particular por Rosa Barberet y quien escribe estas líneas. Esta encuesta usó dicha escala y, por tanto, merece la pena dedicar algo de atención a los criterios empleados por la misma.

En este instrumento, las escalas de violencia severa incluyen las conductas que son más propicias a resultar en una lesión. Esta escala incluye las siguientes conductas: patalear, morder, dar un puñetazo, golpear o intentar golpear con un objeto, dar una paliza, estrangular, amenazar con un cuchillo o arma de fuego y usar un cuchillo o arma de fuego. Las escalas de violencia menor incluye actos que son «menos peligrosos» y que son objeto de una «condena moral menor». La violencia menor incluye así arrojar algo, empujar y dar una bofetada. El mayor problema de esta medida de la violencia menor es que, como la mayoría de las personas que usan violencia severa también usan violencia menor, mezcla a personas que exhiben un grado diverso de comportamientos violentos. No son, por tanto, excluyentes[23]. Además, esta diferenciación está basada en su validez aparente y no está sustentada teóricamente. De hecho, un estudio recientemente realizado por Pamela Ratner (1998) ha cuestionado los criterios de clasificación y ponderación empleados por esta escala.

Sin embargo, el problema de distinción no es solo un problema de definiciones operativas y estrategias analíticas, sino también un problema de muestreo. Straus (1990c) comparó las experiencias de mujeres maltratadas tal y como se reflejaban en su encuesta nacional y las experiencias de mujeres maltratadas hospedadas en casas de acogida. Para ello usó los datos de dos estudios que utilizaron la escala de tácticas de conflicto con mujeres en casas de acogida. Estos estudios demostraron que las mujeres hospedadas en casas de acogida han experimentado una media de 65 a 68 asaltos violentos durante el año anterior a la entrevista. Estos números son once veces superiores a los seis asaltos por año experimentado por las mujeres en su encuesta. De las 662 mujeres asaltadas en su encuesta nacional, el 71% experimentó solamente «ata-

---

[23] Straus y sus colaboradores también han utilizado una escala de severidad ponderada. La idea que subyace a esta escala es la consideración de diferentes grados de violencia, así como de diferentes patrones de repetición de esta violencia. Esta escala multiplica la frecuencia de cada acto violento por valores de ponderación que son artificialmente asignados, o como ellos prefieren señalar, que fueron elegidos tras consultar con colaboradores médicos sobre el potencial de producir una lesión de cada acto. De esa manera, asignan un valor de ponderación de 1 a las diferentes formas de violencia menor, un valor de 2 a patalear, morder, o dar un puñetazo, un valor de 3 a golpear con un objeto, etc.

ques menores». De las 182 mujeres que sufrieron ataques severos, de conformidad con su definición, solamente 4 fueron agredidas 65 veces durante un año[24].

Straus (1990c), a la luz de estos resultados, ha argumentado que su encuesta no captura las formas más severas de violencia porque las mismas se encuentran asociadas con toda una gama de problemas familiares y sociales asociados a su vez con una baja participación en encuestas. Los individuos que proceden de familias con múltiples problemas y que viven en condiciones de pobreza son más difíciles de localizar y entrevistar. Más importante aun, las parejas que exhiben la violencia más severa son posiblemente las más reticentes a participar voluntariamente en este tipo de estudios.

Sea cual sea la razón para que la tasa de violencia para la población de las casas de acogida sea 11 veces más elevada que para las mujeres entrevistadas en la Encuesta Nacional sobre Violencia Familiar, lo cierto es que esta diferencia posiblemente explica algunas de las discrepancias en los resultados revelados por estudios usando muestras de la población general en contraste con aquellos que han usado muestras de mujeres refugiadas, en particular la distribución de la violencia por género. Mientras que mujeres en las dos encuestas nacionales americanos exhiben una tasa de violencia contra sus parejas bastante alta, los estudios de mujeres refugiadas muestran que estas no maltratan a sus maridos o que usan la fuerza contra los mismos solo en defensa propia.

El trabajo de Straus comparando muestras diversas no solo tiene implicaciones para el diseño de estudios sobre los malos tratos, sino que también ha dado lugar a una profundización en el debate sobre la correcta conceptualización de este fenómeno. Michael Johnson (1995), basándose en las diferencias observadas por Straus, distingue entre dos fenómenos diferentes: el terrorismo patriarcal versus la violencia común en la pareja.

Este autor cree que el debate en torno a la simetría sexual en el uso de la violencia doméstica se ha estructurado como un debate en torno a la naturaleza de la violencia familiar, con ambos sectores de la doctrina sobrestimando la posibilidad de que existan dos formas diferentes de violencia en la pareja. La primera forma, de acuerdo con Johnson, es

---

[24]   Conviene resaltar que Straus no emplea un lenguaje adecuado cuando habla de números de asaltos, ya que su escala no mide el número de eventos violentos, sino el número de veces que una determinada táctica de resolución de conflicto se ha empleado. Algunas de estas tácticas (p.ej., dar una bofetada, insultar, utilizar un cuchillos) pueden coincidir temporalmente y formar parte de un único evento violento. Este hecho, sin embargo, no resta importancia al argumento central que Straus trata de presentar en este artículo, es decir, que las encuestas de la población general no capturan los casos más severos de violencia doméstica.

relativamente equilibrada entre los géneros y es medida por el método de encuestas defendido por la tradición de estudios en «violencia familiar» representada por Straus y otros autores en su misma línea. La segunda forma engloba los ataques «terroristas» de los hombres contra sus parejas y ha sido documentada por la investigación que ha empleado muestras de mujeres refugiadas, divorciadas o que han acudido al sistema de justicia penal, en otras palabras, el tipo de estudios más comúnmente usado por la tradición feminista[25].

La «violencia común en la pareja», según Johnson (1995), engloba explosiones ocasionales de violencia relativamente normales, al menos desde un punto de vista estadístico; mientras que el terrorismo patriarcal significa el uso de violencia severa por parte del hombre contra la mujer de una manera sistemática y continuada. Johnson argumenta que es importante distinguir entre estas dos formas de violencia porque pueden presentar diferentes correlatos y etiologías. Aunque la calificación de cualquier tipo de violencia como «común» o «normal» puede ser interpretada como un juicio moral por parte de quien no entienda que tan sólo se trata de una valoración estadística, lo cierto es que esta diferenciación cada vez gana más adeptos y parece clave para entender la complejidad de este fenómeno.

Macmillan y Gartner (1997) han elaborado esta distinción y la han validado empíricamente con una muestra representativa (N=16.000) de la población femenina canadiense. Este estudio demuestra que, incluso cuando se usa el método de encuestas sociales, es posible emplear modelos de medición más ajustados que aquellos recomendados por Straus y sus colaboradores para distinguir diversos grados de seriedad en el abuso. Estos autores usaron la Encuesta Canadiense sobre Violencia Contra la Mujer para revelar los distintos patrones de violencia entre íntimos existentes en la población. Macmillan y Gartner utilizaron un análisis de estructuras latentes (el homólogo cualitativo del análisis factorial) para mostrar las diferentes experiencias de mujeres con la violencia por parte de sus compañeros sentimentales.

De acuerdo con sus análisis, existen cuatro grandes patrones de violencia en la pareja. El primer grupo estaría constituido por *mujeres que no han sufrido violencia en sus relaciones íntimas* (N=7.128). El segundo grupo presenta una probabilidad muy baja (por debajo de 0.10) de sufrir

---

[25]   La distinción entre un método feminista y el método de la tradición en violencia familiar realizada por Johnson no es del todo correcta. Se pueden realizar encuestas desde una perspectiva feminista y hay estudios con muestras de mujeres refugiadas o divorciadas que pueden encuadrarse dentro de la denominada tradición de estudios en violencia familiar.

la mayoría de las conductas violentas medidas, con excepción de dos. Este grupo exhibía en su estudio una probabilidad de 0.55 de ser empujadas o abofeteadas y una probabilidad de casi 0.2 de ser amenazadas. Las 956 entrevistadas en esta clase incluirían personas que experimentan lo que Macmillan y Gartner denominan *conflicto interpersonal no sistemático* (un término más afortunado que el de «violencia común en la pareja»). Las encuestadas del tercer grupo experimentarían un grado mayor de violencia. Estas mujeres han sido empujadas, sacudidas, abofeteadas y amenazadas (las probabilidades oscilan entre 0.97 y 0.78) y, por otro lado, también exhiben probabilidades moderadas de haber sido pateadas, golpeadas o de que les hayan lanzado algún objeto. Sin embargo, las mujeres de este grupo tienen probabilidades bajas de experimentar formas más sistemáticas de abuso. Las 260 mujeres en este grupo, por tanto, son *víctimas de abuso no sistemático*. Finalmente, el cuarto y último grupo de mujeres sería el que recibe las formas más serias de violencia. Estas mujeres han sido amenazadas, sacudidas, empujadas, abofeteadas, pateadas, golpeadas, les han lanzado objetos y propinado palizas. Exhiben probabilidades moderadamente altas de haber sido estranguladas y un poco más de un cuarto de ellas ha sido amenazada o atacada con un cuchillo o arma de fuego o ha sido obligada a mantener algún tipo de actividad sexual. La prevalencia de diferentes formas de violencia y el carácter casi letal de algunas de ellas lleva a etiquetar a las 114 mujeres de este grupo como *víctimas de abuso sistemático*[26].

---

[26] Renee Romkens (1997) ha elaborado una clasificación empírica similar basada en los resultados de la *Dutch Survey on Wife Abuse* 1989. De acuerdo con este estudio aproximadamente el 9% de las mujeres sufrían *violencia esporádica o leve*. La conducta violenta normalmente consistía en una bofetada, golpe con la mano o empujón. Además, estas conductas ocurrían muy esporádicamente, una o dos veces al año o varias veces en periodos limitados de tiempo. Este tipo de comportamiento violento raramente aumenta en frecuencia y severidad con el paso del tiempo. A menudo ocurre durante determinados periodos conflictivos en la relación, en particular durante el divorcio. Solo el 25% de estas mujeres sufría algún tipo de lesión, normalmente moratones que no requerían atención médica. Sin embargo, este comportamiento afectaba sus sentimientos y aumentaba el miedo de represalias físicas en situaciones conflictivas. El otro 11% de las mujeres que declaraban ser víctimas de violencia unilateral, sufrían *violencia entre moderada y seria sistemática*. La violencia, por tanto, era repetida y casi sin excepción causaba algún tipo de lesión. Dentro de esta categoría, Romkens distingue las víctimas de violencia moderada de las víctimas de violencia severa. Las víctimas de *violencia moderada* (4.8% de la muestra) preferían minimizar el nivel de su victimización. La mayoría de ellas procuraban sentirse en control por medio de la evitación de ciertos temas de conversación o ciertas situaciones que facilitaban la ira de sus maridos. Estas mujeres reconocen que tienen un problema de violencia en su relación, pero al mismo tiempo reconocían cierto control sobre el mismo. Las

Macmillan y Gartner (1997) también consideran que los diferentes tipos de violencia explican los efectos inconsistentes de la mayoría de los predictores de este fenómeno cuando las agregamos. Si los tipos de violencia medida en diferentes estudios son diversos, no hay razones para esperar que los correlatos se manifiesten de manera consistente. Estos autores, a su vez, mantienen que sus análisis reflejan diversas etiologías para estas diversas formas de violencia. La parte más sustantiva de su estudio muestra que muy pocas variables predicen de manera efectiva el conflicto interpersonal no sistemático. Lo que parece sugerir que esta forma de violencia es más aleatoria que otras y más difícil de predecir o de identificar por medio del empleo de marcadores de riesgo. Su modelo predecía abuso no sistemático un poco mejor, pero solo de una manera marginal. Solamente el abuso sistemático, sin embargo, era susceptible de una predicción más eficaz[27].

A la luz del trabajo de Straus, las sugerencias de Johnson y, sobre todo, los análisis de Macmillan y Gartner resulta evidente que el maltrato no puede ser conceptualizado como un fenómeno unitario, sino que presenta diversos grados de severidad y cronicidad. La mayoría de los casos de maltrato, además, son de tipo leve. Aunque ello no resta importancia a la seriedad del problema, si tenemos en cuenta las limitaciones de las encuestas para capturar las formas más severas de maltrato y que cualquier forma de violencia injustificada por leve que sea merece el

---

víctimas de violencia severa o muy severa constituían el 5% de la muestra. Estas mujeres están envueltas en relaciones que progresivamente han venido a ser dominadas por la violencia de sus maridos y en las que el tema central es la supervivencia, resistencia o escape. Estas mujeres informan sobre explosiones de violencia semanales o mensuales que a menudo aumentan en frecuencia e intensidad con el paso del tiempo. Además, a diferencia de lo que ocurre con los otros grupos, la violencia está menos relacionada con especíifcas situaciones conflictivas. Cualquier situación puede actuar como un disparador de la violencia. Finalmente, las lesiones presentadas por estas mujeres son más severas que las reconocidas por las mujeres en los otros grupos. La elevada tasa de no respuesta en este estudio cuestiona la validez de los niveles de prevalencia detectados. Sin embargo, aun cuando la distribución de mujeres en cada grupo podría quizás ser diferente con una muestra más representativa, las diferencias cualitativas entre los diferentes grupos parecen menos vulnerables a ese tipo de problemas metodológicos.

[27]   Este estudio presenta algunas limitaciones de tipo metodológico. La más evidente es que se trata de un diseño transversal, no longitudinal, y, por tanto, no está del todo claro si estamos tratando con diferentes formas de violencia o con diferentes fases de la violencia. Por otro lado, esta clasificación, y en general este estudio, no presta la debida atención al problema del abuso sexual en la pareja. No obstante, el trabajo de Macmillan y Gartner constituye un avance considerable sobre estudios previos del maltrato en cuanto que toma debida cuenta de la complejidad y heterogeneidad de la violencia en la pareja.

reproche social, es importante que el diseño de políticas públicas sobre este fenómeno tenga en cuenta esta heterogeneidad y evite la imposición de soluciones formularias y rígidas.

IV. VIOLENCIA FÍSICA, VIOLENCIA PSICOLÓGICA, CONDUCTAS DE CONTROL Y ABUSO SEXUAL

La literatura sobre violencia doméstica que, como hemos visto en la sección anterior, solo recientemente ha reconocido de una manera real la diversidad de síndromes existentes, siempre ha reconocido en cambio la existencia de diferentes formas de manifestación de la violencia. En nuestro país, por ejemplo, se suele distinguir entre abuso físico, sexual, psicológico o emocional y económico. Sin embargo, ésta es una diferenciación bastante artificial, ya que cuando la violencia se presenta suele manifestarse en varias dimensiones.

No obstante, es cierto que la mayoría de los estudios en este campo se han centrado en el análisis del abuso físico y solo han medido esta forma de manifestación de la violencia o lo han hecho de manera prioritaria. Por otro lado, estudios más recientes han puesto de manifiesto la relevancia de *estrategias y conductas de control* bien como otra forma de abuso, bien como un importante marcador de riesgo de violencia severa (Macmillan y Gartner, 1997) e incluso letal (Stark 1997). Por conductas de control se entiende aquellas del marido que limitan la libertad de la mujer (p.ej., prohibición de visitar familiares, limitación de su acceso a los fondos economicos de la pareja, censura de determinados comportamientos, interés obsesivo por saber en todo momento lo que ella está haciendo o pensando, etc.).

Existen diferentes medidas del abuso psicológico. Desgraciadamente ninguna de ellas ha sido adoptada por la mayoría de la comunidad de investigadores como la más apropiada. Quizás la medida de abuso psicológico que ha tenido más éxito es el Inventario de Maltrato Psicológico de Mujeres de Tolman (1989). Este autor, en uno de los primeros estudios centrados en el análisis de maltrato psicológico, desveló que existen diferentes patrones del mismo. Tolman descubrió que los ítems incluidos en su escala cargaban en dos factores: abuso verbal y emocional (por ejemplo, gritar y chillar a la pareja) y dominación/aislamiento (por ejemplo, controlar y pedir explicaciones de las actividades realizadas por la otra pareja). Tolman notó que todos los ítems de abuso psicológico que tomó prestados de la Escala de Tácticas de Conflicto solo cargaban en el primer factor, lo que le ha llevado a sugerir que aquellos terapeutas e investigadores que usan este instrumento no están prestando atención a una amplia gama de conductas abusivas, las denominadas conductas de control.

En cambio, los investigadores que de una manera más clara han partido de la teoría feminista en su análisis de la violencia doméstica, en contraste con los autores que han confiado de manera casi exclusiva en la Escala de Tácticas de Conflicto, siempre han destacado la relevancia de las conductas de control como un componente esencial de la violencia doméstica. Desde esta perspectiva se ha subrayado que las conductas de control constituyen un componente de abuso psicológico y un marcador de riesgo del abuso físico. La literatura etnográfica y clínica ciertamente ha documentado de una manera consistente como los maltratadores emplean una amplia gama de conductas de control (Browne, 1987; Dobash y Dobash, 1979; Jacobson y Gottman, 1998)[28].

Más recientemente, estudios con muestras más representativas han replicado este tipo de resultados. La Encuesta Canadiense sobre Violencia Contra la Mujer fue el primer intento de medir la prevalencia e incidencia de estas conductas de control con una muestra representativa de la población general. La prevalencia de este tipo de conductas oscilaba entre el 2% y el 10% en el momento de la entrevista. No obstante, el 35% de las mujeres reconocían que en algún momento de su vida sus parejas las habían sometido a algún tipo de control (Johnson, 1996). La reciente Encuesta Estadounidense sobre Violencia Contra la Mujer también medía este concepto, aunque aún no se han publicado los resultados relativos a este componente del estudio.

---

[28] Una de las aportaciones más importantes de la doctrina feminista al estudio de los malos tratos ha sido la presentación de la violencia doméstica como una estrategia orientada al control de las mujeres. La violencia, por tanto, se emplea como una táctica en la lucha por el mantenimiento de poder dentro de la relación. Así, por ejemplo, el famoso modelo feminista de terapia creado en Duluth, Minnesota, asume que la violencia en la pareja no es el producto de una enfermedad o patología mental, sino una parte de un sistema de conductas abusivas y violentas que el agresor utiliza para controlar a su víctima. Para demostrar, dentro del contexto de la terapia, las formas que el abuso puede adoptar, el programa desarrollo la Rueda de Poder y Control de Minessota. La rueda tiene ocho secciones: intimidación, abuso emocional, aislamiento, culpabilización y no adopción de responsabilidad por la violencia, utilización de los niños, privilegio masculino, abuso económico y uso de amenazas y coerción. El perímetro de la rueda tiene un círculo exterior describiendo la violencia física y sexual. El interior de la rueda, por tanto, incorpora formas extremas de tácticas empleadas para generar poder y control. Dutton y Starzomski (1997) han realizado un test de la citada Rueda de Poder y Control de Minessota con una muestra de 120 maltratadores recibiendo tratamiento por orden judicial. Ese estudio documentó que las ocho secciones de la rueda se encuentran relacionadas entre sí de manera estadísticamente significativa. De acuerdo con los autores, esto vendría a consolidar la tesis que el empleo de estas tácticas obedece a una motivación única de control y poder.

La criminología también ha intentado determinar la relación existente entre violencia psicológica y violencia física en el contexto de las relaciones de pareja. Estos estudios han producido resultados que son consistentes con la idea de una relación entre ambas formas de manifestación de la violencia. Sugarman, Aldarondo y Boney-McCoy (1996) utilizaron la II Encuesta Nacional sobre Violencia Familiar para demostrar que el 99.2% de aquellos varones que reconocían la comisión de violencia física leve contra su mujer también admitían que habían abusado verbalmente de ellas. Por otro lado, el 81.8% de los hombres que reconocieron haber cometido actos de violencia física severa contra su mujer, también cometieron actos de violencia física menor, y todos reconocieron haber cometido actos de abuso verbal.

Sin embargo, el hecho de que la violencia física casi siempre aparezca acompañada de violencia verbal, no significa que la violencia verbal siempre vaya a venir acompañada de episodios de violencia física. Stets (1990) utilizó la misma base de datos, la II Encuesta Nacional de Violencia Familiar, y constató que aproximadamente el 50% de los casos de violencia verbal no conllevan situaciones de violencia física.

Si la violencia psicológica ha recibido escasa atención, aun menor ha sido el interés científico despertado por la violencia sexual en el ámbito marital. Desde que a principios de los 80 Yllo y Finkelhor (1985) y Russell (1990) publicaron sus estudios sobre el fenómeno usando muestras de mujeres violadas en Boston y San Francisco respectivamente, ha pasado casi una década antes de que se volviera a publicar una monografía sobre el tema: el estudio de Bergen (1996) sobre atención a las víctimas de violación marital. La tendencia, sin embargo, está cambiando. Además, aunque la violación marital no ha despertado la atención de los investigadores, la «violación de cita» (date rape) o violación en parejas de novios ha producido un mayor número de estudios (Pirog-Good y Stets, 1989; Malamuth et al., 1991).

Los estudios realizados hasta la fecha han producido diferentes estimaciones de la seriedad de este problema. La II Encuesta Nacional en Violencia Familiar documentó que el 1.3% de las mujeres casadas o cohabitando indicaba que el varón había intentado violarles. Menos del 1% (0.8%) declaraba que el intento había tenido éxito. Por otra parte, aproximadamente todas (93%) las mujeres que habían sufrido un intento de violación por su marido o compañero también habían sufrido números incidentes de otras formas de violencia marital, aunque ésta no siempre era física (Gelles y Straus, 1989).

Estudios que han empleado diferentes criterios de muestreo y métodos de medición han documentado tasas de violación marital más elevadas. Russell (1990) descubrió que el 14% de las mujeres casadas en San Francisco reconocían haber sido violadas por su esposo o ex-esposo. Finkelhor y Yllo (1985) señalan que el 10% de las mujeres residentes en

Boston y cohabitando con su esposo o compañero reconocieron haber sufrido al menos un intento de violación por parte de su pareja. Fagan, Friedman, Wexler y Lewis (1984) documentaron que el 23% de las mujeres buscando ayuda en los servicios federales de violencia doméstica habían sido sexualmente abusadas en algún momento de su relación. Romkens (1997) en su encuesta de abuso marital en Holanda documentó que el 7.4% de las mujeres en su muestra reconocían que sus maridos habían empleado fuerza física para obligarlas a tener relaciones sexuales y el 21% de las mujeres reconocían que regularmente tenían relaciones sexuales con sus maridos porque se sentían presionadas.

La investigación realizada hasta la fecha sugiere que la violación marital es una parte integral de la violencia doméstica y puede ser un antecedente de violencia letal (Browne, 1987; Campbell, 1997). Las estimaciones de la prevalencia de ataques a la libertad sexual entre mujeres que han sido víctimas de maltrato físico oscila entre el 23% (Bowker 1983, Bergen 1996) y el 51% (Walker 1984, Maiuro et al. 1997). Los estudios con muestras de mujeres maltratadas refugiadas en casas de acogida sugieren que existe una relación directa entre la severidad y frecuencia de violencia marital de carácter no sexual y las violaciones maritales. En otras palabras, a mayor seriedad de la violencia física mayor la probabilidad de que también se haya abusado sexualmente de la mujer o viceversa. Browne (1987), por ejemplo, encontró que los asaltos sexuales ocurrían como parte de los ataques físicos más violentos. Maiuro y sus colaboradores (1997) demostraron que los maridos que son sexualmente abusivos son más proclives a presentar formas de violencia física más frecuentes, serias y diversas, así como a exhibir puntuaciones elevadas en escalas de enfado y dominación y a abusar alcohol (ver también Romkens, 1997).

También se ha observado que parejas caracterizadas por la violencia física exhiben una sexualidad muy activa. Se ha argumentado que esto puede deberse a dos diferentes procesos. Por un lado, es posible que exista una propensión individual hacia la violencia y una sexualidad muy activa en determinados hombres, definiendo así un determinado modelo de masculinidad. Por otra parte, se señala que la violencia masculina crea un clima de miedo en el que las mujeres son obligadas a mantener relaciones sexuales más frecuentemente de lo que ellas desearían[29].

---

[29] DeMaris (1997) empleó datos de la *National Survey on Families and Households* para examinar esta cuestión y defiende la mayor solidez de la segunda hipótesis. Solamente la violencia del varón está relacionada con una mayor frecuencia de relaciones sexuales y, cuando los varones han sido violentos, una mayor frecuencia de relaciones sexuales conduce a una mayor sintomatología depresiva entre las mujeres.

También existen estudios que han tratado de enfatizar que la violencia sexual puede aparecer sin que haya rastros de violencia física. De acuerdo con diversas estimaciones entre el 1% y el 10% de mujeres que han denunciado incidentes de acoso sexual cometidos por su pareja no sufren ninguna forma de violencia física (Finkelhor y Yllo, 1985; Russell, 1990; Romkens, 1997; Painter y Farrington, 1998)[30]. Es esencial, por tanto, desterrar el mito que señala que los abusos sexuales son parte del abuso físico, dado que los primeros pueden aparecer sin que se presenten los segundos. Los datos de la Encuesta sobre Seguridad Personal de la Mujer en la España Urbana (Barberet y Medina, en preparación) son consistentes con los resultados documentados por estos estudios. Aunque existe una correlación entre ambas formas de abuso, ésta no es perfecta.

V. LA IMAGEN PÚBLICA DE LAS MUJERES MALTRATADAS

En nuestro país, como en otros países con anterioridad, los medios de comunicación social y, más o menos indirectamente, las instituciones públicas y las organizaciones de mujeres han contribuido a generar una determinada imagen pública de la mujer maltratada. En la medida en que el público no consideraba este un tema suficientemente serio, y también por la dinámica interna de la labor periodística, se ha tendido a crear una imagen de la mujer maltratada basada en los casos más dramáticos (Best, 1999).

En las fases iniciales de definición del problema de los malos tratos en todos los países, dada la escasez de recursos, que las políticas no reconocían los malos tratos como un problema social y la opinión pública no acaba de entender la situación de las mujeres maltratadas, a las que a veces se acusaba de su propia condición, los defensores de estas mujeres necesitaban crear una visión favorable de las mismas, una imagen capaz de despertar apoyo público y oficial (Mahoney, 1991). Como parte de este esfuerzo para generar apoyo, se ha tendido a enfatizar un modelo de mujer maltratada como «víctima pura» (Davies et al., 1998).

---

[30]   Painter y Farrington (1998) con datos procedentes de una encuesta realizada en Inglaterra sobre una muestra de 1007 mujeres casadas señalaban que mientras que un 35% de las mujeres que habían sufrido violencia física a manos de sus maridos habían sido también violadas por los mismos, solo un 5.7% había sido violada sin que existiera simultáneamente una pauta de abuso físico sistemático. Romkens (1997) en su encuesta holandesa sobre violencia marital documentó que el 3% de las mujeres que no sufrían otras formas de violencia física habían sido forzadas a tener relaciones sexuales con sus parejas, mientras que el 23% de las mujeres víctimas de violencia física se habían visto en dicha situación.

Este modelo de víctima pura tiene varios componentes. En primer lugar, las mujeres maltratadas no son violentas y solo usan la violencia en defensa propia. Las mujeres maltratadas sufren formas extremas de violencia física separadas por períodos de continuo abuso emocional. El abuso se presenta como un ciclo de eventos que necesariamente aumenta en severidad y frecuencia, que necesariamente empeora a no ser que un agente externo intervenga. Las mujeres maltratadas son descritas como aterrorizadas por su experiencia. Se trata además de mujeres dispuestas a poner termino a su situación de victimización y a las que las instituciones legales no han respondido adecuadamente. Dicha presentación no deja de ser paradójica, ya que por un lado se presenta a estas mujeres como pasivas y subordinadas, pero al mismo tiempo como mujeres que activamente han buscado la ayuda del sistema de justicia penal.

Son mujeres asustadas según la imagen popular, aunque lo cierto es que muchas de estas mujeres no exhiben dicho miedo en parte porque «normalizan» la violencia como parte de su vida cotidiana y en parte porque esa evitación del miedo se convierte en una estrategia adaptativa[31]. El miedo del agresor no solamente es condición necesaria para constituir dicha imagen pública, sino que, además, se constituye en un elemento emocional exclusivo en el sentido de que no se toleran otro tipo de emociones como, por ejemplo, la ira contra el agresor. En numerosas ocasiones las mujeres maltratadas cuando acuden en busca de ayuda se encuentran con funcionarios y profesionales que esperan dichos sentimientos de miedo y cuando en su lugar se encuentran con sentimientos de enfado e ira contra el agresor vuelven sus espaldas a las víctimas. Finalmente, de acuerdo con este retrato popular, el maltrato se define como un elemento central y monopolizador de la vida de estas mujeres. Estas mujeres, por encima de todo, son definidas por su condición de víctimas del maltrato.

Además, a estos detalles, se le suelen añadir otros de tipo sociodemográfico. En nuestro país, por ejemplo, el «retrato robot» de la mujer maltratada se suele basar en los datos sociodemográficos de las mujeres que acuden a las casas de acogida. Éstas son mujeres relativamente jóvenes (media de 32.5 años), casadas en su mayoría (el 70%), que han convivido con el marido durante un período bastante largo (una media de 10 años), que han sufrido el abuso durante una parte importante de su relación (una media de 7.5 años), con hijos (una media de 2 hijos) y que en su mayoría tienen una educación baja[32] (Informe del Defensor del Pueblo, 1998).

---

[31]   De hecho los datos de la Encuesta sobre Seguridad Personal de la Mujer en la España Urbana indican que las mujeres maltratadas exhiben un grado menor de miedo al delito que las mujeres no maltratadas.

[32]   Datos procedentes del Informe del Defensor del Pueblo basado en una muestra de 667 mujeres que habían pasado por las casas de acogida en la CCAA de Madrid.

Esta imagen ciertamente describe a muchas mujeres que buscan refugio en las casas de acogida y cuyos casos saltan a la opinión pública. En Estados Unidos, sin embargo, las propias defensoras de las mujeres (Davies et al., 1998), así como notables autoras feministas (Mahoney, 1991) han advertido de los riesgos que conlleva el asumir esta visión, sobre todo en un momento en que las circunstancias han cambiado, al menos en aquel país. Efectivamente, en los Estados Unidos se ha producido un cambio notable en la respuesta social y legal al problema de los malos tratos. En materia policial, por ejemplo, el experimento de Minneapolis, las reivindicaciones feministas y sentencias judiciales condenando a los departamentos que no ofrecían protección adecuada a las mujeres desembocó en las leyes de detención obligatoria y en la creación de diversos programas para responder a la problemática del maltrato doméstico.

Con el cambio de políticas, mucho más atentas ahora que históricamente, las mujeres que acudían a recibir servicios por parte de la policía, casas de acogida, defensoras de las víctimas y los hospitales comenzaron a ser mucho más diversas y sus experiencias no siempre coincidían con el retrato de mujer maltratada generada en la primera fase del movimiento. Así, en función de las leyes de detención obligatoria, mujeres que tradicionalmente no habían acudido al sistema de justicia penal, se encontraban ahora en la situación de tener que presentar sus casos al personal judicial y a encontrarse con las asesoras de las víctimas. Las mujeres que no presentaban los patrones de abuso físico sistemático extremo o que no presentaban ningún tipo de lesión física también empezaron a presentarse en los juzgados. También quienes prestaban servicios empezaron a descubrir mujeres que presentaban múltiples problemas en sus vidas, al margen de la violencia física experimentada a manos de sus maridos. Como Davies y sus colaboradoras (1998, p.17) exponen:

«Resumiendo, las mujeres maltratadas «reales» o «de verdad» que empezaron a utilizar los servicios creados eran más complicadas y cada vez más diferentes de la imagen que se había utilizado para generar apoyo público. No eran necesariamente víctimas puras, ni todas ellas habían sufrido formas extremas de abuso físico o emocional. No estaban necesariamente aterrorizadas por el maltratador. En su lugar, tenían un conjunto más variado de experiencias y necesidades de asistencia, protección y apoyo, que, a su vez, ellas entendían de manera compleja»

Por otro lado, las versiones televisivas, y más populares, de estas víctimas puras eran mujeres blancas, heterosexuales y casadas con el maltratador. Además, los defensores de las víctimas insistían que éste era un problema que afectaba a todas las clases sociales. Sin embargo, los malos tratos, como veremos más adelante, se presentan de manera más acentuada en los grupos minoritarios, entre la clase social más baja y entre mujeres no casadas. Por otra parte, aunque el énfasis se puso siempre en la violencia en las relaciones heterosexuales, existen indicios suficientes para considerar la gravedad de este problema en la comunidad homosexual.

Para ilustrar esta diversidad quizá sería interesante ofrecer algunos datos. En un estudio que realizamos en Victim Services sobre malos tratos en proyectos de vivienda pública ubicados en el lado oeste de Manhattan nos encontramos con el siguiente retrato de víctimas que habían denunciado su situación a la policía (Medina Ariza, 1998). La mayoría de las víctimas (44%) eran solteras, nunca se habían casado y no estaban cohabitando con una pareja. Solamente un poco más del 2% de mujeres dependían económicamente de su pareja[33], a pesar de que la mayoría (80%) de las mismas se encontraba en el grupo más bajo de ingresos (menos de 10.000 dólares al año).

Autoras como Martha Mahoney (1991) han destacado los problemas que la falta de consistencia entre los estereotipos y las vidas reales de muchas mujeres maltratadas pueden generar. Desde la dificultad personal para reconocerse como «mujer maltratada» a la resistencia judicial a tratar estos casos como casos reales de malos tratos. La propia Mahoney señala como las mujeres maltratadas se resisten a definir la experiencia completa de su matrimonio en función de los episodios de violencia que habían marcado los peores momentos de la relación. De hecho, la «realidad cotidiana de la vida matrimonial... definía la mayor parte de nuestras memorias y sentido retrospectivo de la relación: estos eran malos matrimonios, no ordalías de tortura física». O como otra mujer señalaba:

> «yo simplemente pensaba que para ser una mujer maltratada tu tenías que haber sido verdaderamente maltratada. Quiero decir, vale, yo tuve un par de mal incidentes, pero en su mayor parte se trataban de agresiones menores. No me veía a mí misma en esa categoría, como una mujer maltratada»

Sin duda, la complejidad creciente ha obligado a las defensoras de las víctimas a reflexionar sobre su trabajo con las mujeres maltratadas y a definirlo de manera más flexible que con anterioridad.

El movimiento de la mujer maltratada en ocasiones también ha enfatizado el papel de estas mujeres como víctimas pasivas de la violencia. Sin embargo, hay quienes señalan que existen peligros en una acentuación exagerada de dicha dimensión. En particular, se ha destacado que seguridad, protección y exculpación de toda responsabilidad en el origen de la violencia, aspectos que son tratados en las casas de acogida, no son suficientes para crear cambios en la vida de las mujeres maltrata-

---

[33] Solamente el 19% de las víctimas obtenía su ingresos principales de su propio trabajo y la mayoría (49%) obtenía dichos ingresos principales de ayudas y subsidios públicos.

das. Para ello, es preciso que se destaquen también otros aspectos, en particular la habilidad de estas mujeres para actuar y para tomar responsabilidad de sus propias vidas (Hyden, 1994).

En España aún nos encontramos en la primera fase de este movimiento. Aún prevalece una visión de la mujer maltratada como víctima pura (Maqueira y Sánchez, 1990; Echeburua, 1994; Lorente y Lorente, 1998; Echeburua y Del Corral, 1998), sin embargo, pronto tendremos que afrontar las quiebras de este concepto y aprender a hacer frente a una realidad más rica en complejidad. Además, en nuestro país las etiquetas negativas sobre las mujeres maltratadas abundan. Normalmente estas mujeres se presentan como personas psicológicamente alteradas, que acríticamente han aceptado su posición de subordinación y pasividad en el orden social dado, son «tradicionalistas en cuanto al hogar» (Informe del Defensor del Pueblo, 1998), y que, «por tanto», son incapaces de tomar decisiones adecuadas sobre su futuro. El propio Informe del Defensor del Pueblo destaca como frecuentemente las mujeres maltratadas fueron testigos de violencia contra sus madres en el hogar de origen y es allí donde aprendieron su «rol pasivo» frente a los malos tratos. Es más el estereotipo llega incluso mas lejos: «Es difícil observar a una mujer que haya vivido en un ambiente familiar afectuoso y cálido y que tolere ser maltratada» (Informe del Defensor del Pueblo, 1998)[34].

Este tipo de discurso presenta a estas mujeres como incapaces de decidir por sí mismas, «unas pobres víctimas», y al mismo tiempo trata de marcar diferencias tranquilizadoras con el resto de nosotros que, en cambio, hemos crecido en ambientes afectuosos y cálidos. Así, por un lado, se ignora los problemas de desigualdad de género que se dan en la mayoría de las relaciones de pareja y, por otra parte, dadas estas características, psicólogos, trabajadores sociales y similares reciben su legitimación para

---

[34]   Este Informe, sin duda bienintencionado, en el capitulo denominado de aspectos sociales elaborado por un equipo de psicólogos y que no recoge la opinión del Defensor del Pueblo resulta especialmente interesante para un ejercicio de deconstrucción orientado a exponer preconcepciones ideológicas sobre género envueltas en un discurso teóricamente científico y aparentemente progresista. No deja de ser curioso como, por ejemplo, cuando se habla de influencias culturales se destaca como las mujeres, especialmente las mujeres maltratadas, aprenden a ser pasivas y a subordinarse a la posición de autoridad de los hombres, pero se habla poco sobre como los hombres, no solo los maltratadores, aprenden a ser dominantes y perpetúan día a día a través de sus prácticas sociales las desigualdades de género. Son aquellas mujeres que han aprendido a incorporarse al trabajo y a hacer valer su autonomía, a no comportarse pasivamente, las que «van logrando que el hombre las respete». El respeto del hombre, por tanto, se convierte en criterio determinante, así como el hecho de que las mujeres sean capaces de ver mas allá de los limites que le impone la cultura, aquellas que se hacen valedoras de dicho respeto.

mostrarles el camino adecuado, rehabilitarlas y tomar decisiones por ellas. Sin embargo, como Davies y sus colegas han señalado este discurso es contraproducente si aceptamos la noción feminista de que el maltrato es sobre todo una cuestión de control por parte del maltratador y de limitación de la libertad de la mujer (Davies et al. 1990, p.3):

«...la respuesta al maltrato debe desarrollarse sobre la premisa de que las mujeres tendrán la oportunidad para tomar decisiones sobre dicha respuesta (guiar la dirección y definir la defensa). Eso significa una defensa que parta de la perspectiva de estas mujeres, que integre el conocimiento y los recursos de los defensores de estas mujeres en el marco de orientación de las mismas, y que, finalmente, valore sus pensamientos, sentimientos, opiniones y sueños; que sea ella quien tome las decisiones, quien sabe lo que es mejor para ella misma, quien tiene el poder y el control»

En otras palabras, la respuesta a los malos tratos tiene que partir del principio básico del reconocimiento de la condición de sujeto activo de estas mujeres.

La forma de definir públicamente a las mujeres maltratadas, además tiene consecuencias reales. Si mandamos una determinada imagen de mujer maltratada, solo las personas que se identifican con dicha imagen se definirán como mujeres maltratadas. Éste no es, por supuesto, un proceso absolutamente determinista, pero es consistente con las enseñanzas del interaccionismo simbólico. En nuestro país, la imagen que se ha proyectado es la de una persona que fundamentalmente sufre malos tratos físicos o psicológicos. Menos atención se han prestado a los abusos sexuales. De hecho, la macroencuesta del Instituto de la Mujer preguntaba primero sobre abusos físicos y psicológicos, y solo a las mujeres que admitían haber sido víctimas de estas formas de abuso se les preguntaba si habían sido víctimas de abusos sexuales. Los datos de la Encuesta sobre Seguridad, Familia y Salud de la Mujer nos ofrecen, sin embargo, un realidad más compleja. Por un lado, los abusos sexuales son tan prevalentes como los físicos. Por otra parte, aunque existe cierto solapamiento entre las dos formas de abuso, éste no es total. Un porcentaje muy importante de víctimas de abusos sexuales no sufren abusos físicos y viceversa. Pero lo más importante quizás es que de manera consistente con la imagen pública de la mujer maltratada que se proyecta desde los medios de comunicación social y las autoridades oficiales, las mujeres que sufren abusos sexuales, incluso violación marital, son mucho menos proclives a autoidentificarse como mujeres maltratadas. Es importante, por tanto, ser cuidadosos en este respecto.

VI. LA VIOLENCIA EN LA PAREJA EN CONTRASTE CON OTRAS FORMAS DE VIOLENCIA

La investigación y teoría de los comportamientos violentos ha tratado a la agresión entre íntimos y a la agresión entre desconocidos como fenómenos diferentes y separados. La mayoría de los estudios criminológicos sobre la violencia y la agresión generalmente no han prestado gran atención a la violencia doméstica (Hotaling et al. 1989; Fagan y Browne, 1994). Los estudios sobre la violencia familiar se han desarrollado de una manera separada e independiente de la criminología general, en parte como respuesta al desinterés inicial de los criminólogos en la materia (Para más detalles, Hotaling et al., 1989). Ello ha resultado en una excesiva especialización que ha degenerado en una situación en la que no se presta suficiente atención a las conexiones y similitudes entre violencia en la pareja y violencia entre desconocidos. A pesar del creciente interés entre los criminólogos por el desarrollos de teorías generales (Gottfredson y Hirschi, 1990) o integradas de la criminalidad (Vold et al., 1998), muy pocos criminólogos han integrado de una manera explícita la literatura empírica sobre la violencia doméstica con otras perspectivas en el estudio de la violencia. Incluso en la actualidad, la violencia familiar se define y se estudia como un tipo de crimen diferente, no como un aspecto de la violencia y la agresión.

Sin embargo, los pocos estudios que han tratado de esclarecer las conexiones entre violencia doméstica y otras formas de violencia sugieren la existencia de similitudes entre la violencia entre extraños y la violencia doméstica. De acuerdo con Fagan y Wexler (1987), el conocimiento acumulado sobre los delitos violentos, fuera y dentro del hogar, ha identificado explicaciones comunes de los patrones observados. Lo que hemos aprendido sobre otros aspectos de la agresión humana puede también ayudar a comprender las causas de la violencia doméstica (Berkowitz 1993). De hecho varios estudios han demostrado una correlación entre violencia fuera del hogar y violencia doméstica tanto a nivel individual (Hotaling et al., 1989; Huesman et al., 1984; Moffit y Caspi, 1999) como comunitario (ver más adelante). La correlación a escala individual es entre moderada y fuerte dependiendo de si se trata de poblaciones generales o de riesgo, mientras que a escala comunitaria la relación es también entre moderada y fuerte. En otras palabras, algunos maltratadores, aunque no todos, no solamente son violentos con su mujer, sino que también se comportan de manera violenta contra otras personas y, por otra parte, los barrios que exhiben tasas elevadas de violencia también suelen presentar tasas elevadas de violencia doméstica.

Los datos de la Encuesta sobre Seguridad, Familia y Salud de la Mujer (1999) refuerzan una interpretación del problema de los malos tratos que subraya la necesidad de examinar las conexiones entre violencia contra la pareja y violencia contra otras personas fuera del hogar. De acuerdo con este estudio, cuando los hombres son violentos con otras personas el riesgo de que la relación sea violenta es mucho más elevado, en todos los casos el riesgo es más del triple. En este caso, además, la correlación es muy fuerte. El 60% de los maridos o parejas de las mujeres que se definen como maltratadas son también violentos hacia otras personas y el 93% de las mujeres que reconocen que sus maridos las maltratan físicamente frecuente o muy frecuentemente están ligadas con hombres que son también violentos hacia otras personas (Barberet y Medina, en preparación). Otros estudios, en cambio, encuentran un grado menor de solapamiento (Moffit et al., 2000; Simous et al 1995) y, por otro lado, no está del todo claro, en primer lugar, la fiabilidad y validez de los datos sobre actos agresivos del compañero o marido fundados en declaraciones de las mujeres, ni las preguntas realizadas sobre violencia contra extraños hacen referencia a formas severas de agresión.

Con buenas razones, un número de investigadores consideran que aunque este problema forma parte del problema social más amplio de la violencia, plantea problemas teóricos y empíricos únicos (Johnson 1996). Dobash y Dobash (1979) han defendido que el estudio conjunto de todas las formas de violencia física y agresión, así como el enfocar estas formas diversas desde la mismas perspectivas no contribuye a nuestra comprensión de la violencia contra las mujeres. Este tipo de tratamiento, estos autores mantienen, es tan ridículo como si un «geólogo se refiriera a todo lo que hay en la luna simplemente como rocas» (Dobash y Dobash, 1979, p.8). De acuerdo con estos autores, cuando examinamos formas diferentes de violencia podemos observar que existen diferencias en la naturaleza de las relaciones de los sujetos envueltos, las motivaciones subyacentes en el uso de la fuerza, las ganancias personales o materiales que se pueden obtener con el referido uso de la fuerza, así como en el grado de intimidación comprendido en el acto. Estos autores también consideran que estos actos varían en cuanto al contexto en el que ocurren, el grado de legitimidad que se les confiere, el apoyo institucional y moral que reciben, así como en el sentido que les otorga la sociedad en general.

De acuerdo con Holly Johnson (1996), el abuso de esposas es un fenómeno especial y único en el sentido de que se produce en un contexto específico que le proporciona un significado distintivo para la víctima y el agresor que es diferente de la violencia que ocurre en otros espacios. Debido al contexto social e histórico de las relaciones entre esposos, que generalmente han colocado a los hombres en una situación de privilegio y autoridad sobre la mujer y sus hijos, las agresiones domésticas contra la mujer adoptan un significado diferente que los mismos actos cuando son cometidos contra otro hombre, o cuando los comete la mujer contra su marido. El abuso de esposas puede reforzar el estatus de desigualdad de la mujer, fortaleciendo la posición de privilegio y autoridad del hombre dentro de la relación, y aumentar la situación de dependencia de la mujer con respecto a su pareja.

No solamente el significado social de estos actos es diferente, sino que la violencia contra la mujer en el contexto de relaciones de pareja también difiere de otros actos de violencia en que aparece típicamente acompañada de sentimientos extremos de celos y posesión. Este abuso emocional deteriora la autoestima y restringe la libertad de la mujer. La proximidad de la víctima al agresor, los lazos legales, afectivos y financieros entre ellos, así como el desigual estatus social y generalmente en fuerza física hacen que la violencia contra las esposas tienda a ocurrir de una manera sistemática y, por tanto, tienda a causar más daño físico y emocional que la violencia en otros contextos en los que tiene un carácter menos continuado (Johnson 1996).

No obstante, ésta es en muchos sentidos una cuestión de énfasis. Aunque desde posiciones feministas se ha destacado el carácter singular de la violencia entre íntimos, los mismos autores en otras ocasiones han subrayado las conexiones entre las diferentes formas de violencia física y sexual contra la mujer, han admitido la existencia de similitudes entre la violencia doméstica y la violencia entre extraños y han reconocido que la comprensión de una determinada forma de violencia puede ayudar a comprender otras formas de violencia (Dobash y Dobash 1979; Johnson, 1996). Varias autoras, de hecho, han advertido sobre el riesgo de compartimentalizar en exceso las diferentes formas de abuso masculino sobre la mujer y, en su lugar, prefieren hablar sobre la existencia de un «continuo de la violencia» (Stanko, 1998).

Además, aun cuando algunos autores han destacado el carácter especial de la violencia entre íntimos por razones de tipo práctico y político para destacar su relevancia, lo cierto es que el conceptualizar la violencia entre íntimos como un problema diferente del problema más general del comportamiento violento es lo que ha facilitado el uso de excusas para no hacer nada respecto del primero. Moffit y Caspi (1999) han destacado como determinados sectores de la opinión pública piensan que los maltratadores representan un peligro menor para la sociedad o para el público porque su violencia no afecta a aquellos fuera de su hogar. Este tipo de análisis es lo que lleva a algunos a considerar que la violencia entre íntimos provoca un grado menor de «alarma social».

En este libro adopto un enfoque que reconoce las similitudes entre la violencia entre extraño y la violencia entre íntimos, pero que admite que existen diferencias significativas. Uno no puede ignorar las décadas de investigación en comportamiento violento generadas dentro del ámbito de la criminología, sobre todo, porque como veremos existen numerosas similitudes entre el comportamiento violento en general y el comportamiento violento en el ámbito de las relaciones de intimidad. Por ejemplo, en cambos casos, como veremos más adelante, se ha establecido una correlación entre la condición de víctima de abuso infantil y el realizar actos violentos durante la vida adulta. Pero al mismo tiempo este enfoque no niega las singularidades de la violencia entre íntimos destacadas por la teoría feminista, sino que más bien trata de analizar dichas singularidades partiendo del conocimiento existente sobre el comportamiento violento y las respuestas sociales al mismo.

Resulta en todo caso evidente que ésta es una cuestión en la que la investigación taxonómica sobre el maltrato puede resultar iluminadora. A medida que se generan más estudios de esta naturaleza se están generando datos que de alguna manera concilian una visión del problema más en línea con la teoría feminista y aquellos que pretenden enfatizar las conexiones con la violencia en general. Parece evidente que hay tipos de maltratadores que ciertamente se ven envueltos en comportamiento violentos contra terceras personas y tienen un largo historial delictivo, pero también hay otros tipos de maltratadores en los que estas circunstancias no concurren. Estos datos resaltan lo peligroso que resulta hacer generalizaciones sobre el maltrato y que muchos de los debates en este campo de estudio son similares a los de los ciegos del cuento, que trataban de describir un elefante y que no se ponían de acuerdo porque mientras unos tocaban la trompa, otros palpaban los colmillos o las patas.

VII. CONCLUSIONES

El problema de los malos tratos en realidad puede ser designado de muchas maneras y la elección del nombre para designar este problema constituye un acto político, dadas las diferentes asunciones e implicaciones ideológicas que cada designación conlleva. Los malos tratos, además, no son un problema tan sencillo u homogéneo como se ha presentado en el discurso público, sino que entraña diversas realidades que resultan más o menos difíciles de aceptar por dicho discurso público. Es imperativo que se reconozca la heterogeneidad y riqueza de situaciones que se engloban, o dejan de englobarse pero podrían serlo, bajo la etiqueta de malos tratos.

Los malos tratos, además, no pueden entenderse como un fenómeno aislado o un problema absolutamente nuevo, sino que tienen que entenderse e interpretarse en su debido contexto como una forma más, no solo de opresión de la mujer, sino también como una cara más de la violencia y el comportamiento delictivo en general. Un fenómeno que, además, ha de ubicarse en el contexto más amplio de las amplias transformaciones sociales y familiares de este final y comienzo de un milenio. En los próximos capítulos trataremos precisamente de presentar el fenómeno de la violencia en la pareja desde varios niveles de análisis: el situacional, evolutivo, individual, relacional, comunitario y cultural; pero antes se presentaran algunos datos sobre la extensión de este problema.

## Capítulo III

CIFRAS SOBRE VIOLENCIA EN LA PAREJA

I. INTRODUCCIÓN

Durante finales de los 70 en los Estados Unidos, aunque no solo en aquel país (ver, p.ej., Falcón, 1991), se entendió que una manera de llamar la atención sobre el problema de la violencia doméstica era por medio de la elaboración de estadísticas que documentaran su prevalencia e incidencia. A mayor el número de mujeres afectadas, mayor la seriedad del problema. En este sentido se hablaba de *advocate numbers* (Gelles y Straus, 1989), números para la causa. Todavía hoy se emplea esta táctica y se nos ofrecen continuamente las más que cuestionables, por la notoria pobreza metodológica de los estudios en que están basadas, estimaciones producidas por Naciones Unidas sobre la magnitud del problema de la violencia contra la mujer a escala mundial[35]. Es difícil ignorar un problema cuando afecta a muchas personas. En este sentido las cifras sobre la violencia doméstica adquieren un significado retórico. Este manejo de números no es exclusivo de la violencia doméstica, sino que es una de las muchas maneras en que se construyen problemas sociales (Kennedy y Sacco, 1998).

Por supuesto, la amplitud con la que definamos un problema contribuye a lo extendido que vamos a entenderlo. Definiciones amplias de la violencia doméstica, como la que de alguna manera representa la Escala de Tácticas de Conflicto (ver más adelante) u otros instrumentos populares entre los investigadores en este campo, pueden generar estimaciones estadísticas bastante generosas (Kennedy y Sacco, 1998). De hecho, existe un debate entre aquellos autores que entienden que estos usos resultan manipuladores y engañosos, en cuanto exageran determinados problemas tratando de crear una «epidemia de pánico moral biofeminista», y aquellos que consideran estas interpretaciones reaccionarias (Gilbert, 1993; DeKeseredy, 1996). Aunque estas reacciones son ciertamente exageradas, no cabe duda que la violencia contra la mujer es un serio problema social, y están informadas por una ideología bastante conservadora; también es cierto que en ocasiones se aprecia un uso poco sensible de cifras carentes de base real o que no toman en consideración las serias limitaciones metodológicas de los estudios que los producen.

---

[35] HEUNI, Statistics Canada y otros organismos están trabajando en la actualidad para desarrollar una encuesta internacional sobre violencia contra la mujer que verdaderamente permita realizar estimaciones fiables sobre la misma entre los países participantes.

En todo caso, algunas criminólogas feministas, así como autoras feministas con una menor identificación con la criminología, pero interesadas en los malos tratos, se distanciaron de este enfoque cuantitativo desde el principio. Para estas autoras la seriedad de este problema es evidente y no hace falta generar números que cuantifiquen exactamente el sufrimiento de las mujeres maltratadas. Muchas autoras feministas, además, prefieren el empleo de métodos cualitativos al considerar que los estudios cuantitativos no pueden reflejar en su debida dimensión y contexto las experiencias de las mujeres que sufren los malos tratos a manos de sus maridos (Dobash y Dobash, 1979; Esikovitz y Peled, 1990; Brush, 1993)[36].

Las estadísticas policiales se consideraban insuficientes y también se criticaba el énfasis en las encuestas sociales. Algunas mujeres implicadas en el movimiento de las mujeres maltratadas, así como algunos estudiosos del tema, entendían que la realización de grandes encuestas sociales, por un lado, distraían dinero que podía ser destinado a prevenir la violencia y, por otra parte, invitaba a la monopolización del debate sobre

---

[36]   Brush (1993), por ejemplo, ha subrayado que existen importantes obstáculos para comprender adecuadamente el fenómeno de la violencia domestica a través del uso de encuestas. Una de estas barreras es el contexto de la interacción entre entrevistador y entrevistada. Obtener información adecuada sobre el fenómeno extremadamente traumático y estigmatizador de los malos tratos requiere un grado de confianza, seguridad e intimidad que no puede darse en el contexto de estas interacciones. Esikovitz y Peled (1990) destacan que es difícil capturar con preguntas estandarizadas y cerradas las interpretaciones, narraciones, justificaciones, situaciones existenciales y sentimientos de víctimas y maltratadores. Sin embargo, otras autoras feministas han defendido también el uso de métodos cuantitativos. Yllo (1983) considera que la crítica demoledora que algunas autoras feministas han hecho de los métodos cuantitativos es innecesaria e injustificada. De acuerdo con esta autora, las cuestiones planteadas por la teoría feminista pueden ser respondidas de una manera más adecuada por medio del uso de una diversidad de métodos de investigación. Sin duda, los métodos cuantitativos han sido empleados para apoyar algunas de las hipótesis feministas como, por ejemplo, la noción que las mujeres, con mayor frecuencia que los hombres, son quienes reciben lesiones como consecuencia de los malos tratos (Murphy y O'Leary, 1994). Éste es un debate que va más allá de la investigación en malos tratos. Lo cierto es que, al margen de la polémica, la opinión más o menos dominante en la actualidad es que métodos cuantitativos y cualitativos pueden coexistir y contribuir, sobre todo si utilizados conjuntamente, en el estudio de los malos tratos. Lorain Gelsthorpe (1998), extendiendo el debate mas allá del estudio de los malos tratos, entiende que una lectura detenida de las discusiones y escritos feministas sobre métodos de investigación revela que no existen posturas absolutas más allá de la demanda de sensibilidad y capacidad de reflexión personal en el proceso de investigación, así como el compromiso de hacer la investigación relevante para mejorar la condición de las mujeres.

este fenómeno por parte de profesores e investigadores universitarios con un buen sentido oportunista, pero escasa sensibilidad genuina por la problemática de las mujeres maltratadas (Schechter, 1982). Por otro lado, como vimos en el capítulo anterior, incluso los más apasionados defensores de estas encuestas han subrayado los problemas de las mismas para medir las formas más severas de abuso doméstico (Straus, 1990c).

Esta polémica no se ha reproducido en nuestro país, al menos en este campo, y es mi modesto parecer que no se puede negar que las cifras sobre violencia doméstica tienen cierto valor. Aunque estas encuestas, obviamente, presentan problemas de tipo metodológico y ofrecen información limitada, lo mismo puede decirse de cualquier proceso de investigación. A pesar de ello, y por limitada que pueda ser esta información, resulta de considerable utilidad para el análisis de necesidades sociales, en particular si combinamos los datos procedentes de fuentes de información estadística diversa. No sólo eso, los estudios cuantitativos sobre el fenómeno de la violencia doméstica permiten la identificación de factores de riesgo y factores protectores. Evidentemente los métodos cualitativos son útiles en el estudio de la violencia doméstica, pero eso no resta importancia a la necesidad de contar con indicadores fiables sobre la magnitud de este fenómeno[37].

Marcus Felson (1998) hace referencia a lo que denomina «la falacia dramática» como un problema común en la criminología. Él define esta falacia como la tendencia a exagerar determinados problemas criminales cuando la realidad demuestra que la mayoría de los delitos son experiencias relativamente triviales. No podemos olvidar que esto también ocurre en el campo de la violencia doméstica. Por más que nos parezca inaceptable el uso de cualquier grado de fuerza física o presión psicológica en el

---

[37]   Este capítulo se limita a discutir los problemas metodológicos que la investigación cuantitativa y más específicamente cierto tipo de estudios cuantitativos, aquellos basados en el uso de encuestas sociales o estadísticas policiales, plantean. Ello no implica un juicio de valor sobre los métodos cualitativos. La cuestión sustantiva que se analiza en este capítulo es la magnitud de la violencia doméstica y este tipo de cuestiones obviamente requiere el empleo de métodos cuantitativos. Este capítulo, por tanto, no debe ser interpretado como un análisis de la problemática metodológica envuelta en el estudio de los malos tratos, sino simplemente como una introducción de los factores que afectan las estimaciones de prevalencia de malos tratos que se usan tanto en el discurso público como en el académico. A lo largo del texto de este volumen, el lector podrá ver como hago continua referencia a estudios basados en el empleo de métodos cualitativos. Cualquier sesgo evidente en la discusión de los mismos debe atribuirse exclusivamente a mi mayor experiencia en estudios cuantitativos, más que en un juicio de valor negativo sobre el empleo de métodos cualitativos para el análisis de determinados aspectos del maltrato, así como en la mayor facilidad de publicar estudios cuantitativos en el contexto norteamericano.

contexto de las relaciones de intimidad, no podemos olvidar que la mayor parte de las agresiones en el hogar son de carácter menor. Evidentemente, un número de estos casos conducen a formas sistemáticas de abuso psicológico y físico e, incluso, al homicidio. Pero en la gran mayoría de los casos las agresiones, consideradas como incidentes aislados, no llegan a tener la seriedad de un delito de lesiones (en sentido técnico) o de homicidio. También conviene recordar que incluso el más activo de los delincuentes no se encuentra cometiendo delitos todo el tiempo y que puede haber periodos, incluso relativamente largos, en los que no se produce ningún tipo de abuso físico en una relación violenta (Matza, 1964).

Estas afirmaciones no se realizan aquí para restar importancia al problema de la violencia doméstica. El uso de la fuerza y el abuso psicológico son moralmente inaceptables en todo caso y merecen ser considerados como un problema social que necesita una respuesta contundente. Pero es conveniente que no nos dejemos llevar por nuestra tendencia a dramatizar este problema y a pensar que la violencia doméstica es tan sólo el problema de mujeres que desde el primer día de su noviazgo reciben una paliza cotidianamente. Semejante conceptualización no solamente es errónea, sino que, además, no nos ayuda a diseñar soluciones que sean adecuadas a la prevención eficaz de este problema y, por otro lado, dificultan su entendimiento debido, así como nuestra capacidad de comprender la perspectiva de las mujeres que sufren los malos tratos.

La estimación de tasas de delitos violentos contra la mujer, particularmente aquellos cometidos por sus parejas, constituye una tarea difícil . Existen muchos factores que llevan a estas mujeres a no denunciar estos delitos a la policía o a encuestadores sociales, incluyendo la naturaleza privada del evento, el estigma asociado con el maltrato doméstico y el escepticismo sobre la habilidad del sistema de justicia penal u otros servicios sociales para prevenir este problema. Este capítulo empieza precisamente con un análisis de algunos de los problemas metodológicos ligados al estudio de la violencia doméstica. A continuación examinaremos la evidencia existente sobre la prevalencia[38] de la violencia doméstica en varios países, así como en España.

---

[38] Antes de empezar conviene, sin embargo, precisar tres conceptos claves cuando hablamos sobre magnitud de problemas criminales: prevalencia, incidencia y frecuencia o *lambda*. Cuando los criminólogos hablamos de *prevalencia* de la delincuencia normalmente nos referimos al número de personas que han sido victimizadas o al número de sujetos que cometen delitos en un determinado periodo de tiempo. Ésta es una variable que se resume en términos de porcentajes o tasas. La *incidencia*, por otro lado, hace referencia al grado de exposición a un fenómeno o la cantidad de una determinada calidad que los individuos poseen. En

II. PROBLEMAS METODOLÓGICOS: LA MEDICIÓN DE LA VIOLENCIA DOMÉSTICA

II.a. Introducción: fuentes de datos sobre violencia doméstica

La violencia entre íntimos plantea muchas cuestiones sobre métodos de investigación. Joseph Weiss (1989), en una revisión de la literatura sobre este problema publicada hace diez años, destacaba cómo, desafortunadamente, se ha prestado insuficiente atención a los problemas metodológicos que tienen que ser investigados y resueltos antes de que podamos elaborar estimaciones más validas y fiables de la prevalencia y factores de riesgo asociados con este fenómeno. A pesar de la antigüedad de la cita y los progresos realizados en esta área, la polémica aún subsiste y existen muchas cuestiones que no han sido resueltas de manera adecuada.

Aunque los problemas metodológicos en este campo no son muy diferentes de los que se encuentran cuando se estudian otros fenómenos sociales, el contexto de la investigación de la violencia entre íntimos es singular en ciertos sentidos. La familia es una institución compleja, privada e íntima cuyo estudio plantea limitaciones y retos especiales. Por otra parte, la violencia, de cualquier tipo, es un tema tabú que no se discute en privado, mucho menos con extraños. Los investigadores en este campo se encuentran con la confluencia de tabúes relacionados con la violencia y aquellos relacionados con la familia (Gelles, 1990a).

---

el contexto criminológico, incidencia se emplea para expresar el numero de delitos que como promedio sufre o comete una determinada población en un determinado periodo de tiempo. Esta no es una variable dicotómica, pero tampoco podemos decir que tiene una distribución normal, en forma de campana, sino que normalmente tiene una distribución *Poisson* o binomial negativa. Es decir, la mayoría de los individuos tienen un valor de 0 o 1, no han sido victimizados o no han cometido delitos nunca o casi nunca, mientras que solo unos cuantos individuos exhiben estas cualidades en un número mayor de ocasiones, a medida que progresamos en el nuúmero de veces que se han exhibido o sufrido estas conductas delictivas el número de sujetos disminuye de manera considerable. Más recientemente, los criminólogos han comenzado a prestar atención a una tercera medida, la frecuencia o *lambda*. Esta medida indica el número de veces que delincuentes activos, es decir, sujetos que han cometido algún delito, exhiben conductas delictivas en un periodo determinado de tiempo. En la medida en que esta medida prescinde de todos aquellos sujetos que no exhiben una carrera criminal activa, la frecuencia o lambda constituye un indicador más fiable del número de delitos que cometen los delincuentes activos. La frecuencia o lambda es un concepto claramente asociado con la noción de criminales de carrera (ver más adelante), sin embargo, se podría también aplicar al estudio de la victimización para entender mejor el fenómeno de la victimización repetida (ver más adelante).

De manera adicional, éste es un tema en el que resulta esencial problematizar nociones preconcebidas sobre la idea de género e intimidad. Además, en la medida en que la vida doméstica y las relaciones de intimidad son cuestiones y retos también presentes en la vida de quienes investigamos este fenómeno, este tipo de estudios continuamente nos obliga a preguntarnos y a pensar críticamente sobre la manera en que en nuestra práctica cotidiana hemos sabido, o no, resolver los problemas de desigualdad que subyacen en las relaciones violentas. Ni que decir tiene que este tipo de cuestiones son diferentes para los hombres y las mujeres que investigamos los malos tratos. No obstante, solo muy recientemente, y en esto la literatura feminista ha dado el primer paso, se ha empezado a reflexionar sobre este tipo de cuestiones de una manera adecuada (ver, por ejemplo, Schwartz, 1997).

Ciertamente, como los expertos en el método de encuestas saben desde hace mucho tiempo es más fácil obtener una respuesta a una pregunta, por ejemplo, sobre si se posee un televisor que si se pregunta a alguien si propina habitualmente palizas a su mujer (Sudman y Bradburn, 1982). Sin embargo, esto no significa que no se puedan realizar estudios de este problema. La experiencia anglosajona demuestra que es posible.

Las tres fuentes principales de datos sobre violencia doméstica son las estadísticas oficiales, los datos clínicos o de programas de intervención y las encuestas sociales (Garner y Fagan, 1997). Aunque cada fuente presenta problemas, cada una de ellas también presenta ventajas únicas dependiendo del propósito para el que las queramos emplear.

Las *estadísticas oficiales* comprenden el conjunto de estadísticas recopiladas y mantenidas por diversas instituciones oficiales que de una manera u otra tienen jurisdicción sobre el problema de la violencia doméstica. Estas estadísticas incluyen las estadísticas policiales, judiciales y penitenciarias, así como las recogidas por agencias sociales y por el sistema de salud pública. Las estadísticas del sistema de salud pública, tradicionalmente no consideradas como especialmente relevantes, han cobrado una mayor importancia en los últimos años y se han convertido en un instrumento esencial para valorar el daño a la salud de las víctimas causado por la violencia doméstica y otras formas de delincuencia[39].

---

[39] La relevancia creciente de estas estadísticas se puede atribuir a varias razones. En primer lugar, como discutiré en el capítulo sobre consecuencias del maltrato, en los últimos años se ha hecho especialmente popular en Estados Unidos lo que se ha venido a denominar el enfoque de salud pública en el estudio y prevención de la violencia. En segundo lugar, estas estadísticas ofrecen más información sobre las víctimas que las estadísticas policiales. En tercer lugar, estas estadísticas han sido consideradas como más fiables que las estadísticas policiales para estudiar la violencia no letal en cuanto detectan un mayor número de estos incidentes que

Las estadísticas oficiales, sin embargo, sólo reflejan aquellos incidentes de violencia doméstica que son revelados por las víctimas, o terceros implicados, o que son descubiertos por iniciativa de las agencias que las recopilan. Solamente una pequeña fracción de la violencia doméstica aparece reflejada en las estadísticas oficiales, dando lugar a interrogantes sobre el volumen de la violencia no reflejada en las mismas (la cifra negra). Las estadísticas oficiales, a su vez, no siempre especifican la relación entre víctima y agresor, impidiendo así su uso para el estudio de la violencia doméstica y, por otro lado, su elaboración no es perfecta, sino que está afectada por numerosos factores, desde la formación de los funcionarios que recogen las denuncias o cuentan los incidentes a sus eventuales manipulaciones por razones políticas (Hagan, 1993).

Los *datos clínicos o de programas* son los que proceden de aquellas agencias que, en diverso grado, se han especializado en el tratamiento del problema de la violencia doméstica como, por ejemplo, oficinas de atención a la víctima, programas de tratamiento para maltratadores, casas de acogida, asociaciones de mujeres que prestan servicios en una determinada comunidad, etc. Estos datos son especialmente relevantes porque constituyen casi la única fuente de información sobre los casos más severos de malos tratos y violencia en el hogar (Garner y Fagan, 1997).

Sin embargo, ya que no todos los casos llegan a estos programas, las muestras no son representativas. La falta de representatividad, normalmente, viene acentuada por el carácter local de estos programas y las especiales condiciones de acceso a cada uno de ellos. En todo caso, estos datos no son adecuados para proporcionar una estimación de la prevalencia e incidencia de la violencia doméstica en una determinada sociedad, aunque sí son muy importantes para analizar la dinámica y etiología del maltrato en los casos más severos. El análisis sistemático de esta información, además, permite estudiar las limitaciones de las respuestas sociales existentes, así como las necesidades especiales de las mujeres que tienden a acudir a estas agencias.

La tercera fuente de información sobre la violencia doméstica son las *encuestas sociales*. Sociólogos, psicólogos, criminólogos y autores y activistas feministas han empleado encuestas sociales para obtener una mejor idea de la prevalencia e incidencia de la violencia doméstica. Las encuestas sociales no se contentan con obtener información sobre aquellas víctimas que acuden en busca de ayuda al sistema de justicia penal o a las agencias de servicios sociales, sino que tratan de obtener informa-

---

nunca son denunciados a la policía. Además, estas estadísticas resultan especialmente adecuadas para medir el costo sanitario y económico de la violencia y miden una dimensión de la violencia, las lesiones, que no siempre son reflejadas de manera fiable en las estadísticas policiales.

ción sobre una muestra representativa de ciudadanos. Este método facilita la obtención de información sobre víctimas que aún no han buscado ayuda por sus problemas y permite comparar las características individuales y sobre su contexto de las víctimas y los ciudadanos que no son víctimas, con la finalidad de identificar factores de riesgo y protección. Sin embargo, como veremos con más detalle en la próxima sección, las encuestas sociales sobre violencia doméstica presentan algunos problemas y su realización con éxito depende en buena medida de la habilidad y recursos de los investigadores para confrontar dichos problemas.

II. b. El uso de encuestas sociales para medir la violencia doméstica

II. b. a. Los instrumentos para medir la violencia

Un problema fundamental en este tipo de estudios reside en la conceptualización de la violencia. Las definiciones operativas de la violencia doméstica varían tremendamente y existe escasa estandarización entre distintos estudios. Se han desarrollado numerosas escalas para medir la violencia doméstica, sin embargo, ninguna de ellas es perfecta o ha sido aceptada por la totalidad de la comunidad científica. La propia existencia de estas diferentes escalas es una prueba rotunda de la falta de acuerdo entre investigadores.

La escala más popular es la Escala de Tácticas de Conflicto o CTS (*Conflict Tactics Scales*). Esta escala se ha empleado en más de 20 países, incluyendo España (Hinshaw y Forbes, 1993), y 400 estudios desde 1972, lo que supone que ha sido administrada a más de 70.000 personas (Straus et al., 1995a). Conviene, además, destacar que muchos investigadores han empleado escalas de violencia en la pareja basadas en la Escala de Tácticas de Conflicto. Es, por ejemplo, el caso de la Encuesta Nacional de Juventud, la Encuesta Canadiense sobre Violencia Contra la Mujer o la Encuesta Americana sobre Violencia y Amenazas de Violencia contra la Mujer.

Por otro lado, esta escala también es utilizada con fines diagnósticos por psicólogos y orientadores familiares (Straus, 1993a). De acuerdo con Straus y sus colaboradores, en 1994 se publicaban aproximadamente 10 artículos por mes que empleaban esta escala (Straus, et al., 1995a). Existe una amplia cantidad de estudios que han tratado de demostrar la validez y fiabilidad de estas escalas (p.ej., Barling et al., 1987; Hamby et al., 1996). La CTS, sin embargo, también ha sido muy criticada, particularmente por algunos investigadores feministas que han cuestionado la simetría entre géneros en los estudios basados en la CTS (ver capítulo sobre factores de riesgo individuales).

La nueva versión de la misma —la CTS II— ha resuelto alguno de los problemas de las versiones anteriores. Así, por ejemplo, incluye una subescala de violencia sexual y una subescala de lesiones, dos de las más criticadas ausencias en versiones anteriores de este instrumento. Sin embargo, sigue presentando problemas. Por ejemplo, la escala aún no incorpora conductas de control en su subescala de agresión psicológica.

Una ventaja de la nueva Escala de Tácticas de Conflicto es que cuenta con una versión en español que ha sido validada en nuestro país. Merece la pena señalar que el equipo de Straus y sus colaboradores se encuentra también trabajando en el desarrollo de un cuestionario, el Inventario de Marcadores de Riesgo de Violencia, que pretende ser capaz de medir los diferentes factores de riesgo que se presumen asociados con la violencia en la pareja[40]. La Encuesta sobre Seguridad, Familia y Salud de la Mujer en la España Urbana (1999) emplea una versión modificada de la CTS-II.

La Escala de Tácticas de Conflicto-II es un instrumento que mide en qué grado los miembros de una pareja, en diverso tipo de relaciones, utilizan diversas tácticas, violentas y no violentas, de resolución de conflictos o para responder a sentimientos de enfado contra el otro miembro de la pareja. La introducción de la escala invita a los sujetos a tratar de recordar aquellas ocasiones en las que «no estaban de acuerdo con su pareja, se enfadaban con la otra persona, o simplemente tenían discusiones o peleas porque estaban cansados, de mal humor o por cualquier otra razón». A continuación se pregunta a los entrevistados cuantas veces incurrieron en cada una de las conductas enumeradas en esta escala durante los últimos doce meses. En cada caso se pregunta si la conducta la ha realizado el entrevistado y si la ha realizado su pareja. Cuando se trata de conductas violentas, por tanto, se recoge una medida de victimización y una medida de autoinforme o autoincriminación (Straus, 1990a).

En realidad, aunque se hace una referencia a tácticas de resolución de conflictos en general, la mayor parte de las conductas incluidas en la escala se consideran de tipo abusivo. De los 78 ítems en la nueva versión de esta escala sólo 12 se refieren a conductas no abusivas. Estos 78 ítems, que hacen referencia a 39 conductas, están agrupados en 5 subescalas: negociación, agresión psicológica, agresión física, coerción sexual y lesio-

---

[40] Estos 16 marcadores de riesgo incluyen la calidad de la comunicación, dominación, intimidación de la pareja, celos, desacuerdos con la pareja, compromiso con la relación, integración social, aislamiento social, personalidad antisocial, personalidad límite, depresión, hostilidad de género, maltrato, abuso de drogas o alcohol, socialización violenta y aprobación de la violencia (Straus, Hamby, Boney-McCoy y Sugarman, 1995b).

nes. La subescala de negociación distingue a su vez entre conductas emocionales, aquellas que se refieren a la expresión de sentimientos positivos durante el conflicto, y conductas cognitivas, aquellas que demuestran el uso de estrategias de resolución de problemas. Las demás escalas, que incluyen todas las conductas violentas y sus resultados, distinguen entre conductas serias y de menor gravedad. En total, por tanto, las cinco subescalas básicas se pueden dividir en un total de diez subescalas.

Este instrumento permite desarrollar medidas de prevalencia de la violencia doméstica y hay quienes explícita o implícitamente lo han utilizado para desarrollar medidas de incidencia. Sin embargo, conviene señalar que la CTS no es un instrumento que mide el número de episodios violentos que se producen durante un periodo determinado, sino un instrumento que mide actos (puñetazos, patadas, insultos, etc.) que se insertan dentro de uno o varios episodios violentos. Por tanto, si queremos medir adecuadamente diferentes dimensiones de la violencia, es preciso, que complementemos el uso de esta escala con cuestiones que midan el número de episodios violentos (cfr., Horney y Marshall, 1991), en otras palabras, con autenticas medidas de incidencia.

Esta escala, por otro lado, tiene limitaciones asociadas con el hecho de que mide actos violentos, en particular no permite analizar la compleja interacción y secuencia de los mismos tal y como se producen en la vida real. El orden y secuencia de estos actos no se obtiene. Aunque en ocasiones hay quién ha preguntado en estas encuestas quién comenzó el conflicto, en general no se ha preguntado a la vez quien empezó a recurrir a medios violentos para su resolución, los motivos de dicho comportamiento o la historia de abuso en la relación.

Por otra parte, es también muy cuestionable asumir que esta escala permite medir el número de individuos o parejas violentas. Considerar que la realización de uno o varios de estos actos convierte a un individuo o relación en violenta constituye un salto conceptual considerable que olvida interpretaciones sobre el acto realizadas por los partícipes, así como una consideración rigurosa de lo que podemos entender como comportamiento violento (Fagan y Browne, 1994)[41].

Un análisis cualitativo de estas escalas que realicé con una muestra de maltratadores latinos en Nueva York (Medina, 1998) mostró algunas de las limitaciones de las mismas. Para examinar la validez de este instrumento empleé lo que se denominan *think-aloud interviews* o «entrevistas pensando en voz alta» (Fowler, 1995). La idea de las mismas es que

---

[41]   Por esa razón nuestra encuesta también preguntaba a las entrevistadas si se consideraban mujeres maltratadas por su pareja.

los entrevistados articulen verbalmente sus pensamientos durante el proceso de respuesta a cuestionarios para detectar así problemas en la interpretación de dichos cuestionarios. Resumiendo los resultados de ese estudio:

1 Los maltratadores tienden a disminuir la seriedad o a negar por completo la realización de actos violentos contra su pareja y a exagerar la violencia cometida por su pareja.

2 Los ítems de la subescala de negociación no son debidamente interpretados por estos hombres. De hecho, su interpretación de los mismos sugiere que, en ocasiones, cuando contestan afirmativamente a la realización de estas conductas se están refiriendo a situaciones de falta de comunicación o incluso de abuso.

3 Hay otros ítems, en las diferentes subescalas de violencia, que por su ambigüedad dan pie a interpretaciones diversas y, en ocasiones, favorables a los maltratadores. En algunos ítems la diversidad de interpretaciones se debe no tanto a la ambigüedad de los mismos, como a la falta de referencia a intenciones malignas.

4 Los códigos de respuesta, tal y como se recogen en la versión original de la CTS-II, dan lugar a numerosas confusiones que tienden a inflar las estimaciones de incidencia de diversas conductas.

5 Los métodos para estimar la incidencia de diversas conductas varían entre los entrevistados. Además, los entrevistados también usan métodos diferentes dependiendo del ítem. En ocasiones, los entrevistados tratan de estimar el número de etapas problemáticas en la relación, otros tratan de estimar el número de episodios violentos o discusiones, mientras que otros tratan de estimar el número exacto de veces que realizaron una determinada conducta. Parece existir una relación entre la ambigüedad de los ítems, la seriedad de la conducta y la generalidad del método de estimación[42].

6 La estructura de los ítems, preguntando primero por autoincriminación y a continuación por victimización, puede estar generando pautas de respuesta que tienden a inflar el nivel de victimización masculina.

7 La CTS-II tiende a inflar los niveles de violencia femenina al no diferenciar entre actos realizados en defensa propia y actos realizados sin provocación alguna.

8 La CTS-II no mide en absoluto las conductas de control o persecución y, por otra parte, presta muy escasa atención a las lesiones físicas.

---

[42] Sería recomendable la adopción de un método similar al empleado por Horney y Marshall (1991) para obtener autoinformes de delincuentes si queremos obtener mejores estimaciones de la incidencia de episodios violentos en la relación. Horney y Marshall utilizaban con éxito calendarios para facilitar el recuerdo de episodios y su correcta ubicación temporal.

Existen otros instrumentos empleados para medir la violencia doméstica. Así, por ejemplo, el Indice de Abuso de Esposos (Hudson y McIntosh,
1981; Campbell et al., 1994), el Inventario de Maltrato Psicológico de
Mujeres (Tolman, 1989), el Análisis Dinámico de la Agresión (Rhodes,
1992), la Escala de Abuso de Parejas (Attala, Hudson y McSweeney,
1994), el Inventario de Conductas Abusivas (Shepard y Campbell, 1992),
la Escala de Severidad de Violencia contra la Mujer (Marshall, 1992), la
Escala de Abuso de Mujeres (Saunders, 1992a), la Medida de Abuso de
Esposas (Rodenburg y Fantuzzo, 1993), el Inventario de Creencias sobre
Palizas a Mujeres (Saunders et al., 1987), el Indice de Valoración de la
Violencia, el Indice de Valoración de Lesiones y el Indice de Conductas de
Control (Dobash y Dobash, 1998), la Escala de Proclividad al Abuso
(Dutton, 1995b), el Inventario sobre Conocimiento y Actitudes Sobre la
Violencia en las Relaciones (Rybarik et al., 1995), la Escala de Conflicto
Doméstico (Margolin et al., 1990), etc. En España el equipo encabezado
por el profesor Echeburua, además, ha desarrollado el Cuestionario de
Variables Dependientes del Maltrato (Echeburua y Del Corral, 1998),
aunque no existen datos publicados sobre la validez y fiabilidad de este
instrumento.

Desgraciadamente, no existen suficientes estudios que hayan comparado las virtudes y defectos de estos instrumentos. Además, ninguno de
estos instrumentos ha alcanzado la popularidad y éxito de las Escalas de
Tácticas de Conflicto. Es por ello por lo que la discusión en esta sección ha
girado en torno a dichas Escalas[43]. Además, como señalaba anteriormente
éste es el instrumento que la Encuesta sobre Seguridad, Familia y Salud
de la Mujer en la España Urbana emplea para poder realizar comparaciones transnacionales.

En general, estas encuestas han empleado preguntas e instrumentos
cerrados para medir la violencia doméstica. Sin embargo, existen otras
opciones. El mejor ejemplo es la encuesta holandesa sobre abuso de
esposas (Romkens, 1997). Este estudio intentó combinar métodos cuantitativos y cualitativos con una muestra de 1016 mujeres. Los datos

---

[43]   La Encuesta sobre Salud, Seguridad y Familia de la Mujer Española (1999) utiliza,
de hecho, una versión modificada de dichas escalas, lo que constituye una razón
adicional para dedicar más espacio a la discusión de este instrumento. El uso de
esta escala en nuestra Encuesta vino motivada por varias razones. En primer
lugar, su uso permite comparar las cifras obtenidas por nuestra encuesta con el
amplio número de estudios que han empleado este instrumento. En segundo lugar,
el formato de esta escala es el más apropiado para capturar no solo las instancias
más severas de conflicto, sino también las más leves. Finalmente, el empleo de la
nueva versión de la CTS-II permitía de una manera sencilla obtener medidas en
varias dimensiones de la violencia (física, sexual, lesiones y verbal)

fueron cosechados empleando una entrevista semiestructurada. Aunque este tipo de enfoque hace el análisis de datos mucho más complicado, el principal problema es su excesivo coste económico y la baja tasa de respuesta que se obtiene como consecuencia de la larga duración de la entrevista.

II.b.b. Problemas relativos al muestreo, método de administración y cuestiones éticas

Al margen de las cuestiones referidas a la definición operativa del abuso, existen numerosos problemas envueltos en la medición de la violencia doméstica por medio de la realización de encuestas. Existen una serie de cuestiones comunes que afectan a toda persona decidida a realizar una encuesta de este tipo. Un primer asunto es la selección de la muestra. La primera pregunta es si debemos incluir sólo mujeres —como las más probables víctimas de violencia doméstica— o también hombres —en cuanto que al ser los más probables perpetradores de violencia pueden aportar información de máximo interés sobre su propia conducta—. La experiencia comparada nos muestra ejemplos de ambos tipos de estudios. Hay que señalar que mientras que los estudios que han entrevistado sólo mujeres han utilizado una amplia gama de instrumentos dirigidos a medir la prevalencia de victimización de mujeres, aquellos que han incluido a hombres como parte del universo han empleado de modo casi exclusivo las Escalas de Tácticas de Conflicto, al ser el único instrumento que combina medidas de victimización y de autoincriminación. La respuesta a este interrogante, en gran medida, depende del objetivo que estemos intentando alcanzar con nuestro estudio.

Si nos decidimos a entrevistar a hombres y mujeres, y a obtener medidas de victimización y autoinforme o autodenuncia, surge un segundo problema. Los estudios que han seguido esta línea con muestras representativas de la población, para abaratar el coste económico, sólo han entrevistado a un miembro de cada pareja y han utilizado sus respuestas como un indicador fiable de la violencia en la unidad familiar a la que pertenece. Sin embargo, muchos autores han demostrado, usando muestras clínicas, que existen diferencias de género y faltas de acuerdo en las respuestas ofrecidas por los dos miembros de una misma pareja[44].

---

[44] El estudio clásico en esta materia fue publicado en 1983 por Szinovacz. Esta autora demostró que los esposos normalmente discrepan sobre la ocurrencia e incidencia de determinadas conductas de malos tratos y que dichas discrepancias solamente pueden observarse a través de la comparación del testimonio de ambos miembros de la pareja. Desde la publicación de este estudio, han aparecido muchos otros estudios que han tratado de verificar los datos obtenidos por esta investigadora

En otras palabras, existen serios problemas cuando se agregan datos de esposos y esposas procedentes de diferentes unidades familiares para obtener estimaciones de la prevalencia e incidencia de la violencia doméstica en la población general. En general los hombres tienden a negar o minimizar la violencia en el hogar.

Varios estudios han tratado de demostrar que existe una relación entre deseabilidad social y la validez de las respuestas ofrecidas en cuestionarios sobre malos tratos, al menos por lo que respecta a perpetración de los mismos (Arias y Beach, 1987; Riggs, Murhpy y O'Leary, 1989; Heckert y Gondolf, 1997). En un análisis, utilizando la combinación de métodos cualitativos y cuantitativos, de una muestra de parejas en las que el varón había sido sancionado penalmente por su violencia, por ejemplo, Dobash y sus colaboradores (1998) demostraron que los hombres generalmente reconocen menos violencia y producción de lesiones que la que sus mujeres denuncian. Además, los hombres tampoco reconocían el mismo nivel de frecuencia de empleo de estos actos violentos y producción de lesiones. Estos autores documentaron que solamente cuando se consideraban las formas menores de violencia existía un mayor grado de convergencia entre el testimonio de los hombres y las mujeres.

En la actualidad, numerosos investigadores están intentando analizar porque se producen estas diferencias[45]. Otros han propuesto la

---

(Jouriles y O'Leary, 1985; Browning y Dutton, 1986; Bohannon, Dosser y Lindley, 1995; Heckert y Gondolf, 1997; Sugarman, Maloney y Noey-McCoy, 1997; Moffit et al., 1997). Estos estudios, generalmente, han tendido a obtener resultados similares. Los resultados, sin embargo, han sido sujetos a diversas interpretaciones. Para algunos las correlaciones obtenidas, en algunos estudios de tipo moderado, se han considerado como un éxito, mientras que otros autores las consideran insuficientes. Como el propio Straus suele referirse a esta cuestión en discusiones informales, «se trata de la eterna polémica sobre la botella medio vacía o medio llena». Sin embargo, hay quienes han cuestionado a Straus con buenos argumentos. La mayoría de estos estudios, que han encontrado correlaciones moderadas, estaban basados en muestras en las que existía un número considerable de parejas, en ocasiones la mayoría, que no exhibían conductas violentas y que, por tanto, estaban de acuerdo en la inexistencia de violencia en su relación. De acuerdo con Schafer, Caetano y Clark (1997) estos métodos no son apropiados. Usar las correlaciones de las sumas de las respuestas de los hombres y mujeres de manera separada no es la técnica más apropiada en estas circunstancias. En su lugar estos autores prefieren analizar estos datos como un problema de clasificación o perdición. Estos autores, empleando datos de la primera encuesta nacional en la que se preguntaba sobre violencia doméstica a ambos miembros de la pareja, demostraban que, cuando se realizan análisis en los que algún miembro de la pareja reconoce que hay algo de violencia, es cuando se observa un grado considerable de desacuerdo.

[45]   O'Leary y Arias (1987) están trabajando en los posibles motivos de estas discrepancias. De Maris, Pugh y Harman (1992) intentaron determinar si los hombres o las

inclusión de medidas de deseabilidad social para ajustar estadísticamente estas diferencias (Saunders, 1991). Otros autores, en cambio, creen que necesitamos realizar más estudios sobre este problema antes de que podamos plantear soluciones y han criticado el uso de estas correcciones estadísticas por la posible interpretación sustantiva de la deseabilidad social como un factor de riesgo (Sugarman y Hotaling, 1997)[46].

Dados los problemas con este enfoque y que los malos tratos se conciben socialmente como un problema de violencia contra la mujer, hay quienes sugieren que sólo se empleen muestras de mujeres. Quienes reivindican este tipo de muestras destacan que los hombres tienden a infraestimar su violencia, mientras que apuntan, al mismo tiempo, que las mujeres suelen recordar mejor estos incidentes. La investigación cualitativa, de hecho, suele documentar que las mujeres ofrecen narraciones más detalladas y extensas que los hombres, generalmente ubican el comienzo de la narración en un momento más temprano y llevan el análisis del impacto del incidente violento más allá que los hombres (Dobash et al., 1998). Otros autores, en cambio, han sugerido la realización de encuestas en las que se pregunte a ambos miembros de la pareja sobre la existencia de malos tratos y en lugar de estimar cifras puntuales de prevalencia, tratar de estimar intervalos que tomen en consideración las divergencias (Schafer, Caetano y Clark, 1997 y 1998).

Otro problema que se plantea a la hora de realizar encuestas sobre malos tratos también tiene que ver con la selección de los participantes en la misma. Se trata de la cuestión de dónde se va a reclutar a la muestra. Los primeros estudios sobre violencia doméstica estaban basados en muestras de mujeres en casas de acogida o que acuden a agencias que

---

mujeres recuerdan de una manera más ajustada la violencia en la pareja que han observado en un film. De manera contraria a las expectativas de estos investigadores, los hombres recordaban mejor estos incidentes que las mujeres. Este descubrimiento llevó a estos autores a sugerir que la menor propensidad de los hombres a declarar su participación en actos de violencia como los perpetradores no está relacionada con su capacidad de recordar estos actos. Estos autores creen que este hecho se debe a la negación consciente o inconsciente de estos actos.

[46]   Sugarman y Hotaling (1997) realizaron un meta-análisis de los estudios que han examinado la correlación entre violencia doméstica y deseabilidad social documentando un efecto entre leve y moderado. En general los autoinformes de perpetración parecían estar más afectados que los informes de victimización. Sugarman y Hotaling, sin embargo, advierten que sería erróneo introducir sin más medidas correctoras de deseabilidad social como si este fuera simplemente un sesgo metodológico, ya que también existen razones teóricas de tipo sustantivo para sospechar una relación entre estos constructos. En otras palabras, personas con una mayor inversión en la comunidad (que exhiben puntuaciones elevadas en escalas de deseabilidad social) en teoría son aquellas personas que teóricamente son menos propensas a participar en actividades violentas.

prestan servicios sociales o médicos. La mayoría de estas muestras han sido de tamaño pequeño y presentan una validez externa limitada (Weiss, 1989). En nuestro país, igualmente, las primeras encuestas realizadas sobre el tema utilizaban este tipo de muestras (p.ej., Jiménez Casado, 1995; Oficina del Defensor del Pueblo, 1998). La existencia de diferencias sistemáticas entre diversos tipos de muestras es más que probable. Las mujeres que acuden a los hospitales son, obviamente, más dadas a exhibir algún tipo de lesión física; las que se encuentran en casas de acogida se han separado, al menos temporalmente de sus parejas, lo que sugiere una mayor fortaleza o quizás un abuso más serio; y las muestras obtenidas a través de la policía o los juzgados pueden incluir maltratadores más enfadados, más reservados y más disfuncionales (Rosenbaum, 1988). Ciertamente, no podemos generalizar los resultados basados en este tipo de muestras a otros tipos de poblaciones y mucho menos a la población general en la medida en que no son representativas de las mismas. Sin embargo, no siempre los investigadores han sido conscientes de las diferencias que pueden existir entre estos subgrupos y la población general (Follingstad, 1990).

Murray Straus y su equipo de colaboradores (1981), ya a principios de los 70, comenzaron a plantear la necesidad de realizar muestras representativas de la población. Estas encuestas representativas se han convertido en el método más utilizado en nuestros días, sin embargo, conviene destacar que las encuestas con mujeres en casas de acogida o que acuden a servicios sociales no deben descartarse. De hecho, en muchos sentidos, pueden ser de notoria utilidad para dichas agencias sociales en cuanto ofrecen información más detallada sobre el tipo de mujeres y situaciones que tienen que atender. Por otro lado, y aunque hay casos serios que no acuden a estos servicios, este tipo de muestras sirve al criminólogo para analizar muestras más inclusivas de casos serios de malos tratos que las muestras representativas de la población nacional o de una determinada entidad territorial.

Además, la realización de encuestas representativas de la población no resulta tan sencilla. Se necesitan muestras muy grandes para localizar casos suficientes de malos tratos que permitan realizar análisis estadísticos de cierta sofisticación (Gelles, 1990a; Weis, 1989; Follingstad, 1990). Al ser la violencia doméstica, en particular la violencia doméstica de cierta seriedad, un fenómeno estadísticamente «raro», se precisan muestras muy grandes para evitar los problemas derivados de errores típicos relativamente grandes a la hora de realizar estimaciones. Solo con muestras de cierto tamaño se pueden realizar análisis estadísticos de cierta sofisticación.

Autores como Gelles (1990a) han reclamado el uso de muestras grandes y caras. En Estados Unidos la primera Encuesta Nacional sobre

Violencia Doméstica empleaba una muestra de 2.143 individuos. El propio Gelles reconocía la dificultad que dicho tamaño muestral implicaba para la realización de determinados análisis estadísticos. La segunda encuesta, dadas las limitaciones de la primera, aumentaba este número a más de cinco mil individuos. Intentos más recientes de medir la violencia doméstica han recurrido a muestras considerablemente mayores. Así, la Encuesta sobre Violencia Contra la Mujer realizada en Canadá, así como la Encuesta sobre Amenazas y uso de la Violencia contra la Mujer Americana realizada en los Estados Unidos usaban muestras con un tamaño aproximado de 16.000 entrevistas.

Pero incluso en estas situaciones, como Follingstand (1990) ha planteado, es posible que la mayoría de las mujeres maltratadas no sean localizadas, en cuanto son personas que se encuentran sometidas a un grado considerable de aislamiento social. Straus (1990c), como señalábamos en el primer capítulo, ha demostrado que el grado de seriedad de la violencia doméstica capturada en encuestas sociales de la población general palidece al lado del grado de violencia experimentada por mujeres que se encuentran en refugios.

No solo el diseño de las muestras ha generado debate, sino también el método de administración de estas encuestas. La primera encuesta nacional de violencia doméstica, conducida por Straus en 1976, usó entrevistas personales, sin embargo, desde entonces casi todas las encuestas de violencia doméstica han empleado entrevistas telefónicas para abaratar costes. La realización de entrevistas cara a cara con muestras tan grandes como las necesitadas en esta área es extraordinariamente cara. Gelles (1990a) estima que la II Encuesta Nacional sobre Violencia Doméstica habría costado más de un millón de dólares de haberse realizado con este procedimiento. Este método plantea, no obstante, ciertos inconvenientes.

Algunos de los problemas de las encuestas telefónicas son relativamente generales, mientras que otros son más específicos de la temática propia de estas encuestas. Aunque hoy la mayoría de los domicilios cuenta con un teléfono en las áreas urbanas, no se puede decir lo mismo de las áreas rurales. Tampoco la distribución de teléfonos es aleatoria desde el punto de vista de la estructura social. Miembros de clase social baja son menos proclives a tener un teléfono. Esto, sin duda, sesga las muestras de las encuestas que usan estos procedimientos. Por otro lado, al realizar entrevistas telefónicas no sabemos dónde está ubicado el teléfono o si hay alguien más en la habitación y, por tanto, resulta más difícil valorar la comodidad del entrevistado al responder las preguntas (Czaja y Blair, 1995). Por ejemplo, debemos esperar una calidad de respuesta diferente si el maltratador o el marido se encuentra en la misma habitación donde la mujer está respondiendo estas preguntas. Aunque puede argumentarse que algunos de estos problemas pueden tratarse de alguna manera al realizar este tipo de entrevistas, lo cierto es que siempre se tendrá menos control e información sobre el contexto de la entrevista que en el caso de entrevistas cara a cara.

Aunque las tasas de respuesta en las encuestas que emplean entrevistas telefónicas son generalmente más altas que las obtenidas con entrevistas personales, la literatura sugiere que la calidad de la información parece deteriorarse en el sentido de que existe una tendencia a declarar menos victimizaciones (Stangeland, 1996). En un estudio aún no publicado, Ann Coker y Elizabeth Stasny analizaron datos de la Encuesta Nacional de Victimización Criminal y, tras controlar otros factores, pudieron documentar que el empleo del teléfono en lugar de las entrevistas cara a cara reducía en un 60% el número de personas que reconocían ser víctimas de violencia doméstica.

Quienes defienden la realización de entrevistas cara a cara van incluso más lejos y sugieren el empleo de mecanismos adicionales para garantizar la privacidad de las respuestas como una manera de incrementar la confianza a reconocer victimizaciones. Wetzel y sus colaboradores (1994), por ejemplo, en la encuesta alemana de victimización entregaban a los encuestados un cuestionario adicional sobre violencia doméstica que los mismos debían rellenar y mandar por correo con el entrevistador una hora después de su entrega y realización del resto de la entrevista. Por otro lado, en la Encuesta Británica de Victimización de 1994, se empleaban ordenadores portátiles para autoadministrar las cuestiones sobre violencia doméstica. El argumento, de nuevo, consistía en procurar al entrevistado una dosis mayor de confidencialidad (Mirlees-Black, 1999), aunque, además, el uso de este tipo de procedimientos suele producir una tasa mayor de victimización en cuanto que impone un mayor grado de control sobre el entrevistador que así no puede saltarse preguntas (Lynch, 1996).

En estas instancias, además, se suelen diseñar procedimientos para garantizar que las entrevistas se realicen cuando la mujer está sola o, al menos, cuando el marido no esté presente. Ésta es una medida que se suele implementar no solamente para aumentar la calidad y confidencialidad de las respuestas, sino también para asegurar que no estamos poniendo en peligro a entrevistadas y entrevistadoras por medio de la discusión de estos temas en presencia de sujetos que pueden responder negativamente e incluso con violencia a los mismos. En todo caso conviene destacar que efectivamente éste es un factor que afecta la calidad de las respuestas. Coker y Stasny (En Prensa) documentaron que cuando los maridos están presentes en la entrevista, las entrevistadas son 5.3 veces menos proclives a confesar su victimización incluso cuando se controlan otros factores asociados con el riesgo de victimización.

Una última palabra en relación con los problemas de la investigación de la violencia doméstica mediante el uso de encuestas. La experiencia comparada nos enseña que el investigador debe estar preparado para tratar los riesgos, perjuicios y problemas que pueden surgir durante las entrevistas. Los estudios más profesionales en este campo emplean un entrenamiento específico de los entrevistadores, para afrontar este tipo de situaciones. En la realización de estos estudios se suele contar con un psicólogo a la disposición de los entrevistadores que se pueden sentir de alguna manera emocionalmente afectados al exponerse al tipo de información obtenida. Finalmente, los entrevistadores deben contar con información sobre las agencias que ayudan a víctimas de malos tratos y a familias con problemas para ponerla al alcance del entrevistado.

Más recientemente se ha generado un cierto debate sobre el contexto de la encuesta como un elemento fundamental para entender las diferencias en estimaciones de prevalencia que se observan cuando se comparan diferentes encuestas (Lynch, 1996; Mihalic y Elliott, 1997b; Straus, 1999; Bachman, en prensa). Por ejemplo, de acuerdo con Straus (1999), aquellos estudios sobre la violencia doméstica que se presentan como análisis de los problemas en la familia facilitan la obtención de tasas de violencia más alta que las encuestas que se presentan como estudios del delito o la violencia. Porque muchas mujeres maltratadas, y la sociedad en general, todavía no conciben los malos tratos como un delito o como una forma de violencia, sino más bien como un problema familiar, Straus argumenta que las encuestas generales de victimización e incluso aquellas centradas en el estudio de violencia contra la mujer tienden a obtener tasas de prevalencia e incidencia que son menores. Mihalic y Elliott (1997b) examinaron datos de la *National Youth Survey* para examinar esta hipótesis. Aunque ésta es una única encuesta, incluye preguntas sobre participación en actos violentos en diferentes momentos y en diferentes contextos. Estos autores documentaron que la violencia marital era infraestimada en el 84.3% de los casos en que se preguntaba sobre la misma cuando el contexto aludía a actos delictivos en comparación con cuando se preguntaba en el contexto de aspectos relacionados con su vida familiar.

Straus (1998) también ha aludido a otros factores metodológicos que pueden influenciar las tasas de violencia doméstica. Este autor cree que una de las razones por las que las encuestas que han usado las CTS encuentran tasas altas de violencia es la introducción exculpatoria empleada por este instrumento. Las CTS, efectivamente, comienzan con el siguiente párrafo:

«No importa lo bien que se lleve una pareja, hay veces que no están de acuerdo, se molestan con la otra persona, cada uno quiere cosas diferentes, o tienen riñas o peleas ya sea porque están de mal humor, cansados o por otros motivos. Las parejas también tratan de resolver estas diferencias de distintas maneras. Ésta es una lista de cosas que su compañero o esposo puede que hagan cuando tienen diferencias. Por favor, circule cuántas veces su compañero o esposo hizo alguna de estas cosas en los últimos doce meses.»

El tono general de esta introducción trata de vencer las resistencias de los entrevistados a no denunciar comportamientos objetivamente violentos. Además, como Lynch (1996) ha señalado, sensibiliza a los entrevistados sobre el tema y activa su memoria sobre este tipo de situaciones.

Las encuestas de victimización o de violencia contra la mujer, normalmente preguntan primero si ha habido violencia y, entonces, preguntan si existe una relación con el perpetrador. Las encuestas de violencia doméstica son sobre problemas en la familia y, por tanto, el perpetrador no puede ser otro que la pareja. Según Straus (1998; 1999), dado que la gente tiende a conceptualizar la violencia doméstica y la cometida por otras personas como diferentes entidades, es más que posible que cuando se pregunte sobre violencia en general y después sobre la relación con el perpetrador sólo se recuerden aquellos incidentes íntimos más violentos. Además, cree que otros elementos de las CTS son relevantes. En primer lugar, las CTS preguntan a los entrevistados sobre violencia sufrida y sobre violencia perpetrada. De acuerdo con Straus (1998; 1999), este enfoque asume la posibilidad de que ambos miembros de la pareja pueden comportarse violentamente, lo que facilita que se informe sobre los mismos.

También la edad de los entrevistados y otras características de la muestra, como obviamente su estado civil y similares, tienen un importante impacto en la magnitud de la violencia doméstica a ser detectada. Dada la correlación entre edad y violencia doméstica no es de extrañar que en muestras de jóvenes las cifras de abuso sean mayores. Por otro lado, una encuesta de violencia doméstica que excluyera a mujeres separadas o divorciadas estaría infraestimando el nivel de violencia doméstica (Fagan y Browne, 1994). Por otro lado, una muestra exclusivamente urbana también produce cifras más elevadas de violencia (Fagan, 1993a).

Como veremos a continuación, se han realizado numerosas encuestas de violencia doméstica que han aportado cifras diferentes sobre este problema, así como diferentes definiciones del mismo. La diversidad de métodos empleados, como he tratado de demostrar en esta sección, resulta un factor que debe ser tomado muy en cuenta a la hora de interpretar los resultados obtenidos por dichas encuestas.

III. CIFRAS SOBRE LA VIOLENCIA DOMÉSTICA

III.a. Incidencia y prevalencia en otros países

En esta sección repasaremos las estadísticas criminales de otros países en los que existe una mayor tradición midiendo la violencia doméstica. Conviene advertir que las cifras procedentes de otros países no pueden generalizarse a nuestro país. España en muchos sentidos presenta importantes diferencias (en factores potencialmente relacionados con la violencia doméstica) con los países de los que proceden estas cifras, en particular, con los Estados Unidos.

Por lo que se refiere a estadísticas policiales cada país tiene un sistema más o menos diferente de colección de datos sobre delitos y faltas. Dichas diferencias hacen que sea difícil la comparación de tasas nacionales de violencia doméstica basadas en dichas estadísticas. Por otro lado, en la mayoría de los países sólo durante las dos últimas décadas se ha comprendido la relevancia de incorporar este tipo de datos a las estadísticas policiales. En los Estados Unidos, por ejemplo, el *Uniform Crime Report*, las estadísticas policiales nacionales realizadas por el FBI, no miden la relación entre el agresor y la víctima más que en los casos en que ha habido un arresto o en los casos de homicidio. Éste, y muchos otros problemas de este sistema han llevado en este país a la adopción de un nuevo sistema de estadística policial (NIBRIS) que aún se encuentra en fase de experimentación y expansión (Hagan, 1993).

También existe un interés creciente en el desarrollo de estadísticas sanitarias que midan la incidencia y prevalencia de lesiones producidas por la violencia criminal. Algunos Departamentos de Salud Pública en las principales ciudades norteamericanas han desarrollado sistemas de vigilancia epidemiológica de la violencia. Las autoridades sanitarias federales, por otra parte, se encuentran en el proceso de desarrollar un sistema de vigilancia epidemiológica que mida mejor la violencia doméstica con carácter nacional. El creciente interés de los profesionales de salud pública en la violencia doméstica ha venido unido a un interés en la medición de otra dimensión de la violencia doméstica frecuentemente olvidada: las lesiones. Desafortunadamente, muy pocos estudios han estimado la prevalencia de la existencia de lesiones en casos de maltrato (Fagan y Browne, 1994). Esta cuestión será analizada con detenimiento en el capítulo sobre consecuencias del maltrato.

Los datos oficiales que resultan más útiles a la hora de realizar comparaciones entre diferentes naciones sobre el nivel de violencia son los datos sobre homicidios (Gartner, 1993). Muchos de los problemas que se plantean a la hora de medir la delincuencia no surgen en los casos de homicidio. Como dice el refrán criminológico, «un cadáver no se puede esconder». Sin embargo, la medición de los homicidios no está exenta de problemas, en particular si uno está interesado en homicidios domésticos (Maxfield, 1989) y en comparaciones transnacionales (Gortner, 1993; Neopolitan, 1996). En los Estados Unidos, por ejemplo, en aproximadamente el 50% de los casos de homicidio se desconoce la relación entre agresor y víctima, resultando, por tanto, difícil producir estimaciones ajustadas de la cifra real de violencia letal en el ámbito doméstico. En este sentido, los Estados Unidos posiblemente no son una excepción.

Aunque, también hay que señalar, que la mayoría de los criminólogos consideran que los casos de homicidio en los que se desconoce la relación entre víctima y agresor son probablemente situaciones que no pueden considerarse como domésticas. De hecho, el marido o la pareja suele ser el primer sospechoso en casos de homicidios de mujeres. Es cuando no existen indicios suficientes para confirmar esa inicial sospecha y no existen otros indicios claros sobre la autoría del hecho que la relación entre víctima y agresor se califica como desconocida. Evidencia reciente, además, indica que en casos de violencia doméstica es más frecuente que los homicidas se entreguen a las autoridades (Dobash, Dobash, y Medina, 2000). A pesar de la importancia de este problema han existido escasos proyectos de investigación tratando de dilucidar estas cuestiones. Éste, sin duda, constituye un área en el que está asegurada la realización de estudios en el futuro.

En el ámbito comparado también se han realizado numerosas encuestas sobre malos tratos y éstas, hasta cierto punto, permiten realizar comparaciones. Sin embargo, estas comparaciones han de ser matizadas dadas las importantes diferencias metodológicas, capaces de tener un impacto en el grado de prevalencia e incidencia revelado, entre unas y otras. Estas encuestas pueden clasificarse en función del tema organizador de la encuesta: asuntos familiares o violencia doméstica, victimización general, violencia contra la mujer o estudios de incriminación propia.

En los Estados Unidos diversas encuestas han tratado de medir el nivel de *violencia doméstica* a escala nacional durante la última década. Por un lado, Straus o sus colaboradores han estado implicados en la realización de tres encuestas nacionales que emplearon las Escalas de Tácticas de Conflicto como instrumento para medir de manera específica la violencia doméstica y sus factores de riesgo (Straus, Steinmetz y Gelles, 1981; Gelles y Straus, 1989; Kantor, Jasinski y Aldarondo, 1992). La I Encuesta Nacional sobre Violencia Doméstica fue realizada en 1975. La II Encuesta Nacional sobre Violencia Doméstica fue realizada diez años más tarde, en 1985. Finalmente, en 1992, bajo la dirección de Glenda Kantor y con un énfasis específico en la relación del alcohol con la violencia doméstica, se realizó la Encuesta Nacional sobre Alcohol y Violencia Doméstica. Estas encuestas presentaban la violencia como un problema familiar. Otros países también han realizado encuestas específicas sobre violencia doméstica (Romkens, 1997; Painter y Farrington, 1998) y otros estudios americanos también han tenido como tema dominante la familia (Brush, 1993).

Al margen de estas encuestas sobre violencia doméstica realizadas en los Estados Unidos, el Departamento de Justicia de dicho país realiza anualmente una *Encuesta Nacional de Victimización*. Esta encuesta mide varias formas de delito anualmente para guardar constancia de la evolución de la criminalidad. Aunque esta Encuesta ha sido criticada por no medir la violencia doméstica y otras formas de violencia contra la mujer de manera adecuada, recientes modificaciones en el cuestionario han mejorado esta situación. La encuesta ha incorporado nuevas preguntas que demuestran el interés en este tipo de situaciones, utiliza nuevos métodos para estimular la memoria de los entrevistados, así como un lenguaje más apropiado. Estas modificaciones han incrementado sensiblemente la detección de delitos violentos contra la mujer (Bachman y Taylor, 1994; Bachman y Saltzman, 1995; Kindermann, Lynch y Cantor, 1997). Otros países también incluyen preguntas sobre violencia doméstica en sus encuestas nacionales sobre victimización, tal es el caso, por ejemplo, del Reino Unido (Mirlees-Black et al., 1996; Mirlees-Black, 1999) o Alemania (Wetzels et al., 1994).

En otras encuestas el foco de interés no sólo es la violencia doméstica ni se trata de cubrir la delincuencia en general, sino que se toma un enfoque intermedio entre lo especifico y lo general al centrarse en medir *violencia contra la mujer*. Una de las ventajas de las encuestas de violencia contra la mujer es que permiten analizar la violencia doméstica en el contexto de otros delitos o comportamientos violentos contra las mujeres. Además, a diferencia de las encuestas de victimización generales, permiten análisis mas detallados de aquellas situaciones delictivas que suelen tener a la mujer como víctima. La primera encuesta en seguir dicho modelo fue la Encuesta sobre Violencia contra la Mujer (1992) realizada en Canadá bajo la dirección de Holly Johnson (1996). Esta encuesta preguntaba a mujeres sobre delitos que suelen tenerlas como víctimas, no solo violencia doméstica, sino acoso y violencia sexual, aunque también se incluían preguntas sobre otras formas de violencia que generalmente afectan a un mayor número de hombres que de mujeres. Patricia Tjaden, adoptando el mismo enfoque en los Estados Unidos, condujo la Encuesta sobre Amenazas y Uso de Violencia contra la Mujer Americana (1996). Otros países han imitado la encuesta canadiense y han realizado sus propias encuestas sobre violencia contra la mujer. Tal es el caso, por ejemplo, de Finlandia (Heiskanen y Pispa,1998) o Nueva Zelanda (Morris, 1996).

También existen varios estudios longitudinales de *incriminación propia*[47] sobre la delincuencia que han incorporado una batería de

---

[47]   En España se han venido a denominar estudios de autoinforme lo que en el ámbito anglosajón se llaman *self-report studies*. Estos son estudios en los que a los participantes se les pregunta si han cometido una serie de actos ilegales. Semánticamente no es del todo correcto hablar de autoinforme. Cualquier encues-

preguntas sobre violencia doméstica. La Encuesta Nacional de Juventud coordinada en los Estados Unidos por Delbert Elliott, en las últimas cinco ediciones y comenzando en 1983, ha venido incluyendo de manera sistemática preguntas sobre malos tratos (Morse, 1996; Menard et al., 1997). Otro de los estudios longitudinales con medidas de violencia doméstica es el Estudio Multidisciplinar sobre Salud y Desarrollo Humano en Dunedin. Esta encuesta, realizada en Nueva Zelanda, siguió una muestra de 1037 individuos nacidos en la localidad de Dunedin entre el 1 de abril de 1972 y el 31 de marzo de 1973 hasta que cumplieron sus 21 años. Aunque este estudio no estaba orientado exclusivamente al estudio de la violencia doméstica, incluyó una batería de preguntas basada en las CTS sobre este problema en las entrevistas realizadas a los participantes del estudio cuando tenían 21 años (Moffit y Caspi, 1999).

Finalmente, dentro del campo de la violencia doméstica existe un área de especialización: la *violencia entre novios universitarios*. Al margen del interés sustantivo del tema, la facilidad para obtener este tipo de muestras y el costo, relativamente barato, de encuestas con este tipo de población ha facilitado la realización de las mismas. Estudios realizados en los primeros años de investigación sobre la violencia doméstica sugiriendo una alta prevalencia de acoso sexual y lo que en Estados Unidos se denomina como «violación de cita» fueron un motivo adicional para la realización de estos estudios. En países como Canadá y Estados Unidos se han realizado encuestas nacionales sobre la violencia entre novios en la población universitaria (Fisher, Belknap y Cullen, 1996; DeKeseredy y Schwartz, 1998) y Straus está coordinando el primer estudio internacional sobre el tema. Esta tendencia se está extendiendo al estudio de violencia entre novios con muestras de adolescentes en institutos (Foshee et al., 1998; Foshee et al., 1999).

Al margen de estos estudios nacionales, la Encuesta Internacional de Victimización (Van Dijk et al., 1990; Del Frate et al., 1993; Mayhew y Van Dijk, 1997) es en teoría el mejor instrumento para realizar comparaciones transnacionales no basadas en estadísticas oficiales sobre los niveles de delincuencia. Sin embargo, aunque el cuestionario es común, existen importantes diferencias metodológicas entre cada encuesta nacional que seguramente tienen un efecto en los niveles de prevalencia detectados en cada país (Gail et al., 1995; Del Frate et al, 1993). El problema fundamental de esta encuesta, sin embargo, es que emplea medidas muy pobres de

---

ta es un estudio de autoinforme en la medida en que el encuestador espera del participante que informe sobre su comportamiento o sus opiniones, son informes sobre uno mismo, autoinformes. Quizá sería más correcto traducir este tecnicismo por el término autoinculpación, autoincriminación, o simplemente incriminación propia.

la relación entre víctima y agresor, así como de violencia sexual. Estos problemas limitan su utilidad para la realización de comparaciones transnacionales.

En una ponencia presentada en la Sociedad Americana de Criminología, resumí con Angela Taylor (Medina y Taylor, 1997) los resultados de un estudio comparativo de los niveles de violencia contra la mujer usando los datos de dicha encuesta para 1996. Por lo que aquí interesa, el resultado de aquellos análisis demostraron que no existían diferencias significativas entre la gran mayoría de los países que habían empleado muestras nacionales, una vez se controlaban las diferencias individuales en la composición de las muestras.

La tabla 1 en el apéndice resume las cifras sobre violencia doméstica obtenida por algunas de las encuestas nacionales. Como puede observarse en dicha tabla existen variaciones importantes que en la mayor parte de las ocasiones puede explicarse por las diferencias metodológicas a las que aludía en la sección anterior. Teniendo en cuenta dichas diferencias metodológicas se puede concluir que en aquellos países en los que se han realizado mediciones de la violencia doméstica, se ha documentado que este problema afecta a un porcentaje obviamente minoritario, pero importante de la población.

Los estudios de victimización en general claramente revelan que los hombres son mucho más proclives que las mujeres a ser víctimas de delitos violentos en general. La única excepción la constituyen los delitos violentos de tipo sexual y también los delitos violentos cometidos en el contexto de relaciones de parejas. Aunque la tabla refleja una tasa elevada de victimización de violencia doméstica contra los hombres, el lector debe esperar hasta el capítulo sobre factores individuales de riesgo y, en particular la sección sobre género, antes de llegar a ninguna conclusión sobre el significado de dichas cifras.

Las mujeres, al menos en Estados Unidos, son entre 5 y 8 veces más proclives a ser victimizadas por una persona con quien mantienen una relación de intimidad que los hombres (Bachman y Saltzman, 1995; Craven, 1996; Greenfeld et al., 1998). No obstante, la mayoría de los actos de violencia sufridos por las mujeres no son perpetrados por sus compañeros sentimentales, sino por amigos o desconocidos. Siempre usando datos americanos, la violencia cometida por compañeros constituye aproximadamente un quinto de toda la violencia sufrida por las mujeres[48].

---

[48] No obstante, hay que tener en cuenta que estos cálculos están basados en la población femenina mayor de 12 años. Es posible que el uso de marcos de edad más apropiados refleje una mayor proporción de actos violentos cometidos por compañeros sentimentales en casos de mujeres en edad de tenerlos.

III.b. Incidencia y prevalencia de la violencia en la pareja en nuestro país

III.b.a. Estadísticas oficiales

Hay que reconocer que los intentos de medir la violencia doméstica por parte de la policía española han mejorado notablemente dichas estadísticas y que la estadística policial española parece estar en el buen camino. Ciertamente, las primeras actuaciones adoptadas por la policía española en materia de malos tratos estaban encaminadas a mejorar el conocimiento estadístico sobre los mismos. Así, a partir de abril de 1983 la Dirección General de Policía comenzaba a realizar una estadística mensual de denuncias de malos tratos a mujeres en las 13 Jefaturas Superiores de Policía, que representan el total de las denuncias recogidas por la Policía Nacional, dejando fuera las presentadas ante la Guardia Civil, la Policía Municipal y Autonómica y los Juzgados de Guardia. Dentro del propio Ministerio de Interior, la Guardia Civil a partir de 1987, ha comenzado a registrar denuncias por malos tratos, recogidas en el ámbito que corresponde a las competencias de la Guardia Civil, es decir, el ámbito rural (Comisión de Malos Tratos a Mujeres, 1989).

De forma más general, el Ministerio del Interior ha desarrollado formularios (impresos e informatizados) que son sencillos de rellenar, contienen un número considerable de variables de interés criminológico y pueden constituir la base para una estadística policial digna de una policía del siglo XXI. Resulta especialmente encomiable que el mismo formulario es de aplicación por parte de la Policía Nacional y la Guardia Civil (Stangeland, 1995b).

Más difícil resulta obtener informes anuales de dichas estadísticas. El conocimiento de estos datos en ocasiones tiene como intermediario a los periódicos que las publican. En parte esto se debe al tradicional hermetismo de la policía española y a la inexistencia de una conciencia cívica fuerte que demanda *feedback* a las instituciones administrativas españolas (Barberet, 1998), lo que está en relación con los escasos recursos materiales y humanos que el Ministerio del Interior dedica a este tipo de actividades. En España, a diferencia de lo que ocurre en otros países, no existe un departamento consolidado dentro del Ministerio de Interior o de Justicia con funciones de investigación empírica, evaluación y realización de estadísticas, similar al *National Institute of Justice* norteamericano, o las unidades análogas en el británico *Home Office*, el Ministerio de Justicia Holandés o el Ministerio de Justicia australiano (Barberet, 1998).

Por lo que respecta a la difusión de estas estadísticas, el Ministerio del Interior parece haber acordado con el Instituto Nacional de Estadística (INE) su publicación anual por este último. No obstante, esta información será ofrecida en forma de sumarios anuales, quizás con cifras desagregadas por meses y diversas unidades geográficas. Pero en todo caso, no se llegara al extremo de difusión sobre datos criminales que se observa en otras latitudes. En los Estados Unidos, por ejemplo, comienza a ser una práctica común que los departamentos de policía locales combinando los recursos de la red electrónica y los sistemas de información geográfica ofrezcan datos estadísticos sobre criminalidad a escala de barrios y presentados gráficamente en mapas de sus jurisdicciones, con diversos grados de interactividad entre el usuario de la red y estas paginas web (ver, para un listado de algunos de estas páginas, la página del *Centre for Crime Mapping Research* del *National Institute of Justice*)[49].

Conviene resaltar, en todo caso, que las estadísticas policiales de mayor difusión en nuestro país son incompletas porque no recogen contactos con la Policía Local o con algunas Policías Autonómicas, por lo que, las estadísticas policiales del Ministerio del Interior, deben considerarse solamente como una pieza más del puzzle. Seguramente es la pieza más importante, pero no es la única, por lo que cabe pensarse que el número de episodios de violencia doméstica es mayor que el que se refleja en estas cifras. Stangeland (1995b), sin realizar indicaciones sobre como llegó a esta estimación, calcula que entre el 10-20% del volumen total de delitos denunciados a escala nacional pueden serlo a través de la policía local o autonómica.

Stangeland (1995b) también ha detectado que el impreso empleado para elaborar estas estadísticas no se rellena en todos los casos. Este criminólogo achaca esto a que la informatización de las comisarias y cuarteles es todavía incompleta y la motivación para rellenar estos formularios es escasa. En un pequeño estudio realizado en un pueblo de Andalucía, este autor encontró que solamente un 80% de los delitos recogidos en los partes de ocurrencia eran contabilizados en la estadística.

También conviene destacar que la interpretación periodística y política de estas cifras está sesgada. Cuando se dice que se producen, por ejemplo, aproximadamente 16.000 casos de faltas de malos tratos al año, no quiere decirse, como muchos interpretan, que existen 16.000 mujeres maltratadas. Las estadísticas policiales cuentan actos delictivos, no víctimas individuales, y dado el carácter de victimización repetida o crónica que se manifiesta en la experiencia de mujeres maltratadas podemos asumir que muchas de estas denuncias son presentadas por las mismas mujeres.

De lo que no cabe duda es que las estadísticas policiales constituyen un indicador más fiable de la delincuencia que las estadísticas judiciales

---

[49] Sobre algunas de las implicaciones de estas practicas ver Seth Lubove, Redlining Software, Forbes, April 5, 1999.

(Hagan, 1993). Estas últimas presentan numerosos problemas derivados de los métodos de contabilidad empleados, por ejemplo el hecho de que se abren muchas diligencias en situaciones que no hay delitos y que existe mucha duplicidad como consecuencia del sistema de reparto entre los jueces de instrucción (Stangeland, 1995b).

También de origen policial son las estadísticas sobre llamadas de emergencia realizadas a la policía[50]. También, como en todas las fuentes oficiales de datos, existen problemas: numerosas llamadas por disputas domésticas no entrañan situaciones de violencia, los oficiales atendiendo las llamadas a veces no las clasifican propiamente como casos de violencia doméstica, algunas víctimas denuncian otro tipo de delito más grave para recibir una atención más rápida, etcétera (Hoyle, 1998). Algunos autores, de hecho, han cuestionado el uso de esta fuente de datos para el estudio de correlatos del delito (Klinger y Bridges, 1997). En España se añade el problema de que las víctimas no saben qué cuerpo policial es el que tiene jurisdicción en este tipo de situaciones y no existe un servicio centralizado de emergencia, por lo que las víctimas efectúan llamadas a las líneas de emergencia de diferentes agencias policiales que pueden o no ser las que tienen jurisdicción en su caso. En todo caso, en España estos datos no se hacen públicos y la impresión generalizada es que existe un vacío o un desconocimiento normativo en cuanto a su posible uso por parte de los investigadores.

En 1995, el Anuario de Psicología Jurídica publicaba un artículo de Alicia Fuertes (1995) que resumía los datos del Ministerio de Interior entre 1992 y 1994. No tiene sentido repetir aquí toda la información ofrecida por esta autora, pero sí se subrayarán algunos hechos y datos generales. Un primer dato que merece la pena destacar es que los delitos contra la persona, no ya tan siquiera los casos de violencia doméstica, en 1994 constituían tan solo un 1.6% de todos los delitos conocidos según causa. La mayoría de los delitos, en realidad, estaba y está constituida por delitos contra la propiedad (85.7%). Estas cifras cuanto menos deberían ayudarnos a comprender los malos tratos dentro de unos términos más exactos. Aunque es evidente que existe cifra negra en casos de malos tratos y nadie discute que los comportamientos violentos interpersonales en general y los malos tratos en particular tienen serias repercusiones

---

[50]   En el ámbito anglosajón existe una extendida tendencia al empleo de esta fuente de datos para evaluar la efectividad de programas de prevención de los malos tratos. Sin embargo, como veremos más adelante resulta problemático interpretar las llamadas a la policía como una medida objetiva de victimización repetida, en la medida en que puede reflejar otros procesos (p.ej., confianza de la víctima en la respuesta policial, búsqueda de información por parte de la víctima, etc.). Lo mismo se puede aplicar a otros datos de origen policial.

sociales y personales, no debemos olvidar que forman un porcentaje muy pequeño de los delitos denunciados a la policía y realmente cometidos. El número de delitos de lesiones dentro del ámbito familiar oscila aproximadamente entre los 2.500 a 2.800 al año y el número de faltas entre las 15.800 y las 17.400. El Informe del Defensor del Pueblo sobre Malos Tratos presentaba cifras más actualizadas. Así, en 1997, se habían denunciado un total de 3.364 delitos y 14.219 faltas (sin contar el País Vasco). Volviendo a los datos presentados por Alicia Fuertes, la mayoría de los detenidos son hombres (91.8%) y solo en una minoría de casos se detiene a mujeres (8.2%). De acuerdo con estas estadísticas, el 49% de las víctimas son mujeres de entre 30 y 50 años. El 28% de las mismas tienen entre 18 y 30 años cuando nos referimos a los delitos y cuando pensamos en faltas el porcentaje de mujeres en el intervalo de los 18 a 30 años es un tanto mayor (34.5%). Por lo que respecta al delito de parricidio, entre 1993 y 1994, el número oscilaba entre 145 y 170, siendo el agresor en la mayoría de los casos de sexo masculino (entre 96 y 131). Esteban Gándara (1996), en un artículo similar, pero centrado en el análisis de la delincuencia sexual en nuestro país, nos ofrecía también un dato de interés. Entre 1987 y 1993, de las 10.826 violaciones cometidas, 484 fueron realizadas por un cónyuge, lo que suponía el 4.5% de todos los casos.

Uno de los problemas que se presentan cuando dependes de resúmenes de datos presentados por terceros es que no siempre se ofrecen las tabulaciones que más nos interesan y tampoco se usan como denominadores, a la hora de calcular tasas, las poblaciones de riesgo. Así, por ejemplo, el articulo de Fuertes (1994) subraya que las mujeres «son mayoritariamente agredidas por sus cónyuges… mientras que los hombres son agredidos en casi todos los casos por sus cónyuges pero seguidos muy de cerca por las agresiones de los parientes». Esta afirmación, no del todo clara, sobre la variable posiblemente más importante desde el punto de vista del interesado en los estudios de los malos tratos en la pareja (la relación víctima-agresor) se realiza sin ofrecer porcentajes concretos ni apoyo en ningún gráfico o tabla. Algo semejante ocurre con otros artículos que han ofrecido datos sobre los malos tratos (Ver, p.ej., Ruano, 1998).

Las estadísticas policiales sobre malos tratos también han documentado un aumento de denuncias en los últimos años con una tendencia continua al alza. De acuerdo con el Informe del Defensor del Pueblo (1998), entre 1990 y 1996 se ha pasado de una tasa de 329 denuncias por cada millón de mujeres a 353, lo que supone un aumento del 7.29%. Normalmente, esta tendencia no ha sido interpretada como reflectora de una aumento de la violencia contra la mujer en el ámbito doméstico, sino que ha sido interpretada de una manera más positiva. Se ha señalado que el incremento experimentado lo que realmente significa es «que la mujer ha tenido acceso a la información y ha ido conociendo los cambios legislativos, sus derechos y los recursos sociales que existen a su disposición» (Defensor del Pueblo, 1998).

Esta lectura favorable de las estadísticas policiales es posible que se ajuste a la realidad, pero lo cierto es que no hay evidencia que soporte esta interpretación. También entra dentro del campo de lo posible que en España se haya producido un aumento de la violencia doméstica durante los últimos años. Esta interpretación sería consistente con determinadas hipótesis feministas que postulan un aumento de la violencia contra la mujer como una reacción al progreso de la situación social de la mujer y a la ruptura de los privilegios de poder masculino.

Lo cierto es que no tenemos datos que nos permitan valorar cual de las dos interpretaciones es la más adecuada. Los escasos datos existentes son un tanto ambivalentes, algunos parecen sostener la primera interpretación mientras que otros la segunda. El hecho, por ejemplo, de que el aumento en las denuncias haya sido fundamentalmente un aumento de las denuncias por malos tratos psicológicos quizás es más coherente con la idea de que se ha producido simplemente una mayor concienciación. En la medida que los malos tratos físicos son más fáciles de identificar, las campañas de información pueden tener un mayor efecto en la tendencia a denunciar malos tratos psicológicos, que son un poco más ambiguos de definir.

No obstante, también existen datos que cuestionan que la tendencia al alza sea simplemente un efecto de campañas de publicidad y mayor información. Andalucía es, por ejemplo, la CCAA en la que existe un mayor número de centros de información a la mujer[51], sin embargo, es una de las CCAA donde se ha observado una disminución en el número de denuncias presentadas desde 1989. Si información significa más concienciación y más concienciación significa más denuncias, Andalucía no cuadraría del todo en este retrato. Más preocupante aun son los datos sobre homicidios. La única figura producida por las estadísticas policiales que no se ve afectada por el sesgo introducido por el carácter subjetivo de la denuncia son las cifras sobre homicidios y lo cierto es que estas cifras sobre homicidios no siempre justifican la lectura tan favorable que se ha hecho sobre el aumento en las denuncias sobre malos tratos presentadas a la policía. Las denuncias por malos tratos prácticamente se duplicaron entre 1996 y 1997. Sin embargo, mientras que en 1995 solo 65 mujeres murieron a manos de sus cónyuges, en 1997 este número ascendía a 91 (Informe del Defensor del Pueblo, 1998).

---

[51] El 40% de estos centros está en Andalucía, una CCAA con aproximadamente el 20% de la población española.

III.b.b. Encuestas sociales con un interés indirecto en malos tratos

Como remarcaba anteriormente, la investigación de la violencia doméstica resulta complicada por el carácter tabú del tema. En España este hecho, que no podemos obviar, ha llevado a un exagerado fatalismo por parte de los diseñadores de encuestas sociales sobre la situación de la familia o sobre el delito. O eso, o simplemente los diseñadores de estas encuestas no estaban interesados en el tema de violencia doméstica.

Solo dos encuestas con una muestra nacional de la población adulta intentaron obtener una medida aproximada de la extensión de la violencia doméstica en nuestro país antes de 1990: el clásico estudio sobre el hombre español conducido por INNER en 1988 y la menos conocida, pero igualmente interesante, II Encuesta sobre la Desigualdad Social en la Vida Familiar y Doméstica conducida por el CIS en 1990. Más recientemente el Correo de Andalucía encargaba una encuesta a Gallup que también incluía medidas indirectas de la prevalencia del abuso, mientras que el Defensor del Pueblo realizaba un barómetro de opinión similar como preparativo para su informe sobre malos tratos contra la mujer.

Ninguna de estas cuatro encuestas, sin embargo, incluye preguntas en las que se pide al entrevistado que hable de sus experiencias como víctima o perpetrador de malos tratos. En estas encuestas solo se pregunta el número de situaciones de violencia doméstica que cada entrevistado conoce. De acuerdo con estos estudios, entre el 11% y el 18% de los españoles conoce un caso de malos tratos físicos entre sus familiares o conocidos.

Sin embargo, esta manera de preguntar presenta numerosas limitaciones. Una de las limitaciones de esta estrategia innecesariamente tímida es que impide estudiar factores de riesgo asociados con el maltrato, así como la identificación de grupos de riesgo. En segundo lugar, no se está investigando la magnitud del maltrato, sino su visibilidad. Es más que posible que existan situaciones que son desconocidas. En tercer lugar, el término malos tratos es demasiado amplio y ambiguo como para ser utilizado en el contexto de una encuesta. Finalmente, es teóricamente posible que algunos de los entrevistados se refieran al mismo caso de malos tratos, sobre todo teniendo en cuenta el criterio de muestreo polietápico empleado, lo que puede exagerar las cifras sobre malos tratos.

Quizá un tanto más atrevida fue la encuesta del CIS (Estudio 2157, 1995) sobre actitudes y conductas afectivas de los españoles. Esta encuesta incluía una pregunta sobre la frecuencia de discusiones en las relaciones amorosas (¿con qué frecuencia discuten usted y su pareja?). Esta pregunta se realizó a la porción de la muestra que mantenían una relación amorosa estable en el momento de la entrevista (n=1386). De acuerdo con este estudio, el 8% de las parejas españolas no discute nunca, el 31% lo hace raramente, el 45% discute a veces, el 14% frecuentemente y el 3% muy frecuentemente. Aunque el término «discusión» es igualmente elusivo e inadecuado, al menos al preguntar sobre experiencias personales se daba un paso en la dirección adecuada.

En otros países, como hemos visto, existen encuestas de victimización que proporcionan estimaciones de la incidencia y prevalencia de la delincuencia en general y de la violencia doméstica en particular. En nuestro país también se realizan este tipo de encuestas de victimización. A finales de los 70, Francisco Alvira (Alvira y Rubio, 1982) promovió la realización de este tipo de estudio por parte del Centro de Investigaciones Sociológicas. Después de varios años sin encuestas de victimización el programa se reactivó a partir de 1995 con la realización de una serie de encuestas encargadas por el Instituto de Estudios Policiales y la Dirección General de la Guardia Civil[52]. Sin embargo, los cuestionarios empleados en estas encuestas de victimización en muchos aspectos dejan bastante que desear. Los diseñadores de estas encuestas no se beneficiaron de la experiencia comparada en el diseño de encuestas de victimización, ni del conocimiento en esta materia de la pequeña pero cualificada comunidad de criminólogos españoles (Barberet, 1998). Así, por ejemplo, estas encuestas preguntan literalmente a los ciudadanos si han sido víctimas de «agresiones serias» o «violación», lo que constituye un ejemplo de libro de texto sobre como no preguntar sobre experiencias de victimización (Hagan, 1993). El estándar comparado descansa en la utilización de descripciones conductuales de los delitos en lugar de en la utilización de categorías pseudolegales (agresiones serias, violación) que pueden ser objeto de múltiples interpretaciones. La manera de preguntar adoptada por las encuestas del Ministerio de Interior conduce necesariamente a la infraestimación de la delincuencia y la violencia en cuanto que los entrevistados se relacionan peor con estas categorías genéricas que con definiciones conductuales orientadas a estimular los procesos de memoria y a reducir ambigüedades en la interpretación.

Además, antes de 1996 ninguna de las encuestas del Ministerio mostró el menor interés en la medición de la violencia doméstica. La encuesta de 1996 incluyó preguntas sobre el lugar en que la violencia tenía lugar (p.ej., hogar), pero no preguntaba la relación entre víctima y agresor. Por tanto, no podemos decir que esta encuesta mide la violencia doméstica (en sentido estricto) en cuanto que incidentes delictivos que ocurren en el hogar no necesariamente tienen como sujeto activo y pasivo a personas relacionadas por lazos familiares o afectivos y en cuanto que

---

[52] Resulta indicativo del grado de falta de una política de investigación criminológica la duplicidad de esfuerzos que representa la coexistencia de encuestas de victimización encargadas por la Policía Nacional y la Guardia Civil.

incidentes de violencia entre íntimos pueden también ocurrir, aunque más raramente, fuera del hogar.

Antes de 1999, varios estudios conducidos en nuestro país medían directamente la violencia doméstica con menor o peor fortuna con muestras representativas de la población española. En 1989 España participó en la primera encuesta internacional de victimización (Van Dijk et al., 1990). Esta encuesta, aunque no exenta de problemas, utilizaba un cuestionario más en consonancia con los cuestionarios de victimización empleados en el ámbito comparado. La tasa de falta de respuesta para esta encuesta, sin embargo, fue muy alta, lo que dificulta su interpretación. Es probable que quienes no participaron sean personas que pertenecen a los grupos sociales que presentan un mayor riesgo de violencia doméstica y que este estudio esté infraestimando la seriedad del problema. En todo caso, nunca se publicaron dichos datos en lo relativo a violencia doméstica. Mejor fue la tasa de participación en la encuesta sobre delincuencia en Málaga conducida por Per Stangeland (1995c). Este estudio empleó el cuestionario de la encuesta internacional de victimización y, por tanto, también contenía medidas directas de la violencia doméstica, aunque éstas no han sido publicadas. Finalmente, la encuesta de incriminación propia sobre delincuencia juvenil conducida por Barberet, Rechea y Montañez (1994) también contenía medidas de violencia doméstica. Sin embargo, el limitado marco de edad empleado y el carácter transversal del estudio limita la utilidad para ofrecernos una idea de la extensión del problema de la violencia doméstica en nuestro país[53].

III.b.c. La encuesta de malos tratos del IAIC y la Macroencuesta del Instituto de la Mujer

En nuestro país se han realizado, no obstante, algunas encuestas centradas exclusivamente en esta problemática y con preguntas directas sobre malos tratos. La mayoría de estas encuestas han empleado métodos de selección no representativos y muestras locales. Tal es el caso del estudio de la encuesta realizada por Jiménez Casado (1997) que reclutó a las 170 participantes de su estudio en varios centros de educación de adultos y de salud mental en el área metropolitana de Sevilla. Lo mismo

---

[53] No podemos olvidar, por otro lado, que las encuestas generales de victimización y de incriminación propia, como vimos anteriormente, no se han caracterizado por el empleo de cuestionarios especialmente ajustados a la medición de la violencia doméstica. Aunque, efectivamente, incluyen preguntas que miden la violencia doméstica no utilizan medidas con la suficiente sensibilidad para capturar este fenómeno complejo, por lo que no debería sorprendernos las tasas tan bajas de violencia doméstica reflejadas por estos estudios.

ocurre con la encuesta realizada por María José Benítez y Cristina Rechea en Castilla-La Mancha[54].

En esta situación Rosa Barberet, Borja Mapelli y quien escribe estas líneas decidimos iniciar esfuerzos para llevar a cabo un ambicioso proyecto, la realización de una encuesta nacional representativa de los malos tratos. Finalmente, pudimos combinar tres ayudas a la investigación procedentes, por orden cronológico, del Ministerio de Educación, el Ministerio de Asuntos Sociales (Instituto de la Mujer) y el Instituto Andaluz de la Mujer. En parte como piloto de esta encuesta, pero también por el interés intrínseco del tema, la Sección de Sevilla del Instituto Andaluz Interuniversitario de Criminología condujo una encuesta sobre violencia entre novios universitarios empleando una versión modificada de un cuestionario canadiense y una muestra de unos 1000 estudiantes de la Facultad de Derecho de la Universidad de Sevilla[55].

Nuestra encuesta nacional titulada «Encuesta sobre seguridad, familia y salud de la mujer española»[56] entrevistó a un total de 2.007 mujeres mayores de 16 años sobre sus experiencias de victimización personal, su grado de miedo al delito, el contexto comunitario en el que viven, malos tratos en sus relaciones de pareja y reacciones a los mismos, opiniones y actitudes sobre los malos tratos, datos sociodemográficos básicos sobre ambos componentes de la pareja, consumo de alcohol y drogas, y malos tratos en la familia de origen.

La encuesta utilizó un muestreo polietápico por conglomerados, estratificado por hábitat (ciudades de más de un millón, capitales de provincia de más de 500.000 habitantes, capitales de provincia de 100.000 a 500.000 habitantes y el resto de los municipios españoles de 100.000 a 500.000 habitantes)[57]. La asignación a cada estrato se realizó de manera proporcional a la población objeto de estudio residente en cada uno de los

---

54 Estudio presentado en la reunión de 1998 del Grupo Español de Criminología en Braga (Portugal).

55 Los resultados de este estudio pronto verán la luz en el boletín criminológico publicado por la sección de Málaga del IAIC.

56 En el resto de este documento la encuesta será referida como la Encuesta sobre Seguridad Personal de la Mujer en la España Urbana.

57 La edad media de las entrevistadas era 46 años y la de sus parejas 48. En el momento de realización de las entrevistas el 82% de las entrevistadas estaban casadas, el 9.6% estaban cohabitando como parejas de hecho y en torno al 7% estaban divorciadas o separadas. Por lo que respecta a su perfil socioeconómico, el 14% de las mujeres vivía en domicilios con ingresos mensuales menores de 100.000 pesetas, el 47% vivía en domicilios con ingresos mensuales de entre 100.000 y 200.000 pesetas, el 22% tenía unos ingresos de entre 200.000 y 300.000 pesetas, el 6% tenía entre 300.000 y 400.000, y solamente un 2% vivía en domicilios con ingresos mensuales superiores a las 400.000 pesetas.

estratos. No obstante, y debido al origen parcialmente andaluz de la financiación, la submuestra de Sevilla capital fue de 250 mujeres. Todas las entrevistadoras fueron mujeres para facilitar la comunicación con las entrevistadas[58].

El cuestionario estaba basado en una revisión de los empleados en otros países. Para medir el maltrato empleamos algunas preguntas sui géneris, pero sobre todo adoptamos una versión modificada de las CTSII para preguntar tan solo sobre experiencias de victimizacion y una versión modificada de las preguntas sobre conducta de control empleadas por la encuesta canadiense y americana sobre violencia contra la mujer. Aunque las CTSII presentan problemas, creemos que las modificaciones que introducimos, su uso para interrogar exclusivamente sobre experiencias de victimización y su complementación con preguntas sobre conductas de control palia una buena parte de estos problemas. Además, decidimos incluir preguntas adicionales sobre malos tratos físicos y psicológicos basadas parcialmente en las medidas empleadas por la *National Survey on Families and Households*, así como una medida sobre la autodefinición de estas mujeres como maltratadas.

Las tablas 4 y 5 en el apéndice final proporcionan los resultados en cuestión de prevalencia de nuestra encuesta. Las tendencias más significativas son que, en primer lugar, la prevalencia de malos tratos en nuestro país no dista en gran medida de los niveles detectados en otros países como Estados Unidos o Alemania cuando realizamos las comparaciones apropiadas y tenemos en cuenta los intervalos de confidencia. En torno al 4.7% de las mujeres residentes en la España urbana sufrieron malos tratos físicos severos durante los 12 meses anteriores a la realización de la entrevista. Resulta interesante notar la existencia de un porcentaje similar (4.3%) que se identifica con la etiqueta «mujer maltratada». Pero quizás el dato más sobresaliente de nuestra encuesta es el que resalta que el problema de abuso sexual en la pareja es mucho más serio de lo que las estadísticas policiales españolas reflejan y mucho más serio de lo que la opinión pública parece entender. El nivel de prevalencia de violación marital es muy elevado, el 4.4% de las mujeres entrevistadas reconocen que sus maridos han empleado la fuerza o han usado amenazas para obligarlas a tener sexo vaginal, oral o anal. Ésta no es una definición considerablemente amplia y, sin embargo, sugiere un nivel elevado de prevalencia. Estos datos claramente indican que tanto el sistema de

---

[58]   Lo cierto es que no existe evidencia contundente que demuestre que las víctimas de violencia doméstica son más proclives a proporcionar información sobre su victimización a entrevistadoras de su mismo género.

justicia penal como los organismos de ayuda a la mujer deben esforzarse en reconocer la seriedad de este problema, así como diseñar soluciones adecuadas al mismo. En este volumen no hay espacio para discutir de manera detallada todos los resultados de esta encuesta, así como sus implicaciones. Dichos resultados serán presentados en una próxima publicación. (Barberat y Medina, en prensa).

El Instituto de la Mujer, no contento con la realización de dicha encuesta, decidió realizar otra el mismo año con una mayor dotación presupuestaria que permitió un tamaño muestral más apropiado. A nuestro pesar, el Instituto prefirió realizar este ejercicio en lugar de colaborar con el proyecto ya iniciado bajo sus auspicios y materializado en nuestra encuesta. Igualmente, el Instituto de la Mujer decidió, de manera poco afortunada, realizar entrevistas telefónicas basadas en un cuestionario sui generis que dificulta la realización de comparaciones internacionales. No solo eso, el cuestionario empleado en la macroencuesta del Instituto de la Mujer presentaba importantes deficiencias. Así, por ejemplo, no se preguntaba a todas las entrevistadas si habían sufrido formas de abuso sexual, estas preguntas solo se realizaban a las mujeres que admitían sufrir otras formas de abuso. Ello impide la realización de estimaciones fiables basadas en esta encuesta sobre la prevalencia en nuestro país de abusos sexuales contra la mujer en el ámbito de relaciones de intimidad.

La validez de la definición técnica de maltrato empleada en la Macroencuesta del Instituto de la Mujer, por otro lado, resulta cuanto menos cuestionable. Evidentemente no es lo mismo que la pareja le diga a una «a donde vas a ir sin mí» que no valorar el trabajo de la mujer o que cuando se enfade le llegue a empujar o golpear. Sin embargo, todas estas conductas son consideradas de forma equivalente para calificar a la mujer como maltratada desde un punto de vista «técnico». Basta que una de estas conductas ocurra a veces en una relación para que, de acuerdo con el Instituto de la Mujer, una mujer se pueda considerar técnicamente como maltratada. Resulta sorprendente que tan solo uno de los trece ítems que conforman la definición técnica de maltrato en esta encuesta haga referencia a formas de maltrato físico. Solo desde la tradicional pusilanimidad de los encuestadores españoles se puede entender que la definición general de maltrato no contenga más referencias explícitas a conductas físicas. La experiencia comparada y de la Encuesta sobre Seguridad, Familia y Salud de la Mujer en la España Urbana demuestra que es posible obtener respuestas a este tipo de preguntas. La ambigüedad de los términos en la encuesta del Instituto de la Mujer resulta sumamente criticable. La segunda definición de maltrato empleada por el Instituto de la Mujer estaba basada en respuestas a la pregunta: «¿Ha sufrido alguna situación por la que usted se haya sentido maltratada por algún familiar, por su novio o alguna persona de las que conviven con usted, durante el último año?» Maltrato en este contexto puede significar absolutamente cualquier cosa y resulta curioso que el ámbito de sujetos activos se amplíe a cualquier familiar (solo el 70% de los casos de maltrato detectados en esta encuesta se referían a malos tratos cometidos por la pareja), cuando eso no es lo que se debate como malos tratos en la esfera pública. Dependiendo de la definición que se siga, de las dos que se recogían en el estudio, uno puede concluir que la tasa de maltrato es del 12.4% o del 4.2%.

Si tenemos en cuenta lo que estas definiciones de maltrato medían, no es del todo atrevido sugerir que la Encuesta sobre Seguridad, Familia y Salud de la Mujer en la España Urbana tuvo un mayor éxito en detectar casos severos de malos tratos y que, a pesar de la limitada validez externa de dicha Encuesta (solo es representativa de la España urbana) y el menor tamaño muestral, sus estimaciones pueden considerarse más apropiadas. En el apéndice final se proporciona al lector una lista de las medidas de abuso empleadas por cada una de estas encuestas para que saque sus propias conclusiones.

III.b.d. *El Eurobarómetro sobre Malos Tratos*

En Marzo de 1999 la Unión Europea realizaba una encuesta que, aunque no medía de manera directa los malos tratos en nuestra comunidad, trataba de obtener una mejor visión de las opiniones de los europeos en relación con las causas y la prevención de este problema. Esta encuesta efectivamente incluía medidas indirectas de malos tratos, pero incluso más complicadas que las analizadas anteriormente. No solamente la encuesta realizaba preguntas del tipo «¿conoce usted a alguna mujer maltratada?», sino que esta pregunta se realizaba tres veces en relación con tres esferas de contactos sociales, que en algunos casos no son totalmente incompatibles. Así, se preguntaba a los europeos si conocían a alguna mujer maltratada en su trabajo o lugar de estudios, entre sus familiares y amigos, o entre sus vecinos. Uno tiene dos opciones analíticas; elegir una de estas esferas como la más relevante o tratar de realizar una medida de la prevalencia de mujeres maltratadas conocidas calculando la media entre las tres esferas. La segunda posibilidad, aunque aparentemente más correcta, plantea numerosos problemas dado que puede existir cierto solapamiento entre estas esferas sociales, que una proporción de los entrevistados no trabaja ni estudia, etc. En resumen, la encuesta no mide la prevalencia de los malos tratos en nuestra comunidad de una forma adecuada.

La encuesta, sin embargo, incluye algunos datos muy reveladores sobre la posición que ocupan los españoles en comparación con el resto de los europeos en sus actitudes sobre los malos tratos. El Instituto de la Mujer puede darse por satisfecho, ya que los españoles se encuentran entre el grupo de europeos que tienen más claro que las desigualdades de género son una causa de los malos tratos (un 63% de los españoles lo cree así) y se oponen de manera más rotunda a la noción de que la mujer provoca su propia victimización por la manera en que se comporta (el 50% se opone a esta visión). A pesar de ello, los españoles parecen creer que otros factores son más relevantes en la etiología de los malos tratos: alcoholismo (99%), drogadicción (98%), desempleo (83%), pobreza y exclusión social (79.%), haber sido víctima de violencia doméstica (77%), predisposición genética (73%) o un bajo nivel educativo (70%). Otro motivo de satisfacción es que España es el segundo país europeo que de una manera más clara condena socialmente los malos tratos. En opinión del 73.4% de los españoles los malos tratos son inaceptables y deberían estar castigados por la ley en todos los casos, aunque un 24% entiende que no siempre deberían ser castigados por la ley.

Los españoles son también de una forma bastante clara uno de los países, sino el país europeo, donde existe un mayor respaldo a la noción de que el Estado y un número de instituciones deben tomar cartas en el asunto. Los porcentajes indicados nos colocan el primero de la lista en casi todos los casos. Así, el 98% opina que el Estado debe ayudar a las víctimas de violencia doméstica, el 97% cree que ésta es una responsabilidad de la policía, un 94% cree que es responsabilidad de abogados y letrados, un 97% cree que es responsabilidad del sistema de salud pública, el 99% cree que es una responsabilidad de los servicios sociales, el 82% cree que la iglesia también debería ayudar, el 89% apoya la necesidad de que los medios de comunicación social apoyen a las mujeres maltratadas, y el 99% cree que es una obligación de la familia y amigos ayudar a estas mujeres.

En general, estas opiniones contrastan con lo que los españoles creen que pasa en la realidad. Cuando se les pregunta si creen que existen leyes que traten determinados aspectos del maltrato y sobre la asistencia a las víctimas tienden a colocarse entre el grupo de europeos que tienen una peor visión de los remedios disponibles para las mujeres maltratadas. Por otro lado, los españoles somos los que menos discriminamos en cuestión de remedios a los malos tratos, de nuevo ocupamos el primer lugar cuando se nos pregunta si creemos en la eficacia de diversas medidas tendentes a prevenir los malos tratos. Los españoles consideran como útiles: las líneas telefónicas de emergencia (97%), tarjetas con información de contacto sobre recursos (93%), panfletos informativos para mujeres maltratadas (95%), leyes más duras (96%), aplicación más rigurosa de las leyes existentes (97%), leyes para prevenir la discriminación sexual (95%), educar a la policía sobre los derechos de las mujeres (90%), campañas educativas (94%), educación de los jóvenes (97%) y el castigo de los maltratadores (98%). Curiosamente, y quizás recogiendo la polémica en la prensa sobre esta medida, el único remedio en el que no ocupamos la primera plaza (somos sextos) es la rehabilitación de los maltratadores que sólo el 76% de los españoles considera útil, una cifra en todo caso superior al 65% de la media europea.

Estos datos evidentemente necesitan ser considerados cuidadosamente. Aparentemente dan una visión de España como un país donde existe una visión comparativamente progresista del tema, donde no estamos contentos con las respuestas dadas al mismo y creemos que diversas instituciones tienen la responsabilidad de implementar medidas que creemos son útiles. Sin embargo, esta encuesta fue realizada en 1999 y en nuestro país los malos tratos no fueron descubiertos por la opinión pública como un problema de primer orden hasta finales de 1997. En otros países europeos como, por ejemplo, el Reino Unido o Suecia, el descubrimiento del problema tuvo lugar hace más de 20 años. Se podría especular que con el paso del tiempo, los ánimos han podido enfriarse un tanto en estos países. Igualmente, se podría argumentar que con la experiencia en estos países se ha podido generar un mayor y saludable escepticismo sobre la eficacia de cualquier medida que se proponga contra los malos tratos entre sus ciudadanos. Además, la pregunta sobre la utilidad dista de ser la mejor medida que se podría emplear para valorar la opinión pública al respecto de opciones de política pública, entre otras razones por el carácter amplio y ambiguo en que algunas de estas medidas se presentaba a los entrevistados. Una cosa es lo que los españoles creen útil y otra muy diferente lo que consideran una prioridad, cuando se trata de elegir entre varias opciones.

En todo caso, los españoles entrevistados en 1999 posiblemente no se equivocaban cuando consideraban que en nuestro país aún queda mucho por hacer al respecto. Sin embargo, el desmesurado optimismo sobre la utilidad de las medidas propuestas, en contraste con el saludable escepticismo de otros europeos puede dar lugar a expectativas poco realistas sobre la capacidad del Estado para poner freno a este problema. Las denuncias siguen aumentando. Quienes sabemos como funcionan las estadísticas policiales no nos preocupamos demasiado por ello, pero para el resto de los españoles a la larga el continuo aumento puede traducirse en frustración. Ni la situación actual, ni la previsible situación futura, son deseables, ya que ambas hacen a la opinión pública española particularmente susceptible de manipulación política. En vista de los resultados de este estudio, parece evidente que cualquier político interesado en ganar votos sabe que algo que va a funcionar es proponer algún tipo de medida sobre los malos tratos, la que sea. Aunque no cabe duda que el clima favorable debe aprovecharse para desarrollar medidas, debemos asegurarnos que desarrollamos medidas eficaces y eso es algo que, como veremos, requiere planificación y estudio.

IV. CONCLUSIONES

No cabe duda que la violencia doméstica es mucho más prevalente de lo que se pensaba tradicionalmente. El debate metodológico sobre la violencia entre íntimos nos ha llevado a un punto en el que somos capaces de reconocer las mejores prácticas en este campo, así como a entender mejor las diferentes tasas obtenidas en estudios empleando diversos diseños y métodos.

Aunque en nuestro país las estadísticas policiales sobre malos tratos han mejorado, aún existen problemas sobre la manera en que se confeccionan y se divulgan (o más propiamente dicho no se divulgan) dichas estadísticas. Las estadísticas sanitarias son inexistentes, aunque posiblemente existe una base para su elaboración. Finalmente, las encuestas de victimización regularmente encargadas por las diferentes entidades policiales españolas dejan mucho que desear y están aún lejos de los estándares establecidos en el ámbito comparado. Dado el tremendo coste económico de estas encuestas, sería recomendable que las autoridades pertinentes fueran más conscientes de dichas prácticas y tomaran en consideración el asesoramiento de la comunidad criminológica española, en particular el asesoramiento de aquellos criminólogos con experiencia y conocimiento de las encuestas de victimización realizadas en el ámbito comparado. La medición de la violencia entre íntimos debería formar parte de las encuestas nacionales de victimización y debería realizarse de manera acorde con la sensibilidad del tema y el grado de sofisticación metodológica alcanzado en la literatura. Finalmente, aunque el desarrollo de sistemas de vigilancia epidemiológica resulta necesario, las encuestas sobre victimización cumplen otros objetivos, en particular el desarrollo de modelos teóricos sobre diferentes formas de victimización. En ese sentido conviene destacar que la realización de encuestas nacionales sobre este tema no debe excluir la posibilidad o incluso la obligación de realizar encuestas con variables o muestras más específicas y guiadas por diferentes modelos teóricos. Los datos de la Encuesta sobre Seguridad, Familia y Salud de la Mujer en la España Urbana demuestran que en nuestro país los malos tratos también son mucho más prevalentes de lo que las estadísticas oficiales sugieren. La elevada prevalencia del abuso sexual en el contexto de las relaciones de parejas resulta especialmente preocupante.

## SEGUNDA PARTE

PERSPECTIVAS TEÓRICAS E INVESTIGACIÓN SOBRE LA VIOLENCIA EN LA PAREJA

«–Why did he beat you?
– Because he can»
(*He got game*, dirigida por Spike Lee)

Capítulo IV
LA VIOLENCIA EN LA PAREJA COMO EVENTO

I. INTRODUCCIÓN: EL EPISODIO VIOLENTO COMO UNIDAD DE ANÁLISIS

En la criminología contemporánea se distingue entre teorías de la criminalidad y teorías del delito. Las *teorías de la criminalidad* tratan de explicar porque determinados individuos exhiben una tendencia a cometer delitos o porque determinados individuos inician, mantienen y terminan una carrera delictiva. Estas teorías tienen una larga tradición dentro de la criminología. Desde que Lombroso enunciara su teoría sobre el criminal nato, estas teorías han evolucionado notablemente y han recogido ideas de disciplinas diversas como la biología, la psicología, la sociología o la economía. Experiencias traumáticas durante la infancia, condiciones asociadas al desempleo laboral, desordenes de personalidad, una excesiva impulsividad o factores genéticos son algunos de los muchos elementos que han sido considerados como relevantes para explicar estas tendencias criminales (Una revisión de estas teorías en García-Pablos, 1988).

En las últimas décadas, no obstante, se ha desarrollado una manera alternativa de enfocar el objeto de estudio de la criminología. Diversos autores en Gran Bretaña, Estados Unidos y Canadá elaboraron de una manera, al principio autónoma y no coordinada, lo que han venido a denominarse *teorías del delito*. Estos autores han argumentado que las teorías tradicionales al poner su énfasis en el sujeto criminal, olvidaron el mismo acto criminal, el evento delictivo, como unidad de análisis merecedora de estudio. Estas teorías del delito, por lo general, tienden a asumir que hay personas motivadas a cometer delitos y lo que intentan explicar, en lugar de las tendencias criminales, es dónde, cuándo y en qué circunstancias estos sujetos cometen delitos.

Las teorías del crimen destacan que el delito no se distribuye de una manera aleatoria en espacio y tiempo, sino que ocurre en particulares lugares y momentos. Además, estas teorías tienden a destacar que determinadas categoría de personas o bienes son especialmente vulnerables y pueden convertirse en víctimas u objetos del delito. Aunque existen ciertas diferencias entre las diversas teorías del delito, un elemento común a todas ellas es la noción de oportunidad. Lo que hace que el delito se concentre en particulares espacios y momentos tiene que ver con las oportunidades existentes en los mismos para la comisión de los delitos (Para más detalles, Medina, 1997a).

Una de las teorías del delito, o de la oportunidad, más conocidas es la teoría de las actividades cotidianas de Cohen y Felson (1979). Esta teoría sostiene que para que un delito ocurra es necesaria la convergencia en tiempo y espacio de los siguientes tres elementos:

1. la presencia de un delincuente motivado,
2. la presencia de un objetivo vulnerable y tentador, y
3. la ausencia de un guardián capaz de prevenir el delito.

Un delincuente motivado es cualquier persona expuesta a la tentación de cometer un delito. Un objetivo vulnerable y tentador es cualquier persona u objeto que puede ser atacado por un delincuente. Un objetivo es vulnerable y tentador cuando se dan las cuatro condiciones resumidas en el acrónimo VIVA: valor, inercia, visibilidad y acceso. El objetivo, por tanto, tiene que tener algún valor para el delincuente, debe ser visible y accesible y las leyes de la física deben favorecer la transgresión. Esta última condición, por lo que se refiere a los delitos violentos, alude al tamaño, peso y musculatura de los diferentes actores envueltos en la situación: «los grandullones pegan a los pequeños» (Felson, R., 1996)[59]. Finalmente, un guardián capaz no significa necesariamente un agente de policía u otra autoridad oficial, sino cualquier persona capaz de intervenir y disuadir al delincuente. Donde quiera y cuando quiera que estos tres elementos coexisten se dan las circunstancias para que un acto delictivo sea posible y, por tanto, se incrementa la probabilidad de que el mismo ocurra.

Marcus Felson (1998), tratando de extender el alcance de su teoría a delitos no predatorios, ha desarrollado una variante de este modelo que resulta de aplicación a otro tipo de delitos violentos. Para Marcus Felson los elementos básicos de una pelea son los siguientes: combatientes, provocadores, audiencia y la ausencia de pacificadores. Una pelea requiere la convergencia en espacio y tiempo de, al menos, dos combatientes. Por otro lado, es más posible que un argumento desemboque en el uso de la fuerza física si hay una audiencia y provocadores en la ausencia de pacificadores[60].

La utilización del acto, o secuencia de actos, como unidad de análisis, aunque resulta relativamente reciente dentro de la criminología, cuenta con cierta tradición en el campo de los estudios de la violencia. La psicología social de la violencia ha evolucionado por medio de la realización de experimentos realizados en laboratorios en los que se alteraban

---

[59]   Cita de Richard Felson profesor de psicología social especializado en el estudio del comportamiento agresivo; no confundir con su hermano, Marcus Felson, uno de los principales autores del enfoque de las actividades rutinarias.

[60]   Para una teoría general del papel de terceras partes en los conflictos sociales e interpersonales ver Donald Black (1997).

diferentes condiciones experimentales para examinar su efecto en diferentes actos más o menos próximos a la noción de agresión, lo que de alguna manera conducía a un concepto atomista de la misma. Por otro lado, los estudios clásicos de Wolfgang (1958) sobre el homicidio, así como el trabajo posterior de autores como Hans Toch (1969) y Luckenbill (1977) han destacado la necesidad de estudiar la naturaleza de los episodios violentos y el desarrollo dinámico de los mismos.

De hecho, en la actualidad existe una tendencia bastante consolidada dentro de los estudios de la violencia a considerar como muy relevante el estudio de los eventos violentos. Esta perspectiva considera los eventos violentos como interacciones complejas entre individuos, motivaciones personales, armas, los atributos de control social de la situación, así como el estatus y significado asociado con el acto violento (Fagan y Wilkinson, 1998b). Cuestión diferente es que estas diferentes tradiciones hayan compartido el mismo concepto de acción, pero ese es un tema cuya discusión va más allá del objeto de este libro.

En el campo de la violencia doméstica, aunque el interés en esta perspectiva ha sido menor, también ha habido quien ha destacado su relevancia. Los eventos violentos, efectivamente, forman una parte muy importante de las relaciones maritales o de pareja en las que ocurren. Dobash y Dobash (1984), posiblemente los autores que mayor atención han prestado a este tipo de análisis de la violencia doméstica, argumentan que estos episodios pueden asumir una importancia que no solo domina la vida cotidiana del maltratador y su víctima, sino que también representan un papel crucial en el desarrollo de nuevos episodios violentos y en la evolución general de la relación de pareja. Por estas razones, Dobash y Dobash han defendido la necesidad de estudiar la naturaleza de estos episodios, las circunstancias que los rodean, los procesos dinámicos envueltos en los mismos, los significados y motivos asociados con ellos, así como los cambios experimentados en los mismos con el paso del tiempo.

La naturaleza de los episodios violentos exige examinar los elementos que los componen incluyendo las fuentes de conflicto, los argumentos, el ataque físico, las lesiones, el tiempo, el lugar en el que ocurren, así como la reacción de terceras partes. El desarrollo dinámico incluye el análisis de estos episodios desde que comienzan hasta que terminan, así como el estudio de las secuencias que sigue. En las diferentes secciones de este capítulo introduciré los principales debates teóricos que se presentan al concebir el episodio violento como unidad de análisis. Comenzaré por plantear el debate sobre el componente racional del comportamiento violento y continuaré con temas tal y como la investigación sobre la naturaleza secuencial de estos episodios, el papel de las emociones en los episodios violentos y las técnicas de neutralización que los maltratadores emplean cuando relatan estos episodios.

Conviene destacar, no obstante, que estas teorías no niegan la relevancia de factores individuales o rasgos de personalidad en la génesis de la violencia, tal y como la tendencia a comportarse agresivamente, pero, sin embargo, reconocen la limitación de modelos deterministas que asumen una relación simple entre personalidad y comportamiento violento. Esta perspectiva, en cambio, reconoce que los individuos motivados interactuan con circunstancias en las que las disputas ocurren y que una amplia gama de procesos internos e interpersonales afectan el resultado de dichos eventos (Fagan y Wilkinson, 1998a y 1998b).

II. VIOLENCIA EXPRESIVA VS. VIOLENCIA INSTRUMENTAL: EL COMPONENTE RACIONAL DEL COMPORTAMIENTO VIOLENTO

La psicología y criminología tradicional concebían la violencia como conducta fundamentalmente expresiva. Esta conceptualización posteriormente dio lugar a la diferenciación entre violencia expresiva y violencia instrumental. Por violencia expresiva se entiende aquella que obedece a sentimientos de ira y que refleja dificultades en el control de los impulsos o en la expresión de los afectos. La violencia instrumental, en cambio, es aquella que tiene una finalidad racional, al menos en la mente del agresor. El robo con violencia se suele citar como el ejemplo típico de violencia instrumental. La fuerza física o la amenaza de la misma se utiliza con una finalidad muy concreta, obligar a otra persona a entregarnos sus bienes materiales. Durante mucho tiempo, y para muchos autores, la gran mayoría del resto de los incidentes de agresión podían ser considerados como instancias de violencia expresiva. Estas otras formas de agresión se consideraban expresivas porque aparentemente eran meras explosiones de rabia que no tenían ninguna finalidad.

La conceptualización de la violencia como un comportamiento expresivo está fuertemente vinculado a una determinada manera de explicar la violencia, en particular como el efecto de la frustración. Aunque varios autores, incluyendo a Freud, habían sugerido con anterioridad que las frustraciones producen reacciones agresivas; un grupo de investigadores asociados a la Universidad de Yale, incluyendo John Dollard, Neal Miller, Leonard Dood, O.H. Mowrer y Robert Sears, fueron los proponentes de la versión clásica de esta teoría en su libro *Frustration and Aggression* publicado en 1939. Estos autores argumentaban que toda respuesta agresiva era la respuesta a una frustración, aunque reconocían que no toda frustración tenía porque dar lugar a una respuesta agresiva. El neoyorquino Leonard Berkowitz, profesor de psicología en la Universidad de Wisconsin-Madison, ha dedicado toda su vida a elaborar este enfoque teórico y a demostrar su validez, convirtiéndose, por tanto, en el más claro exponente de esta interpretación del comportamiento agresivo.

Berkowitz no va tan lejos como sus predecesores y admite que hay un conjunto de conductas agresivas que pueden considerarse instrumentales, sin embargo, él está interesado en explicar lo que denomina agresión emocional. La agresión emocional, a su juicio, surge como respuesta a eventos desagradables, no placenteros. Estos eventos desagradables generan un estado emocional negativo en los seres humanos y teóricamente, quizás por nuestra programación genética, estos sentimientos negativos se traducen automáticamente en una variedad de reacciones motoras, sentimientos, pensamientos y memorias. De acuerdo con Berkowitz, algunas de estas reacciones están asociadas con lo que él denomina tendencias de combate, es decir, con la inclinación de atacar a alguien, mientras que otras están asociadas con tendencias de escape, es decir, con la inclinación de escapar o evitar las situaciones dolorosas. La fuerza relativa de estas tendencias estaría determinada por factores de tipo biológico, de aprendizaje y situacionales. Berkowitz, por otro lado, propone que en los seres humanos la inclinación de iniciar un ataque contra un determinado objetivo está acompañada por el deseo de dañarlo o incluso destruirlo (Berkowitz, 1993).

En nuestro país, uno de los autores que más ha escrito, investigado y trabajado con hombres violentos, el profesor Enrique Echeburua, defiende este marco de interpretación para analizar el maltrato a la mujer en el ámbito doméstico. Echeburua y Montalvo (1998) señalan que la conducta violenta en el hogar «es resultado de un estado emocional intenso —la ira—, que interactua con unas actitudes de hostilidad, un repertorio pobre de conductas (déficit de habilidades de comunicación y de solución de problemas) y unos factores precipitantes». Aunque estos autores admiten que la violencia en el hogar puede ser expresiva o instrumental, su definición inicial enfatiza el carácter fundamentalmente expresivo de la misma. Desde esta perspectiva, lo esencial del comportamiento violento es el estado emocional de ira. De acuerdo con estos autores:

> «Esta emoción, que varia en intensidad desde la suave irritación o molestia a la rabia intensa y que *genera un impulso* para hacer daño, se ve facilitada por la actitud de hostilidad y por unos pensamientos activadores relacionados con recuerdos de situaciones negativas habidas en la relación o suscitados directamente por estímulos generadores de malestar ajenos a la pareja» (el énfasis es mío)

Sin embargo, esta particular visión del comportamiento violento ha sido sometida a importantes críticas y revaluación por parte de otros autores. Quizás la crítica más importante y que ha dejado una huella más notable en la psicología y criminología contemporánea se encuentra en la obra de Bandura (1973). Bandura fue uno de los primeros psicólogos en reivindicar que el comportamiento violento es fundamentalmente instrumental y utilitario. De acuerdo con Bandura, es más propio e interesante distinguir el comportamiento violento en función de los objetivos que puede perseguir que tratar de distinguir entre comportamiento violento que persigue objetivos y comportamiento violento expresivo u hostil. El hecho de que, en muchas ocasiones, la finalidad perseguida por el agresor no sea aparente para observadores externos no significa que dicha finalidad no exista. Según Bandura, el empleo de la violencia obedece a nuestros intentos de alcanzar objetivos que a veces no sabemos alcanzar de ninguna otra manera, más que consistir en la mera expresión de nuestro sufrimiento interno[61]. La hipótesis de la frustración-agresión fue atacada por Bandura con argumentos bastante contundentes que más recientemente han sido replanteados por Tedeschi y Felson.

La criminología, en consonancia con sus raíces históricas en el trabajo de Bentham y Beccaria, también acogió esta visión del comportamiento violento como conducta orientada a fines. Así, por ejemplo, Hans Toch (1969) en su estudio clásico sobre hombres violentos destacaba como es más propio de hablar de diferentes dimensiones del comportamiento violento que de diferentes formas del mismo. Para este autor la violencia hostil e instrumental son elementos o dimensiones de todo acto violento.

Como he señalado, esta conceptualización de la violencia como acción racional ha sido recientemente sistematizada por los profesores de psicología social, James Tedeschi y Richard Felson, en su libro *Violence, Aggression and Coercive Actions* (1994). Estos autores han recogido el testigo de Bandura y han desarrollado una teoría del comportamiento violento (»acciones coercitivas», según su vocabulario) como acción orientada a la obtención de un fin.

Para Tedeschi y Felson, la violencia expresiva simplemente no existe. Toda acción coercitiva, por impulsiva que parezca, implica una serie de decisiones. El actor debe decidir si responderá coercitivamente o de alguna otra manera; y si responde coercitivamente, debe decidir con que tipo de coerción y magnitud, cuando y como hacerlo. Los elementos básicos envueltos en este proceso de toma de decisiones incluyen el valor del resultado o ganancia, las expectativas sobre el éxito en la obtención de dicho resultado, las expectativas sobre los costes y el valor negativo de dichos costes. A mayor el valor de la ganancia y menor el valor negativo

---

[61]   Al penalista esta manera de concebir la violencia no debe resultarle ajena, en la medida en que se corresponde fielmente con las asunciones sobre el comportamiento violento presentes en la ciencia penal. La teoría penal que concibe al comportamiento delictivo como acción finalista, sin duda, se encuentra en sintonía con estas teorías psicosociales y criminológicas.

de los costes, mayor la probabilidad de que se adopte una respuesta coercitiva.

Estos autores reconocen que una forma débil de racionalidad es relevante en numerosas interacciones coercitivas que a menudo envuelven emociones fuertes, decisiones rápidas y pautas de conductas programadas. En ocasiones, los actores pueden guiarse por el principio de satisfacción, pueden considerar solamente una solución y si ésta les parece satisfactoria, no consideran otras alternativas. La conducta agresiva puede parecer impulsiva e irracional, pero los seres humanos son capaces de inhibir su respuesta si anticipan que los costes serán elevados. Estos autores reconocen que en ocasiones los actores cometen fallos en sus juicios y no consideran determinados costes, particularmente si se encuentran bajo la influencia de sustancias tóxicas o si están enfadados. Así, para Tedeschi y Felson, aunque existe variación en la cantidad de pensamiento envuelto en la toma de decisiones sobre el uso de acciones coercitivas, siempre hay un margen de decisión.

Tedeschi y Felson, al igual que otros autores, también han usado el concepto de violencia como una conducta programada, o que sigue un guión, para entender el proceso de toma de decisiones en este contexto. Desde esta perceptiva, se concibe a los «guiones» como esquemas aprendidos que sirven para organizar información y que condicionan la manera en que diversos sujetos responden a determinados estímulos.

Esta perspectiva fue planteada inicialmente dentro del ámbito de la psicología cognitiva. Un guión es una estructura cognitiva que sirve para que los individuos organicen su entendimiento de situaciones típicas, permitiéndoles tener expectativas y llegar a conclusiones sobre el resultado potencial de diversos eventos. Fagan y Wilkinson (1998a y 1998b) sugieren que estos guiones son de utilidad para comprender el proceso de toma de decisiones en episodios violentos en varios sentidos:

1. Los guiones son formas de organizar el conocimiento y las alternativas conductuales;

2. Los individuos aprenden repertorios conductuales para diferentes situaciones;

3. Estos repertorios son almacenados en la memoria como «guiones» que son activados cuando se perciben determinados estímulos ambientales;

4. La elección de guiones varía entre individuos y algunos individuos se guían por guiones más limitados;

5. Los sujetos son más proclives a repetir conductas programadas cuando éstas han tenido éxito;

6. Las conductas programas pueden hacerse automáticas sin mucho pensamiento o consideración de alternativas.

De hecho, se ha sugerido que en situaciones de conflicto continuado, como en el caso de violencia doméstica, los repertorios de respuestas conductuales pueden hacerse más limitados con el paso del tiempo y determinados ejemplos de conductas programadas pueden estabilizarse como la única manera de responder a estos conflictos (Loeber y Stouthamer-Loeber, 1998). Esta pauta podría explicar el carácter aparentemente inexplicable o descontrolado de determinadas explosiones violentas en el contexto de las relaciones de intimidad. Ello explica parcialmente la observación realizada por algunos de que la violencia en este contexto se manifiesta de forma ritualizada, en el sentido de que una escena se repite de manera casi idéntica (cfr. Perrone y Nannini, 1998).

Tedeschi y Felson también creen que es importante considerar que los individuos otorgan valor no solo a los resultados de sus acciones (lo que ellos denominan valores terminales) sino también a los medios que se usan para obtener dichos medios (lo que ellos denominan valores procedimentales). De acuerdo con estos autores, los valores terminales sirven como incentivos para la conducta. La coerción o comportamiento violento es más probable cuando existen conflictos sobre valores terminales con otras personas. Los valores procedimentales, por otra parte, pueden inhibir o facilitar el uso de varias formas de coerción. Aunque algunas personas consideran el uso de la fuerza o castigo físico como un último recurso porque viola sus expectativas morales, otras personas encuentran que la amenaza o el uso de la fuerza física son medios útiles y eficaces de alcanzar objetivos sociales y no tienen prejuicios morales sobre la utilización de dichos medios. Así, tanto a los fines como a los medios se les otorga valor por parte de los sujetos y estos valores entran en juego en el proceso de toma de decisiones sobre el uso de la coerción.

De acuerdo con esta teoría, a mayor el coste negativo o perdidas asociadas con el uso de la coerción, menor será la probabilidad de su uso. Este coste, no se suele referir a costes de tipo jurídico penal, sino que hace referencia a costes relacionados con la oportunidad, el objetivo y las posibles terceras partes presentes en la escena. Así, por ejemplo, el deterioro de relaciones sociales o la probabilidad y magnitud de la posible venganza o contraataque reducen la probabilidad de que un actor opte por el empleo de la violencia.

Tedeschi y Felson consideran, por tanto, que toda acción violenta puede obedecer de manera aislada o conjunta a varios fines. En particular, Tedeschi y Felson creen que un agresor puede comportarse violentamente para obligar a otra persona a hacer o no hacer algo bien en el presente o en el futuro, para proteger sus identidades sociales o para restaurar sus sentimientos de justicia por medio del castigo de un «infractor». Estos autores creen que los procesos relacionados con la obtención de la obediencia, la restauración de justicia y la protección de identidades sociales son diferentes, pero que en cualquier encuentro violento en el mundo real pueden aparecer de forma conjunta y piensan que muchas acciones coercitivas pueden obedecer a más de un motivo. Ciertamente, esta manera de concebir el comportamiento violento entronca fácilmente con tradiciones criminológicas del pasado y otras más contemporáneas. Sin duda, la consideración del comportamiento desviado, y violento en particular, como racional forma parte de algunas de las teorías criminológicas más importantes del pasado y del presente. El filósofo británico Jeremy Bentham elaboró una filosofía del comportamiento humano como conducta racional basada en el principio de búsqueda del placer y evitación del dolor. Esta filosofía del comportamiento humano aplicada en el terreno penológico sirvió de base a las denominadas teorías de la disuasoria (o prevención general y especial como se las conoce en el ámbito español)[62]. Durante los años 70 estuvo de moda el modelo económico del comportamiento delictivo propuesto por Becker y otros profesores de económica política. Más recientemente Ronald Clarke y Derek Cornish han formulado la perspectiva de la elección racional (ver, Medina, 1997a). Akers (1990) mantiene que la mayor parte de las teorías criminológicas admiten en diverso grado una racionalidad circunscrita.

Dentro de la sociología de la familia, Richard Gelles (1983) fue uno de los primeros autores en considerar la relevancia de juicios de racionalidad a la hora de explicar la violencia en la pareja. Este autor propuso la teoría del «social exchange» (intercambio social) en 1983. Esta teoría combina elementos de la perspectiva de la elección racional y de la teoría del control social. Básicamente, la teoría descansa en dos principios fundamentales. El primer principio afirma que los hombres son violentos en el hogar si los costes de la violencia no exceden los de sus recompensas. El segundo principio afirma que la gente usa la violencia cuando no existen controles sociales que eviten semejante patrón conductual. Gelles expande estas proposiciones en los siguientes postulados:

1. Los miembros de la familia son más proclives a usar la violencia en el hogar cuando piensan que los costes son menores que las recompensas.

2. La ausencia de controles sociales efectivos sobre las relaciones familiares disminuye los costes de que una persona actúe con violencia contra otros miembros de su familia.

3. Ciertas estructuras sociales y familiares sirven para reducir los controles sociales sobre las relaciones familiares y, como consecuencia, reducen los costes o aumentan las recompensas del comportamiento violento.

De acuerdo con Gelles (1983), la relación entre costes y recompensas del comportamiento violento es determinada, en buena medida, por tres

---

[62]   Ver Barberet (1997) para una evaluación crítica de las mismas.

elementos que favorecen a los hombres y que contribuyen de manera significativa a la reducción de los costes para las personas violentas. Estos elementos son: (a) las diferencias biológicas y sociales entre hombres y mujeres; (b) la naturaleza privada del ámbito familiar que previene o reduce el riesgo de intervención exterior; y (c) las atribuciones sociales de masculinidad y machismo.

Algunos autores feministas también han insistido en la existencia de este tipo de juicios, aunque en este tipo de discursos la justificación es ciertamente diferente. Tal es el caso de Russell y Rebecca Dobash (1984). De acuerdo con estos autores las concepciones de los actos violentos como actos imprevisibles, expresivos e incontrolables que son cometidos por sujetos alcohólicos, mentalmente inestables o socialmente desesperados deben su popularidad a que resultan más confortables y más tranquilizadoras que las teorías que explican los actos violentos como actos funcionales, instrumentales y sistemáticos. Si la violencia fuera una forma de desviación aleatoria más que un reflejo de relaciones sociales recurrentes, entonces uno no debería preocuparse por la forma y configuración de la vida social cotidiana, sino simplemente por sus desviaciones. Si, sin embargo, la violencia es conceptualizada como un acto intencional que se ejecuta para obtener unos fines determinados que se encuentran enraizados en la vida cotidiana, se convierte en un tema que nos afecta a todos y que forma parte de la vida cotidiana (Dobash y Dobash, 1998). Estos autores creen que resulta esencial entender la violencia como conducta orientada a fines, unos fines que ellos vinculan con las normas y expectativas de conducta de tipo desigual que se generan entre hombres y mujeres en el contexto de todas las relaciones de pareja[63].

---

[63] Diversos estudios han tratado de ofrecer resultados coherentes con esta manera de entender la violencia doméstica como actos instrumentales. Riggs y Caulfield (1997), por ejemplo, utilizaron una muestra de 125 estudiantes universitarios de sexo masculino para examinar la relación entre consecuencias anticipadas de la violencia y el uso de la misma en el contexto de relaciones íntimas. Su estudio encontró una relación entre ambos conceptos. En particular, los hombres que habían actuado violentamente contra sus parejas eran más propensos a pensar que el uso de la violencia les llevaría a ganar las discusiones, mientras que los hombres que no usaban violencia eran más propensos a pensar que el uso de la misma desembocaría en la finalización o interrupción de sus relaciones. Por otro lado, los maltratadores eran menos proclives a pensar que expresarían sentimientos de culpabilidad sobre el comportamiento violento. Estas expectativas estaban ligadas a la frecuencia y severidad del abuso, aunque la magnitud de los efectos no era especialmente grande. En una comunicación titulada «Deciding to be Violent: the Perceived Utility of Abusive Behavior in Marriage» presentada durante la V Conferencia Internacional de Violencia Familiar, Nedegaard y sus colaboradores (1997) presentaban los resultados de un interesante experimento. Este estudio analizaba las respuestas de un grupo de maltratadores, en comparación a las de

Naturalmente racionalidad en todas estas teorías, así como en las teorías procedentes del campo de la psicología social, significa una racionalidad limitada. Nadie puede controlar todos los factores que influyen el éxito de sus decisiones. En su lugar, cuando tomamos decisiones normalmente no tomamos en consideración más «de tres o cinco circunstancias..., precisamente aquellas que no son muy distantes en tiempo o espacio» (M. Felson, 1998). De hecho, la criminología contemporánea tiende a considerar que los delincuentes más activos son incluso menos sabios, premeditados o considerados cuando toman la decisión de delinquir. Los delincuentes tienden a buscar la obtención rápida de placer y la evitación de dolor inmediato (Gottfredson y Hirschi, 1990).

III. EL ANÁLISIS SECUENCIAL O INTERACTIVO DE LA VIOLENCIA

El énfasis en los elementos de juicio racional implicados en el comportamiento violento y otros tipos de delito comporta, a su vez, un énfasis en el evento violento como unidad de análisis. No sólo es importante conocer las características de los individuos que son más propensos a participar en actos violentos, el énfasis de la criminología tradicional, sino que resulta esencial descomponer los diferentes elementos de las acciones violentas como eventos. Ello nos obliga a examinar dichos actos y a tratar de comprender el contexto y las situaciones en las que se producen (Toch, 1969).

Toch fue uno de los pioneros en destacar la necesidad de analizar el proceso de interacción entre agresor y víctima y la secuencia que siguen los enfrentamientos violentos desde el momento en que dos personas se encuentran. David Luckenbill (1977) también fue uno de los primeros autores en desarrollar el análisis de los eventos violentos desde un punto de vista secuencial o, usando términos derivados de Goffman, como una transacción situacional. El trabajo de Luckenbill se centró en el análisis de homicidios. Sin embargo, se puede argumentar la existencia de una

varios grupos de control, a diferentes escenarios de conflicto marital. Este estudio sugería que los maltratadores tienden a percibir el uso de la violencia y de tácticas manipulativas como mucho más útiles que el resto de los hombres en los otros grupos de control. En la misma línea Sellers (1999) encontraba dicha asociación con una muestra de estudiantes universitarios. Otros estudios han analizado las declaraciones realizadas por los maltratadores en el contexto de entrevistas en profundidad. En estas entrevistas se hace evidente que los maltratadores, aunque en ocasiones dicen no saber porque actuaron violentamente (lo que ha sido interpretado como una técnica de neutralización más: Hearn, 1995, 1996 y 1998), suelen describir sus acciones violentas dentro de un paradigma instrumental.

dinámica similar en otro tipo de eventos violentos no letales. Para Luckenbill (1977), los homicidios constituyen la culminación de intercambios intensos entre el agresor y la víctima. Las transacciones que desembocan en homicidios implican la participación conjunta de agresor y víctima en la escalada de un «concurso de carácter», una confrontación en la que al menos uno de los contendientes, pero usualmente ambos, intentan establecer o proteger su reputación o identidad a expensas del otro.

Luckenbill (1977) identifica varias etapas en estas transacciones. El movimiento de apertura en la transacción es un acto realizado por la víctima y posteriormente definido por el agresor como una ofensa a su imagen. Este movimiento inicial puede manifestarse en una expresión verbal o no verbal interpretada como ofensiva o una negativa a cooperar o a obedecer. En una segunda etapa, el agresor interpreta estos movimientos como ofensivos basándose en sus percepciones, en ocasiones con razón, en otras sin ella. A continuación, el agresor responde a esta «ofensa» estableciendo su posición mediante un ataque verbal o físico a la víctima. Seguidamente, si la víctima no ha sido eliminada, esta etapa reasumiría las respuestas de la misma a la reacción del agresor. Y así hasta que uno de los contendientes muere a las manos del otro.

Esta línea de investigación e interpretación ha sido sometida a crítica por parte de autores feministas (Dobash y Dobash, 1984). En primer lugar, se ha criticado que este tipo de análisis puede presentar a la víctima como responsable de su propia victimización por su conducta provocadora. En segundo lugar, se ha señalado que este tipo de análisis no presta suficiente atención a cuestiones de género. De acuerdo con Rebecca y Russell Dobash, la impresión que uno recibe de este tipo de investigación es que todos los episodios violentos se producen entre dos hombres envueltos en una competición, casi ridícula, por su honor. Sin embargo, estos autores entienden que las peleas o conflictos en los que uno de los competidores es una mujer pueden exhibir una dinámica ligeramente diferente. Aunque Rebecca y Russell Dobash han criticado estas teorías por su excesiva neutralidad y falta de sensibilidad hacia temas de género, lo cierto es que estos mismos autores, como veremos más adelante, han reconocido las ventajas de este tipo de análisis metodológico y teórico.

La primera autora en tratar de analizar la secuencia de los episodios de violencia doméstica fue la psicóloga Lenore Walker (1980, 1984, 1989). Lenore Walker, una de las pioneras que intentó analizar las causas, dinámica y consecuencias del maltrato, ofreció en uno de sus estudios seminales una teoría que fue bastante popular durante los años 80. Esta teoría describe lo que Walker denomina *el ciclo de la violencia*. Según Walker los episodios violentos siguen varias etapas que forman un ciclo común. En particular, Walker hace referencia a tres etapas diferentes: la etapa de aumento de la tensión, una etapa de explosión de la violencia y una etapa de descompresión y perdón. La primera etapa está caracterizada por una escalada gradual de la tensión que se manifiesta en actos que causan una creciente fricción, tal y como insultos a la mujer, otras conductas de degradación e incluso formas menores de abuso físico[64]. Durante esta etapa el maltratador expresa insatisfacción y hostilidad, pero no de una forma explosiva o extrema. La mujer intenta aplacar la ira de su pareja, haciendo lo que cree que le agradara o, al menos, no lo pondrá de peor humor. Así, trata de no responderle y usa otras formas de control del enfado. A veces, puede tener éxito temporal, lo que, según Walker, refuerza sus expectativas poco realistas sobre cambios en la conducta del marido o pareja.

La tensión, sin embargo, la mayoría de las veces continua acumulándose y, eventualmente, la mujer no podrá continuar controlando el enfado de su pareja. Cansada del estrés continuo, normalmente se retira, temiendo que cualquier otra reacción podría hacer explotar al maltratador. Sin embargo, la retirada normalmente sólo sirve para encrespar aún más al maltratador. La segunda fase, de explosión de la violencia, se hace, por tanto, inevitable. De acuerdo con Walker, a veces, las mujeres maltratadas precipitan la explosión inevitable para al menos controlar dónde y cómo ocurre, lo que le permite tomar precauciones que minimicen el daño.

La segunda fase se caracteriza por la descarga de la tensión acumulada durante la primera fase. El maltratador normalmente abusa verbal y físicamente de su mujer en un ataque que puede dejar a la mujer severamente herida. Esta etapa de explosión de furia e intenso maltrato termina cuando el maltratador se detiene, produciéndose una brusca reducción fisiológica de tensión. El desencadenante de la fase dos puede ser, según Walker, un hecho externo o un estado interno del hombre. Esta rabia incontrolada provoca la violencia física del maltratador hasta que ya no puede golpear más, exhausto emocionalmente. La paliza puede durar de dos a veinticuatro horas.

Después del cansancio, llega la tercera etapa. Esta etapa está caracterizada por el arrepentimiento, confesión, promesas de reforma, búsqueda de ayuda y por los intentos del maltratador de convencer a la víctima y terceras personas conocedoras de la situación de maltrato que éste no se repetirá. Esta tercera etapa, según Walker, confunde a las víctimas. Durante la misma los maltratadores envían un falso mensaje de esperanza que ellas quieren creer. Después de esta fase el proceso se repetiría de

---

[64] El origen de estas agresiones o insultos no se discute en el trabajo de Walker, aunque parece subyacer en esta construcción nociones derivadas del modelo de la frustración-agresión.

nuevo sucesivas veces de una manera cíclica y de progresivo aumento de severidad de la violencia.

Esta teoría de los ciclos de la violencia doméstica es posiblemente una de las más populares en esta área de investigación y frecuentemente aparece entre los materiales educativos para el personal encargado de trabajar con hombres violentos y mujeres maltratadas e, incluso, en los folletos informativos sobre violencia doméstica que se ponen a disposición del público general. Sin embargo, el ciclo de la violencia como tesis no ha soportado bien los exámenes a los que ha sido sometidos por diversos investigadores. La propia Walker reconocía en sus estudios que el ciclo de la violencia no siempre está presente. Solo el 65% de los casos examinados por esta autora exhibían la fase de tensión y solo el 58% atraviesa la etapa de descompresión; este último porcentaje, además, se reduce significativamente después del primer episodio violento en la relación. Por otro lado, esta autora equipara la existencia de abuso verbal previo a la violencia física como evidencia de su modelo de fase de escalada de tensión; el cual tiene ciertas connotaciones fisiológicas e hidráulicas que no son equivalentes a la mera existencia de dichas conductas de abuso verbal. Otros investigadores han encontrado datos similares y también que no existe un marco temporal universal para las diferentes etapas del ciclo (Dutton, 1995a).

Dobash y Dobash (1984) fueron posiblemente los primeros autores en destacar la similitud de la secuencia de los episodios violentos en la pareja con los episodios violentos en general. Estos autores han aplicado estas ideas al estudio de la violencia en la pareja de manera específica. Para ello realizaron entrevistas con una muestra de 109 mujeres maltratadas refugiadas en una casa de acogida y triangularon sus análisis con el empleo de 933 informes policiales sobre casos de violencia doméstica procedentes de una gran ciudad escocesa. Más recientemente han replicado este enfoque metodológico con una muestra de 95 parejas en las que el hombre había sido sancionado por el sistema penal a tratamiento o *probation* (Dobash y Dobash, 1998). De acuerdo con estos autores (1984, p. 273), los episodios violentos entre íntimos no empiezan, ni terminan en un momento específico, sino que forman parte integral de la relación:

«Los factores asociados con el uso de la violencia por parte del hombre contra su mujer están presentes la mayor parte del tiempo, y los factores específicos que conducen a un particular episodio pueden tener lugar días, meses o incluso años antes de dicho episodio»

Sin embargo, como es de esperar, la mayoría de los ataques físicos comienzan tras un argumento sobre un tema o queja en particular. Normalmente la discusión que precede al ataque físico es relativamente corta. En el 54% de los casos la discusión duraba menos de cinco minutos y aproximadamente el 90% duraba menos de una hora. De acuerdo con estos autores, aproximadamente dos tercios de los episodios siguen esta dinámica. En el tercio restante, la violencia física comenzó sin que hubiera ninguna forma de intercambio verbal o discusión, aunque el hombre usualmente revela la fuente del conflicto o queja durante o después del ataque.

Los temas presentes en estas discusiones se pueden clasificar, de acuerdo con estos autores (Dobash y Dobash, 1984), en varias áreas. La mayoría de los episodios denunciados por estas mujeres estaban motivados por temas de celos o intimidad (31% al 22%), la segunda categoría hacia referencia a discusiones sobre obligaciones domésticas (37% a 16%) y la tercera categoría la constituían discusiones sobre dinero (17% a 7%). En su estudio más reciente, el matrimonio Dobash (1998) identifica cuatro grandes áreas de conflictos que desembocan en episodios violentos: temas de celos y posesividad, desacuerdos y expectativas sobre el trabajo doméstico o los recursos económicos de la familia, el sentimiento masculino de su derecho para castigar a las mujeres cuando se equivocan o hacen algo «malo» y la importancia que para los hombres tiene el mantener su autoridad y poder en la relación a toda costa.

Las entrevistas con maltratadores habitualmente revelan los mismos temas como fuente de los conflictos que desembocan en la violencia de manera recurrente. Los celos son importantes. Muchos hombres violentos se manifiestan como excesivamente posesivos. Estos hombres emplean como justificación transgresiones sexuales, reales o imaginadas, para confrontar, interrogar y buscar admisiones de culpa por parte de sus mujeres. Los celos y una dependencia excesiva sirven para motivar el aislamiento social de la mujer y la adopción de conductas de control por parte del marido. En ocasiones, dependiendo del tipo de maltratador que se trate, las infidelidades del marido y su incapacidad para admitir que se le critique por las mismas dan lugar al conflicto violento.

De acuerdo con los Dobash, otra fuente de conflictos se encuentra asociada con el trabajo doméstico. Históricamente, y todavía hoy, las relaciones maritales se caracterizan por imponer a la mujer las responsabilidades domesticas y al hombre le garantizan el derecho para evaluar y juzgar la realización de dichas tareas domésticas. Cuando las mujeres no cumplen las expectativas de algunos hombres, los mismos recurren al uso de la violencia para castigarlas o restablecer su autoridad.

Al margen de estos temas, existen otros que también se revelan en las entrevistas con maltratadores. El tipo y cantidad de sexo en la relación es uno de estos temas. También se producen conflictos sobre los niños, bien porque se les presta demasiada atención en detrimento de la «debida» al marido, bien porque no se les presta suficiente atención, o bien porque no se les sabe disciplinar cuando realizan actos «indebidos». Finalmente, hay que señalar que los problemas con el alcohol generan conflictos que desembocan en la violencia. Por ejemplo, a pocas mujeres les gusta que su marido beba en exceso, lo que genera el consiguiente sentimiento de enfado y la «iniciación» de conflictos que pueden terminar en su propia victimización.

Los hombres suelen describir un conjunto de emociones intensas y orientaciones específicas que acompañan su decisión para usar la violencia. A menudo se describen a sí mismos como muy enfadados y normalmente culpan a la mujer por su enfado y la violencia subsiguiente. El momento en que estos hombres inician la narración del evento violento de manera invariable es el momento en que «ella dijo o hizo algo» que «causó» la violencia, incluso si estos hombres no recuerdan exactamente que fue (Dobash y Dobash, 1998).

Claramente, estos hombres no creen que las mujeres tengan el mismo derecho que los hombres a argumentar, negociar o debatir. Al contrario, los intentos de la mujer en dicho sentido son conceptualizados como amenazas a la autoridad masculina y la violencia es empleada para silenciar el oponente, para restablecer la autoridad masculina y para negar a la mujer la expresión de su opinión sobre los asuntos de la vida relacional. Muy frecuentemente los hombres no pueden recordar el tema de discusión, sino que ella no se callaba o dejaba de molestar cuando ellos querían. «Quejarse», «seguir con lo mismo» y «no callarse» son razones que estos hombres usan frecuentemente para justificar su violencia. El tema de la discusión se olvida, o no se quiere recordar, y lo que cuenta es que ella sigue argumentando, sin callarse, cuando se le exige. Son situaciones en las que la autoridad masculina se encuentra en crisis y es restablecida por el empleo de la violencia (Dobash y Dobash, 1998).

Los ataques físicos normalmente entrañan una amplia gama de conductas violentas. De acuerdo con Dobash y Dobash (1984), la mayoría de estas mujeres adoptan diferentes estrategias durante la discusión previa al ataque físico. Las estrategias más comunes consisten en tratar de retirarse de la escena, tratar de razonar con la pareja y tratar de convencerle de lo equivocado de sus acusaciones o el carácter poco razonable de sus expectativas. Las mujeres entrevistadas declaran que los hombres tienden a comenzar el asalto físico en el momento que podían percibir que ellas estaban cuestionando su autoridad o la legitimidad de su conducta o cuando ella trataba de mantener su postura. En otras ocasiones, las mujeres no intentaban solucionar el conflicto, bien porque no había tiempo suficiente, dado que la interacción prácticamente comenzaba con el ataque físico de la pareja, o bien porque se trataba de cuestiones que habían estado sin resolver durante un largo tiempo.

Una vez que la violencia física comienza las mujeres también pueden adoptar diversas estrategias para tratar de reducir su duración o severidad. En numerosos casos, las mujeres simplemente aguantan pasivas el ataque físico. En su estudio Dobash y Dobash descubrían que éste era el caso en el 36% de los incidentes. Las entrevistas en profundidad revelaban que las mujeres adoptaban esta estrategia porque pensaban, o habían aprendido, que cualquier tipo de resistencia solo traería más golpes. Otras mujeres seguían tratando de razonar con el hombre (5%), mientras que otras gritaban (20%) esperando que esta reacción detuviera al hombre o que alguien acudiera en auxilio. Otras mujeres trataban de empujar al hombre (8%), de protegerse con algo (8%) o de contraatacar (10%). Las mujeres que emplearon estos medios señalaban que lo hacían porque pensaban que podían detener la violencia o porque estaban enfadadas con el marido y la injusticia del ataque.

Varios autores han señalado que la resistencia de la víctima a la violencia del compañero puede ser peligrosa. Gelles y Strauss (1989), por ejemplo, han señalado que las mujeres que deciden entrar en la dinámica de la violencia contribuyen a escalar la seriedad del episodio violento. Bachman y Carmody (1994) analizaron datos de la Encuesta Nacional de Victimización para averiguar que pasaba cuando las mujeres se resistían o trataban de protegerse de la violencia de sus compañeros. Cuando compararon las víctimas de violencia doméstica con las víctimas de violencia entre extraños descubrieron que las primeras eran más inclinadas a pensar que sus acciones de autoprotección no sirvieron a mejorar la situación (76% comparado al 52%). De manera consistente, las víctimas de violencia doméstica eran más inclinadas a pensar que su resistencia sólo sirvió para empeorar la situación (19% comparado al 10%). Estas autoras también documentaron que el uso de estas medidas de autoprotección incrementó la probabilidad de lesiones como consecuencia de la agresión pero sólo en el caso de la violencia doméstica, no en el caso de la violencia entre extraños[65].

Como los Dobash han señalado, el episodio violento, en sentido amplio, no culmina con el último golpe. En el periodo de tiempo inmediatamente posterior al ataque y durante los días sucesivos al mismo, tanto la mujer como el hombre responden a dicho episodio y tienen sentimientos sobre el mismo. De acuerdo con estos autores, las mujeres normalmente permanecen en la casa (90%), a veces bajo coerción y usualmente sin mantener contactos con otras personas. Durante esta etapa las mujeres se encuen-

---

[65] Conviene señalar que estas autoras consideran medidas de autoprotección acciones tales como tratar de retirarse de la escena o llamar a la policía durante el ataque.

tran evidentemente molestas y también expresan un amplio rango de emociones incluyendo miedo, sorpresa, vergüenza, amargura, tristeza y enfado.

Típicamente, y siempre según el testimonio de las mujeres, el hombre actúa como si no hubiera pasado nada (80% de los casos). Solamente una pequeña minoría (8%) se disculpa o expresa algún tipo de remordimiento inmediatamente después del incidente. Aparentemente, el número de hombres que se disculpa es mayor tras el primer incidente (35%), sin embargo, a medida que la violencia se establece como un patrón de comportamiento en la relación, el grado de arrepentimiento, al menos expresado, disminuye notablemente. En los episodios típicos, no obstante, durante las horas o días sucesivos, un adicional 22% de los hombres se disculpa por su conducta, aunque la disculpa normalmente no viene acompañada de ningún tipo de discusión o elaboración (Dobash y Dobash, 1984). La investigación realizada con maltratadores, de hecho, ha venido a descubrir que los mismos «olvidan» pronto el incidente y ofrecen descripciones vagas de los mismos en los que la violencia realmente «no se ejecutó», era «poco seria» y había sido «provocada por la mujer». Estos datos ciertamente cuestionan el famoso ciclo de la violencia descrito por Walker.

En definitiva, los episodios de violencia doméstica siguen una dinámica similar a la exhibida por los episodios violentos fuera del hogar. El incidente empieza con una confrontación verbal, seguida por los intentos evasivos de la víctima y culmina con el ataque físico. Sin embargo, existen diferencias que van más allá del carácter crónico o repetido de estos eventos. Así, por ejemplo, la mayoría de los episodios violentos tienen lugar en el domicilio de la pareja o en sus proximidades inmediatas. Muy pocos incidentes ocurren en escenarios públicos. Esta circunstancia física y simbólicamente limita la posibilidad de intervención exterior y, consecuentemente, puede complicar la seriedad de los incidentes y las lesiones derivadas de los mismos. Un factor que es importante desde el punto de vista de prevención y asistencia es la dinámica temporal de la violencia doméstica. La mayoría de los incidentes tienen lugar por la noche de los viernes y sábados, así como en periodos de vacaciones, cuando los servicios sociales están cerrados.

IV. EL SIGNIFICADO DE LA VIOLENCIA: LAS EXPLICACIONES Y JUSTIFICACIONES DE LOS EPISODIOS VIOLENTOS

La criminología tradicional, como hemos visto, ha estado fundamentalmente interesada en el estudio de los factores, normalmente negativos, que llevan a una persona a comportarse de manera desviada. Así, se han aludido a factores tal y como psicopatología, pobreza, familias disfuncionales, abuso infantil y otros similares como relevantes en la etiología de personalidades delictivas. Sólo muy recientemente se han empezado a analizar los posibles «beneficios» que los delincuentes encuentran en la realización de este tipo de actos.

Tal y como se ha señalado «la literatura sociológica contiene escasa evidencia sobre lo que significa, se siente, parece o como sabe la comisión de diferentes tipos de delitos» (Katz, 1988, p. 3). El autor de la anterior afirmación es Jack Katz, un profesor de sociología de la Universidad del Sur de California. Katz adquirió popularidad con la publicación de su provocador libro *Seductions of Crime:. The Moral Attractions of Doing Evil*. Este libro mantiene la tesis de que existe una cierta estética y atracción emocional en el comportamiento violento y que solo a través de la comprensión de la misma podemos entender la violencia[66]. Katz llena de contenido el frío lenguaje académico de autores como Tedeschi y Felson. Aunque Tedeschi y Felson describen con detalle el papel que las emociones desempeñan en la génesis del comportamiento violento y han explicado con detenimiento los beneficios que los agresores persiguen con sus acciones, Katz realiza un esfuerzo especial al tratar de describir estos procesos. Desde el punto de vista de Katz, no es que el enfado simplemente limita el repertorio de conductas alternativas existentes, sino que nos impulsa como la «magia» a adoptar un determinado curso de acción.

De acuerdo con este autor, para cada tipo de delito, incluyendo los delitos violentos, existe un conjunto diferente de condiciones necesarias y suficientes, comprendiendo (1) un curso de acción (los requisitos distintivos para cometer con éxito un delito), (2) una línea de interpretación (las maneras únicas de entender cómo somos y cómo se nos verá por otros) y un proceso emocional (las seducciones y compulsiones que tienen dinámicas especiales). Para entender la violencia, por tanto, es necesario prestar atención al modo de ejecutar la acción, la creatividad simbólica en la definición de la situación y la finura estética en el reconocimiento y elaboración de las posibilidades sensuales. Para Katz, el elemento central en toda experiencia delictiva es una emoción humana: humillación, arrogancia, ridículo, cinismo, venganza, desafío, sentimiento de justicia, etc. En cada caso, la atracción más poderosa es la que invita a superar un reto moral, más que un reto material. Y es que para Katz, la comprensión

---

[66] «Al menos que uno se lo proponga intencionalmente, es ciertamente difícil evitar el quedar atrapado por la estética envolvente de los sonidos y ritmos cuando se abofetea repetidamente a otra persona» (Katz, 1988, p. 5).

solamente del delito y la violencia como acciones que responden a fines materiales no se corresponden con la realidad.

Este tipo de consideraciones entronca con la tradición del interaccionismo simbólico que, enfatizando otra serie de elementos, también presta una atención especial a la violencia como evento o situación. Desde esta perspectiva, en realidad, los malos tratos no se definen simplemente como una acción o un evento, al menos en un sentido simplemente objetivo. Más bien, es una interpretación comprendida dentro de varios marcos, marcos que conforman y moldean las reacciones de las partes implicadas, el hombre como maltratador, la mujer como maltratada y los terceros como espectadores. En este sentido, se asume que los individuos poseen conocimientos sociales, que les permiten actuar y ofrecer narraciones de sus acciones como explicaciones o justificaciones de lo que ha ocurrido. Esta perspectiva asume, sobre todo, que los individuos actúan e interpretan acciones sociales basándose en la definición de situaciones (Hyden, 1994).

Estas perspectivas, de una manera u otra, nos invitan a reflexionar sobre la manera en que los sujetos activos del maltrato conceptualizan sus acciones. Al margen de autores como Katz y aquellos ligados al interaccionismo simbólico, quizás uno de los autores que ha tenido mayor influencia en la interpretación de las conceptualizaciones que los delincuentes realizan de sus acciones es el criminólogo norteamericano David Matza. David Matza en 1964 publicaba *Delinquency and Drift*. En este libro Matza criticaba el pensamiento criminológico de la época tendente a encontrar diferencias entre delincuentes y no delincuentes. Matza centró su crítica en las concepciones sociológicas subculturales. Este autor no estaba de acuerdo con la noción de que los delincuentes son personas con valores radicalmente diferentes del resto de los mortales. Matza tendía a pensar que los valores de los delincuentes no son muy diferentes de los del resto de los mortales. No es que los delincuentes rechacen los valores morales convencionales, sino que los neutralizan por medio del empleo de una serie de técnicas que les permiten cometer delitos sin tener sentimientos de culpabilidad.

Sykes y Matza (1957) distinguían varias técnicas de neutralización: negación de la responsabilidad (»yo no quería»), negación de la lesión o el daño (»no era tan serio»), negación de la víctima (»se lo merecía»), condena de los sancionadores (»la han tomado conmigo») y apelación a valores más elevados (»no lo hice simplemente por mí»). De acuerdo con estos autores, estas técnicas son aprendidas por medio de la interacción con otros y forman parte de lo que Sutherland denominaba «definiciones favorables a la violación de la ley».

Scott y Lyman (1968), desde una perspectiva sociológica más general, han desarrollado el estudio sociológico de las «explicaciones». Estos autores distinguen entre excusas y justificaciones. Justificaciones son explicaciones por las que uno admite haber realizado una determinada conducta, pero niega el carácter inmoral de las mismas. Excusas son explicaciones que mitigan o alivian el grado de responsabilidad por la realización de acciones que son inmorales o malas y, por tanto, no se pueden justificar. Estos autores detallan cómo las explicaciones siempre se proporcionan en el contexto de particulares relaciones entre las partes y se utilizan como parte del proceso de construcción y defensa de las identidades sociales de quien las proporciona[67].

Existe un número considerable de estudios que han interpretado el testimonio de los maltratadores como técnicas de neutralización en el sentido indicado por Matza o como explicaciones siguiendo la terminología de Scott y Lyman. Ptacek (1990), por ejemplo, entrevistó una pequeña muestra de maltratadores recibiendo tratamiento y documentó que prácticamente todos ellos ofrecían excusas y justificaciones por su comportamiento. Estos hombres comúnmente argumentan que emplean la violencia porque se encuentran fuera de control, bien por el consumo de alcohol o la acumulación de problemas, porque la víctima les ha provocado de alguna manera o porque la mujer ha violado una de las normas de la relación. Además, estos hombres tienden a minimizar la seriedad y frecuencia de la violencia.

---

[67]   Aunque Matza estaba fundamentalmente interesado en criticar la noción de subculturas, la noción de técnicas de neutralización cobró su vida propia en el discurso criminológico. De manera consistente con el proyecto lombrosiano, hay autores que creen que las técnicas de neutralización pueden explicar parcialmente el porqué se cometen actos delictivos (Minor, 1981; Agnew y Ardith, 1986; Hollinger, 1991; Tunnell, 1992). Aquellos sujetos que son más proclives o tienen una mayor facilidad en neutralizar valores morales convencionales en teoría son sujetos que son también más inclinados a comportarse de manera delictiva como consecuencia de ello. Otros autores, en cambio, cuestionan este planteamiento y tienen a pensar que las técnicas de neutralización son siempre argumentos empleados a posteriori y normalmente con la finalidad de atenuar las consecuencias negativas aplicadas por terceros al comportamiento delictivo (Hamlin, 1988). Aunque esta afirmación puede aplicarse sin más a explicaciones que se dan a operarios del sistema de justicia penal, es más discutible que la función de las explicaciones juegan el mismo papel cuando se ofrecen a familiares, pero, sobre todo, a amigos. Toch ha argumentado que las explicaciones que se ofrecen a amigos son menos exageradamente exculpatorias que las que se ofrecen para consumo oficial y posiblemente tienen una mayor relación con el juego de construcción de identidades sociales (Toch, 1993). Agnew (1994), utilizando datos de la Encuesta Nacional de Juventud, pretende haber demostrado, con técnicas de análisis que tomaban en consideración la naturaleza longitudinal de dichos datos, que aquellos jóvenes que son más inclinados a justificar la violencia en determinadas circunstancias son también más inclinados a comportarse violentamente en el futuro y, por tanto, demostrado el potencial explanatorio de las técnicas de neutralización.

También el profesor de la Universidad de Manchester, Jeffrey Hearn (1993), documentó un patrón similar con datos procedentes del Reino Unido y sus colegas en el mismo departamento, Dobash y Dobash (1998), hicieron lo mismo con una muestra de hombres escoceses. Hearn (1993) elaboró una clasificación de mecanismos usados por estos hombres para negar y minimizar su violencia. Estos mecanismos incluían la negación directa, referencia a problemas de memoria, excusas, justificaciones, confesiones, exclusiones e inclusiones de ciertos tipos de violencia, así como una combinación de varios de ellos.

Durante 1996 y 1997 conduje un pequeño estudio cualitativo con una veintena de hombres maltratadores que atendían un programa de tratamiento ofrecido por *Victim Services* en Nueva York donde pude confirmar las tendencias de estos hombres a negar y minimizar su violencia. En la medida que varios estudios han señalado estas tendencias, no voy a insistir demasiado en el tema, pero sí sería conveniente ofrecer algunos ejemplos.

Aunque los hombres que entrevisté en este estudio habían sido enviados a este programa por orden judicial como consecuencia de su violencia, muchos de ellos (32%) negaron por completo haber hecho uso alguno de tácticas violentas contra sus parejas y la totalidad de los que admitían algún grado de violencia trataron de minimizar la seriedad de la violencia ejercida. Su negativa inicial de la violencia algunas veces se veía contradicha por su propio testimonio durante el curso de la entrevista y, en otras ocasiones, la negativa era tan increíble que sonaba ridícula.

Rafael[68], por ejemplo, nos contaba que la razón por la que había acabado en este programa fue un incidente en el que su novia le había arrojado un cuchillo, aunque él no hizo nada. Su única respuesta fue abandonar el apartamento para evitar problemas. De acuerdo con este testimonio inicial nunca había habido violencia en su relación. No obstante, cuando la entrevista estaba más avanzada, reconocía como desde aquel día:

> «.. desde aquel día» (el del incidente) «no le he vuelto a dar ninguna paliza. Ahora no tengo el coraje para ponerle las manos encima. No se porque le daba palizas antes, pero ahora no lo hago»

Contradicciones similares eran frecuentes entre los hombres que negaban inicialmente por completo su implicación en actos de violencia contra sus parejas. La descripción que Roberto hacía del incidente que lo trajo al programa también se vio transformada a lo largo del curso de la

---

[68]   Todos los nombres utilizados son seudónimos. Los nombres latinos fueron asignados a maltratadores hispanos (el foco de mi estudio), los nombres anglosajones fueron asignados a maltratadores no latinos.

entrevista. En su primera versión de la historia, Roberto mantenía que no le hizo nada a su pareja, simplemente le dijo que estaba enfadado con ella por su conducta y fue entonces cuando ella abandonó el apartamento con su hija. En la segunda versión del incidente, Roberto tenía una sierra eléctrica en sus manos durante esta conversación con su esposa, aunque él no pensaba hacer uso de la misma, estaba tratando simplemente de arreglar la maquina y ver si funcionaba. De acuerdo con Roberto, su esposa mintió cuando le dijo a la policía que él la estaba amenazando con la sierra. En la ultima versión de la historia, Roberto finalmente reconocía que inmediatamente antes de expresar su ira verbalmente contra su esposa, había destrozado con la sierra eléctrica los muebles y algunos objetos decorativos en los dormitorios de su «rebelde» hija como una forma de castigo.

Es importante destacar que estos hombres no solamente niegan y minimizan su violencia, como se ha demostrado repetidamente, sino que, además, consideran su arresto y la disposición judicial una consecuencia de las mentiras de sus parejas. Carlos y su novia tuvieron una discusión acalorada: «…pero no paso nada, yo me fui a dormir… no le golpeé ni nada parecido… ella tuvo un accidente en el trabajo, se cayo, y luego presentó esa lesión como evidencia en contra mía». ¿Por qué «mienten» estas mujeres? De acuerdo con los maltratadores, las razones varían. La novia de Rafael, por ejemplo, llamó a la policía porque «ella no quería que la dejara» (Rafael). Algo parecido pasaba con la novia de otros maltratadores como, por ejemplo, Norberto: «Le dije que la iba a dejar, por eso es que ella llamó a la policía». Pero en ocasiones la razón es completamente opuesta, las mujeres simplemente quieren librarse de estos hombres para poder sentirse en control, tal y como en el caso de Vincent: «ella mintió para librarse de mí, para poder imponer su sistema»; o en el caso de Tom: «yo no le hice nada… pero para ella era fácil firmar un papel diciendo que sí, así me podían meter en el talego y ella podía sentirse como si tuviera poder».

Por otra parte, además de negar y minimizar su violencia, estos hombres también tienden a atribuir a sus parejas la realización de actos violentos que preguntas de seguimiento demuestran que no cometieron. José, por ejemplo, contaba como su pareja le arrojó un cuchillo. Una pregunta de seguimiento demostró que él le estaba dando una paliza una noche y ella tomó un cuchillo para defenderse, sin embargo, no pudo utilizarlo, porque él se lo quitó, de hecho «ella se cortó accidentalmente cuando sé lo quité» (José).

V. CARACTERÍSTICAS SITUACIONALES DE LA VIOLENCIA DOMÉSTICA

V.a. La presencia de alcohol

V.a.a. La relación entre alcohol y violencia

Cuando hablamos sobre la relación entre alcohol y violencia podemos estar refiriéndonos a dos cosas muy diferentes. En primer lugar, podemos estar aludiendo al uso de alcohol en episodios violentos, pero también podemos estar refiriéndonos a la relación entre patrones estables de consumo de alcohol, e incluso alcoholismo, y violencia. En esta sección tan sólo me ocupo de la primera cuestión, mientras que de la segunda cuestión me ocuparé en un capítulo posterior al hablar de factores de riesgo individual de la violencia.

Existe un consenso bastante extendido sobre la relación entre alcohol y delincuencia (Fagan, 1993b). Un estudio de las autoridades penitenciarias estadounidenses recientemente ponía de relieve que, de los 5.3 millones de delincuentes cumpliendo condena de prisión, el 36% (aproximadamente 2 millones) habían estado bebiendo alcohol antes de cometer el delito que los llevó a la cárcel. Estos datos son similares a los obtenidos por la Encuesta Nacional de Victimización realizada todos los años en dicho país. Según la misma, el 35% de las victimizaciones violentas envuelve a agresores que habían estado bebiendo alcohol (Greenfeld, 1998). Ahora bien, ésto no significa necesariamente que la presencia del alcohol haya afectado la conducta de los implicados (agresor o víctima) y, por otro lado, se ha de destacar que en más de la mitad de los episodios violentos el agresor no ha consumido alcohol antes del mismo (Roizen, 1993). Además, tampoco se sabe con exactitud, o al menos aún se discute, cómo se puede explicar la relación entre alcohol y violencia al nivel que nos interesa en esta sección.

Efectivamente, la explicación de esta relación ha dado lugar a numerosas conjeturas y estudios. Pernanen (1993), una de las autoridades internacionales en este campo, distingue entre teorías que destacan los efectos físicos del alcohol y teorías procesales. Las primeras han sido las más populares hasta hace no mucho, en parte por su simplicidad. Estas teorías, por ejemplo, han postulado (1) que el alcohol causa la desinhibición y ésta a su vez el comportamiento violento, (2) que el alcohol es una especie de signo semiótico que invita a la conducta desviada o (3) que el alcohol está ligado a expectativas sobre el comportamiento violento y a través de ellas conduce al mismo. De alguna manera, estas teorías consideran a los sujetos como objetos sobre los que el alcohol tiene un efecto. Estas teorías, y otras dentro de este paradigma, han dado lugar a la realización de numerosos experimentos realizados en laboratorios sobre la influencia del alcohol en el comportamiento violento (Pernanen, 1993).

Tradicionalmente, se ha asumido que los efectos del alcohol en el comportamiento agresivo eran el resultado directo de los efectos fisiológicos o de las propiedades desinhibitorias del alcohol. Stuart Taylor (1983, p. 287) distingue varios modelos diferentes de esta teoría:

«El modelo fisiológico señala que el alcohol fomenta la agresión al debilitar los controles corticales, produciendo una seudo estimulación de los centros relativamente más primitivos del cerebro. El modelo psicológico de la desinhibición afirma que el alcohol libera la agresión acumulada o reprimida al disminuir la fuerza del sistema de censura... Los proponentes del modelo de la desinhibición aprendida o de las expectativas argumentan que los efectos del alcohol no se deben a los efectos fisiológicos del mismo. En su lugar, mantienen que los sujetos que consumen alcohol simplemente se comportan de acuerdo con la creencia o expectativa de que el alcohol provoca la agresión»

A su vez, este autor destaca como estas teorías asumen dos principios básicos: el alcohol reduce las inhibiciones y existe en los seres humanos una tendencia reprimida a comportarse de manera agresiva o dañina. Como este autor señala, muy pocos investigadores creen en la actualidad en este modelo, dado que aunque el alcohol puede provocar la agresión, no siempre la provoca, lo que entra en conflicto con los principios asumidos por esta teoría. La mayoría de los investigadores rechazan hoy día la noción psicoanalítica y etológica de un instinto agresivo en el ser humano. La investigación realizada en este campo no tiende a soportar estos modelos. En la actualidad, la mayoría de los investigadores tienden a pensar que existe una interacción entre los efectos fisiológicos del alcohol y variables de tipo situacional o ambiental (Taylor, 1983; Fagan, 1993b).

Es así como llegamos a las teorías procesales. Las teorías procesales, según Pernanen (1991 y 1993), mantienen que los procesos que causan agresiones relacionadas con el alcohol no son muy diferentes de los que causan la agresión no relacionada con el alcohol. Las personas intoxicadas son sujetos que de una manera activa tratan de orientarse utilizando básicamente los mismos medios cognitivos que disponen cuando no están bajo la influencia del alcohol. Evidentemente, dependiendo de diversos factores, entre ellos la cantidad de alcohol ingerida, varios cambios fundamentales se producen en el funcionamiento psicológico y mecánico de estos individuos y estos cambios tienen una repercusión en la conducta realizada. Sin embargo, no se considera necesario aludir a procesos o rasgos específicos ligados al alcohol para explicar la conducta que se realiza cuando sé está intoxicado; más bien se entiende que el alcohol simplemente altera los procesos causales activos que también están presentes en la conducta sobria. Esto significa que, de la misma manera que con el resto de las agresiones, en el estudio de la violencia relacionada con el alcohol debemos tomar en consideración el contexto social en el que ocurre, así como las motivaciones y definiciones que los adversarios traen a la situación de interacción. Desde esta perspectiva, se insiste en la necesidad de estudiar los eventos violentos en los que el alcohol es un elemento si verdaderamente queremos entender su papel (Taylor, 1983; Fagan, 1993b; Pernanen, 1993).

El análisis de eventos violentos de la vida real en los que ha existido consumo de alcohol sugiere que incluso bajo la influencia del alcohol, las personas buscan pistas y signos que les ayuden a orientarse entre el conjunto de signos fenomenológicamente disponibles. También sugieren que con la ayuda de estos signos y de esquemas cognitivos que han podido ser activados o que el bebedor ha activado selectivamente, los sujetos intentan orientarse de manera apropiada. Pernanen (1993), entre otros, ha sugerido que la influencia del alcohol en los procesos de comunicación desempeña un papel clave para entender los efectos del alcohol en la agresión.

Marcus Felson (1998), con su habitual estilo campechano, explica esta teoría de una manera bastante sencilla. El consumo de alcohol representa un papel importante en la violencia porque le da a la gente *big mouths and big ears*, los convierte en bocazas que oyen más de la cuenta. En otras palabras, el alcohol, por un lado, provoca que se realicen afirmaciones que pueden ser tomadas como insultos y, por otra parte, facilita que afirmaciones neutrales sean interpretadas como insultos o ataques a la identidad social. Pernanen (1993, p. 45) explica este proceso de una manera más técnica:

> «...las dificultades para enfocar la vista, los efectos del alcohol que debilitan el mantenimiento de la atención y la *cara de perro* que se le queda a la persona seriamente intoxicada (ocasionado por limitaciones psico-motoras) tendrán un impacto en la interacción. Una persona con un nivel de alcohol en la sangre suficientemente elevado tendrá ojos saltones, parecerá preocupado con otras cuestiones que la interacción entre manos y dejará de responder de la manera socialmente aprobada y esperada a demandas de dicha interacción. La mayoría de las reglas de la interacción descritas por Erving Goffman son rotas por personas con el suficiente grado de alcohol en sus venas. Parece probable que estas violaciones (y las atribuciones negativas que provocan en otros) tienen un efecto en el riesgo de conflicto y agresión...»

Estos autores destacan el numeroso conjunto de estudios que demuestran un efecto de incluso moderadas cantidades de alcohol en la atención y percepción humana, aunque reconocen que hay menos estudios que hayan examinado de manera directa los posibles efectos en las etapas de procesamiento de información más avanzadas. En todo caso, es evidente la necesidad de considerar la influencia del alcohol en la atención, percepción y otros procesos cognitivos más importantes de los bebedores si queremos entender la relación entre alcohol y comportamiento violento.

Claude Steele, considerado por algunos el padre de estas teorías, habla de la «miopía» producida por el consumo de alcohol. Este autor mantiene que el alcohol tiene dos efectos específicos (Steele y Southwick, 1985):

1. Restringe la gama de signos que percibimos en una situación dada. Prestamos atención y pensamos solamente sobre los aspectos centrales y más obvios de la situación que nos confronta e ignoramos otra información que puede ser también importante pero que queda en la periferia.

2. Reduce nuestra habilidad para procesar y extraer significado de los signos e información que percibimos.

Dentro de este marco, se entiende que una persona que ha bebido puede estar menos atenta a signos sociales y puede realizar más atribuciones de intención hostil. El consumo de alcohol puede también reducir la percepción a los signos inmediatos reduciendo la atención a eventos más remotos o a principios abstractos. Estos déficits cognitivos hacen más probable que una persona borracha acabe envuelta en un episodio violento. Una persona bebida puede también ser menos educada y abusiva, así como más propensa a sentirse ofendida y a provocar incidentes violentos que cuando no está bebida (Tedeschi y Felson, 1994).

V.a.b. La relación entre alcohol y violencia doméstica

Existen numerosos estudios que muestran que el alcohol está presente en una proporción importante de los incidentes violentos en la pareja, aunque también se ha sugerido que el alcohol está presente en una menor proporción de casos de violencia en la pareja en comparación con otras formas de violencia (Leonard, 1993; Roizen, 1993). Varios estudios han examinado el porcentaje de incidentes de violencia entre íntimos que llegan a la atención de la policía o de la administración de justicia en los que el alcohol está presente. Roberts (1988) examinó 234 expedientes obtenidos en la oficina del fiscal sobre casos de violencia doméstica para estudiar esta cuestión y descubría que el 60% de las mujeres señalaba que el agresor se encontraba bajo los efectos del alcohol en el momento de la agresión. Pernanen (1991), en un análisis de 160 expedientes policiales acumulados durante el curso de un año en un departamento de policía, descubría que el 43% de los agresores y el 16% de las víctimas había estado bebiendo alcohol antes de que comenzara el episodio violento. Este porcentaje representaba el nivel más alto de agresores bebidos y el nivel más bajo de víctimas bebidas. Un estudio conducido en 1995 (Brookoff, 1997) en la ciudad de Memphis, Tennessee, documentó como casi todos los maltratadores habían consumido drogas o alcohol el día del maltrato, mientras que dos tercios habían empleado una combinación de cocaína y alcohol. El estudio estaba basado en una muestra de 62 incidentes que tuvieron lugar durante la noche en la ciudad de Memphis.

Otros estudios han empleado un método diferente y han estado basados en muestras de la población general. Pernanen (1991), en una de estas encuestas realizada en la misma comunidad que estudiaba a través del uso de datos policiales, descubría que el 20% (90) de los incidentes violentos constituían incidentes violentos en la pareja y que en estos el 44% de los agresores y el 14% de las víctimas había estado bebiendo antes del incidente. Entre los entrevistados por la II Encuesta Nacional de Violencia Familiar que habían reconocido al menos un incidente violento, el 22% reconocía que el marido había estado bebiendo y el 10% indicaba que la mujer había estado bebiendo antes del incidente (Kantor y Straus, 1987; Kantor, 1993). Estos porcentajes eran mayores en casos de alcohólicos y en los casos de bebedores episódicos de grandes cantidades de alcohol. La Encuesta Nacional de Victimización realizada en los Estados Unidos ha puesto de relieve que dos tercios de las incidentes de violencia doméstica envuelven a un agresor que había estado bebiendo alcohol (Greenfeld, 1998).

En resumen, la literatura indica que el alcohol está presente en aproximadamente el 22% al 60% de los episodios violentos en la pareja. Aunque a veces ambos han estado bebiendo, la mayoría de los estudios sugieren que el haber bebido es más común entre los agresores que entre sus víctimas, a diferencia de lo que ocurre en los estudios sobre violencia en general, en los que es más probable que ambos sujetos hayan estado bebiendo antes del incidente. También es evidente que el alcohol está presente en una mayor proporción de los incidentes violentos en los que participan bebedores habituales o con un estilo de consumo de alcohol más acentuado, aunque esto podría simplemente reflejar el hecho que estos sujetos pasan más tiempo bebiendo que otros individuos. Finalmente, parece claro que muy pocos individuos exhiben una pauta consistente de presencia del alcohol en los episodios violentos en los que participan. Esto es, entre los hombres con más de un único episodio violento, solamente una minoría se comporta violentamente solo cuando bebe (Leonard, 1993). Al margen de intervenciones de más hondo calado, la relación entre alcohol y violencia doméstica sugiere la necesidad de comprobar en el momento de la intervención policial si el maltratador se encuentra intoxicado por el empleo de alcohol o drogas, así como la necesidad de garantizar que los efectos de la intoxicación han desaparecido antes de liberar al detenido o de finalizar la intervención policial (Brookoff, 1997).

V. b. El papel de las armas

Anteriormente presentaba de manera sumaria algunas de las ideas de Berkowitz. Ahora retomamos uno de los argumentos de este autor, en particular su tesis sobre el efecto de la presencia de armas en la violencia. De acuerdo con este autor, en numerosas ocasiones, los asaltos impulsivos o expresivos son, al menos parcialmente, reacciones a ciertas características de la situación. Estímulos externos cercanos pueden operar como desencadenantes de la agresión. Esto ocurriría, siempre de acuerdo con Berkowitz (1993), cuando los estímulos medioambientales tienen un significado agresivo o cuando le recuerdan al agresor experiencias negativas. La presencia de armas en una escena constituye un ejemplo del primer tipo de estímulos, aquellos que tienen un significado agresivo. Según Berkowitz, la mera presencia de armas en la escena puede estimularnos a actuar de una manera más agresiva que si las mismas no estuvieran presentes. Si las armas son instrumentos que asociamos con eventos negativos, su mera presencia puede llevarnos a realizar comportamientos agresivos que de otra manera no ocurrirían.

Varios estudios han sido realizados en el ámbito de la psicología social para verificar la existencia de esta relación, así como la solidez de la tesis de Berkowitz. El primer experimento en esta área fue realizado en 1967 por el propio Berkowitz y su colega LePage (ver, Berkowitz, 1993). Sin embargo, este estudio fue criticado desde un punto de vista metodológico (Para más detalles, ver Tedeschi y Felson, 1994). Otros intentos de replicar el efecto de las armas han fallado o han demostrado el efecto contrario al esperado, reduciendo la cantidad de agresión por parte de los sujetos estudiados. Un reciente meta-análisis de 31 estudios sobre el efecto de las armas indicaba la inexistencia de un efecto significante en el comportamiento agresivo, al menos tal y como es conceptualizado por Berkowitz, y estudios más recientes siguen sugiriendo la presencia de problemas metodológicos (p.ej., pistas sobre la demanda) en los mismos (Tedeschi y Felson, 1994).

Esto no quiere decir que las armas no desempeñen ningún papel en la violencia, sino más bien que el papel que juegan no es tan automático, ni simple como el conceptualizado por Berkowitz. De lo que no cabe duda es que la introducción de armas de fuego en interacciones interpersonales conflictivas tiene un efecto en dichas situaciones, la interpretación de las mismas, así como su subsiguiente desarrollo (Fagan y Wilkinson, 1998b). Las armas, sobre todo las armas de fuego, son concebidas por las teorías de la oportunidad criminal como un facilitador del delito, un instrumento que facilita la realización del delito y del comportamiento violento. Las armas, por otro lado, han sido asociadas a la violencia letal. En ese sentido, se señala que el uso de armas por parte del agresor e incluso de la víctima, incrementa el riesgo de muerte. Recientemente, Zimring y Hawkins (1997) han argumentado con datos convincentes que los Estados Unidos en realidad no es un país más violento o con más delincuencia que otros, sino simplemente un país con una delincuencia o violencia más letal que está asociada al uso de armas de fuego. Killias (1993) ha utilizado datos de la Encuesta Nacional de Victimizacion para sugerir una relación entre disponibilidad de armas de fuego y niveles de violencia letal. En nuestro país afortunadamente, dado que no contamos con la lacra social de una institución como la *National Rifle Association*, este punto de vista se discute poco.

Por razones históricas, que a veces a uno no le gustaría recordar, hemos contado con un sistema de control de armas de fuego relativamente estricto y una opinión pública poco dada a la adquisición de armas de fuego por motivos de autodefensa (Stangeland, 1995a).

Algunos estudios han sugerido que, en numerosos casos de violencia doméstica, las armas, incluyendo objetos contundentes, cortantes y armas de fuego, juegan un importante papel (Brookoff, 1997). Bailey y sus colaboradores (1997) han demostrado que tener una o más armas de fuego en el hogar constituyen un factor de riesgo de violencia letal. En particular, este estudio demostró que aquellos hogares en los que existen armas de fuego, controlando otras variables relevantes, son casi tres veces y media más inclinados a presentar casos de violencia letal contra la mujer[69].

V.c. Terceras partes

Luckenbill (1977), en su contribución sobre los eventos violentos como transacciones influidas por factores situacionales, hacía referencia al papel de terceras partes en estos eventos. En su estudio, la mayoría de los eventos violentos tenían lugar enfrente de una audiencia y el papel de estas terceras partes normalmente representaba un papel relevante en el desarrollo de los acontecimientos, bien tratando de disuadir a los contendientes o bien alentando el uso de violencia. Las terceras partes pueden tener una influencia en el desarrollo de los eventos violentos incluso sin pretenderlo. Un potencial agresor, por ejemplo, puede considerar el impacto que la intervención por parte de una tercera persona como parte del coste de actuar violentamente contra alguien. Por otro lado, la presencia de una audiencia puede intensificar la humillación asociada a retos a la autoridad u otras amenazas a la identidad social de actores envueltos en un conflicto interpersonal (Tedeschi y Felson, 1994).

Como veíamos anteriormente, Marcus Felson (1998) ha expandido su teoría de las actividades rutinarias para dar cuenta de los conflictos

---

[69] Estos resultados están basados en el análisis de un subgrupo de casos incluidos en un estudio de casos con controles. Los casos incluían todos los homicidios en tres condados urbanos de los Estados Unidos y los casos en el grupo de comparación fueron seleccionados aleatoriamente de manera que igualaran a las víctimas en edad, sexo, raza y barrio.

interpersonales violentos y en este nuevo desarrollo el papel de las terceras partes adquiere un papel importante. De la misma manera que en su primera formulación de esta teoría uno de los ingredientes «químicos» del delito era la ausencia de un guardián capaz, Marcus Felson ahora habla de la ausencia de mediadores y la presencia de provocadores como elementos esenciales, aunque quizás no necesarios, de los conflictos interpersonales violentos. Más allá de esta simple clasificación de espectadores, Baumgartner (en Black, 1993) ha desarrollado una clasificación del papel que las terceras partes pueden desempeñar en los conflictos humanos que distingue un amplio rango de categorías.

En el caso de la violencia doméstica, la intervención de terceras partes se ve reducida por el propio carácter doméstico de esta forma de violencia. Dicha circunstancia, de hecho, puede considerarse como relevante para entender el desenfreno a veces exhibido en situaciones de violencia doméstica. Al reducirse la posibilidad de intervención por parte de terceros, el control social sobre esta forma de violencia también se ve reducido y consecuentemente el agresor en dichas situaciones puede llegar más lejos de lo que podría si su violencia se manifestara en la esfera pública. Quizá éste es un factor clave que explica la mayor severidad de las lesiones exhibidas por las víctimas de violencia doméstica que se refleja en las estadísticas policiales estadounidenses.

Existe una serie de estudios que, al margen de este tipo de consideraciones, han tratado de valorar la relevancia de terceras partes en la dinámica del maltrato doméstico. En un estudio empleando escenarios hipotéticos, Feld y Robinson (1998) sugieren la relevancia de género como una variable que media la decisión de los actores a recurrir al uso de medios violentos. Esta investigación sugiere que la presencia de terceras partes en situaciones conflictivas tiende a disminuir el riesgo de violencia perpetrada por un hombre contra una mujer, mientras que incrementa la probabilidad del uso de violencia de una mujer contra un hombre, en teoría porque disminuye el riesgo de represalias (Feld y Robinson, 1998).

Los Dobash (1984), en el estudio descrito anteriormente, documentaron que casi la mitad de los episodios de violencia doméstica tienen lugar enfrente de terceras personas. Los espectadores eran en la mayoría de los casos los hijos de la pareja (58%)[70], seguidos por amigos y vecinos (22%), parientes (11%) y desconocidos (9%). Estos autores también demostraron que las acciones de estas terceras personas son variadas y que, en ocasiones, afectan el desarrollo de la violencia. En este estudio, un

---

[70]   Hutchison y Hirschel (1996) han ofrecido evidencia preliminar que demuestra que la presencia de niños en el hogar no afecta la frecuencia o severidad de los episodios violentos.

porcentaje considerable de los observadores (42%) intentaron intervenir bien pidiendo auxilio, tratando de persuadir al hombre o interviniendo directamente para detener la violencia. Otros, sobre todo los niños, se limitaban a gritar o a huir para esconderse. Un porcentaje menor (15%), sin embargo, se inhibió a pesar de su capacidad para intervenir (según la valoración de la mujer). Los Dobash incluyen en este porcentaje los casos excepcionales de hombres que apoyaban al maltratador. La reacción mayoritaria, por tanto, era activa o pasivamente a favor de la mujer. De acuerdo con estos autores, la reacción de los observadores está generalmente relacionada a su edad, sexo y a la relación con ambos miembros de la pareja. Dichos factores obviamente afectan la capacidad de intervenir y la probabilidad de ser intimidado por el maltratador. Ciertamente, los niños son demasiado pequeños para hacer nada, aunque incluso en estos casos en ocasiones tratan de intervenir de alguna manera.

Los estudios realizados en la materia han documentado que en numerosas ocasiones los niños están presentes cuando el maltrato tiene lugar. De hecho, los propios niños también son físicamente maltratados en algunas de estas ocasiones. Como veremos más adelante una buena parte de la investigación sobre los maltratos ha tratado de documentar la relación existente entre haber presenciado o sufrido maltrato durante la infancia y el posterior maltrato en la pareja. Por otro lado, existe un interés creciente en las consecuencias y costes psicológicos que presenciar el maltrato tiene para estos niños que viven en familias en las que el hombre maltrata a su mujer.

VI. PREVENCION SITUACIONAL Y MALOS TRATOS

El modelo preventivo que más claramente entronca con este tipo de análisis teóricos centrados en el estudio de las situaciones delictivas quizá sea la prevención situacional del delito. La prevención situacional del delito se caracteriza por tratar de modificar y reducir las oportunidades para la comisión de los mismos, en lugar de tratar de incidir sobre las «causas últimas» de la delincuencia. El modelo de prevención situacional nace de manera paralela al desarrollo de las denominadas teorías del delito (p.ej., actividades rutinarias, criminología ecológica, perspectiva de la elección racional, etc.) y ha generado considerable atención e investigación durante los últimos años (Medina Ariza, 1997).

Se dice que en cierta ocasión, dando una conferencia, el arquitecto suizo Le Corbussier señalaba que el diseño de casas transparentes podría ser la solución a las disputas conyugales y a los malos tratos. Este ejemplo marca los problemas de este modelo preventivo cuando se enfrenta a la violencia doméstica. Ciertamente existen importantes obstáculos para alterar las «oportunidades criminales» dentro del ámbito doméstico o privado. La mayor parte de las técnicas de prevención situacional del delito reconocidas por Ronald Clarke y sus seguidores (Medina Ariza, 1997) no casan bien en el contexto doméstico como medios para prevenir la violencia entre íntimos.

Otros autores consideran que los problemas de este modelo preventivo van más allá de la dificultad que entraña el intervenir en espacios privados. Por ejemplo, se ha criticado el énfasis en la asignación de responsabilidad a la víctima en la prevención del delito. Éste es un debate que se ejemplifica bien con la polémica sobre los intentos de ofrecer consejos sobre precauciones a tomar por las mujeres en sus practicas e interacciones interpersonales cotidianas como una manera de prevenir el delito. En la mayoría de los campus universitarios norteamericanos es posible encontrar folletos sobre violencia entre novios en los que se incluyen consejos tal y como los siguientes[71]:

1. «Mantén el control. Trata de no deberle nada a tu pareja: asegúrate tu manera de volver a casa, no dejes que pague él, no uses alcohol u otras drogas (estas sustancias pueden limitar tu capacidad para pensar claramente y actuar con rapidez si te encuentras en una situación de peligro)»

2. «Evita situaciones peligrosas. Evita lugares donde estarás a solas con tu pareja hasta que puedas confiar en él. Salir juntos con otras parejas o ir a lugares públicos en los que puedas obtener ayuda si la necesitas»

Existen numerosos autores que, aun considerando estos consejos útiles, advierten del riesgo que implican en la medida que suponen una limitación de la libertad de las mujeres y pueden servir para desplazar la responsabilidad sobre su posible victimización a las mismas (Schwartz y DeKeseredy, 1997). Otros autores son aun más críticos de estos folletos. Tal es el caso de la criminóloga norteamericana Elizabeth Stanko (1998) que ha sido una de las autoras que ha tratado este problema de forma sistemática. Esta autora critica este tipo de consejos por las siguientes razones:

1. Es una forma de lavarse las manos.

2. La mayoría de estos folletos informativos se centra en la violencia cometida por desconocidos, ignorando que la mayoría de los actos violentos tienen lugar entre sujetos que se conocen y que la mayoría de las victimizaciones violentas sufridas por la mujer no tienen lugar en espacios públicos, sino en sus hogares.

3. La mayoría de las mujeres ya adoptan, sin necesidad de información adicional, los consejos policiales para prevenir la violencia masculina.

---

[71]   Las citas proceden del folleto *About Dating Violence* distribuido en Rutgers University-Newark.

4. Esta práctica y forma de pensamiento refuerza la asunción de que las mujeres pueden, si se comportan de manera correcta y responsable, evitar la violencia masculina.

5. En conexión con lo anterior, estos folletos crean un estereotipo social sobre como son las mujeres responsables y merecedoras de nuestra empatía cuando son victimizadas.

6. Estos consejos pueden tener el efecto de aumentar la ansiedad y miedo frente al delito.

7. El incremento de ansiedad y la creación de una imagen pública de mujer responsable sirven para alienar y marginar a las mujeres en general.

A pesar de las críticas hay quienes consideran importantes este tipo de esfuerzos educativos. Marcus Felson, en respuesta a este tipo de críticas, suele contestar con una pregunta retórica: «¿Qué madre o padre le recomienda a sus hijos que vayan a jugar al parque público a partir de las doce de la noche y que hablen con desconocidos?».

Hay quienes a pesar de estas dificultades señalan que algunos de los principios teóricos de la prevención situacional, así como la investigación empírica generada en este campo, pueden ser de utilidad en la prevención del maltrato (Medina Ariza, 1997). En este capítulo, por ejemplo, hemos aludido a un par de factores situacionales que se consideran facilitadores de los actos de violencia domestica: el alcohol y las armas. Políticas orientadas a controlar este tipo de «facilitadores» (empleando la terminología de las teorías de la oportunidad) pueden contribuir parcialmente a prevenir la letalidad y prevalencia de la violencia, no ya solo doméstica, sino en general. Por lo que se refiere al alcohol, las pautas de consumo en nuestro país han cambiado radicalmente en la última década sobre todo entre los más jóvenes. Entre el clima de absoluta tolerancia característico de nuestro país y uno de absoluto control, poco compatible con nuestras tradiciones culturales y marco jurídico, existe un amplio margen de maniobra que nos puede permitir combatir esta seria amenaza para la salud pública y la seguridad ciudadana, al mismo tiempo que se respetan las libertades públicas. Por otro lado, el control de las armas no puede infravalorarse como un elemento esencial de toda política preventiva.

Finalmente, hay ejemplos de técnicas de prevención situacional que pueden aplicarse en determinadas instancias de maltrato. Algunas de estas técnicas tienen como objetivo aumentar la vigilancia formal e informal del maltrato. En el ámbito de prevención de robos de pisos y de establecimientos comerciales, por ejemplo, se ha utilizado, sobre todo en el ámbito británico, la idea de *cocooning* o *cocoon watch*. Esta noción básicamente supone la designación de un responsable dentro de la comunidad, cualquier vecino, encargado de «echar un vistazo» de vez en cuando al apartamento, casa o comercio cuando estos se encuentran vacíos. Esta idea, orientada a «incrementar la vigilancia informal», ha sido recientemente aplicada también en el Reino Unido en el contexto de un programa de prevención policial de los malos tratos (Hanmer, Griffiths y Jerwood, 1999). Ciertamente, es teóricamente posible el desarrollo de programas que inserte de una manera más efectiva a las mujeres víctimas de malos tratos en las redes sociales y vecinales de las comunidades en las que viven, así como la promoción de una mayor responsabilidad de los vecinos en la asistencia y apoyo a estas mujeres. Como veremos más adelante en el capítulo sobre policía, esta institución está experimentando el uso de alarmas portátiles como mecanismos disuasorios en casos de abuso crónico en los que ya no existe convivencia. Este tipo de esquemas sirve para «incrementar la vigilancia formal» del maltrato, otra forma de prevención situacional.

La idea de la violencia como eventos secuenciales en los que existen diversas pautas posibles de comportamiento también puede ser utilizada para justificar el desarrollo de programas de prevención secundaria o primaria que tengan como objetivo el desarrollo de técnica alternativas, no violentas, de resolución de conflictos precisamente como una manera de potenciar la elección de cursos de acción que no degeneren en el uso de la violencia. Si bien el éxito de estos programas puede cuestionarse, por ejemplo, como la solución a los problemas conyugales o de convivencia en determinadas situaciones de abuso crónico en las que existe una clara indiferencia por los sentimientos ajenos, se puede pensar que en otro tipo de situaciones puede constituir un elemento necesario de los programas de tratamiento con estos hombres.

VII. CONCLUSIONES

Históricamente, la mayor parte de los estudios sobre la violencia estaban interesados en comprender los factores de personalidad o las condiciones estructurales que conducían a determinados individuos o segmentos de la población a comportarse de forma violenta. En la actualidad existe también un interés en el análisis del comportamiento violento y delictivo desde una perspectiva centrada en dichas acciones como episodios que son más propensos a ocurrir si determinados factores situacionales están presentes y que siguen unas secuencias que pueden clasificarse y estudiarse. La psicología de la violencia, por otro lado, proponía un modelo de comportamiento agresivo que subrayaba la influencia de estímulos negativos en el origen de la misma y que era relativamente automático. Hoy por hoy, sin embargo, predominan concepciones del comportamiento violento que subrayan la relevancia del aprendizaje y procesos cognitivos en su génesis y que conceptualizan la violencia como una forma de acción instrumental u orientada a fines. Tanto aquellos estudios que parten del interaccionismo simbólico, el análisis de técnicas de neutralización o el estudio de las ganancias emocionales de los maltratadores documentan similitudes en la forma en que los maltratadores definen su situación. Estudios realizados con maltratadores normalmente encuentran que los mismos se resisten a definir su comportamiento como violento o injustificado. En numerosas ocasiones, la resistencia va más allá e implica la negación absoluta de la existencia de la violencia en sus relaciones de intimidad. Como veremos más adelante estas resistencias son consistentes con las definiciones de género sobre el comportamiento violento y, además, también permiten comprender la violencia entre íntimos como respuestas a la percepción de violaciones de normas sociales que los maltratadores definen y defienden, como defensas de su identidad social y en ocasiones como la única manera de convencer a sus mujeres de que hagan o dejen de hacer algo tal y como ellos esperaban.

La mayor invisibilidad de la violencia entre íntimos, por su carácter doméstico, y las diferencias de poder entre las partes implicadas en este tipo de eventos es un factor que limita, pero no anula, la efectividad de controles sociales informales sobre esta forma de comportamiento desviado. Aunque el alcohol no es un ingrediente necesario para que se produzca la violencia, el consumo de alcohol u otras sustancias tóxicas obviamente alteran las capacidades perceptivas de las personas en formas que aumentan el riesgo de comportamientos violentos. De forma parecida, aunque la violencia entre íntimos no requiere del uso de armas, la disponibilidad de las mismas aumenta el riesgo de que la violencia tenga unas consecuencias más serias, incluso letales.

Aunque la prevención situacional de la violencia entre íntimos presenta obvias limitaciones dado el contexto privado en que la misma ocurre, hay quienes han tratado de adaptar los principios de este modelo preventivo a este fenómeno. La investigación sobre el tema, sin embargo, apenas si ha empezado. Por otro lado, la publicidad de determinado tipo de consejos a las mujeres sobre como evitar su victimización ha sido criticada desde determinados sectores feministas por su limitada utilidad, por desplazar la responsabilidad sobre la prevención del delito a las víctimas y por perpetuar la discriminación contra las mismas. En todo caso, del mismo modo que hay detractores de este tipo de consejos hay quienes los consideran un elemento importante de las campañas de prevención.

## Capítulo V

CRIMINOLOGÍA EVOLUTIVA Y VIOLENCIA EN LA PAREJA

I. INTRODUCCIÓN

La criminología tradicional no prestaba una gran atención a los aspectos evolutivos del comportamiento delictivo. En general las teorías criminológicas tradicionales se limitaban a explicar la delincuencia en función de una serie de factores biológicos, psicológicos y sociales bajo la asunción de que estos factores operan de la misma manera en los delincuentes con independencia de su edad. Aunque la mayoría de los modelos teóricos estaban basados en estudios realizados con adolescentes, reconociendo esta etapa como un periodo evolutivo especialmente sensible al desarrollo de formas delictivas, existía una cierta tendencia, sobre todo en los libros de texto, a presentar estas teorías como teorías del comportamiento delictivo en general. La criminología evolutiva, por el contrario, no sólo asume que estos factores pueden tener diferentes efectos en delincuentes que no son de la misma edad, sino que éste constituye un elemento definitorio de lo que se denominan teorías evolutivas de la delincuencia (Vold et al., 1998).

La criminología evolutiva trata, por tanto, de comprender el fenómeno delictivo dentro del contexto de los ciclos vitales: la progresión de la infancia a la adolescencia, de la adolescencia a la madurez, etc. Las teorías evolutivas de la delincuencia postulan que factores diferentes explican el inicio de la delincuencia, así como el comportamiento antisocial que comienza en la infancia temprana y el que comienza durante la adolescencia. La criminología evolutiva también distingue entre los factores que explican que una persona empieza a cometer delitos y los factores que explican que esta misma persona siga cometiendo delitos durante buena parte de su vida o deje de cometerlos. Estas teorías, por tanto, también prestan especial atención a los factores envueltos en el proceso de desistencia, es decir, en el proceso por el cual personas que han cometido delitos, que han iniciado una carrera criminal, dejan de hacerlo (Thornberry, 1997; Vold et al., 1998).

Algunos criminólogos entienden que estas teorías no añaden nada nuevo a la criminología (Gottfredson y Hirschi, 1990; Felson, 1998). La división de opiniones sobre la utilidad de este enfoque se hizo manifiesta durante los 80 en el polémico debate sobre la relación entre edad y delincuencia con autores como Gottfredson y Hirschi (1990) en un lado y Sampson y Laub (1993b) en el otro. La discusión fue especialmente agresiva en el capitulo metodológico. Las teorías evolutivas defienden la necesidad de emplear estudios longitudinales. Los estudios longitudinales, sin embargo, son extremadamente caros y los criminólogos menos entusiastas sobre las teorías evolutivas temían que la financiación de estos estudios podría llegar a absorber la mayor parte de los recursos públicos y privados dedicados a financiar estudios criminológicos.

El debate, por otro lado, también estaba relacionado con la noción de criminales de carrera (Blumstein et al,1986; Blumstein, 1988). Para entender la criminología evolutiva es preciso comprender dos conceptos claves: carreras criminales y criminales de carrera. Un criminal de carrera es un delincuente crónico que comete numerosos delitos sobre un largo periodo de tiempo. El término carrera criminal o delictiva, en cambio, sugiere que la participación en actividades delictivas comienza en un determinado punto en la vida de los delincuentes, continua por un cierto periodo de tiempo que varía de persona a persona y se termina.

La mayoría de las personas que cometen delitos tienen una carrera criminal muy corta, solo los criminales de carrera tienen una carrera criminal más prolongada (Blumstein, 1988). Incluso los delincuentes más persistentes y con una carrera más larga siguen un curso natural, llegando a cesar su actividad delictiva a medida que van envejeciendo. El proceso de desistencia puede adoptar varias formas. Algunos delincuentes cambian el tipo de actividad delictiva, pasando de realizar «delitos en la calle» a realizar «delitos de tipo ocupacional», o cesan por un periodo seguido por esporádicas reapariciones de su conducta delictiva. Sin embargo, la criminología evolutiva también ha demostrado que los delincuentes violentos exhiben carreras criminales más largas (Fagan, 1989).

Por otra parte, estudios realizados dentro de este paradigma evolutivo han señalado que la agresión es una característica relativamente estable que se origina en las primeras etapas de desarrollo humano. En otras palabras, aunque variables de tipo situacional y evolutivo explican en buena medida el uso de conductas agresivas, existe evidencia que indica que cada individuo desarrolla un nivel específico de agresividad que es relativamente estable a pesar del paso del tiempo y de las diferentes situaciones en que se encuentran. Huesmann y sus colaboradores (1984) realizaron un estudio orientado a examinar la estabilidad de la agresión por medio de la realización de entrevistas con una muestra de 870 individuos durante tres ocasiones durante un periodo de 22 años. Este estudio indicaba una relación entre agresividad exhibida a la edad de ocho años y conductas antisociales exhibidas en etapas posteriores de la vida, incluyendo, entre otras formas de delincuencia, el abuso de esposas[72].

---

[72]   Moffit y Caspi (1999) también destacan la estabilidad del comportamiento violento en casos de violencia doméstica. En su análisis de un estudio longitudinal realizado

Las teorías evolutivas de la delincuencia constituyen uno de las áreas más prometedoras de investigación en este campo[73] y los estudios longitudinales, ciertamente, presentan determinadas ventajas sobre estudios transversales (Menard, 1991). Es por ello por lo que dedico este capítulo a tratar de esbozar aquellos temas en los que la violencia doméstica podría beneficiarse de este enfoque. Los estudiosos de la violencia doméstica apenas han empleado métodos longitudinales y los criminólogos que defienden las teorías evolutivas apenas si han prestado atención a la violencia doméstica, aunque existen notables excepciones y una fuerte tendencia al cambio. De hecho, muchos de los criminólogos evolutivos hablan de las relaciones de pareja simplemente como un factor que puede explicar la desistencia del comportamiento delictivo y violento (Sampson y Laub, 1993b; Osgood y Wilson, 1996).

Ciertamente, hay una serie de temas que han surgido en esta área de estudio y que presentan una conexión evidente con la criminología evolutiva. En primer lugar, dentro del área de la violencia doméstica se ha insistido que las experiencias con violencia doméstica durante la infancia constituyen un factor de riesgo para el desarrollo de actitudes y conductas violentas durante las relaciones de intimidad en etapas posteriores de la vida. En segundo lugar, también existe una relación muy fuerte entre edad y violencia en la pareja, la violencia doméstica es más prevalente entre jóvenes que entre personas mayores. En tercer lugar, uno de los factores examinados por la criminología evolutiva en sus estudios, los grupos de iguales, también parecen jugar un papel en el desarrollo de la violencia doméstica. Finalmente, existe un interés evidente en este campo por tratar de comprender como surge y se desarrolla la violencia en el ciclo vital de las parejas. Numerosos autores han mantenido que la violencia una vez surge tiende a escalar hacia formas más severas y a repetirse continuamente. Otros autores han tratado de averiguar si los maltratadores desisten del comportamiento violento o si, por el contrario, una vez iniciado el abuso solo una intervención externa y extrema puede detener el abuso. Los estudiosos de la violencia doméstica, por otro lado, también se preguntan si existe una diferencia entre los

---

en Nueva Zelanda (Dunedin Multidisciplinary Health and Development Study), notaron que el factor de riesgo más sustantivo de la violencia entre íntimos a la edad de 21 años era haber realizado actos de violencia física contra otras personas antes de los 15 años.

[73] Como prueba de ello el programa de financiación de estudios sobre violencia contra la mujer del americano *National Institute of Justice* ha concedido durante el 98 y el 99 varias subvenciones orientadas a examinar este tipo de cuestiones (www.ojp.usdoj.gov/nij/vawprog). De esta manera, el olvido histórico de este tipo de factores comienza a erosionarse.

factores que originan el maltrato y aquellos que lo perpetúan. Finalmente, también ha existido un interés entre los investigadores por averiguar la influencia que diferentes etapas dentro del ciclo evolutivo de una relación tienen en la violencia doméstica. Así, hay investigadores que han tratado de averiguar si existe una relación entre embarazo y violencia doméstica o entre ruptura de la relación y un aumento en el riesgo de violencia (»violencia de separación»).

II. DESARROLLO EVOLUTIVO Y COMPORTAMIENTO VIOLENTO

II.a. La estabilidad de la agresividad y trayectorias evolutivas

Como he señalado anteriormente, las teorías evolutivas, así como los estudios empíricos basados en ellos, rara vez han examinado las trayectorias evolutivas que conducen al empleo de la violencia en las relaciones de intimidad. Por el contrario, el foco ha estado centrado en el análisis de otras formas delictivas comunes, incluyendo la violencia entre extraños.

Estos autores han tratado de estudiar aquellos factores que afectan el desarrollo evolutivo de los individuos durante la infancia y la adolescencia, como posibles predictores del comportamiento violento durante etapas posteriores de la vida. El interés por este tipo de temas esta relacionado con dos factores claves. Primero, el hecho de que, como hemos señalado, la mayor parte de los comportamientos delictivos tienen lugar durante la adolescencia y la juventud. Segundo, el hecho de que parece existir una cierta estabilidad en el comportamiento antisocial y agresivo. Aquellos individuos que comienzan a comportarse de manera antisocial a una edad temprana son proclives a seguir haciéndolo más tarde durante su vida.

Nadie puede discutir que la mayor parte de los comportamientos delictivos tienen lugar durante la adolescencia y la juventud. Semejante dato también puede aplicarse a nuestro país. Esto también es cierto en el caso de la violencia doméstica. Uno de los descubrimientos más consistentes de los estudios en este campo es la existencia de una relación negativa entre violencia marital y la edad de ambos, el marido y la esposa (Suitor et al., 1990).

En segundo lugar, se ha destacado en numerosas ocasiones la estabilidad del comportamiento agresivo o antisocial. Anteriormente citábamos el trabajo de Huesmann indicando la estabilidad de la agresión a lo largo del curso vital, pero existen también otros trabajos que apuntan en la misma dirección (ver Farrington, 1994). Olweus (1979), por ejemplo, revisando los estudios que miden la estabilidad de la agresión demostró que existe, como promedio, una correlación entre agresión en edades tempranas y más tarde en el desarrollo evolutivo de 0.63 (0.79 cuando se corrige el error de medición). Esta correlación es tan alta como la que muestra la estabilidad de otros rasgos individuales, como la inteligencia. Moffit y Caspi (1999) han documentado una relación similar en el caso de la violencia entre íntimos. Estos estudios sugieren que la mayoría de aquellos individuos que se comportan de manera agresiva durante su infancia, también lo harán durante etapas sucesivas en su vida[74].

No obstante, conviene matizar semejantes afirmaciones sobre la estabilidad de la agresión. Loeber y Stouthamer-Loeber (1998) señalan que la alta correlación entre agresión durante la infancia y etapas posteriores en la vida debe aceptarse con matizaciones. En primer lugar, los individuos más estables son aquellos con puntuaciones extremas, es decir, aquellos que inicialmente son los más agresivos o los menos agresivos. La mayoría de los individuos, sin embargo, se encuentran en una situación intermedia entre estos extremos, mostrando niveles de agresión fluctuantes con el paso del tiempo en función de su madurez, factores situacionales y de otro tipo. En segundo lugar, la estabilidad varía con la edad, con coeficientes de correlación menores a edades más tempranas y coeficientes mayores en etapas posteriores. La proporción de varianza que se explica oscila entre el 18.5% cuando se trabaja con chicos de ocho años al 44.9% cuando se trabaja con chicos de 13 años. La inestabilidad de la agresión es mayor durante edades más tempranas, es cuando los niños comienzan su adolescencia y juventud cuando la agresión puede tornarse más estable. Finalmente, esta estabilidad es mayor cuando los niños son agresivos, al mismo tiempo, en diferentes contextos, por ejemplo, en el hogar y en la escuela. Estos niños, se señala, son más propensos a seguir siendo agresivos en ambos contextos. Este dato, sin duda, tiene una clara repercusión en el estudio de la violencia doméstica.

Recientemente, la criminología evolutiva ha comenzado a identificar diferentes tipos de carreras criminales cuyo desarrollo obedecería a distintas constelaciones teóricas. Moffit (1997), en un artículo que se ha convertido en fuente de inspiración para muchos, ha sugerido que existen dos tipos diferentes de carreras criminales. Por un lado, existe un grupo pequeño de delincuentes crónicos que exhiben conductas antisociales

---

[74] Farrington (1994), utilizando datos del *Cambridge Study in Delinquent Development*, también ha identificado otras características relativamente comunes de aquellos individuos que se comportan de manera agresiva cuando eran niños o adolescentes incluyendo el haber sido condenado penalmente, el vivir en viviendas de alquiler, desempleo frecuente, consumo excesivo de alcohol y adicción a las drogas.

durante un parte considerable de sus vidas como consecuencia de la interacción entre déficits neurológicos y adversidades familiares. Por otra parte, existe un número mayor de individuos cuya actividad delictiva se restringe a los años de adolescencia como consecuencia de las crisis asociadas con dicho periodo y de la imitación de los delincuentes crónicos. Nagin y sus colaboradores (1995) han confirmado con datos británicos la existencia de estos dos tipos y, a su vez, han documentado como es necesario distinguir entre delincuentes crónicos de alta intensidad, aquellos que cometen un elevado número de delitos durante su prolongada carrera, y delincuentes crónicos de baja densidad, aquellos que tienen carreras prolongadas, pero no cometen tantos delitos como el grupo anterior (ver también, Unger et al., 1998).

Otro criminólogo, Rolf Loeber y su equipo, también ha reconocido la existencia de diversas trayectorias evolutivas hacia la delincuencia. En particular, este autor ha identificado tres diferentes trayectorias. De acuerdo con este modelo, existe también una interrelación entre las tres trayectorias en el sentido que la comisión de un acto embebido en una de las mismas hace más proclive el acercamiento a las otras trayectorias. En otras palabras, existe una relación entre la participación en más tipos de conducta antisocial y la seriedad de las mismas. La *trayectoria agresiva* comienza con agresión infantil como molestar y acosar a otros, seguido de peleas y delitos violentos durante etapas posteriores. La *trayectoria encubierta* comienza con conductas encubiertas menores, tal y como hurtos y mentiras, y progresa después hacia daños a la propiedad como vandalismo e incendios, y entonces hacia lo que Loeber denomina delincuencia moderada a seria, actos como fraudes, allanamiento de morada y robos. La *trayectoria de conflictos con la autoridad* progresa de conductas de «cabezonería» durante la infancia hacia actos de desafío y clara desobediencia a actos más serios como «rabonas», fugas de casa y resistencia a volver al hogar temprano (Loeber y Southamer-Loeber, 1998).

Por otro lado, y a pesar de la tendencia a identificar diferentes trayectorias evolutivas de los delincuentes violentos, también existe considerable evidencia empírica que sugiere que estos no difieren de manera considerable en sus antecedentes evolutivos de otros delincuentes crónicos no violentos. De ahí que se piense que las causas del comportamiento violento, desde una perspectiva evolutiva, son similares a las causas del comportamiento antisocial persistente y extremo (Farrington, 1994), lo que es coherente con la forma triangular de trayectorias hacia la delincuencia presentada por Loeber.

II.b. *Precedentes evolutivos de la violencia contra la mujer*

Existen muy pocos estudios que han examinado de manera específica las trayectorias evolutivas de aquellos hombres que emplean la violencia en el contexto de sus relaciones de intimidad o que han tratado de examinar la existencia de dichos patrones específicos de desarrollo evolutivo. No obstante, se observa un progresivo interés en esta área de investigación.

Algunos autores, por ejemplo, han comenzado a estudiar la vinculación entre agresión en el hogar y fuera de la misma durante la infancia y la adolescencia. Estos autores han notado que algunos niños son agresivos sólo en el hogar, otros sólo son agresivos fuera del mismo, mientras que un tercer grupo es agresivo dentro y fuera del hogar. Así, se ha empezado a destacar que la agresión fuera y dentro del hogar no es necesariamente lo mismo. Por ejemplo, la historia de conflictos e intercambios agresivos entre hermanos y con los padres normalmente son más duraderas que entre los niños y sus compañeros en la escuela. Estas historias más largas sugieren que los intercambios agresivos en el hogar pueden responder a «guiones» más automáticos que aquellos fuera del hogar. De hecho, estudios realizados en este ámbito han descubierto una correlación relativamente baja (0.39) entre agresión infantil en la escuela y agresión infantil en el hogar. Sin embargo, son precisamente los niños que se comportan agresivamente en el hogar y fuera del mismo los que presentan una trayectoria más problemática (Loeber y Stouthamer-Loeber, 1998).

Rolf Loeber, en un estudio transversal, documentó que el 49% de los «peleones» lo eran sólo en el hogar, el 30% lo era sólo en la escuela y, aproximadamente, un 21% lo era en la escuela y en el hogar. Este último grupo era precisamente el más problemático en cuanto a contactos con la policía, estilo de vida delincuente y asociación con amigos delincuentes. Además, este grupo exhibía una tendencia hacia una tasa mayor de conductas coercitivas en el hogar con el paso del tiempo. Este tipo de datos está conduciendo a los investigadores en esta área a mostrarse más interesados en posibles trayectorias diferenciales para los chicos que son violentos en el hogar y fuera del mismo (Loeber y Stouthamer-Loeber, 1998).

También dentro de esta línea de progresivo interés hacia este tema, comienza a observarse una tendencia hacia el estudio del desarrollo evolutivo de formas de violencia contra el género femenino. Esta línea de investigación ha tratado de responder dos cuestiones. En primer lugar, cuál es la prevalencia de agresiones de niños contra niñas durante la infancia y, en segundo lugar, en qué medida esa agresión progresa o cambia durante el desarrollo individual de los niños. Olweus (1991), en varios estudios conducidos en Noruega, documentó que la mayor parte de las actividades de hostigamiento contra niñas tiene a niños como sujetos activos. Por lo que respecta a la segunda cuestión, se ha sugerido que es probable que los sujetos que practican formas más serias de violencia contra la mujer comenzaran realizando formas menores de agresión contra personas del sexo opuesto durante etapas tempranas de su vida.

Loeber y Stouthamer-Loeber (1998) creen que es más probable que formas de violencia contra la mujer surjan cuando los niños (1) tienen más hermanas que hermanos y (2) cuando han podido comportarse agresivamente contra chicas en la escuela. Fagot, Loeber y Reid (1988), en un estudio con una muestra de 240 niños de Oregón, concluyeron que para que un niño se convierta en un agresor consistente contra las niñas tres condiciones deben estar presentes: (1) la familia debe estar fuera de control y los padres deben presentar déficits en habilidades parentales; (2) el niño debe tener modelos femeninos para practicar la agresión, es decir, debe tener hermanas o primas; y (3) debe haber un sistema de actitudes familiares que pone a los varones en una posición superior a las niñas y que deprecia la condición de las mujeres. La escuela, según Loeber y Stouthamer-Loeber (1998), ofrece muchas oportunidades para que los chicos practiquen su agresión contra las chicas, sobre todo porque este escenario les permite molestarlas, empujarlas y golpearlas (ver también Olweus, 1993).

Otros estudios también sugieren la existencia de una continuidad evolutiva en casos de violencia contra la mujer. Así, por ejemplo, existe evidencia preliminar que indica que los violadores normalmente comienzan su carrera de violencia sexual practicando formas menores de agresión sexual (Loeber y Stouthamer-Loeber, 1998) y también hay estudios que sugieren que los maltratadores de esposas también eran violentos en sus relaciones premaritales con otras mujeres (Fagan y Wilkinson, 1998).

II.c. *Trayectorias evolutivas de los maltratadores*

Finalmente, hay quienes han sugerido de manera especifica la existencia de particulares trayectorias evolutivas de los maltratadores. Tal es el caso de uno de los autores más claramente implicados con la criminología evolutiva, David Farrington. Farrington, conocido por su implicación como uno de los investigadores principales en el Estudio sobre Evolución Delictiva de Cambridge (por su carácter pionero el más significativo estudio longitudinal sobre la delincuencia de la segunda mitad de este siglo) en un artículo publicado en 1994 sugería la existencia de un desarrollo evolutivo particular de los maltratadores.

En este artículo, Farrington presenta análisis que indican un cierto solapamiento entre los maltratadores y el grupo de delincuentes sancionados penalmente por su comportamiento violento. Sin embargo, no encontraba un solapamiento estadísticamente significativo entre el grupo de maltratadores y el de hinchas de fútbol violentos a la edad de 18 años o entre el grupo de maltratadores y el de individuos que participaban en peleas de grupo a la edad de 18 años. Farrington también trata de identificar predictores y correlatos de estas diferentes formas de violencia medidas en diferentes edades (8-10, 12-14, 18 y 32). La tabla con los resultados de estos análisis identifica la mayor parte de estas variables que examinan aspectos del entorno familiar, así como rasgos de personalidad de los individuos, como factores de riesgo del grupo de individuos sancionados penalmente por su comportamiento violento. La pertenencia a los otros tres grupos considerados por Farrington esta relacionada con algunas de estas variables, que no siempre son las mismas para los tres grupos.

Los análisis, posiblemente afectados por problemas de poder estadístico en algunos casos, identificaban una serie de factores de riesgo para los maltratadores a diferentes edades (ver tabla 2 en el apéndice). Estos factores son muy similares a los factores que predicen el comportamiento delictivo crónico en general y el comportamiento violento en general. Los factores de riesgo de tipo evolutivo del maltrato doméstico pueden clasificarse en las siguientes categorías: deprivación económica, criminalidad de sus familiares, crianza familiar pobre, hiperactividad e impulsividad, estilo de vida desviado y participación en otras actividades delictivas y violentas a lo largo de su vida.

En general los análisis realizados por Farrington sugieren lo siguiente:

1) No toda forma de comportamiento agresivo durante la adolescencia, manifestado por ejemplo en la participación frecuente en peleas de grupos o el ser un hincha violento de fútbol, está asociada de manera fuerte al maltrato doméstico o a la consolidación de una carrera de comportamiento violento persistente. No obstante, existe cierta relación entre los hinchas violentos y el grupo de delincuentes violentos sancionados penalmente a la edad de 32 años. Ello, por un lado, es consistente con la teoría de Moffit, pero también puede tener algo que ver con la naturaleza esencialmente pública y otros aspectos situacionales y estructurales del comportamiento agresivo de estos adolescentes.

2) Los maltratadores exhiben un considerable grado de solapamiento con los delincuentes violentos serios o sancionados penalmente a la edad de 32 años. Muchos de los factores predictores del maltrato doméstico eran también factores predictores del comportamiento violento general. No obstante existían algunas diferencias. En particular, durante su

infancia los maltratadores eran impopulares entre sus iguales, durante
su adolescencia no convivían con sus padres, y durante su etapa adulta
tenían una relación pobre con su padre y madre. Farrington cree que por
lo general los delincuentes violentos y los maltratadores son, por tanto,
muy parecidos por lo que respecta a su antisocialidad y a sus pobres
antecedentes evolutivos. No obstante, este autor también subraya que los
maltratadores parecen exhibir dificultades especiales en sus relaciones
con otra gente (amigos, padres y, eventualmente, sus parejas). Estas
dificultades podrían estar asociadas con particulares diagnósticos
psicopatológicos, que, también, eran más proclives entre los maltratadores
que entre los delincuentes violentos en general.

Más recientemente, ha aparecido otro estudio sobre los antecedentes
evolutivos de la violencia: el Estudio Multidisciplinar sobre Salud y
Desarrollo Humano de Dunedin realizado en nueva Zelanda por Terrie
Moffit y sus colaboradores (Magdol, Moffit, Caspi y Silva, 1998b; ver
capítulo 2). Moffit y sus colaboradores incluyeron una batería de preguntas sobre victimización y realización de actos de violencia doméstica en la
encuesta realizada cuando los participantes tenían 21 años de edad. Estos
investigadores recientemente publicaron un análisis de la relación entre
violencia doméstica, como perpetradores y víctimas, y varios factores de
tipo evolutivo.

Las medidas utilizadas por estos investigadores son bastante numerosas, pero en general se centran en cuatro grandes áreas: recursos
socioeconómicos de la familia, relaciones en la familia de origen, inteligencia y desarrollo educativo y conductas problemáticas. Las medidas
incluidas dentro de estas cuatro áreas fueron recogidas en diferentes
momentos del desarrollo evolutivo de los sujetos incluidos en este estudio[75].

---

[75] Para medir recursos socioeconómicos, los investigadores utilizaron una escala
basada en el estatus de la ocupación de los padres a la edad de 7-9 y 15 años de edad.
La estructura de la familia se midió por una pregunta dicotómica que definía si los
individuos a la edad de 9 o 15 años de edad vivían con sus padres biológicos.
También se incluía una medida dicotómica que indicaba si los archivos del hospital
indicaban que los sujetos del estudio habían nacido de una madre casada. Los
investigadores utilizaron cinco medidas de relaciones en la familia de origen
incluyendo la observación en el laboratorio de interacciones entre la madre y los
sujetos a la edad de tres años, conflicto familiar con el *Moos Family Relations Index*
a la edad de 7-9 y 15 años, una medida de disciplina parental excesiva a la edad de
7-9 años, el *Inventory of Parent Attachment* y problemas de salud mental de la
madre (24 ítems) cuando los sujetos tenían 7-9 y 15 años de edad. Para medir el
desarrollo educativo e intelectual, la encuesta incluía tres medidas: la *Wechsler
Intelligence Scale for Children Revised* a la edad de 7-9 años, la *Stanford-Binet
Intelligence Scale* a la edad de 5, y el *Burt Word Reading Test* a la edad de 7-9 y 15

Un análisis de las correlaciones entre estas variables y la realización de actos de abuso en la pareja cometidos por hombres[76] revela que el conjunto más importante es el que indica conductas problemáticas durante la infancia y la adolescencia, así como las que miden inteligencia y desarrollo educativo. Sorprendentemente, como comprenderemos después de leer el próximo apartado, la mayoría de las variables que medían el ambiente de la familia de origen no exhibían correlaciones significativas. Tan sólo la variable que medía el vínculo con los padres a la edad de 15 años se mostraba como estadísticamente significativa. Estas correlaciones también indicaban que crecer en un hogar de bajo estatus socioeconómico y en el que la madre, el padre o ambos están ausentes, era un significativo factor de riesgo. Cuando los autores controlaron estas variables en el contexto de una análisis multivariado en el que combinaron las medidas incluidas dentro de las cuatro áreas de interés, tan solo el factor de conductas problemáticas y desarrollo intelectual se mostraban como estadísticamente significativos[77].

Es posible que la tipología de maltratadores elaborada por Holtzworth-Munroe y Stuart (1994) sea de utilidad en el futuro para estudiar este fenómeno desde una perspectiva evolutiva. En el próximo capítulo examinaremos más detenidamente esta tipología y veremos porque esto es así. A continuación pasaré a analizar uno de los factores de riesgo que mayor atención ha recibido en la literatura de malos tratos y que tiene una gran

---

años de edad. Moffit y sus colaboradores también incluyeron una variable midiendo la edad a la que se abandonó la escuela (esta es obligatoria hasta los 15 años en Nueva Zelanda). Finalmente, se incluyeron cinco medidas de conductas problemáticas: observaciones sobre el temperamento de los niños realizadas en el laboratorio cuando tenían 3-5 años en un test sobre habilidades cognitivas y motoras; una medida de problemas conductuales a la edad de 7-9 años basada en items de la subescalas de hiperactividad y antisocialidad de la *Rutter Child Scales*; la subescala de desorden conductual de la *Revised Behavior Problem Checklist* contestada por los padres cuando los sujetos tenían 15 años; una medida de autoinforme en comportamientos agresivos a la edad de 15 años; y archivos policiales sobre detenciones entre los 10 y los 16 años de edad.

[76] Este estudio también analiza la victimización de los hombres, así como las características de las mujeres que son victimizadas y realizan actos de abuso en la relación. Además, presentan también análisis sobre abuso psicológico. Sin embargo, para no hacer demasiado complicada y larga la discusión sólo presento los resultados posiblemente más relevantes para entender el abuso contra la mujer en el ámbito domestico.

[77] Estos autores, sin embargo, no introducen en su modelo ninguna variable sobre la situación social de los sujetos a la edad de 21 años. Además, las decisiones realizadas en el análisis de los datos son relativamente cuestionables. Por ejemplo, en el análisis multivariado decidieron emplear regresión de cuadrados mínimos, lo que resulta altamente cuestionable dada la distribución de la violencia.

relevancia desde el punto de vista de los estudios evolutivos: el maltrato sufrido durante la infancia o el haber estado expuesto a relaciones paternales violentas.

III. VIOLENCIA EN LA FAMILIA DE ORIGEN Y VIOLENCIA EN LA PAREJA: LA TRANSMISION INTERGENERACIONAL DE LA VIOLENCIA

III.a. La correlación entre violencia en la familia de origen y comportamientos delictivos o violentos durante la vida adulta

Una de las explicaciones más comunes de la violencia en la pareja es que los maltratadores estuvieron expuestos a la violencia cuando eran niños. Expuestos quiere decir que fueron víctimas de maltrato infantil o abandono por parte de sus padres o tutores o que durante su infancia tuvieron ocasión de observar comportamientos violentos entre sus padres. Una vez más nos encontramos con un factor de riesgo «específico» de la violencia doméstica que es también empleado por la criminología para explicar el comportamiento delictivo en general.

Numerosos estudios han tratado de verificar la existencia de una relación entre el haber sido víctima de maltrato o abuso y el comportamiento delictivo en general durante etapas posteriores en la vida de estos individuos. Uno de los estudios más relevantes en este ámbito ha sido el realizado por Cathy Spatz Widom en los Estados Unidos (Widom, 1988). Este estudio fue diseñado para superar algunas de los problemas metodológicos de estudios anteriores, tal y como la dependencia en un enfoque retrospectivo, el examen de un periodo de tiempo muy corto o la utilización de datos de incriminación propia.

El estudio estaba basado en casos documentados de abuso infantil. Widom empleó una muestra de 1.575 casos judiciales de abuso físico, sexual o abandono que habían tenido lugar entre 1967 y 1971 en un condado del medio oeste americano. Todos estos eran casos en los que el menor aún no tenía once años cuando su caso llegó a los tribunales, la edad media, de hecho, eran seis años. Para controlar los efectos de otras variables como género, raza o pobreza, los investigadores bajo la supervisión de Widom crearon un grupo de control cuyos miembros se asimilaban al grupo de menores maltratados en características relevantes.

Widom (1988) examinó el historial delictivo de estos dos grupos varios años más tarde, primero en 1987/8 y posteriormente en 1994 cuando estos niños habían ya superado la etapa más activa de los criminales (20-25 años de edad). A finales de los 80, el grupo de niños maltratados exhibía una tasa de detenciones del 28% (14% por delitos violentos) en comparación con el 21% del grupo de control (8% por delitos violentos). En el segundo seguimiento, el realizado en 1994, las diferencias eran incluso más acentuadas (Maxfield y Widom, 1996). El 49% del grupo que había sufrido maltrato había sido detenido (18% por delitos violentos) mientras que solo el 38% del grupo de comparación había sido detenido (14% por delitos violentos).

El estudio de Widom (1988) es importante, además, porque documentó que el abandono parece ser tan negativo como el maltrato físico. Las tasas de detenciones policiales para quienes habían sufrido abandono durante su infancia no diferían significativamente de las tasas de quienes habían sido físicamente maltratados. Este estudio, a su vez, encontró que los niños maltratados presentaban un mayor riesgo de convertirse en psicópatas, mientras que las niñas maltratadas presentaban un mayor riesgo de desarrollar problemas de alcoholismo y de convertirse en prostitutas (Widom, 1996; Maxfield y Widom, 1996). Estudios realizados desde entonces empleando métodos longitudinales, aunque basados en instrumentos de incriminación propia, han ofrecido un respaldo similar a la relación entre maltrato experimentado durante la infancia, delincuencia, consumo de drogas, escaso rendimiento académico y problemas psicológicos (Por ejemplo, el Estudio Evolutivo de la Juventud de Rochester: Kelley et al., 1997).

Existen muchos estudios retrospectivos que han tratado de determinar si esta relación también se da en el caso de la violencia doméstica. Hotaling y Sugarman (1986) concluían en su revisión de la literatura sobre el tema que el haber sido testigo de violencia en la familia de origen durante la infancia o la adolescencia es un factor de riesgo de posterior violencia marital. Holtzworth-Munroe y sus colaboradoras (1997) en una revisión más reciente de esta literatura también concluyen que, con pocas excepciones, la investigación en este campo ha demostrado que la violencia en la familia de origen constituye un factor de riesgo de posterior violencia marital. El vínculo parece ser más fuerte entre la observación de violencia marital y la posterior violencia marital que entre el maltrato infantil y la posterior violencia marital. Amy Holtzworth-Munroe y sus colaboradoras sugieren que ello puede deberse al extendido uso de la fuerza física para disciplinar a los niños en la sociedad americana.

Esta autora y sus colaboradoras (1997) insisten en que a pesar de la existencia de una correlación, ésta no es perfecta. En todo caso, en algunos estudios la mayoría de los maridos violentos no experimentaron ningún tipo de violencia en su familia de origen. Por otro lado, personas cuyos padres maltrataban a sus parejas o que fueron victimizadas cuando eran unos niños no siempre se comportan de manera violenta cuando son adultos. Solamente una minoría de estas personas se convierte en sujetos violentos. Posiblemente sólo aquellos niños que han sufrido también otro tipo de déficits durante su desarrollo, de tipo medioambiental, familiar o individual, y que no han estado protegidos por otro tipo de factores son aquellos que más tarde durante sus vidas se convierten en sujetos violentos (Huesmann et al., 1984).

Además, casi todos los estudios que han tratado de documentar la relación especifica entre haber sufrido maltrato durante la infancia y violencia doméstica durante la vida adulta presentan importante problemas metodológicos, en particular no han empleado diseños longitudinales y se han basado exclusivamente en datos de auto-informe para documentar el maltrato durante la infancia. Finalmente, no se ha prestado la suficiente atención al estudio de aquellos factores que inhiben la aparición del comportamiento violento durante la etapa adulta en los casos de sujetos que fueron maltratados durante su infancia. La literatura sobre maltrato infantil ha sugerido varios factores que pueden ser de relevancia incluyendo el haber contado con el apoyo y cariño de, al menos, uno de sus padres, el haber experimentado menos episodios estresantes durante su vida, el reconocimiento de dicho maltrato y la determinación del sujeto a no repetirlo (Mihalic y Elliott, 1997a).

III.b. Diferentes explicaciones de la correlación entre violencia en la familia de origen y problemas en la vida adulta

III.b.a. La teoría del aprendizaje social de Bandura

Aunque existen numerosos estudios que han tratado de documentar la correlación entre violencia en la familia de origen y violencia marital, no se sabe que mecanismo explica esa relación. La mayoría de los estudios asumen un modelo de transmisión intergeneracional basado en la teoría del aprendizaje social de Albert Bandura (1973). Esta teoría postula que la adquisición de pautas y comportamientos agresivos se lleva a cabo a través de un proceso de aprendizaje evolutivo que descansa en la observación e imitación del comportamiento agresivo de otros. El comportamiento agresivo, desde esta perspectiva, se concibe como una forma de conducta aprendida que representa una respuesta normal a las situaciones y experiencias vitales del individuo.

Para Albert Bandura, el comportamiento violento se adquiere por medio del aprendizaje en el proceso de interacciones sociales que tienen lugar durante diversas etapas del desarrollo humano, pero con una especial relevancia de los procesos de aprendizaje que tienen lugar durante la infancia y las primeras etapas de dicho desarrollo humano, en el contacto e interacción con personas especialmente significativas. Al observar como otros emplean la violencia para conseguir sus propósitos, siendo recompensados por ello bien en la vida real o ficticia (televisión, cine, etc.), el niño aprende a actuar violentamente.

Frente a las teorías del aprendizaje derivadas del conductismo, que suelen subrayar la importancia del aprendizaje operante, la teoría del aprendizaje social postulada por Bandura presta especial atención al aprendizaje vicario, el aprendizaje que se adquiere por medio de la observación e imitación de la conducta de otros. Esta técnica implica un aprendizaje abreviado, que no requiere que el sujeto experimente directa y personalmente las consecuencias de sus propios actos (Bandura, 1973; evaluaciones críticas en, García-Pablos, 1988; Tedeschi y Felson, 1994; Vold et al., 1998).

La aplicación de este tipo de pensamiento a la transmisión intergeneracional de la violencia doméstica es bastante común, lo que no debe extrañarnos si tenemos en consideración que, en la actualidad, ninguna teoría integrada del comportamiento violento puede prescindir de la aportación realizada por Bandura (ver especialmente Akers, 1990). Desde esta perspectiva, se asume que los maltratadores que han sido objeto de abuso durante su infancia o que han vivido en un hogar en el que su padre maltrataba a su madre han aprendido esta conducta a través de los mecanismos descritos por Bandura (Walker, 1984; Dutton, 1995). Sin embargo, esta relación también puede ser explicada por otros modelos teóricos.

III.b.b. *La violencia en la familia de origen como síntoma de deficiencias parentales más amplias*

Probar la correlación entre maltrato durante la infancia y maltrato doméstico ciertamente no demuestra, como muchos asumen con demasiada ligereza, que el mecanismo en juego sea uno de los descritos por Bandura. De hecho, puede ser que lo relevante no sea el ser víctima de malos tratos o el ser testigo de la violencia marital, sino otros factores de tipo parental destacados por otras teorías criminológicas y psicológicas. Es posible que otras dimensiones de la conducta de los padres, que a su vez pueden estas correlacionadas con el maltrato infantil o el abuso marital de los padres, sean iguales o más relevantes en el aprendizaje o transmisión de la violencia.

Existe una tradición dentro de la criminología que ha tratado de examinar el papel que la familia juega en el origen y desarrollo del comportamiento antisocial en general. Gerald Patterson (Larzerele y Patterson, 1990) ha desarrollado una teoría del comportamiento antisocial, la *teoría de la coerción*, que atribuye un papel etiológico fundamental a los controles parentales directos. La teoría de la coerción es una extensión de la teoría del aprendizaje social de Bandura. Esta teoría subraya la relevancia de la familia y los amigos en cuanto que grupos que proporcionan las contingencias positivas y negativas que mantienen el desarrollo y la realización de conductas prosociales y desviadas de los niños. El énfasis se ubica en los factores que determinan la realización de la conducta agresiva (más que su aprendizaje).

Esta teoría asume que los padres con menos habilidades parentales de manera inadvertida refuerzan la conducta antisocial de sus hijos y no consiguen castigar efectivamente sus transgresiones. Aunque los padres de niños antisociales les amenazan, castigan e incluso usan la fuerza física contra los mismos a niveles superiores que otros padres, la mayoría de estas reacciones no responden de manera directa al comportamiento desviado de sus hijos. Lo mismo ocurre con sus refuerzos positivos, los mismos no se realizan consistentemente tras la realización de conductas prosociales por parte de sus hijos. El resultado es que los niños se vuelven deficientes en sus habilidades sociales, así como más antisociales. Cuando estos niños llegan a la escuela tienen problemas académicos y acaban emparejándose con niños de características similares, lo que a su vez perpetúa y estabiliza su carácter antisocial (Larzerele y Patterson, 1990).

Durante los últimos años, varios autores han aplicado esta perspectiva al estudio de la violencia doméstica. En la medida que la violencia en la pareja puede interactuar con deficientes habilidades parentales es posible que el mecanismo teórico que explica la transmisión intergeneracional de la violencia esté asociado, al menos parcialmente, con los mecanismos desarrollados por Patterson. Simons y sus colaboradores (1995) han ofrecido argumentos en esta línea. De acuerdo con estos autores, es posible que otros aspectos de la relación entre padres e hijos sean responsables del desarrollo de la violencia doméstica en las relaciones adultas de dichos hijos. Simons y su equipo también piensan que la evidencia criminológica sobre la relación entre maltrato infantil y comportamiento delictivo en general, así como los estudios que han tratado de revelar la existencia de una correlación entre violencia en el hogar y fuera del hogar, deben tomarse en cuenta si se quiere entender el fenómeno de la transmisión intergeneracional de la violencia doméstica.

En opinión de estos autores, a diferencia de lo que parece asumirse en los estudios sobre violencia doméstica, el maltrato infantil no se limita simplemente a transmitir actitudes que favorecen el uso de la violencia contra otros miembros de la familia (Simons et al., 1995). Estos autores creen que el maltrato infantil es un factor que promueve el comportamiento delictivo y antisocial en general y que es a través de la promoción de este tipo de comportamientos y estilos de vida que se favorece el desarrollo de la violencia en la pareja. En otras palabras, la violencia doméstica sería tan solo una manifestación de un comportamiento antisocial general que es influido por el maltrato sufrido durante la infancia.

Simons y su equipo (1995) realizaron un estudio longitudinal de 451 familias para examinar esta hipótesis. Los resultados de sus análisis de senderos eran consistentes con su observación. De hecho, una vez que se controlaba la relación entre maltrato sufrido durante la infancia y comportamiento antisocial general, no era posible observar la existencia de un sendero directo y significante entre maltrato sufrido durante la infancia y violencia doméstica.

En la misma línea, Foshee y sus colegas (1999) documentaban una relación entre exposición a violencia doméstica en el hogar de origen y medidas derivadas de la teoría de control social, durante la adolescencia. Una vez se controlaban estas variables la relación entre exposición a la violencia en la familia de origen y violencia entre novios disminuía en este estudio de 1965 estudiantes de instituto. Este equipo de investigadores sugería que la exposición a la violencia en la familia de origen tenía un efecto en los vínculos sociales durante la adolescencia. En particular, los adolescentes procedentes de estas familias tendían a exhibir un vínculo más débil con valores e instituciones convencionales y tendían a pensar que sus amigos verían bien (»cool») que pegasen a sus novias[78].

Capaldi y Clark (1998), utilizando los datos del Oregon Youth Study, expandieron esta línea de investigación al incluir otras medidas del proceso familiar más allá del comportamiento violento de los padres. Estos autores, al margen de las habituales medidas de violencia doméstica en la familia de origen, utilizaron medidas de la conducta antisocial general de los padres, así como medidas de las habilidades parentales de los mismos.

De acuerdo con Capaldi y Clark (1998), el comportamiento antisocial general del padre debía tener una relación directa con su comportamiento violento en el hogar, así como con sus habilidades parentales. Además, estos autores pensaban que las deficientes habilidades de los padres para educarles debían representar un papel fundamental en el desarrollo de la violencia entre novios adolescentes y que la relación entre dichas habilidades parentales y la violencia entre novios está mediada, tal y como era confirmado por Simons y sus colegas, por el desarrollo de comportamiento antisocial general durante la adolescencia. Utilizando modelos de ecuaciones estructurales con datos prospectivos y procedentes de diferentes fuentes, Capaldi y Clark (1998) produjeron resultados sugiriendo la relación entre deficiencias parentales en la familia de origen, el compor-

---

[78] Foshee y sus colegas interpretan esta variable como una medida de aprendizaje social, en el sentido de que estos chicos piensan que sus amigos verán esto bien porque han aprendido a valorar la violencia como algo positivo en sus familias de origen. No obstante, esta interpretación no me parece la más correcta. Parece más adecuado sugerir que estos chicos tienden a asociarse con amigos que valoran positivamente la violencia como corolario de su exposición a la violencia en sus familias de origen.

tamiento antisocial general de los adolescentes y su implicación en violencia entre novios durante su adolescencia.

Como Magdol y sus colaboradores (1998b), por tanto, sugieren y estos estudios muestran, el desarrollo teórico en el área de la violencia doméstica o entre íntimos se beneficiaría claramente de la consideración y el estudio de otros características del ambiente familiar en el que los maltratadores crecieron, más allá de la mera existencia de abuso o conflicto entre sus padres. Cualquier teoría evolutiva del abuso entre íntimos debe considerar la influencia combinada de varios factores incluyendo la deprivacion socioeconómica, la débil vinculación entre hijos y padres, escasa inteligencia, escaso éxito en la escuela y una historia de problemas conductuales y de comportamiento agresivos durante la infancia y la adolescencia. Otro factor ambiental clave que la literatura empieza a destacar por su relevancia en el desarrollo evolutivo de los niños es el haber crecido en un barrio violento (Ritchers y Martínez, 1993). Por otra parte, sigue siendo importante examinar en que medida los orígenes evolutivos del abuso entre íntimos son únicos o forman parte de una constelación de características que surgen relativamente temprano en el desarrollo humano y que produce de manera más general un estilo de vida antisocial (Magdol et al., 1998).

III.b.c. La teoría de los vínculos emocionales o del apego

Varios autores también han utilizado la teoría de los vínculos emocionales para explicar la relación entre maltrato durante la infancia y violencia en la pareja (Dutton, 1995a). La teoría de los vínculos emocionales presta especial atención a las relaciones establecidas durante la infancia, particularmente durante la más temprana infancia, para comprender las relaciones interpersonales posteriores, así como otros aspectos del desarrollo de la personalidad de los individuos.

Bowlby pensaba que los individuos tienen la necesidad innata de mantener relaciones afectivas y de intimidad para sobrevivir (ver en Dutton, 1995a). De acuerdo con esta teoría, la satisfacción de estas necesidades por los padres u otros cuidadores permite al individuo formar una relación basada en la seguridad con el cuidador. Esta teoría, además, mantiene que la historia de los primeros vínculos condiciona el desarrollo de un modelo interno de funcionamiento en cada individuo sobre cómo relacionarse en el futuro. Individuos que no pudieron establecer estos vínculos de forma satisfactoria durante su infancia desarrollarán como expectativa una carencia semejante de satisfacción durante el futuro. Esta teoría, a su vez, señala que la agresión puede ser una respuesta a la falta de satisfacción de dichas necesidades. De acuerdo con Bowlby, cuando los niños no ven cubiertas sus necesidades pueden expresarlo a través del enfado. Esto ocurre generalmente en respuesta a una separación en la que el niño percibe que la figura del cuidador no se encuentra a su alcance. Bowlby consideraba este enfado funcional porque comunica al cuidador el displacer producido por la separación. Si se responde de manera adecuada a dicho enfado se puede garantizar la formación de un vínculo seguro. En el campo de la violencia doméstica se tiende a pensar que una historia consistente de experiencias del apego o vínculo inseguro puede distorsionar el enfado funcional y convertirlo en conducta violenta (Kesner et al., 1997).

Existe evidencia preliminar que sugiere, al menos, una relación significante, pero pequeña entre la violencia doméstica y unas pobres relaciones con la madre durante la infancia. Estos autores sugieren que la falta de satisfacción de las necesidades emocionales de los maltratadores por parte de sus madres revela que estos hombres han desarrollado estilos de vínculos inseguros que los llevan a emplear la violencia. Como veremos más adelante, el psicólogo canadiense Donald Dutton ha tratado de desarrollar una teoría del maltrato que gira en torno a este concepto para explicar el comportamiento de un tipo específico de maltratador (cfr. Holtzworth-Munroe y Stuart, 1994).

Dutton (1995a; 1998) ha especificado como el origen de lo que denomina la personalidad abusiva deriva de las deficientes relaciones interpersonales de estos hombres con sus padres y madres y, en particular, alude al modo en que estas relaciones afectaron negativamente su desarrollo emocional. Aunque Dutton no descarta la relevancia de los procesos descritos por Bandura, complementa este modelo con nociones teóricas que prestan una especial relevancia al desarrollo emocional de, al menos, un tipo específico de maltratador.

Resumiendo, aunque es evidente, a la luz de los diferentes estudios conducidos, que existe una relación entre abuso durante la infancia y abuso contra la pareja, esta relación no es perfecta y el mecanismo que la explica aún no esta del todo claro. Aunque el modelado de este tipo de comportamientos no puede descartarse, es posible que otras dimensiones de la conducta parental y del entorno de estos niños intervengan en este proceso. Además, es posible que el maltrato no solamente sea literalmente copiado durante la infancia y que tenga una serie de repercusiones conductuales, sino que también deje su huella a través del impacto en la vida emocional del maltratador. Hay quien ha sugerido que por no poder descartar, ni siquiera podemos descartar la posibilidad de un vinculo biológico en la transmisión del comportamiento antisocial (Raine, 1993). Otro dato que la investigación ha dejado claro es que es importante entender dentro de este contexto la relación entre violencia en el hogar y violencia fuera del mismo.

IV. EL PAPEL DE LOS GRUPOS DE IGUALES EN EL APRENDIZAJE Y MANTENIMIENTO DE LA VIOLENCIA CONTRA LA MUJER

Otro de los correlatos clásicos de la delincuencia son los grupos de iguales constituidos por delincuentes. Numerosos criminólogos han destacado como la correlación entre la delincuencia de una persona y la de sus amigos es una de las más fuertes en el campo de la criminología (Fagan y Wexler, 1987; Gottfredson y Hirschi, 1990). El mecanismo que explica esta relación, en cambio, aún constituye objeto de debate.

Algunos criminólogos citan la influencia de amigos delincuentes como uno de los factores causales más importantes en el desarrollo de la conducta desviada. Estos criminólogos son partidarios del *modelo de socialización* que considera a los amigos delincuentes como una influencia causalmente previa a la delincuencia. La teoría del aprendizaje mantiene que el grupo de iguales es una de las influencias más fuertes en el desarrollo evolutivo de los individuos. A través de estos grupos, la conducta, y en este caso la conducta delictiva, es recompensada y reforzada. Si un amigo comete un acto delictivo, uno puede aprender a través del modelado, exposición directa o asociación diferencial a participar en dicha conducta y tal participación será recompensada por el grupo. La teoría de la asociación diferencial (Sutherland y Cressey, 1966) mantiene que el delito es aprendido a través de la interacción con otros y la exposición a definiciones favorables a la comisión de delitos; si los amigos de una persona son delincuentes, estas definiciones serán mayoritariamente favorables y resultaran en la conducta delictiva de la misma.

Lo que los criminólogos discuten, sin embargo, es el orden secuencial entre el tener amigos delincuentes y la delincuencia. Algunos autores han mantenido el equivalente del castizo refrán «Dios los cría y ellos se juntan». Estos autores mantienen que el proceso por el que las personas se asocian con amigos delincuentes es análogo a la elección de un ambiente en el que uno se siente a gusto. En otras palabras, sujetos violentos y agresivos buscan activamente grupos de amigos que aprueben su conducta. Este es el *modelo de la selección*: la asociación con delincuentes y el mantenimiento de creencias desviadas son anteriores a los amigos delincuentes. Éste argumento se dice que deriva principalmente de la teoría del control social de Hirschi (1969). La delincuencia estaría causada por un debilitamiento de los controles sociales; una vez la conducta desviada aparece, uno de sus efectos es aumentar la asociación con sujetos desviados. Ésta es una interpretación posiblemente equivocada de la teoría de Hirschi. En todo caso, existe evidencia que sugiere que los niños inician su conducta delictiva y problemática por primera vez después de relacionarse con amigos desviados (Keenan et al., 1995.).

Thornberry y sus colaboradores (1994) han argumentado que ambos modelos son incompletos y proponen como alternativa un *modelo interactivo*. Esta explicación combina elementos del modelo de la socialización y del modelo de la selección, afirmando que estas variables tienen influencias causales bidireccionales a lo largo del tiempo. Sus análisis longitudinales del Estudio del Desarrollo Juvenil de Rochester sugieren que ambos modelos unidireccionales son incompletos. Este estudio ha demostrado que la asociación con amigos delincuentes conduce a incrementos en la delincuencia a través del ambiente reforzador creado por los grupos de amigos delincuentes. El participar en actos delictivos, a su vez, conduce a más frecuentes asociaciones con amigos delincuentes. Elliot y Menard (1992) han encontrado resultados similares. Por su parte, en otro análisis utilizando datos de la Encuesta Nacional de Juventud, Matsueda y Anderson (1998) sugieren que, efectivamente, la relación es recíproca, pero que el efecto de la delincuencia en la asociación con amigos delincuentes es mayor que el efecto de la asociación con amigos delincuentes en la delincuencia.

La relevancia del grupo de iguales ha sido predicada fundamentalmente para explicar la delincuencia juvenil en la medida en que delincuentes adultos tienden a estar ligados a grupos más desorganizados y con vínculos más débiles (siempre pensando en delincuencia interpersonal o «delitos de la calle»). Por otro lado, salvo en algunos casos, la violencia en el ámbito doméstico tiene un solo sujeto activo, el maltratador, y no requiere ni suele implicar la participación de otros cómplices. Podríamos cuestionar por qué hablamos de este posible marcador de riesgo en el contexto de la violencia contra la mujer. La respuesta es que existe cierta evidencia empírica que destaca que los grupos de amigos de los maltratadores pueden tener cierta relevancia para comprender su conducta.

El estudio de Bowker (1986) realizado con una muestra de 1.000 mujeres maltratadas sugirió que existía una relación entre inmersión en una subcultura masculina y severidad de la violencia contra la mujer. Bowker medía las redes sociales de estos hombres preguntando a sus mujeres cuantas veces por mes sus maridos se reunían con otros grupos de amigos en los que no había mujeres presentes y el número de veces que sus maridos iban a bares sin ellas. Bowker utiliza estas medidas, haciendo una lectura un tanto forzada, como indicadores de inmersión en una subcultura masculina, pero en todo caso su estudio inauguró una línea de investigación sobre la violencia doméstica que tiene importante implicaciones preventivas.

DeKeseredy y Schwartz (ver, p.e., Schwartz y DeKeseredy, 1997; DeKeseredy y Schwartz, 1998) en una serie de recientes publicaciones han mantenido que el análisis de la violencia contra la mujer se puede beneficiar del estudio de las redes sociales de quienes la ejercen. La teoría del apoyo del grupo de iguales defendida originalmente por DeKeseredy se centra en la explicación del abuso y la violencia en las relaciones entre jóvenes en relaciones de noviazgo. DeKeseredy considera que las relaciones de noviazgo entre adolescentes son particularmente estresantes. Este estrés, por lo que afecta a los hombres, puede derivar de diversas fuentes, desde problemas de tipo sexual a amenazas a su autoridad y/o identidad.

De acuerdo con DeKeseredy, los jóvenes en estas ocasiones directa o indirectamente buscan apoyo por parte de sus iguales para definir la solución a los problemas provocados por el estrés asociado con sus relaciones íntimas con chicas. El argumento central de DeKeseredy es que el consejo, ejemplo u orientación proporcionado por los amigos en ocasiones puede justificar o incluso estimular el abuso verbal y/o físico de la pareja. Además, aunque DeKeseredy señala que el estrés no es un elemento absolutamente necesario en esta formulación y que puede haber ocasiones en las que las influencias del grupo de iguales sean suficientes para justificar o estimular el maltrato de la pareja.

Más recientemente, DeKeseredy, en colaboración con Martin Schwartz, (1997; 1998) ha modificado su formulación inicial y ha sugerido un modelo un tanto más complejo. En particular, estos autores incluyen ahora cuatro nuevos factores en la ecuación: consumo de alcohol, pertenencia a determinados grupos sociales, las ideologías tradicionales sobre la familia y las relaciones de intimidad y la ausencia de controles sociales. DeKeseredy y Schwartz, por lo que aquí nos interesa, destacan como determinadas asociaciones de adolescentes, como es el caso de las fraternidades, típicas de las universidades americanas, promueven entre sus miembros una noción estrecha de masculinidad y una visión objetivada de las mujeres.

DeKeseredy y Scwartz (1998) analizaron los datos de la Encuesta Nacional Canadiense sobre Abuso en el Campus y encontraron que, en particular, las medidas de apoyo de los grupos de iguales explicaban la mayor parte de la varianza en las ecuaciones para predecir abuso psicológico. Aunque estas variables no eran las más importantes para explicar abuso físico y sexual, también se mostraban como significativas. Silverman y Williamson (1997) han replicado estos resultados con una muestra de 193 estudiantes de licenciatura en la universidad de Georgia. Este estudio reveló que aquellos estudiantes que habían sido testigos de violencia marital en su familia de origen eran más proclives a tener amigos que eran abusivos y que proporcionaban apoyo adicional al uso de la violencia en sus relaciones de pareja. El tener este tipo de amistades no sólo incrementaba el riesgo de exhibir violencia en la pareja, sino que también estaba asociado con un grado mayor de aprobación de normas a favor del uso de la violencia en la pareja. Foshee y sus colegas (1999) también encontraron una asociación semejante en un estudio de 1965 adolescentes.

Ninguno de estos estudios, sin embargo, ha examinado la relevancia que el tener amigos delincuentes o que justifican el uso de violencia en general tiene en los niveles de violencia en las relaciones de intimidad, sino que han usado medidas bastantes concretas orientadas a medir la opinión y conducta de los amigos en cuestiones de violencia contra la mujer. Aunque aparentemente irrelevante esta es una cuestión de cierta importancia, en cuanto apunta a la generalidad o especificidad de los procesos envueltos en el aprendizaje y desarrollo de la violencia versus la violencia doméstica.

El análisis de las redes sociales de los maltratadores puede ser importante por otras razones. Existe evidencia más o menos anecdótica, al margen de una creencia relativamente generalizada, que muchos maltratadores son sujetos socialmente aislados con un grupo muy reducido de contactos sociales y amigos. Si estos sujetos son individuos con dificultades para mantener relaciones de intimidad (Dutton, 1995a) es posible que estas dificultades vayan más allá de las relaciones con su pareja. Además, es posible que el aislamiento social favorezca el maltrato en varios sentidos. Por un lado, disminuye la presencia de controles sociales (Fagan, 1993a). Por el otro, convierte a la mujer en prácticamente el único referente en la vida social de estos individuos con las implicaciones que ello tiene (Jacobson y Gottman, 1998).

Aún no existen estudios que hayan tratado de compatibilizar estas creencias sobre el aislamiento social de los maltratadores, con los estudios que han tratado de poner de relieve la relevancia de los grupos de iguales en la justificación y apoyo del maltrato. Es posible que la tipología de maltratadores elaborada por Holtzworth-Munroe y Stuart (1994) sirva para explicar estas aparentes discrepancias (ver el próximo capítulo). Así, los maltratadores denominados «límite» pueden ser los que de manera especial exhiben aislamiento social, mientras que los denominados «generalmente violentos» sean más proclives a estar inmersos o socializados en grupos delictivos o violentos.

Finalmente, esta línea de investigación no se ha aprovechado en su totalidad de los cada vez más numerosos estudios sobre las amistades de los hombres (Nardi, 1992). La sociología de género ha documentado la existencia de una relación entre la segregación de los géneros y la fortaleza y alcance de las relaciones de amistad de los hombres con otros hombres. En aquellas sociedades en las que existe una segregación entre los géneros alta, los hombres tienen relaciones de amistad con otros hombres que son más fuertes. A su vez, la fortaleza de estas relaciones, aumentada por la separación espacial, contribuye a aumentar el poder de los hombres sobre las mujeres (Spain, 1992).

Estos estudios también han demostrado que la amistad íntima de los hombres con otras mujeres constituye una oportunidad única para los hombres de expandir los límites de sus concepciones rígidas sobre la masculinidad y explorar áreas emocionales y temas de dependencia. Normalmente, este tipo de amistades se centra en la resolución de problemas y el intercambio de información sobre relaciones sexuales de tipo heterosexual. Así, estas amistades sirven como informantes que comparten y sensibilizan a cada uno sobre estilos de intimidad. Swain (1992) cree que las amistades de los hombres con mujeres tienden a modificar restricciones impuestas por concepciones conservadoras de la masculinidad en las maneras de expresar afecto e intimidad. Al margen de las polémicas, y de las limitaciones que todavía presenta la investigación en esta área, este tipo de estudios pone de relieve, de una manera más o menos directa, la relevancia del contexto ecológico y social del maltratador para entender las fricciones y el abuso en el ámbito de las relaciones de intimidad.

V. CICLOS EVOLUTIVOS Y MANTENIMIENTO DE LA VIOLENCIA

V.a. La evolución de la violencia en la pareja

V.a.a. El patrón de escalada a lo largo de la relación detectado por estudios cualitativos retrospectivos con muestras de mujeres seriamente maltratadas

¿Cómo surge la violencia doméstica en una relación? ¿Cuales son los patrones de desarrollo que sigue? ¿Qué pasa una vez la violencia surge en la pareja? ¿Qué pasa con las parejas que siguen juntas? ¿Con qué frecuencia la violencia disminuye o desaparece? ¿Puede hablarse de incidentes aislados de violencia, o incluso conjuntos de episodios violentos, que no se vuelven a repetir dentro del contexto de relaciones de pareja? De ser así, ¿cuales son los factores que explican la terminación de la violencia? Cuando la violencia física desaparece, ¿lo hace también el abuso emocional? ¿Es posible hablar de desistencia espontanea de la violencia doméstica? Éstas son algunas de las preguntas que un análisis dinámico o evolutivo de la violencia doméstica se plantea.

En el capitulo anterior prestábamos atención a los actos violentos como si fueran episodios aislados y, así veíamos, que existen una serie de factores situacionales envueltos en los mismos. En esta sección, en cambio, en lugar de considerar los actos violentos como episodios aislados con un comienzo y un fin, el tipo de cuestiones que se presentan tienen que ver con el hecho de que en numerosas ocasiones los actos violentos, sobre todo en el contexto doméstico, no se presentan de manera aislada, sino que ocurren de forma sistemática o repetida e interaccionan con diferentes ciclos evolutivos de la vida relacional (Dobash y Dobash, 1984).

Hasta muy recientemente, el único tipo de datos que habían sido examinados para estudiar estas cuestiones eran los testimonios retrospectivos de mujeres maltratadas que normalmente habían sido detectadas a través de agencias de ayuda a las mismas o el sistema de justicia penal. Autores como Lenore Walker (1980), Rebecca y Russell Dobash (1979) o Angela Browne (1987) habían documentado con este tipo de datos un patrón común. De acuerdo con estos autores, por un lado, muy pocas parejas exhibían problemas de violencia antes del matrimonio y, por otra parte, después del matrimonio se producía una escalada continua de la violencia.

Una de estas descripciones clásicas de la evolución de la violencia doméstica es ofrecida por Rebecca y Russell Dobash (1979) en su estudio cualitativo de 109 escocesas maltratadas . De acuerdo con estos autores, las etapas iniciales de las relaciones de estas mujeres con sus maltratadores no eran muy diferentes de las exhibidas por otras parejas. Las parejas pasaban tiempo juntas, pero tenían vidas separadas, incluyendo su propio círculo de amistades y relaciones y vínculos laborales o educativos. A medida que el grado de compromiso aumentaba, sin embargo, y como el resto de las parejas, comenzaban a modificar sus vidas cotidianas para pasar más tiempo juntos y demostrar así el interés mutuo en la continuación de la relación. De acuerdo con el matrimonio Dobash, las mujeres maltratadas incluidas en su estudio describían este periodo como una etapa muy feliz y placentera en sus vidas. Sus parejas eran habitualmente muy amables y atentas, y ellas se sentían apreciadas y amadas.

La principal fuente de conflicto en las parejas antes del matrimonio lo constituían incidentes de celos, especialmente entre los hombres. No obstante, estos incidentes no eran definidos por ninguna de las dos partes como negativos para la relación. Todo lo contrario. Las mujeres normalmente interpretaban el celo expresado por su pareja como la confirmación de que ellos iban en serio. De nuevo, nos encontramos con un patrón que no es exclusivo, ni necesariamente más prevalente en parejas cuya relación se vuelve violenta. De acuerdo con los Dobash, el 77% de estas mujeres no experimentaron ningún tipo de conflicto o incidente violento antes de casarse, aunque la mayoría no llevaba mucho tiempo casada antes del primer incidente (Dobash y Dobash, 1979).

Las parejas en el estudio de los Dobash (1979) se casaban o tomaban la decisión de vivir juntas porque pensaban estar enamoradas. El matrimonio implica un proceso de cambios importantes, sobre todo para las mujeres. El cambio más dramático, de acuerdo con estos autores, tiene que ver con el progresivo aislamiento social de la mujer. Inmediatamente después del matrimonio la pareja puede continuar algunas de las costumbres sociales que tenían antes de casarse como, por ejemplo, el salir juntos. Sin embargo, normalmente dentro del periodo de unos pocos meses, se produce una reducción en el número de veladas que salen juntos como pareja y el hombre comienza a salir o irse de copas más a menudo solamente en compañía de sus amigos varones de toda la vida[79].

De acuerdo con los Dobash (1979), la primera vez que el marido golpea a la mujer significa otro momento fundamental de cambio en la relación. Es un episodio que a la vez es insignificante y dramático. En términos físicos es a menudo insignificante, al menos si lo comparamos con lo que queda por venir. Tanto el hombre como la mujer normalmente responden con cierto grado de sorpresa, vergüenza y culpabilidad. Sin embargo, este primer episodio violento no es tratado como si fuera a significar el inicio de una relación violenta. Más bien este incidente es considerado como un accidente aislado y excepcional. Solamente con carácter retrospectivo las mujeres maltratadas examinan este incidente buscando signos que «deberían haber notado». En ocasiones, el hombre se siente culpable y pide disculpas una vez que la sorpresa inicial y los sentimientos heridos han pasado. La relación continúa como si el incidente violento no se fuera

---

[79] Aunque Rebecca y Russell Dobash dan la sensación en sus escritos de estar sentando una especie de patrón general de desarrollo de las relaciones de pareja, ni siquiera susceptible de limitación a las parejas maltratadas, existen razones suficientes para cuestionar la generalización de sus descripciones. Podemos detenernos, por ejemplo, en sus afirmaciones sobre el progresivo aislamiento social de la mujer en el hogar y el patrón, por el cual, los hombres comienzan a pasar más noches fueras con sus amigos en la taberna local. Aunque el matrimonio es descrito como una situación que tan solo limita el círculo social de la mujer, existe suficiente evidencia que muestra que cuando la amistad compite con otros papeles sociales y relaciones por el tiempo de los hombres, las amistades son frecuentemente las que pierden. Estos estudios demuestran como la asunción del papel de hombre casado y padre también conduce a la restricción del círculo de amistades de los hombres (Cohen, 1992). El estudio del CIS, por ejemplo, sobre actitudes y conductas afectivas de la pareja (numero 2.157, julio 1995) demuestra que esta situación también se produce en España, donde el 25% de los hombres y el 26% de las mujeres, una diferencia no significativa desde el punto de vista estadístico, han perdido mucho o bastante contacto con sus amistades de siempre como consecuencia de su relación de pareja. Esto no quiere decir que el matrimonio no impone una carga más pesada a las mujeres en la medida en que les obliga a mantener las responsabilidades domésticas; las mujeres tienen más dificultades objetivas para mantener tanto sus amistades como sus vínculos laborales o educativos. Pero es erróneo pensar que el matrimonio no limita el círculo de amistades de los hombres. El patrón descrito por los Dobash, además, puede ser aplicado en determinados entornos culturales y socioeconómicos, pero no puede ser generalizado sin más a otras latitudes.

a repetir y, por tanto, no respondían al mismo con llamadas de ayuda o quejas a otros familiares, amigos o agencias públicas. Pero en numerosas ocasiones, esto no es así y el incidente de abuso inicial es perpetuado por nuevos episodios de abuso.

Angela Browne (1987), en su estudio de mujeres maltratadas que mataron a sus maridos, también ofrecía una descripción cualitativa de la dinámica seguida en estas relaciones. Esta autora también describe la etapa del noviazgo como una fase feliz en la vida de estas mujeres. Las mujeres en su muestra durante los primeros meses y semanas de sus relaciones pensaban haber encontrado a los amantes más románticos y sensibles con los que nunca se habían topado. Estas mujeres describían a sus parejas como hombres con un interés intenso en ellas, una preocupación constante por saber lo que ellas hacían en todo momento y el deseo de estar siempre con ellas y realizar actividades solamente los dos juntos. Ellas siempre interpretaban estas conductas como signos de sensibilidad y amor. También percibían a estos hombres como especialmente abiertos y comunicativos, la necesidad de los mismos por un compromiso serio y el miedo expresado por los mismos a ser dañados les hacían parecer honestos y vulnerables.

En el estudio de Browne, la violencia tampoco aparecía en la mayoría de los casos (72 de 77) hasta después del matrimonio o hasta que la relación se había formalizado de alguna manera o adquirido un grado de compromiso bastante serio. Browne, sin embargo, apunta a una posible explicación de esta relación. Solo en parejas en las que existe un grado serio de compromiso la relación podría sobrevivir un incidente violento. En parejas menos comprometidas el incidente violento podría producir la ruptura de la relación lo que imposibilitaría su detección con el tipo de método y muestreo utilizado.

Browne, por otro lado, señala que la existencia de signos de peligro a veces no es detectada por las nociones de amor romántico que aún dominan la cultura contemporánea. Las parejas enamoradas normalmente quieren pasar tiempo juntas y en este proceso se aíslan de sus amigos/as y familiares. Las expresiones verbales son intensas y las emociones muy fuertes. Dado que la tradición romántica está basada en estereotipos de género y premisas de posesión, las características de un hombre que pueden sugerir un potencial futuro de violencia aparecen enmascaradas tras conductas cuya ejecución por hombres enamorados está culturalmente aprobada.

Como en el estudio del matrimonio Dobash, el incidente violento se producía en una fase temprana del matrimonio o poco después que la relación se hubiera formalizado o adquirido seriedad. Las mujeres maltratadas describían el primer incidente como un acto inesperado y sorprendente. Estas mujeres en aquellos momentos iniciales de la relación pensaban que se trataba de un acto aislado, inconsistente con el resto de la conducta de su pareja, o como el producto de una cuestión específica que podría ser resuelta por medio de la comprensión y el compromiso. El periodo que sigue al matrimonio es una fase de adaptación y estrés, todas las relaciones atraviesan etapas difíciles y en toda pareja existen diferencias de opinión entre sus miembros. Todas estas circunstancias ayudaban a las mujeres a interpretar estos actos como incidentes aislados, lo que explicaba que casi ninguna buscase ayuda externa para resolver el problema de la violencia de sus maridos. Sin embargo, analizados en retrospectiva, las mujeres maltratadas eran capaces de ubicar este primer incidente como la continuación de patrones de conductas de control que habían estado presentes durante el cortejo.

La psiquiatra y feminista Lenore Walker (1984) en sus entrevistas con aproximadamente 400 mujeres maltratadas también ha defendido un modelo de evolución de la violencia en la relación que apunta a un patrón de escalada. Walker señala que la necesidad de tratamiento médico como consecuencia del primer episodio violento se presentaba en un quinto de su muestra, mientras que tras sucesivos y más serios episodios violentos aproximadamente el 50% de las mujeres requerían de dicho tratamiento. El uso de armas también aumentaba con el paso del tiempo. Así, solamente el 9% de los maltratadores empleaba algún objeto doméstico o arma durante el primer incidente, mientras que el porcentaje era mayor en el segundo incidente (14%), el peor incidente (24%) y el último incidente (20%). Finalmente, esta autora demuestra que a medida que pasa el tiempo el marido o pareja cada vez exhibe menos signos de remordimiento y peticiones de perdón por su conducta. Walker, por tanto, cree que la violencia en la pareja tiende a aumentar en su seriedad a medida que pasa el tiempo.

Más recientemente, y esta vez desde Suecia, Margareta Hyden (1994) ha analizado los procesos de construcción de parejas violentas por medio del análisis de las declaraciones de ambos integrantes de la pareja. Hyden, durante un periodo de tres años, realizó entrevistas con 20 parejas en las que existía la violencia. Esta autora destaca como la violencia sigue un proceso de normalización que se encuentra inicialmente ligado a las nociones masculinas sobre lo que un hombre, una mujer y una buena relación son o deben ser. Este proceso de normalización se define como una estrategia orientada a fines que tiene como objetivo el establecimiento de control sobre la mujer y la posibilidad de constituir una forma aceptable de masculinidad, mientras que la mujer adopta una estrategia de ajuste tratando de retener algún grado de control sobre la relación por mínimo que sea.

Follingstad y sus colaboradoras (1991) realizaron un estudio con una muestra de 234 mujeres maltratadas, localizadas a través de varias agencias sociales y legales, para examinar algunas de estas cuestiones. Este estudio documentó un tendencia hacia el empeoramiento de la violencia con el paso del tiempo. La frecuencia de actos violentos y el número de tácticas violentas empleadas aumenta con el paso del tiempo. No obstante, esta autora y su equipo encontraron que esta escalada se producía solamente durante los primeros 18 meses después del incidente inicial y que, con posterioridad, la frecuencia del abuso permanecía relativamente estable.

Estos estudios sirvieron para crear una determinada imagen de la manera en que la violencia comienza y se desenvuelve en las relaciones de pareja. En ocasiones, como hemos visto, explican de manera muy sugerente estos procesos y las razones por las que la personalidad violenta o abusiva de estos hombres no es descubierta más rápidamente. Todos estos estudios, también, coinciden en señalar un patrón de escalada de la violencia a lo largo de la relación. Sin embargo, este patrón puede, en buena medida ser un artefacto metodológico. Como hemos señalado las mujeres entrevistadas por estos investigadores han sido localizadas en casa de acogida u otros servicios sociales, legales o policiales. Es fácil imaginar que mujeres en cuya relación la violencia ha seguido un patrón de escalada y aumento son más propensas a contactar este tipo de servicios. Por consiguiente, es difícil saber cual es la validez de este descubrimiento. Esto no quiere decir que efectivamente el patrón de escalada no existe, sino que no sabemos lo generalizable que es. La única manera de averiguar esta cuestión es por medio del empleo de muestras más representativas. Por otro lado, la utilización de métodos retrospectivos en lugar del uso de diseños prospectivos complica la interpretación de los resultados obtenidos por estos estudios.

V.a.b. Una imagen alternativa: violencia premarital y relaciones en las que la violencia no exhibe patrones claros de escalada

Aunque todavía son muy pocos los investigadores que han aplicado un diseño longitudinal prospectivo al estudio de la violencia doméstica, estos estudios han servido para cuestionar lo que sabíamos sobre el desarrollo de la violencia doméstica a lo largo de la vida de las parejas. Estos estudios han descubierto varios hechos de relevancia:

(1) Las tasas de violencia pre-marital son bastante elevadas, sugiriendo que el maltrato doméstico es un comportamiento que en numerosas ocasiones comienza antes de que se formalice la relación.

(2) Existen parejas en las que el «maltrato» parece estabilizarse, sin producirse el fenómeno de la escalada.

Aunque anteriormente se creía que las mujeres maltratadas empezaban a serlo después de casarse, recientes estudios han demostrado que un número considerable de mujeres maltratadas comenzaron a ser víctimas de ciertas formas de abuso durante sus relaciones premaritales. O'Leary y sus colaboradores (1989), en uno de los pocos estudios longitudinales prospectivos realizados hasta la fecha, documentaron que más de la mitad de las parejas incluidas en su estudio exhibían incidentes violentos un mes antes de la boda. Conviene destacar, no obstante, que las definiciones de violencia empleadas en este estudio también incorporaban formas de abuso emocional y que los estudios cualitativos citados anteriormente nunca han negado la prevalencia de conductas de control antes de la formalización de la relación. Estos autores también descubrieron que la existencia, severidad y frecuencia de la violencia un mes antes del matrimonio eran factores que predecían el nivel de violencia 18 meses después de la boda.

Se ha desarrollado, por otro lado, un área de especialización dentro de los estudios de violencia doméstica que analiza la violencia entre novios (Pirog-Good y Stets, 1989). Estos estudios, normalmente empleando muestras de estudiantes universitarios, han demostrado tasas de violencia entre novios que son bastante elevadas (DeKeseredy y Schwartz, 1998). La evidencia en esta área, de manera consistente con los estudios cualitativos citados anteriormente, empieza a sugerir que la violencia entre novios comienza cuando la relación ha adquirido un cierto grado de compromiso o seriedad. La mayoría de las parejas de novios que exhiben violencia (entre el 72% y el 80%) indican un cierto grado de seriedad o estabilidad en su relación. Hay quien ha sugerido que en esta situación es más difícil romper con el maltratador porque la pareja ya está «enamorada» cuando la violencia comienza (Hanley y O'Neill, 1997).

Ciertamente, el descubrimiento de la violencia entre novios tiene muy importantes consecuencias de tipo político social y educativo. Las relaciones premaritales y los noviazgos sirven como práctica para el desempeño de papeles como adultos. Estas relaciones siguen un proceso de experimentación y conducen al desarrollo de conductas programadas en el contexto de las relaciones de intimidad. En parte, estas prácticas sirven para aprender a comportarse de manera consistente con la identidad de género de cada uno. De hecho, se ha señalado que el éxito en la formación de identidades personales durante la adolescencia en buena medida está relacionado al éxito en la experimentación en este tipo de papeles. El tener un novio o novia es una parte importante para alcanzar estatus e identidad. La importancia de esta forma de éxito resulta más acentuada cuando no existen otras maneras alternativas de desarrollar una identidad positiva. Igualmente se ha señalado que cuando el contexto social no concede suficiente importancia a la intimidad y a la identidad del otro, el significado de las relaciones de noviazgo como un mecanismo para alcanzar estatus, identidad y éxito se infla, a la vez que la objetivación suplanta el vínculo emocional. En este contexto, las nociones de masculinidad combinadas con una visión material de la relación pueden hacer de estas relaciones un cóctel explosivo para la aparición de formas de abuso y violencia (Fagan y Wilkinson, 1998).

No solamente la violencia o el abuso en las relaciones de intimidad puede comenzar antes que éstas se formalicen, hay también quienes sugieren que existen situaciones en las que incidentes aislados de abuso o violencia no degeneran en relaciones violentas. O'Leary, Barling, Arias y sus colegas (1989), por ejemplo, examinaron las tasas de violencia física en parejas jóvenes un mes, 18 meses y 30 meses después de haberse casado. Sus análisis revelaron que la tasa de agresión física tendía a disminuir durante el curso de los tres años. Quigley y Leonard (1996) realizaron un estudio longitudinal durante tres años de 188 parejas que habían experimentado un episodio de agresión marital durante el primer año de matrimonio. Este estudio documentó que el 23.9% de estas parejas no exhibía violencia durante el segundo y tercer año. El cese de la violencia, en este estudio, estaba relacionado con el tipo de violencia experimentado durante el primer año. Aquellos hombres que solo habían perpetrado un acto de agresión leve y ningún acto de agresión severa durante el primer año se mostraron más inclinados a desistir y no presentar ningún incidente de violencia durante los siguientes dos años que aquellos hombres que habían incurrido en actos de violencia severa durante el primer año.

Aldarondo (1996) ha utilizado una muestra mayor y más representativa para examinar esta cuestión. Este profesor de origen portorriqueño afincado en Boston empleó los datos del Estudio sobre los Procesos de Disuasión. Este autor descubrió que las tasas de cesación eran mayores cuando se observaban diferencias entre el primer y segundo año, que entre el segundo y el tercer año. En el segundo año, el 60.7% de los hombres que habían sido violentos durante el primer año habían interrumpido su violencia. En el tercer año, el 50.5% de aquellos que habían sido violentos en el segundo año habían cesado de usar violencia física. Aproximadamente, un tercio de los hombres violentos continuaba maltratando a su pareja a pesar del paso del tiempo. Aldarondo también documentó que después de un año de interrupción, los hombres inicialmente violentos eran menos propensos a continuar su violencia. No obstante, esta encuesta documentaba la existencia de un pequeño grupo de maltratadores que, después de haber interrumpido su violencia durante el segundo año, volvían a ser violentos al tercer año. Aldarondo, finalmente, también documentó que aquellos hombres que cesaban su violencia física reducían de manera significativa sus niveles de agresión psicológica. Este autor destaca que eran precisamente los hombres que exhibían menores niveles de abuso psicológico durante el primer año los que se mostraban como más propensos a interrumpir el uso de la violencia física. A pesar del interés de este estudio, sin embargo, limitaciones metodológicas inherentes al mismo no permitían diagnosticar en que medida la interrupción o cesación de la violencia se debía a acciones adoptadas por la mujer o a otro tipo de intervenciones externas como, por ejemplo, el encarcelamiento del agresor.

Jacobson y sus colaboradores (1996) realizaron un estudio longitudinal durante tres años con una muestra de 60 parejas que habían sido reclutadas por sus niveles altos de violencia contra la mujer. Este estudio documentó que el 38% de estas parejas se habían separado o divorciado dos años después. Basándose en estos datos, Jacobson y Gottman (1998) han señalado que existe un grupo de parejas en los que existe cierto grado de abuso, pero que no pueden ser considerados casos de parejas en las que existe violencia severa. Estos autores descubrieron que los hombres en estas parejas casi nunca llegaban a convertirse en maltratadores en sentido estricto. Jacobson y Gottman creen que existe, por tanto, un grupo de parejas que periódicamente pueden tener discusiones que desembocan en empujones y algún que otro roce físico, pero que nunca llegan al punto en el que se puede hablar de maltrato severo. Estos autores piensan que estas parejas se corresponden con las identificadas por estudios como los de Straus, Aldarondo y sus colaboradores.

Cuando Jacobson y sus colaboradores limitan sus análisis al grupo de maltratadores más severo, los resultados eran diferentes. De manera sorprendente, más de la mitad de los maltratadores mostraban una disminución sustancial en la frecuencia de su violencia. Sin embargo, el abuso emocional no había disminuido y sólo un hombre había cesado su violencia por completo. Estos autores, por tanto, cuestionan la posibilidad de que el abuso cese de manera espontanea. De hecho, piensan que la menor frecuencia de la violencia física no debería interpretarse automáticamente como un síntoma de recuperación o mejora. Podría ser que una vez que se recurre a la violencia física no es necesario continuar ejerciéndola continuamente; una vez que el control está establecido, la violencia física no es necesaria para mantenerlo, bastaría el empleo de esporádicas amenazas y abuso emocional.

Los estudios de Jacobson, Strauss, Aldarondo y O'Leary indican que en determinados casos de violencia menor no se produce un fenómeno de escalada y la violencia no se repite. Sin embargo, conviene destacar que estos estudios no pueden tomarse como la última palabra en este debate. Una de las razones es que estos estudios presentan algunas limitaciones metodológicas para el estudio de la desistencia. En primer lugar, se ha señalado que la brevedad del periodo considerado (no más de dos años) puede que no capture las pautas de desarrollo de la violencia doméstica. La violencia puede ser episódica, con largos periodos sin violencia interrumpidos por periodos más cortos de violencia intensiva (Matza, 1964). En segundo lugar, los maltratadores pueden comenzar relaciones con otras mujeres y continuar su abuso en las mismas, situaciones que no fueron tomadas en consideración por ninguno de estos estudios (Fagan y Browne, 1994). Y, finalmente, no está del todo claro cuáles eran los factores que explicaban el aparente cese o disminución de la violencia.

Los datos de la Encuesta sobre Seguridad Personal de la Mujer en la España Urbana (1999) aunque no son de carácter longitudinal ofrecen cierta evidencia sobre la prevalencia de la escalada de la violencia. Nuestra encuesta, dentro del cuestionario detallado que solo se administraba a aquellas mujeres que reconocían abuso a manos de sus parejas, incluía una pregunta sobre la evolución del maltrato. En particular, se preguntaba a estas mujeres si la situación con su pareja había empeorado, mejorado o seguido igual con el paso del tiempo. El 20% de las mujeres reconocía que la situación había mejorado, el 43% reconocía que había empeorado, mientras que el 32.2% señalaba que había seguido igual. En la mayoría de las situaciones, por tanto, parece que la situación empeora y solamente en una minoría de casos, el 20% de los mismos, la situación tiende a mejorar. Dado que no tenemos datos longitudinales es difícil establecer la relación entre severidad del abuso, otras variables relevantes y evolución de la violencia.

Resumiendo lo que hemos señalado hasta ahora. Existe cierta evidencia que comienza a cuestionar la visión, relativamente simplista, presentada por los estudios cualitativos realizados con mujeres maltratadas refugiadas en casas de acogida. Aunque parece existir un cierto patrón de escalada de la violencia hay estudios que comienzan a sugerir que este patrón se puede estabilizar, incluso desaparecer, en un determinado momento. Hay quienes sugieren que llegado un momento la frecuencia de los asaltos físicos puede disminuir, en la medida en que al maltratador le bastan formas de abuso emocional para mantener el control de la relación. Por otro lado, parece que hay un número de parejas en las que el uso en un momento de la relación de formas muy menores de violencia física no desemboca en una relación caracterizada por el abuso físico y/o emocional continuo. Solamente podemos, por tanto, hablar de desistencia espontanea de la violencia doméstica en ese sentido más limitado. Existen muchos autores que con razón se resisten a aceptar esta noción en casos más serios. Bowker (1984), en un estudio con una muestra nacional de 1.000 mujeres, aportó evidencia adicional destacando que no tiene sentido hablar de desistencia espontanea en situaciones de violencia doméstica. Aunque algunos hombres pueden dejar de comportarse violentamente después de uno o dos incidentes, la desistencia de los maltratadores crónicos es a menudo un proceso lento, frecuentemente precedido por acciones específicas adoptadas por las víctimas o actores externos.

¿Puede, entonces, la mujer adoptar estrategias que sirven para prevenir o cesar el maltrato? Ésta es una cuestión debatida que analizaremos en uno de los próximos apartados. La respuesta depende, en buena medida, de la manera en que queramos interpretar dicha pregunta y, sobre todo, conviene tener muy en cuenta que incluso una respuesta afirmativa a la misma no debe nunca leerse como una atribución de responsabilidad a las mujeres maltratadas. No podemos, finalmente, olvidar que hay hombres que continúan siendo violentos a pesar del paso del tiempo. Es muy importante que no se malinterpreten los resultados de los estudios citados anteriormente. El maltrato, salvo en casos muy menores, es muy difícil de prevenir o terminar sin ayuda externa y no es recomendable permanecer con un maltratador pensando que se va a rehabilitar, sobre todo una vez que el patrón de abuso se ha estabilizado. Incluso si hay situaciones en las que instancias de violencia física no se perpetúan, aún no sabemos muy bien que distingue a los hombres que interrumpen o cesan su violencia de aquellos que no y que factores pueden explicar la desistencia en el caso de los maltratadores (Jacobson y Gottman, 1998).

V.b. La relación entre embarazo y malos tratos

Las teorías evolutivas sobre el desarrollo familiar suelen hacer referencia a los cambios que en la vida familiar tiene el embarazo y la llegada de los niños (Klein y White, 1996). Éste es un momento en la vida de la pareja que puede ser particularmente estresante para ambos miembros de la misma. Desde los años 70, cuando comenzó el estudio sobre los malos tratos, ha habido quienes han sugerido que precisamente el embarazo y todo lo que ello supone puede constituir un marcador de riesgo para el abuso y que las mujeres embarazadas se encuentran en una situación de especial riesgo. De hecho, numerosos estudios han documentado la existencia de una correlación entre el embarazo de la mujer y los malos tratos. Desde esta perspectiva se ha entendido que el embarazo constituye un factor de riesgo que pone en peligro la salud física de la mujer y el feto. La mayoría de estos estudios, sin embargo, han estado basados en muestras muy pequeñas y poco representativas. Por otro lado, estos estudios se han limitado a valorar la existencia de esta relación sin tener en cuenta que terceras variables podrían explicar la aparente asociación entre embarazo y malos tratos.

Gelles (1990), de hecho, ha demostrado que esta relación es espúrea. Este autor utilizó los datos procedentes de la II Encuesta Nacional sobre Violencia Familiar conducida en los Estados Unidos para examinar esta cuestión. De acuerdo con los análisis de este profesor de sociología de la Universidad de Rhode Island, la aparente relación entre embarazo y malos tratos desaparece cuando controlamos la edad de la mujer. De acuerdo con este autor, la razón principal por la que los investigadores han documentado esta relación en el pasado es porque la tasa de embarazo es más alta entre mujeres jóvenes que, a su vez, exhiben un riesgo mayor de ser víctimas de malos tratos. No obstante, Gelles reconoce las limitaciones de sus datos que solo le permitieron examinar la relación entre embarazo y prevalencia de los malos tratos. Por tanto, este autor deja abierta la posibilidad que el embarazo tenga un efecto en la incidencia o seriedad de los malos tratos.

Estudios más recientes han estado orientados a obtener una idea de la prevalencia de violencia doméstica entre mujeres embarazada que acuden a los servicios de salud pública, así como a evaluar procedimientos adecuados de identificación de estos casos para poder adoptar las medidas más apropiadas. McFarlane y sus colaboradoras (1992), por ejemplo, en un estudio de 691 mujeres embarazadas que acudieron a los servicios de cuidado prenatal en Houston y Baltimore descubrieron una prevalencia de malos tratos del 17% y que las mujeres maltratadas eran más proclives a empezar el cuidado prenatal ligeramente más tarde (durante el tercer mes de embarazo) que el resto de las mujeres. McFarlane y su equipo (1995), en la continuación de este estudio consiguieron ampliar el tamaño muestral a unos 1.203 casos y pudieron hacer un seguimiento longitudinal prospectivo de los mismos. Este diseño permitió descubrir que el maltrato durante el embarazo era uno de los factores de riesgo asociados con el bajo peso del recién nacido.

En todo caso, al margen de que el embarazo pueda concebirse o no como un factor de riesgo de la prevalencia o incidencia de los malos tratos, lo cierto es que la existencia del maltrato durante la fase del embarazo obliga a la sociedad a adoptar mecanismos de intervención y prevención adecuados. La singular vulnerabilidad de las mujeres embarazadas y los fetos es más que suficiente para recomendar al personal médico y a los agentes del sistema de justicia penal que presten una especial atención a estos casos (Gelles, 1990).

V.c. Cesación de la violencia y estrategias de la mujer

Antes de entrar en el análisis de acciones adoptadas por la mujer y cesación de la violencia, resumiré de manera muy breve lo que sabemos sobre la desistencia en general y los hombres que cesan su violencia. Uno de los más polémicos debates dentro de la criminología hace referencia precisamente al proceso de la desistencia, o la estabilidad en el comportamiento delictivo y violento, y los factores que la explican. Por un lado se encuentran aquellos que postulan teorías ontogenéticas, mientras que por el otro lado se encuentran aquellos que apuestan por la relevancia de factores sociales y evolutivos para entender estos procesos. Gottfredson y Hirschi (1990) han argumentado que la continuidad del comportamiento desviado es la expresión de un rasgo antisocial subyacente. Desde esta perspectiva se entiende que algunos niños exhiben menos autocontrol que otros como consecuencia de la educación que han recibido en sus casas. De acuerdo con Gottfredson y Hirschi este rasgo, la falta de autocontrol, es relativamente estable a lo largo de la vida de los individuos y el comportamiento desviado que se manifiesta en diversas etapas del desarrollo evolutivo siempre obedece a este rasgo.

Los criminólogos que apuestan por un entendimiento evolutivo de la delincuencia, en cambio, consideran que el factor decisivo para entender el mantenimiento y desistencia de un estilo de vida criminal está relacionado con transiciones vitales y sociales en la vida de los individuos (Sampson y Laub, 1993b). En un análisis secundario del famoso estudio longitudinal de los Glueck, Sampson y Laub (1993b) documentaron como aquellos delincuentes que eran capaces de encontrar una pareja y un trabajo estable eran más propensos a desistir del comportamiento delictivo. En la medida en que varios autores, incluyendo a Sampson y Laub, han relacionado el proceso de la desistencia con el matrimonio o emparejamiento de los delincuentes, no es exagerado decir que la criminología termina donde la violencia doméstica comienza.

Históricamente, esta línea de investigación ha ignorado la posibilidad del desplazamiento del comportamiento antisocial al ámbito doméstico o en otras palabras, que el tránsito al ámbito doméstico representara simplemente una transición de la manifestación de formas violentas en una esfera pública a formas violentas en el ámbito íntimo. Hasta la fecha solamente un estudio ha tratado de examinar esta cuestión de manera sistemática. En este estudio, Shields y sus colaboradores (1988) analizaron las conexiones entre violencia familiar y general, así como los desplazamientos de la violencia entre relaciones lo largo del tiempo con una muestra de maltratadores. El estudio comparaba un grupo de maltratadores con un grupo de hombres que no eran violentos en su relación. Los participantes fueron clasificados en tres tipos mutuamente exclusivos: maltratadores domésticos, hombres violentos fuera del hogar con no familiares y hombres violentos fuera y dentro del hogar.

El estudio documentaba pautas de comportamientos muy interesantes. Para empezar, los hombres encuadrados en el grupo de maltratadores domésticos, es decir, aquellos que solo eran violentos contra la pareja en el periodo de la entrevista presentaban una pauta que no era estática. El 45% de los mismos comenzaba su carrera violenta durante su vida como adulto victimizando solamente a desconocidos. En otras palabras, el círculo de víctimas se ampliaba con el paso del tiempo para incluir solamente a miembros de su familia. No existían indicaciones que los hombres generalmente violentos reducían el círculo de sus víctimas con el paso del tiempo, de hecho, el número de víctimas crecía. Sin embargo, los datos no permitían discernir si el número total de incidentes violentos variaba entre los grupos de víctimas (familiares o no) de esta categoría de agresores con el paso del tiempo. Lo que en ningún caso se observaba era un desplazamiento de la violencia en el hogar hacia comportamientos violentos fuera del mismo. Los maltratadores domésticos no comenzaban a comportarse violentamente con desconocidos después que empezara el maltrato contra sus parejas.

Dejando un tanto al margen esta polémica, es importante prestar atención al proceso de desistencia en relación con la violencia doméstica. De acuerdo con Fagan (1989), la cesación de la violencia doméstica puede ocurrir como consecuencia de tres procesos diferentes: reducciones que son consecuencia de intervenciones externas, reducciones que son consecuencia del desplazamiento por parte del agresor y reducciones que se derivan de actuaciones realizadas por la propia víctima. De acuerdo con Fagan, el estudio de la cesación de la violencia doméstica sin intervenciones formales puede ofrecer pistas importantes no solamente para diseñar programas educativos de las víctimas de la violencia doméstica, sino también para comprender mejor los contextos, motivaciones y procesos de desistencia en general. Aquí lo que nos interesa son las intervenciones informales. Las intervenciones externas serán examinadas en los capítulos sobre prevención de la violencia doméstica, en particular se analizaran las diferentes estrategias del sistema de justicia penal para hacer frente a este problema, incluyendo el tratamiento de los maltratadores.

Existe un número considerable de mujeres maltratadas que piensan que sus acciones tienen un efecto decisivo en la cesación de la violencia. Follingstand y sus colaboradores (1991) preguntaron a una muestra de 234 mujeres maltratadas la razón por la que el abuso terminó. La mayoría de estas mujeres (entre el 73% y el 88%) consideraban que la violencia había terminado por las acciones que ellas habían adoptado, muchas menos creen que la violencia termina porque el hombre contempla su comportamiento violento como algo negativo (entre el 14% y el 3%) y también muy pocas creen que intervenciones externas son las responsables por la finalización del maltrato (entre el 12% y el 7%).

El estudio de Bowker (1983) fue uno de los primeros en estudiar de manera sistemática aquellas estrategias adoptadas por las víctimas que sirven para prevenir el maltrato doméstico. Bowker identificó una muestra de 146 mujeres que respondieron a su anuncio en el área de Milwaukee y trató de clasificar las estrategias que ellas adoptaron para producir la cesación de la violencia. Bowker identificó tres tipos generales de estrategias: estrategias personales, invocación de sanciones legales y utilización de fuentes de ayuda informales (redes sociales).

Bowker preguntó a estas mujeres no solamente el tipo de estrategias que utilizaron, sino también su opinión sobre su efectividad. Su estudio demostró que ninguna táctica se mostraba como particularmente efectiva o inefectiva de una manera consistente. En otras palabras, lo que funcionaba para unas mujeres no funcionaba para otras. Un examen de sus resultados demuestra que hay tres tipos de estrategias que funcionan bien. La primera consiste en hacer público el maltrato, lo que funcionó bien en el 30% de los casos. Hacer público el maltrato incluía contárselo a los vecinos, parientes, amigos u otros. El acudir a estas fuentes informales de ayuda contribuye a que la violencia emerja del terreno privado de la familia al ámbito del dominio público, haciendo posible que se apliquen las sanciones sociales informales ligadas al maltrato domestico. El segundo tipo de estrategias incluye la invocación de sanciones legales, lo que funcionó bien en el 30% de los casos. Esto incluye los contactos establecidos con agencias sociales, el sistema de justicia penal, el clero o grupos de ayuda a la mujer. La tercera estrategia constituía un grupo de medidas de defensa propia incluyendo el esconderse, buscar refugio y defensa física. Éste fue el tipo de estrategias más efectivo en 23% de los casos. Lo que funcionó peor fue el no hacer nada (31% de los casos) y para el 28% de las mujeres la intervención de agencias legales externas fue lo que funcionó peor. Este resultado sugiere que la intervención de las autoridades es muy importante para prevenir el maltrato, pero que en ocasiones las estrategias adoptadas por estas autoridades pueden empeorar la situación o, cuando menos, no contribuir nada a mejorarla (Bowker, 1983; Fagan, 1989).

De acuerdo con Fagan (1989), este estudio, a pesar de sus limitaciones, fue importante y conduce a tres importantes lecturas. Primero, la restauración del balance del poder marital es evidente en las estrategias empleadas por estas mujeres. Segundo, las estrategias que aumentan los costes del comportamiento violento sugieren un modelo basado en las teorías del aprendizaje, en la medida que se puede decir que estos hombres aprenden que el incremento en los costes hace que el uso de la violencia no merezca la pena. Y, tercero, destaca la importancia que las redes sociales tienen en la prevención y mantenimiento del maltrato.

Otros autores consideran que no hay nada que las mujeres puedan hacer para controlar la violencia de sus maridos. La única solución para estos autores es la ruptura de la relación (Jacobson et al., 1996), lo que no es del todo incompatible con lo señalado anteriormente. Jacobson y sus colaboradores (1996), con su pequeña muestra de 60 parejas que estudiaron longitudinalmente durante tres años, no pudieron documentar ninguna conducta de las mujeres que tuviera un impacto significativo en el nivel de violencia experimentado con posterioridad. Tan sólo el abandono de la relación parece ser una solución. Sin embargo, el abandono de la relación ni es sencillo, ni está exento de peligros, ni previene al maltratador de entrar en otra relación violenta.

V.d. Dificultades ligadas al abandono de la relación

V.d.a. Factores que dificultan la ruptura

Una de las preguntas que mucha gente se hace cuando piensan sobre el problema de los malos tratos es por qué las mujeres maltratadas no dejan a sus maridos si tanto las hacen sufrir. Algunos observadores, amigos y familiares de las mujeres maltratadas esperan que las mismas abandonen a sus maridos inmediatamente en cuanto surge la violencia en la relación. Policías, fiscales y jueces precisamente argumentan que la permanencia de la mujer con el maltratador les impide realizar su trabajo propiamente. Algunos de los primeros estudios psicológicos en este campo pretendían atribuir este factor a los rasgos masoquistas de estas mujeres (Schechter, 1982). Este tipo de explicaciones, naturalmente, fue muy criticada. Lenore Walker (1980; 1984), en uno de los estudios más influyentes en este campo, sugirió la tesis que las mujeres maltratadas sufren lo que ella denominó como *indefensión aprendida.*

La teoría de la indefensión aprendida de Walker está basada en el trabajo de Sellingman. Básicamente lo que esta teoría sugiere es que cuando un individuo aprende a través de la experiencia que no tiene control sobre un ambiente hostil, en otras palabras que determinadas consecuencias son independientes de su conducta, este individuo pierde su motivación para cambiar dicho ambiente. Walker ha utilizado esta teoría para tratar de entender las respuestas de las mujeres al maltrato. Walker sugiere que las mujeres maltratadas consideran el maltrato como un aspecto más de la vida que han aprendido que no pueden influir.

Esta teoría ha sido sometida a importantes criticas, en particular, se ha señalado que tiende a presentar a las mujeres maltratadas como seres débiles e incapaces, cuando la evidencia muestra que no es del todo así. El psicólogo Edward Gondolf (1988), uno de los autores más críticos de esta noción, con tono irónico en alguna ocasión ha señalado que son aquellos con autoridad para castigar y controlar a los maltratadores los que verdaderamente exhiben indefensión aprendida.

Dutton (1995a) ha sugerido una explicación alternativa. Para este autor el factor más relevante para entender porque las mujeres maltratadas permanecen con sus agresores son los vínculos emocionales que las mujeres forjan con estos individuos. Este autor sugiere que es posible formar vínculos emocionales fuertes con sujetos que de manera intermitente abusan y tormentan a sus parejas. De acuerdo con Dutton, en este tipo de relaciones hay dos factores determinantes: el desequilibrio de poder y el carácter intermitente del abuso. Dutton piensa que en situaciones de desequilibrio de poder en las que la persona en posición de superioridad es ocasionalmente punitiva, las personas con menos poder tienden a adoptar la perspectiva del agresor sobre ellas mismas perpetuando un ciclo de escasa autoestima y dependencia que crea un vínculo emocional fuerte con el agresor. Al mismo tiempo, la persona en la posición de superioridad desarrolla un sentido exagerado de su propio poder que enmascara el grado de dependencia de ésta hacia la persona en la posición de inferioridad para mantener su propia identidad personal. Su sensación de poder, sin embargo, depende de su capacidad para mantener el control absoluto en la relación.

La segunda característica determinante de este tipo de relaciones es la periodicidad del abuso. La parte dominante abusa y maltrata a la otra de manera intermitente y periódica. El tiempo entre episodios de abuso en muchas ocasiones está ocupado por conductas sociales más normales y aceptables. De esta manera, la víctima se encuentra sujeta a periodos de estímulos aversivos y negativos y la liberación y relajación producida por su desaparición. Esta situación, de acuerdo con Dutton, constituye un paradigma experimental asociado con la teoría del aprendizaje conocido como refuerzo parcial o intermitente, que es altamente efectivo para producir pautas persistentes de conducta que son difíciles de extinguir. Así pues, y siempre según Dutton, estas dos características de las relaciones abusivas permiten el desarrollo de vínculos emocionales entre el agresor y la víctima que dificultan la ruptura de la relación.

Hay quienes indican que los problemas de las mujeres maltratadas no son psicológicos, sino sociales (Bowker, 1993). Desde esta perspectiva se indica que la reluctancia de las mujeres maltratadas a no dejar a sus maridos debe comprenderse en el contexto de los condicionantes de tipo socioeconómico a que se encuentran sometidas. Desde esta perspectiva también se tiende a considerar como estigmatizantes los modelos teóricos que tratan de explicar la permanencia de la mujer en la relación en función de procesos psicológicos. Ciertamente éste es un debate un tanto estéril. La relevancia de factores de tipo psicológico y social es compatible y posiblemente la preponderancia de uno u otro tipo de factores varía en cada caso.

Existe una cantidad numerosa de estudios que han tratado de determinar cuáles son los factores que contribuyen a la decisión de dejar al marido. Strube (1988) revisó la literatura empírica en este tema. A pesar de la antigüedad de este artículo es todavía uno de los más completos en este campo. Strube señala que la mayoría de los estudios realizados para analizar esta cuestión sufren importantes limitaciones metodológicas (muestras no representativas, diseños retrospectivos, etc.). Su valoración de conjunto le llevó a concluir que las mujeres que permanecen en la relación carecen de recursos económicos, están dispuestas a permitir el abuso en la medida que no sea muy severo o frecuente o afecte a los niños directamente[80] o están estrechamente unidas al marido y la noción romántica de hacer la relación duradera. Nancy Rhodes y Eva McKenzie (1998), diez años después del trabajo de Strube, han realizado otra revisión de la literatura llegando a conclusiones semejantes. Estos estudios, de tipo fundamentalmente cuantitativo, han sido complementados por otros de naturaleza etnográfica que han destacado la relevancia de factores socioculturales y de tipo contextual (p.ej., aislamiento social, nociones culturales sobre el papel de la mujer, etc.) en el proceso de ruptura de la relación (Wuest y Merritt-Gray, 1999).

V.d.b. La ruptura como un proceso

Existe un conjunto de estudios que han tratado de profundizar en el proceso de ruptura de la relación desde la perspectiva de estas mujeres y que ha identificado una serie de etapas en dicho proceso (p.ej., Wuest y Merritt-Gray, 1999). Estos estudios han demostrado que la ruptura de la relación ocurre de manera gradual y que las mujeres maltratadas se enfrentan con una problemática diferente cuando están viviendo en la relación, preparándose a salir, saliendo y recuperándose.

Los autores que trabajan en esta área están tratando de dejar atrás la absurda polémica entre factores económicos y factores emocionales como los condicionantes de la ruptura. En su lugar, están tratando de desarrollar explicaciones teóricas capaces de capturar la complejidad y el carácter dinámico del proceso de cambio que lleva como corolario a la ruptura

---

[80] Follingstand y su equipo (1992) señala que quizás hay que empezar a prestar más atención a los *maltratadores y a las características del abuso* para comprender qué mujeres permanecen y cuales rompen la relación. Esta autora y su equipo de colaboradores estudió una muestra de 234 mujeres maltratadas y encontraron que las mujeres que rompían la relación habían sufrido un mayor número de episodios de abuso, había existido una franja de tiempo menor entre el comienzo de la relación y al comienzo del abuso y habían sufrido lesiones más severas como consecuencia del primer incidente abusivo. Estos autores sugieren que es posible que la seriedad inicial del abuso les facilitara a estas mujeres desde el principio concebir su relación como un foco de peligro. De hecho, estas mujeres eran más proclives a considerar el abuso tenía efectos negativos. Por otro lado, el maltratador en estos casos se mostraba menos propenso a expresar remordimiento o arrepentimiento por su comportamiento abusivo, así como a tratar mejor a las mujeres en las fases inmediatas a los episodios de abuso, lo que podría haber facilitado la ruptura de la relación al no existir mensajes contradictorios sobre la relación.

de la relación con el agresor. Estos estudios, a su vez, tratan de entender las razones por las que las mujeres tras algunas tentativas iniciales de salida no consolidan la ruptura y vuelven con el agresor (p.ej., tras una estancia en una casa de acogida). Newman (1993), por ejemplo, en un estudio cualitativo con una pequeña muestra de mujeres maltratadas documentaba que estas mujeres regresaban como consecuencia del desinterés de las agencias de ayuda, las dificultades para conseguir asistencia financiera, un lugar seguro para vivir y el asesoramiento adecuado.

Wuest y Merritt-Gray (1999) consideran que el proceso de abandono es sinónimo del proceso de reivindicación del autoconcepto de estas mujeres. Esta reivindicación, de acuerdo con estas autoras, atraviesa cuatro etapas definidas como (1) *resistencia al abuso*, (2) *liberándose*, (3) *no volviendo* y (4) *progresando*. Durante la primera etapa de *resistencia al abuso,* estas mujeres a su vez pueden atravesar por un momento inicial en el que disminuyen su autoestima y minimizan la seriedad del problema que es seguido por una etapa en la que «fortifican sus defensas», adoptando una serie de estrategias de supervivencia que tienden a aumentar la distancia con el agresor y a preparar la salida.

La *etapa de liberación* también es de carácter gradual y durante la misma las mujeres experimentan una serie de soluciones diferentes a los problemas que experimentan como consecuencia del abuso al que están sometidas (Wuest y Mettitt-Gtay, 1999). Durante esta etapa, estas mujeres pueden iniciar separaciones temporales del agresor que producen un sentimiento inicial de excitación, pero que son seguidos por sentimientos de vulnerabilidad, incerteza e incluso miedo. Estas mujeres descubren que la ruptura también entraña riesgos, no solamente económicos, sino también derivados de la amenaza representada por el agresor.

Las mujeres maltratadas, durante esta etapa, pueden adoptar riesgos para los que no están preparadas y en ocasiones dan marcha atrás y vuelven con el agresor, volviendo a una situación que les es familiar. Estas tentativas de salida en demasiadas ocasiones son empleadas como racionalizaciones por parte de los profesionales del sistema de justicia penal y de los servicios sociales para justificar sus respuestas inapropiadas. Sin embargo, como Wuest y Merritt-Gray (1999) destacan, es precisamente en este momento cuando más relevante resulta la ayuda consistente por parte de los profesionales. Es relativamente normal que estas mujeres experimenten con diferentes opciones antes de romper definitivamente la relación, pero los profesionales de la justicia y de los servicios sociales en lugar de rendirse ante este tipo de estrategias lo que deben hacer es mostrar su mejor cara y procurar consolidar la relación con estas mujeres con independencia de que eventualmente vuelvan con el agresor antes de la ruptura definitiva.

Igualmente crítica es la etapa definida por estas autoras como *no volviendo*. Para entrar en esta etapa, las mujeres maltratadas precisan sentirse seguras, desear estar en control de su situación, tener un lugar semipermanente en el que poder residir, así como contar con apoyo externo. Durante esta etapa, estas mujeres comienzan a reclamar su territorio y a tratar de recuperar el control de sus vidas por medio de estrategias que pasan por aprender a sacar el máximo provecho de los escasos y resistentes recursos sociales; el establecimiento de límites frente al agresor, familia, amigos y los profesionales que tratan de ayudarles; el desarrollo de planes futuros; y el aprender a vivir en una situación de inseguridad. Además de reclamar su territorio durante esta etapa, las mujeres tratan de volverse a situar socialmente, lo que implica el reclamar sus posesiones, tomar control de sus finanzas, reiniciar sus actividades normales y cuidar de sus hijos. Finalmente, durante esta etapa, las mujeres tienen que justificar continuamente su decisión, defendiéndola frente a familiares y amigos.

Wuest y Merritt-Gray (1999) también explican como la imagen pública de la mujer maltratada representa un papel muy relevante y es producto de frustraciones y humillaciones para estas mujeres. En la medida en que la ayuda social es contingente en el paralelo de sus vidas con los retratos públicos de las mujeres maltratadas, estas mujeres tienen que permitir el escrutinio ajeno si quieren acceder a dichos servicios. De conformidad con dicha imagen, tienen que comportarse como víctimas desesperadas y aceptar cualquier tipo de ayuda que se les ofrezca, con independencia de sus posibles consecuencias negativas. Una consecuencia adicional es el sometimiento a normas comunitarias sobre lo que una mujer maltratada no debe hacer como, por ejemplo, citarse con otro hombre, mantener contactos con el agresor, no estar deprimida, ir de fiestas o parecer en control de sus vidas.

V.d.c. Pasividad y permanencia como mitos

Más recientemente, los autores han comenzado a denunciar el sesgo presente en el cuestionamiento de las razones sobre la permanencia de las mujeres con el agresor. Al preguntar por qué las mujeres permanecen, de alguna manera, se desplaza la responsabilidad del abuso hacia la mujer. Si ella es una mujer maltratada se debe a su «obsesión» a permanecer en una relación dañina. Por otro lado, el formular esta pregunta, de alguna manera, asume que las mujeres permanecen en estas relaciones. Un grupo bastante numeroso de investigadores cuestiona este principio.

Desde esta perspectiva se sugiere que es más apropiado preguntarse por qué asumimos que las mujeres permanecen en la relación de manera pasiva. Lo cierto es que existen datos que demuestran que muchas mujeres maltratadas, de hecho con mayor frecuencia que las mujeres en general, rompen las relaciones con sus maridos por medio del divorcio o la separación[81]. Hay quienes sugieren que los datos claramente demuestran que la mayoría de las mujeres maltratadas no se quedan con sus maridos (Holtzwort-Munroe et al., 1997, citan unos cuantos). En todo caso, también existen datos contundentes que muestran que las mujeres maltratadas no permanecen impasibles y adoptan una amplia gama de medidas para evitar que la violencia se repita (Bowker, 1983). Sin embargo, todavía hay quienes, en lugar de reconocer la fuerza, persistencia y habilidades de supervivencia de las mujeres maltratadas, las consideran débiles o pasivas (Schechter, 1982). Finalmente, el formular esta pregunta asume que la ruptura de la relación es la forma de prevenir el maltrato, cuando lo cierto es que puede constituir uno de los momentos más peligrosos en la relación con el maltratador (Mahoney, 191; Davies et al., 1998). En ese sentido se indica que es preciso preguntarse qué pasa cuando las mujeres tratan de romper la relación (Erez y Belknap, 1998).

Ciertamente, existen cada vez más datos que apuntan al momento de la ruptura como uno de los momentos más peligrosos a los que se enfrentan las mujeres maltratadas (Polk, 1994; Campbell, 1992; Mahoney, 1991). Varios estudios basados en la Encuesta Nacional de Victimización, realizados en los Estados Unidos todos los años, han revelado que las mujeres separadas y divorciadas exhiben un mayor riesgo de victimización que las mujeres casadas (Fagan y Browne, 1994). Coleman (1997) realizó una encuesta de 141 estudiantes universitarios y documentó que aquellas mujeres que habían señalado mayores niveles de abuso verbal y físico durante sus relaciones eran más propensas a ser víctimas de hostigamiento por sus ex-compañeros una vez que la relación se había terminado. Basándose en estos datos, Coleman (1997) sugiere la consideración del hostigamiento como una etapa más dentro del ciclo del abuso y destaca que este tipo de datos muestra porque muchas mujeres permanecen en

---

[81] Por ejemplo, Jacobson y sus colegas (1996) estudiaron 60 parejas violentas durante tres años y documentaron que el 38% de las mismas acabaron en divorcio o separación. Este estudio demostró que las mujeres que se separaban tenían maridos que eran más abusivos emocionalmente y que eran más antisociales y violentos en general. Además, Jacobson y su equipo documentaron que las mujeres que manifestaron intolerancia contra la violencia, defendiéndose en los argumentos en el laboratorio o en el hogar, también eran más propensas a abandonar la relación. Jacobson y sus colaboradores enfatizan que cuando hablan de defensa no se refieren a una defensa agresiva, sino a una defensa asertiva. Estas mujeres mantenían sus opiniones, pero sin ser beligerantes. Reaccionaban con rapidez, asertividad y sin humor contra la violencia de sus parejas. Eran también mujeres más enfadadas por la conducta violenta de su pareja y menos satisfechas con su relación.

sus relaciones abusivas. Mahoney (1991), en esta línea, cree que las agresiones causadas por la separación constituyen un necesario objeto de estudio y consideración a la hora de diseñar programas de prevención.

Uno de los primeros estudios que ha tratado de identificar marcadores de riesgo de violencia doméstica letal ha producido datos bastante significativos. En un análisis de casos que comparaba a los maltratadores que mataban a sus mujeres con aquellos que no, mis colegas los Dobash y yo descubrimos que el estado civil era quizá el factor más relevante para distinguir a estos grupos. Los hombres que mataban a sus mujeres eran más proclives a estar separados o divorciados de las mismas (36%) que los que solo las maltrataban (3%) y estos homicidios tenían como factor desencadenante en numerosos casos los esfuerzos realizados por la mujer para poner término a la relación (Dobash, Dobash, y Medina, 2001).

La Encuesta sobre Seguridad, Familia y Salud de la Mujer en la España Urbana (Barberet y Medina, en prensa) también ofrece evidencia que respalda la visión de la ruptura de la relación como una medida que no pone necesariamente freno al abuso. De acuerdo con la Encuesta, en torno al 20% de las mujeres que se separan o divorcian de sus parejas sufren diferentes conductas de hostigamiento o acoso por parte de los mismos que les hace sentir mucho miedo o el temor de daños a su integridad física. La elevada prevalencia de este tipo de comportamientos claramente indica que la ruptura de la relación no significa necesariamente el fin del abuso. Las parejas de estas mujeres se resisten a perder el control sobre las mismas incluso después de que éstas se han separado o divorciado de ellos. De hecho, existe una relación significativa entre la realización de este tipo de conductas cuando la relación se ha roto y la realización por parte del varón de conductas de control cuando la relación aún está intacta. Este tipo de datos sugiere la necesidad de diseñar e implementar medidas preventivas del abuso que sirvan de manera específica a las necesidades de las mujeres divorciadas o separadas.

V.e. El desplazamiento de la violencia entre relaciones

Una cuestión de enorme interés científico y político criminal lo constituye el saber si los maltratadores desplazan su conducta de una relación a otra. En otras palabras, cuando se termina una relación entre un maltratador y su pareja y el maltratador comienza otra relación, nos podemos preguntar si se produce un desplazamiento del maltrato a la nueva relación.

Quizá antes deberíamos preguntarnos si los maltratadores siguen manteniendo relaciones con otras mujeres después de sus fallidos intentos de controlar a su primera mujer. Walker (1984), en un estudio con una muestra no representativa de más de 400 mujeres maltratadas, descubrió que el doble de maltratadores, en comparación con las mujeres maltratadas, se encontraba en una nueva relación con otra mujer en el momento de realización de la entrevista. Frank y Houghton (1981) también sugirieron que los maltratadores frecuentemente transfieren su dependencia a otra mujer y que, en ultima instancia, esto lleva a un desplazamiento de la violencia. En general, no obstante, la evidencia sobre el desplazamiento de la violencia por parte de los maltratadores a otras relaciones sigue siendo en su mayor parte anecdótica y basada exclusivamente en testimonios aislados de víctimas o trabajadoras de las casas de acogida. En el citado estudio de Dobash, Dobash y Medina (2001), pudimos constatar que el 60% de los maltratadores que matan a sus mujeres, en comparación con el 40% de los maltratadores que no las han matado (aún), han ejercido formas de violencia física contra otras mujeres en relaciones de intimidad anteriores a la que dio lugar a su detección y sanción penal.

VI. LA PREVENCIÓN A TRAVÉS DE LA INTERVENCIÓN PRECOZ

Una de las implicaciones más claras de la relevancia de la criminología evolutiva es de naturaleza preventiva. Si podemos predecir el abuso en la pareja por medio del estudio y consideración de factores y características del desarrollo evolutivo durante la infancia y la adolescencia, la intervención preventiva durante estas etapas no puede ser considerada como demasiado prematura. Varios autores, de hecho, han sugerido la necesidad de comenzar estas labores preventivas en etapas tempranas del desarrollo evolutivo (LeBlanc et al., 1997; Greenwood et al., 1998; National Crime Prevention, 1998). La Corporación Rand en un reciente estudio analizando los costes y beneficios de estos programas (formación de padres, supervisión de jóvenes delincuentes, incentivos educativos, visitas al domicilio de estos jóvenes) destacaba sus ventajas en comparación con el encarcelamiento, aunque también reconocía que sólo tenían un efecto modesto en la prevención de la delincuencia (Greenwod et al., 1998).

También se han empezado a desarrollar programas educativos con adolescentes en centros educativos como una forma de prevención primaria del abuso entre íntimos o la violencia entre novios. Estos programas, por un lado, tratan de cambiar los valores sociales asociados con el abuso y las nociones estereotipadas de género, mientras que, por otra parte, procuran mejorar las habilidades para la resolución de conflictos por medios no violentos. Además, estos programas proporcionan información de utilidad sobre servicios para víctimas de comportamientos violentos y tratan de desmitificar nociones peyorativas asociados con la idea de búsqueda de ayuda externa (Foshee et al., 1998). Aunque estos programas han comenzado a proliferar de una manera notable, lo cierto es que solo muy recientemente se han empezado a dar los primeros pasos para evaluarlos de una manera rigurosa. Uno de estos programas, *Safe Dates* (Citas Seguras), ha demostrado cierta eficacia a muy corto plazo, pero el seguimiento de los resultados no se extendió más allá de un mes tras la finalización de la intervención (Foshee et al., 1998). Un reciente informe del Consejo Australiano sobre Prevención del Delito destacaba que para que estos programas sean efectivos es importante que se centren en grupos de adolescentes en situación de riesgo, que proporcionen intervenciones intensivas y que de manera específica desarrollen incentivos para estimular la participación de los adolescentes en los mismos (National Crime Prevention, 1999a).

VII. CONCLUSIONES

En los años venideros veremos una nueva generación de estudios que adoptan una perspectiva evolutiva en el estudio de la violencia doméstica. El *National Institute of Justice* a través de su programa de investigación en violencia contra la mujer ha demostrado un interés creciente en este tema. El interés de los criminólogos en las teorías evolutivas de la delincuencia y el de los sociólogos en las teorías evolutivas de la familia (Klein y White, 1996) parece destinado a la confluencia. Aunque los estudios longitudinales son costosos, los beneficios que se pueden obtener de los mismos son considerables.

Es evidente que lo que ocurre durante la infancia y la adolescencia tiene un impacto en el desarrollo de comportamientos violentos durante etapas evolutivas posteriores. La violencia, como muchas otras conductas, es un comportamiento que se aprende. La identificación de aquellos factores que tienen lugar durante la infancia y que pueden aumentar el riesgo de violencia en el futuro tiene implicaciones político sociales evidentes. En éste, como en otros aspectos, es importante reconocer la diversidad del problema de malos tratos y la posible existencia de diversas trayectorias evolutivas conducentes a los malos tratos.

Es dudoso que en nuestro país, dada la escasez de medios destinados a investigación científica y particularmente a la investigación criminológica, vayamos a ver en un futuro inmediato o incluso a medio plazo estudios longitudinales de esta naturaleza. No obstante, es más que posible que el debate sobre prevención temprana y otras nociones preventivas basadas en este tipo de estudios también se repitan en nuestro país. Es la evaluación de este tipo de programas, por tanto, la que, por tanto, debería recibir más atención.

Por otro lado, la violencia en la pareja impone su propia dinámica en el desarrollo de las personas afectadas por los mismos y la vida familiar. Los malos tratos lejos de constituir una realidad estática experimentan transformaciones que son el fruto de la interacción de las respuestas adaptativas y de supervivencia de sus víctimas y el aprendizaje del agresor. Aunque se habla mucho del «ciclo de la violencia», lo cierto es que no existe un patrón evolutivo que se pueda generalizar. En todo caso, en situaciones de violencia de una gravedad moderada y severa las posibilidades de desistencia espontanea por parte del agresor son muy limitadas. Los maltratadores, como cualquier otro delincuente, oscilan entre periodos de mayor y menor o ninguna actividad desviada.

El estereotipo popular retrata a las mujeres maltratadas como seres pasivos que toleran la violencia y que rechazan la solución «más obvia» a sus problemas, la ruptura de la relación. Sin embargo, la investigación demuestra que las mujeres maltratadas adoptan una amplia gama de conductas para tratar de atajar la conducta violenta de sus parejas y que muchas de ellas acaban rompiendo la relación. La ruptura de la relación, por otro lado, lejos de concluir la violencia constituye un momento de especial peligro para las mismas y es, además, un proceso dinámico que no ocurre de manera radical, sino gradual. Además, aunque la ruptura de la relación puede prevenir sucesivos actos de violencia contra la misma víctima, no impiden que el agresor continúe su abuso con otra persona.

## Capítulo VI

FACTORES INDIVIDUALES DE RIESGO O GRUPOS DE ESPECIAL RIESGO

I. INTRODUCCIÓN

Una buena parte de la investigación sobre malos tratos ha estado orientada a identificar el conjunto de variables o factores individuales[82] que se encuentran correlacionados con los mismos. Los autores embarcados en esta línea de investigación entienden que para poder comprender las causas de la violencia doméstica es fundamental entender las diferencias entre los hombres que son más proclives a ser violentos con su mujer y aquellos que no (Holtzworth-Munroe et al., 1997). Aunque a veces ha existido la intención de ubicar estas variables dentro de un marco teórico más amplio, se podría decir que la mayoría de las veces ha prevalecido el interés por identificar factores de riesgo que permitieran bien predecir aquellas situaciones proclives a derivar en maltrato o identificar las audiencias más necesitadas de atención y ayuda para prevenir la violencia doméstica. Este tipo de estudios ha adquirido nuevo vigor con la creciente relevancia del enfoque de salud pública (ver más adelante) en la investigación y prevención de la violencia. De hecho, el término factores de riesgo procede de esta área de investigación. En este capítulo presento de una manera crítica la investigación realizada en relación con algunos de estos correlatos individuales de la violencia doméstica[83]. Estos estudios han tratado de mostrar que, aunque los malos tratos no están restringidos a ningún grupo social, el nivel de riesgo no es el mismo para todos los colectivos.

---

[82] En el sentido de características de individuos, bien las víctimas, bien los agresores.

[83] Aunque tanto en los estudios sobre la violencia en general como, de manera más limitada, en los estudios sobre violencia doméstica hay autores que examinan la relevancia de factores genéticos y biológicos en la etiología de la conducta violenta, esta línea de investigación no es analizada en este capítulo, ni en este libro. La complejidad técnica del tema, el pequeño número de estudios que han aplicado este paradigma al estudio de la violencia doméstica, el análisis pormenorizado que se está dando a otros temas, el polémico carácter de este enfoque y sus bases ideológicas y, fundamentalmente, mi falta de un especial interés personal en esta perspectiva y, son las razones que me llevan a no revisar esta bibliografía aquí. El interesado en este tipo de estudios puede encontrar una revisión actualizada sobre esta línea de investigación criminológica en Pallone y Herrnsey (1996), así como en Raine (1993).

II. MINORÍAS ÉTNICAS, INMIGRANTES Y VIOLENCIA DOMÉSTICA

II.a. Introducción: minorías étnicas, inmigrantes y delincuencia

Buena parte de la investigación criminológica en los Estados Unidos examina y compara la criminalidad exhibida por los miembros de diferentes grupos étnicos. Esta investigación no solo se ha aplicado al estudio del comportamiento delictivo en general, sino también al estudio de la violencia doméstica en particular. En aquel país razones que van más allá del tema analizado en este texto han convertido el tema racial en un elemento central de la vida política, social y científica del mismo.

En España este tipo de consideraciones, en cambio, no ha recibido gran atención en el debate público y académico. Sin embargo, existe una excepción histórica en relación con una de las más importantes minorías étnicas presentes en nuestro país: los gitanos o romaníes. Los gitanos en España, desgraciadamente, han sido objeto de persecución, discriminación y prejuicios que los han asociado con la criminalidad de manera centenaria. Por otro lado, los cambios en corrientes migratorias que se han experimentado en las dos ultimas décadas están obligando a la sociedad y a la comunidad sociológica española, y europea en general, a prestar una mayor atención a estos asuntos. Recientes estudios en nuestro país, por ejemplo, demuestran la existencia de soterrados valores xenófobos en la sociedad española (Datos de Opinión, número 19). Es por ello por lo que considero relevante presentar la experiencia norteamericana en este campo.

Antes de entrar a analizar los estudios que específicamente han analizado el papel de estas variables en la violencia doméstica, es necesario, si acaso brevemente, presentar algunos de los resultados de la investigación criminológica más amplia sobre la relación entre minorías étnicas, el estatus de inmigrante y delincuencia. Estudios criminológicos realizados en Estados Unidos y en Europa demuestran que los miembros de alguna minoría étnica en prácticamente cada país del bloque occidental presentan una probabilidad desproporcionada de ser arrestados, condenados y encarcelados por la realización de diferentes tipos de delitos. Negros en Estados Unidos e Inglaterra, aborígenes en Australia, finlandeses en Suecia, argelinos, tunecinos y marroquíes en Francia, y marroquíes en España y Holanda se encuentran en esta situación (Tonry, 1997).

Tonry (1997) resumiendo la literatura comparada sobre este tema destaca que en aquellos países en los que se han realizado estudios sobre las causas de este fenómeno la evidencia obtenida apunta a diferencias en el grado de participación en actividades delictivas como la principal causa. Así, aunque este autor mantiene que los estereotipos asociados con las minorías étnicas a veces operan en contra de los integrantes de las mismas en sus contactos con el sistema de justicia penal y también mantiene que determinadas prácticas procedimentales aparentemente neutrales operan sistemáticamente en contra de los mismos, lo cierto es que el eventual carácter discriminatorio del sistema de justicia penal en estas instancias explica solo marginalmente la mayor presencia de los miembros de minorías étnicas en las estadísticas policiales, judiciales y penitenciarias. El factor determinante es que los sujetos de estas minorías cometen más delitos que los sujetos de otros grupos sociales.

La criminología ha tratado de explicar estas diferencias en el grado de participación criminal utilizando diferentes enfoques teóricos. En los Estados Unidos algunos criminólogos de la derecha han atribuido la mayor participación de los ciudadanos afroamericanos en actividades delictivas a su pretendido nivel de inteligencia más bajo (Wilson y Herrnstein, 1985), mientras que otros han propuesto factores tal y como su inmersión en una cultura que acepta la violencia como medio para resolver conflictos (Wolfgang y Ferracutti, 1971) o a las desigualdades socioeconómicas. Algunas de estas teorías han recibido numerosas críticas desde un punto de vista ideológico, además, ninguna de ellas ha podido ser demostrada de manera definitiva. Los estudios que han sido citados como evidencia de estas teorías presentan serios problemas metodológicos y de interpretación que los invalidan como pruebas finales de las mismas. Más recientemente, Sampson y Wilson (1995) han planteado una teoría que explica estas diferencias en función de los diversos contextos ecológicos en que estos grupos étnicos residen. Mientras que estos autores ponen el acento en las transformaciones económicas que han producido el deterioro del contexto ecológico en que estas poblaciones residen, Massey y Denton (1993) han destacado el racismo y la segregación discriminatoria para entender dicho deterioro.

Aunque existe un cierto solapamiento entre minorías étnicas y la población inmigrante, la criminología, sobre todo en los Estados Unidos, a veces ha enfatizado una dimensión sobre la otra. De hecho en los Estados Unidos, al menos hasta recientemente, ha existido un interés más claro en cuestiones de raza, etnia y delincuencia que en temas de inmigrantes y delincuencia. En Europa, en cambio, el énfasis se pone en el tema de inmigrantes. Dos recientes publicaciones colectivas han tratado de resumir los conocimientos criminológicos sobre la condición de inmigrantes y la participación en actos delictivos (Tonry, 1997; Marshall, 1997).

Estos estudios indican la existencia de algunos patrones generales que parecen darse en varios países en relación con la conexión entre los grupos inmigrantes y la participación en actos delictivos. Tonry (1997) ha realizado varias generalizaciones que resumen estos patrones:

1. La primera generación de inmigrantes normalmente está constituida por individuos que son incluso más obedientes de la ley que los ciudadanos nativos. La mayoría de estos inmigrantes son duros trabajadores, con la capacidad para posponer gratificaciones a cambio de la obtención de objetivos a largo plazo, siendo bastante conformistas. Sus hijos y nietos, sin embargo, sufren problemas de asimilación que dan lugar a tasas de criminalidad y encarcelamiento superiores a las exhibidas por los ciudadanos nativos. Sucesivas generaciones exhiben experiencias delictivas indistinguibles de las exhibidas por la población nativa.

2. Varias teorías han tratado de explicar el fenómeno detallado en la anterior generalización, sin embargo, ninguna de ellas (teoría de las oportunidades limitadas, teoría de la ausencia de modelos de conducta, teoría de la alienación, teoría de las subculturas) se ha probado como definitiva.

3. Determinados grupos de inmigrantes, particularmente aquellos de ascendencia asiática, parecen exhibir tasas delictivas que son inferiores a las exhibidas por la población nativa no sólo en la primera generación, sino también en generaciones sucesivas.

4. Diferencias culturales entre grupos de inmigrantes con una similar posición en la estructura socioeconómica podrían explicar algunas de las diferencias en las tasas delictivas de diferentes grupos étnicos.

5. Las razones por las que se produce la inmigración desempeñan un papel en el éxito de adaptación en el nuevo país y, por consiguiente, en las tasas delictivas que cada grupo étnico exhibe.

6. Existen razones para argumentar que las políticas que favorecen la asimilación de los inmigrantes pueden representar un papel decisivo en la reducción de la criminalidad que estos grupos pueden exhibir, incluyendo segundas y terceras generaciones.

II.b. Violencia doméstica, minorías étnicas e inmigrantes

La mayoría de los datos existentes en los Estados Unidos indican que las tasas de violencia doméstica son más acentuadas entre parejas de las diferentes minorías étnicas en este país que entre las parejas anglosajonas. En 1992, por ejemplo, el riesgo de ser asesinada por la pareja era de 6 entre 100,000 para mujeres afroamericanas entre 18 y 34 años mientras que era tan solo del 1.4 para mujeres blancas de ese mismo grupo de edad (Crowell y Burgess, 1996).

Sin embargo, a pesar de estos datos, la mayoría de los investigadores en este campo, hasta muy recientemente, no han concedido una gran importancia a esta variable. Si la violencia doméstica no tiene fronteras y cualquier mujer puede ser víctima de violencia doméstica, como por razones ideológicas se ha mantenido desde determinadas posiciones feministas, el color o adscripción étnica de cada uno no tendría porque marcar ninguna diferencia. Este tipo de planteamiento (riesgo universal) está siendo sustituido por un modelo más sensible y ajustado de este fenómeno (Moore, 1997), un modelo que incorpora este tipo de variables a la hora de analizar la dinámica y etiología de la violencia doméstica.

La investigación realizada hasta la fecha parece indicar que miembros de diferentes minorías étnicas exhiben diferentes grados de violencia doméstica y que estas diferencias se pueden entender en buena medida si tomamos en consideración la situación en la estructura socioeconómica de cada una de estas minorías. Las encuestas nacionales realizadas por Straus proporcionan un buen ejemplo de esta pauta.

Straus y sus colegas (1981) demostraron que la tasa de violencia de parejas afroamericanas era la mayor con diferencia. La Encuesta de 1975 documentó que el abuso de esposas exhibido por los afroamericanos es dos veces mayor que el exhibido por otras minorías étnicas y 4 veces mayor que el exhibido por la población anglosajona mayoritaria. Sin embargo, Cazenave y Straus (1990) señalan que cuando se controlan variables como la clase social y la participación en redes sociales locales, la mayoría de estas diferencias desaparecen. Estos autores señalan cómo, de hecho, en muchos casos, cuando se controlan estas variables de tipo social y económico los afroamericanos como grupo exhibían tasas de violencia doméstica inferiores a las de otros grupos étnicos[83bis].

Hampton y Gelles (1994) analizaron los datos de la Encuesta de 1985 y avanzaron una explicación de la violencia doméstica de los afroamericanos de tipo socio estructural. Sus análisis revelaron que la tasa de violencia era significativamente mayor para las familias afroamericanas más jóvenes (menores de 30 años), con un menor grado de integración en la comunidad (residencia inferior a dos años), con unos ingresos menores (10.000 dólares al año o menos) y en las que el marido se encontraba en situación de desempleo. Para estos autores es evidente que la tasa de violencia doméstica de los afroamericanos obedece a factores de tipo estructural y a la situación socioeconómica marginal de esta población.

Los latinos en los Estados Unidos también exhiben cifras preocupantes de violencia doméstica. Aunque cuando, considerados como una categoría homogénea, el grado de violencia doméstica que exhiben es inferior al

---

[83bis] En particular, cuando se controla el nivel de ingresos, los afroamericanos de todos los grupos de ingresos, con excepción de aquellos ganando entre 6.000 y 12.000 dólares al año (el más bajo), exhibían tasas de violencia doméstica inferiores a los de la población blanca. Cabe notar, no obstante, que dicho rango de ingresos entre los 6.000 y 12.000 dólares, comprendía a un número considerable de afroamericanos y que este grupo seguía exhibiendo una tasa mayor de violencia domestica a pesar de la introducción de estos controles estadísticos.

exhibido por la comunidad afroamericana, las cifras son mayores a las exhibidas por la mayoría anglosajona (Zhan, 1987; Block, 1987; 1993). Por otro lado, algunos autores han destacado que la comunidad latina es la que exhibe una tendencia a la propagación de la violencia doméstica más preocupante[84]. Los criminólogos también han enfatizado la relevancia de factores estructurales de tipo socioeconómico como cruciales para entender la tasa de violencia doméstica de este grupo (Martínez, 1996). Straus y Smith (1990), por ejemplo, emplearon los datos de la Encuesta Nacional de Violencia Doméstica 1985 para estudiar la violencia doméstica de la comunidad latina. Estos autores señalan que cuando se controlan variables que reflejan el nivel de ingresos, la juventud y el lugar de residencia (residencia urbana versus no urbana) desaparecen las diferencias significativas entre latinos y anglosajones en tasas de violencia doméstica.

Los estudios realizados con latinos, sin embargo, también han aludido a otro tipo de factores de naturaleza cultural que podrían explicar el diferente grado de participación en violencia doméstica (Perilla, 1999). Los investigadores que destacan la relevancia de factores culturales hacen referencia a tres importantes diferencias. Por un lado, estos autores destacan el carácter especialmente machista de la tradición hispana (Martínez-García, 1987). Por otro lado, se dice que las normas sobre la familia son diferentes en la sociedad hispana, no sólo en lo que se refiere a las expectativas sobre el comportamiento femenino aceptable dentro de las mismas, también en un sentido más positivo que destaca la fortaleza de los lazos familiares y la importancia de los parientes que no pertenecen al núcleo familiar mínimo. Los investigadores norteamericanos denominan este factor *familismo* y lo citan como un rasgo protector frente a la delincuencia juvenil (Sommers, Fagan y Baskin, 1993) y la violencia doméstica. Finalmente, varios autores consideran que determinados grupos latinos tienen una mayor tendencia a refugiarse en el alcohol en presencia de diferentes tipos de estrés que otros grupos étnicos y que el consumo de alcohol en estas condiciones es lo que lleva al abuso doméstico (Jasinski, Asdigian y Kantor, 1997).

Aunque existen algunos estudios que han mostrado de manera anecdótica algunas diferencias normativas sobre el uso de la violencia doméstica entre latinos y no latinos, controlando otras variables (Torres, 1991), resulta cuanto menos cuestionable afirmar que la comunidad latina es más machista que la comunidad anglosajona en los Estados

---

[84] Block y Christakos (1995), por ejemplo, han subrayado el aumento del riesgo de parricidio de mujeres latinas en Chicago durante los 90. A pesar de que las tasas de parricidio para otros grupos étnicos han tendido a disminuir en dicha ciudad, en el caso de los latinos la tendencia es la inversa.

Unidos (Mirande, 1997). Si bien es cierto que existen diferencias en las tasas de violencia doméstica de la comunidad afroamericana y la comunidad latina, resulta discutible que el menor grado de violencia de la comunidad latina se debe a una mayor importancia y respeto de las normas familiares en esta ultima. Es más plausible sugerir que las diferencias se pueden explicar en función de la diferente posición en la pirámide social y en la geografía urbana de estas comunidades[85]. Por otro lado, varios antropólogos culturales han criticado severamente la noción de *familismo* y su uso en el debate sobre las diferentes minorías étnicas en los Estados Unidos (Sullivan, en comunicación personal). En realidad ninguna de estas dos explicaciones ha sido evaluada empíricamente.

Más atención, en cuanto a investigación empírica, ha recibido la tercera hipótesis, la referida a los patrones de consumo de alcohol de la comunidad latina. Neff, Holamon y Schluter (1995) realizaron un estudio con una muestra de 1286 bebedores habituales y 498 no bebedores de la ciudad de San Antonio. Al igual que en los estudios mencionados anteriormente, estos investigadores no fueron capaces de documentar una mayor prevalencia de la violencia entre los mejicanos cuando se controlaba el nivel de estrés financiero. Su estudio, por lo que más nos interesa, documentó que la relación entre consumo de alcohol (por cualquiera de los miembros de la pareja) y violencia doméstica era más fuerte en el grupo de mejicanos que en el grupo de anglosajones o afroamericanos. Jasinski, Asdigian y Kantor (1997) estudiaron esta cuestión con los datos de la Encuesta Nacional sobre Alcohol y Violencia Doméstica de 1992. Esta encuesta sirvió para documentar que los latinos y los anglosajones sufrían diferentes tipos de estreses laborales. Para el grupo de anglosajones el estrés laboral solía derivar de conflictos con los jefes, mientras que para los latinos el estrés derivaba de su situación de desempleo. Por otro lado, los latinos y los anglosajones respondían de manera diferente a diversas causas de estrés laboral. Diversas modalidades de estrés laboral estaban asociadas con un mayor grado de consumo de alcohol y de violencia entre los latinos, sin embargo, las mismas modalidades estaban asociados con un mayor grado de consumo de alcohol, pero no de violencia, entre los anglosajones. En todo caso, el consumo *excesivo* de alcohol estaba asociado con la violencia doméstica en ambos grupos. Hay que señalar, sin embargo, que el estudio de Jasinski y sus colaboradores no controlaba otras variables que han sido consideradas como importantes mediadores de la relación entre estrés y violencia marital (ver, p.ej., Straus, 1990d).

Una de las generalizaciones realizadas por Tonry (1997) sobre la relación entre inmigrantes y delincuencia ha sido confirmada en el campo

---

[85]   Un análisis de las mismas en Moore y Pinderhughes (1993) y Jargowsky (1997).

de la violencia doméstica, al menos por lo que se refiere a la comunidad latina. La primera generación de inmigrantes exhibe un riesgo menor o similar que la población nativa mientras que la segunda generación exhibe un riesgo mayor. Sorenson y Telles (1991) estudiaron una muestra de adultos que residían en el área de Los Angeles. Los datos fueron obtenidos de 1243 mejicanos (705 nacidos en Méjico y 538 nacidos en los Estados Unidos) y de 1149 blancos no latinos. Cuando estos autores realizaron comparaciones globales entre mejicanos y anglosajones no encontraron diferencias significativas. Sin embargo, el estudio reveló interesantes diferencias entre mejicanos nacidos en los Estados Unidos y aquellos nacidos en Méjico, mientras que los primeros presentaban tasas de violencia doméstica mayores que los anglosajones los segundos presentaban tasas que eran inferiores a las exhibidas por los ciudadanos anglosajones. Además, aquellas parejas que tomaron la entrevista en español presentaba tasas de violencia inferiores a aquellas parejas de mejicanos que tomaron la entrevista en ingles.

Kantor, Jasinski y Aldarondo (1994) replicaron estos análisis utilizando datos de la Encuesta Nacional sobre Alcohol y Violencia Doméstica (1992). Estos investigadores descubrieron que el lugar de nacimiento efectivamente era un predictor significativo de violencia doméstica. Aquellos hispanos que habían nacido en los Estados Unidos exhibían un mayor riesgo de participación de violencia doméstica que aquellos que procedían de otro país. Kantor y sus colegas (1994) sugieren que la *aculturación* es el factor responsable por este fenómeno. *Aculturación* hace referencia al proceso por el cual la conducta y actitudes de un grupo de inmigrantes cambia como resultado del contacto y exposición al nuevo grupo dominante. En este proceso normas presentes en la cultura de origen orientadas a poner límite a determinado tipo de conducta se deterioran sin encontrar sustitución en la nueva cultura.

Un problema de los estudios realizados sobre la violencia doméstica y los latinos en los Estados Unidos ha sido precisamente el empleo de la noción latinos como una entidad homogénea, sin diferenciar el origen nacional, cuando la situación socioeconómica y la tradición cultural de cada comunidad Hispanoamericana en los Estados Unidos no es equivalente (Ver Moore y Pinderhughes, 1993). La Encuesta Nacional sobre Alcohol y Violencia Doméstica de 1992 fue la primera en intentar obtener datos sobre la prevalencia e incidencia de la violencia doméstica en distintas comunidades latinas. Este estudio distinguía entre cubanos, mejicanos y portorriqueños y, efectivamente, documentaba cifras de prevalencia e incidencia muy diferentes para cada uno de estos grupos. Mientras que la violencia doméstica era casi inexistente entre los cubanos, aproximadamente el 20% de los portorriqueños habían empleado la violencia contra sus mujeres. Este estudio también encontraba importantes diferencias entre los tres grupos de latinos en variables que han sido asociadas con la violencia (nivel de ingresos, aprobación de la violencia).

II.c. *Explicaciones del vínculo entre violencia doméstica y la condición de inmigrante o miembro de minorías étnicas*

Como hemos visto, los estudios realizados en este ámbito han tendido a destacar la relevancia de la situación socioeconómica de cada individuo, otros estudios han tratado de profundizar en esta perspectiva enfatizando que tan importante como la situación socioeconómica de cada individuo, son las condiciones del entorno en que uno vive (Sampson y Wilson, 1995). Browne (1996) ha sugerido que el mayor grado de victimizacion que sufren las mujeres pertenecientes a minorías étnicas en los Estados Unidos se encuentra asociado con factores comunitarios como la pobreza, el aislamiento social, la falta de servicios sociales suficientes y con altas tasas de delincuencia en general. Los análisis realizados por Fagan (1993) con datos de la Encuesta Nacional de Violencia Doméstica de 1985 son especialmente relevantes en este sentido.

Fagan (1993a) documentó que las tasas de participación en violencia doméstica eran mayores para las parejas afroamericanas y latinas que para las parejas blancas en las áreas más urbanas, sin embargo, no existían diferencias significativas fuera de las zonas centrales de las ciudades. Utilizando análisis más detallados de la relación entre etnicidad e ingresos, sin embargo, Fagan descubrió que las tasas de violencia entre íntimos eran más del 30% para familias afroamericanas que ganaban menos de 10.000 dólares al año, con independencia de que se encontrasen en áreas urbanas, suburbanas o rurales. Aunque las tasas de violencia entre íntimos en las familias afroamericanas descendían a medida que ascendían sus ingresos en zonas suburbanas y rurales, las tasas permanecían siendo altas (cerca del 30%) en las zonas urbanas con independencia del nivel de ingresos. Fagan no pudo observar un patrón similar entre las familias latinas. Para este autor estas tendencias sugieren que la pobreza es un factor de riesgo más peligroso para las familias afroamericanas que para las familias latinas o anglosajonas. Pero estos datos, siempre de acuerdo con Fagan, también sugieren que hay presiones estructurales sufridas por las familias afroamericanas que residen en áreas urbanas que son independientes del nivel de ingreso o educativo de las mismas. En otras palabras, que el contexto ecológico también juega un papel fundamental en la etiología y dinámica de la violencia doméstica (Cfr., Sampson y Wilson, 1995).

Fagan (1993a) cree que esta intersección del contexto social y estructural sugiere que los procesos sociales que tienen lugar en las comunidades urbanas ejercen una importante contribución a este problema. Fagan, sin embargo, no cree que estas pautas impliquen que existen elementos culturales que expliquen las diferentes pautas presentes en los diversos grupos étnicos. Si dichas influencias culturales existen, posiblemente están íntimamente vinculadas a las circunstancias estructurales y a las características económico-políticas de las áreas sociales en las que los miembros de estas minorías étnicas residen. Son los correlatos socioestructurales de las comunidades —incluyendo concentración racial, pero sobre todo características materiales ligadas a la existencia de trabajos y educación— los que explican las variaciones comunitarias en violencia entre íntimos, más que las características agregadas de los individuos que viven en dichas comunidades. De acuerdo con Fagan, debemos asumir que las causas de la violencia entre íntimos no son diferentes para cada grupo racial o étnico y, por tanto, debemos tratar de entender la organización social específica y la dinámica de los diferentes contextos ecológicos para entender las variaciones en tasas de violencia entre íntimos en diferentes contextos estructurales.

Dentro de este contexto hay quienes han tratado de analizar de que manera las peculiaridades culturales de cada grupo interactuan con dichos correlatos socioestructurales a escala comunitaria para entender la violencia entre íntimos en determinados grupos étnicos. Tal es el caso del profesor de Rutgers University, Ko-Lin-Chin, en su análisis de la violencia doméstica en el Chinatown neoyorquino. De acuerdo con Chin (1994), el abuso de esposas en las comunidades chino-americanas puede ser considerado como el resultado del transplante de la cultura china a los enclaves étnicos en los Estados Unidos. Elementos culturales (valores y normas patriarcales) interactúan con elementos estructurales (inmigración y aislamiento social) en el contexto de la economía política de Chinatown, creando una atmósfera familiar en las que las novias chinas son vulnerables a las tácticas abusivas de sus esposos. No solamente las normas y valores culturales facilitan interacciones coercitivas entre maridos y esposas, sino que la inestabilidad ecológica vinculada al estatus de inmigrante y al ajuste a un marco social diferente también crean una cantidad considerable de estrés financiero y emocional para las parejas recién casadas. Las familias de inmigrantes de clase baja normalmente se encuentran mal equipadas para ajustarse a estas condiciones dados sus escasos recursos económicos y sociales en ambas esferas, la familiar y la comunitaria. No solamente estas mujeres están separadas de sus demás familiares, sino que también se encuentran aisladas del resto de la sociedad.

II.d. La situación en España

En España nuestro conocimiento sobre todas estas cuestiones es muy limitado. La principal minoría étnica no inmigrante en nuestro país, los gitanos, constituye un colectivo marginado y desconocido. Ese desconocimiento ha facilitado el desarrollo de estereotipos y prejuicios que conciben al gitano como delincuente (Barberet y García-España, 1997). Sin embargo, es difícil conocer el grado de participación en actividades delictivas de los gitanos dada la inexistencia de variables considerando esta característica en las estadísticas del sistema de justicia penal. A pesar de ello, existen datos anecdóticos que sugieren que los gitanos están desproporcionadamente representados entre los sujetos arrestados y encarcelados en nuestro país[86].

Por lo que se refiere a la violencia doméstica, nuestros conocimientos son tan limitados como sobre la delincuencia de los gitanos en general. Barberet y García-España (1997) subrayan cómo la antropología tradicional sobre los gitanos destacaba la relevancia de la familia extendida y la subordinación de la mujer en esta cultura, pero también señalan cómo esta situación ha cambiado y admite hoy papeles más flexibles para las mujeres. Aunque estos datos deberían invitar al optimismo, Calvo-Buezas en un estudio realizado con una muestra de jóvenes, y citado por Barberet y García-España (1997), mostraba como el 61% de los romaníes en la comunidad estudiada consideraba que no está mal que un hombre pegue a su mujer si ella no atiende a los niños o a su marido, mientras que solo el 8% de los jóvenes payos se mostraba de acuerdo con dicha afirmación. Aunque la generalidad de estos resultados es cuestionable, es preciso que el Instituto de la Mujer, el Ministerio de Asuntos Sociales y el Ministerio de Educación den prioridad a aquellos estudios que traten de examinar la situación de las mujeres maltratadas en esta comunidad si queremos ser capaces de atender las necesidades de la misma.

No es mucho mejor el conocimiento de la situación de otros grupos de inmigrantes en nuestro país. Aunque se ha hablado mucho sobre inmigrantes en los últimos años sabemos muy poco sobre sus necesidades

---

[86]   Rosa Barberet ha compilado las *teorías populares* sobre este fenómeno. De acuerdo con esta autora, la participación de los gitanos en comportamientos delictivos obedece a la combinación de las siguientes circunstancias (Barberet y García-España, 1997): (1) El estilo de vida marginal de los gitanos y las pobres condiciones de vida de los mismos en el ámbito de la salud, la educación y el empleo; (2) La desaparición o la pérdida de sentido económico de las ocupaciones tradicionales de los gitanos; (3) El acoso y la discriminación policial; (4) La aparición de la adolescencia como una nueva etapa en la vida de los gitanos. Tradicionalmente, los gitanos pasaban de la infancia a una vida adulta, casándose rápidamente y comenzando a trabajar a una edad temprana. Los efectos de la modernización han creado un colectivo de adolescentes que no asumen dichos papeles y tienen que encontrar otras actividades en las que gastar sus energías; (5) Factores culturales que condonan cierto tipo de actividades que son consideradas como desviadas por la sociedad mayoritaria.

y su realidad social. Como en el resto de las democracias occidentales, sin embargo, en España determinados grupos de inmigrantes se encuentran representados de una manera desproporcionada en las estadísticas policiales, judiciales y penitenciarias. Aunque no existen estudios sobre esta cuestión, no es demasiado atrevido conjeturar que existe una relación entre las condiciones de vida de los inmigrantes y su actividad delictiva (Barberet y García-España, 1997).

El grado de violencia doméstica en estas comunidades no es bien conocido. Conviene señalar, en todo caso, que es imperativo prestar una mayor atención a esta dimensión del problema como consecuencia de la especial situación en la que se encuentran en ocasiones las inmigrantes que son abusadas por su pareja, en particular las inmigrantes ilegales o aquellas inmigrantes en proceso de obtener su residencia a través del matrimonio con un ciudadano español. El temor a la deportación o a una complicación de su situación legal puede hacer a estas mujeres menos proclives a buscar ayuda externa para frenar el abuso. En Estados Unidos, país en general poco caracterizado por tener una política de inmigración abierta y generosa, en cambio, se han introducido medidas legislativas (*Violence Against Women Restoration Act*, 1999) con apoyo del ordinariamente temido departamento de extranjería (*Immigration and Naturalization Service*) para permitir a estas mujeres permanecer en el país. Cristina Alberdi, en nuestro país, y aprovechando la presentación por el Defensor del Pueblo de su informe en las Cortes, criticaba la ausencia en dicho informe de toda referencia a la problemática de las mujeres inmigrantes maltratadas y recomendaba la concesión del asilo político en estos casos (EL PAÍS, 4-11-98).

Los programas de prevención en este tipo de situaciones deben tomar en consideración las particulares necesidades de estos grupos. El Ministerio de Justicia australiano en un reciente informe analizaba algunos de los problemas y necesidades que surgen en el contexto de la prestación de servicios para prevenir la violencia doméstica en poblaciones indígenas. Este informe reconocía la necesidad de desarrollar estrategias basadas en el número elevado de jóvenes en una situación de riesgo, así como la necesidad de reconocer diferencias culturales y respetar practicas tradicionales de dichos grupos. Este informe destacaba lo difícil que resulta aplicar modelos evaluados con poblaciones no indígenas con la población indígena y apuntaba que los programas que funcionaban mejor con los indígenas eran administrados por miembros del mismo grupo étnico (National Crime Prevention, 1999b). Salvando las diferencias se pueden derivar principios generales de estas experiencias que se pueden aplicar en nuestro país.

Es preciso que la comunidad criminológica española y los expertos en violencia doméstica no se olviden de las minorías étnicas existentes en nuestro país. Estudios realizados por medio de encuestas de la población general, sobre todo teniendo en cuenta el reducido tamaño medio de las encuestas que se hacen en España y las estrategias de muestreo, no van a capturar las condiciones sociales de estos grupos. Resulta, por tanto, obligada la realización de estudios específicos que examinen estas cuestiones y su relevancia en estas comunidades. Este tipo de estudios resulta absolutamente necesario si queremos ser capaces de entender y, por ende, dar respuesta a las necesidades especiales de las mujeres maltratadas que pertenecen a estas minorías

Dicho esto conviene destacar que dichos estudios deben realizarse y difundirse con la mayor cautela posible. Lo contrario puede llevar a la consolidación o promoción de estereotipos injustificados y peligrosos sobre estas minorías étnicas. Será preciso promover el máximo respeto posible de estas minorías a la hora de realizar dichos estudios, lo que, posiblemente, solo será realizable con la ayuda de consultores y asesores que sean miembros de dichas minorías o por medio de la implicación de asociaciones de defensa o miembros de dichos colectivos en el proceso de investigación y estudio de los mismos.

III. CLASE SOCIAL Y VIOLENCIA DOMÉSTICA

III.a. La relevancia de clase social como una variable asociada al comportamiento desviado

La mayoría de los estudios criminológicos realizados antes de los años 50 demostraban importantes diferencias socioeconómicas entre delincuentes y no delincuentes. Sin duda, la existencia de una correlación negativa entre clase social y delincuencia era aceptada como un hecho por la mayoría de científicos sociales y este hecho se convirtió en el fundamento de varias teorías criminológicas (Adler et al., 1995). La controversia sobre la relación entre clase social y delincuencia no surge hasta que los estudios de incriminación propia se convirtieron en el método por excelencia para el estudio del fenómeno delictivo. La correlación entre estatus socioeconómico y delincuencia es, en el mejor de los casos, muy débil en estudios de incriminación propia basados en encuestas de adolescentes en escuelas e institutos, lo que llevó a muchos autores a reivindicar el abandono de análisis del fenómeno delictivo basados en consideraciones sobre la clase social (Hirschi, 1969).

En la actualidad el debate se ha vuelto a plantear, con un claro retorno de autores que defienden análisis basados en la noción de clase social. Muchos han criticado el uso de encuestas de incriminación propia como el método definitivo para el estudio de la delincuencia. Hagan (1992), en su discurso como presidente de la Sociedad Americana de Criminología, destacó las implicaciones que el uso de encuestas de incriminación propia ha tenido en el desarrollo de la criminología. De acuerdo con Hagan (1992), el uso de estas encuestas significó que (1) las escuelas, en lugar de la calle, se convirtieran en los lugares para la obtención de datos; (2) que la delincuencia menor en lugar del comportamiento criminal más severo se convirtiera en el fenómeno a ser explicado; y (3) que el estatus socioeconómico de los padres se convirtiese en el indicador más relevante de clase social. Hagan piensa que estas sustituciones provocaron el resultado no intencionado de que «características teóricamente *menos* relevantes fueran utilizadas para explicar los comportamientos delictivos de *poca importancia* de las personas *menos* envueltas en estilos de vida criminales».

Numerosos autores, de hecho, trataron de razonar que si bien es posible que no exista una correlación general entre clase social y delincuencia, pueden existir condiciones especiíficas en las cuales se puede documentar una relación entre estas variables. La investigación realizada hasta la fecha se ha centrado en tres categorías de condiciones específicas en las cuales puede existir una relación entre clase social y delincuencia (Tittle y Meier, 1990):

1. Condiciones específicas de medición de la clase social (p.ej., utilización del concepto de «underclass» o clase marginada como una variable discreta; la especificación de grado; la especificación marxista; la especificación basada en el estatus del joven) o de la delincuencia (p.ej., utilización de datos policiales; análisis basados exclusivamente en delitos serios; análisis basados en la frecuencia de delitos).

2. Condiciones demográficas específicas (p.ej., la relación entre clase social y delincuencia podría ser más acentuada en grupos compuestos de minorías étnicas o para un determinado genero).

3. Condiciones contextuales: lo que contaría sería el contexto comunitario y social en el que uno esta ubicado, no tanto la clase o estatus social individual.

Tittle y Meier (1990) analizaron los artículos publicados sobre el tema durante la década de los 80 y concluyeron que la búsqueda de las condiciones específicas en las cuales puede existir una relación entre clase social y delincuencia había sido un tanto frustrante. Sin embargo, estos autores también argumentaban que, incluso entonces, era demasiado prematuro concluir que todas las condiciones sugeridas son irrelevantes.

En esta situación los criminólogos han adoptado varias perspectivas. Hay quienes siguen pensando que clase social y delincuencia no están relacionadas o que ésta es una relación teórica menos importante de lo que se piensa y que, en todo caso, no opera en una sola dirección (Felson, 1998). Otros autores continúan intentando encontrar las condiciones bajo las cuales el estatus socioeconómico se encuentra asociado con la delincuencia. Así, por ejemplo, Farnworth y sus colaboradores (1994) han documentado recientemente que la relación más fuerte y consistente entre clase social y delincuencia se observa cuando medimos la clase social en función de pertenencia a una clase marginal y la delincuencia en función de una participación continuada en actividades delictivas comunes. Crutchfield y Pitchford (1997), también recientemente, documentaron que los jóvenes con un trabajo en lo que se denomina en teoría económica el «sector secundario de trabajos» son más propensos a cometer delitos que aquellos que tienen trabajos más estables.

Finalmente, hay un grupo de autores que considera esencial reconceptualizar el problema y plantearlo en términos de interacciones entre clase social y otras variables que si tendrían un efecto directo sobre el comportamiento delictivo. Desde esta posición, se insiste en la contextualizacion de estas relaciones en función de las comunidades en que los sujetos viven, así como desde una perspectiva evolutiva. Así, por ejemplo, estos autores aluden a los efectos recíprocos del comportamiento delictivo en una edad temprana en el estatus socioeconómico que se podrá alcanzar en etapas posteriores del desarrollo evolutivo.

Hagan (1993) ha argumentado que la noción de clase social es relevante para el estudio del comportamiento delictivo no solamente por sus efectos directos, pero también por su interacción con otros factores de riesgo del comportamiento delictivo y sus efectos condicionantes. Este autor mantiene que en las clases medias y alta, el carácter abierto de la estructura de oportunidades, los procesos de inserción comunitaria y el acceso a segundas oportunidades pueden mitigar los efectos de participación adolescente en comportamiento delictivos. Sin embargo, el carácter restringido de oportunidades legítimas, así como los efectos estigmatizantes, pueden hacer más relevante la participación en actividades delictivas en edades tempranas en contextos comunitarios de tipo marginal o en los que existe una concentración de la pobreza (Ver también, Sullivan, 1989; Hagan, 1997).

Hagan (1997) ha elaborado el concepto de envolvimiento social (»social embeddedness») para explicar el nexo entre delincuencia y desempleo a escala individual. De acuerdo con este autor, hay buenas razones para pensar que la delincuencia puede preceder al desempleo en la vida de los individuos. Aquellos jóvenes que se han implicado de una manera más activa en formas delictivas pueden encontrarse sin credenciales educativas o habilidades laborales y con una reputación e identidad como pandillero que hace difícil la transición hacia el mercado laboral. Estos jóvenes no se mueven del desempleo al delito, sino que su implicación en la delincuencia se perpetúa más allá de los años de adolescencia como consecuencia de su situación de desempleo. Sullivan (1989), por su parte, ha documentado como, incluso exhibiendo niveles similares de delincuencia juvenil, en aquellos contextos comunitarios donde existen más oportunidades laborales y los jóvenes, o sus familias, tienen mejores relaciones con el resto de la comunidad la transición al mercado laboral se realiza de una manera más fácil y estable (ver también, Anderson, 1999).

Más recientemente, otros autores han sugerido que clase social presenta un papel complejo en relación con la delincuencia y que es por ello por lo que se han producido resultados ambivalentes en el pasado. En un artículo publicado en la revista oficial de la Sociedad Americana de Criminología, Wright y sus colaboradores (1999) analizaron esta problemática con datos procedentes del Estudio Multidisciplinario sobre Salud de Dunedin. De acuerdo con estos autores, clase social tiene efectos indirectos positivos y negativos en la delincuencia. Wright y su equipo presentan resultados que sugieren que un bajo estatus socioeconómico promueve la delincuencia al aumentar la alienación individual, las presiones financieras y la agresión y al disminuir las aspiraciones ocupacionales y educativas. Por otro lado, un elevado estatus social promueve la delincuencia de los individuos al aumentar la tendencia a tomar riesgos y el poder social y al disminuir la asunción de valores convencionales.

La cuestión de la relación entre clase social y delincuencia *violenta*, por tanto, sigue siendo debatida. Resulta evidente en todo caso que no es admisible hoy en día caer en las generalizaciones del pasado productoras de peligrosos estereotipos sociales y que la relación de existir es bastante compleja.

III.b. Clase social y violencia doméstica

El análisis tradicional de la violencia doméstica presentaba este fenómeno como un problema exclusivo de los pobres y miembros de clase social baja. Aunque sin llegar a tales extremos, las autoras feministas del siglo XIX entendían que factores de tipo socioeconómico desempeñaban un papel fundamental en el desarrollo de la violencia doméstica (Bauer y Ritt, 1988). Esta visión, sin embargo, fue cuestionada desde una perspectiva feminista más contemporánea.

Las autoras feministas durante los 70 y los 80 estaban más interesadas en destacar que la violencia doméstica puede tener como víctimas a mujeres de cualquier grupo social o étnico, que en destacar la relevancia de factores de tipo económico en la génesis de los malos tratos. El énfasis feminista en explicaciones de tipo cultural y la explosión posterior de explicaciones de tipo psicológico relegaron a un segundo plano los análisis que tomaban en cuenta factores socioeconómicos a la hora de estudiar la violencia doméstica. En lugar de considerar que las experiencias de victimización doméstica de las mujeres varían con el estatus social, muchos investigadores, en particular aquellos de inclinación feminista, proclamaron una perspectiva de «riesgo universal», de acuerdo con la cual todas las mujeres están igualmente situadas dentro de una sociedad patriarcal y, por tanto, exhiben un riesgo similar de convertirse en víctimas de violencia doméstica (Fagan, 1993a; Moore, 1997).

Semejante perspectiva es coherente con el objetivo de atraer apoyo para la causa de las mujeres maltratadas. Los estudiosos de los problemas sociales saben que la manera en que se defina un problema social es muy importante para llamar la atención sobre el mismo. Si se insiste en que un determinado problema puede ocurrirle a cualquiera en lugar de afectar de una manera particular a un determinado grupo de la población, todos sufrimos el mismo nivel de riesgo y, en consecuencia, todos deberíamos estar igualmente preocupados por este problema (Kennedy y Sacco, 1998). Esta perspectiva de «riesgo universal», por tanto, tenía una función muy específica, aunque no necesariamente hecha explícita dentro del discurso feminista.

La investigación, sin embargo, en ningún momento tendió a favorecer las interpretaciones radicales derivadas de esta visión del problema de los malos tratos. Casi todos los estudios realizados en este ámbito han demostrado la existencia de una clara relación entre violencia y clase social (Fagan, 1993; Fagan y Browne, 1994; Moore, 1997). Algunos sectores en nuestro país también cuestionan esta relación y argumentan que la misma solo ha sido documentada con datos oficiales y, por tanto, sesgados a reflejar las experiencias de los sectores más desfavorecidos de la población. Sin embargo, lo cierto es que la relación entre clase social y violencia doméstica ha sido también demostrada por estudios que han empleado muestras representativas de la población.

Efectivamente, en nuestro país, aún existe resistencia, por parte sobre todo de algunas autoras feministas, a aceptar la conexión entre condicionantes socioeconómicos y maltrato. Así, por ejemplo, Ana María Pérez del Campo (1996, p.16) señalaba:

> «resulta *falsa* y constituye un *tópico* que asocia el hombre violento a la ineducación, la pobreza de recursos materiales y la aspereza o brutalidad del medio en torno. Semejante especie no tiene otro punto de apoyo que el hecho —por lo demás cierto y fácilmente explicable— de que sean por lo general las mujeres de estos hombres las que acuden en petición de ayuda gratuita a los servicios sociales que prestan este género de servicios y también las que con más frecuencia acuden a denunciar los hechos en las comisarías… las mujeres casadas en estas condiciones ventajosas no dejan de soportar de sus maridos cuadros de violencia *tan acusados* —*o acaso más*— que las de inferior posición. Lo que ocurre es que en ellas pesa de forma más acuciante que en las demás el gravamen de la vergüenza ante el escándalo social que el maltrato doméstico en todos los casos representa» (énfasis añadido)

Sin embargo, no es cierto que el único punto de apoyo de semejante relación sean estudios basados en muestras clínicas que acuden a recibir servicios gratuitos. Encuestas de la población general[87], así como estudios realizados con diversas muestras, efectivamente, han documentado una relación consistente y, no necesariamente débil, entre violencia y clase social. Así, por ejemplo, estudios con muestras representativas han documentado la existencia de una relación entre violencia en la pareja e ingresos de la pareja (Dibble y Straus, 1990; Sorenson et al., 1996; Bachman y Saltzman, 1995; Johnson, 1996; Greenfeld et al., 1998), ingresos del marido (Hotaling y Sugarman, 1986; Sugarman y Hotaling, 1989; Pan et al., 1994) o ingresos de la mujer (Hotaling y Sugarman, 1986). También hay estudios que han documentado una relación entre desempleo y violencia doméstica (Magdol et al., 1997; Kalmuss y Straus, 1990; Johnson, 1996), así como con medidas combinadas de estatus socioeconómico (Sugarman y Hotaling, 1989; Hotaling y Sugarman, 1990; Closkey, 1996).

De acuerdo con la Encuesta Nacional de Victimización realizada cada año en los Estados Unidos con una muestra de 45.000 domicilios aproximadamente, la tasa anual de violencia entre íntimos sufrida por mujeres mayores de 12 años es 19.9 en domicilios con ingresos inferiores a 10.000$ anuales mientras que es tan solo del 4.5 para domicilios con ingresos superiores a los 50.000$ anuales. Los datos sobre homicidios, donde la vergüenza social de la víctima poco cuenta, también reflejan esta relación. *Aunque es evidente que la violencia doméstica no es patrimonio exclusivo de ninguna clase social, es un fenómeno que se da más frecuentemente en parejas con menos recursos económicos.*

Existen diversas teorías sobre la relación entre clase social y violencia entre íntimos. A continuación resumo las más importantes:

(1) Hipótesis del incumplimiento de papeles. De acuerdo con esta posición, los hombres de clase social baja tienen mayores dificultades para cumplir su papel de proveedores de recursos a la unidad familiar y, por tanto, tienen más dificultades para vivir en conformidad con normas culturales sobre el papel de los hombres en la familia. La incapacidad para vivir en conformidad con estas expectativas culturales produce frustración, conflicto y estrés que desemboca en la expresión de la violencia (Dibble y Straus, 1990).

---

[87] Incluyendo la Encuesta Nacional de Victimización de los Estados Unidos, las Encuestas Nacionales sobre Violencia Familiar realizadas por Straus y/o sus colaboradores, la Encuesta Nacional de Juventud en Estados Unidos, la Encuesta Longitudinal sobre Desarrollo Evolutivo y Salud de Dunedin en Nueva Zelanda, la Encuesta Nacional sobre Familias y Domicilios en Estados Unidos, la Encuesta sobre Violencia contra la Mujer en Canadá, y un largo etcétera.

(2) Hipótesis de la subcultura violenta y machista. Esta interpretación de la relación entre clase social y violencia doméstica asume que los miembros de clases sociales inferiores tienen una mayor tendencia hacia el uso de formas violentas para la resolución de conflictos, así como una mayor aceptación de valores típicamente machistas (Wolfgang y Ferracutti, 1971; Smith, 1990).

(3) Hipótesis de los recursos. Los hombres que pertenecen a una clase social superior poseen recursos tal y como prestigio, dinero y poder, que los hombres de clases sociales inferiores no poseen y que, por tanto, no pueden emplear para controlar a sus mujeres y adoptar el papel de cabeza de familia. La violencia física se convierte en el mecanismo por el que los hombres controlan a sus mujeres dada su incapacidad para emplear otros medios de control menos nocivos (Goode, 1969; Bowker, 1983; Dibble y Straus, 1990). En realidad, estas tres primeras posiciones teóricas han sido combinadas por algunos autores. De acuerdo con Messerschmidt (1993), los hombres de la clase trabajadora, que tienen un poder limitado en el lugar de trabajo, desarrollan una dependencia emocional intensa en el hogar, demandando cuidados, servicios y comodidad cuando llegan al mismo. De esa manera, los hombres que carecen de los recursos tradicionales (p.ej., dinero, estatus, poder) para demostrar su autoridad sobre otros hombres y mujeres, desarrollan un tipo particular de masculinidad que se centra en el control del hogar, si es necesario por medio del uso de la violencia.

(4) Hipótesis de la dependencia. Desde esta perspectiva lo verdaderamente relevante es la relación entre la perpetuación de la violencia y los recursos socioeconómicos de la mujer. Las mujeres de clase social baja cuentan con menos recursos socioeconómicos y, por tanto, cuando la violencia surge en la relación tienen menos opciones que mujeres de otra clase social para poner fin a la relación y a la violencia (Kalmuss y Straus, 1990). Esta hipótesis tampoco es incompatible con las anteriores.

(5) Hipótesis de la inconsistencia de estatus o de las disparidades insultantes. Los autores que mantienen esta posición sugieren que en lugar de prestar atención a la posición absoluta de la pareja, o sus miembros, en la pirámide social, deberíamos tener en consideración la disparidad de recursos entre el hombre y la mujer. Cuando las mujeres cuentan con más recursos que los hombres o se encuentran empleadas, mientras que ellos están desempleados, están en una situación que vulnera los papeles familiares establecidos por el orden patriarcal y la sociedad contemporánea. En la medida en que los hombres estén infraempleados en comparación con su capital humano o si su mujer tiene un estatus ocupacional o educacional más elevado, ellos pueden usar la violencia en el hogar de una manera compensatoria para mantener su autoridad e imagen personal (Walker, 1984). De nuevo, ésta es una

imagen compatible con la incorporación de la noción de masculinidades. En la medida en que los hombres sustenten imágenes masculinas que sean incompatibles con dicha inconsistencia de estatus se produciría la violencia. Lo relevante de esta posición es que toma en consideración la situación laboral o estatus de ambos miembros de la pareja. Los hombres pueden sentirse frustrados e insultados por esta situación y, por tanto, incurrir en comportamientos violentos para alterar un desequilibrio de poder que no se conforma con su visión de la familia.

En uno de los estudios más significativos realizados hasta la fecha sobre este tema, Macmillan y Gartner (1996) demostraron la relevancia de ambas dimensiones: la posición socioeconómica absoluta y las disparidades entre marido y mujer. Estos autores utilizaron en sus análisis datos procedentes de la Encuesta Canadiense sobre Violencia contra la Mujer. Estos autores clasificaron las relaciones en cuatro categorías de acuerdo con la situación laboral de cada uno de los miembros de la pareja (ambos empleados, mujer empleada y hombre desempleado, mujer desempleada y hombre empleado, ambos desempleados). Sus análisis revelaron que los riesgos de violencia doméstica son mínimos cuando los dos miembros de la pareja están empleados. Las mujeres, sin embargo, exhibían el mayor riesgo de ser victimizadas si se encontraban empleadas y su marido no. Las mujeres que estaban desempleadas solo se encontraban en una situación de riesgo moderada, por comparación a las demás, cuando su marido estaba empleado[88].

Mas recientemente, Atkinson (1998) ha tratado de examinar esta cuestión añadiendo la dimensión de ideologías de énero en sus ecuaciones. Atkinson usó datos de la Encuesta Norteamericana sobre Familias y Domicilios en sus análisis. Los resultados de dicho estudio sugieren que cuando los hombres aceptan la noción de cabeza de familia y proveedor del sustento material en la relación y sus recursos socioeconómicos no son suficientemente diferentes de los de su mujer como para garantizar su superioridad la probabilidad de violencia en la pareja es mayor. Kristin Anderson (1997), utilizando los mismos datos, pero una estrategia de

---

[88]   Estos resultados son consistentes con otros estudios sobre el efecto de la situación laboral de cada miembro de la pareja en la estabilidad de la relación. Algunos autores han sugerido una posible interacción entre el estatus marital, situación laboral y estabilidad de la pareja. Brines y Joyner (1999), por ejemplo, emplearon datos del *Panel Study of Income Dynamics* para demostrar que aquellos matrimonios que adoptan una división especializada del trabajo son menos propensas a divorciarse, aunque el efecto es modesto. Sin embargo, en parejas no casadas cuando los ingresos son similares el riesgo de ruptura es menor, con una excepción: la desigualdad es más perjudicial cuando la mujer gana más que su pareja. En su opinión, el carácter negociado y el énfasis en los individuos, más propio de las relaciones de cohabitación, explicaría este tipo de pautas.

análisis estadístico diferente, encontró resultados similares. Finalmente, el análisis de los datos de la Encuesta sobre Seguridad, Familia y Salud de la mujer en la España Urbana también ofrece resultados consistentes con los obtenidos por estos estudios comparados. Nuestros datos sugieren una relación entre clase social y abuso, así como el mayor riesgo en que incurren mujeres que se atreven a vulnerar los papeles domésticos de género al trabajar fuera del hogar, sobre todo cuando la pareja no trabaja (Barberet y Medina, en prensa).

IV. GÉNERO Y VIOLENCIA DOMÉSTICA

IV.a. El debate sobre la simetría de la violencia entre íntimos

En el terreno político la violencia doméstica ha sido representada como un enfrentamiento entre el bien y el mal. La violencia doméstica es una cuestión de hombres violentos y mujeres maltratadas (Ferreira, 1992). Sin embargo, muchos investigadores creen que la violencia cometida por las mujeres en el contexto de las relaciones íntimas ha sido infravalorada. Las sucesivas encuestas sobre violencia doméstica conducidas por Straus y sus colaboradores en los Estados Unidos han revelado cifras de prevalencia para violencia de esposas que son similares a las cifras de violencia cometida por esposos. Este descubrimiento contrasta de manera marcada con la conducta de las mujeres fuera del hogar, donde rara vez se manifiestan de manera violenta en la misma magnitud que los hombres.

Los datos de Straus y sus colaboradores aparentemente muestran que las mujeres son tan violentas como los hombres en el contexto de las relaciones íntimas. Estos datos, sin embargo, han causado bastante polémica. Los problemas metodológicos de los estudios que han encontrado la alegada simetría de géneros en el campo de la violencia doméstica han llevado a muchos a cuestionar la validez de estos resultados. Por otro lado, desde una perspectiva feminista, se ha argumentado que la violencia manifestada por las mujeres en el ámbito doméstico es violencia empleada en legítima defensa y que etiquetar esta violencia como abuso de esposos sirve para desviar nuestra atención del problema fundamental de abuso de esposas y dominación masculina (Saunders, 1988). Los investigadores feministas argumentan también que las alegaciones de simetría sexual en el empleo de violencia entre íntimos son exageradas y que cuando las mujeres y los hombres usan la violencia en este contexto estamos ante fenómenos muy diferentes. Incluso el propio Straus y sus colaboradores han insistido en destacar dichas diferencias.

En las próximas secciones ofreceré una síntesis de la investigación sobre la relevancia de género como marcador de riesgo en la violencia entre íntimos y resumiré las principales perspectivas teóricas que han tratado de explicar la violencia femenina en este contexto. Un análisis de la relación entre género y violencia entre íntimos sería incompleto sin una mención a la violencia entre íntimos en relaciones homosexuales. La ultima sección dentro de este apartado, por tanto, ofrece una breve introducción a esta temática.

IV.b. Las cifras de la polémica

La investigación realizada hasta la fecha ha mostrado que el grado de simetría a ser documentado por los investigadores parece variar en función del método empleado y el lugar donde el estudio tuvo lugar. Aquellos estudios realizados en los Estados Unidos han tendido a encontrar un mayor grado de simetría. Por otra parte, aquellos estudios que han empleado la Escala de Tácticas de Conflicto y han presentado su encuesta como un estudio sobre la familia, como contraposición a un estudio sobre experiencias de victimización y violencia, también han tendido a encontrar más simetría que aquellos que han empleado métodos diferentes. Existen otras decisiones metodológicas que pueden afectar la alegada simetría. Por ejemplo, la decisión de emplear un plan de muestreo orientado a dejar fuera del estudio a mujeres separadas o divorciadas, un grupo de especial riesgo, puede producir tasas de simetría mayores de las que existen en la realidad (Fagan y Browne, 1994).

En Estados Unidos las tres encuestas nacionales sobre violencia familiar realizada por Straus y/o sus colaboradores emplearon la Escala de Tácticas de Conflicto y documentaron la reportada simetría entre géneros. La Encuesta Nacional de Juventud, un estudio longitudinal sobre delincuencia que empleó la Escala de Tácticas de Conflicto ligeramente modificada con una muestra representativa de la población estadounidense, también documentó la referida simetría (Morse 1996). Incluso la Encuesta Nacional sobre Familia y Domicilios, también realizada en Estados Unidos pero con una medida más sencilla de violencia doméstica, también encontró cifras similares de violencia para hombres y mujeres (Brush, 1993).

Sin embargo, las encuestas generales de victimización realizadas en Estados Unidos y otros países han documentado que las mujeres son mucho más proclives a ser victimizadas por sus parejas que los hombres. Dichas encuestas se realizan de manera periódica en estos países con muestras representativas de sus respectivas poblaciones y han encontrado de manera consistente que las mujeres son más proclives a ocupar el papel de víctima cuando la violencia se produce en el contexto de relaciones íntimas (Dobash, Dobash, Daly and Wilson 1992). Por ejemplo, de acuerdo con la Encuesta de Victimización Criminal de 1994 por cada 5 victimizaciones violentas de una mujer en el contexto de relaciones íntimas, había una victimización violenta de un hombre en Estados Unidos (Craven 1997).

Gelles y Straus (1989), sin embargo, piensan que las encuestas de victimización criminal no pueden ofrecer una visión realista del problema de la violencia doméstica, ya que la mayoría de la gente no considera la violencia doméstica un crimen, sino simplemente como algo malo que no se debe hacer y, por tanto, no la suelen referir cuando participan en este tipo de encuestas. Desde su punto de vista, por tanto, el diferente grado de riesgo que las encuestas de victimización criminal encuentran para ambos sexos no es real.

La Encuesta Americana sobre Violencia contra la Mujer, sin embargo, no adoptaba el enfoque tradicional de una encuesta de victimización criminal y también encontraba evidencia de riesgo diferencial para hombres y mujeres. De hecho, esta encuesta utilizaba una medida de la violencia doméstica basada en la escala de tácticas de conflicto, aunque con algunas modificaciones. El hecho de que esta encuesta encontrase cifras de prevalencia e incidencia para violencia cometida por mujeres a medio camino entre las encuestas de Straus y las encuestas de victimizacion criminal parece apoyar la hipótesis de la relevancia del contexto o del «tema» introductorio del estudio como un factor determinante en las cifras de prevalencia que van a ser obtenidas.

Por tanto, podría pensarse que cuando hablamos de violencia de una cierta seriedad las posibilidades de encontrar un menor grado de simetría son más acusadas. Al menos esto parece desprenderse de la investigación americana que emplea muestras representativas de la población. Fuentes alternativas de datos parecen apoyar esta interpretación. Por ejemplo, cuando estudiamos muestras de mujeres en refugios o muestras de hombres y mujeres recibiendo terapia de pareja normalmente encontramos que las mujeres usan violencia severa menos frecuentemente que los hombres y también que las mujeres son menos proclives a cometer actos múltiples de violencia (Walker, 1984; Saunders, 1988)[89]. Además, los

---

[89]   Cascardi y Vivian (1993) entrevistaron a 62 parejas que se presentaron para recibir terapia marital durante un periodo de tres años y que también reconocieron al menos un incidente de agresión física durante el año anterior al de su contacto con los investigadores. En este estudio, las mujeres de una manera consistente declaraban que sus maridos habían empleado un mayor grado de coerción psicológica y agresión que ellas a medida que el conflicto marital progresaba hacia la violencia física. Saunders (1988), sin embargo, usó la CTS con una muestra de mujeres maltratadas refugiadas en una casa de acogida y encontró que el 75% de las mismas había empleado alguna forma menor de violencia contra su marido y que entre el 50% y el 60% de las mismas había empleado alguna forma de violencia

datos policiales también muestran claramente que las mujeres aparecen como víctimas en el 90% de los casos (Saunders 1988; Dobash, Dobash, Wilson and Daly 1992). Con la excepción de los Estados Unidos (Straus, 1993; Block y Christakos, 1995)[90], existe una notable falta de simetría en las estadísticas sobre homicidios. Estas estadísticas reflejan que la mayoría de las víctimas en casos de homicidios entre íntimos son mujeres (Daly y Wilson, 1988).

IV.c. La mayor peligrosidad de la violencia masculina en el hogar

Existen, además, varias dimensiones de la violencia que debemos considerar antes de afirmar que las mujeres son tan violentas como los hombres en el hogar, o que cuando nos referimos a esta violencia estamos refiriéndonos a problemas de semejante seriedad. En primer lugar, el mayor tamaño y fuerza física de los hombres implica que su violencia puede ser más dolorosa y dañina (Gelles y Straus, 1989). Se ha argumentado que la falta de experiencia en peleas físicas y las diferencias de tamaño asociadas con el género están asociadas con un mayor riesgo de lesiones. Como Richard Felson ha señalado gráficamente, «los grandullones pegan a los pequeños» (Felson, 1996). Estudios con muestras clínicas han documentado que los hombres violentos, siguiendo el patrón común en la población general, son más pesados y altos que las mujeres con quienes se encuentran relacionados (Saunders, 1988).

Si bien, como señalábamos anteriormente, distintas encuestas ofrecen diferentes estimaciones de la prevalencia de la violencia cometida por las mujeres en comparación con los hombres, *todas estas encuestas encuentran de manera consistente que las mujeres sufren más lesiones.* Brush (1993), analizó la Encuesta Nacional Sobre Familias y Hogares, y encontró que las mujeres eran más dadas a ser lesionadas que los hombres en discusiones violentas. Aunque este estudio documentaba tasas de participación en la violencia que eran similares para hombres y mujeres, las mujeres eran 2.75 veces más propensas a sufrir algún tipo de lesión.

---

severa. Aproximadamente, el 8% de las mismas reconocía haber dado una paliza a su marido o haber usado un arma de fuego o cuchillo contra el mismo. Barnett, Lee y Thelen (1997) tambien encontraron que la frecuencia de las formas violentas, utilizando una medida basada en la CTS, no difería de manera significativa entre una muestra de mujeres refugiadas en una casa de acogida y un grupo de hombres enviados a un programa de tratamiento para maltratadores. En ambos casos, los niveles de uso de violencia eran similares para mujeres y hombres.

[90] Es posible que el grado de simetría en las estadísticas norteamericanas esté relacionado con la mayor letalidad de los asaltos violentos en aquel país y con el factor que explica esa mayor letalidad: la presencia de armas de fuego en el hogar.

Stets y Straus (1990) también encontraron, en sus análisis de la II Encuesta Nacional de Violencia Doméstica, que las mujeres sufrían más lesiones físicas y psicológicas como consecuencia de la violencia. Aunque estos autores destacan que estas diferencias no eran muy grandes, un análisis secundario de esta encuesta realizado por Fagan y Browne (1994) demostró que, cuando se ajustan las tasas teniendo en cuenta solo los asaltos en que se han producido lesiones, se puede observar que las diferencias son notables: la tasa de asaltos productores de lesiones perpetrados por hombres era de 3.5 por 1000 en comparación con una tasa de 0.6 por 1000 para las mujeres. Morse (1996) ha documentado un patrón similar con datos de la Encuesta Nacional de Juventud.

Finalmente, Langley y sus colaboradores (1997) han demostrado que este fenómeno también se da fuera de los Estados Unidos. Langley y su equipo usaron datos de un estudio longitudinal sobre delincuencia realizado en Nueva Zelanda para demostrar que, mientras que el 13% de los incidentes de violencia doméstica denunciados por las mujeres resultaba en algún tipo de intervención médica, ninguno de los incidentes declarado por los hombres requería dicho tipo de intervención.

Estas diferencias son incluso más acusadas cuando se emplean otro tipo de fuentes de datos en lugar de utilizar encuestas sociales con muestras representativas, que casi por definición sólo registran los casos menos serios de violencia. Berk y sus colaboradores (1983) emplearon datos policiales para documentar que en el 95% de los casos es la mujer quien sufre una lesión y que, incluso cuando ambos miembros de la pareja sufren lesiones, las lesiones de la mujer son aproximadamente tres veces más severas que las del hombre.

Estudios realizados con muestras clínicas o de parejas buscando terapia marital han documentado también este tipo de patrones (Cascardi et al., 1992; Vivian y Langhirichsen-Rohling, 1994; Cascardi y Vivian, 1995)[91]. Rand y Strom (1997), en el estudio más comprensivo realizado

---

[91]   Cascardi, Langhirichsen y Vivian (1992) preguntaron a una muestra de parejas sobre la frecuencia de agresión física y sus consecuencias. La valoración que las mujeres hacían del impacto de las agresiones del marido eran significativamente más negativas que las valoraciones que los maridos hacían de las agresiones de sus parejas. Mientras que dos tercios de los maridos no sufrían ningún tipo de lesión como consecuencia de la agresión marital, solamente la mitad de las mujeres declaraba no sufrir ningún tipo de lesión. Estas diferencias también existían cuando se observaban diferentes categorías de lesiones (p.ej., poco importantes, serias, etc.). Vivian y Langhirichsen-Rohling (1994) compararon los efectos de la violencia masculina y femenina en parejas que exhibían ambos tipos de comportamiento agresivo (parejas mutuamente agresivas).
Comparadas a los hombres, las mujeres sufrían más lesiones en general, más lesiones serias y un impacto psicológico más negativo. Cascardi y Vivian (1995)

hasta la fecha con datos procedentes de las salas de emergencia de los hospitales, encontraron que un mayor porcentaje de mujeres que de hombres habían sido tratados por lesiones causadas por un íntimo (novio, esposo o ex). El 36.8% (204,000) de los incidentes de victimización de mujeres en comparación con el 4.5% (39,000) de los incidentes de victimización de hombres tenían como perpetrador a un íntimo. Aunque estos porcentajes son engañosos, en cuanto que los hombres sufren un mayor número de victimizaciones violentas que las mujeres, las cifras absolutas no dejan lugar a error.

Otra dimensión de la violencia, que es raramente considerada por los estudiosos de la violencia doméstica, es la incidencia y la frecuencia o «lambda», empleando la terminología propuesta por los investigadores sobre carreras criminales (Fagan y Browne, 1994). Aunque Straus y sus colaboradores han sugerido una prevalencia similar, hay razones para sospechar que la frecuencia, el número de actos violentos cometidos por los agresores activos (que han cometido al menos un acto violento durante los doce meses anteriores), puede variar de acuerdo con el género. El propio Straus (1993), sin presentar datos de frecuencia, ha indicado una incidencia un 21% mayor de violencia masculina contra la mujer (7.21 actos contra 5.95). Estas diferencias son incluso mayores si consideramos la violencia severa, la tasa de incidencia era 6.1 para los hombres y 4.28 para las mujeres. Además, estas disparidades son incluso mayores entre la población juvenil (18 a 25 años), aquella que, precisamente, exhibe unos mayores niveles de prevalencia o participación (más detalles en Fagan y Browne, 1994).

IV.d. Intimidación «versus» autoprotección

No solamente la violencia masculina es más dañina, sino que también parece obedecer a una motivación diferente. Se ha argumentado que la violencia usada por parte del hombre y la mujer en el contexto de las

---

también entrevistaron parejas buscando terapia marital sobre el peor episodio de violencia física en la relación. Estas autoras descubrieron que las mujeres revelaban más lesiones que los hombres, independientemente de la seriedad de la lesión. Algunos estudios han examinado las consecuencias de la agresión entre esposos con parejas, referidas a programas de violencia doméstica, en las que uno de los miembros es un militar. Cantos, Neidig y O'Leary (1994) interrogaron a 180 parejas sobre lesiones derivadas de la violencia. Las mujeres declaraban sostener más lesiones que los maridos. Langhinrichsen-Rohling, Neidig y Thorn (1995), en otro estudio de parejas con militares recibiendo tratamiento, encontraron que en la mayoría de estas parejas ambos miembros, hombres y mujeres, reconocían emplear tácticas violentas. Sin embargo, los maridos eran inclinados a usar formas violentas más severas, menos propensos a sufrir lesiones, así como menos propensos a declarar que estaban asustados durante el último episodio violento.

relaciones íntimas desempeña diferentes funciones y obedece a motivaciones distintas. En particular, se ha señalado que la violencia masculina tiene como objetivo controlar e intimidar a las mujeres, mientras que la violencia femenina en el contexto de las relaciones de intimidad se usa en defensa propia o como venganza. Varios autores han tratado de examinar hipótesis relacionadas con este argumento.

En primer lugar, varios autores han señalado que *si el maltrato es una forma de control masculina y si ese control ha tenido éxito solamente la mujer debe experimentar y expresar miedo durante las disputas y discusiones*. De acuerdo con estos autores, es solo a través del miedo que la violencia o las amenazas pueden ser un método efectivo de control. Jacobson y sus colaboradores (1994), a través de observaciones en laboratorios, estudiaron las discusiones y argumentos de una muestra de parejas violentas y un grupo de comparación. Estos autores documentaron que solamente las mujeres en el grupo de parejas violentas exhibían gestos y conductas indicadoras de miedo. De acuerdo con Jacobson y sus colaboradores, ésta es una diferencia fundamental entre la «violencia» masculina y femenina en el hogar. Solamente la primera produce miedo en sus víctimas. Es esta diferencia la que explica la habilidad única de los maridos para usar la violencia como un medio de control psicológico y social. Estudios realizados con posterioridad por otros autores han tendido a confirmar la existencia de esta diferencia (Barnett, Lee y Thelen, 1997).

En segundo lugar, *si la violencia masculina tiene como función la intimidación y el control, mientras que la violencia femenina está orientada a servir de autodefensa, estas motivaciones deben ser evidentes para los sujetos envueltos en este tipo de encuentros violentos*. Makepeace (1986), utilizando una muestra de estudiantes universitarios, reveló que los hombres, más que las mujeres, perciben que el propósito de la conducta violenta es la intimidación (21.6% vs. 6.8%). Las mujeres eran más inclinadas a atribuir su propia violencia a intentos de autodefensa (35.6% vs. 18.1%).

Saunders (1988), citado anteriormente, encontró que las mujeres refugiadas en casa de acogida argumentaban que la defensa propia era el motivo más común por el que empleaban formas menores y severas de violencia. Aproximadamente, el 40% de las mujeres en este estudio que habían usado violencia contra su pareja lo habían hecho en el contexto de su autodefensa. Otro 30%, por otro lado, señalaba que su violencia constituía una forma de contraataque. Solamente una mujer en este estudio declaraba que ella era la responsable por el primer golpe en la mayoría de los encuentros violentos con su marido.

Hamberger y sus colegas (Hamberger, Lohr y Bonge, 1994) preguntaron a mujeres y hombres arrestados por haber agredido a sus parejas sobre la función o propósito de su violencia. Solamente las mujeres citaron la defensa propia y los intentos de escapar como la razón de su violencia, mientras que los hombres eran más inclinados que las mujeres a destacar que usaban la violencia para controlar a sus parejas.

Cascardi y Vivian (1995) estudiaron a 62 parejas atendiendo terapia marital y encontraron que había una mayor tendencia por parte de las mujeres a usar formas severas de agresión física para autodefenderse. Hamberger (1997) entrevistó a 52 mujeres detenidas por violencia doméstica y documentó que dos tercios de la muestra alegaban haber hecho uso de la violencia para defenderse o como represalia frente a agresiones previas de la pareja.

Finalmente, Barnett y sus colegas (1997), en una comparación de maltratadores arrestados con mujeres maltratadas refugiadas en una casa de acogida, también encontraron que los hombres eran más inclinados a usar el abuso físico, psicológico y verbal para mostrar quien era el jefe. Las mujeres, en cambio, eran más inclinadas a usar estas formas de violencia para autoprotegerse. Por lo tanto, estudios empleando diversos tipos de muestras parecen confirmar esta hipótesis.

En tercer lugar, *si la violencia masculina sirve una función de control, mientras que la femenina sirve una función de protección, deberíamos esperar que las mujeres sólo actúen violentamente en reacción a la conducta violenta de sus maridos. Por otro lado, el comportamiento violento del marido no tiene porque seguir secuencialmente el comportamiento violento de la mujer, sino que puede ser la respuesta a conductas no violentas de la mujer.* Jacobson y sus colaboradores (1994), en el estudio citado anteriormente pedían a ambos miembros de la pareja que describieran los incidentes violentos y sus secuencias. En general sus datos son consistentes con esta hipótesis. Las descripciones de las mujeres indicaban que ellas eran violentas solamente como reacción a la violencia del marido, mientras que la violencia del marido obedecía a una variedad de respuestas no violentas por parte de la mujer. Aunque los maridos no estaban totalmente de acuerdo con este retrato de la situación, también ellos reconocían que la conducta violenta de sus mujeres en la mayor medida era una respuesta a su propia conducta violenta. Además, los hombres también reconocían que su violencia era la respuesta a algunas conductas no violentas de la mujer. Finalmente, los maridos admitían que una vez que su violencia comenzaba no había nada que las mujeres podían hacer para detenerla.

Straus (1993) también ha argumentado que *si la violencia femenina es fundamentalmente violencia en defensa propia deberíamos esperar que la mayoría de los incidentes violentos en la pareja comiencen con la violencia del marido.* En la Encuesta sobre Violencia Doméstica de 1985, Straus y sus colegas incluyeron preguntas sobre quién empezaba el «conflicto físico». Estas preguntas se referían al episodio violento más reciente. De acuerdo con los maridos, ellos eran quienes empezaban el conflicto en el 44% de los casos, las mujeres en el 45% y el restante 11% no estaba seguro. De acuerdo con las mujeres, los maridos comenzaron el conflicto en el 42% de los casos, las mujeres en el 53% de los casos y un 5% de las mujeres no estaban seguras (Stets y Straus, 1990).

Estos datos son difíciles de interpretar. En primer lugar, algunos entrevistados pueden haber respondido esta pregunta en función de quien empezó la discusión, no quien comenzó a usar formas de violencia física. De hecho la formulación de la pregunta da a pensar que esta situación puede haber sido bastante frecuente. En segundo lugar, saber quien golpea primero solo revela parte de la historia. Richard Felson ha argumentado en numerosas ocasiones que en aquellos casos de conflictos violentos en que una de las partes se encuentra en una situación de inferioridad y percibe el riesgo de un ataque puede atacar por sorpresa para ganar alguna ventaja (Felson, 1996). En tercer lugar, como vimos en un capítulo anterior, los hombres violentos tienden a usar diversas técnicas de neutralización y entre ellas se encuentra atribuir responsabilidad a la mujer por el inicio de la pelea. Finalmente, debemos contextualizar estos datos teniendo en cuenta la incapacidad de este tipo de encuestas para capturar los casos más severos de maltrato.

Stets y Straus (1990), sin embargo, creen que estos datos cuestionan la noción de que las mujeres solamente actúan violentamente contra sus parejas en defensa propia. A pesar de la obstinación de estos autores frente a las razones aludidas, Morse (1996) no pudo replicar los datos obtenidos por Stets y Straus. La Encuesta Nacional de Juventud también preguntó a los entrevistados quien era el responsable o culpable por empezar su argumento o pelea más seria el último año. Los hombres típicamente (44%) consideraban que ambas partes eran responsables, más que ellos mismos (26.1%) o su pareja (29.6%). Las mujeres, sin embargo, típicamente atribuían la responsabilidad por el inicio de la pelea a sus parejas (44.4%), más que a ambos miembros de la pareja (36%) o a ellas mismas (18.3%).

Jacobson y sus colegas (1994) también han argumentado que *si la violencia masculina sirve funciones diferentes que la de las mujeres, esto puede reflejarse en el tipo de emociones de enfado que expresan durante sus argumentos*. Estos autores piensan que las emociones de enfado expresadas por hombres y mujeres en este tipo de situaciones debería diferir. Así, si queremos interpretar la violencia masculina como un mecanismo de control, los hombres deberían manifestar emociones de enfado más provocadoras, tal y como beligerancia o desprecio, así como un mayor grado de agresividad verbal, mientras que las mujeres deberían expresar su enfado en formas menos agresivas. Lo contrario, una mayor agresividad de la mujer, podría ponerlas en una situación de mayor riesgo.

Sin embargo, estos autores no pudieron documentar estas diferencias en sus observaciones de discusiones maritales de estas parejas en laboratorios. Las mujeres se mostraban tan enfadadas y hostiles como sus maridos, quizás precisamente por la situación de abuso físico. Dado que, como estos autores señalaba, ninguna de las acciones emprendidas por la mujer eran capaces de detener o reducir la violencia física del marido una vez que comenzaba[92], quizás esta ausencia de diferencias no debería sorprendernos.

En todo caso, Jacobson y su equipo encontraron diferencias de género en las emociones expresadas durante estas discusiones. Los hombres eran más dominantes y defensivos, mientras que las mujeres mostraban más tensión, miedo y tristeza. Así, los hombres eran más controladores y menos inclinados a reconocer que había algún problema con su conducta u opinión. Ambas características son exhibidas en general por los hombres que discuten. Estos autores, sin embargo, creen que las consecuencias pueden ser más dañinas en relaciones en las que existe una historia de violencia.

Finalmente, también parecen existir otras importantes *diferencias en el contexto y significado de los homicidios entre íntimos dependiendo del genero del agresor.* Polk (1994) ha identificado dos tipos fundamentales de escenarios en los que los hombres matan a sus mujeres. El primero está caracterizado por temas de posesión sexual y la mujer es asesinada dentro de una estrategia de control. El segundo tipo lo protagonizan hombres depresivos y suicidas que matan a su mujer, e incluso hijos, como parte del suicidio. Este segundo tipo también implica una concepción de la mujer como propiedad del marido.

En definitiva, como Wilson y Daly (1993) han destacado, existen importantes diferencias en este contexto. Los hombres cazan y matan a sus mujeres cuando éstas los abandonan, las mujeres rara vez se comportan de manera similar. Los hombres matan a sus mujeres como parte de suicidios-asesinatos, este tipo de actos no son cometidos por las mujeres. Los hombres matan como respuesta a la infidelidad de sus mujeres, las mujeres casi nunca responden de esa manera. Finalmente, parece evidente que una gran proporción de los homicidios cometidos por las mujeres son cometidos en defensa propia, algo que raramente se da cuando los hombres matan a sus mujeres. Cuando las mujeres matan a sus parejas, se trata en la mayoría de los casos de actos no planificados y que ocurren

---

[92]   Datos basados en la declaración de los maridos, no en la observación en el laboratorio.

durante un ataque contra la mujer, durante los momentos iniciales a un ataque cuando era evidente que el maltratador iba a atacar a la mujer o durante los intentos de escapar de la mujer. No obstante, en algunos casos las mujeres esperan hasta que el marido está dormido o despistado, para asegurar que el ataque termine rápidamente (Browne, 1987).

IV.e. Consideraciones finales

Si las cifras sobre prevalencia de violencia doméstica, sobre todo de violencia verbal, son ciertas un hecho parece poco discutible: las mujeres son más violentas en el hogar que fuera de él. Aunque éste es un fenómeno que, en ocasiones, se presenta como paradójico, quizás no debería sorprendernos tanto. Desgraciadamente, vivimos en una sociedad en la que todavía se entiende que el lugar apropiado para la mujer es el hogar. Si el hogar es donde todavía muchas mujeres pasan una parte considerable de su tiempo, no nos debería extrañar que su comportamiento agresivo aparezca más frecuentemente en este contexto. Por otro lado, sabemos que las diferencias de género en niveles de agresión tienden a reducirse cuando tomamos en consideración los efectos de la provocación. Si bien en condiciones neutrales los hombres son más agresivos, cuando se las provoca las mujeres tienden a igualar sus niveles de respuesta agresiva con la de los hombres, particularmente los niveles de agresividad verbal (Bettencourt y Miller, 1996). Dado los altos niveles de provocación que se pueden producir en las relaciones de intimidad no es del todo sorprendente que exista una tendencia a la reducción de las diferencias de género en niveles de violencia.

En todo caso, es fundamental que tomemos en consideración la mayor dañosidad de la violencia masculina, así como las diferentes motivaciones asociadas con la violencia empleadas por hombres y mujeres en el contexto de las relaciones de intimidad y que no nos dejemos llevar por interpretaciones ideológicas y superficiales de estas estadísticas: la violencia en la pareja es, sobre todo, un problema de violencia contra la mujer. Como algún autor ha señalado, la ausencia de diferencias de género en la prevalencia de agresividad verbal, no deben ser interpretados como una provocación por parte de las mujeres maltratadas. Estos resultados, simplemente, indican que las mujeres maltratadas, a pesar de la historia de abuso a sus espaldas, se resisten a caer en una situación de sumisión (Jacobson et al., 1994).

Finalmente, no podemos olvidar los problemas metodológicos que envuelven la medición de la violencia doméstica. Fagan and Browne (1994) creen que hasta que no (1) comprendamos mejor la validez diferencial de las medidas de violencia marital con mujeres y hombres; (2) contemos con tasas de prevalencia e incidencia obtenidas con muestras y medidas diferentes; y (3) prestemos mayor atención a los parámetros que definen el comportamiento violento en el contexto de las relaciones de intimidad; resulta precipitado extraer conclusiones sobre la ausencia de diferencias de género en el uso de la violencia en el hogar. Cuanto menos, la evidencia obtenida hasta la fecha revela el carácter prematuro e incompleto de dicha conclusión.

Por tanto, no resulta exagerado, a falta de mejor evidencia, señalar que el problema de la violencia doméstica es, sobre todo, un problema de *hombres violentos y mujeres maltratadas*. Ningún profesional con experiencia clínica en el tema del maltrato tiene problemas a la hora de documentar casos extremos de violencia física severa de hombres contra sus mujeres, sin embargo, pocos son capaces de enumerar instancias en la que la situación es la inversa[93].

---

[93] Straus (1993) ha tratado de definir la violencia de la mujer en el contexto de las relaciones de intimidad como problemática. Aunque este autor reconoce que las mujeres son las víctimas de la violencia doméstica, cree que el uso de la violencia por parte de las mismas incrementa sus riesgos de sufrir formas más severas de violencia, así como lesiones más serias. En ese sentido, Straus habla de la violencia femenina en las relaciones de intimidad como un problema a prevenir. De acuerdo con estos autores, disminuyendo el grado de violencia de las mujeres en las relaciones de intimidad se disminuirán también los riesgos de que las mujeres se conviertan en víctimas de violencia doméstica. A pesar de que estos argumentos tienen un cierto sentido y lógica, los datos en los que Straus apoya sus conclusiones son incompletos y existe evidencia que cuestiona la relevancia de las acciones de la mujer para poner freno a un episodio violento una vez que éste comienza. Efectivamente, Straus ha demostrado que existe una correlación entre violencia de la mujer y violencia del marido. Sin embargo, dado el carácter transversal, no longitudinal, de los análisis resulta difícil pronunciarse sobre el sentido causal de esta correlación. Es posible que las mujeres que son sometidas a formas más extremas de violencia sientan una hostilidad mayor hacia su pareja y que esa hostilidad se manifieste en acciones violentas contra el mismo. No podemos tampoco excluir la posible relevancia causal de un tercer factor. Bachman y Carmody (1994) han tratado de demostrar que contraatacar en estos casos incrementa el riesgo de lesiones. No obstante, estas autoras definían los contraataques en un sentido extremadamente amplio (p.ej., incluía acciones como retirarse, llamar a la policía, etc.). Estas autoras también demostraban la existencia de una correlación entre la adopción de acciones por parte de la mujer y un mayor riesgo de lesiones. Sin embargo, las consideraciones críticas sobre el estudio de Straus son igualmente aplicables aquí. El hecho de que casi cualquier tipo de acción emprendido por la mujer, no ya la violencia física o verbal, incremente el riesgo de lesiones, parece, de hecho, ser más consistente con la noción de que no importa lo que las mujeres hagan es casi imposible detener los episodios violentos una vez han comenzado. Otros estudios, de hecho, han demostrado que ningún tipo de acción adoptada por la mujer puede parar los episodios violentos una vez que comienzan (Jacobson et al., 1994). Aunque es posible que el uso de la violencia física incremente el riesgo de lesiones y el uso de violencia más extrema por parte del

Excurso 1: Cuando las mujeres son violentas en las relaciones íntimas

Aunque existe un controvertido debate sobre el grado de implicación activa en el uso de la violencia por parte de las mujeres dentro del hogar, lo que nadie discute es que hay instancias en que efectivamente las mujeres recurren a la violencia contra sus parejas. Algunos investigadores han tratado de comprender qué es lo que lleva a las mujeres a comportarse violentamente contra sus parejas. Estas explicaciones, si acaso brevemente, deben ponerse dentro del contexto más general de las teorías sobre delincuencia y violencia femenina.

Hoy por hoy, en los Estados Unidos, uno de los factores considerados por parte, sobre todo de autoras feministas, como responsable de la implicación de las mujeres en comportamiento delictivo es haber sido víctima de abuso o de una situación deplorable. Desde esta perspectiva, las mujeres delincuentes son más víctimas que agresoras y en lugar de ser culpadas, merecen ser comprendidas. Allen (1987) llega a afirmar que la definición de las mujeres como víctimas más que como agresores es, en cierta medida, un elemento estructural de todos los discursos feministas, así como el rechazo a permitir que estas mujeres aparezcan como moralmente culpables o personalmente criticables.

Allen, sin embargo, y también desde una perspectiva feminista, cuestiona esta manera de representar a las mujeres violentas. Aunque esta autora admite que las mujeres violentas pueden ser víctimas de las circunstancias sociales o económicas o de hombres violentos y que el reconocimiento de estas circunstancias es importante, critica el hecho que este tipo de discursos sólo se aplique a las mujeres violentas. A su vez, señala que el reconocimiento de esas circunstancias no es incompatible con el reconocimiento de que estas mujeres pueden también ser conscientes, intencionales, responsables, potencialmente peligrosas y culpables ante la ley. También desde una perspectiva feminista, se considera que la asunción de que la delincuencia femenina se puede explicar como el producto de la opresión masculina, la desigualdad de género o el confinamiento de la mujer a la esfera doméstica simplemente reemplaza un conjunto de reduccionismos con otros (Carrington, 1994). La mujer delincuente que emerge en este discurso es un sujeto unitario, es una víctima desesperada del sistema patriarcal, no solo rechazando cualquier

---

hombre, no está del todo claro que éste sea el caso en todas las ocasiones. Puestos a cambiar algo en estas relaciones, el énfasis debe ponerse en cambiar la conducta de los hombres violentos. Si es cierto, como la investigación sugiere, que la violencia femenina es una respuesta a la provocación masculina, la primera disminuirá una vez se consiga reducir la segunda.

capacidad como sujeto activo a estas mujeres como sugiere Allen, sino también negando la heterogeneidad de la población femenina.

Así, las autoras feministas que escriben hoy sobre mujeres delincuentes o violentas, por un lado, están más dispuestas a reconocer la heterogeneidad de trayectorias individuales hacia la delincuencia (Daly, 1992) y, sin negar la condición de sujeto activo de las mujeres, admiten que hay que contextualizar su capacidad de autodeterminación en los términos de las estructuras complementarias y conflictivas del patriarcado, el racismo y el capitalismo (Maher y Curtis, 1992).

Por otro lado, cabe señalar que existe una corriente minoritaria de autores que entienden que teorías generales de la delincuencia son también aplicables al comportamiento delictivo femenino. En particular, estos autores han destacado la relevancia del deterioro de factores socioeconómicos como los cambios en las condiciones de vida y de las redes informales de control social en los barrios de las grandes ciudades o el ámbito familiar de estas mujeres como factores clave (Baskin y Sommers, 1997). Aunque también se destaca que las estrategias de supervivencia en estos contextos siguen patrones específicos de género que permiten observar no solo similitudes, sino también algunas diferencias (Maher y Curtis, 1992; Joe y Chesney-Lind, 1995).

Dicho esto sobre la delincuencia femenina en general, la opinión dominante presenta el comportamiento violento de las mujeres en el ámbito doméstico como una respuesta al maltrato sistemático del varón en un contexto que no ofrece otras soluciones menos traumáticas. El primer estudio publicado sobre mujeres violentas con sus parejas fue realizado por Angela Browne. Browne (1987) entrevistó un total de 42 mujeres maltratadas que habían dado muerte a sus maridos o novios y se encontraban encarceladas o en fase de procesamiento por ello en 15 diferentes Estados de Norteamérica. Browne no pudo descubrir notables diferencias sociodemográficas entre estas mujeres y otras mujeres maltratadas que no habían llegado hasta el punto de matar a sus maridos. Lo que esta autora sí pudo documentar fue que las diferencias eran más notorias entre los maridos de unas y otras, así como en las características del abuso. En general, las mujeres maltratadas que mataban a sus maridos estaban expuestas a situaciones de abuso más severo y denigrantes[94].

---

[94] Los maltratadores matados por sus mujeres consumían alcohol y drogas más frecuentemente que los maridos de otras mujeres maltratadas y también eran generalmente más violentos incluso con terceras personas. Estos hombres abusaban de sus mujeres más frecuentemente y las lesiones de las mujeres eran más severas. Además, los hombres que habían sido matados por sus mujeres presentaban más instancias de asaltos sexuales y violaciones de las mismas, así como un

Browne (1987), por otra parte, ha señalado como la muerte del marido se producía después de que las mujeres experimentaran un cambio cualitativo en el uso de la violencia por parte del mismo. Frecuentemente, este cambio significaba el uso de violencia contra sus hijos. Para esta autora, además, resulta esencial entender que es la falta de escape y otras alternativas, dado el ostracismo social al que están sometidas, lo que conduce a las mismas a verse en la situación de tener que recurrir al homicidio para frenar el maltrato.

En un estudio similar comparando 105 mujeres maltratadas que habían matado a sus maridos y 105 mujeres maltratadas que no los habían matado, Roberts (1996) descubrió similares relaciones. En particular, Roberts se encontró con que las mujeres que habían matado a sus maridos habían tenido un pasado más turbulento (incluyendo abuso sexual durante su infancia, abandono prematuro del colegio y una historia laboral más inestable), habían fallado en sus intentos de evasión del maltrato por medio del uso de drogas o el suicidio y tenían fácil acceso a las armas de fuego de sus parejas.

Mann (1996) también realizó un estudio de las estadísticas policiales en seis ciudades estadounidenses para examinar las circunstancias en las que las mujeres matan. El capítulo dedicado a homicidios domésticos destacaba como la mayoría (77.6%) de las víctimas de estas mujeres habían sido detenidos previamente por otros delitos y una buena parte de los mismos (55.2%) habían sido detenidos por la comisión de delitos violentos. Este estudio también ponía de evidencia que las víctimas de mujeres eran más proclives a haber consumido alcohol antes de su muerte si dichas víctimas estaban casadas o relacionadas íntimamente con estas mujeres. Las mujeres que mataban a sus maridos se diferenciaban de las mujeres que mataban a otras personas en que las primeras solían tener hijos, alegaban legítima defensa y las muertes de sus víctimas se calificaban como casos de victimización precipitada.

---

mayor número de amenazas de muerte. A lo largo del tiempo, el abuso físico tendía a empeorar en todos los casos examinados, tanto en el grupo de mujeres homicidas como en el grupo de comparación, sin embargo, dicho empeoramiento era más común en el grupo de mujeres homicidas donde, además, los maridos se mostraban cada vez menos arrepentidos por su conducta. Browne también condujo un análisis que trataba de identificar las variables más importantes que distinguían el abuso al que estaban expuestas las mujeres maltratadas que mataban a sus maridos y aquellas que no. Estos análisis revelaron siete variables: la frecuencia de los incidentes de abuso, la severidad de las lesiones de la mujer, la frecuencia de los asaltos sexuales contra las mismas, el uso de drogas por parte del marido, la frecuencia de las intoxicaciones del marido, la existencia de amenazas de muerte por parte del marido y las amenazas de la mujer de cometer suicidio. Browne también pudo demostrar que la mayoría de estas mujeres no presentaba un historial de comportamiento violento en el pasado.

Mann obtuvo algunos resultados un tanto polémicos. Aproximadamente, la mitad de las mujeres que habían matado a sus maridos tenían un historial de detenciones previas y el 30% de las mismas, de hecho, había sido arrestada en el pasado por delitos violentos. Mann (1993) ha utilizado estos datos para cuestionar el modelo de victimización precipitada. Sin embargo, estudios cualitativos realizados más recientemente por Beth Richie (1996), en la prisión de Rikers Island con una muestra de mujeres maltratadas que por una u otra razón fueron encarceladas, sugiere que el historial delictivo de estas mujeres no sustrae poder explicativo a la hipótesis planteada por Angela Browne, sino que debe ser entendido como un componente más de su delicada situación. La violencia sufrida por estas mujeres, así como su situación social, influenciada por su condición de víctima y por su delicada posición económica, contribuían a la adopción de una serie de estrategias de supervivencia que incluían su inmersión en un estilo de vida marginalizado y su participación en actividades delictivas. En el estudio de Richie, algunas de estas mujeres recurrían a la violencia para defenderse, otras participaban en un estilo de vida criminal para demostrar su lealtad a su pareja, mientras que otras preferían estar encarceladas que próximas a sus parejas.

Anne Campbell (1993), por su parte, ha esbozado una teoría del comportamiento violento femenino en general que también explica la violencia cometida por la mujer contra su pareja. Esta teoría constituye parte de una interesante variante de la distinción entre violencia instrumental y violencia expresiva. Campbell (1993) entiende que la distinción entre violencia instrumental y violencia expresiva es fundamentalmente una distinción social más que una distinción ontológica. Campbell mantiene que hombres y mujeres se ajustan a diferentes representaciones sociales o teorías implícitas sobre la agresión. Los hombres interpretan la agresión como un acto instrumental cuya función interpersonal consiste en la coerción social para proteger el honor, la autoestima y las ganancias sexuales o materiales. Las mujeres, en cambio, se encuentran más identificadas con una teoría expresiva de la agresión. La agresión es una liberación del enfado acumulado que se produce como consecuencia de la perdida de control y que provoca sentimientos de culpabilidad[95].

---

[95] Ogle, Maier-Katkin y Bernard (1995) han desarrollado una versión modificada y más extrema de esta teoría para explicar la violencia femenina en el sentido de que parte de una diferenciación ontológica entre violencia instrumental y violencia expresiva. De acuerdo con estos autores, las condiciones sociales, estructurales y culturales de las sociedades modernas generan numerosas presiones para las mujeres, presiones que generan emociones negativas. Las mujeres tienden a internalizar estas emociones negativas en la forma de sentimientos de culpabilidad en lugar de expresarlas abiertamente en la forma de enfado dirigido a un objetivo. Esto, por tanto, resulta en una situación análoga a la de una personalidad

De acuerdo con Campbell, los factores que precipitan la agresión masculina en el contexto de las relaciones de intimidad son relativamente familiares: la percepción de que se está cuestionando su autoridad, sospechas de infidelidad, desobediencia, falta de respeto, etc. Para las mujeres, los factores precipitantes son aquellos que afectan sus emociones y autocontrol. Por lo que respecta a los primeros, hay que considerar presiones externas derivadas de la dualidad de carreras (ama de casa y profesional), dificultades monetarias, eventos estresantes y, sobre todo, el abuso físico por parte de sus maridos. Por lo que respecta a los segundos, Campbell destaca que el grado de autocontrol puede ser menor en el hogar donde las presiones sociales para el control femenino de la agresión son menos evidentes[96]. Hay quienes cuestionan esta teoría desde una perspectiva feminista, en cuanto parece resucitar la noción patriarcal modernista del hombre como sujeto capaz de acción «racional» y la mujer como sujeto primordialmente emocional.

Tanto el trabajo de Richie (1996) como el de Daly (1992) son especialmente relevantes en cuanto reconocen la heterogeneidad de situaciones presentes. Ambas autoras reconocen la existencia de diferentes vías hacia la delincuencia y más específicamente en el caso de Richie hacia la delincuencia de las mujeres maltratadas. No es del todo aventurado especular la existencia de diversas trayectorias en el caso de las mujeres maltratadas que actúan violentamente contra su pareja. Aunque éste es un territorio políticamente sensible, en cuanto que algunos grupos de

---

hipercontrolada (overcontrolled) que resulta en tasas de desviación social bajas con la excepción de episodios ocasionales de violencia extrema. De acuerdo con estos autores, las condiciones que se dan en relaciones de intimidad de cierta duración son más propensas a producir este tipo de resultados, aunque su teoría no se limita a explicar la violencia femenina en este contexto. Browne (1987), así como otros autores, han criticado las asunciones realizadas por esta teoría, en particular la presentación de la mujer como un ser que responde de manera emocional a los problemas.

[96] Al margen de sus propios datos, obtenidos a través de entrevistas en profundidad con hombres y mujeres, existe evidencia adicional que respaldaría en cierta medida la posición de Campbell. Straus (1990), en un análisis de los datos de la Encuesta Nacional sobre Violencia Doméstica realizada en 1975, encontró que en ausencia de condiciones estresantes, las mujeres son menos violentas hacia sus esposos que los hombres, pero bajo condiciones estresantes las mujeres son más violentas. Mason y Blankenship (1987), con datos procedentes de estudiantes universitarios, documentaron que las mujeres, pero no los hombres, exhibían una relación entre eventos vitales negativos y uso de la violencia. Por otro lado, los hombres, pero no las mujeres, exhibían una relación entre necesidad de poder y uso de la violencia. Cascardi y Vivian (1995), en un estudio examinando parejas recibiendo terapia marital, también observaron que las mujeres eran más propensas a considerar su agresión como asociada con estresores situacionales.

opinión pueden construirlo como un baluarte para restar importancia a la seriedad del problema de los malos tratos contra la mujer, lo cierto es que es un terreno que merece ser explorado con más detenimiento.

Excurso 2: Violencia en relaciones homosexuales

Aunque cuando se habla de violencia en la pareja se tiende a pensar en parejas heterosexuales, lo cierto es que la violencia también afecta a las parejas homosexuales. El director de cine Stephen Frears en su película *Prick Up Your Ears* narraba las circunstancias que llevaron a la muerte del dramaturgo británico Joe Orton a manos de su amante. El incidente narrado en esta película lejos de ser excepcional es más común de lo que se piensa. Los escasos datos existentes en la materia muestran que la violencia en la pareja de hombres y mujeres homosexuales están mucho más extendidas de lo que se podría imaginar a priori. No obstante, las dificultades implicadas en la obtención de muestras representativas de esta población hacen muy difícil la obtención de indicadores fiables sobre su incidencia y prevalencia.

No existen ciertamente muchos estudios sobre violencia en relaciones homosexuales, pero los pocos que existen señalan que la violencia y abuso en las mismas puede oscilar entre el 17% y 73% de las mismas dependiendo del tipo de muestra empleadas (Renzetti, 1992)[97]. Sin embargo, es difícil saber en qué medida estos estudios representan la autentica prevalencia de este problema o diferencias reales, en la medida en que no usan muestras representativas. La dificultad de obtener muestras representativas de homosexuales es evidente. Solamente una minoría de la población se reconoce como tal y se encuentra envuelta en relaciones de este tipo. De hecho, no existe una noción clara sobre la magnitud de esta población. Ello dificulta enormemente la posibilidad de realizar encuestas que nos permitan realizar inferencias claras.

El método más frecuente para reclutar a las muestras utilizadas en estos estudios ha sido a través de organizaciones o asociaciones de homosexuales, por medio de anuncios en periódicos y a través de *snowballing*, o muestreo en cadena. Es, por tanto, muy difícil asegurar

---

[97]   Algunos estudios han tratado también determinar si las relaciones entre lesbianas o entre gays exhiben este problema más frecuentemente. Waldner-Haugrud y sus colegas (1997), por ejemplo, realizaron una encuesta no representativa con 283 hombres y mujeres homosexuales en el área de Houston. Este estudio demostró que el 47.5% de las mujeres lesbianas y el 29.7% de los hombres homosexuales habían sido víctimas de actos violentos a manos de sus parejas. Además, las mujeres lesbianas habían sido sometidas a una gama más amplia de tácticas coercitivas por parte de sus parejas que los hombres homosexuales.

que las muestras resultantes son representativas. Sobre todo porque las personas respondiendo a estos anuncios podrían ser precisamente las más interesadas en hablar sobre el abuso, las víctimas del mismo. Por otro lado, la mayoría de los estudios realizados hasta la fecha han empleado muestras muy pequeñas (alrededor de cien entrevistas en el estudio típico) y locales. Sin embargo, la aparición de figuras similares en diferentes estudios sugiere que es posible que éste sea un problema lo suficientemente serio como para merecer mayor atención social.

La reciente Encuesta sobre Violencia y Amenazas de Violencia Contra la Mujer conducida en Estados Unidos por el *Center for Policy Research* ha generado datos de enorme interés al respecto. Aunque esta encuesta no empleaba métodos de selección de las muestras orientados a garantizar un número suficiente de parejas homosexuales, su gran tamaño (8.000 entrevistas con hombres y 8.000 con mujeres) permitió a los investigadores realizar estimaciones sobre la prevalencia de este fenómeno en parejas homosexuales. Los datos de la encuesta permitieron a las investigadoras extraer conclusiones relevantes. De acuerdo con estas autoras, las parejas de lesbianas presentan tasas de prevalencia de abuso que son menores que las tasas de prevalencia en casos de parejas heterosexuales. Aproximadamente el 11% de las mujeres que conviven con otras mujeres en relaciones románticas íntimas han sido víctimas de abuso por parte de su pareja a lo largo de su vida, comparado con el 30% de mujeres que conviven con hombres. Por otra parte, los datos de la encuesta respaldan lo sospechado por algunos investigadores, la relativa alta prevalencia de abuso en relaciones homosexuales entre hombres. Aproximadamente, el 15% de los hombres que viven con otro hombre han sufrido alguna forma de abuso, mientras que solo el 7.7% de los hombres que cohabitan con una mujer sufren estas formas de abuso.

La escasa investigación sobre el tema, en todo caso, parece indicar que los factores de riesgo de violencia en estas relaciones no son muy diferentes de los factores de riesgo en otro tipo de relaciones. No obstante, la discriminación y aislamiento social de las y los homosexuales pueden multiplicar el efecto de estos factores de riesgo. Claire Renzetti (1992), una de las autoras que más se ha identificado con esta línea de investigación, estudió el problema de los malos tratos en las relaciones entre lesbianas con una muestra de 100 mujeres lesbianas que habían sido victimizadas por su pareja. Esta autora considera que los malos tratos en estas relaciones también deben entenderse en el contexto de los lazos de dependencia que se establecen en la pareja, los celos, la desigualdad de poder entre las partes en la pareja, el abuso de sustancias tóxicas y la transmisión intergeneracional de la violencia. En estas situaciones las necesidades de dependencia se hacen más extremas, dada la situación de mayor aislamiento y discriminación social que sufren estas mujeres y ello hace más difícil abandonar estas relaciones cuando se vuelven abusivas.

También hay evidencia que sugiere que las víctimas de violencia en relaciones homosexuales lo tienen más difícil cuando se trata de recibir ayuda. Muchas víctimas no quieren denunciar su victimización porque no quieren que sus familiares, compañeros de trabajo o comunidades se enteren de cuales son sus orientaciones sexuales. La mayoría del personal que atiende a víctimas de violencia doméstica no recibe formación sobre violencia en relaciones homosexuales o las necesidades específicas de este tipo de víctimas. A menudo las trabajadoras de casas de acogida o que prestan servicios a mujeres maltratadas pueden minimizar el abuso sufrido por mujeres lesbianas porque el agresor es otra mujer. Pero quizá más problemática es la situación del hombre homosexual que es maltratado. Estos hombres se encuentran en una situación de absoluta desprotección. Las casas de acogida no los admiten dado su género y la mayoría de los servicios están orientados a tratar con mujeres. Por otra parte, algunas de las leyes que se han aprobado en el ámbito comparado no contemplan estas situaciones, dejando a las víctimas de este tipo de relaciones desprotegidas. Además, tampoco existe un consenso claro en la comunidad homosexual sobre cuál ha de ser la respuesta más adecuada a este problema.

Renzetti (1992) también ha identificado problemas específicos de seguridad que se pueden plantear en este tipo de situaciones. Aunque en Estados Unidos la ubicación de los refugios y casas de acogida son secretos bien protegidos que no se revelan a los hombres, su localización parece ser bien conocida por la comunidad lesbiana, entre otras razones porque la misma ha estado muy implicada en la causa de las mujeres maltratadas. Así, se ha sugerido que las mujeres lesbianas sean refugiadas en redes de casas seguras establecidas específicamente para estos casos y se adopten medidas especiales de seguridad para evitar que las maltratadoras se presenten en estas casas «disfrazadas» de víctimas.

En nuestro país, a pesar de que el fenómeno de la violencia doméstica ha sido objeto de un plan nacional de prevención, aún no se ha prestado ninguna atención a este fenómeno en las parejas homosexuales. La discriminación social que sufren las parejas de homosexuales en un país tan homogéneo y de mayoría católica como es España pueden explicar, pero no justificar dicha falta de atención. Es necesario prestar una mayor consideración de las necesidades especiales de este sector de la población y hacerlo de una manera respetuosa de los sentimientos de estas comunidades, en lugar de presentar la violencia en este tipo de relaciones como un argumento más para justificar estereotipos sociales nocivos, la discriminación y el chiste fácil.

V. PSICOPATOLOGÍA Y VIOLENCIA DOMÉSTICA

V.a. Introducción

Desde los inicios del proyecto criminológico ha habido quienes han atribuido el comportamiento delictivo a algún tipo de psicopatología (García Pablos, 1988). Lo mismo ha ocurrido en relación con el comportamiento violento. Aunque hasta la década de los 60 la mayoría de los estudios tendían a rechazar la existencia de una correlación entre enfermedad mental y violencia, estudios realizados desde entonces han venido a cuestionar la inexistencia de dicha relación (Link et al., 1999). Al margen de ello, la comunidad psiquiátrica y psicológica (Raine, 1993) en cierta medida ha *definido* la delincuencia crónica como un trastorno psicopatológico (i.e., trastorno de personalidad antisocial o psicopatía).

Los primeros estudios sobre la violencia doméstica también tendieron a atribuir este problema a disfunciones psicológicas de los hombres que maltrataban a sus mujeres, de la misma manera que los primeros estudios criminológicos culpaban a la enfermedad o debilidad mental del comportamiento delictivo. Este tipo de estudios fue muy criticado desde posiciones feministas. Los autores feministas consideraban que la violencia contra la mujer, lejos de ser comportamiento anormal e irracional, es comportamiento normal dentro de una sociedad patriarcal y «racionalmente» utilizado para mantener la posición de subordinación de las mujeres (Dobash y Dobash, 1979).

Estos estudios fueron a su vez sometidos a importantes críticas de tipo metodológico. Efectivamente, los primeros estudios sobre maltrato que adoptaron una perspectiva psicopatológica exhibían una tendencia injustificada a generalizar resultados basados en muestras extremadamente pequeñas (Dobash y Dobash, 1979) o incluso en casos de estudios de individuos que en modo alguno podían considerarse representativos (Dutton, 1995a). A su vez, la mayoría de estos estudios no empleaban grupos de comparación. Los investigadores se limitaban a señalar el porcentaje de maltratadores con determinados diagnósticos psiquiátricos o comparaban la puntuación de los maltratadores en tests estandarizados con la puntuación normal (Holtzworth-Munroe et al., 1997). Además, la mayoría de estos estudios no trataban de discernir entre diferentes grupos de maltratadores (Dutton, 1995a). Finalmente, Dutton (1995) ha destacado que estos primeros estudios presentaban un problema común de tipo epistemiológico: la asociación entre categorías clínicas y maltrato se utilizaba con demasiada frecuencia como sustitución a una explicación sistemática.

Al margen de estos intentos preliminares de entender el fenómeno de los malos tratos examinando la psicología de los maltratadores, algunos autores intentaron explicar este fenómeno estudiando las características psicológicas de las mujeres maltratadas. Uno de los trabajos «clásicos» en esta área fue realizado por el psiquiatra británico Gayford (1975). Este autor mantenía que la conducta violenta de estos hombres era una simple reacción a la conducta de la mujer. Basándose en sus experiencias clínicas, Gayford llegó a concluir que existían tres tipos de mujeres maltratadas: mujeres inadecuadas, provocadoras o competentes. Los análisis de éste y otros autores sugerían directa o indirectamente que las mujeres maltratadas eran responsables por su propia victimización o que el maltrato era una conducta perseguida de manera patológica por las mismas.

Estudios más recientes han empleado métodos más adecuados (Dutton, 1995), aunque en su gran mayoría siguen reclutando a los maltratadores en programas de tratamiento, usando muestras voluntarias o entre sujetos sancionados o detectados por el sistema de justicia penal (Fagan y Browne, 1994). En todo caso, estos estudios se han centrado en tratar de comprender la psicología del maltratador y han considerado, más adecuadamente, los posibles problemas psicológicos de estas mujeres como una mera consecuencia del maltrato (Hotaling y Sugarman, 1986).

Estos estudios han mostrado que los hombres violentos con sus mujeres evidencian más síntomas psicopatológicos que los hombres no violentos que sirven como grupos de comparación (Holtzworth-Munroe et al., 1997). Hasting y Hamberger (1988), Hart y sus colegas (1993) y Dutton y Starzomski (1993) han documentado tasas altas de desordenes de personalidad entre los maltratadores. Este tipo de relación también está siendo documentada entre psicopatología y violencia en general (Monahan, 1996). También hay una mayor preocupación por integrar estos estudios dentro de teorías sistemáticas que puedan explicar la ocurrencia conjunta de estos síntomas psicopatológicos y el maltrato contra la mujer (Dutton, 1995a).

Desde esta nueva perspectiva psicopatológica, aunque se insiste en que existen factores de personalidad que son relevantes a la hora de comprender el maltrato, también se asume que existen factores sociales y culturales que son igualmente importantes y que, de hecho, su interacción con los factores de personalidad puede ser relevante (Dutton y Starzomski, 1993). De ahí que se insista en la necesidad de un enfoque integrado desde el punto de vista teórico (Dutton, 1995a). Finalmente, existe un reconocimiento claro de que existen diferentes tipos de maltratadores que pueden obedecer a diferentes constelaciones etiológicas (Holtzworth-Munroe y Stuart, 1994). En este apartado reviso la literatura sobre psicopatología y maltrato y en el siguiente presento los avances realizados en la elaboración de tipologías de maltratadores.

V.b. Medidas generales de psicopatología

Varios investigadores han empleado diversas medidas generales de psicopatologías con muestras de maltratadores. Los instrumentos más frecuentemente empleados para valorar la psicopatología de los maltratadores han sido el *Millon Clinical Multiaxial Inventory* (MCMI)[98] y el *Minnesota Multiphasic Personality Inventory* (MMPI).

Hamberger y Hastings (1986) analizaron los datos de 99 hombres que atendían un programa de tratamiento. De estos, sólo 12 no exhibían algún tipo de desorden de personalidad. Sin embargo, no existía ningún desorden de personalidad específico de todos los maltratadores. Estos autores identificaron tres desordenes de personalidad en estos hombres. El primer grupo estaba compuesto por hombres aislados y asociales que son hipersensitivos y que exhiben cambios de humor muy dramáticos. Estos individuos se corresponden con los diagnosticados con trastornos de personalidad límite por el DSM-III. El segundo grupo estaba compuesto por individuos egocéntricos y que esperan que sus percepciones, valores y reglas sean aceptadas por otros. Estos hombres usan a los demás para satisfacer sus necesidades y solo hacen algo por los demás cuando les beneficia. Tienen un concepto tan elevado de sí mismos que esperan que los demás les traten bien, de acuerdo con sus criterios. El tercer grupo estaba formado por personas tensas y rígidas que se comportan de una manera débil y pasiva. Son sujetos con baja autoestima y con un sentimiento extremo de necesidad y dependencia hacia los demás. Si sus necesidades no son satisfechas pueden comportarse de manera hostil o agresiva. Aunque estos autores encontraron otros perfiles, los mismos constituían variaciones combinadas de estos tres tipos principales.

Gondolf (1996), en un estudio de cuatro programas de tratamiento, analizó las características de aproximadamente 840 hombres y descubrió que, de acuerdo con el MCMI-II, más del 25% de los mismos podía ser diagnosticado con una psicopatología de personalidad severa (eje II) o con síndromes clínicos severos (eje I). De hecho, el 80% exhibía algún desorden de personalidad. La mayoría de ellos exhibían rasgos asociados con al menos un desorden de personalidad, aunque ningún retrato psicológico

---

[98]   EL MCMI es un inventario de personalidad con 175 items. Los entrevistados leen cada ítem y responden si es verdad o falso en cada caso. El test ofrece 20 escalas clínicas y dos escalas de validez. Las ocho primeras escalas describen patrones de personalidad básicos. Las tres siguientes escalas hacen referencia a desórdenes psicopatológicos de personalidad (p.ej., esquizoide, cicloide y paranoide). Estas once escalas iniciales ofrecen una descripción detallada de la personalidad, que se corresponde con aquellos desordenes identificados en el DSM-III. Las demás subescalas ofrecen datos sobre ansiedad, histeria, manías, depresión, problemas de alcohol y drogadicción, así como procesos psicóticos.

era evidente o predominante. Gondolf destaca que el alto porcentaje de hombres con tendencias narcisistas o antisociales sugiere que los maltratadores son sujetos con una concepción de sí mismos un tanto exagerada, más que ser sujetos con una baja autoestima.

Sin embargo, Gondolf (1999) en un reanálisis de la misma población empleando el MCMI-III, mostraba que menos de la mitad de los maltratadores exhibían desórdenes de personalidad (en contraste con el 80% revelado por el uso del MCMI-II). Solamente un 25% exhibía trastornos de personalidad severos. Aproximadamente el 39% de los maltratadores exhibía tendencias antisociales o narcisistas. Por otra parte, eran los hombres que acudían voluntariamente al programa (en contraste con los enviados por disposición del juez) los que exhibían más trastornos de personalidad, así como síntomas depresivos y de dependencia.

Estos estudios son, sin embargo, limitados ya que no usan grupos de comparación, sino que basan sus conclusiones en puntuaciones estandarizadas de los instrumentos de evaluación psicopatológica utilizados. Un problema metodológico adicional procede del origen de las muestras. Efectivamente, el hecho de que se trate de maltratadores recibiendo tratamiento es un problema. Es posible que el sistema de justicia penal sea más proclive a enviar a hombres con este tipo de problemas a recibir tratamiento psicoeducativo que a cumplir otro tipo de sanción legal. Otros investigadores que han empleado grupos de comparación han tratado de solventar estos problemas. Así, por ejemplo, Else y sus colegas (1993) compararon un grupo de 21 maltratadores con un grupo de 21 hombres no violentos reclutados a través de anuncios. Estos investigadores emplearon el MMPI y descubrieron que los maltratadores exhibían puntuaciones más elevadas en dos desórdenes: límite y antisocial.

Los anteriormente citados Hamberger y Hastings en estudios posteriores han empleado grupos de control de diversa naturaleza. En un estudio publicado en 1988 comparaban tres grupos diferentes. El primero compuesto por 41 hombres no violentos, el segundo por 29 maltratadores con problemas de alcohol y el tercero formado por 35 maltratadores sin problemas de alcohol. Los dos grupos de maltratadores exhibían puntuaciones más elevadas en medidas (MCMI) de depresión, ansiedad, personalidad límite y depresión psicótica (Hastings y Hamberger, 1988). En otro estudio publicado en 1991, los autores comparaban un grupo de 38 maltratadores con problemas de alcohol en tratamiento, 61 maltratadores sin problemas de alcohol en tratamiento, 28 maltratadores reclutados en la población general, 31 hombres no violentos en matrimonios conflictivos y 33 hombres no violentos en matrimonios felices. Los maltratadores, de nuevo, exhibían puntuaciones más elevadas en medidas (MCMI) de ansiedad, histeria, depresión neurótica, personalidad límite, pensamientos psicóticos y depresión psicótica (Hamberger y Hastings, 1991). En otro estudio realizado por Hamberger, esta vez en colaboración con Ola Barnett y empleando el *California Psychology Inventory*, se documentaba que el grupo de 87 maltratadores, cuando se les comparaba a un grupo de 42 hombres no violentos en relaciones conflictivas y 24 hombres no violentos en matrimonios felices, exhibían puntuaciones más bajas en una serie de medidas: responsabilidad, socialización, autocontrol, tolerancia, buena impresión y eficiencia intelectual entre otras (Barnett y Hamberger, 1992).

En esta misma línea, varios estudios han destacado de manera especial una correlación entre maltrato y depresión. Maiuro y sus colaboradores (1988) compararon un grupo de hombres violentos en la pareja (39), de hombres violentos fuera del hogar (38), de hombres violentos fuera y dentro del hogar (38) y de hombres no violentos (29). El grupo que exhibía una puntuación mayor de depresión en el *Beck Depression Inventory* era el de hombres violentos en la pareja seguido, en este orden, por el de hombres violentos fuera y dentro del hogar, los hombres violentos fuera del hogar y los hombres no violentos. Todas las diferencias eran significativas. Resultados similares fueron documentados por Julian y McKenry (1993) en un estudio con un diseño más simple.

Otros estudios, además, han empleado muestras mayores que no están compuestas por hombres que reciben tratamiento y también han documentado un porcentaje elevado de desordenes de personalidad. Dutton y Hart (1992), por ejemplo, analizaron una muestra de unos 600 delincuentes condenados a penas privativas de libertad en Canadá. Estos autores clasificaron a los internos en tres grupos: delincuentes no violentos, delincuentes violentos fuera del hogar y delincuentes violentos en la familia[99]. Estos autores emplearon los diagnósticos oficiales realizados por los psicólogos y psiquiatras del sistema de prisiones basándose en el DSM-III-R. Los hombres violentos en el hogar exhibían la tasa más elevada (43.5%) de desórdenes de personalidad (Eje II) comparados con los hombres violentos fuera del hogar (34.1%) y los delincuentes no violentos (13.6%). Los hombres violentos, con independencia del contexto de su violencia, exhibían un elevado porcentaje de trastornos antisociales de personalidad. Los hombres que eran violentos en el hogar, sin embargo, eran más propensos que los demás presos a exhibir otros desórdenes de personalidad en particular límie y narcisista. Pann, Neidig y O'Leary (1994b), en un estudio que empleó aproximadamente 12.000 militares,

---

[99] Este grupo estaba compuesto por aquellos maltratadores que habían sido violentos en el hogar, con independencia de que lo hubieran sido también fuera del mismo.

documentaron que los hombres que maltrataban a sus parejas eran más depresivos que los que no. Además, la seriedad de la violencia estaba asociada con la seriedad de los síntomas depresivos. Los hombres que eran más violentos contra sus mujeres eran también los que exhibían unos niveles más serios de depresión.

Danielson y sus colaboradores (1998) usaron datos del Estudio Multidisciplinario sobre Salud y Desarrollo Humano de Dunedin en el primer análisis de la relación entre enfermedad mental (DSM-III-R) y malos tratos con una muestra representativa de la población general. Este estudio revelaba que algo más de la mitad de los maltratadores en esta muestra reunían los requisitos para ser diagnosticados por algún tipo de desorden y exhibían tasas elevadas de ansiedad, abuso de drogas o alcohol y trastorno de personalidad antisocial.

Resumiendo, diferentes estudios que han empleado medidas de autoinforme han encontrado que los hombres violentos en el contexto de relaciones de pareja normalmente obtienen puntuaciones más elevadas en diferentes medidas generales de psicopatología. Diversos tipos de psicopatologías han sido documentados, incluyendo depresión y problemas de autoestima. Por otro lado, los datos existentes parecen sugerir que los maltratadores son más propensos que los hombres no violentos a exhibir desórdenes de personalidad de tipo antisocial o límite. Este último trastorno ha recibido considerable atención por parte del psicólogo canadiense Donald Dutton como un elemento fundamental para comprender un particular tipo de personalidad abusiva.

V.c.   *Trastorno de personalidad límite, dependencia y celos*

Durante la última década, uno de los autores que mayor empeño ha puesto en el desarrollo de una teoría psicológica de los malos tratos ha sido el canadiense Donald Dutton. Dutton y su equipo de colaboradores se han centrado en el estudio de la relación entre dependencia patológica y los problemas de intimidad con la violencia doméstica. Dutton se ha centrado en una configuración de personalidad particular —la organización de personalidad límite— a la hora de desarrollar su teoría de la personalidad abusiva. Las características definitorias de esta personalidad son:

1. Una propensión a mantener relaciones íntimas intensas e inestables caracterizadas por la falta de consideración del otro, la manipulación y una dependencia enmascarada.

2. Un autoconcepto inestable ligado a la intolerancia por la soledad y la ansiedad producida por el temor al el rechazo.

3. Un enfado, impulsividad y autoritarismo intenso, usualmente ligado al abuso de sustancias tóxicas o la promiscuidad.

Dutton sugiere que los hombres con este tipo de personalidad pueden ser violentos por el sentimiento de dependencia hacia sus mujeres. Estos hombres necesitan a sus parejas para poder mantener el frágil autoconcepto que tienen, sin embargo, son incapaces de mantener estas relaciones por su ira, autoritarismo e impulsividad.

Más recientemente Dutton y su equipo (Dutton, Van Ginkel y Kandolt, 1996) han comenzado a considerar una cuarta característica:

4. La ansiedad producida por las necesidades de intimidad de estos hombres tiene como secuela emocional unos celos patológicos. De acuerdo con Dutton, los hombres con un estilo de vinculación inseguro[100] son más propensos a desarrollar conductas y emociones ligadas a los celos y también a comportarse violentamente.

Según este autor, por tanto, en numerosos casos la violencia es el producto de la combinación de una personalidad límite, un estilo de vinculación insegura y unos celos patológicos. Los hombres violentos, incapaces de identificar el concepto y problema más amplio de miedo a la intimidad, pueden darle a esta ansiedad un contenido de tipo sexual. Este reduccionismo en parte sería el producto de la socialización masculina hoy en día. Pero estos celos patológicos no solamente son el producto de la imaginación del hombre, de acuerdo con este autor, también constituyen una proyección de los sentimientos de estos hombres. De esta manera impulsos sexuales inaceptables son proyectados en la mujer, dando lugar a los celos y al pánico a ser abandonado[101].

Dutton y sus colaboradores han generado una larga lista de estudios, a veces replicados sobre las mismas muestras, en los que han ofrecido cierto apoyo a estas hipótesis (Dutton, 1988, 1994b, 1995a, 1998; Dutton y Browning, 1988; Dutton, Van Ginkel y Kandolt, 1996; Dutton, Van Ginkel y Starzomski, 1995; Dutton y Golank, 1995; Dutton, Saunders, Starzomski y Bartholomew, 1994; Dutton y Starzomski, 1993; Dutton y Strachan, 1987). Otros autores han investigado también la relación entre dependencia y vinculación, problemas de intimidad y violencia doméstica.

---

[100] Ver teoría del apego o vínculos emocionales en el capítulo sobre criminología evolutiva, así como la sección sobre estilos de la vinculación en el capítulo sobre características familiares.

[101] Esta noción es quizás coherente con la lectura realizada por Daly y Wilson. Daly y Wilson explican la violencia letal en la pareja como un producto del sentimiento de propiedad masculina sobre la mujer. Mientras que Daly y Wilson insisten en la formación histórica de los celos como un producto ligado al proceso de la evolución humana, Dutton, sin embargo, enfatiza la relevancia de diferencias individuales en el nivel de celos. En lugar de entenderse como perspectivas contradictorias, estas posiciones quizás pueden articularse como complementarias.

Varios autores han sugerido que aquellos hombres que temen ser abandonados o rechazados o que exhiben un estilo de vinculación preocupado o ansioso pueden ser especialmente propensos a comportarse violentamente contra sus parejas. La violencia puede ser comprendida, de esta manera, como los intentos de estos hombres para prevenir a sus mujeres de que los abandonen o como el producto del enfado intenso derivado de las necesidades frustradas de vinculación de estos hombres. Así, varios investigadores también han documentado una relación entre dependencia interpersonal, dependencia de la pareja, baja autoestima y agresión en la pareja por medio de la comparación de maltratadores a hombres en parejas conflictivas no violentas y en parejas felices (Murphy, Meyer y O'Leary, 1994). Otros autores también han encontrado que los grupos de maltratadores exhiben una mayor preocupación por el abandono de sus esposas o compañeras (Holtzworth-Munroe y Sturart, 1997).

Renzetti (1992) ha señalado, como veíamos anteriormente, como estas cuestiones no son exclusivas de los hombres violentos, sino que también están presentes en las relaciones entre lesbianas. Esta autora identificaba cuestiones de dependencia y autonomía y celos como centrales para entender la violencia en estas relaciones. Las maltratadoras eran mujeres altamente dependientes de sus parejas y esta dependencia se reflejaba en un conjunto de conductas de control que llevaban al aislamiento de la víctima. Por otro lado, las víctimas también describían a las agresoras como extremadamente celosas y posesivas. La mayoría de las maltratadoras parecía experimentar ilusiones de infidelidad que daban lugar a acusaciones e interrogatorios que derivaban en conductas agresivas contra las víctimas.

V.d. Alcoholismo

Otra psicopatología que ha sido estudiada en relación con el problema de los malos tratos es el alcoholismo. Numerosos estudios empleando grupos de comparación han sugerido una relación entre problemas con el alcohol y violencia doméstica. Muchos de estos estudios han utilizado, sin embargo, muestras clínicas (de personas en búsqueda de tratamiento) que eran muy pequeñas. Con posterioridad los investigadores adoptaron otra ruta, en lugar de tratar de evaluar el grado de problemas de alcohol entre los maltratadores han intentado evaluar la frecuencia del maltrato entre personas en tratamiento por problemas de alcohol (Holtzworth-Munroe et al. 1997).

Ha sido solo más recientemente cuando han comenzado a aparecer estudios que han empleado muestras más representativas y de mayor tamaño para evaluar la relación entre problemas con el alcohol y violencia doméstica. Estos estudios también han documentado una correlación, al menos transversal, entre estos dos problemas. Así, por ejemplo, Pan y sus colaboradores (1994) utilizaron datos de una encuesta realizada con parejas en las que uno de los miembros formaba parte del ejército de los Estados Unidos. Estos autores restringieron sus análisis a los datos procedentes de los 11.870 hombres blancos entrevistados en dicha encuesta. Tener problemas con el alcohol incrementaba de manera significativa la probabilidad de exhibir comportamiento violento moderado y severo contra la mujer. Por otro lado, los hombres que exhibían comportamientos violentos severos eran más propensos que los que exhibían comportamientos violentos moderados a presentar problemas de alcohol. El único estudio longitudinal que ha tratado de evaluar la relevancia de esta variable ha destacado que, aunque existen una correlación, ésta puede debilitarse con el paso del tiempo (Heyman, O'Leary y Jouriles, 1995).

En conjunto los estudios que han tratado de documentar la relación entre alcoholismo y maltrato han encontrado que existe una correlación clara entre ambos, aunque quizás sea una correlación que se debilita con el paso del tiempo (Holtzworth-Munroe et al., 1997). Como Jacobson y Gottman (1998) han tratado de poner de relieve, la relación entre alcoholismo y maltrato doméstico es compleja. En primer lugar, la mayoría de los maltratadores no son alcohólicos. En segundo lugar, el hecho de que algunos maltratadores sean alcohólicos no significa que solo maltratan a sus mujeres cuando se encuentran bajo la influencia del alcohol. Y, en tercer lugar, la mayoría de los alcohólicos no maltrata a sus mujeres. Como estos autores subrayan, sería simplificar demasiado considerar que el alcoholismo es *la* causa del maltrato. El maltrato se perpetúa por su eficacia como mecanismo de control.

Sin embargo, también es cierto que el alcoholismo puede ser uno de los factores causales del maltrato. De hecho, «algunos maltratadores solamente se comportan con violencia cuando están intoxicados porque el alcohol los transforma» (Jacobson y Gottman, 1998:41). Es por ello por lo que estos autores creen que en estas instancias el tratamiento del alcoholismo puede producir la cesación o disminución de la violencia. En todo caso, esta línea de investigación hasta el momento no ha planteado un modelo teórico coherente que explique esta correlación. Como veíamos anteriormente existen diversas interpretaciones sobre los efectos del consumo de alcohol en los eventos violentos, sin embargo, como Jacobson y Gottman sugieren, no todos los alcohólicos maltratan a sus mujeres solamente cuando se encuentran bajos los efectos del alcohol. Es posible que la presencia del problema del alcoholismo implique un estrés adicional para la vida en pareja que puede estar asociado con otras terceras variables de tipo individual o estructural, como otras psicopatologías o presiones de tipo económico o laboral.

Aunque la Encuesta sobre Seguridad de la Mujer en la España Urbana no incluía propiamente hablando medidas de alcoholismo, sí que incluía medidas sobre la frecuencia del consumo de alcohol y otras drogas por parte de cualquiera de los miembros de la pareja. Estos análisis mostraban que la relación entre consumo de sustancias tóxicas por parte del varón y maltrato doméstico es significativa y considerable, sobre todo en el caso del consumo de drogas. El consumo frecuente de drogas y alcohol está asociado con un incremento de riesgo de violencia en la relación. Aun siendo éste el caso, lo cierto es que la mayoría de los sujetos que consumen estas sustancias no se comportan de manera violenta contra su pareja y la mayoría de los sujetos que maltratan a sus parejas no consumen estas sustancias con mucha frecuencia. Por ejemplo, solo el 19.7% de los maridos o parejas de las mujeres que sé autodefinen como maltratadas consumen drogas y solo el 5% de estos hombres consumen drogas. Conviene también destacar que no existía una relación entre consumo de sustancias tóxicas por parte de la mujer y maltrato (Barberet y Medina, en preparación).

V.e. Déficits en competencias psicosociales

Algunos criminólogos han prestado especial atención a deficiencias en la denominada competencia psicosocial o en la inteligencia interpersonal como elementos importantes para entender la criminalidad. Según estos autores, individuos con deficiencias en estas facultades intelectivas pueden presentar especiales problemas de ajuste social (Wilson y Herrnstein, 1985; Moffit y Silva, 1988; Herrnstein y Murray, 1994), aunque existe cierta polémica al respecto (Ward and Tittle, 1994). Esta perspectiva ha sido presentada y defendida en nuestro país por el profesor Vicente Garrido Genovés en varios de sus trabajos (Garrido, Stangeland y Redondo, 1998).

La competencia psicosocial estaría comprendida por varios elementos incluyendo el razonamiento moral, la resolución cognitiva de problemas, la empatía, la impulsividad en contraste con el autocontrol, el pensamiento crítico, el razonamiento abstracto y la conducta de elección. Quienes plantean esta teoría consideran viable la utilización de programas de tratamiento orientados a enseñar a los delincuentes todas aquellas habilidades y destrezas que facilitarían su interacción con otras personas (Garrido, Stangelad y Redondo, 1998).

Aunque éste es un modelo interpretativo y terapéutico que se ha predicado de delincuentes generales, también hay autores que han encontrado relevantes los déficits en competencias psicosociales para comprender el maltrato contra la mujer. Holtzworth-Munroe y Anglin (1991), por ejemplo, han sugerido que los maridos violentos pueden ser personas con deficiencias en habilidades sociales, en particular habilidades de comunicación y empatía, de manera que su uso de la violencia podría derivarse de su inhabilidad para emplear otras tácticas o técnicas de resolución de problemas.

Varios estudios han comparado maridos violentos y no violentos en medidas generales de empatía. Sin embargo, aunque algunas diferencias han sido detectadas, la evidencia no es del todo consistente. Los investigadores que han empleado medidas más específicas de empatía, en particular medidas de empatía hacia la pareja, han demostrado de una manera más consistente los déficits de los maltratadores (Holtzworth-Munroe et al., 1997). Más recientemente, los investigadores han intentado determinar si los maltratadores presentan déficits en sus habilidades sociales que son más evidentes en particulares situaciones. Estos estudios parecen sugerir que estos déficits en habilidades sociales pueden ser especialmente evidentes en cierto tipo de situaciones maritales que envuelven el rechazo o abandono potencial por parte de la mujer. Else y sus colegas (1993) descubrieron que los maltratadores exhibían déficits en su capacidad para la resolución de problemas.

Uno de los elementos de la competencia psicosocial teóricamente asociados con el comportamiento delictivo y violento que de nuevo se encuentre de moda entre los criminólogos es la impulsividad. A mediados de los años 80, los criminólogos James Q. Wilson y Richard J. Herrnstein (1985) proponían una teoría del comportamiento delictivo que prestaba especial importancia a la baja inteligencia y a la elevada impulsividad de los delincuentes. En el campo de la agresión también existe una larga tradición de estudios que examina la impulsividad como un correlato del comportamiento violento (Hollander y Stein, 1995). Algunos estudios longitudinales han comenzado a destacar una relación entre impulsividad conductual, en contraste con lo que se denomina impulsividad cognitiva, y delincuencia (White et al., 1994).

La reciente y polémica[102] teoría general de la delincuencia de Gottfredson y Hirschi (1990) sobre el escaso autocontrol de los delincuentes refleja, en muchos sentidos, los mismos temas que la literatura sobre impulsividad. Gottfredson y Hirschi parten de una concepción del criminal como un actor racional que realiza decisiones buscando maximizar su placer y minimizar el dolor dentro de un paradigma de racionalidad limitada. Lo que diferencia a los delincuentes habituales del resto de las personas es su bajo nivel de autocontrol, su incapacidad para resistir las tentaciones del delito. Personas con un nivel bajo de autocontrol tienen

---

[102] No deja de ser curioso que algunos autores sigan considerando ésta un ejemplo de teoría integradora.

una orientación cognitiva centrada en el aquí y ahora; carecen de diligencia, tenacidad o persistencia; tienden a ser aventureros, activos y a preferir lo físico a lo intelectual; no tienen la capacidad para invertir en objetivos a largo plazo; y tienden a ser egoístas o indiferentes hacia los sentimientos de los demás. Estos autores creen que en general no existe gran diferencia entre delincuentes y no delincuentes en su capacidad para apreciar tentaciones, es la incapacidad para apreciar las consecuencias de ceder a estas tentaciones lo que distingue a los delincuentes.

Gottfredson y Hirschi (1990) no creen que la delincuencia sea el producto automático o necesario del bajo autocontrol. A su vez, creen que muchos actos no criminales análogos al delito (tal y como los accidentes, el consumo de alcohol, fumar, etc.) son también manifestaciones de un bajo nivel de autocontrol. Esta asunción llevada al extremo es lo que les lleva a defender que la suya es una teoría general del delito, en el sentido que puede explicar cualquier forma de acto delictivo o desviación social. Gottfredson y Hirschi (1990) creen que los niveles bajos de autocontrol son el producto de deficientes practicas de socialización. En otras palabras, las personas con bajo autocontrol son aquellas a las que no se les ha enseñado a controlarse sobre todo por la familia, pero también en la escuela[103].

En numerosas ocasiones se ha definido al maltratador como un sujeto incapaz de controlar su rabia y, por tanto, con problemas de impulsividad y un deficiente autocontrol. Sin embargo, aunque existen numerosas descripciones de los maltratadores como sujetos impulsivos y la hipótesis parece razonable, lo cierto es que apenas hay estudios que hayan examinado esta cuestión empíricamente. Algunas autoras, además, han criticado este tipo de explicaciones por considerar que no reconoce el contexto cultural en el que se produce la violencia contra la mujer (Miller y Burack, 1993)

Christine Sellers (1999) ha tratado de validar el modelo de Gottfredson y Hirschi con una muestra de estudiantes universitarios en un estudio sobre violencia entre novios. Esta autora documentó que su medida de autocontrol (la escala de Grasmick) contribuía de manera significativa a

---

[103] Existe, no obstante, una diferencia de matiz entre el concepto de autocontrol y el concepto de impulsividad como, por ejemplo, el diferente peso atribuido a la base biológica de los mismos. Sin embargo, estas diferencias dejan de ser evidentes cuando uno observa las similitudes entre las definiciones operativas de impulsividad y las de autocontrol. La escala de Grasmick (Grasmick et al., 1993), la medida más popular del concepto de autocontrol, está, de hecho, basada en una escala de impulsividad. Gottfredsson y Hirschi (1990), en todo caso, admiten medidas cognitivas (como la desarrollada por Grasmick y sus colegas), pero insisten sobre todo en medidas conductuales de impulsividad.

la violencia entre novios. Cuando solo se incluía dicha medida el modelo explicaba un 10% de la varianza. Cuando a esta medida se añadían otras medidas derivadas de la teoría de Gottfredson y Hirschi (percepción de la utilidad de la violencia y oportunidad), el modelo llegaba a explicar un 17% de la varianza. Aunque la varianza explicada es modesta, la ausencia de medidas más apropiadas de autocontrol (de tipo conductual), así como la limitada variación en la variable dependiente pueden explicar en parte esta circunstancia.

Sellers (1999) argumenta que la teoría general del delito puede explicar algunos de los correlatos de la violencia entre íntimos. Así, por ejemplo, el consumo de alcohol y drogas pueden ser presentados como medidas conductuales de escaso autocontrol. Lo mismo ocurre con la procedencia de familias violentas. Aquellas personas que crecen en este tipo de ambientes pueden haber sido sometidos a practicas parentales poco efectivas y conducentes al desarrollo de un nivel bajo de autocontrol.

V.f. Tipologías de maltratadores

Una tendencia de notorio interés dentro del estudio psicológico de los maltratadores ha estado orientada a discernir distintos tipos de maltratadores. Los autores que realizan este tipo de estudios entienden que la comparación de diferentes tipos de maltratadores, subrayando las diferencias entre los mismos y los hombres no violentos, puede contribuir a una comprensión más profunda de la violencia marital y ayudar a identificar los diferentes procesos subyacentes que originan la violencia. En 1994, Holtzworth-Munroe y Stuart revisaron la literatura sobre el tema y propusieron una tipología basada en la evidencia existente hasta entonces. Esta tipología se ha convertido en la más popular en este campo. En la actualidad existen varios intentos de validarla. Las repercusiones teóricas y prácticas de estas tipologías son muy importantes. Por tanto, ésta es una línea de investigación que merece recibir más atención.

Holtzworth-Munroe y Stuart (1994) piensan que aquellos investigadores que empleen las dimensiones de severidad, generalidad y psicopatología como ejes principales para sus esfuerzos tipológicos normalmente acabaran identificando tres tipos de maltratadores. Holtzworth-Munroe y Stuart denominan estos grupos de la siguiente manera: el violento solo en la familia, el disfórico/límite y el antisocial o violento en general.

En primer lugar, estos autores hablan de los *maltratadores que solo son violentos en el hogar*. Este grupo de maltratadores es el que exhibe un grado de violencia marital menos severo y es también menos inclinado a realizar conductas de control y abuso sexual. Los maltratadores que forman parte de este grupo normalmente solo se comportan de forma violenta contra los miembros de su familia. Estos hombres son, por tanto, menos proclives a ser violentos fuera del hogar y a tener problemas con la ley. Además, los maltratadores que forman parte de este grupo no suelen presentar ningún tipo de psicopatología o desorden de personalidad. Holtzworth-Munroe y Stuart creen que el 50% de los maltratadores formaría parte de este grupo y así se comprobaría si se realizaran estudios con muestras representativas de la población en general.

Estos hombres presentan un riesgo bajo de agresión e impulsividad, solo exhiben un grado bajo a moderado de violencia en su familia de origen y no están inmersos en redes sociales de amigos delincuentes. Son sujetos con capacidad de empatía, pero que demuestran alguna preocupación sobre, o dependencia hacia, sus esposas o compañeras. Son personas con habilidades sociales entre bajas y moderadas en situaciones no maritales y generalmente no presentan un grado elevado de hostilidad contra las mujeres o de aceptación de la violencia. En general, estos hombres presentan un funcionamiento social y psicológico mejor que el que presentan los otros tipos de maltratadores. La violencia que estos hombres ejercen es el producto combinado de habilidades de comunicación que son pobres o bajas, dependencia y/o preocupación con sus mujeres y problemas leves de impulsividad.

En segundo lugar, están los *maltratadores límite*. Estos hombres presentan un grado de violencia moderado a severo, incluyendo abuso psicológico y sexual. La violencia de este grupo también está restringida al ámbito familiar; sin embargo, puede haber casos en los que exista violencia fuera del hogar y algún tipo de participación en otros tipos de delincuencia. Estos hombres son los más psicológicamente alterados y emocionalmente volátiles. Pueden presentar características de personalidad esquizoides y límite y también pueden tener problemas de abuso de alcohol y/o drogas. Basándose en las estimaciones de estudios anteriores, Holtzworth-Munroe y Stuart creen que el 25% de los maltratadores forman parte de este grupo.

Los maltratadores en este grupo pueden tener alguna predisposición genética hacia la psicopatología, la impulsividad o la agresión, han sufrido rechazo familiar y abuso infantil y tienen algún grado de participación en redes sociales de amigos delincuentes o desviados. Estos maltratadores presentan un grado muy elevado de dependencia hacia su mujer, tienen problemas moderados de impulsividad y no tienen las habilidades necesarias para mantener relaciones maritales. Normalmente, tienen actitudes negativas hacia las mujeres y presentan un grado moderado de aceptación de la violencia.

Holtzworth-Munroe y Stuart creen que estos hombres desarrollan estas actitudes y su elevado grado de dependencia con sus mujeres como consecuencia del abuso o abandono al que fueron sometidos en sus familias de origen cuando eran niños. Tienen dificultades a la hora de establecer relaciones de confianza y se sienten fácilmente rechazados o abandonados, tal y como se refleja en su excesiva dependencia hacia sus mujeres y su excesiva sensibilidad a disputas interpersonales triviales. Cuando se encuentran con situaciones de conflicto marital, que ellos interpretan como amenazas de abandono, y careciendo de las habilidades para resolver dichos conflictos, estos hombres pueden usar la agresión física de una manera impulsiva para expresar sus sentimientos de estrés y enfado. Dadas sus actitudes negativas hacia las mujeres, sus bajos niveles de empatía y sus actitudes relativamente positivas hacia la violencia, pueden exhibir pocos remordimientos por sus acciones y, así, pueden estar orientados a aumentar el nivel de su violencia en interacciones futuras.

Finalmente, Holtzworth-Munroe y Stuart consideran que existe un tercer grupo o tipo de maltratadores, aquellos que son *generalmente violentos o antisociales*. Este tipo participa en violencia marital moderada a severa, incluyendo abuso psicológico y sexual. Estos hombres son los que presentan un grado más elevado de violencia fuera del hogar y son también los que tienen una historia criminal y de problemas legales más significativa. Son personas dadas a tener problemas de abuso de alcohol y drogas y también son los más inclinados a presentar desordenes de personalidad antisocial o psicopatía. Basándose en estudios anteriores se piensa que este grupo constituye el 25% de todos los maltratadores.

Este grupo debe ser el que tiene una carga genética más fuerte hacia la agresividad, impulsividad y la conducta antisocial; son los que exhiben un grado más elevado de abuso o abandono durante su infancia; y son, también, los que tienen una participación más activa en redes sociales de delincuentes y sujetos desviados. Estos individuos no conceden, al menos superficialmente, una gran importancia a sus relaciones de pareja, tienen pocos sentimientos de empatía por los demás y sustentan actitudes rígidas y conservadoras hacia las mujeres. A su vez, estos hombres son proclives a expresar un alto grado de aceptación normativa del uso de la violencia para la resolución de conflictos interpersonales y carecen de habilidades para la resolución de conflictos en una gama amplia de situaciones, maritales y no maritales. Finalmente, se les concibe como sujetos impulsivos y narcisistas; cuando se enfadan, consideran la violencia como la respuesta normal a la provocación que han recibido[104].

---

[104]   Hamberger y sus colegas (1996) ofrecen una primera validación de esta tipología con una muestra de 883 maltratadores referidos por los Juzgados de lo Penal para ser sometidos a evaluación psicológica antes de su participación en tratamiento. Los resultados de este estudio son consistentes con la tipología de Holtzworth-Munroe y Stuart (1994).

Las tipologías de maltratadores normalmente no han tomado en consideración la presencia de abuso sexual como una de las dimensiones para su desarrollo. Sin embargo, la literatura sobre agresiones sexuales en la pareja ha tratado de elaborar tipologías específicas para analizar este fenómeno. Finkelhor y Yllo (1983), por ejemplo, establecieron una tipología con tres categorías: violadores maltratadores, violadores maritales y violadores obsesivos. Los hombres clasificados en la primera categoría, *los violadores maltratadores*, realizan numerosas conductas abusivas y violentas contra su mujer, la mayoría de las cuales no tienen una motivación sexual. En estos casos, la violencia sexual es tan solo un componente más de un patrón general de abuso.

En contraste, los *violadores maritales* normalmente restringen el uso de la fuerza física o amenazas para violar a sus parejas. Las víctimas de este tipo de abuso no sufren el mismo nivel de violencia física que las mujeres emparejadas con los hombres de la primera categoría en el sentido de que la violencia no está tan generalizada. No obstante, pueden existir instancias serias de violencia física que acompañan al abuso sexual. En teoría, los hombres en este grupo solo usan la fuerza necesaria para la obtención del sexo o para resolver conflictos sobre temas sexuales.

Los *violadores obsesivos* son sujetos con una demanda y necesidad extrema de sexo. Son sujetos con una afición casi obsesiva a la pornografía. Las mujeres emparejadas con estos hombres señalan que en ocasiones se ven obligadas a tener sexo varias veces al día para mantener a sus parejas satisfechas. En estas relaciones el sexo progresa hacia formas más sadísticas e inusuales con el paso del tiempo. Basándose en sus entrevistas con 50 mujeres, estos autores creen que el grupo más frecuente es el de maltratadores violadores (48%), seguido de los violadores maritales (40%) y solo una minoría son violadores obsesivos (6%).

Monson y sus colaboradoras (1997) cree que es posible integrar la dimensión sexual de la violencia en las tipologías sobre maltratadores en general. De acuerdo con estas autoras, los maltratadores que son violentos solo en la familia no suelen realizar actos de abuso sexual. Los maltratadores antisociales y los que exhiben trastornos de personalidad límite ejercen violencia sexual y no sexual. Finalmente, los sexualmente obsesivos, un cuarto tipo basado en el estudio de Finkelhor y Yllo, solo usarían violencia sexual, pero no solo dentro, sino también fuera de la relación.

VI. CONCLUSIONES

La investigación sobre marcadores individuales de riesgo de tipo sociodemográfico y psicopatológico es posiblemente la más extensiva en el campo de la violencia doméstica. Las variables de tipo sociodemográfico no solamente son relativamente fáciles de medir, sino que, además, plantean interesantes interrogantes teóricos. Desde una perspectiva sociodemográfica, clase social, género, edad y el pertenecer a minorías marginadas son factores de riesgo que han encontrado respaldo en la investigación conducida hasta la fecha. Aunque cierta publicidad todavía hoy destaca que los malos tratos no son patrimonio de ningún segmento de la población y es cierto que los mismos existen en todos los segmentos sociales, también es cierto que determinados segmentos de la población exhiben un riesgo mayor y que, por tanto, deben diseñarse políticas sociales que presten especial atención a los mismos.

Por otro lado, la búsqueda de factores psicopatológicos en la literatura anglosajona en parte entronca con la tradición americana a buscar causas de tipo individual a problemas de origen social; en parte responde a la tendencia de la criminología a establecer tranquilizadoras diferencias entre delincuentes y no delincuentes; pero también documenta la entrada cada vez mayor de psicólogos en el proyecto criminológico. Aunque, como comenté anteriormente, la investigación psicopatológica inicialmente resultaba demasiado simplista, los modelos que se han desarrollado posteriormente resultan más interesantes y tienden a buscar un mayor respaldo teórico que sus predecesores. El desarrollo y consolidación de diversas tipologías de maltratadores constituye uno de los avances más importantes en esta área de estudio. Por un lado, permite conciliar las diferencias de resultados entre estudios con muestras diferentes. Pero, también, permite analizar de una manera más sistemática las similitudes, solapamiento y diferencias entre la violencia entre íntimos y otras formas de violencia.

En todo caso, lo que parece evidente es que cuando consideramos factores individuales que son, al menos en teoría, susceptibles de modificación, resulta más interesante prestar atención a las características de los agresores que a las características de las víctimas. Con excepción de su historia de abuso y su condición socioeconómica, no parece que haya otros factores que distingan a las mujeres que son víctimas de violencia de aquellas que no lo son (Hotaling y Sugarman, 1986; Fagan y Browne, 1994). El uso de marcadores sociodemográficos característicos de las mujeres víctimas de abuso tan solo sirve para identificar grupos de riesgo merecedores de una especial atención. En todo caso, en esta área más que en ninguna otra es importante observar que la correlación entre estos factores individuales y el maltrato no es perfecta. En otras palabras, existen maltratadores que no presentan estas características individuales y existen individuos que exhiben estas características que no son maltratadores.

## Capítulo VII

LA ECOLOGÍA Y LA GEOGRAFÍA SOCIAL DE LA VIOLENCIA DOMÉSTICA

I. INTRODUCCIÓN

El delito en general, y la violencia en particular, pueden ser contemplados desde una variedad de perspectivas a lo largo de un continuo. En un extremo de este continuo tenemos aquellos estudios que adoptan una perspectiva clínica y en el otro aquellos que emplean una perspectiva social. De manera alternativa, podemos hablar de un enfoque micro (a escala individual) *versus* un enfoque macro (a escala agregada) para indicar el alcance del análisis. Análisis realizados al nivel macro son también denominados estudios ecológicos y el término datos ecológicos es empleado para referirse a información agregada en unidades geográficas, tal y como secciones censales, ciudades o provincias. Los geógrafos del delito han usado la analogía de un *cono de resolución* para indicar que un fenómeno puede ser examinado en contextos espaciales de diversos niveles. Así, los estudios individuales o de escala micro envuelven al individuo o incluso parte del individuo como el centro de interés de su estudio (la punta del cono). Al nivel social o macro, la delincuencia en determinadas áreas constituye el objeto principal de estudio (la base del cono). El enfoque clínico es preferido por criminólogos de formación psicológica o psiquiátrica. El enfoque macro es preferido por criminólogos de formación sociológica, geográfica o sociopsicológica.

El estudio de los factores comunitarios de riesgo de la delincuencia y la violencia cobró una especial relevancia con la Escuela de Chicago y sus modelos ecológicos que vinculaban la desorganización social a la delincuencia (Shaw y McKay, 1969). La Escuela de Chicago se identifica con el periodo clásico de desarrollo de la criminología en los Estados Unidos. Durante esta etapa, un grupo de sociólogos y trabajadores sociales afiliados a la Universidad de Chicago produjeron estudios empíricos y aportaciones teóricas que tuvieron un peso decisivo en el desarrollo de la criminología. Estos investigadores emplearon datos oficiales sobre la delincuencia, así como estudios de tipo etnográfico para destacar la relevancia de factores comunitarios para explicar la génesis del comportamiento delictivo. La Escuela de Chicago también mostró un interés, que no se observaba en la criminología desde la labor pionera de la denominada estadística moral en Francia y el Reino Unido, por comprender la distribución geográfica del comportamiento delictivo y trató de desarrollar modelos que explicaran las diferentes tasas de delincuencia existentes dentro de las ciudades americanas en un momento de cambio y crecimiento de las mismas.

Aunque durante un largo periodo, desde los 40 a los 70, la Escuela de Chicago permaneció adormecida, la tradición fue mantenida viva por un grupo reducido de sociólogos e investigadores entrenados en Chicago y que habían sido colaboradores de Shaw y McKay. Más recientemente, otros investigadores han redescubierto la viabilidad de esta tradición de una manera autónoma e independiente (Reiss y Tonry, 1986). De hecho, en los últimos quince años, se ha producido un intenso renacimiento de este tipo de teorías dentro de la criminología. Sin lugar a dudas, una de las corrientes teóricas más relevantes dentro de la criminología contemporánea, junto con el desarrollo de las teorías situacionales del delito y las teorías evolutivas de la delincuencia, lo constituye el renacimiento de este tipo de enfoques para el análisis y comprensión del fenómeno delictivo. De la misma forma que la Escuela de Chicago surgió para tratar de entender las importantes transformaciones sociales y económicas que cambiaron la faz de las ciudades norteamericanas en las primeras décadas de este siglo (inmigración, rápida industrialización, etc), estas nuevas teorías ecológicas del delito solo pueden entenderse desde el contexto de las importantes transformaciones urbanas de los últimos 20 años (rápida desindustrialización, acentuamiento de la segregación racial, globalización, etc).

Mientras que las teorías de la oportunidad se interesan por los factores situacionales que favorecen el delito y las teorías evolutivas prestan especial atención a las trayectorias vitales de los individuos como el contexto adecuado para entender la implicación individual en actuaciones delictivas, las teorías comunitarias no tratan de explicar por qué determinados individuos participan en comportamientos delictivos, sino que su foco de interés lo constituyen aquellos factores que identifican a los barrios, ciudades o regiones que exhiben tasas especialmente elevadas de delincuencia (Sampson, 1995).

Existen diversos modelos teóricos que pretenden explicar porqué determinados barrios exhiben un grado mayor de delincuencia que otros. Estos modelos contemporáneos son bien conocidos en la literatura comparada, pero algo menos en nuestro país. Aunque los primeros criminólogos españoles (p.ej., Bernaldo de Quiros) prestaron una atención especial al contexto ecológico de la delincuencia, en la actualidad el renacimiento de la criminología española ha sido protagonizado por psicólogos y juristas ante la pasividad prácticamente general de la comunidad sociológica. Dichas pautas de desarrollo hacen que en lo etiológico predominen conceptos e ideas psicológicas, por lo que resulta de especial interés, como contrapunto, profundizar un poco más en las igualmente importantes teorías ecológicas de la delincuencia.

La tradición norteamericana distingue entre modelos estructurales, teorías subculturales, teorías de la segregación residencial, teorías de la desorganización social y el control social, teorías político económicas y teorías de la oportunidad. También se han desarrollado teorías que de una manera específica pretenden explicar la violencia contra la mujer. Estas últimas se encuentran en gran medida vinculadas con los modelos culturales derivados de la teoría feminista, pero serán presentadas en este capítulo.

Del mismo modo que las teorías del delito destacan la relevancia de la prevención situacional y las teorías evolutivas subrayan la importancia de la prevención precoz, esta manera de comprender el fenómeno delictivo está asociado con una determinada forma de comprender su prevención. En la medida en que estemos interesados en reducir las tasas delictivas de determinadas comunidades especialmente problemáticas tendremos que adoptar programas de prevención comunitaria del delito e implicar a las comunidades y asociaciones de vecinos en la prevención de este problema. El término delito puede fácilmente ser sustituido por el término malos tratos, sin embargo, como veremos, éste es un salto teórico y conceptual que muchos no se han atrevido a dar y que todavía resulta polémico incluso en nuestro país.

II. TEORÍAS ECOLÓGICAS DEL DELITO

II.a. Pobreza y delincuencia: las teorías estructurales del estrés social

Las teorías estructurales normalmente hacen referencia a las características estructurales de los barrios como los factores determinantes del nivel de delincuencia. En particular, dos características han recibido especial atención: la pobreza y los niveles de desigualdad socioeconómica. Desde esta perspectiva, se asume que cuando la gente vive en circunstancias de pobreza extrema la lucha por la supervivencia se intensifica. Como Williams y Flewelling (1988, p. 423) explican:

> «Tales condiciones a menudo son acompañadas por un conjunto de manifestaciones psicológicas, oscilando entre un sentido profundo de indefensión, falta de control y brutalización, al enfado, la ansiedad y la alienación. Dichas manifestaciones pueden provocar la agresión física en situaciones de conflicto»

Evidentemente, no todas las personas que viven en condiciones de pobreza son violentas. Esta perspectiva tan solo asume que al nivel agregado, la pobreza incrementa la posibilidad de que se recurra a la fuerza física en situaciones de conflicto interpersonal. Los mecanismos que median esta relación son perfilados de una manera muy vaga y confusa. Normalmente se hace referencia a una serie de variables que a veces recuerdan la teoría de la frustración-agresión, otras aluden al modelo de la anomia de Durkheim y, en otras ocasiones, parecen indicar una conexión entre pobreza y control social (ver p.ej., Black, 1970; Williams y Flewelling, 1988; Patterson, 1991). Finalmente, algunos autores han argumentado que niveles elevados de desempleo y pobreza en las comunidades urbanas pueden contribuir al desarrollo de normas de conducta y contextos en los que la violencia se convierte en la manera habitual de solucionar los conflictos (Anderson, 1997; 1999).

Otros autores, también dentro de un modelo estructural, argumentan que es la pobreza relativa o la desigualdad económica, no la pobreza absoluta, el factor relevante para entender las variaciones espaciales en niveles de actividad criminal. La tesis que la desigualdad económica, especialmente desigualdad económica entre diferentes grupos étnicos, constituye una importante causa del comportamiento violento en las áreas urbanas fue avanzada por Blau y Blau (1982). De acuerdo con la teoría de la deprivación relativa propuesta por Blau y Blau (1982), las injusticias sociales que se derivan de la desigualdad económica conducen a un estado de desorganización y anomia, que a su vez conducen a la expresión de hostilidad y conductas criminales. Los Blau, además, argumentan que la deprivación relativa está más acentuada entre los miembros de minorías étnicas desfavorecidas, en la medida en que estos grupos, sufren no solo discriminación económica, sino también discriminación racial que les atribuye un estatus incluso inferior.

Sin embargo, la mayor parte de los estudios no han encontrado apoyo a la relevancia de la desigualdad económica entre grupos étnicos y algunos investigadores han sugerido que desigualdades económicas entre miembros de un mismo grupo étnico son más relevantes que las existentes entre grupos étnicos, porque son los miembros de un mismo grupo étnico los que se emplean como estándar de comparación (Shihadeh y Steffensmeier, 1994). Por otra parte, muchos investigadores rechazan la noción de frustración-agresión que subyace en el modelo de los Blau y la manera en que conceptualizan su vinculación con el comportamiento criminal y violento. Estos autores también critican el uso de datos agregados cuando lo más relevante desde la perspectiva de los Blau es el mecanismo psicológico subyacente (Shihadeh y Maume, 1997). De manera alternativa, otros autores enfatizan la dimensión estructural de la desigualdad económica. Shihadeh y Steffensmeier (1994, p. 734) sugieren que la desigualdad economiza debilita la comunidad y la estabilidad familiar y, a través de estos procesos, promueve la delincuencia:

> «a través de la promoción de la deslegitimación masiva de las normas o instituciones convencionales y a través de la reducción de la efectividad de los controles sociales que canalizan a los miembros de la comunidad hacia papeles

sociales convencionales... un grado elevado de desigualdad es esencialmente una disfunción sistémica producida por la contradicción entre lo que debería y lo que puede ser obtenido. El resultado es una ambigüedad extendida o el cinismo en relación con el sistema social convencional y la debilitación de los vínculos al mismo. Así, desigualdades que son muy visibles minan el poder de las comunidades para cultivar el alineamiento con el orden convencional y producir adultos "triunfadores" que asuman roles familiares y laborales»

En su revisión de la investigación realizada hasta la fecha elaborada para el Panel de la Academia Nacional sobre el Estudio y el Control de la Violencia, Sampson y Lauritsen (1994) documentaron que, casi sin excepción, los estudios sobre la violencia encuentran una correlación positiva y elevada entre alguna medida comunitaria de pobreza y la violencia, especialmente los homicidios. Sin embargo, la magnitud de dicha correlación, sobre todo cuando se controlan otras dimensiones comunitarias, resulta un tanto más debatida. De acuerdo con Sampson y Lauritsen, la mayoría de los estudios encuentra una relación directa débil o efectos condicionales. En todo caso, la mayoría de las explicaciones del efecto de la pobreza en las tasas comunitarias de delincuencia y violencia en realidad aluden a variables mediadoras que son detalladas de manera más sofisticada por algunas de las teorías que veremos durante este capítulo. Por lo demás, la evidencia sobre la importancia comparativa de pobreza absoluta versus desigualdad económica es contradictoria y se ha interpretado de diversas maneras (ver, por ejemplo, Blau y Blau, 1982; Bailey, 1984; Harer y Steffensmeier, 1992; Patterson, 1991)

II.b. Segregación racial y delincuencia

Una característica peculiar del paisaje urbano norteamericano lo constituye el elevado grado de diferenciación racial entre barrios. Mientras que la mejor situada económicamente, la mayoría blanca, vive en barrios acomodados en las afueras de las ciudades, las minorías étnicas afroamericanas y de origen hispano viven en el centro de las ciudades en barrios muy deteriorados, con altos niveles de pobreza y desempleo. Incluso dentro de las ciudades se observan diferencias raciales muy fuertes que se hacen evidente en ocasiones simplemente cruzando una calle o girando en una esquina.

Esta segregación racial está claramente correlacionada con factores socioeconómicos y la sociología americana aún debate las razones de esta concentración de la pobreza. Sin embargo, tal y como Massey y Denton (1993) demostraban en el *Apartheid Americano,* algo que pocos dudan es que prácticas discriminatorias en el mercado de vivienda y las resistencias de la mayoría blanca a la integración han representado un papel esencial en la creación de estos guetos. Otros autores han destacado la situación parecida en la que viven diferentes grupos hispanos en los Estados Unidos (Moore y Pinderhughes, 1993). Este debate sociológico ha tenido su repercusión en el campo de la criminología y cada vez son más los autores que usan medidas de segregación racial para explicar los altos niveles de criminalidad exhibidos por minorías étnicas en los Estados Unidos.

Aunque esta teoría resulta de limitada aplicación en el marco español, que históricamente ha sido notablemente homogéneo en cuanto a composición étnica se refiere, se incluye aquí por su relevancia en el discurso americano, por su posible aplicación para entender el fenómeno de la violencia doméstica entre determinados grupos étnicos presentes en nuestro país (p.ej., gitanos) y por la relevancia que podría cobrar en nuestro contexto si se produjeran en el mismo los procesos de marginalizacion espacial de inmigrantes de países tercermundistas o en vías de desarrollo que llegan a nuestro país.

Logan y Messner (1986, p. 510) han subrayado los mecanismos que hacen que la segregación residencial de tipo étnico tenga una influencia en la distribución espacial de la delincuencia violenta:

> «la segregación racial impone una barrera significativa a la ascensión social y la calidad de vida de los negros. El lugar de residencia coloca a la gente no solamente en un espacio geográfico, sino también en redes de oportunidades sociales: influencia de oportunidades de empleo, de servicios públicos y de progreso educativo, los valores de la propiedad y semejantes. La segregación residencial basada en características raciales, en consecuencia, implica que las oportunidades de determinados grupos están limitadas, lo que supone un conflicto con los valores americanos básicos que promueven la igualdad de oportunidades en la lucha por el éxito socioeconómico. Semejante disfunción entre las condiciones estructurales y valores culturales fundamentales, Merton argumentaba, tienden a minar la legitimación de las normas sociales y como consecuencia promueve la conducta desviada»

Los propios Massey y Denton (1993) argumentan que la segregación crea un ambiente extremadamente hostil y desfavorecido al cual los miembros de grupos étnicos minoritarios y discriminados se deben adaptar. En el proceso de adaptación, estos autores mantienen, se desarrollan un conjunto de conductas, actitudes y expectativas que entran en clara divergencia con aquellos que son comunes en el resto de la sociedad americana. El aislamiento y la pobreza intensa del gueto ofrecen un nicho estructural que favorece la aparición de una cultura de la oposición que invierte los valores de la clase media y que progresivamente conduce a mayores divergencias y al comportamiento desviado.

Aunque existe una amplia bibliografía que muestra una relación entre composición étnica de los barrios y los niveles de delincuencia, estos estudios normalmente no se han producido dentro del marco interpretativo de estas teorías, sino que, como veremos con más detalle, se ha usado la composición étnica como una medida indirecta de la existencia de subculturas violentas. Sampson y Lauritsen (1994) señalan que con la composición étnica de los barrios, la investigación muestra resultados similares a los que se observan cuando se examina la correlación de pobreza y delincuencia. Aunque las tasas de delitos violentos son normalmente más altas en los barrios con un porcentaje elevado de afroamericanos u otras minorías, la magnitud de los efectos directos de la composición étnica en dichas tasas suele ser bastante pequeña y a veces desaparece cuando se controlan otros factores. Por otro lado, las tesis sobre la segregación ha venido a incorporarse otros modelos explicativos de la delincuencia comunitaria, incluyendo algunas variaciones de la teoría de la desorganización social.

II.c. Economía política y tasas de delincuencia comunitaria

Estas teorías de la segregación ciertamente pueden insertarse dentro de aquellas que hacen referencia a la economía política para explicar la geografía del delito. Desde esta perspectiva, se considera que decisiones políticas y económicas adoptadas, a veces de manera deliberada y otras de forma negligente, por actores públicos y privados han representado un papel fundamental en la destrucción de numerosas comunidades urbanas. En todo caso, es cierto que ha existido un incremento dramático en el grado con que se planifica el desarrollo de comunidades locales durante las últimas décadas, lo que impide considerar la composición y organización de las comunidades locales sin tener en cuenta las dinámicas políticas más amplias que las afectan (Bursik, 1989). El trabajo de Liska y Chamlin (1984), por ejemplo, sugiere que mantener ciertos barrios relativamente desorganizados puede beneficiar a determinados actores políticos, de manera que ataques concertados contra su poder no puedan efectuarse desde las mismas.

Desde esta perspectiva no solamente se destaca la relevancia de factores estructurales en la delincuencia, sino que sobre todo se destaca que dichos factores estructurales no aparecen en un vacío o son simplemente el producto de las elecciones individuales de los sujetos que viven en barrios deteriorados. Se entiende, por el contrario, que los guetos urbanos en los Estados Unidos han sido creados por una serie de decisiones políticas y económicas unidas a la expansión descontrolada de los centros urbanos. Estas políticas han afectado a varias áreas incluyendo vivienda, ordenación urbana, incentivos fiscales, transporte publico, infraestructura de carreteras, políticas de prestamos, oportunidades laborales y descentralización fiscal. Estas políticas estaban orientadas a promover el desarrollo industrial y el progreso económico. Sus efectos deben ser entendidos a la luz de una historia que incluía rápida expansión urbana, industrialización, discriminación racial y suburbanizacion[105].

Las políticas que ayudaron a aislar a los pobres en las ciudades americanas derivan del apoyo gubernamental a la emigración desde los centros de población a los suburbios (McCord, 1997). Tras la II Guerra Mundial, nociones románticas sobre la vida en el campo promovieron la creación de un nuevo tipo de viviendas en los suburbios, donde familias saludables podían escapar de la «locura» de la vida urbana. Así, las clases medias, sobre todo las familias anglosajonas, empezaron a emigrar de manera selectiva a los barrios en las afueras de las ciudades y éstas se convirtieron en meros centros económicos y comerciales donde residían hacinadas las clases más desfavorecidas.

Los intereses económicos y los prejuicios raciales envueltos en el mercado de viviendas y descritos por Massey y Denton (1993) sirven para explicar, al menos parcialmente, la concentración de minorías étnicas y pobres en determinadas zonas urbanas. La construcción y concentración de estigmatizantes y mastodónticos proyectos de vivienda pública donde se daba alojamiento a los sectores más desfavorecidos de la población en unas instalaciones totalmente despersonalizadas y contrarias al desarrollo de redes de control social informal, en zonas ya de por sí pobres, también ha servido para explicar la concentración del delito en determinados barrios de las ciudades (Newman, 1972; Bursik, 1989; Fagan et al., 1998). De hecho, existe una subespecializacion dentro de la criminología americana que se dedica de manera exclusiva al estudio de la delincuencia en estos proyectos de vivienda pública.

Otros criminólogos y economistas han prestado especial atención a otro tipo de factores, incluyendo la distribución de servicios y obras públicos. Wallace (1991), por ejemplo, ha demostrado como el cierre sin precedentes de una buena parte de las estaciones de bomberos en el Bronx neoyorquino coincidió curiosamente con una epidemia de incendios que desoló esta parte de la ciudad y la convirtió en una suerte de zona de guerra que constituía el nicho ideal para diversos comportamientos delictivos. Otro factor que ha sido destacado por los criminólogos americanos lo constituye la creación del sistema de autopistas. Estas autopistas en numerosas ocasiones delimitaron y aislaron determinadas zonas

---

[105] En el contexto americano, el suburbio no es el barrio marginal ubicado en los límites de las ciudades, sino que se corresponde más bien al concepto de barriadas e incluso poblaciones dormitorio en las que las clases pudientes viven alejadas de los problemas de la vida urbana. En un sentido más amplio este fenómeno de suburbanización se correspondería con el concepto de *edge city* descrito por Garreau (1991). Marcus Felson (1998) proporciona una visión breve, pero interesante de la evolución de formas urbanas en los Estados Unidos.

urbanas que quedaron así convertidas en zonas con altas tasas de problemas sociales y delincuencia (McCord, 1997).

También conviene resaltar que estos autores creen que las prácticas del sistema de justicia penal pueden contribuir a debilitar los barrios marginales. Así, autores como Tonry (1995) y Rose y Clear (1998) han defendido que el uso masivo de penas de prisión, en muchas ocasiones ligadas a la guerra contra las drogas, contra determinadas minorías étnicas y los pobladores de estos barrios ha contribuido a reducir de manera considerable el número de hombres adultos que residen en las mismas, lo que ha conllevado importantes consecuencias económicas y ha alterado las estructuras familiares y comunitarias de los mismos para peor.

La policía también ha recibido importantes críticas en este sentido. La retirada de la policía de estas comunidades ha favorecido el desarrollo de la delincuencia (Coles y Kelling, 1997). Además, cuando la policía ha actuado en las mismas lo ha hecho de manera agresiva y discriminatoria contribuyendo aun más a la alienación de estas comunidades y a una situación de conflicto entre las mismas y los agentes del orden (Sampson, 1986). Los prejuicios contra los residentes de estas comunidades, sin embargo, no se han visto tan solo reflejados en la actuación policial, sino en prácticas judiciales y fiscales. Así, por ejemplo, Sampson y Laub (1993a) han mostrado como el contexto estructural, el tipo de comunidades en que los delincuentes juveniles residen, influye en el proceso de acusación y sentencia de los mismos; produciéndose lo que los ingleses llaman «discriminación por código postal».

II.d. Subculturas y barrios

Las teorías subculturales también han sido empleadas para explicar variaciones geográficas en la distribución de la delincuencia y el comportamiento violento. De acuerdo con estas teorías, la existencia de códigos subculturales en diferentes zonas geográficas ofrecen una explicación de la distribución espacial de la delincuencia. Las zonas con altas tasas delictivas son aquellas en las que residen grupos portadores de normas que son más tolerantes hacia el uso de la violencia o hacia formas de comportamiento desviado. Las teorías subculturales, que se remontan al trabajo de Albert Cohen (1955) sobre jóvenes delincuentes, cuentan con una gran tradición dentro de la criminología. Fueron posiblemente Wolfgang y Ferracuti (1971) quienes de una manera más clara aplicaron esta teoría al estudio de la geografía de la violencia.

En su estudio clásico sobre las subculturas violentas, Wolfgang y Ferracuti (1971) sugerían que los miembros de minorías étnicas y de clases sociales desfavorecidas ostentan un conjunto distintivo de valores que explican su mayor implicación en formas de comportamiento violento. Estos valores son especialmente comunes entre los adolescentes de sexo masculino y están asociados al concepto de machismo. Los miembros de estas subculturas son más propensos a valorar el combate físico como una medida de coraje, atrevimiento o de defensa de su estatus. Los miembros de estos grupos otorgan especial valor a virtudes asociadas con la destreza física. En estos grupos comentarios derogatorios que pueden ser considerados como triviales por la población general son en cambio considerados como serias ofensas merecedoras de venganza violenta.

Las teorías subculturales, sin embargo, están lejos de constituir el paradigma dominante dentro de la criminología contemporánea. Estas teorías fueron objeto de importantes críticas durante los años 60 y 70 y en la actualidad constituyen un capitulo más en la historia de la teoría criminológica (Ver García-Pablos, 1988; Tedeschi y Felson, 1994). Uno de los problemas de la teoría propuesta por Wolfgang y Ferracutti (1971) y que fue repetido hasta la saciedad por quienes pretendían estar demostrando la validez o invalidez de esta teoría consistía en la asunción de que los barrios afroamericanos constituyen un ejemplo de subcultura violenta. Desde esta perspectiva se asumía que la correlación entre composición étnica de los barrios y violencia era la prueba de dicha explicación, al mismo tiempo que se usaba dicha composición étnica como una medida indirecta de la existencia de dicha subcultura. No solamente el argumento era tautológico, sino que además estudios más recientes han demostrado que los afroamericanos no son más propensos a favorecer el uso de la violencia o a tolerar la desviación, sino más bien todo lo contrario (Sampson y Bartusch, 1999).

Dicho esto, conviene señalar que la relevancia de factores de tipo normativo o cultural también están recibiendo renovada atención últimamente. Ya hemos visto cómo las teorías de la segregación racial hacen referencia al desarrollo de pautas normativas diferenciales como consecuencia del aislamiento social de determinadas minorías étnicas. El trabajo del antropólogo Elijah Anderson (1994, 1997, 1999) también ha servido para renovar el interés en este tipo de factores.

Anderson ha venido trabajando en los últimos años sobre lo que él denomina *el código de la calle* como un factor relevante para entender las dinámicas que tienen lugar en los guetos urbanos. Aunque la cita es larga, merece la pena dejar a Anderson expresarse con su propio vocabulario (p. 1):

> «Simplemente vivir en dicho entorno pone a los jóvenes en el peligro de convertirse en víctimas de conductas agresivas. Aunque hay fuerzas en la comunidad que pueden contrarrestar las influencias negativas —con mucho la más importante es una familia fuerte, afectuosa, decente (como los residentes de los guetos la describen) comprometida con los valores de clase media— la desesperación es lo suficientemente poderosa como para haber dado lugar a una cultura de la oposición, de la calle, cuyas normas son a menudo opuestas de manera consciente a aquellas

de la sociedad en general. Estas dos orientaciones —decente y de la calle— organizan socialmente la comunidad, y su coexistencia tiene importantes consecuencias para los residentes, en particular para los niños que crecen en los guetos urbanos. Por encima de todo, este entorno significa que incluso los adolescentes cuya vida doméstica refleja valores de la sociedad general —y la mayoría de los hogares en la comunidad así lo hacen— deben ser capaces de conducirse de manera apropiada en un entorno orientado a la calle. Esto es así porque la cultura de la calle ha evolucionado hacia lo que puede denominarse el código de la calle, que comprende un conjunto de reglas informales que gobiernan la conducta interpersonal pública, incluyendo la violencia. Las reglas prescriben el comportamiento apropiado y la manera adecuada de responder cuando uno es cuestionado. Estas normas regulan el uso de la violencia y proporcionan una justificación racional que permite a quienes están inclinados al uso de la agresión a precipitar encuentros violentos de una manera apropiada. Las reglas han sido establecidas y son mantenidas fundamentalmente por aquellos que están orientados hacia la calle, pero en las calles la distinción entre callejeros y decentes es a menudo irrelevante; todos saben que si las reglas son violadas existen sanciones. El conocimiento del código es en muy buena medida defensivo y es literalmente necesario para operar en público. Por tanto, incluso aunque las familias con una orientación decente se oponen usualmente a los valores del código, a menudo, y sin mucho entusiasmo, conminan a sus hijos a familiarizarse con el mismo para que estos puedan sobrevivir en el entorno de los guetos urbanos»

Un elemento central de este código es la noción de *respeto*, definida de una manera amplia como el derecho a ser tratado correctamente o con la deferencia que uno merece. En la cultura de la calle, siempre de acuerdo con Anderson, el respeto es considerado como una entidad externa que cuesta trabajo adquirir, pero se pierde fácilmente, y por eso tiene que ser constantemente defendida. Las reglas del código proporcionan un marco para negociar el respeto. Los individuos, sobre todo los jóvenes, adoptan una amplia gama de conductas que se reflejan en su manera de andar, su vestimenta, calzado deportivo, la manera de mirar, sus conductas para imbuirse de respeto y disuadir a posibles transgresores. El código, de hecho, también tiene mucho que ver con las formas de presentarse y comportarse en público. Uno de los requisitos básicos es el mostrar cierta predisposición a la violencia. Uno debe mandar el mensaje claro, pero de forma sutil, que es capaz de comportarse violentamente si la situación lo requiere. Cuando alguien se interfiere en su camino o les molesta, cuando la disuasión aparentemente no funciona, no solamente pueden estar en peligro, sino que han sido ofendidos, se les ha faltado el respeto. Estas interferencias pueden parecer nimias, como mantener la mirada en los ojos por demasiado tiempo, pero para aquellos empapados en el código de la calle, estas acciones son interpretadas como indicadores de las intenciones de la otra persona. Consiguientemente, estas personas son muy sensibles a este tipo de movimientos. Porque el mantenimiento del respeto y de la identidad es esencial para la supervivencia en este entorno, las muestras de falta de respeto o los ataques a la identidad más serios, no pueden dejarse pasar sin ser sancionados (Anderson, 1990, 1994, 1997).

Conviene, no obstante, señalar que existen importantes diferencias entre estas ideas y las teorías subculturales anteriormente aludidas. La noción de segregación racial y aislamiento social se distingue de manera especifica de la cultura de la pobreza y la subcultura de la violencia por el énfasis prestado a la adaptación a un entorno hostil en lugar de la insistencia en la internalización de normas. Como el propio Anderson señala refiriéndose al código de la calle(p. 3):

> «Esta dura realidad tiene sus raíces en el profundo sentido de alienación hacia la sociedad general y sus instituciones sentido por muchos negros pobres que viven en los guetos urbanos, sobre todo los jóvenes. El código de la calle es en realidad una adaptación cultural a la falta profunda de fe en la policía y el sistema judicial»

Además, las teorías de la subcultura de la violencia o la cultura de la pobreza usualmente tenían un cierto sentido general que no está presente en los estudios contemporáneos que examinan la dimensión normativa de la vida en los guetos urbanos. Los autores contemporáneos reconocen que las actitudes de la sociedad en general están profundamente implicadas en la vida normativa en estas comunidades. Anderson, por ejemplo, reconoce que la mayoría de los residentes de los guetos urbanos no están totalmente absorbidos por el código de la calle. Es una minoría de jóvenes que se identifican totalmente con el mismo porque no tienen (o así lo sienten) otros medios para establecer su identidad. La medida en que algunos adolescentes, particularmente aquellos que han sido más abandonados por sus padres, experimentan, sienten e internalizan la discriminación racista y los prejuicios de la sociedad general sobre los residentes de los guetos puede llevarles, a cambio, a expresar desprecio por la sociedad convencional. Para estos jóvenes, ésta es una manera de adaptarse a este racismo y discriminación, una manera de preservar una identidad valiosa. Al mismo tiempo, hay un grupo mayor de jóvenes menos alienados, pero que conocen el código de la calle, lo usan de manera defensiva y asumen unas determinadas apariencias ligadas al mismo como una manera de expresar su identidad como negros o hispanos, aunque en realidad llevan una vida más convencional, quieren tener una familia y vivir en un entorno no violento.

Por tanto, se admite que es posible realizar análisis que tomen en consideración aspectos normativos de la vida comunitaria, sin llegar a los extremos de las teorías sobre la cultura de la pobreza y las subculturas. A diferencia del concepto de la cultura de la violencia, la noción de aislamiento social no implica que prácticas comunes en los guetos se internalicen, adopten una vida propia y, por tanto, se conviertan en un factor que influye la conducta con independencia del entorno contextual. Más bien, lo que se sugiere es que la reducción de las desigualdades estructurales no solamente disminuiría la frecuencia de estas prácticas, sino que también haría su transmisión como preceptos menos eficiente. En este sentido más limitado, estos autores defienden una apreciación renovada de la ecología cultural, no en el sentido monolítico y descontextualizado en que era entendido por las subcultura de la violencia y la pobreza (Sampson y Wilson, 1995).

II.e. Teorías contemporáneas de la desorganización social: hacia la integración de diversas perspectivas ecológicas

Quizá la teoría por excelencia de tipo ecológico es la versión moderna de la teoría de la desorganización social. Esta teoría argumenta que las características sociales y organizativas de los barrios explican las variaciones en las tasas de delincuencia. En particular, se argumenta que la habilidad diferencial de los barrios para actualizar los valores comunes de sus residentes o mantener un control social efectivo constituye el factor primordial para entender las tasas de delitos de diferentes barrios (Shaw y McKay, 1969; Bursik, 1988; Sampson y Groves, 1989).

El postulado central de esta teoría, presentado por Clifford Shaw y Henry McKay en su clásico de 1942 *Juvenile Delinquency and Urban Áreas,* es que ciertas características del entorno como la pobreza, la movilidad residencial, la heterogeneidad étnica de los residentes y la densidad estructural tienen efectos nocivos en la capacidad de los residentes de ciertas áreas para regular la vida comunitaria. Shaw y McKay, en todo caso, no afirmaban una relación directa entre pobreza o composición socioeconómica y delincuencia, sino que ésta era una relación mediada por movilidad residencial y heterogeneidad de la población. La capacidad de los residentes para controlar los procesos grupales es el mecanismo clave que explica las diferentes tasas de delincuencia en las áreas urbanas. Shaw y McKay desarrollaron este trabajo sobre la base de las construcciones teóricas e investigación de otros autores de la Escuela de Chicago como Park, Burgess, Thomas y Znaniecki. El trabajo de Shaw y McKay, sin embargo, no explicaba claramente el vínculo entre desorganización social y delincuencia y a veces adoptaba posiciones procedente de teorías tan diversas como la teoría del conflicto, la teoría del control o la teoría del estrés (Bursik, 1988).

La exposición del modelo clásico de desorganización social, así como algunas de las críticas recibidas por el mismo, son bien conocidas en nuestro país (Ver, p.ej., García-Pablos, 1988)[106]. Menos conocido, sin

---

[106] Para una respuesta a alguna de las críticas más comunes a la teoría de la desorganización social ver Bursik, 1986.

embargo, es el trabajo de los autores que en los últimos años han venido a revitalizar este enfoque teórico. Aunque el trabajo de Shaw y McKay gozó de bastante difusión en los primeros años de la criminología americana, pronto fue desterrado a un segundo plano y no ha sido hasta principios de los 80 cuando un grupo de jóvenes criminólogos, con mayor o menor afiliación a la Escuela de Chicago, han tratado de reivindicar las ideas originales de Shaw y McKay para desarrollar esta teoría dando respuesta a las críticas realizadas a la misma (Para una muestra ver: Bursik, 1988; Byrne y Sampson, 1986; Reiss y Tonry, 1986; Sampson y Grooves, 1989; Bursik y Grasmick, 1993, 1995). La revitalización de este enfoque ha coincidido con un movimiento dentro de la criminología norteamericana de recuperación de los métodos etnográficos (Sullivan, 1989; Hagedorn, 1998; Anderson, 1997) y con un movimiento más general dentro de su sociología de hablar sobre los guetos urbanos, las condiciones que favorecieron su creación y las consecuencias de su existencia (Massey y Denton, 1993; Mollenkopf y Castells, 1991; Moore y Pinderhughes, 1993; Anderson, 1990; Wilson, 1996; Jargowsky, 1997; Brooks-Gunn et al., 1997; Tucker y Mitchell-Kernan, 1995). Unos movimientos que sólo pueden entenderse en el contexto de los importantes cambios sociales y urbanos que han tenido lugar desde los 70.

Una de las críticas dirigidas a la formulación inicial de este modelo era la insuficiente delimitación conceptual de la desorganización social, en particular sus diferencias del propio concepto orientado a explicar, las tasas comunitarias de delito. En la actualidad la desorganización/organización social se define como la capacidad diferencial de los barrios para realizar sus valores comunes y mantener controles sociales efectivos (Sampson, 1995). Más recientemente, esta dimensión de la vida comunitaria también se ha denominado eficacia colectiva (Sampson et al., 1997).

Esta formulación de la desorganización social asume que el alcance y fortaleza de las redes sociales locales afectan de manera directa la efectividad de dos formas de regulación comunitaria. La primera refleja la *habilidad de los vecinos de supervisar la conducta de los residentes en el barrio.* Aunque el control social incorpora varias dimensiones, la teoría de la desorganización social subraya la relevancia de los procesos informales de control social. Generalmente, el control social hace referencia a la capacidad de un grupo de regular a sus miembros para obtener objetivos colectivos. Un objetivo fundamental es el deseo de los residentes en una comunidad de vivir en un entorno seguro y pacífico que no sufre las consecuencias de la delincuencia y la violencia. Las teorías contemporáneas explican la relevancia de la desorganización social dentro del contexto de las teorías del control social. En particular, se identifican tres formas primarias de control social informal (Bursik, 1988):

(1) La vigilancia informal: la observación causal, pero activa, de las calles del barrio que es realizada por los residentes como parte de sus rutinas cotidianas.

(2) Las normas que gobiernan el movimiento: la evitación de determinadas áreas o zonas que se consideran peligrosas.

(3) Intervención directa: cuestionar a los residentes y desconocidos que realizan actividades sospechosas. Puede incluir criticar a adultos y reñir a niños por la realización de conductas consideradas inaceptables.

Por otro lado, la desorganización social afecta la efectividad, no ya de estos mecanismos de control social, sino de la *socialización colectiva*. De la misma manera que la familia y la escuela forman parte del contexto ecológico que facilita la socialización de los adolescentes, el barrio representa un papel importante en este sentido. La presencia de adultos en la comunidad que desempeñan roles convencionales con éxito sirven de modelo para los adolescentes. De acuerdo con esta perspectiva, por tanto, los barrios en los que hay más parados y familias en las que la figura paterna está ausente proporcionan modelos de roles con un menor énfasis en el suceso escolar, los hábitos del trabajo, orientaciones futuras, autoeficacia y organización familiar. En los barrios más deteriorados los padres reciben poco apoyo comunitario para criar a sus hijos. Al contrario, la presencia de adultos que están implicados en estilos de vida no convencionales, e incluso delictivos, constituye una amenaza física y moral para el desarrollo de los niños (para evidencia en ese sentido, ver: Brooks-Gunn et., 1997). En este contexto, las familias precisan adoptar, y de hecho lo hacen, una amplia gama de estrategias para contrarrestar las malas influencias del ambiente comunitario (Jarrett, 1997).

Los estudios clásicos sobre la desorganización social difieren de los estudios más recientes en varios aspectos. De acuerdo con Bursik y Grasmick (1995), al margen de otras, existen dos diferencias esenciales. En primer lugar, Shaw y McKay recogían en su modelo la existencia de diferencias subculturales entre barrios pobres y barrios más afluentes. Sin embargo, el carácter polémico de este tema, así como la insuficiencia de evidencia que demuestre claramente un conjunto de creencias diferentes sobre el comportamiento delictivo en barrios de clase baja ha llevado a los partidarios de las teorías modernas de la desorganización social a prestar menos atención a este tipo de factores culturales y a subrayar en cambio otro tipo de dimensiones comunitarias[106bis].

[106bis] Esto, sin embargo, no debe entenderse como un completo abandono del interés por factores normativos. Como señalaba anteriormente, existe un renovado interés en la dimensión normativa de la vida en los guetos (Massey y Denton, 1993; Anderson, 1999), lo que ha llevado a autores como Sampson (1997) a hablar de nuevo sobre

En segundo lugar, la investigación contemporánea sobre desorganización social asume que los barrios presentan diferentes pautas de sistemas de interacción y asociación entre sus residentes. Estudios clásicos de desorganización social como Shaw y McKay (1942) destacaban la relevancia de correlatos estructurales en las tasas comunitarias de delincuencia y, en el mejor de los casos, especulaban sobre los procesos que explicaban estas conexiones. La investigación y teoría más reciente ha puesto su énfasis en la *caja negra*, en los factores que explican la conexión entre correlatos estructurales y tasas comunitarias de delincuencia, en particular se ha destacado la relevancia del sistema de relaciones e interacciones que facilitan el control social y la capacidad de realizar los valores comunes de los residentes.

Bursik y Grasmick (1995) designan a estas nuevas teorías de la desorganización social como el modelo sistémico de delincuencia comunitaria y consideran que existen cinco características fundamentales del mismo:

(1) *El modelo sistémico subraya la importancia de las pautas continuas de intercambio de información reflejadas en los grupos de relaciones y vínculos entre los componentes de un sistema.* Las teorías contemporáneas de la desorganización social consideran los barrios como sistemas complejos en los que se desenvuelven relaciones de amistad, camaradería e intimidad, así como vínculos formales e informales de tipo asociativo con base en la vida familiar y como parte del proceso continuo de socialización.

---

la dimensión cultural del modelo de desorganización social, pero se hace en el contexto de las posibilidades de socialización colectiva y con las limitaciones y cautelas aludidas anteriormente.

De acuerdo con Sampson, la teoría de la desorganización social también presta atención a procesos de tipo normativo. La pobreza, anonimato, desconfianza mutua, inestabilidad institucional, heterogeneidad y otros factores estructurales de las comunidades urbanas en teoría limitan la comunicación y obstruyen la búsqueda de valores comunes, promoviendo así la diversidad cultural con relación a valores no delictivos. Se entiende que el contexto comunitario parece conformar lo que se denominan *paisajes cognitivos* o normas ecológicamente estructuradas en relación con las expectativas sobre la conducta apropiada.

Este autor considera que los estudios etnográficos realizados hasta la fecha generalmente apoyan la hipótesis de que comunidades estructuralmente desorganizadas dan lugar a la emergencia de un sistema de valores culturales y actitudes que parecen legitimar al menor ofrecen una base de tolerancia hacia el delito y la desviación. En este contexto, la delincuencia no se considera como un valor por si mismo, pero se acepta y espera como un aspecto más de la vida. Este factor puede limitar la efectividad de la socialización colectiva aludida anteriormente. En todo caso, como señalaba en la sección anterior, este nuevo enfoque de los aspectos normativos de la vida comunitaria se diferencia de manera importante de las teorías subculturales (Sampson y Wilson, 1995).

Desde esta perspectiva, la organización y la desorganización social están íntimamente ligadas a los conjuntos de relaciones de tipo sistémico que facilitan o inhiben el control social (Sampson, 1995). En este sentido, se ha aludido a dos dimensiones diferentes de control: el control privado y el control parroquial.

El *control privado* se centra el conjunto de relaciones que integra a los residentes en grupos primarios informales dentro del barrio. A través de estas asociaciones se transmite la información sobre las expectativas que existen en el mismo sobre el comportamiento apropiado. Si estas expectativas son violadas, los conjuntos de relaciones son empleados para imponer varias formas de sanciones informales (ostracismo, cotilleo) sobre el transgresor. Un número considerable de estudios han prestado atención a la capacidad potencial del control privado en los barrios examinando indicadores indirectos del mismo tal y como número de amigos o familiares que viven en las cercanías. Además, el modelo sistémico ha subrayado la relevancia de la estructura familiar y dinámica como un elemento del nivel privado de control.

El *control parroquial* representa los conjuntos de relaciones interpersonales en los que la comunicación entre los miembros no cuentan con el mismo nivel de intimidad que al nivel privado. Por ejemplo, un residente puede, de manera informal, vigilar las actividades públicas de los niños del barrio o puede alertar a los vecinos sobre la presencia de extraños con aspecto sospechoso y amenazante. Esta dimensión de control sistémico representa las capacidades de supervisión de la comunidad local. Además, también representa la participación residencial en instituciones locales como iglesias, organizaciones voluntarias y escuelas.

(2) *La organización social exhibe diversos grados de sistematicidad.* Shaw y McKay fueron severamente criticados por no reconocer la diversidad de formas que las organizaciones sociales pueden adoptar. El trabajo clásico de Whyte (1943) ponía en evidencia que en comunidades aparentemente desorganizadas existe una jerarquía de relaciones personales basada en un sistema de obligaciones reciprocas en las mismas. Trabajos más reciente también demuestran que residentes en comunidades con tasas elevadas de delito adoptan estrategias interpersonales y afiliaciones, principalmente basadas en relaciones primarias, para garantizar su propia seguridad, bienestar y futuro (Anderson, 1990; Furstenberg, 1993; Jarrett, 1997) Por tanto, los modelos actuales de desorganización social reconocen que la organización de un barrio puede reflejarse en una variedad de estructuras sociales y que aquí no hablamos de distinciones categóricas, sino que organización social es una variable multidimensional y continua.

La investigación realizada hasta la fecha ha prestado atención a dos dimensiones de los conjuntos de relaciones comunitarias: el tamaño de estos conjuntos de relaciones y el grado de intimidad de los mismos. Sin embargo, existe una amplia gama de características que no han sido examinadas en su relación con la delincuencia, así, por ejemplo, factores tal y como la posibilidad de contacto, la densidad, el contenido de las relaciones, su duración, la intensidad o su frecuencia entre las más relevantes. Como Bursik y Grasmick han señalado, solo tomando en consideración estos elementos podremos entender en toda su riqueza la diversidad de formas de organización y desorganización social presente en la vida comunitaria de distintos barrios que ha sido sugerida por autores como Whyte.

El trabajo más reciente de Rob Sampson ha arrojado luz sobre algunos de estos procesos subrayando la relevancia de otra importante dimensión de la organización social en los barrios: la cohesión social. De acuerdo con este autor, la capacidad de los residentes para intervenir en la vida comunitaria en persecución del bien común depende de las condiciones de solidaridad y confianza mutua entre los residentes. Así, Sampson argumenta que los residentes son menos proclives a intervenir en contextos comunitarios en los que las reglas no son claras y los vecinos desconfían los unos de los otros. En consecuencia, los barrios socialmente más cohesivos son los terrenos más fértiles para la realización de controles sociales informales (Sampson et al., 1997).

(3) *Determinados aspectos de la estructura del sistema pueden cambiar con el paso del tiempo o incluso continuamente sin que ello signifique necesariamente la disolución del sistema.* Shaw y McKay tendían a conceptualizar las áreas urbanas como unidades estables y poco proclives al cambio, tal y como ellos documentaban al descubrir la relativa estabilidad de las tasas comunitarias de la delincuencia. Sin embargo, como Shuerman y Kobrin (1986) han puesto de relieve, la estabilidad ecológica asumida por Shaw y McKay desapareció después de la II Guerra Mundial, cuando se produjo una aceleración en la tasa de descentralización en las áreas urbanas que alteró de manera significativa el carácter del cambio urbano (sobre cambiantes modelos urbanos, p.ej., ver: Jacobs, 1961; Castells, 1989; Garreau, 1991; Wilson, 1996; Golledge y Simpson, 1997; Morenoff y Tienda, 1997; Felson, 1998). Los autores que hablan hoy sobre desorganización social admiten la existencia de cambios y, sobre todo, destacan que estos cambios están íntimamente ligados a las relaciones entre los barrios y otros componentes sistémicos mayores, como el mercado de trabajo general u otras esferas de poder. Así, se tiende a dar cabida al modelo económico político dentro de las teorías contemporáneas de la desorganización social.

(4) *El sistema está abierto.* Esta es posiblemente la mayor diferencia del modelo tradicional de desorganización social. Conectando con lo anterior, no se cuestiona que los controles privados y parroquiales son

importantes mecanismos reguladores dentro de los barrios, pero se destaca de una manera muy clara que existen contingencias determinadas por fuerzas económicas y políticas externas que median la capacidad de los conjuntos de relaciones e instituciones locales de controlar la amenaza del delito. Así, se ha destacado la relevancia de considerar el contexto social, político y económico de las comunidades y lo que se han denominado concepciones político económicas sobre las tasas comunitarias de la delincuencia (Sampson y Wilson, 1995). En otras palabras, no solamente se destaca la relevancia de entender como la desorganización social genera delincuencia, sino también como se genera la desorganización social.

(5) Finalmente, las teorías contemporáneas de desorganización social, de nuevo en conexión con lo anterior, también *discuten los niveles públicos de control y su interacción con los controles privados y parroquiales.* Esta dimensión se refiere a la capacidad de asegurar bienes públicos y privados que proceden de agencias y grupos que están localizados fuera de los contornos del barrio. En la medida que estos bienes y servicios son limitados y están disminuyendo en muchos municipios, las comunidades locales están envueltas en un proceso de competición continua con otros barrios para adquirir dichos recursos. Por tanto, el modelo sistémico o la investigación contemporánea sobre desorganización social es sensitiva a los efectos que la distribución de, y competición por, recursos externos puede tener en las capacidades reguladoras y otras dimensiones comunitarias de las áreas afectadas.

El trabajo de Wallace (1991) citado anteriormente sobre el cierre de estaciones de bomberos en el sur del Bronx y las tremendas implicaciones que esta decisión tuvo para el barrio constituye un buen ejemplo de este tipo de conexiones. Wallace y Wallace (1990) han empleado este modelo en relación con el sistema sanitario. Pero quizá, la dimensión más clara de los controles públicos con las funciones de control del delito hace referencia a las relaciones que existen entre la comunidad y las agencias del sistema de justicia penal y otras agencias encargadas de vigilar la aplicación de la ley. Hay quienes señalan que la evidencia indicando una mayor agresividad y hostilidad por parte de la policía contra los residentes de barrios minoritarios y pobres dificulta el establecimiento de relaciones con los residentes de los mismos. También hay quienes destacan que esta pauta de agresividad es compatible en la práctica con un serio abandono de estos barrios por parte de la policía. Pero no solo la policía representa un papel aquí, sino también otros organismos encargados de garantizar el cumplimiento de la ley. Así, por ejemplo, se ha destacado como la escasa atención prestada por las autoridades municipales a la violación de normativas locales sobre el debido mantenimiento de las propiedades y viviendas han contribuido al deterioro de los barrios en ciudades tan significativas como Chicago o Nueva York (Sampson y Wilson, 1995).

Al margen de los vínculos con las agencias locales encargadas del mantenimiento de la ley, de acuerdo con Bursik y Grasmick, existen, al menos, tres tipos más de conjuntos de relaciones públicas que son relevantes. En primer lugar, *los vínculos con el gobierno local*. Cuando los municipios experimentan momentos de severa penuria económica y restricciones, el cierre de servicios tiene un efecto pronunciado en la vida cotidiana de las clases más desfavorecidas, en la medida que estas dependen más directamente de servicios públicos en materia de educación y sanidad (Wallace y Wallace, 1990). Además, los cambios recientes en la mayoría de las democracias occidentales y sus economías han llevado al cierre de numerosas factorías y un crecimiento del sector servicios que tradicionalmente se habrían nutrido de diferentes sectores de la población. En el sentido que estas dinámicas han sido conectadas con estructuras de control sistémico de las comunidades locales, la capacidad de los barrios para influir el gobierno e industria local para mantener puestos de trabajo y servicios públicos se presumen también relacionadas con las tasas comunitarias de delincuencia.

En segundo lugar, Bursik y Grasmick destacan la relevancia de *los vínculos con los establecimientos financieros e hipotecarios locales*. Se ha destacado en numerosas ocasiones que el nivel de estabilidad residencial de determinados barrios que se encuentra en los barrios más deteriorados es mucho más el producto de decisiones conscientes realizadas por la industria financiera y de viviendas que el producto de los mecanismos naturales del mercado descritos por Park y Burgess. Numerosos autores han destacado como los guetos urbanos en las ciudades americanas se han visto perjudicados por prácticas de estos sectores muy reticentes a reinvertir en estas áreas. Estas prácticas, se destaca, pueden tener importantes repercusiones en las capacidades reguladoras de las comunidades locales. Primero, porque reducen el porcentaje de residentes que son propietarios de su vivienda y quienes viven en régimen de alquiler tienen un menor interés económico en los asuntos comunitarios. Segundo, porque dificultan la movilidad residencial de los más desfavorecidos, dado el escaso valor económico de sus propiedades (Massey y Denton 1993, discuten de manera muy detallada algunas de estas prácticas).

En tercer lugar, Bursik y Grasmick destacan la relevancia de *los vínculos de las comunidades locales con otras agencias municipales que se encargan de prestar servicios a la comunidad*, tal y como los servicios de recogida de basura, reparación del acerado, mantenimiento de facilidades publicas, agencias de protección medioambiental y de salud pública y similares. La calidad de estos servicios conforma el entorno físico de los barrios y proporciona pistas sobre si estamos en un buen o mal barrio para vivir. Desgraciadamente, las áreas pobres de las ciudades carecen de la capacidad de influencia para obtener la misma calidad de servicios que áreas de mayor capacidad socioeconómica. Los efectos de relaciones débiles entre los barrios y las agencias municipales que proporcionan estos servicios han sido claramente puestos de relieve por los autores que han destacado las conexiones entre desorden social y físico, incivilidades y delincuencia.

La famosa **teoría de los cristales rotos** formulada por Wilson y Kelling (1982) indica que una vez se hacen presente en la comunidad los signos de deterioro en forma de desorden social y físico, conductas como el vandalismo son mucho más probables porque la percepción general es que «a nadie le importa»[107]. Skogan (1990) ha documentado como estos signos pueden conducir a la ruptura de los mecanismos de control social informal y presenta evidencia que demuestra que niveles altos de desorden suelen estar asociados con menores tasas de ayuda mutua entre los vecinos, satisfacción con el área y la intención de permanecer residiendo en el área.

Estas son, de acuerdo con Bursick y Grasmick, las principales contribuciones de la nueva generación de las teorías de desorganización social. Al margen de estas pautas, se pueden añadir otras igualmente importantes. Por ejemplo, también se ha reconocido como estas nuevas maneras de entender la desorganización social han dado lugar a *modelos explicativos de tipo no recursivo* (Bursik, 1988; Sampson, 1995). En otras palabras, la nueva generación de teorías de la desorganización social también prestan una atención muy especial a los efectos nocivos que la delincuencia tiene en la vida de las comunidades. La aludida teoría de los cristales rotos, así como el trabajo de Skogan, ciertamente soporta dicha visión.

De acuerdo con Skogan (1988, 1990) la delincuencia tiene importantes efectos en la organización económica y social de los barrios favoreciendo:

(1) la retirada física y psicológica de la vida comunitaria,

(2) el debilitamiento de los procesos de control social informal que inhiben el delito,

(3) la reducción de la capacidad de la vida organizativa y la capacidad de movilización en el barrio,

(4) el deterioro de los comercios,

(5) el cambio de residencia de los residentes con los medios económicos necesarios para vivir en mejores áreas, y

---

[107]   La cita completa (Wilson y Kelling, 1982, p. 31) es: «one unrepaired broken window is a signal that no one cares, and so breaking more windows costs nothing (it has always been fun)».

(6) la importación y producción de más actividades delictivas como consecuencia de los efectos anteriores.

Aunque todavía no hay muchos estudios que hayan examinado estos procesos, existe suficiente evidencia que sugiere que la delincuencia tiene efectos nocivos sobre la vida comunitaria. Uno de los datos que la investigación hasta la fecha ha destacado es que el delito genera miedo de los desconocidos y una alienación general hacia la participación en la vida comunitaria (Skogan, 1990, 1988). Además de debilitar las organizaciones sociales de los barrios, la delincuencia puede provocar la emigración hacia zonas más seguras (Bursik, 1988; Liska y Bellair, 1995; Liska, Logan y Bellair, 1998). Morenoff y Sampson (1997), por ejemplo, han demostrado como en Chicago aumentos en la tasa comunitaria de homicidios y la proximidad espacial a los homicidios eran variables asociadas con la perdida de población, sobre todo la población con más recursos económicos. Emigración, además, no solo de los residentes, sino también de los comercios y empresas establecidas en una zona con tasas de delincuencia elevada (Sampson, 1995).

Estos procesos aumentan el aislamiento social de estos barrios pobres y la concentración de diversas patologías sociales favorece el proceso de estigmatizacion de dichos barrios. Los negocios se abstienen de abrir delegaciones en los mismos y los servicios sociales se ven saturados por la creciente cantidad de problemas. Además, la estigmatizacion de los barrios se extiende a las personas que viven en los mismos. Los residentes son tratados como sujetos sospechosos por empleadores y agentes del sistema de justicia penal (Sampson, 1986; Sampson y Laub, 1993a) lo que dificulta su integración en la sociedad y facilita procesos de desviación secundaría (Sullivan, 1989).

La nueva generación de autores que escriben e investigan sobre el tema de desorganización social y su vinculación con la delincuencia también se diferencian de las construcciones tradicionales por su interés en establecer *vínculos con las teorías evolutivas de la delincuencia* (Farrington, Sampson y Wikstrom, 1993). Sampson (1992), por ejemplo, ha defendido una versión de la teoría de desorganización social que presta especial atención a la implicación de las familias y los niños en los conjuntos de relaciones sociales de las comunidades locales. Este autor argumenta que la estructura comunitaria es especialmente importante en la medida que facilita o inhibe la creación de capital social entre las familias y los niños. Sampson señala que la calidad de los servicios de salud pública al alcance de las familias en barrios deteriorados, el abuso infantil, la supervisión de los adolescentes, así como otras prácticas familiares con influencia en el desarrollo de los niños están íntimamente vinculados a procesos de desorganización social comunitaria.

Sampson (1992) destaca la importancia del *capital social* para entender estos procesos y en particular el proceso de crianza de los niños, no ya como un proceso individual o familia, sino como un proceso que no puede entenderse desconectado del contexto comunitario en el que ocurre. El capital social, definido por Coleman como la estructura de las relaciones interpersonales e intergrupales, emerge cuando las relaciones entre las personas cambian en formas que facilitan la acción. Sin embargo, el capital social no implica simplemente la mera presencia de relaciones entre adultos y, por tanto, va más allá de la noción de densidad de amistades, al hacer referencia a los vínculos intergeneracionales (las relaciones intergeneracionales entre padres, niños y los padres o guardianes de otros niños en el barrio).

De acuerdo con Sampson (1992), las comunidades con escasos niveles de desorganización social también exhiben un escaso capital social. Tal y como Coleman describe el capital social, uno de los factores más importantes es la proximidad, o grado de conexión, de los conjuntos de relaciones entre las familias y los niños en la comunidad. En un sistema que envuelve a los padres y niños, las comunidades caracterizadas por un conjunto extenso de obligaciones, expectativas y conjuntos de relaciones conectando a los adultos están mejor preparadas para facilitar el control y la supervisión de los niños. En particular, el grado de conexión de los conjuntos de relaciones puede proporcionar al niño con normas y sanciones que no podrían ser desarrollados por un solo adulto soltero, o incluso por un matrimonio. (Sampson, 1992, p.78):

> «Esta noción ayuda a comprender relaciones entre padres-hijos que no ocurren solamente bajo el tejado. Por ejemplo, cuando existe, el grado de conexión está presente a través de la relación del niño a dos adultos cuya relación trasciende el domicilio (p.ej., amistad, compañeros de trabajo, etc.), los adultos tienen la posibilidad de observar las acciones del niño en diferentes circunstancias, hablar sobre el mismo, comparar notas y establecer normas. Esta forma de relación también fortalece la disciplina del niño, tal y como se observa cuando padres en comunidades con un conjunto de relaciones sociales densas y una estabilidad elevada asumen la responsabilidad de supervisar a jóvenes que no son sus hijos»

El capital social de un barrio también puede afectar tasas comunitarias de delito, así como el desarrollo de los individuos que viven en los mismos, de otras formas. Mercer Sullivan (1989) en *Getting Paid: Youth Crime and Work in the Inner City* ha destacado la conexión entre capital social y acceso a oportunidades, en particular, acceso al mercado de trabajo. Sullivan (1989), en uno de los trabajos criminológicos que más claramente reivindicaba el retorno a los métodos etnográficos, comparaba la delincuencia de tres barrios ubicados en el distrito neoyorquino de Brooklyn. Aunque durante las primeras etapas de la adolescencia, los chicos entrevistados en su estudio exhibían tasas similares de participación en conductas delictivas de relativa menor importancia, durante la transición a la madurez se podían observar diferencias entre los chicos que vivían en distintos barrios. En uno de ellos, las familias de estos chicos eran menos pobres y la figura paterna no solía estar ausente. A medida que estos chicos iban creciendo, empezaron a encontrar pequeños empleos en los comercios locales a través de sus conexiones familiares y con los vecinos. Posteriormente estos chicos encontraron trabajos más estables en el barrio o se mudaban a otras comunidades en busca de trabajo. Los chicos en los otros dos barrios, sin embargo, lo tenían bastante más difícil para encontrar trabajos decentes que les permitieran iniciarse y ganar una primera experiencia laboral y su transición a la madurez, en cambio, se caracterizaba por una mayor implicación en actividades delictivas.

Varios estudios (Brooks-Gunn et al., 1997) han documentado como los barrios con una extrema concentración de pobreza y un elevado nivel de desorganización social favorecen trayectorias evolutivas de los niños que desembocan en diversos resultados negativos (p.ej., embarazos durante la adolescencia, fracaso escolar, drogadicción, participación en actividades delictivas, etc.) No solo alguno de estos resultados constituyen factores de riesgo de delincuencia, sino que a su vez se ha observado que este tipo de barrios también favorece trayectorias evolutivas que conducen a la formación de pandillas de delincuentes o la reducción de la competencia prosocial (Sampson, 1992; Elliott et al., 1996; Hagedorn, 1998).

En general, la evidencia y los tests de las asunciones principales de la versión moderna de la teoría de desorganización social han sido favorables. El correlato más consistente de la violencia al nivel comunitario parece ser la movilidad residencial (particularmente en combinación con la exclusión social y la pobreza), inestabilidad y cambio familiar y densidad de población (Sampson y Lauritsen, 1994). Además, existen estudios etnográficos y encuestas que muestran que dimensiones mediadoras de la desorganización social, tal y como la presencia de grupos de adolescentes sin supervisión, la inexistencia de redes locales de amistad y escasa participación organizativa tienen efectos positivos en la violencia (Simcha-Fagan y Schwartz, 1986; Elliot et al., 1996; Sampson, 1997; Sampson, Raudenbush y Earl, 1997; Short, 1997; Bursik, 1995). Incluso de manera más contundente, recientes estudios han demostrado que estos factores comunitarios son relevantes incluso cuando controlamos diferencias individuales de tipo sociodemográfico y referentes a diversos estilos de vida (Elliott et al., 1996; Sampson, Raudenbush y Earl, 1997; Rountree, Land y Miethe, 1994). También hay estudios etnográficos que sugieren que las comunidades desorganizadas con débiles controles sociales dan lugar a la formación de pandillas juveniles y códigos normativos que incrementan la probabilidad de encuentros violentos (Curry y

Spergel, 1988; Jackson, 1991; Padilla, 1992; Sampson y Lauritsen, 1994; Venkatesh, 1997; Anderson, 1997).

II.f. Teorías de la oportunidad y teorías del contagio

Hasta ahora hemos presentado las teorías que dominan la literatura sobre los factores que han sido tradicionalmente considerados como relevantes a la hora de entender la geografía social del delito. Sin embargo, existen planteamientos alternativos que, aun sin gozar con la misma tradición, cuestionan o complementan con argumentos innovadores las explicaciones que hemos observado.

En primer lugar, hemos de hacer referencia a las teorías de la oportunidad. Estas teorías explican las tasas comunitarias del delito en función de la estructura de oportunidades criminales de los mismos. Esta literatura sugiere que determinadas áreas pueden constituir un objetivo preferido por los delincuentes porque ofrece oportunidades que les resultan de especial interés. Algunos barrios pueden tener características inherentes que generan o atraen cierto tipo de delitos (Brantingham y Brantingham, 1991). Por ejemplo, la investigación ha sugerido una conexión entre disponibilidad de alcohol o concentración de bares y tabernas y violencia (Roncek y Maier, 1991). Esta teoría también sugiere que el crimen violento puede concentrarse en barrios como consecuencia de las actividades cotidianas, por ejemplo en las zonas de movida juvenil (Block y Block, 1995; Wikstrom, 1991).

Por otra parte, el creciente interés de profesionales asociados al sector de salud pública en los estudios de la violencia ha servido para generar la aplicación de modelos teóricos propios de la epidemiología al estudio del comportamiento violento. Así, por ejemplo, varios autores han empezado a considerar la relevancia de modelos de contagio para explicar los patrones de expansión de la violencia juvenil. Los modelos epidemiológicos destacan el contagio social de normas o practicas que son transmitidas por los amigos (Furstenberg y Hughes, 1997). Estas teorías, sin embargo, aun no han sido desarrolladas o aplicadas al estudio de la violencia doméstica.

II.g. Problemas metodológicos y críticas a las teorías comunitarias

Los estudios sobre la relación entre características estructurales y organizativas de los barrios y las tasas comunitarias del delito no está ausente de problemas metodológicos. Algunos de los problemas más comunes de estos estudios han sido (Sampson, 1995; Land et al., 1990; Cook et al., 1997):

(1) Uso de diversas, y a menudo demasiado grandes, unidades agregadas de análisis[108].

(2) Empleo de medidas de la delincuencia susceptibles a un alto grado de error de medición como, por ejemplo, estadísticas policiales[109].

(3) La escasa consideración prestada a efectos no recursivos en el modelado de las influencias comunitarias, lo que dificulta el establecimiento de nexos causales.

(4) La utilización de definiciones operativas arbitrarias del concepto de barrio[110].

(5) El elevado grado de multicolinearidad entre las diversas características estructurales de los barrios y, sobre todo, la escasa atención prestada a esta cuestión hasta muy recientemente.

(6) La escasa atención prestada a los procesos (desorganización social, capital social, etc.) que teóricamente median la relación entre características estructurales (pobreza, desempleo, movilidad residencial) y tasas comunitarias del delito.

(7) La dificultad de separar, por su alta correlación, los referidos procesos sociales de sus condicionantes estructurales, con lo cual nos encontramos en una situación en la que tenemos que realizar importantes asunciones teóricas.

(8) La utilización del censo como la única fuente de información de las características de los barrios, lo que dificulta la incorporación de la dimensión normativa, así como las dinámicas sociales postuladas por estas teorías, en los modelos estadísticos evaluados. Además, el censo se realiza en Estados Unidos solamente cada diez años, lo que en ocasiones supone asumir estabilidad en nuestras variables independientes si queremos modelar tasas de violencia en los años no inmediatamente posteriores a la realización del censo.

(9) La dificultad tradicional de separar los efectos comunitarios de los procesos causales e influencias individuales. Si las diferentes tasas de violencia derivan de las características de los individuos selectivamente localizados en dichas comunidades, los resultados de estos estudios deben ser cuestionados.

---

[108] El uso de estados, áreas metropolitanas o ciudades como unidades de análisis quizás no se corresponde de manera adecuada con el tipo de procesos descritos por estas teorías.

[109] En la medida en que residentes de diferentes barrios hagan un uso diferencial de la policía es posible que las mismas reflejen uso diferencial que la existencia real de diversas tasas de delito.

[110] Normalmente, se ha identifico distrito censal y barrio. Esto se ha criticado porque, por un lado, ésta podría ser una unidad de análisis demasiado grande, y, por otro lado, las fronteras de los «barrios» y los distritos censales no tienen porque coincidir.

(10) La falta de consideración en los modelos econométricos empleados de la naturaleza espacial de los datos y los problemas asociados con ello (dependencia espacial y hetereogeneidad espacial)

Sin embargo, esta área de investigación es bastante activa y muchas de las limitaciones del pasado están siendo compensadas por estudios más recientes. En particular (ver, Furstenberg y Hughes, 1997):

(1) Existe una tendencia a usar unidades de análisis más pequeñas y que se correspondan de manera más adecuada con el concepto de barrio (Patterson, 1991). Incluso, existe una tendencia a utilizar el concepto mucho más concreto y espacialmente delimitado de *lugares* en sustitución de la noción de *barrios*. Los investigadores en determinadas ocasiones han comenzado a emplear definiciones operativas de los barrios más adecuadas y han corregido, por ejemplo, las fronteras de los distritos censales de manera consistente con las fronteras «reales» de dichos barrios.

(2) Los investigadores en esta área, que tradicionalmente se limitaron al uso de estadísticas policiales, cada vez más frecuentemente emplean datos sobre el nivel de violencia procedentes de encuestas comunitarias y de otras fuentes oficiales, tal y como los datos sobre lesiones criminales procedentes del sistema de salud pública.

(3) Empieza a generarse un número cada vez mayor de estudios que emplea medidas de las características de los barrios basadas en encuestas realizadas con los residentes y empleando instrumentos orientados a medir conceptos teóricamente relevantes, tal y como el grado de cohesión social, valores comunitarios, control social en la comunidad, etc. (ver, Buckner, 1988; Coulton et al., 1996; Puddifoot, 1996; Skjaeveland et al., 1996).

(4) El desarrollo de las técnicas de análisis multinivel (Bryk y Raudenbush, 1992; Goldstein, 1995; Kreft y De Leeuw, 1998), así como el de otras técnicas estadísticas adecuadas para el análisis de datos espaciales y la evaluación de modelos ecológicos (Cressie, 1993; Bailey y Gatrell, 1995), han permitido resolver problemas que técnicas estadísticas tradicionales no permitían responder de manera adecuada. En particular, las técnicas de análisis multinivel permiten separar la influencia de factores individuales y factores comunitarios, mientras que las técnicas de análisis espacial permiten controlar los efectos de autocorrelación espacial.

(5) El desarrollo de software cartográfico también ha servido para analizar y describir patrones espaciales de delincuencia de maneras mucho más creativas y útiles.

(6) El interés en la triangulación de métodos cualitativos y cuantitativos en esta área está dando lugar a la proliferación de una serie de estudios bastante robustos desde el punto de vista metodológico, pero también altamente interesantes desde el punto de vista sustantivo, en el

sentido que permiten incorporar interacciones micro-sociales y procesos sociales de una manera más rica (ver, p.ej., Jarrett, 1997).

(7) Varios estudios están adoptando una perspectiva longitudinal, lo que permite modelar las trayectorias evolutivas de los barrios.

Aunque existe, por tanto, una tendencia a superar los retos metodológicos que se han planteado en esta área, existen ciertos problemas de fondo y teórico que los autores envueltos en esta línea de investigación aún no han abordado de una manera explícita. Estos estudios en pocas ocasiones han tratado de analizar el problema de violencia contra la mujer e, igualmente importante, han descuidado la relevancia de género como una variable teórica. También desde esta perspectiva, por ejemplo, la idea de organización social o capital social se ha destacado como un elemento positivo de la vida comunitaria. Sin embargo, como ha destacado el sociólogo cubano-americano Alejandro Portés (1998) también es necesario prestar atención a los efectos negativos de estos procesos[110bis].

[110bis] De acuerdo con Portés, existen al menos cuatro consecuencias negativas asociadas con redes sociales comunitarias, control social y las sanciones colectivas ligadas al concepto de capital social: la exclusión de los desviados, las demandas excesivas en los miembros del grupo, las restricciones de los derechos individuales y la existencia de normas sustentadas por la mayoría de un grupo que restringen la movilidad. Los vínculos fuertes que traen beneficios a los miembros de una comunidad pueden también servir para impedir el acceso a estos beneficios de quienes no pertenecen a dicha comunidad. Por otro lado, si las obligaciones que dimanan de la pertenencia a estos grupos son muy fuertes, los miembros pueden verse sometidos a demandas excesivas que coartan su desarrollo y el de la comunidad. En tercer lugar, la participación en una comunidad o grupo necesariamente crea demandas de adecuación o conformidad a un determinado estándar normativo. El nivel de control social en dicho contexto es fuerte y también restrictivo de las libertades personales. Como Portés señala, éste es el antiguo dilema sociológico entre libertad personal y solidaridad comunitaria analizado por autores como Simmel. Simmel se pronunció a favor de la autonomía personal y la responsabilidad. En los Estados Unidos, en la actualidad el péndulo se está acercando al otro extremo y un número de autores están demandando redes sociales comunitarias más fuertes y la observancia de normas para restablecer el control social. Como el mismo autor indica, esto puede ser necesario en determinadas instancias, pero la otra cara de esta función del capital social no debe ser olvidada. Finalmente, Portés señala también que existen situaciones en las que la solidaridad de grupo está fundada en una experiencia común de adversidad y oposición a los valores de la sociedad dominante. En estas instancias, las historias individuales de éxito minan la cohesión del grupo dado que la misma se basa en la imposibilidad de dicho éxito. El resultado es la existencia de normas que restringen la movilidad social y que operan para mantener a los miembros de determinados grupos en su debido lugar y fuerza a los más ambiciosos a escapar de dicha situación. Portés, en este sentido, señala como formas de delincuencia organizada

III. ECOLOGÍA SOCIAL DE LA VIOLENCIA DOMÉSTICA

III.a. La extensión de los modelos ecológicos de la delincuencia al estudio de la violencia doméstica

Estas teorías del comportamiento delictivo y violento, sin embargo, no han prestado gran atención al problema de la violencia contra la mujer. En su mayor parte han estado interesadas en explicar otro tipo de comportamientos delictivos, fundamentalmente de tipo callejero. De hecho, muchos de los autores que trabajan en el desarrollo de estos modelos teóricos dudan que puedan ser aplicados al estudio de un comportamiento que ocurre en la privacidad del hogar y que sería, por tanto, más difícilmente controlable por la comunidad al ser menos visible. En nuestro país, por ejemplo, la Macroencuesta de Victimización conducida por el CIS a encargo del Ministerio del Interior revelaba que los españoles eran menos propensos a llamar a la policía si oían una pelea doméstica que si veían una riña en la calle[111].

Otros autores, en cambio, opinan que estos modelos pueden ser aplicados al estudio de la violencia doméstica con las modificaciones pertinentes. Conviene comenzar señalando que existe una larga tradición en el estudio de factores comunitarios y su incidencia en procesos y características familiares que quizá se encuentran relacionados a su vez con la violencia doméstica. Ya en 1927, Mowrer sugería que los patrones espaciales del conflicto marital, en particular el divorcio y el abandono de familia, podían ser explicados desde la perspectiva de la desorganización social. De acuerdo con Mowrer (1927, p. x-xi), estos dos indicadores de conflicto marital «varían de manera amplia e independiente en los diferentes distritos locales de la ciudad, mostrando la heterogeneidad de la vida social dentro de las áreas metropolitanas modernas y la correlación de la estabilidad o inestabilidad de la vida familiar con el estado de la organización o desorganización comunitaria local». Mowrer también sugería que los problemas de la vida familiar tal y como el divorcio y el abandono de familia están correlacionados con los demás problemas

---

o las pandillas juveniles tienen que ser comprendidas como capital social que toma una forma perversa.

[111] Lo que no puede ser automáticamente calificado como discriminación, dada la naturaleza diferente de los procesos perceptivos en juego y como los mismos atribuyen una calidad diferente a la información en el poder de cualquiera para juzgar una situación como merecedora de atención policial o no. Lo sorprendente no es tanto la diferencia, sino la escasa magnitud de la misma.

sociales de los centros urbanos, incluyendo la pobreza y la delincuencia juvenil.

El conflicto marital no es el único proceso familiar que puede ser entendido de una manera más holística si analizamos factores de tipo comunitario. El estatus marital, el estatus de madre soltera, o el vivir en domicilios sin figura paterna son algunos de los factores que se pueden explicar desde esta perspectiva (Massey y Shibuya, 1995; Sullivan, 1993), al igual que las pautas de interacción paterna y el maltrato infantil (Garbarino y Sherman, 1980; Coulton et al., 1995). En la sociología de las familias, este tipo de análisis normalmente se ubican dentro de lo que se han denominado teorías ecológicas y se vinculan al trabajo de, entre otros, Uri Bronfenbrenner (Klein y White, 1996). Por tanto, no es del todo sorprendente que exista cierto interés en la aplicación de este tipo de modelos al estudio de la violencia contra la mujer en el ámbito doméstico.

Ha sido Jeffrey Fagan (1993a) quien de una manera más sistemática ha explicado porque es importante considerar factores de tipo comunitarios para entender la geografía social de los malos tratos. Fagan (1993a) ofrece un marco teórico que generaliza los correlatos comunitarios de la violencia al estudio de los malos tratos (ver, también, William y Hawkins, 1989a, 1989b, 1992). En este marco, las dimensiones comunitarias relevantes para entender el abuso de esposas incluyen los niveles de control social en cada comunidad, las redes sociales en las que los individuos y las parejas participan, así como el capital social de cada comunidad.

De acuerdo con Fagan, *la concentración de déficits socio-estructurales en las áreas urbanas debilita tanto el control social formal como el informal en relación con los malos tratos*. Si los costes sociales están asociados con la amenaza de ruptura de la relación, *entonces estos costes deben ser menores en barrios con tasas elevadas de ruptura y disolución familiar o con tasas bajas de emparejamiento nupcial*. El matrimonio se convierte en una opción menos deseable para hombres y mujeres en un contexto económico en el que los jóvenes son excluidos de manera sistemática del empleo estable y condenados a la pobreza persistente. Para los jóvenes varones, el interés cada vez menor en el matrimonio como un objetivo a largo plazo altera las relaciones de género y el significado de masculinidad. En este contexto político económico, las conquistas sexuales se convierten en una de las pocas oportunidades disponibles para ganar y mostrar poder y realización personal. Su explotación de las mujeres, emparejada con su preocupante futuro económico, convierte a estos jóvenes en compañeros matrimoniales menos atractivos para las mujeres, conduciendo a la expansión de relaciones sexuales más transitorias y al aumento de familias encabezadas por la figura materna. Si el matrimonio es un factor protector del abuso entre íntimos, los riesgos de este abuso aumentan con el descenso observado en el número de emparejamientos matrimoniales, así como en las estadísticas que reflejan la situación socioeconómica de estos jóvenes.

Al margen del coste social del abuso, los controles sociales también reflejan la estructura de las interacciones sociales en el ámbito comunitario. El *estigma asociado al abuso de esposas puede ser menor en barrios de clase baja por factores asociados con el urbanismo*: la movilidad residencial y el anonimato. La movilidad residencial es mayor en los barrios deteriorados y pobres. Cambios rápidos de la población limitan la capacidad de una comunidad para ejercer controles informales al aumentar el anonimato entre los residentes y disminuir el establecimiento de relaciones informales duraderas entre los mismos, así como la participación formal en instituciones locales. Cuando los vecinos se conocen poco o no se sienten responsables por lo que ocurre en las áreas alrededor de su hogar, el maltratador se puede sentir poco preocupado sobre las percepciones que se forman cuando la violencia en el hogar se hace aparente. En otras palabras, el coste del estigma será menor cuando existe poca cohesión entre los vecinos. En la medida que estos procesos están condicionados por el contexto social y económico en el que los barrios se encuentran insertos, la relevancia de los controles sociales informales sobre los malos tratos reflejará de manera directa la estructura social de la comunidad.

La importancia de las redes sociales para entender los malos tratos deriva de su relevancia como factor de riesgo y la habilidad de las víctimas para invocar controles sociales informales. El aislamiento social es un factor de riesgo individual en casos de malos tratos. Pero los efectos del aislamiento social también aumentan el riesgo de malos tratos al nivel comunitario. De acuerdo con Fagan, la creciente segregación residencial y el aislamiento de los residentes de las instituciones sociales y económicos que representan los valores sociales dominantes debilitan la influencia de la sociedad con mayúsculas en la conducta interpersonal, particularmente entre los miembros de grupos minoritarios segregados en los guetos urbanos. La ausencia de modelos más convencionales de interacciones entre marido y mujer facilita la transmisión y cosificación de normas más violentas. La rareza y el carácter excepcional de los contactos de los residentes del barrio con gente en otros contextos sociales permiten el desarrollo de normas y actitudes que toleran la violencia en las relaciones de intimidad. Como consecuencia, los jóvenes considerando el matrimonio u otras opciones familiares son más propensos a estar expuestos a interacciones violentas entre adultos en relaciones de intimidad. Eventualmente, estas normas son internalizadas cuando su transmisión se hace más eficiente.

Fagan (1993a) también sugiere *la relevancia del capital social como un factor que media entre condicionantes estructurales y violencia doméstica.* Coleman (1990) considera los déficits en capital social como sintomáticos de comunidades con redes sociales limitadas y una débil cohesión entre sus residentes. En la medida que estas redes sociales se encuentran atenuadas, pueden llegar a ser inefectivas para controlar conductas y promocionar normas que se oponen al uso de la violencia en las relaciones de intimidad.

De hecho, existen estudios que aportan evidencia preliminar sobre la influencia de factores comunitarios en la violencia doméstica. Algunos estudios han demostrado que la violencia doméstica se concentra en determinadas áreas geográficas, barrios y otros puntos calientes dentro de las ciudades (Canter, 1990; Wikstrom, 1991; Devery, 1992; Block y Block, 1992; Sherman, 1992; Fagan, 1993a; LeBeau, 1994; Miles-Doan y Kelly, 1997). Algún autor ha ido incluso más lejos al documentar que la violencia doméstica se encuentra incluso más concentrada en determinados lugares de ocurrencia que otros delitos violentos (Sherman, 1995), aunque esto podría ser un efecto de su naturaleza más repetitiva.

Estudios multivariados que han empleado muestras de unidades de análisis tal y como ciudades, áreas metropolitanas o condados han permitido a los investigadores asociar los homicidios domésticos con dimensiones de desorganización social y familiar, concentraciones de pobreza y desempleo, así como lugares de residencia de minorías étnicas (William y Flewelling, 1988; Parker y Toth, 1990; Devery, 1992), pero no con segregación residencial (Peterson y Krivo, 1993). Estudios descriptivos y correlacionales con menores unidades de análisis (barrios) han permitido a los investigadores asociar la violencia doméstica con concentración de la pobreza (Miles-Doan y Kelly, 1992), tasas de acusaciones por consumo de alcohol y drogas, el porcentaje de residentes en alquiler, la tasa de desempleo (Canter, 1990) y la existencia de proyectos de vivienda pública en el barrio (LeBeau, 1994; Wakefield y Kautt, 1997). Más recientemente han empezado a aparecer estudios empleando técnicas más apropiadas para el análisis de datos espaciales documentando la existencia entre deprivacion de recursos y violencia entre íntimos (Miles-Doan, 1998).

La investigación etnográfica y clínica también ha identificado el aislamiento social y el apoyo social como factores importantes que se encuentran asociados con la violencia doméstica en los ámbitos individual y cultural (Bowker, 1983; Jewell, 1986; Levinson, 1989; Cazenave y Straus, 1990; Baumgartner, 1993; Stets, 1991; Barnett et al., 1996). Por otro lado, varios autores han especulado que el endurecimiento de las condiciones de vida en los barrios minoritarios urbanos (Mollenkopf y

Castells, 1992; Massey y Denton, 1993; Wilson, 1997; Morenoff y Tienda, 1997) han tenido un impacto en las condiciones de control social informal y en los patrones de emparejamiento y estructuración familiar y, a través de estos procesos, han podido influir las tasas de violencia doméstica en estos barrios. Algunos investigadores, de hecho, han mostrado que los patrones cambiantes de emparejamiento y estructuración familiar están teniendo una repercusión evidente en la dinámica de la violencia doméstica en determinadas áreas urbanas (Dugan et al., 1997).

III.b. Género: la variable olvidada

La tesis feminista mantiene que la violencia contra la mujer es una expresión más del sistema social patriarcal en el que la subordinación de las mujeres en relación con los hombres forma parte de la manera en que la sociedad está organizada. De acuerdo con este punto de vista los sistemas de oportunidad y recompensas están estructurados de tal manera que las mujeres están situadas en una posición sistemática de desventaja a la hora de competir por recursos socioeconómicos que otorgan la supremacía del poder a los hombres.

La violencia contra la mujer, de acuerdo con esta perspectiva, sirve la función de mantener a las mujeres «en su lugar» para que no puedan cuestionar el sistema existente de estratificación de los géneros. La interpretación tradicional del vínculo entre violencia contra la mujer y desigualdad entre los géneros nos llevaría a esperar que aquellas comunidades en las que existe mayor desigualdad, las mujeres están más expuestas a ser víctimas de la violencia masculina.

Una interpretación feminista alternativa, la tesis de la amenaza al poder, sin embargo, plantea otro tipo de relación. Desde este punto de vista se entiende que cuando las mujeres son más proclives a trabajar fuera del hogar y a perseguir carreras profesionales, algunos hombres se pueden sentir amenazados y usar la violencia para controlar la conducta de las mujeres. De acuerdo con Gartner y sus colaboradores (1990, p. 997):

«Donde las mujeres son más libres para moverse fuera de roles familiares tradicionales hacia roles económicamente productivos, su nivel de exposición a conflictos interpersonales fuera y dentro del hogar puede ser mayor. La amenaza o realidad de la separación marital es normalmente alegada como una provocación al parricidio por parte de los hombres, y las mujeres separadas constituyen un grupo de particular riesgo de ser víctimas de violencia doméstica. El empleo fuera del hogar o el progreso educativo puede incrementar el riesgo de que las mujeres sean víctimas de malos tratos si los maridos perciben estos avances como amenazas a su poder en el hogar»

La violencia contra las mujeres, así, es concebida como una respuesta a la amenaza que las mujeres que asumen roles no tradicionales significan para los hombres. Esta situación sería típica de sociedades en las que la transición hacia la igualdad de los géneros ha comenzado, pero aún no se ha producido (O'Brien, 1991).

La evidencia en favor de un modelo basado en la desigualdad de géneros, al menos cuando se han utilizado unidades de análisis como ciudades, áreas metropolitanas o regiones, no es del todo clara. La mayoría de los investigadores no han encontrado una relación entre desigualdad de género y las tasas de homicidio contra la mujer cuando se han incluido en estos modelos otros factores macroeconómicos de relevancia (Bailey y Peterson, 1992; Brewer y Smith, 1995).

No obstante, la desigualdad de género a escala comunitaria parece ser un factor significativo cuando nos centramos en formas específicas de violencia contra la mujer. Algunos investigadores, por ejemplo, han documentado una relación entre desigualdad de género y violencia doméstica letal y no letal (Levinson, 1989; Parker y Toth, 1990; Yllo y Straus, 1990) y otros autores han documentado que algunas formas de desigualdad de género están relacionadas con las tasas de violaciones (Baron y Straus, 1989; Peterson y Bailey, 1992). Sin embargo, la relación no siempre presenta la dirección esperada (Parker y Toth, 1990). Por otro lado, algunos autores han sugerido una relación curvilínea que permitiría compatibilizar las dos interpretaciones sobre la influencia de desigualdad de géneros en las tasas de violencia presentadas anteriormente. Yllo y Straus (1990) documentaron dicha relación curvilínea en una análisis interestatal de violencia doméstica en los Estados Unidos, de manera que la violencia entre íntimos estaba más acentuada en aquellos estados con menos y más desigualdad. Esta interpretación ha sido criticada por otros autores que no consideran adecuado utilizar este tipo de justificaciones a posteriori que no se pueden falsificar o verificar empíricamente (Dutton, 1996).

Menos conocida es la relación entre ideologías de género, desigualdad de género y violencia entre íntimos cuando pensamos en unidades de análisis tal y como barrios o nos movemos en una escala micro-social. Sin embargo, existe investigación que sugiere que la interacción social con amigos varones, el tiempo pasado (sin las mujeres) en los bares, así como la participación en organizaciones recreativas exclusivas para hombres presenta una interrelación entre moderada y fuerte con varias dimensiones de violencia marital, incluyendo su frecuencia, duración y severidad (Bowker, 1983). La tolerancia hacia el abuso entre los grupos de iguales ha sido también sugerida como un factor que permite explicar la violencia entre novios y la violación de citas entre estudiantes universitarios (DeKeseredy y Schwartz, 1996). Por tanto, hay quienes defienden que factores medioambientales, el apoyo normativo que justifica la posición subordinada de la mujer, así como elementos situacionales que operan a nivel microsocial o subcultural contribuyen como factores de riesgo de la violencia contra la mujer.

Hay también autores que han conectado este tipo de prejuicios de género con el deterioro de la vida en los guetos minoritarios (Fagan, 1993a; Massey y Denton, 1993; Anderson, 1999). El argumento puede esquematizarse en varias ideas principales:

(1) Los procesos evolutivos tienen que entenderse desde una perspectiva ecológica.

(2) Los jóvenes afroamericanos que viven en guetos urbanos crecen en contextos que son especialmente precarios y ambivalentes.

(3) Actitudes e identidades que pueden ser designadas con el término *hipermasculinidad* son el resultado de esta precaria posición ecológica.

(4) Estas identidades *hipermasculinas* pueden ser adaptativas a corto plazo, pero son casi siempre maladaptativas a largo plazo.

Hay quienes, sin embargo, han advertido de los peligros que este tipo de planteamientos encierran (Sullivan, En Prensa). Sullivan es particularmente crítico con la identificación de este segmento de la población como especialmente y únicamente *hipermasculino*. Para empezar, no existe una noción unitaria de lo que masculinidad es, sino que grupos de hombres en circunstancias similares actúan entre ellos para producir definiciones culturalmente construidas de masculinidad que son apropiadas a dichas circunstancias (Connell, 1995). Sullivan considera especialmente importante distinguir entre las representaciones de masculinidad de estos jóvenes y sus experiencias reales como seres sociales y físicos. Además, Sullivan destaca la existencia de diferencias intracomunitarias e intraindividuales a este respecto, así como las autocríticas dentro de estas comunidades sobre este tipo de cuestiones. Este autor apunta cómo existe un número considerable de estudios que sugiere la necesidad de prestar una mayor atención a la diversidad de papeles masculinos dentro de estas comunidades, así como a la extraordinaria complejidad de los múltiples roles que los miembros de estas marginadas minorías étnicas desempeñan en diferentes situaciones y a lo largo del tiempo. Desde esta perspectiva, la *hipermasculinidad* claramente pierde puntos como rasgo de personalidad y puede ser entendida como un repertorio de papeles desarrollado por un grupo de sujetos cuyas circunstancias precarias les obliga a adoptar un grado considerable de flexibilidad. Así, Sullivan alude a los estudios que muestran la existencia de roles masculinos en estas comunidades deterioradas que no se conforman a los estereotipos de conducta de explotación sexual y violenta. A su vez, señala como existe evidencia contundente que demuestra que hombres que expresan actitudes claramente *hipermasculinas* son mucho más complejos en sus relaciones sociales reales.

Otra teoría que ha atendido a dimensiones de género desde un punto de vista comunitario es la teoría de la razón (en sentido estadístico) sexual. O'Brien (1991) ha aplicado esta teoría al estudio de las agresiones sexuales contra las mujeres. Este autor argumenta que la razón sexual (el número de hombres por cada 100 mujeres) afecta los roles de mujeres y hombres. Este autor, siguiendo el trabajo de Guttengag y Secord, señala que una razón sexual elevada (la abundancia relativa de hombres) puede disminuir el poder diádico de los hombres, pero que, sin embargo, cuando esta situación se da los hombres utilizan su poder estructural para controlar a las mujeres. En este escenario, las mujeres se convierten en un bien valioso por el que existe numerosa demanda y, por tanto, son motivadas a convertirse en madres y amas de casa. El resultado es paradójico: cuando las mujeres, dada la elevada razón sexual, tienen más poder diádico, se encuentran en muchos sentidos más limitadas por las costumbres patriarcales basadas en la dominación masculina.

O'Brien sugiere que la noción de la razón sexual puede ser combinada con la teoría de las actividades cotidianas o con la anterior interpretación feminista sobre la amenaza que la liberación de la mujer representa para los hombres para desarrollar una teoría que permita explicar las tasas comunitarias de agresiones sexuales. De acuerdo con esta teoría cuando la razón sexual es elevada, las tasas de agresión sexual deben permanecer bajas. Dado que la teoría de la razón sexual predice que las mujeres son más inclinadas a ser madres y amas de casas cuando la razón sexual es elevada, una extensión de esta teoría combinada con la teoría de las actividades cotidianas implica una relación negativa entre razón sexual y la tasa de agresiones sexuales. Una predicción similar puede realizarse desde una interpretación feminista. Cuando existe una abundancia relativa de mujeres, éstas son más dadas a divorciarse, a trabajar fuera del hogar y a perseguir carreras profesionales. Cuando las mujeres adoptan estos papeles no tradicionales, algunos hombres pueden sentirse amenazados y emplear las agresiones sexuales como un mecanismo de control de las mujeres. Las asunciones e interpretaciones realizadas por O'Brien son cuanto menos cuestionables y mucho más trabajo tiene que ser realizado por este autor para que la teoría pueda ser considerada más seriamente.

V. IMPLICACIONES POLÍTICO-CRIMINALES: LA PREVENCIÓN COMUNITARIA

Si las condiciones sociales de los barrios tienen una repercusión en las tasas comunitarias del delito, una forma de prevenir la delincuencia puede ser a través de la modificación de dichas condiciones sociales. La prevención comunitaria del delito se refiere, por tanto, al «conjunto de acciones emprendidas a cambiar aquellas condiciones que están relacionadas con la producción de tasas comunitarias del delito» (Hope, 1995, p. 21). La literatura comparada sobre este enfoque preventivo, desgraciadamente, sugiere que este tipo de intervenciones en el mejor de los casos han tenido un efecto muy limitado (Skogan, 1990; Bursik y Grasmick, 1993; Hope, 1995).

Los programas de prevención comunitaria más comunes han sido los programas denominados *neighborhood watch* (vigilancia del barrio), que intentaban aumentar los esfuerzos de los residentes por participar en actividades locales de control social, por ejemplo participando en patrullas civiles. Sin embargo, también han existido diseños más ambiciosos tal y como el *Chicago Área Project* basado en el trabajo de Shaw y McKay. Ciertamente, la prevención comunitaria del delito es quizás una etiqueta demasiado genérica como para hacer honor a la diversidad de enfoques y estrategias que han sido empleadas bajo dicho nombre. Estos enfoques pueden distinguirse usando varios criterios como el origen externo o interno a la comunidad del programa o el grado en que la prevención del delito constituye un elemento central o secundario de los mismos. En este último sentido, han existido esfuerzos que han estado fundamentalmente interesados en el desarrollo local mientras que otros han definido la reducción de la delincuencia como su objetivo fundamental (Bursik y Grasmick, 1993). Quizá la clasificación más completa de estos programas es la ofrecida por Hope (1995), que está asentada en los diferentes paradigmas históricos de desarrollo urbano, y que se resume manera muy esquemática en la tabla 2 en el apéndice[112].

A pesar de la amplia variedad de programas, el balance global de evaluación de los mismos no es extraordinariamente positivo. Antes de llegar la conclusión de que estos programas no funcionan, conviene examinar si estos programas han sido aplicados de una manera consistente con la teoría y sin fallos en la práctica y que han sido propiamente evaluados. En todo caso, conviene señalar que algunos de los modelos de intervención incluidos en la tabla 2 del apéndice han ofrecido resultados un poco más positivos y que algunos no han sido sometidos a suficientes estudios de evaluación.

Hope (1995) ha indicado que los programas de prevención comunitaria han fallado por problemas de conceptualización teórica. En opinión de este autor, los programas de prevención comunitaria deben tomar en consideración dos dimensiones comunitarias. Primero una dimensión

---

[112] La última categoría no se encontraba en la clasificación de Hope, pero me parece relevante su inclusión dentro de esta tabla, incluso aunque su objetivo fundamental no es la prevención del delito.

horizontal que hace referencia a las relaciones sociales entre individuos y grupos que comparten un espacio residencial común. Esta dimensión incluye las complejas expresiones de afecto, lealtad, reciprocidad, identidad, cohesión o dominación entre los residentes que se expresan a través de relaciones informales o actividades organizadas. Segundo, hay una dimensión vertical de relaciones que conecta las instituciones locales a fuentes de poder y recursos externos, a otras partes del sistema dentro del cual el barrio se inserta. Mientras que el mecanismo principal para mantener el orden local puede expresarse de manera primaria a través de la dimensión horizontal, la fuerza de estas expresiones, así como su efectividad en el control del delito, deriva, en gran medida, de las conexiones verticales con los recursos de origen no comunitario. En opinión de Hope, la mayoría de los programas de prevención comunitaria del delito no han sabido integrar estas dos dimensiones, en particular no han prestado la suficiente atención a la dimensión vertical. Como este autor expresa (p. 24):

«La paradoja de la prevención comunitaria del delito surge del problema de intentar desarrollar instituciones comunitarias que controlen el delito a pesar de su incapacidad para resistir las presiones que generan la delincuencia y cuya fuente, o las fuerzas que las sostienen, se derivan de la más amplia estructura social»

Al margen de este problema, han existido otros a la hora de implementar estos programas y que han demostrado algunas de las limitaciones de este tipo de enfoques. Así, por ejemplo, se ha destacado que (Skogan, 1990; Bursik y Grasmick, 1993, 1995; Hope, 1995):

(1) La prevención comunitaria no puede funcionar o tienen menos éxitos en comunidades en las que no existe un mínimo de infraestructura comunitaria, pero, sin embargo, son las comunidades más desorganizadas aquellas que precisan más ayuda.

(2) Existen importantes dificultades para mantener el interés y participación de los vecinos en actividades de tipo comunitario.

(3) A menudo existen diferencias entre los objetivos teóricos de una intervención y lo que la comunidad define por sí misma como importante.

(4) Existe el riesgo de que algunos de estos programas genere conflictos locales, no siempre fáciles de encauzar, entre diferentes grupos representados en la comunidad o entre la comunidad y autoridades externas.

(5) A veces estos programas pueden generar más expectativas de las que pueden colmar llevando en última instancia a un sentimiento de frustración y desengaño entre los residentes.

(6) Los vecinos más activos, por lo general, en las iniciativas de prevención del delito son individuos con una buena educación, empleados, con familia e hijos y que viven en una residencia de su propiedad. En otras palabras, las personas más implicadas no son las más representativas de

la comunidad, sino que, por el contrario, representan una parcela muy concreta de intereses.

A pesar de estas limitaciones autores como Sampson (1995) destacan la necesidad de integrar determinadas medidas preventivas que tomen en consideración la naturaleza comunitaria del delito. Este autor ha enumerado algunas de las implicaciones político-criminales generales que este tipo de teorías tienen, en particular ha destacado las siguientes:

(1) Empleo de la noción de *puntos calientes* para hacer un mejor uso de los recursos policiales y preventivos. Es decir, concentrar los recursos preventivos en las áreas más necesitadas.

(2) Reducir el desorden social e incivilidades a través de una amplia gama de actividades (limpieza de espacios públicos, eliminación del graffiti, etc.) con la colaboración de la policía y otras agencias externas.

(3) Desarrollar el control social informal y el capital social de las comunidades.

(4) Promoción de la estabilización y revitalización de barrios deteriorados a través de inversiones en estructuras físicas, la proporción de medios para adquisición de viviendas en propiedad y la vigilancia estricta de los códigos municipales sobre el estado de los edificios.

(5) Desconcentración de la pobreza por medio de un cambio de estrategia en las políticas de vivienda pública que facilite la dispersión de las viviendas públicas y su ubicación en zonas residenciales menos deterioradas.

(6) Mantener unos niveles adecuados de servicios públicos en barrios deteriorados.

(7) Potenciar la red de centros comunitarios de salud pública y de promoción de la salud.

(8) Aumentar el poder de las organizaciones locales y su integración en el gobierno municipal.

Al margen de estas iniciativas e implicaciones, no podemos olvidar que existen en la actualidad muy serios esfuerzos para acercar las diferentes agencias del sistema de justicia penal a las comunidades y viceversa. Así, términos tal y como policía de proximidad o comunitaria, juzgados comunitarios y fiscales comunitarios se han incorporado a la retórica del nuevo discurso político-criminal para designar estos esfuerzos (Cole y Kelling, 1998). Para no repetir demasiado, estas iniciativas serán presentadas dentro de los capítulos sobre justicia penal.

En el ámbito de la violencia doméstica también ha existido un interés en el desarrollo de iniciativas orientadas a implicar a la comunidad. Como la británica Liz Kelly (1997, p.107) ha señalado, las reivindicaciones feministas tendieron a centrarse en el papel del Estado en la prevención de los malos tratos, ignorando «ámbitos importantes de tolerancia y de posibilidades de cambio». El trabajo de Bokwer (1983) y otros autores, sin embargo, han destacado la relevancia de las redes sociales y los procesos de control social informal en materia de malos tratos. La Encuesta sobre Seguridad Personal de la Mujer en la España Urbana (1999) demuestra que la instancia de ayuda a la que más frecuentemente acuden las mujeres maltratadas son sus familiares, vecinos y amigas. Además, como veremos más adelante, un porcentaje importante de las situaciones de malos tratos llega a conocimiento de las autoridades a través de la intervención de los vecinos. Sin embargo, sólo recientemente se están desarrollando iniciativas programáticas basadas en esta realidad. Estos trabajos han demostrado que las mujeres maltratadas normalmente acuden antes a sus amistades o familiares que a los organismos públicos y contrariamente al mito popular, la mayoría de los parientes y amigos responden ofreciendo apoyo y respaldo emocional. Desde esta perspectiva de intervención, sin embargo, se insiste en que aumentar la respuesta comunitaria significa tomar con seriedad la ayuda que las mujeres verdaderamente buscan y transformarla en algo más efectivo y duradero.

Para Kelly (1997) es fundamental combinar la educación pública con campañas de prevención a través de reuniones de grupos de mujeres locales. Este tipo de campañas debe complementar los folletos actuales de información sobre el maltrato (concentrados en lo que una puede hacer si es maltratada) con consejos para ayudar a otros (más allá de simplemente recomendarles o alentarles a llamar a la policía). Kelly igualmente mantiene que debe alentarse a los individuos y a las agrupaciones locales (iglesia, asociaciones de vecinos, etc.) a incorporar el tema en su agenda comunitaria. En la misma línea Janet Carter y Susan Kelly (1998) destacan la importancia de alistar a los vecinos en la prevención de la violencia doméstica. Estas autoras señalan como nuevos programas de prevención están tratando de implicar a vecinos y amigos en la prevención de los malos tratos. Estos programas tratan de:

1. Definir el papel de vecinos, amigos o compañeros de trabajo en la identificación de las víctimas y en la facilitación de acceso a servicios.

2. Educar a los residentes sobre violencia doméstica, tratando de erosionar el mito de que es una cuestión privada y los vecinos no tienen el derecho a interferir.

3. Movilizar a la comunidad para que los residentes presten apoyo a las víctimas de la violencia doméstica.

En España la confederación de asociaciones de vecinos, aunque quizás no con toda la visibilidad y atención pública que se merecen, ha realizado reivindicaciones en esta línea. Por lo que se refiere al tema de la violencia doméstica, en otoño de 1998 se anunciaba en la prensa un plan promovido por la Confederación de Asociaciones de Vecinos del Estado Español (CAVE). La idea consistía en formar a 11.000 mujeres voluntarias para que realicen funciones de mediación social. El plan se implementaría de forma progresiva, desde la cumbre hasta la base. Primero recibirán formación especializada 80 responsables provinciales de la CAVE y luego éstas transmitirían lo aprendido a grupos de 25 mujeres, así hasta llegar a 11.000 mujeres. Según el plan estas mujeres deberán escuchar a las víctimas o a cualquier vecino del barrio que se acerquen a contarles un caso de malos tratos, orientarles sobre servicios sociales y ayudas con las que pueden contar, acompañarlas si deciden presentar denuncias contra sus maridos y hacer un seguimiento de su situación. La experiencia cuenta con el apoyo de Asuntos Sociales e Interior. De hecho, la idea nació en la comisaria de Entrevías donde la asociación de vecinos empezó a colaborar en el 97 con la policía nacional en la experiencia piloto de la policía de proximidad.

Quizás existe un énfasis excesivo en el tema de la denuncia como el objetivo central de esta campaña (EL PAÍS, 15-10-98). El objetivo central debería ser la prevención de la violencia y la mejora de la situación de las mujeres maltratadas, la denuncia, en el mejor de los casos, es un instrumento a disposición de estas mujeres para obtener dicho objetivo, pero en este país existe una verdadera obsesión con la denuncia de estas situaciones como si fuera un fin en sí mismo. En todo caso, esta iniciativa fue recibida de forma crítica por algunas organizaciones feministas asentadas en Cataluña. El director del Institut Catala de la Dona, en particular, criticaba que personas sin formación profesional fueran a realizar este tipo de servicios, así ponía de manifiesto la eterna y estéril tensión entre profesionalismo y participación cívica (EL PAÍS, 21-10-98). Ninguna evaluación de esta iniciativa ha sido publicada, ni está claro que dicha evaluación haya existido o de haberlo hecho se haya conformado con expectativas metodológicas mínimas.

VI. CONCLUSIONES

La evidencia sugiere una clara conexión entre condiciones comunitarias y tasas de violencia doméstica. La violencia doméstica, por tanto, no sigue una distribución espacial aleatoria, sino que tiende a concentrarse en determinados espacios geográficos. El uso de nuestro conocimiento sobre la distribución geográfica de la violencia entre íntimos, así como el análisis de las razones que explican dicha distribución presenta un enorme potencial para la distribución de recursos y el diseño de programas preventivos. Desgraciadamente, en nuestro país prácticamente no existen estudios que examinen el contexto comunitario de la delincuencia. El sesgo psicolegal de la criminología española contemporánea y el atraso criminológico de nuestra sociología es parte fundamental de la historia, pero también debemos ser conscientes que diferentes modelos teóricos son más o menos consonantes con diversas agendas políticas sobre el problema de la delincuencia en general y la violencia entre íntimos en particular. Los datos de la Encuesta sobre Seguridad Personal de la Mujer en la España Urbana (1999) sugieren, sin embargo, que existe una relación entre características comunitarias y violencia doméstica. Las autoridades públicas españolas deben facilitar el fortalecimiento del tejido social de los barrios tradicionalmente marginados sobre todo en las grandes ciudades españolas, no ya porque un resultado indirecto será la prevención de la criminalidad, sino porque dicho objetivo por sí mismo debe considerarse como fundamental dentro de toda política social y de redistribución de recursos en un Estado Social y Democrático de Derecho. El sistema de justicia penal debe ser consciente de esta dimensión del problema criminal, en cuanto que sus intervenciones pueden tener consecuencias positivas y negativas sobre el tejido social de dichos barrios (Rose y Clear, 1998). Por otro lado, quienes tienen la responsabilidad de promocionar el desarrollo de estos barrios deben entender la relación que existe entre las condiciones de vida en los mismos y los niveles de delincuencia, incluyendo la violencia doméstica, si quieren ser verdaderamente capaces de desarrollar su trabajo con eficacia. El establecimiento de colaboraciones entre el sistema de justicia penal y otras agencias sociales, así como el establecimiento de lazos con la comunidad, por tanto, resulta esencial. Por otra parte, como hemos visto, la comunidad por sí misma puede representar un papel importante en la prevención de este fenómeno y las instituciones públicas deberían respaldar y asesorar la participación social orientada a prevenir la violencia comunitaria.

## Capítulo VIII

CARACTERÍSTICAS DE LA FAMILIA Y VIOLENCIA DOMÉSTICA

I. INTRODUCCIÓN

La mayoría de los estudios sobre factores de riesgo de la violencia doméstica se han centrado en el análisis de características individuales de ambos miembros de la pareja, particularmente las características individuales de los hombres violentos. Sin embargo, resulta factible asumir que las características de la estructura o procesos intrafamiliares pueden tener un impacto en la génesis y dinámica de los malos tratos.

Tanto las familias como la idea de familia han experimentado cambios notables durante los últimos cien años. Desde sectores conservadores se habla mucho de crisis de valores familiares y se asocia dicha crisis con los problemas actuales que las mismas confrontan. Aunque ésta es una interpretación subjetiva, lo cierto es que las familias como se venían concibiendo tradicionalmente han experimentado cambios considerables. El entendimiento debido de dichos cambios puede contribuir a una mejor comprensión del fenómeno de la violencia doméstica.

El eminente sociólogo británico Anthony Giddens (1992) en *The Transformation of Intimacy* ofrece un análisis de estos cambios y sus implicaciones. Giddens en esta obra desarrolla de manera sistemática algunas ideas sobre las relaciones de intimidad que había venido apuntando en trabajos anteriores y discute algunas de las interpretaciones dominantes sobre el papel de la sexualidad en la cultura moderna. Giddens analiza el surgimiento de lo que denomina la *sexualidad plástica* (la sexualidad liberada de su relación intrínseca a la reproducción) en función del desarrollo del orden social moderno y las influencias sociales de las últimas décadas.

Giddens argumenta que la transformación de la intimidad, protagonizada por las mujeres, presenta la posibilidad de una democratización radical de la esfera personal, lo que el autor denomina *relaciones puras*, aunque reconoce algunos riesgos en el proceso. Estas relaciones puras hacen que las uniones matrimoniales pasen a ser un símbolo de compromiso, más que el determinante de dicho compromiso, y que la permanencia de los mismos dependa de la satisfacción de ambas partes con los términos de una unión continuamente renegociada en un marco de autoreflexión y comunicación abierta.

Pero Giddens también reconoce riesgos. Este autor sostiene que los hombres se han quedado atrás en el proceso de desarrollar un discurso autoreflexivo y ello, ligado a los cambios experimentados en la situación social de las mujeres, les está planteando especiales problemas para ajustarse a la nueva realidad de estas relaciones puras. En particular, Giddens cree que la violencia contra la mujer en la actualidad, incluso más que en el pasado, puede conceptualizarse como una respuesta masculina a la crisis planteada por esta situación en la que los hombres poco a poco pierden el control sobre las mujeres.

Como podemos observar, por tanto, es posible desarrollar un discurso que establece relaciones entre las cambiantes condiciones de la vida familiar y el fenómeno de los malos tratos. Y, aunque minoritarios, siempre ha habido investigadores que han destacado la relevancia de algunas características familiares a la hora de entender la violencia. Existe de hecho un interés renovado en esta área de investigación, que según algunos se debe al interés de los expertos en psicología de la familia en el tema de la violencia marital (Holtzworth-Munroe et al. 1997). Estos autores han sugerido que características de las relaciones tal y como negatividad en la comunicación, ajuste marital y atribuciones sobre la pareja pueden ser incluso mejores discriminantes que los factores de tipo individual o personal (Vivian y Malone, 1997).

Holtzworth-Munroe y sus colaboradores (1997) han sugerido que la falta de investigación en este campo se puede deber a razones de tipo político. Más específicamente se dice que autoras feministas han criticado este enfoque porque temen que el estudio de este tipo de factores pueda ser mal interpretado de manera que se atribuya responsabilidad a la mujer por su propio maltrato.

Esta interpretación, aunque común, es cuestionable. Es erróneo señalar que son los psicólogos de la familia los primeros en investigar las características de estas parejas como posibles factores de riesgo. De hecho, sociólogos y feministas han denunciado como algunas de estas características, por ejemplo el desequilibrio de poder, constituyen marcadores de riesgos de la violencia. Lo que se ha criticado son determinados modos de entender el problema de los malos tratos desde una perspectiva sistémica. La psicología de la familia ha sido criticada porque tradicionalmente ha usado definiciones de la violencia que eran neutrales desde el punto de vista de género.

Los estudios realizados hasta la fecha sugieren que existe una correlación entre algunas características de las relaciones y los niveles de agresión en las mismas. Sin embargo, los investigadores aún no se han puesto de acuerdo sobre el carácter causal de muchas de estas características de la relación, en la medida en que las mismas también pueden ser alteradas por la existencia de violencia en la pareja (Vivian y Malone, 1997). En este capítulo examinaré algunas de las características de la relación que han recibido más atención por parte de dicha literatura empírica.

II. NATURALEZA DE LA RELACIÓN Y LA VIOLENCIA DOMÉSTICA

Hotaling y Sugarman (1986), en su revisión de la literatura sobre factores de riesgo de la violencia doméstica, documentaron que el estatus marital es un factor de riesgo de la violencia doméstica. En particular, aquellas parejas que no están casadas, sino que tan solo cohabitan presentan un mayor riesgo de violencia. Estudios y revisiones de la literatura posteriores han consolidado esta conclusión (Holtzworth-Munroe et al. 1997). Este descubrimiento coincide con la tradición criminológica que identificaba el vínculo matrimonial como un momento crucial en la vida de los individuos que incrementa el *interés en la conformidad* (ver, p.ej., Sampson y Laub,1993b).

Quizá el estudio que de una manera más clara ha mostrado esta relación es el realizado por Stets y Straus (1990), que examinaron esta cuestión con datos de la *II National Family Violence Survey*, (con una muestra de más de 5.000 parejas), y una encuesta sobre violencia entre novios realizada con 526 estudiantes universitarios durante la primavera de 1987. Estos autores estaban interesados en averiguar si la naturaleza de la relación está asociada con la prevalencia de violencia en la pareja. Este análisis mostró que las parejas de hecho presentaban una tasa de violencia significativamente más alta (35%) que las tasas de las parejas casadas (20%) o las parejas de novios (15%). Además, estos autores sostenían que las formas más severas de abuso tenían lugar entre parejas de hecho. El mayor riesgo de las parejas de hecho subsistía incluso cuando se introducían controles de la edad, educación y ocupación. Otros estudios basados en muestras representativas de la población americana (Brown y Booth, 1996; Anderson, 1997), canadiense (Johnson, 1996) y neozelandesa (Magdol et al., 1998) también han encontrado esta relación entre cohabitación y violencia domestica. El estudio neozelandés, de hecho, también documentaba que las relaciones de cohabitación eran más violentas que las relaciones de noviazgo.

Stets y Straus (1990), así como Holly Johnson (1996), han sugerido varias posibles explicaciones de este hecho. En primer lugar, es posible que las parejas de hecho sufran un mayor *aislamiento social*. Si es cierto que estas parejas están más aisladas socialmente, bien por elección, bien por el estigma que se pueda atribuir a este tipo de relaciones, la violencia física es más probable. En general, se asume que las relaciones de cohabitación generalmente no son socialmente aprobadas con el mismo grado que las relaciones formalizadas por vínculos matrimoniales, lo que puede conducir a un mayor aislamiento social. El aislamiento, por un lado, disminuye la cantidad y calidad de recursos al alcance de estas parejas y, por otro lado, hace que sus miembros tengan menos intereses en la conformidad. Los hombres casados, que tienen un mayor interés en la conformidad, tienen más que perder en cuanto a reputación y son, por tantos, más proclives a ser disuadidos del maltrato por las consecuencias sociales y legales del mismo. Sin embargo, estos autores no se remiten a estudios que prueben las varias asunciones implícitas en esta explicación.

En segundo lugar, las parejas de hecho, por lo general, están constituidas por individuos más jóvenes. En capítulos anteriores hemos visto como existe una relación inversa entre violencia y edad. Es posible que la *mayor inmadurez* de las parejas jóvenes aumente el riesgo de la violencia, en la medida en que las mismas no hayan sabido establecer medios pacíficos para la resolución de conflictos. Magdol y sus colaboradoras (1998), por ejemplo, han destacado que el casarse no es un factor protector en parejas muy jóvenes. Sin embargo, cuando se controla la edad de las parejas las diferencias en los niveles de violencia entre parejas casadas y parejas de hecho se reducen de una manera significativa.

En tercer lugar, también se aluden a cuestiones de *autonomía y control*. Desde esta perspectiva se asume que quienes eligen este tipo de relaciones tienen interés especial en mantener su propia independencia. Esto sugiere que controlar al otro miembro de la pareja o ser controlado puede ser más problemático en este tipo de relaciones y dar lugar a más conflictos. Stets y Straus mantienen que las personas casadas y con un mayor compromiso mutuo no solamente pueden sentirse con el derecho a controlar al otro, sino que también pueden ceder parte de su independencia y dejarse controlar:

> «Las personas casadas ceden a los deseos de su pareja, creyendo que necesitan hacer sacrificios o adoptar compromisos si quieren mantener la relación intacta. En este sentido, la licencia matrimonial puede ser una licencia al control» (p. 242)

Las parejas de hecho compuestas por individuos jóvenes también son diferentes de las parejas casadas en la estructura de la relación y en la cantidad de tiempo dedicado a actividades de ocio fuera de la relación. Las parejas de hecho más frecuentemente que las casadas no tienen hijos, lo que implica menos responsabilidades familiares y mayor flexibilidad en cuanto a tiempo libre y ocio. Dadas estas condiciones de juventud, tiempo libre y naturaleza más temporal de las parejas de hecho, al menos como regla general, los conflictos sobre autonomía, control y percepciones sobre la propia naturaleza de la relación pueden ser más comunes.

Uno de los pocos estudios que ha tratado de examinar de manera empírica qué factores explican el diferente grado de riesgo asociado con varias formas de estructurar las relaciones de intimidad fue realizado por Magdol y sus colaboradoras (1998) empleando datos procedentes de uno de los pocos estudios longitudinales sobre la violencia doméstica, el

Estudio Evolutivo de Dunedin. Magdol y sus colaboradoras compararon parejas de hecho y parejas de novios, por tanto excluyendo de sus análisis a las parejas casadas (había muy pocas en la muestra). Estas autoras proponían 22 hipótesis (un estudio no muy parsimonioso) que aludían a la relevancia de factores individuales, familiares y de control social en la explicación de diferencias entre los niveles de violencia en las parejas de hecho y parejas de novios.

Estas autoras, en primer lugar, demostraban una vez más que las parejas de hecho exhibían un especial riesgo de violencia y, en segundo lugar, ponían de manifiesto la existencia de diferencias significativas entre las parejas de novios y las parejas de hecho. Las parejas de hecho estaban formadas por individuos que eran más proclives a exhibir historias de agresión en el pasado, así como un menor nivel de educación y un mayor nivel de estrés individual. Por otra parte, las parejas de hecho tenían una mayor duración y presentaban un mayor número de áreas conflictivas que las parejas de novios. Además, en las parejas de hecho las diferencias de edad entre los miembros de la pareja eran más acentuados que entre las parejas de novios. Finalmente, los miembros de las parejas de hecho exhibían menor apoyo social, pertenecían a menos organizaciones, eran menos religiosas, tenían más amigos delincuentes y solían esperar menos sanciones informales por la realización de comportamiento desviado que las parejas de novios. No obstante, cuando estas autoras controlaban estas diferencias en el contexto de regresión múltiple y logística, aunque se reducían las diferencias, la naturaleza de la relación seguía siendo un factor significativo con un efecto bastante fuerte. Incluso controlando estas diferencias, las parejas de hecho todavía eran más de dos veces más proclives a ser escenarios de violencia que las parejas de novios.

De acuerdo con estas autoras, aunque los factores y diferencias entre parejas de hecho y otro tipo de relaciones explican parcialmente las diferencias en los niveles de violencia, incluso cuando tomamos estas explicaciones en consideración siguen existiendo notables diferencias en los niveles de violencia exhibidos por individuos envueltos en diferentes tipos de relaciones. Hay algo en la cohabitación que la hace una forma de relación especialmente peligrosa en comparación con las relaciones de noviazgo, por encima de las diferencias individuales entre quienes seleccionan este tipo de relaciones y los controles sociales ejercidos sobre las mismas.

Quizá aspectos próximos de las interacciones cotidianas en la vivienda compartida son elementos necesarios para entender estas diferencias. Magdol y sus colaboradoras (1998) hacen referencia a la noción de *institución incompleta* elaborada por Cherlin. Las instituciones incompletas son aquellas en las que aún no existen patrones normativos totalmente elaborados, lo que provoca un mayor estrés entre sus miembros. Estas autoras creen que la cohabitación puede ser un ejemplo de institución incompleta. Si la cohabitación se convierte, con el paso del tiempo, en una institución completa con sus propias normas, podría adquirir un grado de respetabilidad que reduciría el abuso entre íntimos indirectamente al reducir la presión asociada con la ambigüedad de las expectativas normativas y directamente con la creación de normas prohibiendo el abuso en estas relaciones (Magdol et al., 1998).

En todo caso, estas diferencias merecen una mayor atención, así como la necesidad de realizar estudios específicos sobre la violencia entre íntimos en diferentes tipos de relaciones. Además, la investigación realizada hasta la fecha es todavía limitada. Aunque es evidente que existen diferencias en el riesgo de violencia en diferentes tipos de relaciones, los dos estudios más significativos en esta área tratando de explicar estas diferencias no han podido realizar de una manera metodológicamente satisfactoria tests de explicaciones de las diferencias comparando los tres diversos tipos de relaciones constituidos por las parejas de novios, las parejas de hecho y las parejas casadas.

En ésta, como en tantas otras áreas de la criminología, sería recomendable acudir a fuentes y revistas no criminológicas para entender mejor la naturaleza del problema. Solo a través de la integración del estudio sociológico general sobre la cohabitación podremos entender porque las parejas de hecho exhiben un elevado grado de riesgo.

Las parejas de hecho son una forma familiar compleja. Aproximadamente la mitad de las mismas (siempre usando datos americanos) duran unos dos años y entonces o se disuelven o se formalizan a través del vínculo matrimonial. Solamente una de cada diez parejas de hecho se traduce en una relación duradera que no se materializa en matrimonio. En la mayoría de los casos las parejas de hecho comparten muchas de las características de las parejas casadas. Estas parejas comparten domicilio y recursos personales, excluyen otras relaciones de intimidad y, en un número considerable de casos, dan lugar a la procreación de niños. Sin embargo, como hemos visto anteriormente, también existe un número considerable de diferencias. Las parejas de hecho son más inestables, sus miembros son más jóvenes, reciben menos apoyo social, etc. Además, la calidad de la relación suele ser ligeramente más baja en las parejas de hecho, al menos como regla general. Sin embargo, es posible que algunas de estas diferencias sean más acusadas o incluso nulas entre diversas formas de parejas de hecho y las parejas casadas (Brown y Booth, 1996)[113].

---

[113]   Aunque no interesados en las diferencias en los niveles de violencia entre diferentes tipos de relaciones, el estudio de Brown y Booth (1996) sobre diferentes

Aunque en España las parejas de hecho, en oposición a las parejas casadas, todavía constituyen una minoría[114], posiblemente el porcentaje de españoles en este tipo de relaciones aumentará con el paso del tiempo, por lo que este tema debe ser seguido con interés[115]. Una cuestión metodológica que no ha sido abordada en el pasado deberá ser más cuidadosamente observada en el futuro, en particular me refiero a la medición del estatus civil o de la relación. Muchas de estas encuestas comienzan preguntando a los entrevistados si se encuentran casados, tal es por ejemplo el caso de la Encuesta Americana sobre Violencia contra la Mujer. En numerosas ocasiones los componentes de parejas de hecho pueden autodefinirse como casados aunque legalmente no lo están y ello plantea ciertos interrogantes sobre la validez de estas medidas. En el futuro, por tanto, será preciso desarrollar medidas sensibles a estos problemas de autodefinición.

III. DESEQUILIBRIO DE PODER Y RECURSOS EN LA RELACIÓN

Insistiendo en la idea de que el interés en el estudio de las características familiares es algo que no se le había ocurrido antes a nadie hasta que llegaron los psicólogos de la familia a estudiarlas, hay quienes han tratado de presentar de manera competitiva las denominadas teorías

---

grados de calidad en las relaciones de parejas de hecho y parejas casadas resulta de interés en este área. Estos autores encontraron que aquellas parejas de hecho que tenían la intención de casarse no exhibían diferencias en el nivel de calidad de la relación cuando se comparaban con parejas casadas. De acuerdo con estos autores estos planes explican una buena parte de las diferencias entre parejas casadas y parejas de hecho. Brown y Booth creen que, con la excepción de las parejas que no tienen intención de casarse, las parejas de hecho son muy parecidas a las parejas casadas.

[114] El estudio 2.157 del CIS sobre actitudes y conductas afectivas de la familia realizado en julio de 1995 ponía de manifiesto que el 97% de los españoles han tenido alguna relación de pareja y que el 71% tiene una pareja en la actualidad. El estudio 2.113 del CIS sobre vida de familia, que formaba parte del proyecto internacional *Family and Changing Gender Roles II* promovido por el *International Social Survey Programme*, y que fue realizado en septiembre de 1994, revelaba que tan solo el 7% de los españoles había convivido con su cónyuge antes de casarse o con otra persona aunque no se casara.

[115] Quede claro que en ningún momento me considero a favor de aquellos que interpretan el crecimiento en el número de parejas de hecho como un indicador de la crisis moral de nuestra sociedad. En primer lugar, este es un fenómeno mucho más complejo. Y, en segundo lugar, las uniones de hecho no me parecen moralmente peores que las uniones matrimoniales.

sobre el poder y teoría feminista (en singular) en relación con los malos tratos (Lenton, 1995). Sin embargo, como Rebecca y Russell Dobash (1995) han destacado esta es una diferenciación poco juiciosa. Para empezar, y como no nos cansaremos de repetir, no existe una teoría feminista, sino diversas perspectivas teóricas feministas (p.ej., radical, socialista, liberal, etc.). Pero es que, además, el concepto de poder es central en la mayoría de estas diversas perspectivas teóricas de tipo feminista, por lo que carece de base alguna la contraposición de dichas teorías feministas con las denominadas teorías del poder. Desde estas diversas perspectivas feministas se ha insistido en la relevancia de la desigualdad de poder en las relaciones de intimidad, así como en el resto de las relaciones sociales como un elemento esencial para entender el fenómeno de los malos tratos en el hogar y la violencia contra la mujer de una manera más general. De hecho, no es exagerado señalar que los primeros investigadores en analizar factores de riesgo en el ámbito familiar fueron precisamente las autoras feministas al insistir en la relevancia del desequilibrio de poder y recursos en la relación. Lo que es cierto es que una buena parte del grado de sofisticación en el estudio cuantitativo de este marcador de riesgo se debe al interés demostrado por psicólogos y sociólogos de la familia.

Una manera de evaluar el desequilibrio de poder es a través del examen de los recursos objetivos (empleo, educación, ingreso) de cada miembro de la pareja en relación con los del otro. En el capítulo sobre factores individuales de riesgo examinamos parcialmente esta cuestión cuando hablábamos de la relación entre clase social, empleo y malos tratos. En aquella sección presentábamos varias hipótesis que venían a sugerir que los desequilibrios en la distribución de recursos socioeconómicos en la relación podrían tener una repercusión en la dinámica de los malos tratos al hacer a la mujer más dependiente de su marido, cuando éste se encontraba en una mejor situación socioeconómica y laboral, y a los hombres envidiosos de la situación de su mujer y culpables por su incapacidad para cumplir el papel de mantenedor de la familia, cuando la situación era la inversa. También examinábamos la evidencia a favor de este tipo de interpretaciones. La consideración de este tipo de variables se puede ubicar en el pensamiento feminista y en la teoría de los recursos que examinábamos al hablar de clase social y malos tratos. En esta sección vamos a retomar este tema al analizar estudios que han examinado otras dimensiones de los desequilibrios de poder y recursos en las relaciones de pareja.

Desde esta perspectiva, se entiende que la agresión puede ser iniciada por aquellos hombres que piensan que no cuentan con suficiente poder en la relación y se sienten frustrados por ello. En estas situaciones, en las que el hombre no consigue imponer la subordinación de su mujer o se siente subordinado a ella, los maltratadores pueden intentar recuperar el control de la relación y restaurar el «desequilibrio» de poder a través del uso de la fuerza física o el abuso emocional. Alternativamente, se puede considerar que aquellas relaciones en las que el hombre tiene la última palabra, la mujer se encuentra totalmente sometida al mismo y dada su falta de poder es más vulnerable al abuso de su pareja. Por otro lado, también se podría pensar que la distribución de poder en la pareja no es lo que explica el maltrato, sino el resultado del maltrato. En aquellas relaciones en las que el marido impone su criterio por la fuerza, quizás las mujeres son menos dadas a presentar reivindicaciones o a tratar de imponer su criterio por temor a la respuesta violenta del marido, lo que resultaría en patrones de distribución de poder en los que la mujer aparece como poco influyente en el proceso de toma de decisiones.

Uno de los problemas más importantes en esta área de investigación es de tipo metodológico. El poder marital o en la relación es un concepto que resulta muy difícil de definir operativamente y medir. Se ha señalado que, en parte, esta dificultad deriva del carácter multidimensional del poder. Hay quienes han enfatizado conceptos de poder como un potencial, es decir, se ha hecho referencia a la cantidad de recursos disponibles para hacer presión o negociar (*base de poder*), mientras que otros autores han prestado más atención al control real ejercido en el proceso de toma de decisiones. Alternativamente, hay quienes han definido el poder como la capacidad para producir los resultados deseados (*poder de resultado*). Finalmente, hay quienes han prestado más atención a los *procesos de ejercicio del poder*, es decir, a aquellas técnicas de interacción que los individuos usan cuando quieren obtener control: asertividad, persuasión, habilidad para la resolución de problemas o uso de demandas. Incluso dentro de estas tres dimensiones básicas (base del poder, poder para la obtención de resultados y procesos de ejercicio de poder) existen diferentes subdimensiones que vienen a complicar aun más esta cuestión. Así, por ejemplo, cuando nos referimos a la base del poder podemos estar haciendo referencia a recursos de tipo material, recursos de tipo afectivo, recursos de tipo personal (apariencia o fuerza física) o recursos cognitivos. De hecho, hay quienes han apuntado que existen tantas definiciones de poder en las relaciones de intimidad como estudios sobre el tema, en la medida en que cada investigador ha utilizado su propia definición (Babcock et al., 1993). A pesar de las dificultades metodológicas, los investigadores interesados en la violencia doméstica consideran central el concepto de poder dentro de cualquier teoría de este fenómeno.

Una manera de medir el desequilibrio de poder también es a través del uso de cuestionarios orientados a averiguar quien toma las decisiones más importantes en la vida cotidiana de la pareja. Estos cuestionarios normalmente preguntan quién es la persona que tiene la última palabra en diversos temas que son comunes a toda relación de pareja. Otros estudios, en cambio, han empleado métodos de observación directa de interacciones en la pareja[116].

Straus y sus colaboradores (1981), por ejemplo, en la primera encuesta nacional sobre violencia familiar preguntaron a los entrevistados quien tenía la última palabra a la hora de tomar decisiones sobre una serie diversa de temas. El maltrato de esposas era casi tres veces más proclive a aparecer en aquellas relaciones en las que el marido era quien dominaba el proceso de toma de decisiones que cuando era la mujer quien dominaba y era ocho veces más proclive a aparecer que en aquellas relaciones de tipo igualitario.

Catherine Tang (1999), empleando datos de una encuesta realizada en Hong Kong con una muestra de 1.270 mujeres, y usando medidas similares a las de Straus, documentó la existencia de una correlación entre el nivel de violencia en la pareja y la estructura de poder en la misma. La violencia verbal y física era menos prevalente en las parejas igualitarias. Eran las parejas dominadas por el marido las que exhibían unos niveles mayores de violencia. También existía una relación con satisfacción marital, siendo las parejas igualitarias las que puntuaban más alto en esta dimensión.

Babcock y sus colaboradores (1993), en un análisis de 95 parejas divididas en tres grupos (violentas, estresadas y normales), documentaron que existía una correlación entre violencia y estructura de poder. En aquellas parejas en las que la mujer tenia un mayor ámbito de decisión, el riesgo de la violencia era mayor. Esta diversidad de resultados, sin duda, complica la interpretación global de la evidencia.

Coleman y Straus (1986) volvieron a examinar esta cuestión utilizando de nuevo los datos de la I Encuesta sobre Violencia Familiar y propusieron un modelo de análisis alternativo. En esta ocasión, los análisis se enriquecieron con el añadido de una dimensión adicional: el consenso sobre la distribución del poder en la relación. Estos autores, correctamente, argumentaron que no solamente es importante considerar quien ostenta más poder en la toma de decisiones, sino que también es relevante valorar el grado de consenso sobre la estructura de poder en la relación. Desde esta perspectiva, por tanto, en la medida en que haya consenso sobre quién es quien debe tomar las decisiones, es menos relevante quién es la figura en la pareja que toma dichas decisiones.

Estos autores documentaron que, con independencia de la estructura de poder, a mayor consenso, menor era el nivel de conflicto en la relación.

---

[116] Curiosamente, los pocos estudios que han tratado de examinar la convergencia de este tipo de medidas han descubierto que existe una correlación muy baja entre ambas (Babcock et al., 1993).

Así, destacaban que parejas en las que el hombre ostentaba la última palabra no presentaban un nivel elevado de conflicto en cuestiones tales como las tareas domésticas, distribución del dinero o actividades sociales si ambos miembros de la pareja estaban de acuerdo en la legitimidad de dicha estructura de poder. Dicho esto, también notaban que las parejas en las que existía una estructura de poder más igualitaria el nivel de conflicto era menor con independencia del nivel de consenso. Quizá el descubrimiento más interesante de este estudio fue el poner en evidencia una interacción entre estructura de poder y nivel de conflicto. Cuando el conflicto se produce en una relación en la que existe una estructura de poder asimétrica (la toma de decisiones es dominada por el hombre o por la mujer) existe un riesgo mayor de violencia que cuando el conflicto se produce en parejas más igualitarias. Parecería, por tanto, que las relaciones igualitarias, en comparación con las asimétricas, pueden tolerar un mayor nivel de conflicto antes de que surja la violencia.

Ronfeldt, Kimerling y Arias (1998) recientemente han investigado la relación entre violencia entre novios y satisfacción con el grado de poder sobre la relación. Estas autoras también creen que, en lugar de medir la distribución de poder en la pareja, deberíamos estar interesados en determinar la relación entre violencia, las percepciones y valoraciones de los individuos sobre sus cuotas de poder en la relación, así como la satisfacción con las mismas. La satisfacción con el poder que se disfruta en la relación puede ser un mejor predictor de la violencia que los niveles generales de poder. En la medida en que la violencia entre íntimos esté orientada a ganar o recuperar el poder en la relación, el grado de insatisfacción con el nivel de poder que se disfruta puede presentar una asociación fuerte con la perpetración de violencia. Estas autoras examinaron esta hipótesis con una muestra de doscientos estudiantes universitarios y encontraron que insatisfacción con el poder disfrutado en la relación estaba relacionado con el uso de violencia psicológica y física.

Renzetti (1992) ha argumentado que éste es un factor relevante si queremos entender la violencia en las relaciones entre lesbianas. Esta autora destaca como existe un conjunto de estudios que han mostrado que la igualdad de poder es particularmente importante en las parejas de lesbianas y que cuando se comparan parejas de lesbianas con parejas heterosexuales existe un mayor grado de distribución equitativa del mismo y una división más justa del trabajo doméstico en las primeras. A pesar de ello, Renzetti en su estudio de 100 mujeres lesbianas víctimas de malos tratos, documentaba que éstas eran relaciones caracterizadas por un desequilibrio de poder. Es la maltratadora quien tomaba la mayoría de las decisiones en la relación, pero era la víctima quien traía más recursos a la relación.

En todo caso, parece evidente que las diferentes estructuras de poder no pueden explicar y discriminar efectivamente todas las parejas violentas y las no violentas. Aunque algunos aspectos de la distribución de poder en la pareja pueden contribuir a entender este fenómeno, es necesario también examinar otros aspectos y dimensiones. Además, el carácter transversal de estos estudios no permite dilucidar con claridad si la desigualdad de poder era una causa o una consecuencia del abuso. Ciertamente, no es del todo aventurado mantener que las desigualdades de poder en estas relaciones se producen como consecuencia de las pautas de abuso y control del maltratador. Quizá, de nuevo, nos encontramos con variables que tienen que ser modeladas como no recursivas.

IV. ESTILOS DE LA VINCULACIÓN Y DEL COMPROMISO

El vínculo emocional en la relación es uno de los factores de riesgo identificados por la literatura psicológica. Paradójicamente, niveles más altos de vinculo emocional han sido asociados con un mayor grado de violencia en la relación. Esta asociación ha sido documentada con muestras de novios universitarios (Hanley y O'Neill, 1997). Los investigadores han encontrado que la mayoría de las personas en relaciones violentas reconocen que la violencia sólo comienza después de que la relación haya entrado en una etapa de compromiso más seria. Ha sido sugerido que el mayor grado de compromiso puede causar a la mujer problemas para dejar la relación. Por otro lado, también se ha señalado que a medida que la relación se vuelve más seria los miembros de la pareja pueden considerarse con más derecho para influir la conducta de los otros miembros de la pareja. Por otro lado, la posibilidad de conflictos emocionales también aumenta a medida que lo hace el nivel de vinculo emocional (Hanley y O'Neil, 1997). Hanley y O'Neil (1997) aunque también sugieren esta relación, sin embargo, descubrieron que existe un grado mayor de desacuerdo sobre el nivel de compromiso de la otra pareja cuando la violencia esta presente. Estas diferentes percepciones sobre el nivel de compromiso del otro miembro de la pareja pueden estar indicando mayor inseguridad en la relación, una tendencia mayor hacia los celos, así como dificultad para el establecimiento de expectativas mutuas y confianza.

La literatura psicológica ha identificado diferentes estilos de vinculación en las relaciones afectivas. Así, se habla de un estilo de vinculación segura, preocupado o ansioso o de evitación. Bartholomew y Horowitz (1991) han desarrollado una teoría de los vínculos adultos que distingue cuatro categorías en función de dos modelos internos, uno referido a sí mismo y otro referido a los demás, que pueden ser positivos o negativos. Las personas que tienen un modelo interno positivo sobre sí mismo y sobre los demás son personas que exhiben un estilo de *vinculación segura*. Los individuos con un estilo de vinculación segura son personas que se encuentran a gusto en la intimidad, pero al mismo tiempo son capaces de mantener su autonomía en las relaciones. Aquellas personas que tienen una visión positiva de los otros, pero que tienen una visión negativa de sí mismos se dice que tienen un estilo de *vinculación preocupado o ansioso* que se deriva de su preocupación excesiva en mantener la seguridad que obtienen de las relaciones íntimas. Las personas en este grupo buscan la aceptación y el reconocimiento de los demás y procuran reducir sus distancias relacionales, en ocasiones en detrimento de las mismas. Las personas con un estilo de vinculación temeroso son personas que tienen representaciones cognitivas negativas de sí mismos y los demás. Aunque estas personas desean intensamente mantener relaciones de intimidad, su falta de confianza y miedo de abandono o rechazo resultan en una intimidad inapropiada. Finalmente, se habla de un estilo de *vinculación de evitación y disolución* que se caracteriza por una imagen positiva de sí mismo y negativa de los demás. Estos individuos conceden gran importancia a la autonomía y evitan vincularse demasiado a sus parejas (ver también, O'Hearn y Davis, 1997; Tweed y Dutton, 1998).

O'Hearn y Davis (1997) realizaron una encuesta con 426 estudiantes universitarios para analizar la relevancia de diferentes estilos de vinculación con el nivel de la violencia recibida y perpetrada. Aquellas mujeres que exhibían una puntuación alta en la escala de seguridad en la vinculación eran menos propensas a recibir y perpetrar abuso, mientras que aquellas mujeres que exhibían un grado elevado de un estilo de vinculación preocupada o ansiosa eran más propensas a ser víctimas y perpetradoras de abuso. Tweed y Dutton (1998) compararon varios grupos de maltratadores y documentaron que aquellos que exhiben un comportamiento antisocial general y aquellos que han sido considerados como límite comparten un estilo de vinculación preocupado, pero en el caso de los límite este estilo coincide con un estilo de vinculación temeroso.

V. PAUTAS DE COMUNICACIÓN MARITAL

Una de las variantes de las teorías sistémicas de la familia ha prestado una especial atención al estudio de la comunicación y pautas de interacción marital. Autores dentro de esta línea han examinado las diferencias de género en la decodificación de mensajes verbales y no verbales, las secuencias existentes en los actos de comunicación, así como cuestiones similares (Klein y White, 1996; Bakeman y Gottman, 1997).

Una de las líneas de investigación en esta área resulta relevante para nosotros porque ha tratado de discernir diferentes patrones de comunicación marital en parejas violentas, así como posibles déficits en habilidades para la comunicación en ambos miembros de la pareja. Los psicólogos habitualmente han retratado a las parejas violentas como relaciones en las que sus miembros tienen habilidades de comunicación bastante pobres y a los maridos violentos como especialmente deficientes en esta dimensión. También en el ámbito de la criminología, como veíamos anteriormente, se ha presentado a los delincuentes como individuos con deficientes capacidades de comunicación y otras habilidades sociales.

Aunque hasta no hace mucho existían muy pocos estudios observacionales en el campo de la violencia doméstica, sin embargo, hoy existe un número creciente de estudios que emplean la observación de parejas discutiendo problemas en sus relaciones y el análisis detallado de la interacción entre los dos miembros de la pareja. Dos grupos de investigación, el encabezado por Margolin y el encabezado por Jacobson y Gottman, se han destacado en la utilización de este tipo de métodos.

El equipo de Margolin publicó los primeros estudios utilizando este tipo de métodos. Estos investigadores descubrieron que los maridos físicamente agresivos son más negativos en sus estilos de comunicación que otros maridos en relaciones con problemas, pero que no llegan a ser violentos. Estos hombres eran más inclinados a criticar, no estar de acuerdo y ridiculizar los puntos de vista de su pareja. Las mujeres en cambio presentaban pautas menos claras. Las mujeres maltratadas exhibían más conductas negativas que las mujeres en parejas con problemas, pero no violentas, hasta aproximadamente la mitad de la interacción; sin embargo, al final de la interacción no existían diferencias claras y significativas. Margolin y sus colaboradores han tendido a pensar que las mujeres moderaban su conducta para evitar un enfrentamiento mayor con su pareja violenta (Burman, Margolin y John, 1993; Margolin, John y Gleberman, 1988; Burman, John y Margolin, 1992).

Estos investigadores también han conducido análisis de secuencias de la interacción de la pareja examinando, entre otras cuestiones, la tendencia a continuar las conductas negativas una vez que comienzan. Esta tendencia se denomina reciprocidad negativa. Sus estudios mostraron que las mujeres en relaciones violentas eran significativamente más inclinadas a exhibir esta tendencia que las mujeres en relaciones no violentas. Curiosamente, los maridos agresivos, aunque tendían a ponerse a la defensiva como respuesta a la conducta negativa de su pareja, no eran más inclinados que otros maridos a reaccionar con sucesivas conductas negativas (Burman, John y Margolin, 1992). Estos datos de alguna manera contradecían el saber popular. La mayoría de las descripciones de los encuentros violentos en el ámbito doméstico sugieren que es el hombre quien exacerba y perpetua la interacción negativa y que las mujeres son relativamente pasivas en este proceso. Otros autores, sin embargo, han destacado la dificultad de interpretar estos resultados como consecuencia de las características de las parejas estudiadas por el equipo de Margolin. En particular, se ha señalado que el nivel de violencia en el grupo de parejas violentas analizado por estos investigadores era muy bajo y, a veces, era bidireccional, dificultando su generalización a parejas donde la violencia es más seria; que no se controlaba el nivel de satisfacción marital; y que un porcentaje importante de las parejas en el grupo de parejas con problemas «pero no violentas» habían exhibido episodios de violencia durante el año anterior (45%) o con anterioridad (75%) (Cordova et al., 1993).

El equipo de Jacobson y Gottman trató de replicar estos datos sobre la reciprocidad negativa empleando métodos más adecuados, es decir, un grupo de parejas violentas que exhibía niveles moderados a serios de violencia y un grupo de parejas estresadas en las que no existían antecedentes de violencia y que presentaba similares niveles de satisfacción marital (Cordova et al., 1993). Como Margolin y sus colaboradores, estos investigadores demostraron que los hombres violentos eran más proclives a exhibir conductas negativas o aversivas tal y como críticas, desacuerdos o ridiculización de los puntos de vista de su pareja. El grupo de parejas violentas, por otro lado, exhibía una clara tendencia a la reciprocidad negativa. Esta vez, sin embargo, ésta era una tendencia que también se observaba en los hombres. En todo caso, este estudio ponía en evidencia que las mujeres maltratadas no adoptaban una posición pasiva y de sumisión en estos argumentos, sino que continuaban manteniendo su posición y mostrando su desacuerdo con sus parejas incluso a pesar del riesgo de ser maltratadas. Cordova y el resto del equipo, no obstante, reconocen las limitaciones derivadas del ambiente en que estas discusiones estaban siendo observadas (el laboratorio) y reconocían la imposibilidad de generalizar estos resultados, dado el carácter no representativo de sus muestras.

Varios grupos de investigación, incluyendo los de Margolin y Jacobson, también han tratado de analizar los patrones de comunicación de las parejas violentas por medio de la comparación de las descripciones de interacciones maritales y conflictos tal y como son narrados por sus protagonistas. Babcock y el resto de los miembros del equipo de Jacobson (1993) han examinado la hipotética relación entre déficits de comunicación y violencia marital en un estudio de 95 parejas divididas en tres grupos (violentas, estresadas y normales). De acuerdo con este estudio, los maltratadores no parecían ser más deficientes por lo que se refiere a sus habilidades de comunicación que otros maridos en relaciones con problemas que no degeneraban en el uso de la violencia. Aunque las mujeres parecían exhibir mejores habilidades de comunicación verbal, estos autores creen que este es un patrón general no exclusivo de la población de maltratadores. A pesar de ello, Babcock y sus colegas creen que es posible que los déficits en habilidades para comunicarse representen un papel especialmente importante en aquellas relaciones en las que surge la violencia. Quizá estos déficits se manifiestan de una manera más notable cuando discuten con su pareja. Si las mujeres son más habilidosas en esta dimensión y los maridos están desesperados por ganar el argumento, pueden recurrir a la fuerza física para poner fin a la discusión. Sin embargo, ésta no deja de ser una hipótesis que aún precisa ser confirmada. Lo que sí pudieron documentar estos autores, dentro de la muestra de parejas violentas, es que cuando tanto la mujer como su pareja exhiben habilidades de comunicación pobres existe un incremento del riesgo de la violencia doméstica. Esto podría indicar que cuando tanto la mujer como el marido carecen de estas habilidades están menos capacitados para difuminar verbalmente el argumento.

No obstante, estos autores piensan que quizás más importante que la existencia de déficits en las capacidades o habilidades globales de comunicación de los miembros de la pareja, sería la existencia de problemas o patrones en áreas especificas de comunicación. Estos autores, de hecho, descubrieron un patrón significativo en el grupo de parejas violentas. Los maridos que maltrataban a sus mujeres eran más proclives a exhibir patrones de interacción en los que ellos hacían las demandas y la mujer era quien estaba a la defensiva o trataba de retirarse. Normalmente se identifica la realización de demandas con aquella parte que se encuentra en una posición de menos poder que aquella parte que quiere mantener el statu quo. Esta relación sería consistente, por tanto, con la hipótesis anteriormente sugerida entre falta de poder y violencia. La realización de demandas, sin embargo, también ha sido conceptualizada en términos de discrepancias en la pareja sobre el nivel de intimidad apropiado en sus relaciones y que dicha conducta puede derivar de un deseo de mayor intimidad o proximidad (Holtzworth-Munroe et al., 1998). Por tanto, esta pauta de comportamiento también presta apoyo a la tesis de Dutton sobre la asociación entre problemas de intimidad, miedo de perder a la pareja, celos y maltrato.

El estudio de Babcock y sus colaboradores también evidenciaba que las parejas en que existía la violencia ambos patrones eran más frecuentes, es decir, el enunciado anteriormente y aquel otro en el que es la mujer quien hace las demandas y el hombre quien asume una posición defensiva. En las parejas no violentas esto no ocurría, o bien había solamente uno de los esposos asumiendo cada uno de los papeles o no existía ningún tipo de patrón. Sus datos, sin embargo, confirman que en las parejas violentas ambos miembros de la pareja desempeñaban el papel de demandante y ambos respondían a las demandas tratando de retirarse. Este tipo de patrón, por tanto, puede ser especialmente problemático y dar lugar a importantes luchas de poder dentro de la relación.

Amy Holtzworth-Munroe y sus colaboradores (1998) más reciente-mente han analizado estos problemas específicos de comunicación suge-ridos por el estudio de Babcock y han tratado de replicar los resultados de dicho estudio. De acuerdo con estos autores, es lógico esperar el tipo de pauta de interacción descrito por Babcock en parejas violentas. Las parejas en las que el marido maltrata a la mujer deben demostrar no solamente niveles altos de demandas de la mujer/retirada del marido, sino también niveles altos de demanda del marido/retirada de la mujer. Los hombres violentos pueden exhibir ambos tipos comportamiento como consecuencia de sus sentimientos conflictivos sobre intimidad e indepen-dencia. Tal y como Dutton los ha descrito, los maltratadores son personas con necesidades de intimidad, pero que a su vez no se sienten seguros en las mismas. En general, los resultados de este equipo de investigadores, que también comparaba parejas violentas, parejas estresadas no violen-tas y parejas normales, confirmaban los resultados originalmente apun-tados por Babcock. Además, estos autores también encontraban un mayor nivel de expresión de desprecio en las interacciones de las parejas violentas y una puntuación menor en escalas que median conductas positivas durante la interacción en estas parejas.

Estos autores, sin embargo, también incluían en su investigación un grupo de parejas violentas en las que no existía un nivel excesivamente elevado de estrés. Holtzworth-Munroe y sus colegas argumentaban que las investigaciones de Jacobson y Margolin en esta área habían empleado siempre grupos de parejas violentas con niveles elevados de estrés. Sin embargo, de acuerdo con esta profesora de psicología de Indiana University, la violencia también puede aparecer en parejas que no exhiben un elevado grado de insatisfacción marital o estrés en sus relaciones. Cuando estos autores comparaban este grupo de parejas con los otros tres grupos citados anteriormente, descubrían que el mismo grupo exhibía un conjun-to de características diferentes que las parejas violentas con niveles altos de estrés o insatisfacción marital. Estas parejas violentas no estresadas exhibían niveles elevados de estrategias constructivas (negociación, com-promisos, resolución de problemas), pero también usaban numerosas conductas destructivas (ataques verbales, enfado). Estas parejas, ade-más, exhibían niveles de violencia menos serios, lo que conducía a estos investigadores ha sugerir que quizás la violencia en parejas estresadas y no estresadas son fenómenos cualitativamente diferentes.

En resumen, estos estudios parecen sugerir que las parejas violentas muestran mayores niveles de enfado, desprecio y beligerancia en sus interacciones. Este tipo de conductas contribuye a que estas parejas adopten patrones de conducta altamente contingentes y rígidos que son más fuertes y duran más que los de parejas conflictivas, pero no violentas.

Por otro lado, las parejas violentas parecen ser incapaces de salir de estos ciclos de interacción negativa una vez que comienzan.

Aunque las mujeres que se encuentran en relaciones de intimidad violentas participan en discusiones y muestran su enfado, los datos obtenidos hasta la fecha parecen sugerir que es particularmente importante centrarse en los maridos violentos, ya que son ellos los que conducen los patrones de comunicación negativa. Así, los maridos tienden a instigar intercambios negativos y también inspiran miedo en sus parejas. Además, los maridos violentos responden agresivamente y de manera impredecible a diversas conductas de sus mujeres. Finalmente, parece estar claro que los maridos violentos se comportan de manera autoritaria y tratan de ejercer más control durante las discusiones.

Un efecto que estos estudios aún no han controlado es la seriedad de los problemas discutidos por las parejas en estos estudios. Podría ser que las parejas violentas discuten problemas que son más difíciles de resolver que los discutidos por parejas con problemas pero no violentas o por parejas felizmente casadas. Diferencias en la seriedad o complejidad de estos problemas podrían explicar parcialmente las aparentes deficiencias comunicativas en las relaciones violentas. Esta posibilidad, sin embargo, es difícil de controlar. Sería difícil de establecer si las parejas se comunican de una manera deficiente porque sus problemas son complejos o si sus problemas parecen complejos porque no saben comunicarse. No obstante, estos investigadores reconocen la posibilidad de que los problemas de comunicación podrían ser secundarios, más que primarios (Cordova et al., 1993).

VI. CONCLUSIONES

Como hemos visto en este capítulo, así como en capítulos anteriores, existe evidencia que sugiere la necesidad de examinar no sólo los factores individuales de riesgo del maltrato, sino su contexto ecológico más amplio, así como la interacción de dichos factores individuales con dicho contexto. Las teorías sistémicas de la familia han destacado la importancia de estudiar las familias en su conjunto y las relaciones interpersonales dentro de la misma como parte de un sistema.

Estas teorías en ocasiones han dado lugar a la defensa de modelos de intervención terapéutica que no han tomado en cuenta ni el elevado riesgo de este tipo de situaciones, ni la relevancia de género como una variable para entender el problema de los malos tratos. Dicho enfoque ciertamente merece ser criticado, lo que no excluye necesariamente la utilidad terapéutica en ciertas situaciones de este tipo de modelos siempre y cuando los mismos tengan en consideración dichas circunstancias. En el capítulo sobre intervenciones legales en casos de malos tratos analizaremos esta cuestión más detenidamente. En todo caso, la identificación de este tipo de procesos y marcadores de riesgo es relevante incluso si se plantean intervenciones exclusivamente centradas en el agresor. Desde una perspectiva más amplia, la investigación en esta área invita a reflexionar sobre la necesidad de promover políticas de igualdad de género y educación sexual (en el sentido amplio de la palabra) como parte de los programas educativos no ya de grupos de riesgo, sino de la población general. Aunque a corto plazo los cambios que están teniendo lugar en la esfera doméstica pueden tener una repercusión negativa en las tasas de violencia entre íntimos, el fortalecimiento de pautas de convivencia doméstica basadas en la noción de igualdad de géneros a largo plazo solo puede ofrecer beneficios. Por otro lado, la identificación de nuevas formas relacionales (parejas de hecho, parejas de homosexuales) como grupos de riesgo en lugar de ser interpretado como un indicador de la crisis moral de la sociedad contemporánea debería interpretarse como una consecuencia de la marginalización y el aislamiento social de quienes voluntariamente deciden adoptar estos estilos de vida. Estos datos nos obligan a desarrollar programas que faciliten la integración social de estos colectivos, entendiendo por integración social la facilitación al acceso a bienes y recursos sociales más que la normalización o supresión de diferencias que pueden ser consideradas relevantes por los integrantes de estos grupos sociales.

Capítulo IX
PATRIARCADO, MASCULINIDADES Y VIOLENCIA EN LA PAREJA

I. PATRIARCADO, FEMINISMO Y VIOLENCIA CONTRA LA MUJER

Como vimos en el primer capítulo el problema de los malos tratos fue definido como tal por el movimiento de liberación de la mujer y, ciertamente, la atención prestada desde entonces a este problema ha sido continuamente motivada por la crítica y denuncia feminista de la violencia masculina contra la mujer. A un nivel práctico, la mayor parte de las reformas adoptadas para tratar este problema fueron inspiradas por feminismos de uno u otro color. A un nivel más teórico o discursivo, ha existido una continua tensión entre autores feministas y autores que no se definen como feministas.

Algunas de las aportaciones feministas se han ubicado dentro de lo que se ha denominado como criminología crítica. Desde la criminología crítica se han señalado con preocupación algunas tendencias de la criminología contemporánea. Vivimos en un momento en que se ha abandonado el interés en el pensamiento teórico fuerte. La criminología progresivamente se mueve hacia un modelo de ciencia que utiliza las *teorías* como fuentes de inspiración para la identificación de nuevos factores de riesgo que pueden ser manipulados para controlar y prevenir el delito. Este encanto con el pragmatismo que domina la criminología norteamericana no deja de parecer ingenuo y excesivamente frío, clínico y/o neutral. Es posible que esta forma de concebir la criminología no sea tan mala después de todo. Quizá este proyecto criminológico sirve para reducir niveles intolerables de violencia y delincuencia y eso, se asume, es lo que todos queremos. De hecho mi aproximación a este tipo de pensamiento se produjo como consecuencia del desencanto con un discurso criminológico demasiado apegado a la criminología crítica de los 70, que si bien ideológicamente me resultaba inicialmente más próxima, me parecía demasiado cerrada en su propio discurso como para proponer propuestas político-criminales consonantes con la realidad social de los 90. No obstante, al mismo tiempo, por diversas razones (ver, p.ej., Giddens, 1990; Lemert, 1997; Naffine, 1996; Arrigo, 1999; Sparks, 1998), cada vez parece más necesario adoptar una perspectiva más crítica o, al menos, más reflexiva y modesta sobre el papel de la criminología y la actividad de los criminólogos.

En los 70 las nuevas criminologías o criminologías críticas trataron de traer a nuestra disciplina este tipo de reflexión crítica. Sin embargo, estas

criminologías críticas también tenían sus propios problemas y merecían
ser consideradas críticamente. Una de las respuestas a estos problemas
fue el denominado realismo criminológico de izquierdas (Young, 1998).
Más recientemente, y ligado al campo de los estudios culturales y el
pensamiento postmoderno, se han desarrollado una serie de nuevas
criminologías críticas (Arrigo, 1998). Es dentro del contexto del desarrollo
de estas criminologías críticas que normalmente se ha insertado el
tratamiento de la teoría feminista en su relación con la criminología. No
obstante, conviene ser consciente de que el feminismo no es simplemente
una teoría sino un conjunto plural de perspectivas teóricas e ideológicas
(lo uno nunca puede ser desasociado de lo otro en ningún caso, no
solamente con referencia al pensamiento feminista) que han tratado de
entender y denunciar las prácticas y organizaciones sociales asumiendo
la centralidad de género y sexo. Además, conviene destacar que empezando con la criminología crítica más tradicional y continuando con alguna
de sus sucesoras, existen importantes diferencias e incluso fricciones en
relación con los postulados de diversas teorías feministas. Ciertamente la
criminología crítica de primera generación ha sido tildada por algunos
incluso de sexista y, en el mejor de los casos, poco atenta a cuestiones de
género.

El pensamiento feminista en relación a la criminología puede dividirse
en dos etapas (Daly y Maher, 1998). En una primera etapa, las actividades
académicas de las autoras feministas en este campo estuvieron orientadas a criticar las teorías criminológicas dominantes por caracterizar a las
mujeres de manera sexista y a realizar estudios empíricos sobre las
experiencias de las mujeres como delincuentes, víctimas y trabajadoras
del sistema de justicia penal. Durante este periodo el concepto de
patriarcado ocupó un lugar central en el discurso feminista. En una
segunda etapa más reciente, las actividades académicas de las autoras
feministas han expandido el discurso en varios sentidos. En primer lugar,
han tendido a problematizar el término *mujeres* como una categoría
monolítica. En segundo lugar, han reconocido que las experiencias de las
mujeres son, en parte, construidas y definidas por los discursos legales y
criminológicos. En tercer lugar, han revisitado la relación entre sexo y
género. Y, finalmente, han reflexionado sobre los limites y posibilidades
de construir verdades científicas y un conocimiento feminista (Daly y
Maher, 1998).

El pensamiento feminista ha considerado a la estructura patriarcal de
la sociedad el factor clave para comprender la violencia contra la mujer.
La violencia doméstica contra la mujer se interpreta como una expresión
histórica de la dominación masculina que se manifiesta dentro de la
familia y que es respaldada en la actualidad por las instituciones,
organización económica y la división sexista del trabajo dentro de la

sociedad capitalista. Desde esta perspectiva se subraya que el objeto principal de las teorías feministas es explicar no porqué determinados hombres son violentos, sino entender porqué el abuso es dirigido contra las mujeres (Schechter, 1982).

Para entender mejor esta posición es conveniente leer a quienes se han representado como uno de sus más claros defensores dentro del mundo académico: los Dobash. Rebecca y Russell Dobash (1979, p. ix) expresan esta noción de una manera muy clara en el primer párrafo de su estudio clásico sobre el tema:

«El uso de la violencia física contra las mujeres en su posición como esposas no es solamente el medio por el que son controladas y oprimidas, sino que es una de las expresiones explícitas más brutales de la dominación patriarcal. La posición de las mujeres y hombres como esposas y maridos ha sido históricamente estructurada como una jerarquía en la que los hombres poseían y controlaban a las mujeres. Había un claro respaldo de tipo legal, económico, ideológico y político a la autoridad del marido sobre su mujer, incluyendo la aprobación del uso de la fuerza física contra la misma. Aunque el derecho reconocido legalmente a golpear a las esposas no existe en la actualidad en la mayoría de las democracias occidentales, el legado del patriarcado continúa generando las condiciones y relaciones que conducen a que los hombres usen la fuerza contra sus esposas. La dominación patriarcal a través de la fuerza todavía está respaldado por un orden moral que aprueba la jerarquía marital y hace muy difícil que una mujer luche contra ésta y otras formas de dominación y control, porque sus acciones son construidas como equivocadas, inmorales y una violación a la lealtad que una mujer debe a su marido»

Para autores en esta línea resulta esencial integrar el comportamiento violento individual de un hombre contra su esposa en el contexto social y cultural más amplio. Así, se puede demostrar que hay procesos sociales y económicos que operan directa e indirectamente para dar respaldo a la dominación patriarcal y el uso de la fuerza física contra las mujeres.

Desde esta perspectiva se entiende que los hombres son más sensibles a las amenazas a su autoridad y a aprender técnicas violentas para resolver tales amenazas. La proclividad a usar la violencia estaría emparejada, de acuerdo con estos autores, con un conjunto de creencias y normas que regulan las «adecuadas» relaciones jerárquicas entre hombres y mujeres en la familia y la debida obediencia de las mujeres a sus maridos. Así, se concibe a todos los hombres como controladores de sus mujeres y, en la medida en que estén socializados en el uso de la violencia, como potenciales agresores contra sus mujeres[117].

El uso de la violencia contra las esposas debería, por tanto, ser entendido como el intento por parte de sus maridos de mantener el deseado y «justo» statu quo. Ésta es una conducta racional e intencionada

---

[117] Para una interpretación más radical ver Dworkin (1987).

y no el producto de aberraciones o perturbaciones patológicas. Los hombres que pegan a sus mujeres se limitan a vivir de acuerdo con «normas culturales incubadas en la cultura occidental —agresividad, dominación masculina y subordinación femenina— y usan la fuerza física como un medio para mantener dicha dominación» (Dobash y Dobash, 1979, p. 24). En la medida en que la violencia se usa como un mecanismo de control de la mujer, esta perspectiva entiende que dicha violencia constituye el fundamento mismo del sistema patriarcal (Brownmiller, 1975; Hanmer, Radford y Stanko, 1989). Desde esta perspectiva, por tanto, se podría señalar que a más desigualdad entre géneros más violencia.

De una manera alternativa, sin embargo, hay quienes consideran que existe una relación entre los cambios se han producido en el mundo occidental en la relación entre géneros y los niveles de violencia contra la mujer. Estos autores mantienen la hipótesis que el movimiento de liberación de la mujer y el progresivo protagonismo que la mujer disfruta en la sociedad contemporánea significa una amenaza para muchos hombres en la medida en que ven como el sistema patriarcal se tambalea. Así, la violencia contra la mujer sería una manera de responder a dicha amenaza (Gartner et al. 1990). Es lo que se denomina la *hipótesis de la reacción* (Brownmiller, 1975).

Más recientemente la noción de patriarcado ha sido sometida a importantes críticas desde la propia teoría feminista. Como Allen (1987), en un contexto diferente, señalaba:

> «Dicha explicación requiere como premisa inicial la asunción del patriarcado, un omnipresente, absolutamente poderoso sistema de dictadura masculina, que determina, de manera más o menos violenta, todas las formas y productos de las relaciones sociales»

El esencialismo de este concepto, como un tanto cínicamente señalaba Carrington (1994), tiene sus ventajas prácticas. Las explicaciones esencialistas de las diferencias de género, de acuerdo con esta autora, son convenientes porque lo que se asume como universal, singular y determinante no precisa ser investigado empíricamente (p. 75):

> «Todas esas molestias y discrepancias empíricas pueden ser relegadas al estatus de lo irrelevante. En otras palabras, las verdades teleológicas feministas que, la ley es la ley del patriarcado y que la violencia es simplemente el producto de un hombre supermasculino pueden ser exentos de toda investigación genealógica. Estas verdades y polémicas se convierte en privilegios que garantizan que nunca serán cuestionadas. En todo caso, cuando el constructo teórico de opresión de género universal no se ajusta a los hechos, los hechos siempre pueden sacrificarse»

Más allá de estos argumentos, las críticas son diversas. En primer lugar, se ha argumentado que esta teoría crea una polarización artificial que distorsiona la variabilidad existente en la construcción de géneros y que reduce todas las masculinidades y feminidades a un estándar normativo simplificado. La noción de patriarcado, así, reduce las diferencias existentes entre los hombres e ignoran el hecho de que hombres en diferentes posiciones ejercen diferentes grados de control sobre sus propias vidas y sobre las mujeres. Al concentrarse en las diferencias entre hombres y mujeres, esta perspectiva deja de considerar las diferencias entre los hombres desde el punto de vista de clase social, edad, preferencias sexuales e identidad étnica, centrando la atención, en cambio, en un «macho típico», como si éste pudiera representar a todos los hombres. Así, también, se olvida que las diferencias sociales entre los hombres crean diferentes tipos de masculinidades y emparejadas con las mismas diferentes formas de violencia contra la mujer (Messerschmidt, 1993). Semejante análisis concibe a la masculinidad como algo maligno y a todos los hombres como agentes del patriarcado en el mismo grado (Connell, 1987).

Por otro lado, el concepto de patriarcado concibe a hombres y mujeres como observadores pasivos, sin ninguna creatividad, ni capacidad de autodeterminación. Su violencia o victimización, de alguna manera, se derivan automáticamente de su condición como hombres o mujeres. Además, aunque la violencia contra la mujer es concebida como un mecanismo de control, se critica la asunción de que todos los hombres actúen con dicha intencionalidad. En ese sentido, los críticos argumentan que hay que diferenciar entre las consecuencias de la violencia contra la mujer y la motivación de los agresores individuales. Aunque muchos hombres pueden tener una motivación de control, particularmente en el ámbito de las relaciones de pareja, no todos los hombres que actúan con violencia contra la mujer comparten dicho objetivo (Messerschmidt, 1993).

Otra crítica importante contra la noción de patriarcado es que ignora diferencias históricas y regionales. El feminismo cultural y radical argumenta que todas las diferentes formas de violencia contra la mujer resultan del mismo sistema transhistorico o transcultural de patriarcado o heteropatriarcado. De esta manera, esta posición radical ignora las diferencias históricas y culturales entre diferentes sociedades en la manera en que se construye la noción de masculinidad. Así, se ha señalado que el feminismo cultural y radical es incapaz de explicar las varias maneras en que las masculinidades y feminidades son construidas con diferentes condiciones sociales e históricas. Como Messerschmidt (1993) destaca «uno no puede entender porque se quema a las esposas en la India cuando el marido muere, pero no en los Estados Unidos, a no ser que se examinen con detalle las particulares condiciones sociales que prevalecen en estas sociedades».

La noción de patriarcado también ha recibido críticas fuera de las filas autodefinidas como feministas. Así, por ejemplo, se dice que la noción del patriarcado no puede explicar porque la mayoría de los hombres que crecen en sociedades calificadas como patriarcales no usan la violencia física contra su mujer cuando precisamente ésta sería la consecuencia lógica de esta teoría. Ésta ha sido la crítica preferida por los psicólogos que entienden que deben existir diferencias individuales entre los hombres violentos y los no violentos (Dutton, 1995). También existe un consenso entre la mayoría de los investigadores sobre la ausencia de normas mayoritariamente aceptadas por los hombres que aprueben el uso de la violencia contra la mujer[118].

---

[118] Una hipótesis derivada de los primeros planteamientos empleados para explicar la violencia doméstica sostenía que la sociedad patriarcal justifica y aprueba el uso de la violencia para disciplinar a las esposas. Dicha aprobación se haría evidente en el estudio histórico de las normas jurídicas sobre el comportamiento violento que de una manera más o menos sutil toleraban excepciones a la prohibición general del uso de la violencia cuando la misma se empleaba para imponer disciplina en el hogar. Sin tener que remontarse mucho en la historia, los códigos y la jurisprudencia penal decimonónica exhibían estas tendencias. El Código Penal español hasta solo hace unas décadas recogía una atenuante en los casos de parricidio en que el marido sorprendiera a su mujer engañándole con otro. La cuestión, en la actualidad, sería en que medida este tipo de aprobación social goza de alguna vigencia con carácter más o menos general. La evidencia existente parece señalar que la opinión pública esta claramente en contra de la justificación o tolerancia de los malos tratos contra la mujer. Por aportar datos relativamente recientes sobre nuestro país, más del 75% de la población se mostraba partidaria a denunciar los malos tratos al sistema de justicia penal cuando estos surgían en las relaciones de pareja. De hecho, como señalamos anteriormente una de las medidas políticas de mayor respaldo social adoptadas por el gobierno del presidente Aznar fue el plan contra los malos tratos. Resulta, por tanto, discutible aceptar este tipo de planteamientos en la actualidad. Si bien la aprobación social del uso de la violencia en estos casos pudo haber sido una realidad en un momento histórico anterior y podría emplearse para analizar la génesis histórica de este problema, lo cierto es que hoy en día todos aprendemos que pegarle a una mujer es «de cobardes» y también es verdad que existe una clara sanción social contra el uso de los malos tratos. ¿Pero es tan clara dicha sanción social? Hay quienes, desde una perspectiva feminista, han cuestionado semejante claridad y han destacado que, incluso hoy, existen situaciones sociales en las que está más o menos justificado a emplear determinadas dosis de violencia en las relaciones de pareja (Dobash y Dobash, 1998). A veces se usan los datos de las encuestas sobre violencia doméstica como prueba de esta tesis. Ya vimos cómo existe una relación entre actitudes hacia la violencia y su uso. Esta relación está basada en estudios que preguntaban a la población su grado de aprobación sobre el uso de la violencia contra las esposas «en algunas circunstancias». Estos estudios revelaron que entre el 24% y 31% de los hombres aprobarían que un hombre le diera una bofetada a su esposa en algunas circunstancias. La Encuesta sobre Violencia entre Novios en Sevilla descrita anteriormente encontraba que la mayoría de los varones universitarios entrevistados se mostraban contrarios al uso de formas menores de violencia física (bofetada) en cualquier circunstancia. Existía una minoría, que era relativamente

Como Daly y Maher (1998) han señalado, la tercera generación de feministas han definido como uno de sus objetivos el ir más allá de los análisis radicales feministas de los 70 y 80 que caracterizaban a la violencia masculina contra las mujeres en términos mecánicos o hidráulicos, simplemente como la necesidad de los hombres de controlar a sus mujeres o el producto del patriarcado. De las críticas anteriores se ha derivado el convencimiento entre muchos autores que la noción de patriarcado ha perdido buena parte de su fuerza y utilidad como instrumento analítico, aunque quizás desde una perspectiva política siga manteniendo cierto atractivo. Esto en modo alguno significa que no se pueda todavía seguir utilizando las nociones de desigualdad de género, en particular si las entendemos vinculadas a otro tipo de desigualdades (raciales, sociales, etc.), y de relaciones de género para entender la violencia contra la mujer. En la actualidad se están desarrollando nuevas perspectivas teóricas que tratan de incorporar estos elementos. En este sentido, el llamado feminismo de segunda generación, ha dado paso a un feminismo de tercera generación que reconoce la intersección de género con otras variables estructurales como raza y clase social y que también está interesado en el desarrollo de identidades masculinas y femeninas. Desde esta perspectiva se sigue entendiendo que la división sexual del trabajo dentro y fuera del hogar, la tendencia de los hombres a casarse con mujeres de inferior posición y de las mujeres a casarse con hombres de superior posición y las recompensas atribuidas al trabajo masculino son modos de producir género. Estas prácticas sociales construyen y mantienen la noción que los hombres y mujeres son diferentes y refuerza el control masculino de una manera real y simbólica (Anderson, 1997).

II. MASCULINIDADES

La criminología contemporánea utiliza cada vez más frecuentemente las nociones de masculinidades y feminidades para entender los fenómenos de violencia contra la mujer y delincuencia en general. El concepto de masculinidades desarrollado por el sociólogo australiano Robert Connell ha sido quizás el que ha tenido una mayor influencia entre los criminólogos interesados en este tema (todavía una minoría). Connell ha elaborado la noción de masculinidad hegemónica que denota una influencia del trabajo de Antonio Gramsci. De acuerdo con Connell (1987, p. 183) existe:

---

grande en determinadas situaciones, que aprobaba o podría considerar apropiada esta conducta. Sin embargo, como Dutton (1995) ha destacado, estos datos lo único que revelan es que la mayoría de los hombres se oponen al uso de fuerza mínima contra las mujeres bajo ninguna circunstancia.

«una ordenación de versiones de feminidades y masculinidades a nivel social, de alguna manera análoga a los patrones de las relaciones cara a cara dentro de las instituciones. Las posibilidades de variación, sin embargo, son mayores. La vasta complejidad de las relaciones que envuelven a millones de personas garantiza que las diferencias étnicas, generacionales y de clase social entren en juego. No obstante, en aspectos clave la organización de género dentro de esta gran escala social es más simplificada y esquelético que las relaciones humanas que se producen cara a cara. Las formas de feminidad y masculinidad que se constituyen a este nivel están estilizadas y empobrecidas. Su interrelación está centrada en un hecho estructural sencillo, la dominación global de los hombres sobre las mujeres.

Este hecho estructural proporciona la base principal a las relaciones entre los hombres que definen una forma hegemónica de masculinidad a nivel social. La masculinidad hegemónica siempre se construye en relación a varias masculinidades subordinadas, así como en relación a las mujeres. La interacción entre las diferentes formas de masculinidad es una parte importante de como funciona el orden social patriarcal»

El concepto de patriarcado oscurece variaciones reales en la construcción de masculinidades. De acuerdo con Connell, y los muchos autores que le siguen, existen diferentes masculinidades, de la misma manera que existen diferentes versiones de feminidad. La masculinidad hegemónica es, de alguna manera, esa imagen social que aglutina y es el producto de las diferentes experiencias e identidades masculinas en una sociedad dada. Esta perspectiva propone que la posición en la estructura social influye como los individuos hacen género. Las masculinidades de los individuos de clase baja, por ejemplo, enfatizan la agresividad y dureza (Messerschnidt, 1993; Anderson, 1997) mientras que las nociones de masculinidad de los individuos de clase media giran en torno a los temas de ambición, responsabilidad y empleo profesional (Anderson, 1997). El concepto de masculinidad, en todo caso, no puede identificarse simplemente con la noción de machismo (Newburn y Stanko, 1994).

Varios criminólogos próximos a la teoría feminista han comenzado a utilizar estos conceptos teóricos para analizar el fenómeno criminal y la violencia contra la mujer. Uno de los primeros autores en emplear este concepto dentro del discurso criminológico ha sido el americano James Messerschmidt (1993). De acuerdo con este autor, los delitos cometidos por los hombres constituyen una forma de práctica social que se invoca como recurso, cuando otros recursos no existen, para alcanzar la masculinidad. La realización de actos delictivos depende de variables como clase social, edad y situación, pero es un ejemplo de como *hacer género* (la construcción social de género) o construir masculinidad o femininidad. El británico Jefferson (1998) es otro de los autores vinculados al desarrollo de esta perspectiva teórica. Este autor está particularmente interesado en la cuestión de porqué sólo algunos hombres se identifican con el delito como una manera de reivindicar su masculinidad. Para responder a esa cuestión, y siempre de acuerdo con Jefferson, es precisa una teoría de la subjetividad, de la formación y significado de las identidades masculinas. Jefferson utiliza una mezcla de posiciones psicoanalíticas para dar respuesta a esa pregunta.

La noción de masculinidades se ha empleado para debatir la mayor prevalencia de actos violentos entre hombres que entre mujeres. Desde esta perspectiva se asume que la violencia esta enraizada en las dimensiones físicas y culturales masculinas, así como en las experiencias vitales de los hombres hasta el punto de que les resulta un recurso de fácil acceso. Los jóvenes gustan del riesgo, y aunque existen diversas culturas masculinas, la conducta agresiva y violenta está altamente considerada en muchas culturas masculinas. Los jóvenes aprenden a *hacer* violencia y esto, dentro de determinadas expresiones culturales, representa un papel importante en su identidad social y personal (Toch, 1992; Newburn y Stanko, 1994; Dobash y Dobash, 1998).

El propio Messerschmidt (1993) discute la aplicación de esta noción al estudio de la violencia en la pareja. De acuerdo con este autor, los hombres de clase social baja a menudo carecen de poder y autoridad en su trabajo, ello puede llevarles a desarrollar modelos de masculinidad rígidos y agresivos en el hogar. En la sociedad contemporánea todavía se considera «natural» y «normal» que las mujeres tengan ingresos inferiores a los de sus maridos, mientras que la situación inversa se considera desviada. Estudios sobre satisfacción marital han documentado que cuando la aportación relativa del hombre a los ingresos del hogar en comparación con los de su mujer es menor, el hombre se encuentra menos satisfecho con la relación. Esta incapacidad para desarrollar identidades conformes con las nociones dominantes de masculinidad, puede llevar a algunos hombres a reafirmar su identidad a través del uso de la violencia en el hogar.

Más recientemente el matrimonio Dobash han empleado, y criticado, estas ideas para interpretar la narración de los episodios de malos tratos realizados por los maltratadores. De acuerdo con estos autores, la violencia entre los sexos no tiene *cachet* cultural ni sirve para afirmar identidades personales. Para estos autores es esencial examinar de manera diferente la violencia contra la mujer y la violencia entre hombres.

Los jóvenes a menudo narran los encuentros violentos con otros chicos de una manera que enfatiza los aspectos positivos de su conducta ejecutada en la defensa de valores más elevados y nociones de identidad masculina. Hans Toch (1992) ofrece un valioso marco de interpretación de estas narraciones. Toch habla de la *buena* violencia y la presentación de los narradores como guerreros heroicos que usan violencia legítima en defensa de fines que merecen la pena. Las narraciones de esta violencia heroica permite el análisis de dicha violencia buena, así como los detalles de los episodios violentos en los que las víctimas son desvalorizadas como consecuencia de sus acciones, tal y como haber faltado el respeto o el estar jaleando al equipo de fútbol rival. De esta manera, la violencia se concibe como un producto inevitable y positivo. El peligro, la acción y los actos heroicos son subrayados. Cuando se narra el evento a aquellos individuos que comparten la misma perspectiva, el encuentro violento se convierte en una representación moral que confirma y cimienta la identidad de grupo frente al otro y refuerza las normas que apoyan el uso de la violencia. La narración del encuentro violento sirve para crear reputaciones y otorga valor a los participantes. Con independencia del resultado de estos encuentros violentos entre hombres, el tomar parte en los mismos sirve para indicar valentía y coraje, validándose, así, cierta forma de masculinidad.

Dobash y Dobash (1998), en cambio, han documentado que los maltratadores emplean técnicas de discurso muy diferentes que apuntan a diferencias entre el significado, motivación y contexto de la violencia entre hombres y la violencia contra las mujeres. De acuerdo con estos autores, las narraciones de encuentros violentos con la pareja son pobres y abreviados, no contienen descripciones detalladas de la secuencia de puñetazos y golpes o reafirmaciones de la identidad masculina. Para los Dobashes, estas narraciones son cuentos morales muy diferentes, en los que la mujer ha hecho «algo malo» y merece recibir un tratamiento violento. En estas situaciones la identidad masculina sólo se confirma en la medida en que el hombre no se subordina a la mujer. El resultado final del encuentro, derrotar o castigar a la mujer, es lo que verdaderamente cuenta y no el proceso de intercambio de golpes. Los maltratadores normalmente son capaces de articular porque la violencia era «necesaria» o «garantizada» refiriéndose al momento en que fue empleada y a si consiguió el fin perseguido («hacerla callar», que se quedara en casa o hacer el «amor»).

Las narraciones de estos encuentros denotan un cierto enfado del hombre y que su violencia tenía cierto fundamento racional, siempre de acuerdo con su particular visión de los hechos, pero, a diferencia de las narraciones de violencia entre hombres, carecen de un sentimiento general de orgullo masculino. No existe sentimiento de orgullo personal o reafirmación de la identidad masculina por medio de la ejecución del acto violento en sí mismo, sino en la obtención del resultado, la aplicación del castigo o el mantenimiento de la autoridad sobre la mujer. La evidencia de la identidad masculina se plasma no en el encuentro, sino en el resultado de no dejar a la mujer ganar el argumento, de ponerla en su lugar o mostrarle quien es el que manda en la casa (Dobash y Dobash, 1998).

Estos y otros intentos de ampliar la teoría feminista más allá de las continuas referencias al concepto de sociedad patriarcal merecen atención y seguimiento. No obstante, ya hay quienes como Richard Collier (1998) han desarrollado una crítica bastante severa del concepto de masculinidades basándose en argumentos derivados de teoría social posmoderna.

III. PRESUNTOS TESTS DE LA TEORÍA FEMINISTA

Durante los últimos años se ha publicado un número considerable de artículos en revistas profesionales que se autopresentaban como tests de la teoría feminista de los malos tratos. Estos tests normalmente operaban a dos niveles de análisis diferente: a nivel macroestructural y a nivel individual. En el capítulo sobre el contexto comunitario de la violencia examinamos como numerosos investigadores han identificado teoría feminista con igualdad material de géneros. A ese nivel los investigadores han empleado diversos indicadores de igualdad entre los géneros y los han correlacionado con violencia contra la mujer. Los resultados al nivel macro en general han sido ambiguos, mientras que la conceptualización teórica en el mejor de los casos no ha sido muy precisa, sino que normalmente ha sido bastante ambigua y genérica. Los principales resultados fueron presentados en el capítulo sobre el contexto comunitario de la violencia.

A escala individual también ha existido una serie de estudios que han tratado de correlacionar determinadas actitudes de género de tipo conservador con el empleo de tácticas violentas en el ámbito íntimo. Los psicólogos, en particular, han venido utilizando una amplia gama de instrumentos orientados a medir lo que denominan identidades de género. Semejantes constructos en muy buena medida están basadas en la teoría de los papeles de géneros. Dicha teoría, sin embargo, ha sido sometida a numerosas críticas por parte de la sociología de género contemporánea y por autores de tendencia feminista. Algunas de estas críticas son comunes a las realizadas a la noción de patriarcado (Connell, 1987).

En todo caso, conviene resaltar que han existido un número considerable de estudios, tanto a nivel macro como a escala individual, que se han presentado como los tests de la teoría feminista. Sin embargo, considerar estos estudios como «la» prueba o falta de prueba de «la» teoría feminista, como estos autores hacen, parece poco apropiado, entre otras razones, porque si dicha teoría (en singular) existe, esta va más allá del postulado de una relación entre características individuales o desigualdad económica material y los malos tratos.

No obstante, es también cierto que algunas autoras autodefinidas como feministas han sugerido semejantes relaciones como parte del discurso feminista en relación con los malos tratos. Así, por ejemplo, Schechter (1982, p.211) ha subrayado que «la creencia en el derecho individual a usar la violencia, maltratar y dominar a las mujeres es lo que causa que un hombre libere su estrés dándole una paliza a su mujer». Es por ello por lo que igual que anteriormente prestamos atención al estudio de los efectos de desigualdad material de género, merece la pena prestar atención al estudio de dichas actitudes de género y su influencia en los malos tratos.

Fagan y Browne (1994), en una revisión de la literatura en violencia entre íntimos preparada para la *National Science Foundation*, concluían que este tipo de factores puede ser un factor de riesgo, pero que parece más adecuado que lo concibamos como un factor de riesgo distante cuya influencia es mediada por otros factores individuales y situacionales. Más recientemente, Sugarman y Frankel (1996) han realizado un meta-análisis de los estudios que han examinado esta cuestión. Estos autores se centraron en el análisis de tres medidas de ideología patriarcal: actitudes hacia la violencia, actitudes de género y esquemas de género.

De acuerdo con el modelo patriarcal, deberíamos esperar una mayor propensión por parte de los hombres violentos a aprobar el uso de la violencia para la resolución de conflictos y, en particular, a aprobar el uso de la violencia contra la mujer. Este factor, sin embargo, también puede ser admitido desde perspectivas teoréticas no feministas, por ejemplo, desde la teoría de la subculturas o la teoría del aprendizaje social. En segundo lugar, los hombres violentos, de acuerdo con el modelo patriarcal, deben expresar actitudes conservadoras y machistas sobre el papel de la mujer en la sociedad. Estos hombres, se piensa, deben concebir a las mujeres como seres que les deben obediencia, respeto y lealtad y que realizan actividades que son «adecuadas a las limitaciones del género femenino». Finalmente, también se piensa que puede existir una relación entre los esquemas de género y violencia doméstica. Los esquemas de género miden el grado con el que la autodefinición de un individuo incluye atributos que son «culturalmente» apropiados para su género. Tradicionalmente a los esquemas de género también se les denominaba rasgos de género u orientación de género. En teoría, los hombres que se perciben con rasgos más masculinos deberían ser los más violentos.

Sugarman y Frankel (1996) revelan la existencia de una relación, de moderada a fuerte, entre aprobación del uso de la violencia en las relaciones maritales y el uso de la misma. De acuerdo con estos autores tres modelos pueden explicar esta relación:

a) La aprobación de la violencia precede causalmente al comportamiento violento.

b) La aprobación de la violencia y el comportamiento violento están simplemente correlacionados, pero son causados por un tercer factor, quizás de tipo cultural.

c) El comportamiento violento precede a la aprobación de la violencia que operaría así simplemente como una justificación o racionalización de dicha violencia.

Aunque no se han realizado estudios en este campo que permita esclarecer cual es el proceso en juego y es cierto que existe un conjunto de técnicas de neutralización que los delincuentes emplean para racionalizar su conducta, estudios realizados sobre la violencia en general han tendido a dar mayor peso a la primera hipótesis sobre la tercera (Agnew y Ardith, 1986; Agnew, 1994). No sería de extrañar que la realidad sea más compleja y que la relación sea recíproca.

La relación entre actitudes de género y violencia era más compleja. El análisis conjunto de los estudios realizado por Sugarman y Frankel documentaba una relación de débil a moderada, pero también existían diferencias importantes entre los estudios. Los análisis realizados por estos autores mostraban que la confirmación de esta relación estaba afectada por factores metodológicos, la elección del método empleado estaba relacionada con la documentación o no de dicha relación. Cuando los estudios empleaban informes de las mujeres sobre las actitudes de sus parejas la relación entre actitudes de género y violencia doméstica era respaldada. Sin embargo, cuando se empleaba el testimonio de dichos hombres dicha relación no podía sustanciarse.

Finalmente, los estudios sobre esquemas de género ha sustanciado que los hombres violentos obtienen puntuaciones bajas en escalas de masculinidad y feminidad, sugiriendo que los maridos violentos son más inclinados a presentar un esquema de género indiferenciado. La relación, por tanto, era débil y en la dirección no esperada. Algunos autores han sugerido que estos hombres, confundidos sobre su identidad de género, pueden adoptar una masculinidad defensiva que incluiría la adopción de un patrón de conductas coherente con la imagen social de «macho» (Rosenbaum, 1986).

Sugarman y Frankel (1996) creen que los resultados de su meta-análisis solo pueden respaldar «la teoría feminista» de manera parcial. En todo caso, los autores reconocen las limitaciones metodológicas de muchos de los estudios evaluados, aunque no todas. Los estudios que han tratado de medir actitudes de género no siempre han empleado instrumentos estandarizados y suficientemente validados. Resulta discutible hasta que punto representan medidas adecuadas de dichas actitudes. Además, como hemos visto, la literatura sobre masculinidades ha reconocido la riqueza conceptual de este concepto y como diferentes grupos sociales definen esta noción de manera diferente. No está claro como esta diversidad de significados de la noción de masculinidad, así como su influencia a otros niveles más allá del estrictamente individual, puede ser capturada por el tipo de estudios evaluados por Sugarman y Frankel. Además, las muestras empleadas también eran limitadas tanto por su escasa representatividad como por su tamaño relativamente pequeño en la mayoría de los casos.

El meta-análisis de Sugarman y Frankel (1996), por otra parte, no incluía ninguno de los estudios realizados sobre violencia entre novios, sino que estaba circunscrito al estudio de violencia marital. Estudios realizados en el ámbito de violencia entre novios, sin embargo, han prestado una especial atención a la interrelación de actitudes hacia las mujeres y violencia o acoso contra las mismas. En esta área, donde se han empleado encuestas con muestras relativamente grandes de estudiantes, se ha documentado la relación entre coerción sexual y actitudes que toleran el acoso sexual (Reilly et al., 1992; Malamuth et al., 1991), así como entre hostilidad hacia las mujeres y abuso físico y sexual de las mismas (Malamuth et al., 1991).

Igualmente importante, Sugarman y Frankel (1996) no analizaban la interacción de actitudes de género de ambos miembros de la pareja. En otras palabras, estos autores se limitaban a estudiar estas actitudes como si fueran factores individuales que operan en un vacío, cuando lo más probable es que sea la interacción entre las actitudes de ambos miembros de la pareja, así como los conflictos entre dichas actitudes los que pueden tener una mayor relevancia. Amato y Booth (1995), por ejemplo, en un estudio longitudinal de actitudes de género y calidad marital, documentaban como cuando las esposas adoptan actitudes de género menos tradicionales la calidad de su relación se deteriora[119], mientras que cuando son los esposos los que adoptan dichas actitudes la calidad de la relación mejora.

Finalmente, Sugarman y Frankel, dado que estaban empleado un meta-analisis, se limitaban a realizar un análisis de la literatura cuantitativa en la materia, olvidando que estudios de tipo cualitativo también pueden examinar la relevancia de estas actitudes y de las «identidades de género». Aunque la asociación con el uso de medios cualitativos no se puede establecer con precisión matemática, es posible, sin embargo, explorar con una mayor flexibilidad estas hipótesis y entender las acciones de los actores dentro de todo su significado para los mismos. Mi estudio con maltratadores atendiendo un programa de tratamiento en Nueva York recogía ejemplos que sugerían la necesidad de entender la violencia entre íntimos dentro del contexto más amplio de las relaciones de género sancionadas socialmente y ponía en evidencia la utilidad de métodos cualitativos para entender dicha relación.

---

[119] La calidad se medía en función de felicidad marital, problemas en la relación, discusiones y deseo de romper la relación.

Algunos de los hombres que entrevisté mostraban un grado considerable de hostilidad hacia las mujeres o atribuían características negativas a las mujeres en general:

> Vincent: «Yo creo que las mujeres quieren controlar a los hombres y hacerles que hagan lo que ellas quieran, porque han sufrido tanto en sus vidas que si no consiguen algo positivo de sus parejas harían cualquier cosa para destrozarlos... ese es el poder que ellas tienen esos días»

Generalmente hablando estos hombres también ostentaban representaciones de género consistentes con una visión tradicional de las mismas. Éste no era siempre el caso y ciertamente existía un continuo de opiniones (relacionado con la clase social) en este sentido reflejando los cambios que han tenido lugar durante los últimos años. Sin embargo, la mayoría ostentaba representaciones bastante conservadoras como las siguientes citas reflejan:

> Ed: «Las mujeres quieren hacer todo a su manera. Ellas quieren gastar la mayor parte del dinero. Quieren hacerlo todo sin tener que pedirte autorización. La obligación de una mujer es estar en la casa satisfacer las necesidades de los demás, limpiar el hogar, procurar un ambiente sano, asegurar que todo esta limpio y los críos están bien, y preparar la comida. Y si ella a veces no puede, porque esta enferma por ejemplo, el hombre tiene que ayudar. Es una empresa conjunta... Pero eso no es así hoy. Las mujeres creen que pueden hacer lo que quieran y que nosotros no podemos quejarnos... Hoy vivimos en una sociedad en la que no puedes esperar este tipo de cosas de las mujeres, estas mujeres simplemente no existen. Antes las mujeres eran mujeres. Había respeto. Pero en esta sociedad no existe respeto

> Carlos: «Las mujeres deben... si yo digo una cosa, que sea obedecida...O sea, no como un mandato, sino para evitar problemas»

> Arturo: «Nosotros los hombres somos muy abiertos, o sea, muy, nos vamos con una mujer, nos vamos con otra. Pero las mujeres. Hay unas mujeres que sí que lo hacen, verdad, pero deberían ser más, como le digo, más conservadas. Pienso que es así. Es un país libre. No sé, mis costumbres son, o sea que una mujer se dedique al esposo. O sea, no quiero decir con esto, you know, que ella haga todo el trabajo en la casa, porque ella también trabaja fuera. Yo muchas veces voy a la laundry, no es que le deje todo el trabajo a ella, pero es que a mí también me gusta mucho la limpieza en mi casa. Ella no es así. Y yo empece a hacerlo para motivarla, pero me canse. Yo no soy de las personas que digo haz esto y tienes que hacerlo. Yo, primero, trato de motivar y que se de cuenta. Yo quiero una mujer que tenga sus cosas en orden, que si no sabe cocinar, que poco a poco aprenda, verdad, hay muchos libros. O sea, que el hombre se sienta a gusto con ella. No es que ella tenga que estar más ocupada en la casa, el hombre tiene que hacer también. Pero ella tiene que ser más cuidadosa. Hacerlo, pero inteligentemente. No es que yo diga que llegue y se ponga a barrer como una cenicienta, sino que venga a decirle a su esposo, mira ¿por qué no barremos aquí...? O sea, hacer lo mismo, pero inteligentemente. No nada más dejarlo así todo. Porque en la casa la iniciativa la tiene la mujer»

No obstante, se puede argumentar que muchos hombres ostentan este tipo de representaciones y, sin embargo, no se comportan de forma violenta en sus relaciones de intimidad o que este tipo de actitudes no representa un papel importante en la génesis de la violencia. En mis datos, aunque algunos de estos hombres indicaban su participación en tareas domésticas y tradicionalmente consideradas como femeninas, los problemas y las discusiones que estaban asociadas a la violencia presentaban claras connotaciones de género. Los problemas domésticos de estos hombres tenían una clara vinculación con determinadas concepciones de entender la distribución doméstica de papeles tendentes a subrayar la autoridad masculina y la casa como la esfera legítima de actividades sociales de la mujer. Las siguientes citas exhiben algunos ejemplos de ello:

Vincent: «Como te decía... Estaba trabajando por las noches y durante el día. Cuando llegaba a casa todo era rosas y vino. Pero cuando ella salía con sus amigas y volvía era otra película. Ella mostraba otra actitud. Sus amigas le decían que porqué estaba conmigo si podía estar con alguien más joven que la llevara a bailar y a fiestas. Y yo le decía, sabéis lo que te digo, tenemos tres críos en esta casa. Con tres críos en la casa, lo único que tienes que hacer es ir a la escuela, conseguir una educación, para que los puedas criar cuando yo no este aquí. Lo que tienes que hacer es procurar que tus hijos sean inteligentes y buenos y que no tengan malas compañías. Porque cuando yo era un niño yo... eso es lo que tienes que hacer con estos críos, especialmente con la niña. Esto siempre creaba un problema, porque ella me decía que ahora son los noventa, que las cosas han cambiado. Y yo le digo, claro, y por eso es que cuando le dices a los niños que saquen la basura ellos no lo hacen, y cuando les dices que se pongan a estudiar no te prestan atención...»

John: «Estábamos viviendo juntos. A ella le gusta salir con sus amigas, sin embargo, yo prefiero estar en la casa y me gusta que ella esté conmigo. No me importa que salga de vez en cuando, pero no todos los días... Además yo la estaba manteniendo, ya que ella no trabajaba. Así que creo que ella me debía algo de respeto. Y así era como empezaban nuestras discusiones»

Federico: «El problema empezó porque pensaba que andaba con otro, pero, además, ella no me hacía la comida. Ella trabaja y cuando llegaba a casa no preparaba la comida y no me daba tanto cariño como yo quería. La mayoría de las decisiones las tomaba yo, aunque ella a veces hacia cosas que yo no quería. Yo no quería que trabajase y ella me dijo, pues sí, yo voy a trabajar y voy a ir aunque no quieras. Y fue entonces cuando cambio conmigo. Ella llegaba de trabajar y yo empezaba con ella ahí, a hacerle caricias y esto, y ella me rechazaba, y por eso yo me puse así. ¿Por qué me rechazas o me haces esto? Y ella llegaba diciéndome, no, que estoy bien cansada del trabajo, déjame en paz. Y claro me daba mucho coraje. Discutimos y se me pasó la mano. No le pegue feo»

Arturo: «Ese fue uno de los problemas que yo tuve con mi esposa. Yo llegaba a casa a la una o a veces a las dos porque estaba con los amigos. Y porque yo lo hacía, ella empezaba a salir a esas horas. Iba con su amiga y venía a las doce de la noche. No tomada, verdad, nada, sino simplemente el venir a esas horas, diez cuadras en Queens, I mean, you know... Y yo le preguntaba ¿por qué lo haces? ¿Por qué tú lo haces? Y yo le digo: no seas estúpida, por favor; me entiendes como si alguien me golpea, si alguien te asalta a ti; a ti no te van a asaltar, no te van a quitar el dinero, nada más que te van a hacer una cosa y ¿es eso lo que quieres o lo que andas buscando? Y no entendía porque ésta es una esposa americana. Entonces está muy, un poquito... que si yo hago esto, ella también puede hacerlo»

En todo caso, aunque esta conexión entre representaciones de género y los problemas que dan lugar a la violencia es evidente en los ejemplos citados y dichas representaciones condicionan las relaciones de intimidad de estos hombres, se puede seguir afirmando que hay otros hombres que no recurren a la violencia a pesar de pensar de forma parecida a la de estos hombres y que hay hombres que prestando un respaldo aparente a la igualdad de géneros son violentos en sus relaciones. Las representaciones de género posiblemente tienen que interactuar con una gama más amplia de factores situacionales, individuales y ecológicos para producir como resultado la violencia. En todo caso, aunque estas representaciones de género no explican por completo la historia de los malos tratos en los casos de los hombres en este estudio, ya que los mismos han de ubicarse también en el contexto de su situación socioeconómica, sus historias personales, sus experiencias como inmigrantes, los escasos recursos a su disposición en los barrios en los que viven, así como otros factores, lo cierto es que tampoco puede entenderse el fenómeno prescindiendo de las representaciones culturales de género. Los hombres que componían la muestra de mi estudio procedían en su mayoría de los estratos sociales más bajos, aunque existían algunos casos excepcionales de clase media. Aunque en estos casos existía un respaldo aparente a la noción de igualdad de géneros, lo cierto es que, de una manera más sutil, las formas en que estos individuos definían su masculinidad y concebían las relaciones de género también eran relevantes para entender el maltrato.

IV. CONCLUSIONES

La literatura feminista ha sido una de las que de forma más extensiva ha tratado el problema de la violencia contra la mujer. Aunque hay quien, desde esta perspectiva, ha señalado que el feminismo ha aportado más en función de soluciones que de teoría, ésta es una afirmación cuestionable. Aunque ciertamente los movimientos de base feminista han demostrado una sensibilidad especial a la hora de desarrollar programas para las mujeres maltratadas y han reivindicado la introducción de cambios institucionales, socioeconómicos y culturales, no es menos cierto que la literatura feminista ha contribuido igualmente ha desarrollar una imagen más adecuada del problema de los malos tratos y de la violencia contra la mujer.

Inicialmente el concepto de patriarcado era el concepto teórico central de los argumentos feministas, sin embargo, hay quienes cuestionaron la falta de profundidad, así como el carácter tautológico y monolítico de este concepto. Hoy en día desde una perspectiva feminista se presta especial atención a la interacción de variables como clase social y raza con las definiciones culturales de género y en determinados sectores ha existido cierta confluencia con diversos movimientos de teoría social posmoderna. El concepto de masculinidades ha emergido, dentro de esta renovación del discurso feminista, como central para el entendimiento de la violencia de los hombres. Ya hay quienes han desarrollado una crítica sin piedad de este concepto y la vulgarización y cooptación del mismo son cada vez mayores. Sin embargo, como herramienta analítica todavía puede representar un papel importante.

Aunque ha habido presuntos tests de las teorías feministas, en numerosas ocasiones los mismos han partido de concepciones o definiciones operativas de las mismas demasiado simples. Lo cierto es que no puede entenderse la violencia entre íntimos, de la misma forma que no puede entenderse el comportamiento violento en general, dentro de un marco de referencia que no atribuya a género el papel de variable teórica esencial. La violencia como una forma de hacer género, como consistente con determinadas imágenes sociales de la masculinidad y como condicionada por las relaciones de género existentes en la actualidad ha sido una contribución importante de la literatura feminista.

## Capítulo X

CONSECUENCIAS Y COSTES DE LA VIOLENCIA DOMÉSTICA

I. INTRODUCCIÓN

La violencia doméstica tiene serias repercusiones sociales, sanitarias y económicas. Una vez la violencia surge en una relación, ésta puede cambiar de manera definitiva. La violencia puede dejar a la mujer en un estado constante de vigilancia. La repetición de los incidentes violentos contribuye a destruir la confianza de la mujer y su vida difícilmente podrá ser la misma desde entonces. Dado que la base de la intimidad es la confianza, la naturaleza de la relación se puede ver por completo alterada. Numerosas autoras han destacado las circunstancias especiales de la violencia en la pareja, dadas las relaciones de intimidad y convivencia con el agresor. Cada mujer maltratada debe encarar la dolorosa realidad que la persona que ella más quiere y en la que más confía, la está dañando. Desde esta perspectiva se ha destacado el carácter especialmente devastador de la violencia en el hogar. El hogar es presuntamente un lugar de refugio y amor en el que, de acuerdo con la ideología patriarcal, la mujer debe garantizar que todo marcha bien y pacíficamente. Cuando el hombre se comporta violentamente y altera esta tranquilidad, no solamente está traicionando el vínculo de intimidad y amor con su pareja, sino que también atribuye la responsabilidad del problema a la mujer. La mujer maltratada puede sentir vergüenza por su «fallo» y puede sentirse especialmente aislada como consecuencia de la noción cultural de privacidad del hogar: nadie debe saber que algo funciona mal en el hogar (Schechter, 1982). Por otra parte, la continuidad de la relación hace que las mujeres maltratadas teman, y con buenas razones, la posibilidad de ser victimizadas y maltratadas de nuevo más que las víctimas de otro tipo de delitos violentos.

La literatura sobre los malos tratos ha tratado de examinar las repercusiones de este fenómeno en la vida de las mujeres. Aunque la mayoría de los estudios sobre este tema han tratado de examinar la prevalencia de las conductas de abuso, existe un creciente interés en estudiar también la prevalencia de lesiones físicas y cuantificar así las repercusiones directas del maltrato en la salud física de estas mujeres. Existe también un conjunto considerable de estudios que han tratado de documentar las consecuencias psicológicas de la violencia doméstica en las mujeres maltratadas. Dichos estudios han tratado de documentar la presencia de trastornos y desordenes de personalidad entre las mujeres maltratadas. Algunos autores creen haber identificado un específico síndrome de la mujer maltratada, mientras que otros prefieren ubicar las repercusiones psicológicas del maltrato dentro del estudio de las reacciones comunes a cualquier trauma. Estos autores prefieren aplicar el diagnóstico de síndrome de estrés postraumático.

Este tipo de diagnósticos psicológicos ha sido utilizado como un argumento para exculpar a aquellas mujeres que matan a sus maridos como respuesta al maltrato. Sin embargo, esta estrategia ha sido criticada por algunas autoras feministas en cuanto que tipifican las respuestas de las mujeres como irracional y las estereotipa como personas disfuncionales (Schneider, 1980) y también por sectores jurídicos difícilmente etiquetables como feministas que ven como la generalización de este tipo de argumentos puede llegar a pervertir la aplicación de la justicia penal (Fletcher, 1995).

Por otro lado, los operadores jurídicos también tienen otras razones para considerar la relevancia de las repercusiones del maltrato. El daño producido resulta esencial para poder determinar tanto la responsabilidad penal como civil de los maltratadores. En nuestro país, de hecho, aún existen jueces y fiscales que piensan que la violencia en el ámbito doméstico no produce consecuencias tan nocivas como la violencia que ocurre fuera de este ámbito.

Sin embargo, los efectos sanitarios del maltrato, lógicamente, han despertado de manera especial la atención de los profesionales de la salud. De hecho, normalmente la evidencia tiende a apuntar que la gravedad de las lesiones físicas y psicológicas es especialmente seria en el caso de episodios de violencia doméstica. En Estados Unidos, donde la violencia en general constituye una verdadera epidemia y es conceptualizada como un problema de salud pública de primera magnitud, se empieza a hablar del enfoque de salud pública en el estudio y prevención de la violencia. Así, se han desarrollado sistemas de vigilancia epidemiológica de este fenómeno, protocolos específicos para identificar y tratar a estas víctimas en los hospitales y salas de urgencia, así como un interés amplio en el tema de los malos tratos entre los profesionales de la salud.

Al margen de este tipo de consecuencias, la vida de la mujer también se puede ver afectada en otras dimensiones. En la medida en que todavía vivimos en una sociedad desigual y con una situación de paro endémico, muchas de las mujeres que escapan de las relaciones abusivas se colocan en una situación económica difícil y en algunos casos puede hablarse de exclusión social como consecuencia del maltrato.

Sin embargo, las mujeres maltratadas no son las únicas víctimas de los malos tratos. No podemos olvidar que en numerosas ocasiones hay también niños y niñas envueltos en estas situaciones, los hijos de la pareja. Aunque inicialmente no se prestó una gran atención a estos niños, estudios más recientes han demostrado que constituyen una población de riesgo para la aparición de una amplia gama de problemas psicológicos. De ahí, que también se haya reivindicado la necesidad de tratar adecuadamente las necesidades de los mismos.

II. SALUD PÚBLICA Y VIOLENCIA CRIMINAL

II.a. Introducción

En Estados Unidos durante los últimos años hemos asistido al desarrollo de un interés creciente por parte de los profesionales y expertos que trabajan o estudian en el área de la salud pública sobre temas de violencia y su prevención. Así, se ha generado lo que algunos han denominado *el enfoque o paradigma de la salud pública en el estudio y prevención de las lesiones violentas*. Una de las razones principales del creciente interés de estos profesionales tiene que ver con el hecho de que las lesiones violentas constituyen una proporción muy importante de las lesiones médicas y que la prevalencia de las mismas es muy elevada, particularmente en determinados segmentos de la población. Por ejemplo, entre jóvenes afroamericanos de 15 a 34 años los homicidios violentos constituyen la primera causa de mortalidad. Por tanto, no debe sorprendernos que en Estados Unidos exista una tendencia de pensamiento e investigación que define a la violencia en general, no ya solo como un problema social, cultural o político crimininal, sino también como un problema de salud pública. El conocimiento sobre las repercusiones a corto y largo plazo que la violencia tiene en la salud de víctimas individuales, así como la presión realizada por el movimiento de las víctimas y de la mujer maltratada, ha estimulado al sector de la salud pública a centrarse en el análisis de las causas, consecuencias, prevención y tratamiento de la violencia y de los malos tratos en particular (Chalk y King, 1998).

La formulación de la violencia como un problema de salud pública se puede remontar a 1985 durante un seminario organizado por el Departamento de Salud de los Estados Unidos. Dicho seminario tenía como objetivo promocionar la participación de los profesionales de la salud en la respuesta a la violencia interpersonal. Desde entonces cada vez son más los expertos en salud pública que se interesan en el tema. De hecho, en un número considerable de los departamentos municipales de salud pública, servicios de promoción de la salud y sistemas de vigilancia epidemiológica existe una división o sección orientada al tema de los malos tratos.

El máximo organismo de vigilancia epidemiológica y prevención en los Estados Unidos, *Centers for Disease Control and Prevention* (CDC), cuenta en la actualidad con una división, *National Center for Injury*

Prevention and Control, que ha desarrollado una agenda de investigación y prevención en el campo del comportamiento violento interpersonal. Desde este centro se financian anualmente estudios sobre el problema de los malos tratos, así como proyectos pilotos para la identificación e intervención preventiva en este campo. Uno de sus proyectos actuales consiste en la creación de un sistema nacional de vigilancia epidemiológica de los malos tratos, basado en la aplicación de un cuestionario estandarizado a todas las mujeres que acuden a los servicios públicos por lesiones de malos tratos.

Varios autores han tratado de identificar los rasgos que caracterizan el enfoque de la salud pública en el estudio y prevención de la violencia. Desde dicha perspectiva se reivindica el éxito histórico en el control de enfermedades contagiosas y la aplicación de este modelo en el área del comportamiento violento. Los profesionales de la salud pública consideran que en su lucha contra enfermedades como el cólera, polio y otras enfermedades contagiosas, así como en el tratamiento de otras lesiones como, por ejemplo, las derivadas de los accidentes de tráfico, han desarrollado un conjunto de procedimientos operativos y analíticos que pueden ser de utilidad en el control y prevención del comportamiento violento interpersonal. Así, este enfoque trata de descubrir patrones subyacentes de la violencia, identificar los grupos e individuos de riesgo y enfatiza la necesidad de controlar aquellos factores de riesgo asociados con la violencia. Por otro lado, desde el área de la salud pública se presta especial atención a la prevención primaria en lugar de al tratamiento de las consecuencias de problemas una vez que han surgido. También se destaca que los profesionales del sistema de justicia penal están más interesados en diseñar intervenciones y programas orientados a los agresores y que el sistema de salud pública, en cambio, está más interesado en atender las necesidades de las víctimas (Moore et al, 1994; Chalk y King, 1998).

Otros autores, y posiblemente me incluiría en este grupo, con buenas razones, cuestionan la novedad de algunas de estas ideas y plantean que en realidad se trata de conceptos criminológicos envueltos en una terminología diferente, aunque al mismo tiempo destacan la importancia que tiene que el sistema y los profesionales de la salud consideren la prevención de la violencia como parte de su responsabilidad y destacan las nuevas oportunidades preventivas y de investigación que esta implicación conlleva (Shepherd y Lisles, 1998). Desde esta perspectiva, además, se reconoce que el «modelo médico» no ha sido especialmente sensible a la hora de tratar con cuestiones de género y que históricamente la medicalización de problemas ha ejercido cuestionables funciones de control social.

Dicho esto, conviene reconocer que en su contacto cotidiano con los pacientes, el personal del sistema de salud pública tiene numerosas oportunidades de diagnosticar, tratar o prevenir lesiones derivadas de los malos tratos en el hogar. Las mujeres maltratadas acuden en numerosas ocasiones a los servicios de sanidad para encontrar una cura a las lesiones derivadas del maltrato. El personal del sistema de salud pública, como consecuencia, puede representar un papel esencial en la prevención de los malos tratos, particularmente en aquellos casos más serios en los que se producen lesiones necesitadas de tratamiento médico. Médicos y enfermeras pueden operar como enlaces con los servicios sociales que prestan atención a la víctima, el sistema de justicia penal, la comunidad y otros programas de prevención.

La comunidad de profesionales en el ámbito de la salud pública ha elaborado la diferenciación entre varias formas de prevención. La *prevención primaria* tiene como objetivo evitar la ocurrencia de una enfermedad o lesión por completo, usualmente por medio de la modificación de condiciones medioambientales amplias (incluyendo condiciones socioeconómicas y culturales) que favorecen o posibilitan dichos males. La *prevención secundaria* está principalmente interesada en la identificación de casos o situaciones en una etapa relativamente temprana de los procesos que conducen a la enfermedad o lesión si no se alteran. Finalmente, la *prevención terciaria* hace referencia a intervenciones que tienen lugar después que una enfermedad haya sido contraída o se haya sufrido una lesión y procurar disminuir las consecuencias a largo plazo de dicha enfermedad o lesión (Moore et al., 1994).

Anne Flitcraft (Stark y Flitcraft, 1996), desde una perspectiva feminista, ha destacado de que manera, a esos tres diferentes niveles de prevención, el sistema de salud pública puede actuar para combatir la violencia doméstica. Por lo que respecta a la prevención primaria de los malos tratos, Flitcraft considera esencial que los profesionales de la salud pública reconozcan en qué manera la profesión médica puede estar contribuyendo a perpetuar un ambiente contrario al reconocimiento y solución de este problema. En este sentido, Flitcraft considera esencial la educación de los profesionales médicos. Para esta autora la estructura sexista y jerarquizada de la profesión médica constituyen barreras significativas para la participación de los médicos y enfermeros en programas de prevención de la violencia doméstica.

Por lo que respecta a la prevención secundaria de los malos tratos, Flitfcrat, en primer lugar, destaca la relevancia que tiene la realización de sencillas preguntas sobre la existencia de los mismos a las pacientes. MacFarlane y sus colaboradoras (1992), entre otras autoras, ha demostrado que la realización de este tipo de evaluaciones o preguntas de manera rutinaria pueden identificar un conjunto sustancial de casos de malos tratos entre pacientes de los servicios públicos. Pero la prevención secundaria no solamente incluye identificación, sino también intervención temprana. Este tipo de intervenciones puede incluir el tratamiento de necesidades médicas, la evaluación de problemas psicológicos, la documentación adecuada del caso, la elaboración de planes de seguridad, así como la puesta en contacto con el sistema de justicia penal u otros servicios sociales. Sin embargo, Flitcraft reconoce que en este terreno aún queda un largo camino por recorrer y que es preciso que se realice un mayor número de estudios clínicos que permitan identificar intervenciones susceptibles de éxito. Sus consideraciones sobre el nivel de prevención terciario son similares (Stark y Filtcraft, 1996).

Chalk y King (1998) explican como el sistema de salud pública puede emplear sus recursos para atender y prevenir en casos de violencia doméstica. Siguiendo a las mismas en esta sección me centraré en dos tipos de intervenciones para mujeres maltratadas: (1) la identificación y tratamiento médico de las mujeres maltratadas y (2) el tratamiento psicológico de las mujeres maltratadas. Estas intervenciones son las más tradicionales y, por ello, las mejor conocidas. Sin embargo, no agotan las enormes posibilidades que el sistema de salud pública encierra para la prevención de la violencia.

II.b. Protocolos sanitarios

Como se puede deducir de lo expuesto por ahora, uno de los intereses principales de los profesionales de la salud pública ha consistido en el desarrollo de métodos para la identificación de casos de malos tratos entre las mujeres que acuden a los servicios de salud pública o promoción de la salud. Aunque la violencia doméstica está asociada con un amplio rango de consecuencias negativas para la salud personal, un número bastante significativo de las mujeres maltratadas que acuden a los servicios de salud pública no se identifican como tales. Los estudios realizados sobre el tema sugieren que estas mujeres se sienten avergonzadas a reconocer sus experiencias como mujeres maltratadas, pero que, a la vez, se muestran dispuestas a hablar sobre sus problemas con profesionales de la salud que ellas perciben como personas que se preocupan por su situación, protectores o que se ofrecen a realizar un seguimiento (McCauley et al., 1998). A pesar que la violencia doméstica constituye un tema de bastante actualidad dentro de la comunidad médica norteamericana, muchos médicos y enfermeros aún se resisten a realizar evaluaciones de sus pacientes incluyendo preguntas sobre malos tratos.

De acuerdo con los autores que han escrito sobre el tema (Tilden et al., 1994; Sugg y Inui, 1992; Stark y Flitcraft, 1996), la reluctancia de los profesionales de la salud ha realizar este tipo de preguntas esta relacionado con varios factores:

(1) Miedo de ofender al paciente;

(2) Falta de entrenamiento y conocimiento sobre intervenciones apropiadas y recursos existentes;

(3) Incapacidad para controlar el problema u ofrecer una cura;

(4) Falta de tiempo para tratar este problema;

(5) Falta de interés entre determinados profesionales que consideran éste un problema que no es de su competencia; y,

(6) Creencias sobre la privacidad de la vida doméstica.

El panel sobre prevención de la violencia doméstica convocado por la *National Academy of Science* llegó a la conclusión que el uso efectivo y eficiente de mecanismos de identificación en los centros de salud, clínicas y consultas depende de varios factores clave:

(1) Reconocimiento por parte de los profesionales de la salud del problema de los malos tratos en la población general y en la población clínica, sobre todo entre los pacientes que acuden a los servicios de cuidados primarios, médicos de familia, ginecólogas y los servicios de salud mental;

(2) La existencia de instrumentos de evaluación que sean sensibles, no ofensivos y que permitan integrar cuestiones sobre los malos tratos dentro de las preguntas generales sobre el estado de salud de la paciente;

(3) Educación del personal médico para evitar la falta de bienestar y los prejuicios que les plantea realizar este tipo de preguntas;

(4) La existencia de recursos a los que se pueda remitir a las víctimas que resulten identificadas.

En los últimos años varias organizaciones médicas han contribuido positivamente al desarrollo de procedimientos de identificación. Así, por ejemplo, en 1992 la *American Medical Association* (1992) publicaba directivas sobre tratamiento y diagnóstico incluyendo técnicas de entrevista, observación de conducta y examen médico para identificar casos de malos tratos. También ese año, por ejemplo, la *Joint Commission on Accreditation of Health Care Organizations* exigía a las salas de emergencia y ambulatorios a desarrollar procedimientos escritos y educación de personal para la identificación de víctimas de violencia. Esta exigencia significaba que, por primera vez, la acreditación necesaria para prestar servicios médicos se vinculaba de manera directa al cumplimiento de normas sobre el cuidado de pacientes víctimas de malos tratos.

Varios estudios han tratado de examinar la eficacia de la educación de personal médico y la adopción de procedimientos para la identificación de víctimas de malos tratos. Estos estudios normalmente han aplicado diseños cuasiexperimentales para evaluar estos programas, en particular se han empleado estudios de series temporales utilizando la tasa de mujeres maltratadas identificadas como la principal medida del éxito del programa.

Uno de estos programas fue evaluado por McLeer y Anwar (1989). El programa se aplica en un hospital de Pennsylvania que atiende a una población urbana, minoritaria y de escasos recursos económicos. El estudio demostró que la educación y la utilización de protocolos servía para aumentar el reconocimiento de casos de malos tratos. Resultados similares fueron obtenidos en otra evaluación conducida en el Hospital Universitario de Northwest (Tilden y Shepard, 1987). Más recientemente, Olson y sus colaboradores (1996) demostraron que la incorporación de la pregunta «¿Es la paciente una víctima de violencia doméstica?» al protocolo del departamento de emergencia descubrió una tasa de abuso que era casi dos veces más alta que antes de su utilización. La educación del personal médico en violencia doméstica, sin embargo, no sirvió para mejorar esta tasa de identificación. Otro estudio reciente documentaba que uno de estos programas de entrenamiento (*RADAR Training Project*), también en Philadelphia, aumentaba inicialmente el nivel de conocimiento sobre la violencia doméstica y la comodidad en el tratamiento de estas situaciones, aunque el nivel de comodidad disminuía después de tres meses. Este mismo programa, sin embargo, mantenía un aumento en la utilización de métodos de detección y en la realización de recomendaciones sobre lugares, centros o personas a las que acudir para tratar el problema particular de cada víctima (Harwell et al., 1998).

Estos estudios, por otro lado, han servido para destacar que la identificación de estos casos solo constituye un primer paso que debe ir acompañado por la mejora del cuidado y atención médica que se presta a los mismos, sobre todo si tenemos en cuenta que la investigación sugiere que las víctimas de violencia son menos propensas a recibir seguimiento médico en comparación con otras mujeres que acuden a departamentos de emergencia (Fanslow et al., 1998).

Un tema relacionado con el de la detección es el de la denuncia. En los Estados Unidos en casos de abuso infantil el personal sanitario está obligado por ley a denunciar estas situaciones a las autoridades de protección infantil. Salvo en California esta situación no se da en casos de malos tratos a adultos, aunque hay quien ha sugerido la adopción de semejante tipo de medidas, existe notoria resistencia. En la práctica este tipo de soluciones parece poco realista y no cabe duda que sustraen capacidad de autodeterminación a las mujeres maltratadas. Sin embargo, tan negativo como la obligación de denunciar estas situaciones, lo es ignorarlas o el no facilitar la adecuada atención a las mismas por un excesivo énfasis en la confidencialidad.

Shepard y Lisle (1998) en un estudio de salas de emergencia en el Reino Unido documentaban como la mayoría de las víctimas de violencia trasladadas a las mismas se encontraban, por largos periodos, atrapadas en un ambiente médico dominado, de una manera exclusiva, por el interés en el tratamiento de las lesiones. De acuerdo con estos autores, esta situación prevenía a muchas víctimas de denunciar su victimización. Estos autores a su vez denunciaban como los esfuerzos para preservar la confidencialidad de los pacientes, en lugar de proteger los intereses de los mismos, significaban que los profesionales de la salud ignoraban las circunstancias y el impacto psicológico de las lesiones, así como el riesgo de victimización repetida. De ahí que estos autores sugieran un cambio en los papeles de estos profesionales, si bien no denunciando estas situaciones, al menos facilitando activamente el proceso de denuncia por parte de las víctimas de delitos violentos, así como el establecimiento por parte del sistema de salud de una más clara y estrecha colaboración con el sistema de justicia penal.

En nuestro país, el Instituto de la Mujer, en colaboración con el Ministerio de Sanidad, recientemente desarrollaba y comenzaba la distribución de un protocolo de actuación en casos de malos tratos. El protocolo, presentado a finales de abril de 1999 en Madrid, incluye un conjunto de medidas que deben ser cumplidas por el personal sanitario, tanto público como privado. El protocolo básicamente incluye los siguientes elementos:

(1) Una serie de síntomas físicos y psíquicos que se reconocen como marcadores de riesgo y que deben ser empleados para identificar los casos de malos tratos.

(2) Reafirma la obligación de los médicos de denunciar situaciones de malos tratos, incluso en contra de los deseos del paciente e incluso cuando el paciente no reconozca su condición de víctima de malos tratos. Los médicos estarán obligados a rellenar un formulario específico de cuatro hojas que tendrá como destino el juzgado y en el que quedarán recogidos los datos personales del paciente, el motivo de la visita, antecedentes, lesiones y estado emocional.

(3) Los médicos estarán obligados a proporcionar a las víctimas de malos tratos información sobre servicios sociales y policiales con los que puede contar.

La medida, aunque de laudables intenciones, no deja de ser cuestionable por varias razones. En primer lugar, los escasos estudios realizados hasta la fecha no han permitido diferenciar los síntomas físicos presentados por las víctimas de malos tratos de los presentados por otros pacientes que acuden a las salas de emergencia. Éste es un campo sumamente espinoso que puede dar lugar a numerosos equívocos. Resulta cuanto menos sospechoso que se elabore una lista de los síntomas físicos y psíquicos que acuden a recibir cuidados médicos, cuando ningún estudio en nuestro país ha tratado de identificar dichos síntomas y los realizados fuera de nuestras fronteras advierten de lo difícil que resulta elaborar prognosis sobre violencia doméstica basándose en el examen de síntomas físicos[120].

En segundo lugar, que exista un protocolo de actuación en casos de malos tratos que obligue a los médicos a proporcionar información a las víctimas de dichas situaciones sobre servicios sociales y asistenciales está muy bien, más criticable es su restricción a los casos de malos tratos. Las víctimas de delitos sexuales u otras víctimas de delitos violentos también merecen esta atención. La violencia doméstica es un problema social serio al que hay que prestar atención, pero a la hora de desarrollar soluciones al mismo deberíamos ser conscientes de que los malos tratos son tan solo una fracción de un problema mucho más amplio que es el problema del uso de la violencia como práctica social.

Pero sobre todo lo más criticable de este sistema es que se pretenda fortalecer un sistema de denuncia obligatorio. Como veremos adelante la denuncia al sistema de justicia penal en modo alguno garantiza la solución de los problemas que afectan a las mujeres maltratadas y existen importantes tensiones entre los objetivos del sistema penal y los objetivos de las mujeres maltratadas. Por dicha razón, es evidente que un sistema de denuncia obligatoria merece una crítica muy severa. Una vez más partimos de la asunción de que estas mujeres son personas incapaces de tomar decisiones por sí mismas y en lugar de tomar decisiones con ellas, tomamos decisiones por ellas. Criticamos el control que sus maridos

---

[120]   Fanslow, Norton y Spinola (1998) en uno de los pocos estudios realizados hasta la fecha en esta materia compararon mujeres que acudían a salas de urgencia como consecuencia de haber sido víctimas de violencia con otras mujeres que acudían a la sala por razones diversas. Las víctimas de violencia exhibían una mayor propensión a presentar contusiones, fracturas del cráneo, espina dorsal o tronco, heridas abiertas y síntomas de enfermedad. Las lesiones violentas normalmente afectaban a la cabeza. A pesar de la fuerza de las asociaciones estadísticas entre estos síntomas y el origen violento de los mismos, la sensibilidad y el valor predictivo positivo de estos indicadores era limitado (una sensibilidad igual o menor del 26.5% y un valor predictivo igual o menor del 24.3%). La máxima sensibilidad de un lugar anatómico como marcador del origen violento de la lesión era la cabeza (63.7%), sin embargo, el valor predictivo positivo era todavía bajo (35.7%). Los autores de este estudio subrayan que el empleo de estos indicadores, por tanto, es de muy limitada utilidad. Muelleman, Lenaghan y Pakieser (1998), en un estudio similar con una muestra de mas de 9.000 mujeres, destacaban que los únicos diagnósticos que las mujeres maltratadas tendían a presentar de manera más frecuente que las mujeres no maltratadas eran infecciones del tracto urinario, dolor de cuello, vaginitis, heridas en los pies, intentos de suicidio y fractura de los dedos. Sin embargo, estos diagnósticos tan solo constituían el 19% de los diagnósticos recibidos por las mujeres maltratadas. Por lo tanto, estos autores concluían que el uso de este conocimiento por sí mismo para identificar la presencia de violencia doméstica no identificaría a la mayoría de las mismas.

ejercen sobre ellas y en su lugar imponemos nuestro control sobre ellas. Tratar a un adulto como un sujeto irresponsable no es la mejor manera de devolverles su autoestima. No solamente existen razones de tipo filosófico para cuestionar la sabiduría de un sistema de denuncias obligatorio, sino que también existen razones de tipo práctico. Si una mujer no quiere denunciar el maltrato y sabe que el médico en cuanto sospeche que es una víctima de maltrato va a denunciarlo, es más que posible que esta mujer deje de acudir a la consulta médica, incluso si precisa dicho cuidado, para evitar dicha denuncia. No sólo ello, es más que posible que el maltratador, sabiendo lo que le espera si su mujer acude al médico, haga todo lo que esté en su poder para evitar dicha visita.

II.c. El tratamiento psicológico de las mujeres maltratadas

Desde el campo de la salud pública también se ha prestado especial atención al diseño de intervenciones orientadas a tratar las repercusiones psicológicas del maltrato, en otras palabras, el tratamiento psicológico de las mujeres maltratadas. Aunque diversos autores han sugerido vías de intervención más o menos genérica, muy pocos estudios han evaluado estas intervenciones y menos aun han empleado métodos adecuados. Bergman y Brismar (1991), por ejemplo, estudiaron un programa de tratamiento psicológico y su repercusión en el empleo de recursos de salud pública. Los resultados de este estudio, no obstante, no pueden ser interpretados fácilmente, dadas sus limitaciones metodológicas, en particular el sesgo en la selección de la muestra, la utilización de indicadores y medidas inadecuadas, ausencia de poder estadístico, así como falta de información sobre otras variables relevantes (Chalk y King, 1998). Cox y Stoltenberg (1991) analizaron los efectos de un programa de tratamiento con una muestra de 9 mujeres maltratadas y argumentaron haber descubierto una mejoría en autoestima y asertividad.

En España el equipo de investigación de los malos tratos de Enrique Echeburua y Paz del Corral ha prestado especial atención a este tipo de intervenciones. En 1996 publicaban en una revista española los resultados de una experiencia piloto con un programa de tratamiento cognitivo-conductual del estrés postraumatico crónico en víctimas de maltrato doméstico. Este estudio es el primero publicado hasta la fecha con una muestra de víctimas «ambulatorias» (no residentes en casas de acogida) que fueron reclutadas en los Centros de Asistencia Psicológica para Víctimas de Violencia Familiar del País Vasco (Bilbao y Vitoria). La intervención consistía en un programa multicomponente que pretendía abarcar varias dimensiones psicológicas incluyendo la expresión emocional, la revaluación cognitiva y el entrenamiento en habilidades específicas de afrontamiento. El programa duraba tres meses y contaba con 12 sesiones de tratamiento (Para más detalles, ver Echeburua et al., 1996). Aunque los autores presentan el estudio como un diseño experimental, en realidad se trata de un cuasiexperimento en el que no se empleaba ningún grupo de comparación.

Los resultados del estudio de estos profesores afincados en el País Vasco no podían ser más satisfactorios. Los autores declaran un éxito terapéutico (desaparición del estrés postraumatico) del 97%. En cuanto a la evolución de otros síntomas, se produce una mejoría rápida en el grado de depresión y ansiedad, así como en el nivel de autoestima y en la adaptación a la vida cotidiana, que tiende a mantenerse en los seguimientos realizados. Además, el grado de aceptación de la intervención clínica era alto. De hecho, no había ningún rechazo ni abandono del tratamiento. Conviene, no obstante, recordar que no se empleaba ningún grupo de comparación, así como la ausencia de importantes variables en los análisis. Por ejemplo, según señalan los autores el 68% de las víctimas emparejadas durante el tratamiento acaban separadas. Por otro lado, los autores también señalan que el 18% de las mismas ya estaba separada cuando acudía a estos centros. En otras palabras, el 86% de las víctimas experimenta un proceso tan importante como la separación de la fuente de sus problemas durante el periodo de evaluación. Es posible que este factor también represente un papel de relevancia, posiblemente tan importante como el tratamiento o más, en la mejoría psicológica de estas mujeres.

III. REPERCUSIÓN EN LA SALUD DE LAS MUJERES

III.a. Prevalencia e incidencia de las lesiones por malos tratos

Aunque numerosos estudios han tratado de determinar la prevalencia de los malos tratos, muy pocos estudios epidemiológicos han tratado de estimar la tasa de mujeres que son lesionadas durante las agresiones por sus maridos. En comparación con los estudios cuyo centro de interés ha sido la estimación de tasas de abuso, las tasas de lesiones físicas en los incidentes de violencia doméstica ha recibido una atención muy escasa (Fagan y Browne, 1994). Este es un hecho curioso, si tenemos en cuenta que la violencia doméstica puede ser, al menos en los Estados Unidos, una de las fuentes más frecuentes de lesiones de las mujeres, las lesiones físicas constituyen una consecuencia inmediata de las agresiones entre íntimos y la violencia doméstica puede ser una de las causas más comunes que conduce a las mujeres a buscar ayuda médica en los departamentos de emergencia (Stark y Flitcraft, 1996).

Fagan y sus colaboradores (1998) han destacado una serie de razones por las que es importante investigar las lesiones físicas recibidas por las mujeres maltratadas. En primer lugar, las lesiones son importantes por definición. En segundo lugar, las lesiones constituyen una medida del daño o las consecuencias de la violencia que puede ser independiente de medidas conductuales del abuso tal y como la antigua CTS o las definiciones legales de delitos violentos. Aunque no todas las agresiones producen lesiones físicas, muchas agresiones «menores» a menudo producen dichas lesiones. Así, las distinciones legales entre delitos y faltas pueden enmascarar la seriedad de lesiones que derivan de los malos tratos. En tercer lugar, muchas lesiones tienen consecuencias secundarias, tal y como ocurre cuando el maltrato ocurre durante el embarazo, aumentando el riesgo de aborto, o cuando las lesiones producen incapacitaciones laborales. De hecho, las mujeres que experimentan violencia doméstica son más propensas que otras mujeres a estar embarazadas en el momento de la lesión. Las lesiones sufridas por mujeres embarazadas a menudo conducen al aborto y han sido identificadas como un factor asociado con el escaso peso de los recién nacidos. En cuarto lugar, las lesiones pueden indicar una pauta de violencia seria. Las lesiones pueden ser precursoras de lesiones más serias o ser el inicio de trayectorias letales de violencia doméstica. Finalmente, en la medida que la distribución de las lesiones puede ser diferente de la distribución de los abusos, las lesiones proporcionan una medida alternativa de la violencia que permite examinar sus factores de riesgo. Este último factor es muy importante. Si existen diferencias notables entre los simples malos tratos y los malos tratos que producen lesiones físicas es importante estudiar de manera específica estos últimos para identificar las poblaciones de riesgo y diseñar intervenciones pertinentes.

Los estudios realizados con los datos procedentes de la Encuesta Nacional de Victimización de los Estados Unidos han documentado desde el principio el riesgo especial de los malos tratos. En particular, se ha destacado que normalmente más víctimas de violencia doméstica que de otras formas de violencia sufren lesiones físicas. Lentzner y Barry (1980) señalan como más del 75% de las víctimas de violencia (agresiones, violación y robos) entre íntimos sufrían lesiones, en comparación con el 54% de las víctimas de violencia entre desconocidos. Mas del 80% de las víctimas que estaban casadas o separadas de los agresores sufrían algún tipo de lesiones. De hecho, este particular grupo de víctimas era el que exhibía una tasa más elevada de lesiones internas o desmayos (7%) y huesos rotos (7%). Langan e Innes (1985) han mostrado que aproximadamente la mitad de las agresiones domésticas leves recogidas por esta encuesta suponían lesiones físicas que eran tan serias como las exhibidas por más del 90% de las víctimas de todas las violaciones, robos o agresiones serias. De hecho, las lesiones físicas eran más comunes en este tipo de agresiones leves (42%) que en los casos de robos (35%). Wiersema y Loftin (1994), que analizaron datos procedentes la Encuesta Nacional de Victimización en los Estados Unidos entre 1987 y 1990, señalan que el 18.5% de las víctimas de violencia doméstica experimentaban algún tipo de lesión como consecuencia del maltrato.

La II Encuesta sobre Violencia Familiar conducida por Straus y sus colaboradores (Gelles y Straus, 1989) también trató de determinar las repercusiones médicas de los malos tratos. Esta encuesta utilizaba tres medidas de lesiones. En primer lugar, se preguntaba a los entrevistados si habían sido heridos hasta el punto de necesitar ver a un médico. En segundo lugar, se les preguntaba sobre el número de días que habían tenido que ausentarse del trabajo como consecuencia de los malos tratos. Y, finalmente, se les preguntaba cuántos días habían tenido que permanecer en la cama por haber estado enfermos. En ningún momento se preguntaba sobre lesiones específicas.

Las tasas de lesiones en estas tres medidas eran mayores para las mujeres que para los hombres después de controlar la seriedad de la agresión. Por ejemplo, entre las víctimas de agresiones serias, el 7.3% de las mujeres precisó atención médica, comparado al 1% de los hombres. Resultados similares surgían cuando se observaba el número de ocasiones que la víctima había tenido que faltar al trabajo, aunque no existían diferencias significativas en la tercera medida (Stets y Straus, 1990). Fagan y sus colaboradores (1998) creen que las medidas obtenidas por Straus y sus colegas infraestiman la prevalencia de las lesiones. Así, por ejemplo, critican la pregunta sobre la necesidad de ver al médico como inadecuada, al considerar que confunde la necesidad objetiva de ir al médico con los diferentes umbrales subjetivos de tolerancia hacia la violencia física. Además, se señala que a menudo las mujeres no acuden al médico, incluso cuando lesionadas, por motivos de vergüenza, amenazas del agresor o miedo al etiquetamiento.

En todo caso, ninguna de estas encuestas ha tratado de obtener medidas de la frecuencia de lesiones y pocos estudios han examinado la relación entre frecuencia de lesiones y abusos. Los pocos estudios que examinan ambas dimensiones, la frecuencia y severidad de las lesiones, así como de las conductas de abuso, han encontrado una asociación entre la frecuencia de la conducta de abuso y la frecuencia de la lesión (Fagan et al., 1984; Forjuoh et al., 1998).

Otros estudios en lugar de tratar de averiguar el número de mujeres maltratadas que sufren lesiones han adaptado el camino inverso y han tratado de documentar el número de mujeres maltratadas entre aquellas que sufren lesiones y acuden a las salas de emergencia de los hospitales. Estos estudios normalmente han empleado muestras locales procedentes de un número limitado de salas de emergencia. La revisión pormenorizada de los datos de salas de emergencia analizados en estos estudios han puesto de relieve que al menos el 30% de las mujeres que se presentan en las mismas con lesiones físicas han sido maltratadas por sus novios o maridos y que entre el 75% y el 80% de este porcentaje acuden al hospital por dicha razón en más de una ocasión (Garner y Fagan, 1997).

Stark y sus colaboradores (1981) revisaron 3.676 registros médicos, seleccionados aleatoriamente, de mujeres que acudían con lesiones físicas al departamento de emergencias de un hospital metropolitano. Aunque solamente el 1% de los casos era identificado por el personal hospitalario como el resultado de agresiones entre íntimos, la auditoría de estos casos revelaba que aproximadamente el 40% de los mismos eran casos de abuso entre íntimos. Utilizando estos datos, los autores estimaban que el 19% de las mujeres que se presentaban al departamento de emergencia con lesiones tenían una historia de abuso y que entre el 75% y el 80% de las mismas eran casos de abusos repetidos.

Goldberg y Tomlanovich (1984) realizaron otro análisis de registros médicos y descubrieron una prevalencia de violencia doméstica del 22%, sin embargo, los registros oficiales de dichos hospitales sólo consideraban el 5% de estos casos como situaciones de maltrato doméstico. El resto de los casos eran identificados como casos de maltrato por los investigadores tras la realización de entrevistas en profundidad con doctores y enfermeras.

Grisso y sus colegas (1991) desarrollaron el Programa de Prevención de Lesiones de Filadelfia, un sistema de vigilancia epidemiológica de todas las lesiones que terminaban en muerte, hospitalización o visitas a los departamentos de emergencia, en una serie de barrios pobres y predominantemente afroamericanos en el sector oeste de la ciudad de Filadelfia. El sistema incluía a 11 instituciones que constituían el 90% de todas las salas de emergencia de dicho sector de la ciudad. Durante un periodo de cuatro años, 11.654 mujeres mayores de 15 años se presentaron con lesiones. Durante el tercer años de estudio, las lesiones violentas habían superado el número de lesiones por caídas como la causa principal de las mismas. Sin embargo, los registros médicos apenas contenían información sobre el agresor en aproximadamente el 31% de los casos. Dentro de este grupo, en el 60% de los mismos el agresor era un íntimo (maridos en el 12%, novios en el 38% y otros en el 10%).

Recientemente, la Oficina de Estadísticas Jurídicas del Departamento de Justicia de los Estados Unidos realizó un estudio nacional con datos de una muestra representativa de salas de emergencia en todo el país. Este estudio descansaba en los registros oficiales de dichos hospitales y, por tanto, puede estar infraestimando el número de lesiones. En todo caso, es conveniente destacar algunos de sus descubrimientos. Según este estudio, el 17% de las personas que habían sufrido una lesión como consecuencia del empleo de la violencia había sido agredida por sus novios, maridos o ex-maridos. El resto se distribuía entre otros familiares (8%), amigos (23%) y desconocidos (23%). En el 30% de los casos no existían datos sobre la identidad del agresor. Conviene destacar, a su vez, que este estudio, a pesar de sus limitaciones, descubría cuatro veces más casos de lesiones producidas por actos violentos que la Encuesta Nacional de Victimización (Rand y Strom, 1997).

Otros estudios, como vimos anteriormente, han demostrado que la educación del personal médico y la implantación de un protocolo de reconocimiento han ayudado a mejorar la identificación de estos casos por el personal médico. McLeer y Anwar (1989) documentan una de tales experiencias en las que dichas prácticas aumentaron la violencia doméstica registrada oficialmente por el hospital de un 5.6% a un 30%.

Estos estudios sobre prevalencia de mujeres maltratadas que acuden a los servicios de salud pública han estado, en su mayor parte, basados en los propios registros médicos de los hospitales. Otros autores, sin embargo, han conducido encuestas adicionales entre la población que acude a los hospitales para documentar la extensión del maltrato. Dearwater y sus colaboradoras (1998), por ejemplo, condujeron una encuesta de 3455 mujeres que acudían salas de emergencia en 11 hospitales de Pennsylvania y California. El 14.4% de estas mujeres reconocía haber sido maltratada el año anterior y el 34.4% de las mismas reconocía haber sido maltratada en algún momento a lo largo de su vida. Las mujeres que presentaban mayores niveles de violencia eran más jóvenes, tenían menos recursos económicos, tenían hijos menores de 18 años conviviendo con ellas y habían terminado una relación de pareja durante el año anterior.

De manera similar a los estudios basados en encuestas de la población general, los estudios de mujeres que atienden las salas de emergencia a menudo no especifican la naturaleza de las lesiones o la distribución de la severidad de las mismas. No obstante, estos estudios demuestran que *las lesiones son frecuentes y serias entre las mujeres maltratadas que acuden a los departamentos de emergencia u otros servicios hospitalarios.* También es evidente que a pesar del elevado número de mujeres maltratadas que emplean estos servicios, *la tasa de detección e identificación es extremadamente baja*, por lo que, como vimos anteriormente, varias iniciativas han sido sugeridas para mejorarlas. La seriedad de estas lesiones, sin embargo, es más difícil de medir y existen pocos estudios al respecto (Garner y Fagan 1997).

Una línea complementaria de investigación está tratando de identificar diferencias entre mujeres víctimas de violencia y aquellas que acuden a las salas de emergencia por razones diferentes. Un estudio realizado en Nueva Zelanda encontraba importantes diferencias entre víctimas de violencia y otras mujeres que acudían a los departamentos de emergencia. Las primeras solían ser más jóvenes y a proceder de minorías étnicas. Por otro lado, aunque el tipo de lesiones presentadas por unas y otras era notoria y estadísticamente diferentes, el valor predictivo de estas asociaciones entre tipo de lesiones y origen de las mismas no era muy elevado, lo que reducía su utilidad como un indicador de la existencia de violencia doméstica. Incluso las heridas en la cabeza, el indicador más claro de abuso, no exhibía suficiente sensibilidad como predictor (Fanslow et al., 1998).

III.b. Problemas de tipo psicológico

Como he señalado en la introducción existe un número considerable de estudios que han tratado de documentar las repercusiones psicológicas del maltrato. Sin embargo, como en tantas otras ocasiones dentro de este campo, el número de estudios es engañoso, en la medida en que los métodos empleados no han sido los más rigurosos. Así, la mayor parte de los estudios realizados no han utilizado ningún tipo de grupo de comparación, mientras que aquellos estudios que han empleado muestras más representativas no han utilizado medidas adecuadas de psicopatología o no permiten establecer el orden causal entre violencia y psicopatología (p.ej., Zlotnick et al., 1998). De hecho, hay interpretaciones de la violencia que consideran determinados estados emocionales psicopatológicos no como una consecuencia de la violencia, sino como un factor precipitante (Felson, 1992). No obstante, es importante considerar también estos estudios porque los mismos alertan sobre la prevalencia de ciertos problemas psicológicos entre las mujeres maltratadas y porque proporcionan información preliminar sobre algunos factores asociados con estas consecuencias psicológicas.

Hay autores que se han referido al síndrome de la mujer maltratada (Walker, 1984) para designar el conjunto de reacciones psicológicas de las mismas, aunque más recientemente se alude al síndrome de estrés postraumático. El síndrome de estrés postraumático fue empleado inicialmente para explicar las reacciones psicológicas de los supervivientes de conflictos bélicos o catástrofes naturales. Este síndrome hace referencia a un conjunto de reacciones psicológicas y fisiológicas a episodios traumáticos. El diagnostico clínico requiere la presencia de una serie de elementos mínimos de acuerdo con el DSM (1994).

Varios investigadores han tratado de determinar la prevalencia de síndrome de estrés postraumático en muestras de mujeres maltratadas, documentando una alta prevalencia de este problema (Houskamp y Foy, 1991; Austin, Lawrence y Foy, 1993; Gleason, 1993; Saunders, 1994;

Kemp et al., 1995; Riggs et al. 1992). Normalmente estos estudios han empleado muestras muy pequeñas (entre 26 y 193) y no representativas de mujeres maltratadas que acudían en búsqueda de ayuda a refugios, consultorios psicológicos o servicios similares. De acuerdo con estos estudios entre el 31% y el 60% de las mujeres maltratadas que acuden en búsqueda de ayuda social sufren el síndrome de estrés postraumático. Estos estudios también han identificado una serie de factores que están relacionados con el desarrollo de esta sintomatología incluyendo la seriedad del maltrato[121], la duración de la relación, la percepción de peligro de muerte, ausencia de apoyo social, pobreza y otros estresores. Aún queda mucha investigación por hacer en esta área. Este constructo psicológico sigue siendo polémico para explicar el comportamiento de las mujeres maltratadas (Dutton, 1995), aunque ciertas aplicaciones han sido de utilidad en casos específicos (Davies et al., 1998)

Otros estudios han llamado la atención sobre el alto número de mujeres maltratadas que exhiben síntomas de depresión clínica (Rousanville, 1978; Walker, 1984; Mitchell y Hodson, 1993; Cascardi y O'Leary, 1992; Gleason, 1993). Estos estudios también han empleado muestras pequeñas y se han limitado a entrevistar mujeres que acudían a refugios o servicios similares. Los porcentajes de mujeres maltratadas que exhiben este tipo de problemas, sin embargo, son mayores, oscilando entre el 52% y el 80%. Varios estudios han demostrado, por otro lado, mediante el empleo de grupos de comparación que las mujeres maltratadas exhiben un riesgo elevado de depresión (Perilla, Bakeman y Norris, 1994; Stets y Straus, 1990; Andrews, 1995; Cascardi y O'Leary, 1992). Por otra parte, hay autores que han identificado una serie de factores asociados con la aparición de síntomas de depresión en estos casos incluyendo factores de tipo socioeconómico, ausencia de apoyo social e institucional, seriedad de la violencia, etc. (Sato y Heiby, 1992; Mitchell y Hodson, 1983; Campbell, 1989).

Al margen del síndrome de estrés postraumático y la depresión clínica, la baja autoestima es una de las consecuencias psicológicas del maltrato que mayor atención ha recibido por parte de los investigadores. La mayoría de estos estudios sugieren que las mujeres maltratadas sufren déficits en su autoestima como consecuencia del maltrato (Walker, 1983; Campbell, 1989; Mills, 1984; Mitchell y Hodson, 1983; Perilla, Bakeman y Norris, 1994; Aguilar y Nightingale, 1994; Cascardi y O'Leary, 1992). Estos mismos estudios también han identificado factores asociados con esta problemática incluyendo la severidad y frecuencia del maltrato, permanencia en la relación, y la existencia de conductas de control por parte de la pareja.

---

[121] Dutton y Painter (1993) en cambio documentaron que el carácter intermitente de los malos tratos y la dificultad para predecirlos eran factores más relevantes que la severidad o la frecuencia de los mismos.

Danielson y sus colaboradores (1998) se aprovecharon de las excelentes medidas de enfermedad mental y maltrato presentes en el *Dunedin Multidisciplinary Health and Development Study* para examinar la prevalencia conjunta de este tipo de problemas con una muestra de la población general. Este estudio documentó que aproximadamente dos tercios de las mujeres que sufrían formas severas de malos tratos reunían los criterios para uno o más desórdenes comprendidos en el DSM-III-R y exhibían tasas elevadas de desordenes emocionales, abuso de alcohol y drogas, además de trastorno de personalidad antisocial y síntomas de esquizofrenia.

IV. OTROS EFECTOS DE LA VIOLENCIA: REPERCUSIONES DE TIPO ECONÓMICO

A pesar de la evidencia que indica la magnitud del problema de los malos tratos, existen muy pocos estudios que hayan examinado los efectos de la violencia en la vida de la mujer más allá de las implicaciones para la salud física y psicológica de las mismas. En particular, sabemos muy poco sobre el impacto de la violencia en la situación socioeconómica de las mismas. El Panel de Investigación sobre Violencia Contra la Mujer, que fue establecido por el Consejo Nacional de Investigación norteamericano, señalaban que «aunque algunos de los efectos directos de la violencia física y sexual (y el abuso psicológico) han sido bien documentados... existe muy poca información sobre la pérdida de productividad y el rendimiento, en el trabajo y en el hogar, de las víctimas de la violencia» (Crowell y Burgess, 1996, p.90-91). A pesar de ello, la evidencia anecdótica, así como la tragedia de muchas mujeres que encuentran dificultades para reintegrarse en la sociedad tras dejar las casas de acogida, sugiere que la violencia contra la mujer puede tener como efecto la exclusión social.

Algunos estudios, realizados por investigadores interesados en la reforma del sistema de cobertura social en los Estados Unidos, han tratado de abordar esta cuestión. Estos estudios han tratado de correlacionar el estatus laboral de las mujeres, así como otros indicadores de tipo socioeconómico, con el nivel de violencia doméstica. Los resultados positivos de estos estudios, sin embargo, son difíciles de interpretar dado su carácter transversal y, por tanto, su incapacidad para determinar que viene antes si el huevo o la gallina (ver, p.ej., Lloyd, 1997). En todo caso, estos estudios sirven para cuestionar, al menos parcialmente, los resultados de los estudios que han examinado la relación entre clase social, conceptualizada como factor de riesgo, y violencia doméstica, conceptualizada como efecto. Es posible que en estas situaciones tengamos que modelar la situación de la mujer de manera no recursiva. Aunque de momento es más fuerte la evidencia que conceptualiza la situación socioeconómica de la mujer como un factor de riesgo, también es cierto que a largo plazo el patrón de control de maridos violentos puede tener una repercusión en el rendimiento laboral de estas mujeres (Raphael y Tolman, 1997), afectando negativamente sus posibilidades laborales, y que las mujeres que dejan a sus maridos, si no tienen formación ni experiencia laboral, pueden encontrarse en una situación socioeconómica verdaderamente difícil hasta el punto de formar parte de la bolsa de población que se define como excluida socialmente.

Varios estudios, de hecho, han adoptado una dirección diferente para examinar los efectos de la violencia y han tratado de determinar que porcentaje de las mujeres «sin techo» han sido victimizadas por sus parejas y se encuentran en esa situación precisamente por dicha razón. Uno de los primeros estudios que adoptó este enfoque fue realizado por el Departamento de Investigación de *Victim Services*. En 1988, Montbach entrevistaba a 210 mujeres asistidas por el departamento de ayuda a los sin techo y documentaba que el 21% de las mismas atribuía su estado al maltrato familiar, mientras que un adicional 21% también se reconocían como víctimas de maltrato, aunque no atribuían al mismo su situación de falta de vivienda. Este estudio también documentó que el personal que prestaba ayuda a estas mujeres normalmente no preguntaba y, por tanto, carecía de conocimiento sobre su condición de víctimas de maltrato.

No puede olvidarse que, en el contexto de discriminación laboral de la mujer, algunos empresarios tomarán el maltrato, como el embarazo, como un motivo más para pensárselo dos veces antes de contratar a una mujer. Desde la perspectiva del empresario puede ser más fácil evitar problemas que contribuir a su prevención. El Instituto de la Mujer y las organizaciones de mujeres deberían mantener contactos regulares con las organizaciones de empresarios y cámaras de comercio para cambiar este tipo de actitudes. Las medidas de algunas Comunidades Autónomas para facilitar la contratación de mujeres maltratadas son un buen paso en la dirección correcta que puede contribuir a este cambio de mentalidad, pero más esfuerzos deben ser realizados en este sentido.

V. REPERCUSIONES DEL MALTRATO EN EL BIENESTAR PSICOLÓGICO Y EN EL DESARROLLO EVOLUTIVO DE LOS HIJOS DE LAS MUJERES MALTRATADAS

V.a. El problema

La violencia doméstica no solo afecta a las mujeres sino que también tiene repercusiones en el bienestar y salud de los hijos de la pareja.

Aunque éste fue un campo de investigación que no recibió suficiente atención en los primeros años de estudio de la violencia marital, quedando como una especie de tierra de nadie entre los expertos en maltrato infantil y los expertos en maltrato marital, cada vez existe un mayor interés en este tema y son más los investigadores que tratan de comprenderlo.

Los niños, ciertamente, han sido durante mucho tiempo las víctimas olvidadas, secundarias o silenciosas de los malos tratos en la pareja. No es hasta 1975, quince años después del descubrimiento del maltrato a la infancia por parte de Kempe, cuando los problemas de estos niños comienzan a ser reconocidos (Holden, 1998). Ese año un médico británico, Levine, y un trabajador social también británico, Moore, de manera independiente publicaban informes que llamaban la atención sobre los problemas de los hijos de mujeres maltratadas en áreas tal y como conducta agresiva, desórdenes de ansiedad e insomnio (Holden, 1998). Desde entonces la atención sobre este problema ha crecido considerablemente, aunque todavía éste es un área en el que existen más interrogantes que respuestas. George Holden, que recientemente publicaba una revisión sobre la literatura en este tema, entre 1975 y 1995 pudo localizar un total de 56 artículos y tres libros que examinaban los problemas de los hijos de las mujeres maltratadas, un conjunto considerablemente pequeño dentro del contexto americano.

Varios autores han tratado de reconocer la seriedad de este problema ofreciendo cifras sobre su dimensión. La figura que es citada más frecuentemente fue aportada por Bonnie Carlson (1984), cuyas proyecciones estaban basadas en inferencias basadas en la I Encuesta sobre Violencia Familiar realizada por Straus y sus colaboradores. De acuerdo con Bonnie al menos 3.3 millones de niños de entre 3 y 17 años están expuestos a situaciones de malos tratos en la pareja en los Estados Unidos. Esta autora, además, reconocía que esta cifra posiblemente es más baja que la real, dado que la encuesta de Straus no incluía parejas divorciadas ni se preguntaba sobre niños menores de 3 años. Una proyección más reciente basada en la II Encuesta sobre Violencia Familiar realizada por el equipo de Straus estimaba que cada año, aproximadamente 10 millones de niños están expuestos a la violencia familiar en los Estados Unidos (Holden, 1998).

Lo que parece evidente, de acuerdo con los estudios realizados hasta la fecha, es que los hijos de las mujeres maltratadas son un grupo de riesgo en relación con una amplia gamas de problemas. Estos estudios han asociado la violencia marital con problemas emocionales y conductuales de niños. Al margen de su exposición a la violencia, los hogares de estos niños están caracterizados, en numerosas ocasiones, por la pobreza, ubicación en comunidades deterioradas, altos niveles de estrés e inestabilidad familiar y laboral. Resumiendo, los hijos de las mujeres maltratadas están expuestos a un amplio conjunto de riesgos para su salud física y un desarrollo psicológico normal. Por consiguiente, no es sorprendente que la investigación realizada durante los últimos 15 años haya documentado de manera repetida que efectivamente estos niños desarrollan un amplio conjunto de problemas psicológicos y de desarrollo.

Estos estudios de una manera típica han obtenido muestras de mujeres maltratadas refugiadas en casas de acogida y han administrado a las mismas cuestionarios sobre los problemas emocionales y conductuales de sus hijos. Aunque se han empleado varios instrumentos para medir los problemas de los niños, la mayoría de los estudios han empleado el *Child Behavior Checklist* (CBCL) de Thomas Achenbach. Este instrumento puede ser empleado con niños de entre 2 a 16 años, puede ser rellenado por las madres, cubre una amplia gama de problemas, evalúa la competencia social y tiene buenas propiedades psicométricas e información normativa. El CBCL ofrece una puntuación global de problemas conductuales así como puntuaciones para dos subescalas que miden problemas de externalización (p.ej., desobediencia, agresividad, crueldad hacia los animales, destructividad) y problemas de internalización (p.ej., aislamiento, depresión, miedo, ansiedad) (Holden, 1998).

De acuerdo con estos estudios los niños de las mujeres maltratadas muestran una amplia gama de problemas de externalización e internalización tal y como desobediencia, agresividad, ansiedad y depresión (Holden y Ritchie, 1991; Jouriles y Norwood, 1995; McCloskey, Figueredo y Koss, 1995; Moore y Pepler, 1998). También hay estudios que sugieren efectos a largo plazo de la exposición a la violencia marital, incluyendo depresión, baja autoestima y otros síntomas de tipo traumático (Silvern et al., 1995). Se ha sugerido que los niños en estas situaciones desarrollan mecanismos de respuesta que conducen a los referidos problemas emocionales y conductuales, a sus intentos de controlar las interacciones disfuncionales entre sus padres y a representaciones cognitivas sobre ellos mismos y sus familias que son muy negativas y pesimistas sobre el futuro (Cummings, 1998). Por otra parte, y de manera consistente con los estudios sobre transmisión intergeneracional de la violencia, se ha sugerido que estos niños pueden aprender conductas y estilos cognitivos para responder a eventos cotidianos a través de la observación e interacción con los padres. Respuestas que, en ocasiones, son inapropiadas y, a veces, implican el uso de la agresión o estilos de comunicación negativos (Graham-Bermann, 1998; Cummings, 1998).

La magnitud del problema es tan preocupante que en cualquier muestra un porcentaje considerable de los niños tienen problemas tan serios que merecen recibir atención clínica. Dependiendo del estudio, entre un 25% y un 75% (con una mediana del 40%: Holden, 1998) de estos niños precisan recibir atención clínica por el grado de severidad de los problemas psicológicos que exhiben (McDonald y Jouriles, 1991). En comparación, niños de familias de clase baja similares a las de los hijos de madres maltratadas sólo exhiben estos problemas en el 25% de los casos (Hughes y Lukes, 1998). Al margen de estos problemas también se ha señalado que estos niños exhiben síndrome de estrés postraumático, así como otro tipo de problemas psicológicos. Además, los problemas de estos niños también afectan otras esferas incluyendo problemas en la escuela, en sus interacciones personales y su salud personal (Barnett, Miller-Perrin y Perrin, 1997). Curiosamente muchos de los síntomas que exhiben estos niños son similares a los síntomas que exhiben las víctimas adultas de delitos violentos (Holden, 1998).

Aunque la violencia marital, en general, tiene efectos nocivos en el desarrollo evolutivo de los niños, se ha señalado que existen variables que median los efectos específicos. Una vez se ha demostrado que la exposición a violencia marital tiene efectos negativos, la investigación en esta área ha intentado identificar qué factores están mediando esta relación y dificultando el ajuste psicológico de los niños (Holtzworth-Munroe et al., 1997; Hughes y Luke, 1998; Holden, 1998). Estos factores incluyen las dimensiones de la violencia (severidad y frecuencia), características de los niños (género, edad, etc.) y la existencia de estresores adicionales asociados con la violencia marital (maltrato infantil, psicopatología de los padres, etc.). Como Jaffe, Wolfe y Wilson (1990) han señalado la exposición a la violencia marital no deja una marca uniforme en todos los niños que la experimentan. A pesar de la alta prevalencia de problemas psicológicos en esta población existe bastante heterogeneidad en la misma y es posible que ésta explique el impacto diferencial que la exposición a la violencia marital tiene en los niños.

Una característica contextual clave para entender las respuestas de los niños al conflicto marital es la naturaleza propia del conflicto, tal y como se refleja en su intensidad, resolución y contenido. La investigación conducida hasta la fecha ha prestado considerable atención a si el conflicto se resolvía, con niños respondiendo peor a situaciones en que el conflicto no se resolvía. De la misma manera, los niños son especialmente sensibles a desacuerdos sobre temas relacionados con los niños, en lugar de temas adultos. Por otra parte, existe evidencia preliminar que muestra que conflictos que implican el uso de violencia física, comparada con aquellos en los que tan solo se usan formas de agresión verbal, están asociados con un mayor nivel de problemas psicológicos en los niños (Laumakis et al., 1998).

Por lo que se refiere a las características de los niños, es generalmente aceptado que los niños más jóvenes son más propensos a exhibir quejas de tipo somático y a experimentar un grado mayor de estrés psicológico que los niños de mayor edad (Jaffe et al., 1990). Existe un mayor número de estudios que han tratado de examinar la relación entre género y la reacción de los críos a la violencia. Dado que los padres son normalmente quienes asumen el papel de maltratadores y las madres el papel de víctimas, se tiende a pensar que los niños pueden reaccionar de manera diferente que las niñas. Sin embargo, hasta la fecha, la mayoría de los estudios conducidos han producido resultados inconsistentes. Algunos estudios han encontrado que las niñas experimentan más problemas que los niños (p.ej., Spaccarelli et al., 1994), pero otros estudios han encontrado que los niños exhiben más problemas de externalización (Jouriles y Norwood, 1995; Wolfe et al., 1985) y también hay estudios que no han encontrado diferencias de género (p.ej., O'Keefe, 1994). En parte estas divergencias pueden estar causadas por el reducido tamaño de las muestras empleadas por estos estudios. No obstante, el grado en que el género de los niños presenta interacciones con la exposición a la violencia marital es una cuestión que precisa ser determinada. Es más, es posible que existan interacciones relevantes entre edad y género. Cummings (1998), por ejemplo, ha sugerido que a una edad más temprana los niños reaccionan con enfado y las niñas con tristeza, pero que a una edad más avanzada el patrón es el inverso.

También comienza a ser reconocida la coexistencia de la exposición a violencia marital y maltrato infantil. Varios estudios han reconocido que los hijos de las mujeres maltratadas presentan un riesgo considerable de ser a su vez recipiente de diversas formas de abuso tanto por su padre como por su madre o por ambos. Aunque la investigación en este campo es todavía escasa y metodológicamente limitada, se ha señalado que el grado de co-ocurrencia del maltrato infantil y la exposición a la violencia marital oscila entre el 20% y el 100% (Appel, Angelelli y Holden, 1997). También hay estudios que han sugerido la posibilidad que los hijos de las mujeres maltratadas exhiben un mayor riesgo de abuso sexual infantil (McCloskey et al., 1995). Se puede presumir que los niños que están expuestos a ambas formas de violencia pueden presentar más problemas, sin embargo, éste no es siempre el caso (Sternberg et al., 1993).

Por otra parte, se destaca que otras disfunciones familiares que coexisten con la violencia marital pueden tener un efecto acumulativo negativo en los procesos emocionales y cognitivos de los niños. Varios autores (Cummings, 1998; Moore y Pepler, 1998) han subrayado como la violencia marital está íntimamente vinculada con otros problemas de tipo familiar tal y como las interacciones entre padres e hijos, dificultades en la disciplina y educación de los hijos, pautas de interacciones familiares coercitivas, depresión parental, alcoholismo de una de las figuras paternas o ambas, problemas psicológicos y de ajuste de la madre y relaciones negativas entre los hermanos. Además, estos autores señalan como el conflicto marital promueve situaciones en la que los padres no responden a las necesidades emocionales y psicológicas de los niños, incrementando la inseguridad de los vínculos paterno-filiales y la calidad de la unión entre padres e hijos (sobre este último aspecto ver también Dutton, 1995). De hecho un problema de la investigación en este campo consiste en la dificultad de distinguir la relevancia de predictores generales de psicopatología infantil de aquellos que están específicamente ligados a la violencia doméstica. Por ejemplo, la tensión psicológica y la crianza inefectiva de los niños pueden contribuir a estos problemas más que la presencia de la violencia física por sí misma (Moore y Pepler, 1998).

Recientemente, se han realizado esfuerzos para entender de que manera las pautas de crianza familiar de estos niños afectan su desarrollo y la aparición de problemas psicopatológicos. La explicación más común es que las interacciones maritales negativas se pueden extender o desplazar a la crianza del niño y resultar en conducta agresiva, dura o inconsistente hacia el mismo (Holden et al., 1998). De hecho, aunque existe bastante discusión sobre los mecanismos que la explican, existe bastante evidencia que demuestra el desplazamiento de la agresión (Berkowitz, 1993; Tedeschi y Felson, 1994). Pero la conducta parental puede también verse afectada de manera más sutil por la presencia de violencia en la relación. La depresión es un ejemplo claro de una variable que afecta la calidad de conductas parentales y que puede ser promovida por la existencia de violencia marital. Pero pueden existir otros múltiples mecanismos. De hecho, es difícil imaginar que la calidad del parentazgo no se vea afectada en este tipo de entornos hostiles (Holden et al., 1998, p.293):

> «La violencia entre los padres probablemente constituye como mínimo un elemento de distracción, además, debe ser extenuante. Una cantidad considerable de atención y energía debe ser dedicada a vigilar y evaluar el estado de ánimo de la pareja y su disposición para comenzar un nuevo episodio violento, a participar en combates verbales frecuentes y a defenderse a una misma, y a los niños, de la agresión física y verbal. Estas madres, sin duda, temen por su propia seguridad. Se sospecha que vivir en este tipo de contexto hace que las mujeres se preocupen por sus propias necesidades de supervivencia y no presten tanta atención a las necesidades de sus hijos, aunque la evidencia al respecto no es suficientemente clara. Por estas razones se piensa que estas mujeres tienen dificultades para comportarse de una manera consistente, cálida, emocionalmente apropiada y responder a sus hijos. Consiguientemente, las madres que sufren violencia marital pueden exhibir un deterioro de su conducta maternal»

Sería erróneo, sin embargo, pensar que la calidad de la conducta paternal mostrada por el padre es más apropiada. La escasa investigación realizada en este tema tan solo nos indica que en situaciones de violencia marital los hombres son más propensos que las mujeres a comportarse agresivamente contra sus hijos. En todo caso, la investigación realizada por Holden y su equipo (1998) de colaboradores con varias muestras de mujeres maltratadas ha documentado claramente que las mujeres maltratadas, a pesar de lo que se podría pensar, no exhiben un tratamiento más negligente de sus hijos a pesar del maltrato al que se ven expuestas. Sus comparaciones con un grupo de control mostraban la ausencia de diferencias en diez índices diferentes de prácticas parentales, documentando que las mujeres maltratadas se comportaban como madres normales con sus hijos. La única excepción era que las mujeres maltratadas eran más propensas a maltratar a sus hijos que las mujeres en el grupo de comparación, aunque no existían diferencias significativas en el uso del castigo corporal. Lo que es más importante, la conducta agresiva de la madre disminuía significativamente cuando se volvía a evaluar el maltrato seis meses después que dejaran la casa de acogida, mostrándose así que el maltrato infantil por parte de la madre en este contexto obedece a factores situacionales muy específicos. De hecho, este estudio también venía a señalar que la conducta de la madre podía ejercer una influencia protectora muy importante. Estos resultados y los de estudios similares (McCloskey et al., 1995) llevaban a este equipo de investigadores a sugerir que la atención prestada a las características negativas de las madres puede ser, en consecuencia, la dirección equivocada. En su lugar, parece más adecuado tratar de reconocer y documentar las respuestas de adaptación y compensación de estas mujeres para proteger o, incluso salvar, a sus niños de los efectos negativos de crecer en un hogar violento (Holden et al., 1998).

Más recientemente también hay autores que consideran importante tomar en consideración la relevancia de variables contextuales de tipo comunitario a la hora de entender los efectos de la violencia marital en el desarrollo evolutivo de los niños. Ciertamente existe un creciente interés por entender las conexiones entre contexto comunitario y desarrollo evolutivo (Sampson, 1993, 1998; Farrington, Sampson y Wikstrom, 1993). Osofsky (1998), por ejemplo, recientemente ha señalado que es importante comprender las conexiones entre la exposición a violencia marital y la exposición a otras formas de violencia en la comunidad.

Finalmente, hay quienes han llamado la atención sobre otro tipo de variables que no han sido tomados en consideración por la investigación tradicional en este campo. Así, por ejemplo, Osofsky (1998, p. 107) ha aludido a la relevancia que puede tener la intervención policial:

> «Ademas de la exposición de los niños a esta violencia perpetrada por miembros familiares a quienes ellos aman y en los que confían, ¿cuál es el impacto que tiene en los niños el observar a figuras de autoridad como los agentes de policía acudir a sus hogares para investigar o controlar una disputa doméstica, especialmente si los agentes también se comportan de manera dura y poco sensible? ¿Qué significado tiene para un niño pequeño ver a su padre o madre ser esposado y tomado en custodia? La respuesta del sistema de justicia penal en estas situaciones puede

enseñar a los niños varias lecciones. Con la respuesta apropiada, los niños pueden aprender que alguien con autoridad se preocupa por su bienestar»

A pesar de estos resultados han existido considerables limitaciones metodológicas en muchos de estos estudios sobre las repercusiones psicológicas de violencia entre íntimos en los hijos de las mujeres maltratadas. Estas limitaciones incluyen el uso de definiciones inadecuadas o inconsistentes de violencia marital, evaluaciones inadecuadas del grado de violencia marital, uso de muestras muy pequeñas, empleo de muestras de mujeres maltratadas refugiadas en casas de acogida, ausencia de grupos de comparación, tratamiento de la violencia y el conflicto marital como variables discretas en lugar de continuas, falta de atención a factores protectores, la necesidad de considerar la influencia de otras formas de conducta de control o abuso psicológico más allá del uso de la violencia física, la ausencia de utilización de medidas múltiples sobre las variables dependientes e independientes al basarse exclusivamente en las observaciones de la madre, etc (Fantuzzo y Lindquist, 1989; Cummings, 1998; Sternberg et al., 1998). Un problema especialmente serio es que muchos estudios no han estado guiados por la teoría, lo que, sin duda, inhibe el desarrollo de un cuerpo coherente de conocimientos sobre los efectos de la exposición a la violencia. Ciertamente, muy pocos investigadores han intentado explicar cuales son los procesos o mecanismos por los que los niños son afectados por la violencia (Holden, 1998). Además, existe un creciente interés en la relevancia de factores protectores que estos primeros estudios no han tomado en consideración (Cummings, 1998). Así, por ejemplo, se ha sugerido que las mujeres maltratadas que son capaces de mantener una relación positiva con sus hijos pueden tener un efecto protector que atenúa el desarrollo de procesos psicológicos negativos en los niños (Moore y Pepler, 1998).

Trabajos más recientes han tratado de evitar estos problemas metodológicos y limitaciones. Así, varios autores han discutido conceptualizaciones teóricas de este problema y en general han insistido en la necesidad de comprender el contexto de la violencia (Holden, 1998; Cummings,1998; Graham-Bermann, 1998). Sandra Graham-Bermann (1998), por ejemplo, ha integrado varias perspectivas teóricas para tratar de desarrollar un modelo conceptual de las variables más importantes que afectan el desarrollo normal de los niños. Esta autora ha argumentado que necesitamos al menos dos tipos diferentes de teorías para explicar como reaccionan los niños a la violencia doméstica. En primer lugar, y de manera más general, esta autora considera que necesitamos teorías que nos permita comprender el contexto del desarrollo evolutivo del niño. Así, Graham-Bermann defiende el uso de un modelo ecológico que permita reconocer como diferentes dimensiones del entorno afectan a la familia.

Por otro lado, también es preciso contar con teorías que nos permitan comprender la naturaleza de la relación del niño con la familia. En segundo lugar, es preciso la aportación de teorías psicopatológicas evolutivas, la teoría del trauma, así como la teoría del aprendizaje social, son también precisas para explicar como la violencia entre los padres afecta e interfiere el desarrollo evolutivo del niño.

Otros autores han tratado también de comprender los mecanismos teóricos envueltos en la «caja negra». Cummings (1998), por ejemplo, ha insistido en la idea que la violencia marital no conduce directamente al diagnóstico de psicopatología en los niños. Para este autor, entre otros, es preciso tomar en consideración la interacción entre características individuales y contextuales para entender como las diversas respuestas del niño al problema de la violencia marital a lo largo del tiempo pueden dar lugar a estrategias de adaptación que son patológicas. Desde esta perspectiva también se destaca la relevancia de interpretaciones cognitivas. No solo es importante la ocurrencia de incidentes de violencia marital, sino también, quizás incluso más, el significado general que el niño les atribuye a los mismos (ver también Rossman, 1998). Cummings ha propuesto una explicación de los efectos de la violencia marital en el desarrollo evolutivo de los niños que gira en torno al concepto de seguridad emocional que tiene conexiones evidentes con la teoría de los vínculos afectivos de Bowlby. Este autor define la seguridad emocional como (p. 80):

> «el concepto latente que puede ser inferido de la organización y significado global de las respuestas fisiológicas, las emociones, conductas y pensamientos del niño y sirve como un objetivo definido que permite al niño regular su propio funcionamiento en contextos sociales, por tanto, dirigiendo las reacciones sociales, emocionales, cognitivas y fisiológicas»

Cummings, no obstante, asume que existen varios mecanismos reguladores que pueden ser subsumidos dentro de la seguridad emocional como un proceso operativo, en particular, la regulación emocional, la regulación de la exposición al afecto familiar y las representaciones internas de las relaciones familiares. La seguridad emocional es concebida como un producto de las experiencias pasadas y como una influencia primaria en las respuestas futuras (ver Rossman, 1998). Podemos claramente ver el paralelismo entre algunos de estos desarrollos, los estudios sobre transmisión intergeneracional de la violencia y el trabajo de Dutton en trastornos de personalidad límite.

V.b. Las respuestas

La literatura profesional sobre los niños de mujeres maltratadas ha ofrecido un conjunto de recomendaciones sobre la intervención con los mismos e incluye descripciones específicas de varios programas de intervención. Uno de los primeros libros en publicarse sobre el tema de los niños de las mujeres maltratadas, de hecho, estaba orientado de manera monográfica a discutir estos temas (Peed et al. 1995) y en los últimos años han aparecido varias publicaciones que discuten especiíficas técnicas de intervención con estos niños (p.ej., grupos de discusión: Peed y Dais, 1995) o detallando programas educativos para los mismos que tratan de prevenir o remediar sus problemas (Recebo y Johnston, 1997).

Con escasas excepciones, sin embargo, no existen evaluaciones sistemáticas que examinen estas recomendaciones y la eficacia de estos programas. En el mejor de los casos, esta situación puede conducir a un uso ineficiente de recursos, en el peor, al ofrecimiento de servicios que son inapropiados y que pueden incluso ser dañinos. En general, no obstante, se ha señalado que la formación de los padres, o más específicamente de las madres, en habilidades parentales es uno de los modelos más prometedores para prevenir la aparición de conductas problemáticas entre jóvenes preadolescentes (Jouriles et al., 1998). Muchas de las intervenciones y recomendaciones realizadas en este campo, sin embargo, parecen sugerir que todos lo hijos de mujeres maltratadas necesitan recibir algún tipo de intervención. Este enfoque no solamente ignora la heterogeneidad entre los hijos de mujeres maltratadas (ver Hughes y Luke, 1998), sino que, además, desemboca en el uso ineficiente de recursos escasos al ofrecer servicios a niños que no los necesitan ni se van a beneficiar de los mismos.

En España, la Federación de Mujeres Separadas y Divorciadas en mayo de 1999 firmaba un convenio con Injuve para poner en marcha de manera experimental un programa piloto de asistencia psicológica a los niños y adolescentes hijos de mujeres maltratadas. Según declaraciones vertidas a la prensa la función de este programa será la de «romper los tópicos que hacen que los varones asimilen su condición masculina con la violencia, la fuerza y la competitividad», para ello se realizaran sesiones de grupo en las que se enseñaran técnicas de control de la agresividad (EL MUNDO, 5-5-99). Aunque la experiencia resulta laudable, el marketing o al menos la presentación periodística del programa resulta un tanto criticable en la medida que una vez más se simplifica la complejidad de este problema (el problema de estos críos no es simplemente el control de su agresividad) y se fomenta el estereotipo (estos niños son los maltratadores o las maltratadas del mañana).

VI. CONCLUSIONES

Este capítulo ha demostrado que las consecuencias socioeconómicas y sanitarias de los malos tratos son serias. En nuestro país existen pocos estudios que examinen de manera sistemática este tipo de cuestiones. No obstante, no resulta demasiado aventurado señalar que los costes de la violencia también son elevados. Aunque no los hemos mencionado de manera directa en este capítulo, la literatura feminista también ha destacado la existencia de costes indirectos de la violencia contra la mujer. Desde esta perspectiva se señala que la violencia contra la mujer sirve como mecanismo social que, aunque solamente afecta de manera directa a una pequeña minoría de las mujeres, afecta de manera indirecta a todo el colectivo de mujeres en cuanto sirve para delinear el límite de lo posible y lo arriesgado desde el punto de vista de participación social. Pero en este capítulo no solamente he demostrado que éste es un problema serio y que se extiende más allá de la mujer maltratada para afectar también a sus hijos, sino que, además, he indicado como el sistema de salud pública puede representar un papel esencial en el tratamiento y prevención de este problema.

TERCERA PARTE

LA RESPUESTA SOCIAL E INSTITUCIONAL A LA VIOLENCIA EN LA PAREJA

«Ownership begets creativity and advancement» (Silverman, 1999)
«There are no simple solutions to the law and order difficulties we face. But then that is the first important lesson to be learned. There *are* no simple solutions» (Morgan and Newburn, 1997)

## Capítulo XI

EL SISTEMA DE JUSTICIA PENAL Y LA VIOLENCIA DOMÉSTICA I: LA POLICÍA

I. INTRODUCCIÓN

I.a. La respuesta social y jurídica a los malos tratos

Durante muchos años la sociedad ha ignorado el problema de los malos tratos o no le ha prestado la atención que merecía. El sistema de justicia penal consideraba la violencia doméstica como un problema menor que escapaba de su jurisdicción. Ha sido solo recientemente cuando se han comenzado a movilizar recursos sociales y legales para poner freno a este problema. La convergencia de los intereses de los feministas y los de otros actores políticos ha conducido a una serie de respuestas tendentes a fortalecer el etiquetamiento como criminal de la violencia doméstica y el maltrato.

Ciertamente el tratamiento jurídico de este problema no se agota con el Código Penal, no obstante quizás ha sido en el ámbito penal y procesal penal en el que más reformas se han realizado en relación con el problema de los malos tratos. Esta criminalización ha estado orientada a aumentar la severidad de las penas y a garantizar su aplicación en un intento de construir un sistema de justicia penal capaz de atender las necesidades de grupos tradicionalmente marginados. Este movimiento ha sido especialmente intenso en los Estados Unidos donde se han promulgado leyes que obligan a la policía a detener a los sospechosos en casos de faltas de violencia doméstica, han restringido las opciones de las víctimas a no procesar sus casos judicialmente, han creado nuevos tipos delictivos (p.ej., el delito de *stalking*) y han creado nuevas formas de castigo penal para estos casos[122]. A su vez, se han desarrollado una serie de remedios civiles y medidas cautelares para proteger a las mujeres maltratadas del abuso.

---

[122] No obstante, como se apuntaba en el primer capítulo, también en nuestro país ha existido una tendencia hacia la criminalización de los malos tratos que últimamente encuentra su más clara expresión en el articulo 153 del vigente Código Penal. Para una análisis de la regulación jurídico penal y civil de los malos tratos en nuestro país, ver el Informe del Defensor del Pueblo sobre Violencia Doméstica Contra las Mujeres. En particular este Informe, haciéndose eco de reivindicaciones de feministas y profesionales de la justicia, recomienda una referencia en dicho articulo 153 a los malos tratos psicológicos, una definición legal de la habitualidad como concepto social con independencia de la existencia de condenas previas y la extensión del tipo en materia de sujetos activos a maridos separados o divorciados. Además, se recomienda que este tipo de comportamientos no se sancione con penas

Sin embargo, a pesar de que en las últimas dos décadas algunos criminólogos han dedicado una atención muy especial a la respuesta policial y judicial a la violencia doméstica y han sido numerosos los programas y las soluciones intentadas por los políticos, todavía no existe un consenso sobre cuál es la mejor estrategia para confrontar este problema. En primer lugar, existen importantes diferencias ideológicas y los actores implicados en la respuesta a este problema tienen agendas muy diferentes.

Nuestro país no es una excepción. Los catedráticos de Derecho Penal en nuestro país, que en algunos casos sufrieron en sus propias carnes el rigor de un Derecho Penal totalitario y antidemocrático durante el régimen de Franco, siguiendo la doctrina penal europea han apostado por la idea de un Derecho Penal mínimo. Un Derecho Penal que, al menos en teoría, sancione tan solo las lesiones más graves a los bienes jurídicos más importantes y a ser posible mediante el uso de sanciones menos intrusivas que la pena de prisión. En este contexto, dominado, además, por varones, la reivindicación por una justicia penal más severa para confrontar los malos tratos no casa del todo bien y, en todo caso, crea tensiones.

Pero si ésta es la teoría, la práctica se refleja en el trabajo y los discursos cotidianos de jueces, fiscales, policías y abogados. Desafortunadamente, existen pocos estudios que analicen con rigor en nuestro país el tratamiento de los malos tratos por parte de estos actores, aunque es evidente que en estos sectores existen resistencias explícitas e implícitas a un tratamiento más serio, no necesariamente más severo, y apropiado del problema de los malos tratos y de la violencia contra la mujer. El extraordinario estudio realizado desde Themis (Alemany Rojo, 1999) aporta evidencia que documenta de manera muy clara la falta de contundencia con que se aplica la legislación vigente. La literatura comparada también ha revelado algunas de las tensiones entre los fines definidos y no definidos de estas organizaciones y actores y el objetivo de prevención de la violencia contra la mujer, así como el tratamiento apropiado necesitado por las víctimas de dicha violencia.

Existe, además, una progresiva politización del sistema de justicia penal, que se manifiesta, no solamente, en lo que ha venido a llamarse la judicialización de la vida política y económica española, sino también en la utilización del derecho penal como instrumento electoral y político. Todo estudiante de Derecho Penal es familiar hoy con la noción de Derecho Penal Simbólico, aquellas normas jurídico penales que respon-

---

económicas ya que éstas afectan a la totalidad del patrimonio familiar y pueden repercutir negativamente en la víctima (dicha circunstancia siendo posible, no solamente es exclusiva de este tipo de situaciones). Algunas de estas medidas son, en la actualidad y tras las reformas, ley vigente.

den a demandas sociales contemporáneas, pero que son formuladas de tal manera que resultan de difícil aplicación y que, al constituir la respuesta estatal fundamental, prioritaria o única, a determinados problemas está más orientada a calmar determinados estados de opinión que a solucionar realmente determinados problemas sociales. De nuevo no hace falta tener un título en sociología o en ciencias políticas, para ser capaces de reflexionar acerca del creciente número de símbolos y estrategias electorales de los mayores partidos políticos en nuestro país para ganarse el cada vez más influyente voto de las mujeres. Posiblemente todo análisis de las respuestas jurídico políticas al problema de los malos tratos debe tener esta dimensión en cuenta, aunque tampoco sería del todo justo dudar de las buenas intenciones que pueden guiar algunas de estas propuestas y, sobre todo, las posibilidades y puertas abiertas, no siempre conscientemente, por las mismas.

Por otro lado, también existen divisiones importantes dentro del discurso feminista, al menos a un nivel intelectual, en relación con la respuesta debida al problema de los malos tratos. Aunque a veces, sobre todo la opinión pública y los científicos sociales varones, tienden a concebir el pensamiento feminista en general y sobre los malos tratos como un discurso monolítico y homogéneo, lo cierto es que no existe tal cosa (Carrington, 1994). La existencia de diferentes discursos feministas se hace evidente en relación con las posibles soluciones al problema de los malos tratos. Hay autoras que consideran que las leyes penales y el sistema de justicia penal no son los lugares o instrumentos más apropiados para promover el cambio social. Desde esta perspectiva, se entiende que lo que pueden parecer victorias simbólicas (p.ej., la aprobación de leyes penales más duras contra los maltratadores) no son victorias reales en la medida que pueden empeorar la situación de las mujeres (Snider, 1994). Bumiller (1990), por ejemplo, ha descrito como los juicios por agresiones sexuales, aunque pueden promover la justicia en casos individuales, también refuerzan las preconcepciones dominantes sobre las mujeres, los hombres y la violencia contra las mujeres. Otras autoras feministas, en cambio, cuestionan esta interpretación y creen que el sistema de justicia penal puede ser utilizado para mejorar la situación de las mujeres víctimas de violencia (Dobash y Dobash, 1992).

Además, el desarrollo de una industria criminológica, así como el de otras profesiones de servicios sociales y de salud pública, con sus propias agendas e intereses también complica este escenario. Los criminólogos, particularmente en España, estamos interesados en mostrar que podemos ser una figura profesional de utilidad. Otros sectores profesionales, como la psicología, descubrió a mediados de los 80 que el sistema de justicia penal podía constituirse en una fuente de trabajo para el creciente número de estudiantes procedentes de los masificados programas univer-

sitarios de psicología. Cada una de estas disciplinas académicas tiene su
propia visión, no homogénea, sobre la manera de enfrentar el problema
de los malos tratos que así no sólo es ya un problema social, sino que
también forma parte de un mercado y un lugar de lucha para realizar
determinadas reivindicaciones de tipo más o menos corporativo o discipli-
narias.

Al margen de las diferencias ideológicas y científicas entre los investigadores y profesionales implicados en este tema, existen factores intrín-
secos a este fenómeno que dificultan la obtención de dicho consenso. La
violencia doméstica, como hemos tenido ocasión de verificar en los
capítulos anteriores, es un fenómeno sumamente complejo. La oportunidad y la motivación para la violencia están casi siempre presentes dado
el carácter íntimo, continuo y privado del contacto entre las partes. La
intimidad entre las partes significa que la víctima se encuentra en una
especial posición de vulnerabilidad, dado que vive con el agresor. La
policía, los fiscales, los jueces y otros agentes externos tienen que tomar
decisiones tomando en cuenta este contexto. Las propias partes implicadas a menudo no están seguras sobre el tipo de intervención que prefieren.
De hecho, es posible que también tengan dudas sobre el tipo de relación
que quieren tener entre ellos en el futuro. Quienes tienen que intervenir
saben que, sea cual sea su intervención, ésta va a tener repercusiones de
hondo calado en la propia relación, en el estatus socioeconómico de las
partes y en el futuro de los hijos de las partes. No obstante, aunque saben
que su intervención tendrá repercusiones de importancia, la mayoría de
las veces no saben cuales van a ser las consecuencias concretas de sus
decisiones sobre cada caso (Parnas, 1993).

Por otro lado, como he tenido ocasión de repetir a lo largo de este
trabajo, la violencia doméstica no es un fenómeno unidimensional, sino
que presenta múltiples caras. La violencia puede oscilar entre una
bofetada a amenazas de muerte realizadas a punta de pistola. Como
Larry Sherman (1992) ha señalado, aunque los actos de los maltratadores
pueden producir serias lesiones físicas, la mayoría de los agentes de
policía se enfrentan a este tipo de casos en raras ocasiones. La mayoría de
las llamadas sobre violencia doméstica recibidas por la policía envuelven
formas menores de violencia física en las que raramente existen lesiones
físicas. De hecho, como Elliot (1989) ha documentado, solamente un tercio
de las llamadas por disputas domésticas envuelven alguna forma de
violencia o violación de la ley.

No sólo los incidentes son diferentes, sino también los actores implicados en los mismos. Algunos hombres son violentos sólo en el hogar,
mientras que otros son violentos en diferentes escenarios y tienen un
largo historial criminal. La historia y, por tanto, los rasgos de personalidad de estos hombres son también diversos (Holtzworth-Munroe y Stuart,

1994). El sistema de justicia penal y los agentes sociales encargados de intervenir para prevenir este fenómeno no pueden ignorar la diversidad existente entre los hombres que abusan de sus mujeres (Saunders, 1993). Diferentes tipos de abusadores pueden responder de manera diferente frente a distintas intervenciones. No obstante, la medida en que esto es así sigue siendo una cuestión empírica a ser resuelta por los investigadores. Hasta la fecha ninguna de las evaluaciones de programas de prevención de violencia doméstica ha tenido en cuenta la diversidad de hombres violentos.

Existe, no obstante, alguna evidencia de que las sanciones legales y los tratamientos psicológicos tienen menos éxito con los agresores más serios, aquellos con un largo historial de violencia y que también exhiben su conducta violenta fuera del hogar (Fagan, 1996). Hay quienes especulan que las sanciones legales tendrán poca eficacia para disuadir a los hombres con un trastorno de personalidad límite y evidencia inicial en la eficacia del tratamiento parece sostener esta hipótesis. Finalmente, aquellos hombres que solo son violentos dentro del hogar se presentan como los más proclives a responder a las sanciones legales, especialmente si cuentan con suficiente capital social y lo que los criminólogos del control social denominan interés en la conformidad (Toby, 1953; Saunders, 1993; Fagan, 1996; Sherman et al., 1992). La noción de interés en la conformidad también podría explicar el menor éxito de las sanciones legales con desempleados y hombres no casados (Sherman et al., 1992), así como con quienes no tienen suficiente educación o pertenecen a minorías étnicas marginadas (Saunders, 1993).

La introducción de cambios dentro del sistema de justicia penal para responder a los malos tratos debe también ser entendida dentro del contexto de la evolución del pensamiento sobre lo que el sistema de justicia penal es y hace. Aunque todavía, sobre todo en Europa, se tiende a conceptualizar al sistema de justicia penal como el conjunto de organizaciones orientado al procesamiento de casos y a la disuasión del delito a través del castigo de criminales de forma reactiva, existe una tendencia hacia el cambio que en Estados Unidos se ha manifestado en el movimiento de la justicia comunitaria y en el Reino Unido en las denominadas iniciativas inter-agencias o multi-agencias. La idea de justicia comunitaria fue reconocida en primer lugar por la policía, que asumió la noción de que podían combatir más eficazmente el delito y mantener el orden si establecían una relación más íntima con la comunidad. Esta idea, sin embargo, se ha ido progresivamente extendiendo a otras áreas del sistema de justicia penal. La asunción básica de este tipo de modelos es que, frente al clima de opinión dominante, el sistema de justicia penal puede tener un impacto en las tasas delictivas.

La noción americana de justicia comunitaria adopta diversas formas prácticas, pero el establecimiento de colaboraciones y una orientación a la resolución de problemas son elementos esenciales. Por un lado, la justicia comunitaria requiere que el sistema de justicia, los juzgados y los fiscales, establezcan nuevas relaciones entre ellos y con otras agencias públicas, así como con diversos representantes de las comunidades sobre las que tienen jurisdicción territorial incluyendo a los residentes, comerciantes, iglesias, escuelas, etc. Por otra parte, supone la adopción y experimentación de enfoques más dinámicos, de tipo proactivo, orientados a la solución de problemas de seguridad ciudadana en lugar de adoptar respuestas ex post facto (Feinblatt y Berman, 1998).

En el Reino Unido, de manera paralela, se ha producido un desarrollo de iniciativas de cooperación entre agencias. De manera parecida a lo ocurrido en los Estados Unidos, los actores del sistema de justicia penal se han concienciado de la imposibilidad de responder a las necesidades y compleja problemática de agresores y víctimas con sus propios recursos. De ahí que se haya producido la reivindicación de establecer colaboraciones con otras agencias de servicios sociales y de sanidad pública para responder a estas necesidades. Igual que en los Estados Unidos, el movimiento hacia este modelo surgió en la policía y en los intentos de combinar la prevención situacional del delito con enfoques preventivos más tradicionales. En ambos países, la discusión sobre las soluciones al problema de los malos tratos cada vez se enmarca de una manera más clara dentro de estos nuevos modelos de justicia. Conviene recordar en todo caso que no todos los criminólogos comparten el entusiasmo de los proponentes de estas medidas y que en general sigue existiendo bastante escepticismo sobre las posibilidades que el sistema de justicia penal tiene para solucionar los problemas que generan tasas elevadas de delincuencia (Felson, 1999; Reiner, 2000).

En los próximos capítulos examinaremos de que manera el sistema de justicia penal responde a la violencia doméstica. Empezaremos con un análisis de la respuesta policial y a continuación procederemos al análisis de la respuesta legislativa, judicial y fiscal a este fenómeno. Tradicionalmente esta respuesta ha sido deficiente y las autoras feministas con razón han acusado al sistema de justicia penal de machismo institucionalizado. Más polémico resulta el debate en torno a la actualidad de estas críticas y al grado en que las mismas pueden ser aplicadas hoy en día. Cada capítulo en esta sección, por tanto, empezará con un análisis del contexto de estas respuestas y procederá, a continuación, a evaluar las diferentes iniciativas adoptadas para prevenir la violencia dentro de cada aparato del sistema de justicia penal. Dada la escasez de estudios en nuestro país estoy basando este trabajo en la literatura comparada, sobre todo anglosajona.

Empezamos este capítulo con el estudio de la policía, pero antes de entrar en analizar de manera especifica la respuesta policial al problema de los malos tratos conviene contextualizar estas dentro de las transiciones que tienen lugar en la policía durante las últimas décadas. Conviene señalar de entrada que la policía representa un papel clave en la prevención de la violencia doméstica (Medina, 1999).

Los departamentos de policía son una de las pocas agencias oficiales que mantienen sus puertas abiertas 24 horas al día, siete días a la semana, todos los meses del año. Pierce y Spar (1992) han estimado que el 85% de las llamadas por conflictos domésticos son recibidas por la policía a horas en que la mayoría de las agencias de servicios sociales se encuentran cerradas. Por otro lado, los números telefónicos de emergencia de la policía son más conocidos por el público que los números de teléfonos de servicios sociales especializados. Además, las víctimas de violencia doméstica, cuando buscan ayuda por primera vez, puede que no conozcan muy bien la existencia de recursos sociales alternativos. Un reciente estudio realizado en el Reino Unido ponía de relieve que el 70% de las víctimas de violencia doméstica en la jurisdicción estudiada nunca había contactado otra agencia por razón de los malos tratos al margen de la policía (Kelly, 1999). De ahí que la policía sea una de las piezas claves en la prevención y solución del problema de la violencia doméstica.

I.b. Estrategias policiales y su evolución durante el siglo XX: Del modelo profesional a la policía de barrio y a la policía orientada a la solución de problemas

La manera en que la policía, y los expertos policiales, consideraban que los fines policiales se deben alcanzar y la propia definición de dichos fines han cambiado de manera significativa a lo largo de este siglo. George Kelling y Mark Moore (1988) han narrado la evolución de los modelos policiales durante este siglo en su artículo *The Evolving Strategy of Policing*. Kelling y Moore distinguen tres grandes modelos organizativos y estrategias de la policía durante este siglo. Aunque el proceso ha sido posiblemente menos lineal y dirigido de lo que Kelling y Moore asumen (Reiner, 2000), desde un punto de vista pedagógico y de ilustración su simplificación resulta efectiva. Aquí solamente resumiré las ideas de estos autores en relación con los dos modelos más recientes: el modelo de reforma, que otros autores posteriormente han bautizado como modelo racional burocrático, y el modelo comunitario.

De acuerdo con estos autores, el modelo de reforma policial o modelo racional burocrático se origina en los Estados Unidos a raíz de las propuestas reformistas de August Vollmer, jefe de policía de Berkeley durante finales de los 20 y comienzos de los 30. Sin embargo, fue su discípulo, O.W. Wilson, el arquitecto principal de este nuevo modelo policial. Pensando que el alto grado de corrupción de la policía en aquella época y aquel país estaba fuertemente vinculado a los lazos y conexiones entre la policía y las autoridades políticas locales, el nuevo modelo abogaba por una policía desvinculada de estas autoridades e influencias locales como fuente de legitimación del trabajo policial.

En su lugar, la policía debía derivar su autoridad y sustentar su legitimidad en la ley penal y en un nuevo modelo que enfatizara la profesionalidad de la función policial. El objetivo fundamental de la policía, por ende, se convirtió en el control del delito y la detención de delincuentes. La realización de otro tipo de actividades de servicio a la comunidad por parte de la policía pasaron a ser concebidas como funciones ajenas a la verdadera función policial, como formas de trabajo social que escapaban del ámbito de la policía.

Este nuevo modelo requería también una estructura organizativa diferente. Esta estructura obedecía a dos principios fundamentales: división del trabajo y control centralizado de manera jerárquica. Si se detectaba algún tipo de problema especial la solución era crear unidades especializadas bajo una autoridad central, fuera del control de los comisarios locales. Por otro lado, se enfatizaba el control sobre las unidades inferiores por medio de medios burocráticos. La idea fundamental era la aplicación de métodos de gestión y organización científica a las estructuras policiales.

El modelo de reforma también requería una nueva manera de entender las relaciones con la comunidad. Éstas debían ser neutrales y distantes, orientadas a esclarecer delitos más que a responder a las necesidades emocionales de las víctimas. Los ciudadanos, por otro lado, se concebían como meros recipientes de los servicios policiales, sin ninguna responsabilidad en la prevención y control del delito más que la de proporcionar información a la policía. Este modelo empleaba las patrullas preventivas en coche y los sistemas de respuesta rápida a las llamadas requiriendo la presencia policial como sus principales tácticas. Además, se procuraba restringir al máximo la discreción de los agentes en la calle por medio de su sometimiento a numerosas disposiciones internas.

Como estos autores y muchos otros han puesto de relieve, este modelo policial entró en crisis comenzando en los 60 y los 70 por varios factores. Por un lado, este modelo, a pesar de los gastos realizados en nuevas tecnologías y personal, no sirvió para frenar la ola de delincuencia que se produjo en aquel periodo en los Estados Unidos. Durante este periodo no solo incrementó la delincuencia sino que también se produjo un aumento considerable de miedo al delito y de los sentimientos de inseguridad ciudadana. Denuncias de brutalidad policial y discriminación de determinadas minorías, estudios criminológicos revelando la ineficacia de las tácticas preconizadas por este modelo, resistencia por parte de los oficiales de base y la creciente competencia representada por el sistema de seguridad privado fueron otros factores que contribuyeron a la crisis de este modelo.

Como respuesta a esta crisis, durante finales de los 70 y comienzos de los 80, se empezó a forjar un nuevo modelo policial. Varios estudios criminológicos realizados durante esa época destacaron los efectos beneficiosos de las patrullas a pie en los sentimientos de seguridad ciudadana de la población de determinadas ciudades. Estos descubrimientos fomentaron la noción que la policía necesitaba trabajar con la comunidad.

Durante esta misma época Herman Goldstein desarrolló el concepto de policía orientada a la solución de problemas. De acuerdo con Goldstein (1979), el debate policial durante buena parte del siglo XX había girado en torno a temas de gestión y organización en lugar de alrededor de los resultados sustantivos del trabajo policial. Goldstein en cambio proponía un modelo de policía que girase de manera primordial sobre la consecución de resultados en relación con los fines definidos para la misma por la sociedad[123].

Básicamente la policía orientada a la solución de problemas requiere que la policía desarrolle un proceso más sistemático para examinar y encarar los problemas que la sociedad espera que solucione. Este profesor de derecho de la Universidad de Wisconsin en Madison identificaba varios elementos dentro de este proceso: identificación del problema en términos más precisos; documentación de la respuesta policial a dicho problema; evaluación de dicha respuesta en función de sus resultados y aprovechamiento de los recursos existentes; exploración de una amplia gama de soluciones y tácticas alternativas y más creativas; valoración de dichas alternativas y selección de las más adecuadas; así como implementación y evaluación de las mismas[124].

---

[123] No obstante, Goldstein no descuida los aspectos organizativos del trabajo policial. El tipo de estrategias sugeridas por este autor de hecho propone un modelo organizativo que otorga más responsabilidad y discreción al agente de a pie, en cuanto que es el que tiene un contacto más directo con los problemas, dentro de un marco más democrático.

[124] Hay quienes han propuesto un tercer modelo que integra características de los dos anteriores como un modo de superar las limitaciones del modelo comunitario llevado a su último extremo (Torrente, 1997), sin embargo, nadie, desde un punto de vista teórico ni en la práctica, en realidad ha propuesto llevar el modelo comunitario a su últimos extremos, al menos tal y como estos autores han interpretado, por lo que prefiero seguir hablando de modelos comunitarios. En definitiva, creo que estamos hablando de lo mismo. Lo que es cierto es que incluso

Un tercer concepto clave dentro de las nuevas tendencias policiales fue propuesto e implementado en la ciudad de Nueva York por su anterior jefe de policía, William Bratton. Básicamente en Nueva York se produjeron (en Silverman, 1999, p. 15):

«cambios fundamentales en la filosofía de gestión del cuerpo y en sus principios operativos. Se paso de concebir el departamento como una organización gestionada al nivel micro con muy poca dirección estratégica desde arriba a un modelo de gestión descentralizada con una dirección estratégica muy fuerte desde arriba»

Estos cambios en la filosofía de gestión respaldaban la noción sustentada por Goldstein sobre la relevancia del trabajo policía en la prevención del delito y se manifestaban de manera especialmente clara en los COMPSTAT. Este término, derivado de la combinación *compare statistics* (comparación de estadísticas), hace referencia a las reuniones semanales que Bratton instauró como parte de su filosofía de gestión. En estas reuniones empleando datos continuamente actualizados y auditados sobre los niveles de delincuencia en cada comunidad presentados a través de software cartográfico, así como diferentes indicadores de actividades policiales en dichas comunidades, los comisarios con responsabilidades de dirección sobre una determinada jurisdicción territorial dan cuenta sobre la evolución de la delincuencia en sus comunidades y presentan las estrategias que adoptan para tratar con ellos. Estas reuniones, además, sirven de foro para distribuir nuevas directivas por parte del comisionado de policía. Estos principios de gestión derivados de la práctica privada se traducían también en efectos inmediatos sobre la carrera de los comisarios incapaces o incompetentes (cualidad reflejada en las tendencias exhibidas por las estadísticas de su barrio) (Silverman, 1999).

Estas ideas se han traducido en un apoyo de modelos proactivos de actuación y gestión policial fundados en el análisis de los datos sobre delincuencia. Una buena parte de estos modelos se basan en la noción, respaldada por la investigación criminológica, de que un número reducido de delincuentes activos es responsable por un número desproporcionado de todos los actos delictivos (Morgan y Newburn, 1997), pero también en la idea de victimización repetida que exploraremos en este capítulo y en el descubrimiento del concepto de «puntos calientes», lugares que presentan una tasa especialmente elevada de delitos. El desarrollo de sistemas informáticos y las nuevas tecnologías cartográficas permiten la realización de análisis de datos que siempre han estado a disposición de la policía, pero que tradicionalmente resultaban de poca utilidad, para hacer un uso más efectivo de sus recursos limitados.

---

en una acepción moderada este nuevo concepto policial no está exento de problemas que tendrán que ser analizados y comprendidos a medida que pasa el tiempo.

Estas ideas poco a poco han ido llegando a España. En nuestro país parece haberse apostado por un nuevo modelo policial, sobre todo en su dimensión comunitaria más que en la de policía orientada a la solución de problemas y al menos en el ámbito retórico. Así, dentro de la Policía Nacional se insiste en la noción de policía de proximidad repetidamente como una especie de formula mágica para procurar la transición hacia un nuevo modelo de trabajo policial. Sin embargo, esta apuesta se produce en un contexto en el que se ha analizado y experimentado poco este modelo.

Aunque en ocasiones he criticado esta aplicación como precipitada y no muy clara[125], quizás, después de todo, esta reforma pueda servir de dinamizador del cambio y dar lugar a estructuras y formas de funcionamiento que no estaban en la mente de los diseñadores originales de estos planes, de la misma manera que durante los 60 y 70 en los Estados Unidos algunas unidades de relaciones con la comunidad descubrieron el concepto de *community policing* sin saberlo. Por otra parte, ni tan siquiera en los Estados Unidos donde se habla tanto de este tema se puede decir que se ha producido un cambio general de modelo policial en la práctica (Silverman, 1999)[126]. Como otros autores han destacado este tipo de modelo tiene, de momento, muchas más posibilidades de ser aplicado con éxito por la policía local y quizás por la Guardia Civil.

II. LA PUNTA DEL ICEBERG

Antes de proceder con una análisis de la respuesta del sistema de justicia penal al problema de la violencia doméstica conviene subrayar un hecho que resulta esencial para entender las limitaciones del mismo: la mayoría de los incidentes de violencia doméstica no llega al conocimiento del sistema de justicia penal. De hecho, cuando el sistema de justicia penal llega a conocer estas situaciones en numerosas ocasiones no se trata del primer incidente violento en la relación. Cualquier política criminal

---

[125] Por ejemplo, el énfasis en la delincuencia de bagatela que se hace evidente en la teoría de los cristales rotos en España se traduce como un mayor énfasis en la *investigación* policial de estos delitos para identificar y detener a los presuntos autores.

[126] «Much of what now passes for community policing is but a pale imitation of the grand vision... touching ground only through marginally significant new programs, such as bicycle patrols or mini-police stations... A recent systematic survey assessed the extent to which 228 police departments have embraced the community policing model... Significantly as of 1996, the study had found scant evidence of fundamental change in police organizations. However the survey found plenty of support for the thesis that the professional bureaucratic authoritarian model has persisted» (Silverman, 1999, 16-17).

y social de la violencia doméstica tiene que partir de la asunción de este hecho. Que esto es así, sin lugar a dudas, destaca las limitaciones del sistema de justicia penal como instrumento para prevenir este fenómeno. Pocas medidas adoptadas por el sistema de justicia penal servirán para eliminar definitivamente un problema que solo en una minoría de casos puede ser tratada por el mismo.

Estudios realizados en otros países han demostrado que la mayoría de las víctimas de violencia doméstica no denuncian los malos tratos. El psicólogo canadiense Donald Dutton, en su revisión y análisis de estudios conducidos en los Estados Unidos, estimaba que la probabilidad general de que un incidente serio de violencia doméstica sea denunciado a la policía es del 14.5% (Dutton, 1995). La Segunda Encuesta de Violencia Familiar de 1985 conducida por el equipo del sociólogo norteamericano, y experto en violencia familiar, Murray Straus revelaba que solamente el 6.7% de los incidentes de malos tratos son denunciados a la policía (Kantor y Straus, 1990). Gartner y Macmillan (1995), criminólogos de la Universidad de Toronto, utilizando datos de la gran macroencuesta canadiense sobre Violencia Contra la Mujer de 1993 estimaron que aproximadamente solo el 5% de estas situaciones son denunciadas a la policía. También un americano, Sigler (1989), en una encuesta local con una muestra representativa de la población general, indicaba que el 6.7% de los entrevistados siempre denunciarían a la policía una situación de malos tratos. La mayoría de estos estudios, sin embargo, están basados en definiciones de los malos tratos muy amplios que incluyen incidentes que no siempre pueden ser considerados como actos criminales de acuerdo con la legislación penal.

Otros autores, que han realizado estudios empleando definiciones más restrictivas del comportamiento violento interpersonal lógicamente han encontrado tasas de denuncia a la policía considerablemente más elevadas. Así, por ejemplo, Langan y Innes (1986) utilizando datos procedentes de la Encuesta Nacional de Victimización Criminal de los Estados Unidos, estimaron que el 50% de los incidentes de violencia doméstica no son denunciados a la policía. La tasa de no denuncia, por tanto, depende de cual es nuestra definición operativa de violencia doméstica o de malos tratos. A mayor amplitud de este concepto, mayor será la tasa de no denuncia. En nuestro país, es asumido por la prensa, organizaciones feministas y nuestros representantes políticos que la tasa de no denuncia oscila entre el 5% y el 10%. Este porcentaje, sin embargo, no tiene ninguna base real y no es sino un ejemplo más de los muchos *números mágicos*[127] que pululan en discusiones populares de temas científicos. La Encuesta

---

[127] Término acuñado por Richard Gelles y que usa repetidamente en sus conferencias.

sobre Seguridad, Familia y Salud de la Mujer citada en capítulos anteriores estimaba que aproximadamente el 20% de las mujeres que sufren malos tratos llaman a la policía o presentan una denuncia oficial en comisaría.

El hecho de que la mayoría de las situaciones de malos tratos no se denuncia ha recibido gran atención, sin embargo, no podemos olvidar que éste no es un hecho aislado. En general, la mayoría de las victimizaciones no se denuncia. Aunque esto es cierto, el tema de la no denuncia podría conceptualizarse como especialmente problemático en estos casos si las tasas de no denuncia en situaciones de malos tratos fuera desproporcionadamente mayor que en otro tipo de situaciones. Gottfredson y Gottfredson (1990, p.41) explican porqué esto es así:

«La cuestión sobre si se denuncian o no todos los delitos a la policía no es tan interesante como la cuestión sobre si el proceso de denuncia opera de una manera justa y compatible con los objetivos centrales del sistema de justicia penal. Es posible tener una situación en la que no se denuncian todos los delitos y, sin embargo, disfrutar de un sistema en que existe un proceso de decisión sobre la denuncia que es equitativo. Esto requiere, sin embargo, que los criterios utilizados por las víctimas en su proceso de toma de decisiones no envuelva discriminación insidiosa basada en las características del agresor que no están relacionadas con los objetivos del sistema de justicia penal. Equidad también requiere que ningún grupo de víctimas quede excluida sistemáticamente del sistema de justicia penal por miedo o desconfianza hacia la policía»

Estos mismos autores realizaron una revisión exhaustiva de la literatura sobre el proceso de toma de decisiones de las víctimas. En opinión de los mismos, el factor más importante que motiva a una persona a denunciar su victimización consiste en la seriedad de la misma, medida en función del daño que la misma representa. Este factor, la seriedad de la ofensa, sería mucho más relevante que otras características de la víctima o el agresor. Estos autores, sin embargo, advierten que existe una característica que también podría ser una excepción a esta regla: la relación entre la víctima y el agresor. Su revisión crítica de la literatura, sin embargo, sugiere que la relevancia de este factor es muy pequeña y que factores tal y como la seriedad del abuso y la historia de la relación parecen ser factores más importantes en este tipo de situaciones (Gottfrednson y Gottfredson, 1990).

Estudios más recientes, sin embargo, han cuestionado las conclusiones obtenidas por los Gottfredsons. Gartner y Macmillan (1995) han argumentado que el efecto aparentemente débil de la relación entre el agresor y la víctima en la denuncia a la policía de los malos tratos es una consecuencia de las limitaciones metodológicas y los datos empleados en la mayoría de los estudios sobre el tema. Estos autores condujeron una análisis multivariado con datos procedentes de la Encuesta Canadiense sobre Violencia contra la Mujer conducida en 1993 y encontraron que la violencia entre íntimos es menos dada a ser denunciada que otro tipo de situaciones violentas, con independencia de la severidad y tipo de la violencia y otras características de la víctima.

No sólo parece existir una influencia de las relaciones entre agresores y víctimas, sino que también parece que el grado de distancia relacional es importante. De manera que víctimas que tienen una mayor relación de intimidad son menos inclinadas a denunciar su victimización. Berk y sus colaboradores (1984) encontraron que las víctimas atacadas por sus maridos eran aproximadamente un 12% menos inclinadas a denunciar estas agresiones que aquellas víctimas que fueron asaltadas por sus novios. Los testigos de situaciones de abuso doméstico, por otro lado, eran también aproximadamente un 12% menos proclives a llamar la policía si la pareja residía junta que si no.

Resumiendo, aunque es cierto que la policía desconoce la mayor parte de los delitos que tienen lugar porque las víctimas no los denuncian, esta situación parece ser más acentuada en los casos de violencia doméstica. Un conjunto no muy elevado de estudios ha tratado también de determinar el grado de varianza que existe entre diferentes situaciones de violencia doméstica y su posibilidad de ser detectados. En otras palabras, el interés se ha desplazado a examinar el tipo de factores que hacen más o menos probable que una víctima de malos tratos, o los testigos de los mismos, los denuncie.

Así, por ejemplo, varios investigadores (Buzawa y Buzawa, 1990; Bowker, 1983), y de una manera bastante combativa personas afiliadas a algunas organizaciones feministas, han especulado que existe una relación inversa entre clase social y denuncia a la policía. Ésta es la posición también adoptada por el Informe del Defensor del Pueblo que señalaba, sin aportar evidencia alguna al respecto, que «los malos tratos en familias de niveles sociales y económicos más elevados no suelen denunciarse en las comisarias de policía» (p. 45). En otras palabras, que las víctimas de clase social más alta son menos proclives a denunciar la victimización a manos de su pareja que las víctimas de clase social más baja. Este hecho, según se argumenta, explicaría porque las estadísticas policiales y otras estadísticas oficiales demuestran la existencia de una relación entre clase social baja y malos tratos. No es que los malos tratos sean más prevalentes entre la clase social baja, es que simplemente personas de este estrato social son más proclives a denunciar su victimización «porque sienten menos vergüenza social» (Cerezo, 1998).

No obstante, la investigación conducida hasta la fecha, como veremos, ha encontrado que clase social no es un predictor fiable de denuncia a la policía, pero que existen otras variables que, sin duda, representan un papel importante en el proceso de toma de decisiones por parte de las víctimas. Aunque algunos estudios no han encontrado predictores fiables de la denuncia, es más que posible que ello se debiera a problemas de tipo metodológico y conceptuales. Así, por ejemplo, Johnson (1990) ha argumentado que factores tal y como las características demográficas o económicas de la víctima, así como factores de tipo situacional, tal y como la seriedad del abuso, no influyen la decisión de las víctimas de llamar a la policía. Su estudio, sin embargo, estaba basado en descripciones retrospectivas de las víctimas y empleaba una muestra de mujeres procedentes de una casa de acogida y que, por tanto, habían emprendido medidas de autoayuda para salir de la situación de los malos tratos. Con una muestra de este tipo no es sorprendente que no se encuentre suficiente varianza que está potencialmente presente cuando comparamos víctimas que han y no han emprendido acciones de autoayuda, entre las cuales llamar a la policía constituye tan solo un ejemplo. Los estudios que no encuentran predictores significativos de la denuncia a la policía, en todo caso, son una escasa minoría y, de hecho, con la excepción del trabajo de Johnson no conozco ningún otro.

Kantor y Straus (1990) analizaron esta cuestión empleando datos de la II Encuesta sobre Violencia Familiar de 1985 y encontraron que características sociales tal y como raza, ingresos económicos, tamaño de la ciudad y condición de ama de casa eran variables que no estaban asociadas a la denuncia de los malos tratos. Sin embargo, pudieron documentar una relación entre presencia de alcohol, severidad del maltrato y denuncia a la policía. Las agresiones más serias eran, aproximadamente, cuatro veces más proclives a ser denunciadas y la probabilidad de denunciar estas situaciones se multiplicaba por dos cuando una de las partes había consumido alcohol antes del incidente. Además, existía una interacción entre severidad y presencia del alcohol, de manera que los incidentes severos en que existía consumo de alcohol la probabilidad de denuncia se multiplicaba por diez. Estos autores pensaban que en estas situaciones la mujer podía estar más disgustada con su marido o sentirse más justificada para denunciar el maltrato. No obstante, los análisis de estos investigadores eran de tipo bivariado, por lo que algunas de estas relaciones podrían ser espúreas.

Otros investigadores también han prestado una atención especial a factores situacionales como determinantes de la decisión de denunciar los malos tratos. Berk y sus colaboradores (1984) emplearon datos de la policía y encontraron que características de la situación influenciaban la decisión de llamar a la policía. En particular, estos autores encontraron que las víctimas de malos tratos eran más inclinadas a llamar a la policía (a) si el agresor había abusado de ellas en el pasado (una medida de la seriedad de la situación), (b) si anteriormente habían llamado a la policía y (c) si había terceras partes presentes, tal y como niños u otros familiares.

Por otro lado, existía una relación inversa entre educación formal del maltratador y denuncia a la policía. De acuerdo con estos autores, la presencia de los niños puede motivar a las víctimas a llamar a la policía como una manera de garantizar la seguridad de los mismos. Por otro lado, la presencia de parientes y amigos puede ofrecer apoyo a las víctimas, que de otra manera, podrían estar asustadas de denunciar por temor a las represalias del marido.

En un estudio cualitativo basado en entrevistas con una pequeña muestra de mujeres atendidas por la policía en el Reino Unido, Hoyle (1998) clasificaba las principales razones ofrecidas por estas mujeres para no denunciar su situación:

(1) No querían romper la relación, como ya vimos en capítulos anteriores este es un factor que ha recibido considerable atención por parte de las investigadoras.

(2) Temían las represalias de la pareja.

(3) No consideraban que el proceso de denuncia mereciera la pena.

Ciertamente, las mujeres maltratadas pueden temer que los agresores tomen algún tipo de represalia si denuncian su situación. Hay quienes han destacado que este puede ser el factor más importante para entender la falta de cooperación de las víctimas de violencia doméstica con la policía (Erez y Belknap, 1998). Hart (1996) ha enumerado una serie de razones que invitan a pensar que las víctimas de violencia doméstica sufren un mayor riesgo de represalias como consecuencia de sus contactos con el sistema de justicia penal[128]:

(1) Las víctimas de violencia doméstica tienen una relación de intimidad con el agresor y, en muchas ocasiones, viven con él.

(2) Los hombres que dependen emocionalmente de sus parejas y que han sido violentos en el pasado posiblemente recurrirán a la violencia para impedir que su pareja tome medidas que puedan poner en peligro la existencia de la relación.

(3) Las víctimas de violencia doméstica, en los casos más serios, no son como las víctimas de violencia entre extraños, en el sentido de que han sido previamente victimizadas por el mismo agresor.

(4) Las víctimas de violencia doméstica han sufrido normalmente otras formas de abuso emocional por parte del agresor.

(5) La mayoría de las víctimas de violencia entre extraños, a diferencia de las mujeres maltratadas, no dependen económicamente de los ingresos proporcionados por el agresor.

---

[128] No obstante, estudios que han tratado de evaluar si la detención o el proceso penal aumentan el riesgo de sufrir violencia han encontrado que no es así. Dunford y sus colaboradores (1990), por ejemplo, trataron de examinar esta cuestión y no pudieron documentar que la detención aumentara el riesgo de violencia como represalia.

(6) Las víctimas de violencia doméstica, si tienen hijos, estarán posiblemente obligadas a mantener contactos con el agresor durante y después del proceso por dicha razón.

(7) Las víctimas de violencia doméstica se encuentran en una situación de elevado riesgo cuando tratan de romper su relación con el agresor y el contacto con el sistema de justicia penal puede ser interpretado como tal por el mismo.

Hoyle (1998) destaca que para muchas víctimas la perspectiva de acudir al sistema de justicia penal y obtener el procesamiento de su pareja simplemente no merece la pena, dado los costes personales asociados con este proceso. En numerosas ocasiones las víctimas tras su contacto con la policía, jueces y fiscales descubren que el sistema de justicia penal tiene una limitada capacidad para ayudarlas o para proporcionarles un alivio significativo en su situación (Erez y Belknap, 1998). La policía, jueces y fiscales en ocasiones ven a las mujeres maltratadas como responsables de su propia situación. «Si no quería ser maltratada debería abandonarlo» es un argumento relativamente común. Dichas actitudes desplazan la culpa a la víctima y, por tanto, pueden inhibirlas de entrar en contacto con el sistema de justicia penal. Por otro lado, es un lugar común que el sistema de justicia penal no ha tratado estos casos con rigor. Ciertamente, la mayoría de estos casos son penalmente clasificados como faltas con una sanción penal poco menos que simbólica. Este último punto será tratado con más detalle en las próximas secciones. Por ahora baste señalar que aunque es cierto que el sistema de justicia penal no trata a la mayoría de estos casos seriamente, sobre todo históricamente, no está del todo claro si existe en el momento presente discriminación sistemática, más allá de la establecida por disposiciones normativas deficientes o inexistentes, por parte del sistema de justicia penal contra las mujeres maltratadas.

En todo caso, conviene señalar también que las mujeres maltratadas no están solas en sus reticencias frente al sistema judicial. Los estudios comisionados por el Consejo General del Poder Judicial sobre actitudes ciudadanas ante la justicia demuestran que la mayoría de los ciudadanos exhiben reticencias similares[129]. Es en este contexto en el que debe también ubicarse la reticencia de las mujeres maltratadas a denunciar su situación. Estas mujeres no son unos «bichos raros» o personas que han aprendido a no saber defenderse, sino que simplemente manifiestan con

---

[129]   Estos estudios demostraban que los ciudadanos españoles consideran que la administración de justicia emplea un lenguaje oscuro e incomprensible; que es lenta, cara, anticuada, discriminatoria, más corrupta de lo que se piensa, no independiente, parcial, incoherente y en muchas ocasiones no da la razón a quien la tiene (Consejo General del Poder Judicial, 1997).

su conducta el mismo grado de escepticismo que el resto de los ciudadanos exhibe hacia la justicia.

Perla Haimovich (1990), en uno de los pocos estudios españoles sobre malos tratos, realizaba un análisis de las representaciones sociales sobre este problema utilizando grupos de discusión reclutados de varios segmentos de la población general. Esta autora alude a razones adicionales, de tipo personal, que dificultan la denuncia a la policía de este tipo de situaciones por parte de la víctima. De acuerdo con Haimovich (p. 95):

«El hacer trascender el maltrato desde el interior doméstico al medio social, ya sea por denuncia del maltratante o simplemente por la búsqueda de ayuda de cualquier índole, es una forma de admitir el «fracaso personal» por parte de la mujer. La agresión recibida es un dato, una exhibición, de la falta de respeto por el cónyuge pero, sobre todo, un indicador de su «desamor». No ser objeto de amor es interpretado linealmente como no ser «merecedora de amor» y, por tanto, no portadora de identidad personal positiva. Una identidad positiva del ser femenino que radica aún en la capacidad de mantener su relación matrimonial en forma definitiva (...) Por otra parte, puede operar como dato que hace presuponer el entorno social que el maltrato recibido es (...) un castigo por una falta cometida»

Hasta ahora me he referido a las víctimas de malos tratos y los factores considerados por las mismas a la hora de decidir si denunciar su victimización. No obstante, conviene destacar que la policía no siempre detecta situaciones de malos tratos a través de la denuncia realizada por las partes directamente implicadas en el conflicto, sino a través de las llamadas realizadas por terceras partes como familiares, amigos, vecinos u otros testigos. Bowker (1983), en un estudio basado en entrevistas con mujeres maltratadas, señalaba que aproximadamente uno de cada diez incidentes que eran detectados por la policía habían sido descubiertos a raíz de la intervención de una tercera parte. Berk y sus colegas (1984), sin embargo, utilizaban datos policiales, más apropiados para responder a esta cuestión, y documentaban que aproximadamente la mitad de los incidentes de malos tratos eran denunciados por testigos. En la medida que las víctimas de malos tratos pueden estar limitadas en su capacidad de buscar ayuda por sí mismas, estas terceras partes pueden desempeñar un papel importante en la asistencia las víctimas de mujeres maltratadas. Muchos testigos, sin embargo, son reticentes en estos casos.

Solamente dos estudios han tratado de examinar por qué los testigos de estas situaciones deciden llamar a la policía. O'Neil (1979) realizó una encuesta telefónica de 1208 domicilios en la ciudad de Chicago y encontró que los afroamericanos, las personas con una mayor implicación en organizaciones comunitarias, las personas de mayor edad, aquellos sujetos que percibían la delincuencia como un problema serio en sus barrios y los ciudadanos que exhibían una mayor satisfacción hacia la policía eran más proclives a denunciar las situaciones de los malos tratos tal y como se describía en las viñetas usadas por este investigador. Por su parte, Berk y sus colegas (1984), en el estudio que he venido citando, también estudiaron los factores de tipo situacional que afectaban la decisión de denunciar los malos tratos. Aunque estos autores interpretaban sus resultados en el sentido que estos factores eran diferentes de los considerados por las víctimas, una mirada más atenta a sus resultados muestra un considerable grado de coincidencia. Así, los factores más relevantes eran la seriedad de la agresión, la presencia de terceras partes y la educación formal del agresor.

En nuestro país, en la medida que no existen datos adecuados no se ha podido realizar ningún estudio de los factores que influyen la decisión de las víctimas de violencia doméstica a no denunciar estas situaciones. Hace unos años, sin embargo, conduje personalmente un análisis multivariado de los factores que influyen las actitudes sociales hacia la denuncia de los malos tratos utilizando datos procedentes de una encuesta del CIS sobre desigualdad en la familia. Mis análisis demostraban que, incluso cuando tomamos en consideración la severidad de la agresión, otras variables tal y como las actitudes patriarcales de los entrevistados, sus actitudes hacia la violencia (en particular su conceptualización más o menos amplia de la misma), su género y sus expectativas sobre la respuesta del sistema de justicia penal afectaban las actitudes sociales hacia la denuncia (Medina, 1997).

La solución para promover una mayor predisposición hacia la denuncia de estas situaciones necesariamente pasa por la reforma del sistema de justicia penal. Existen estrategias que el sistema de justicia penal puede adoptar para mejorar las condiciones de las víctimas en sus contactos con el mismo. Al igual que con otras víctimas, es esencial que se proporcione información adecuada de manera sistemática. Los agentes de policía que acuden al domicilio de estas mujeres deben proporcionarles información sobre teléfonos de ayuda, la dirección de la oficina local de atención a la mujer, así como otros servicios comunitarios y sociales en la zona, y sobre los derechos de la misma. El uso de nuevas tecnologías puede ser de especial utilidad en este sentido. De la misma manera que en el momento presente determinadas cadenas de comercios permiten utilizar sus páginas en la red para identificar las sucursales más cercanas a determinadas direcciones, esta tecnología esta siendo utilizada para divulgar más rápida y eficazmente información sobre servicios sociales y preventivos (p.ej., Youth@Mapping). Es también importante que en los juzgados exista personal que pueda explicar a las víctimas en términos sencillos y fáciles de entender las peculiaridades del proceso penal y, si es preciso, que las acompañen durante este proceso para que no se sientan inhibidas por el rigor y ambiente de los juzgados penales.

Las medidas que se analizan en éste y el siguiente capítulo son algunas de las experimentadas en otros países. Aunque como veremos, ninguna de ellas ha demostrado ser la panacea para solucionar este problema, algunas son más prometedoras que otras y constituyen notorios esfuerzos para cambiar la respuesta tradicional a este problema.

Dicho esto, también conviene destacar que no debemos obsesionarnos de manera excesiva con la denuncia de estas situaciones al sistema de justicia penal. Hay ocasiones en que estas mujeres no quieren presentar una denuncia contra sus maridos. En estas situaciones más que forzarlas a tomar dicha ruta conviene explorar con ellas cuales son sus opciones y tratar de asesorarlas sobre las consecuencias asociadas a cada una de ellas. Desgraciadamente la denuncia al sistema de justicia penal y, por ende, la implicación del mismo en las situaciones de malos tratos no es la panacea a este problema. Aunque en ocasiones el sistema de justicia penal puede marcar la diferencia, hay otras situaciones en las que puede empeorarla, sobre todo si estamos pensando en el actual modelo de actuación de nuestro sistema de justicia penal.

III. MODELOS DE RESPUESTA POLICIAL A LA VIOLENCIA DOMÉSTICA

III.a. Introducción

Uno de los mitos más persistentes sobre el trabajo policial es que los agentes de policía no tienen que ejercer discreción en el ejercicio de su profesión. En la medida en que la legitimación de la policía, como se entendía dentro del modelo racional-burocrático, se fundamenta en la aplicación de la ley penal, el trabajo del policía consiste en aplicar la ley de manera ministerial con el mismo margen de discreción que Montesquieu reconocía a los jueces. Esto significa que el policía está obligado a investigar todo evento sospechoso, a descubrir los agresores cuando un acto delictivo ha sido descubierto y a presentar toda la información a la autoridad judicial y a los fiscales para que estos decidan si hay que proseguir adelante en la persecución penal (Goldstein, J., 1960).

Dentro de este paradigma se insistía en el establecimiento de directivas que de manera minuciosa restringieran la discrecionalidad de los agentes de policía, de manera que el «cómo hacerlo» y el «qué hacer» fuera algo decidido por las jerarquías policiales y no por los agentes en el calor del momento, de manera que estos últimos pudieran operar de manera semiautomática «con el mismo nivel de autoconciencia que un mecanógrafo o un pianista» (Wilson, O.W., 1956, p. 28).

Sin embargo, este mito ha caído en desgracia y todo experto policial que se precie admite que los agentes de policía disfrutan de un amplio campo de discreción en el ejercicio de sus funciones cuando deciden que ley aplicar, cuando deciden como investigar un delito o quien arrestar y como tratar al delincuente. La ambigüedad de la ley y el carácter general con que numerosas veces se definen los poderes policiales, así como los recursos limitados que estos disponen son algunos de los factores que explican que la policía asuma roles discrecionales. Esta discreción, de hecho, es valorada positivamente por la mayoría de los expertos policiales, aunque se sigue discutiendo como enseñar a los agentes a usarla de manera más apropiada. La disponibilidad de esta discreción y la complejidad de las situaciones con las que agentes de policía deben tratar cotidianamente, algo que la opinión pública aún no entiende, son precisamente algunos de los factores que de una manera más clara permiten hablar del trabajo policial como una profesión. El reto como Herman Goldstein reconoce, no es tan utópico e inapropiado como eliminar la discreción, sino el desarrollo de procedimientos que faciliten que los agentes de policía empleen normas aceptables por la sociedad, más que sus propias normas personales en el uso de esta discreción (Goldstein, H., 1967).

Herman Goldstein describía el trabajo policial, y en particular las decisiones adoptadas por los policías en el contexto del desarrollo de sus funciones, como «maldito si se hace y maldito si no se hace». Éste es un trabajo que, como George Kelling (profesor de Harvard y Rutgers) suele señalar en sus conferencias y clases, cuando se hace bien puede crear más problemas al agente que cuando no se hace. Si un agente de policía observa a dos personas discutiendo acaloradamente tiene dos opciones:

(1) Puede decidir retirarse de la escena temporalmente y no volver hasta unos minutos más tardes cuando la discusión ha desembocado en una pelea física en la que no tiene más que arrestar a los implicados

(2) Puede decidir mediar en la discusión y tratar de calmar a los implicados, lo que puede acabar con la discusión, pero puede también dar lugar a algunas de las secuencias descritas por Toth (1969) en las que el/los participante/s en la discusión deciden enfrentarse al agente criticándole por meterse donde no le llaman.

La cuestión es elegir entre represión fácil o prevención con riesgos personales. Éstas y muchas cuestiones están presentes en el tipo de situaciones que la policía tiene que tratar durante el ejercicio de sus funciones. Dentro del campo de la violencia doméstica, como veremos, también se han planteado diversas opciones y varios estudios han tratado de examinar cuales son las más apropiadas o las más efectivas para reducir el riesgo de violencia futura.

James Q. Wilson (1977) ha identificado tres diferentes concepciones sobre el papel de la policía cuando acude a resolver una situación de malos tratos:

(1) La violencia doméstica es un asunto privado y, con la excepción de casos muy serios, se debe dejar a las partes resolver estas cuestiones entre ellos. La detención, en todo caso, debe emplearse simplemente como una medida temporal para restaurar el orden.

(2) La comunidad tiene un interés vital en la prevención de la violencia doméstica y, por consiguiente, la persecución policial y judicial de estos actos debe ser empleada como un remedio, incluso en aquellos casos en los que la víctima no quiere presentar cargos.

(3) Aunque el sistema de justicia penal debe intervenir, la policía y los tribunales deberían contar con un amplio rango de medidas alternativas y discreción en su uso.

La primera opción era la más extendida antes de los 70 y como veremos con detalle, las otras dos se desarrollaron durante el descubrimiento de los malos tratos como un problema social serio. En la práctica, los agentes de policía en Estados Unidos históricamente podían usar una de las siguientes cuatro estrategias: detención, mediación, separación de las partes o, simplemente, nada.

Las condiciones para realizar una detención, aunque han variado notablemente en los últimos años y siempre han existido diferencias territoriales entre diversas jurisdicciones y Estados, permitían a los policías realizar una detención si existía *causa probable* para sustentar la realización de un delito. La presencia de un arma o las lesiones de la víctima, en la mayoría de los casos, eran bases suficientes para realizar una detención, si el agresor estaba presente en la escena, o para garantizar una orden de búsqueda y captura si había dejado la escena.

Los casos de faltas, en cambio, seguían reglas diferentes. En muchos Estados, un oficial de policía solo podía efectuar la detención si estaba presente durante la agresión. Si no lo estaba, solo se podía realizar una detención si la víctima firmaba una denuncia. Estos casos eran y son los más frecuentes en la praxis policial. Naturalmente, si el agresor estaba bebido, agredía al agente o cometía otro delito en presencia del policía se le podía también detener. Éste era el contexto de la actuación policial en casos de malos tratos en los Estados Unidos, qué ocurría en la práctica y qué alternativas se propusieron para mejorar esta práctica son las cuestiones que nos van a ocupar en las próximas secciones.

III.b. La presunta discriminación policial

Una cuestión que ha sido apuntada en numerosas ocasiones y que, como consecuencia de las reivindicaciones feministas, constituye el punto de partida en la investigación sobre policía y violencia doméstica es la del posible trato discriminatorio que las víctimas de este tipo de delitos reciben. La policía y el sistema de justicia penal en general han sido criticados por la escasa atención prestada a los casos de malos tratos y por su inefectividad al tratar los mismos. Los críticos han insinuado que la policía asigna una escasa prioridad a los casos de malos tratos y que frecuentemente se limitan a no responder en absoluto. Como consecuencia de estas prácticas, los agresores son rara vez sancionados y, por tanto, a las víctimas por malos tratos se les niega la protección garantizada a las víctimas de otros tipos de delito. Este tipo de críticas estaban asociadas a las primeras conceptualizaciones feministas de la ley bien como un instrumento de control social sexista o como un instrumento masculino[130].

Varios análisis, basados sobre todo en los grandes estudios observacionales del comportamiento policial realizados en los Estados Unidos durante los 60 y 70, trataron de examinar cuáles, de las diferentes opciones apuntadas anteriormente, eran las más comúnmente empleadas por los policías para resolver situaciones de malos tratos. Estos estudios demostraron que cuando el agresor no estaba presente, la acción más común de la policía era no hacer nada. Por otro lado, incluso cuando los malos tratos podían ser calificados como delitos de lesiones (no ya faltas) solo se producía un arresto en el 50% de los casos. Por otro lado, la separación de las partes era tan común como la mediación (Elliott, 1989).

Son estas cifras las que han sido empleadas por los críticos de la respuesta policial a los malos tratos para argumentar que la misma era discriminatoria e inadecuada (Pagelow, 1984; Bowker, 1983; Dobash y Dobash, 1979). Sin embargo, para poder afirmar que la policía discrimina a las víctimas de malos tratos, no solamente es necesario demostrar que la misma usa una respuesta punitiva en una pequeña minoría de los casos, sino también que éste no es el caso en otro tipo de situaciones, en particular, que el resto de las víctimas de actos violentos reciben una mayor protección. Varios estudios han tratado de examinar esta cuestión.

Lo cierto es que aunque la policía realiza pocas detenciones en casos de violencia familiar, también es ampliamente reconocido que realiza pocas detenciones en otras formas de violencia (Goldstein, 1960; Elliott, 1989; Buzawa et al., 1996; Fyfe et al., 1997). La policía sólo hace detenciones cuando no queda otro remedio no ya solo en casos de violencia o violencia doméstica, sino en general. De acuerdo con Sherman (1992), la crítica al carácter discriminatorio de la policía en estos casos, no toma en consideración el tema central: la indiferencia del sistema de justicia penal a la mayor parte de los comportamientos violentos.

El sociólogo Donald Black (1971) fue responsable de uno de los grandes estudios observacionales del comportamiento policial que examinó esta

---

[130]   Para una crítica de estas posiciones y el planteamiento de una conceptualización alternativa de la ley desde una perspectiva feminista resulta obligada la lectura del trabajo de Carol Smart (1992).

cuestión. En este estudio se analizaron 5713 observaciones independientes de encuentros entre la policía y los ciudadanos en ocho distritos policiales localizados en Boston, Chicago y Washington durante el verano de 1966. Este estudio, a menudo, es citado como una prueba del carácter discriminatorio de la policía en casos de malos tratos. Black subrayaba, ciertamente, que la tasa de detenciones para casos de delitos de lesiones entre extraños era mayor que en el caso de lesiones entre miembros familiares (88% vs. 45%). Estos análisis, sin embargo, estaban basados tan solo en ocho casos (Elliott, 1989). Además, el propio Black también apuntaba otros factores y resultados, que quienes lo citan como prueba de la existencia de discriminación no tienen en cuenta. En primer lugar, la diferencia en la tasa de detenciones entre desconocidos y familiares era mucho menor en el caso de faltas (57% vs. 47%) y la tasa más baja correspondía al grupo de lesiones entre amigos, vecinos y conocidos (30%). En segundo lugar, cuando la víctima prefería que no se realizara la detención o no estaba segura al respecto, no existían diferencias en las tasas de detención en los diversos tipos de incidentes.

Un estudio de detenciones en casos de delitos (no faltas) realizado en Nueva York en 1971 por el *Vera Institute of Justice* encontró que, en casos de lesiones leves, la policía estaba más inclinada a hacer una detención en casos entre desconocidos que en casos en los que las partes tenían algún tipo de relación entre ellos. Por otro lado, documentaron una menor proporción de lesiones serias en casos de detenciones entre desconocidos que en casos de detenciones entre conocidos. Este estudio, sin embargo, no analizaba directamente el caso de los malos tratos a la mujer.

Otros investigadores, también emplearon datos observacionales, en particular los procedentes del Estudio de Servicios Policiales basado en 5688 observaciones de encuentros entre policía y ciudadanos en 24 comunidades en Rochester (Nueva York), San Luis (Missouri) y Tampa (Florida) durante la primavera-verano de 1977. Los análisis de esta base de datos, dirigidos por Oppelander (1982), indicaban que la tasa de detenciones era más alta en los casos de actos violentos entre familiares que en los casos de actos violentos entre desconocidos. Además, la policía también era más dada a invitar a la víctima a firmar la denuncia en los casos de violencia familiar y a adoptar otras opciones, tal y como la mediación o la separación. Oppelander indica que las diferentes tasas de arresto se explican por el hecho que las víctimas de violencia familiar son más proclives a presentar lesiones y que en numerosos casos de situaciones de violencia familiar la detención se producía por la resistencia del agresor o por su estado de intoxicación. Smith (1987) realizó un segundo análisis de estos datos empleando un enfoque metodológico diferente y encontró tasas de detención muy similares en los casos de violencia familiar y violencia entre desconocidos.

Elliott (1989), en un análisis de esta literatura, concluye que la evidencia, en el mejor de los casos, es ambigua y que a pesar de la virulencia y persistencia de las críticas recibidas por la policía, la mayor parte de los estudios realizados en los Estados Unidos para examinar las prácticas policiales en este campo no han podido demostrar la existencia de discriminación policial contra las víctimas de malos tratos. Por otro lado, este autor subraya las deficiencias metodológicas de estos estudios, ninguno de los cuales modeló en sus análisis variables que están relacionadas con la decisión de arrestar. Éste es un defecto crucial en el sentido que diferencias observadas en estudios de este tipo podrían ser explicada por la mayor preponderancia de estos factores en actos de violencia entre desconocidos que en actos violentos entre familiares.

Estudios más recientes han empleado técnicas analíticas más apropiadas y han introducido variables que sabemos están asociadas con la decisión de detener a un sospechoso. Estos estudios han empleado datos sobre detenciones realizadas por la policía y han tratado de examinar que variables, incluyendo la naturaleza de la relación entre víctima y agresor, explican la decisión de detener. El primero de estos estudios en ser publicado fue realizado por Buzawa y sus colaboradores (1996) con una muestra de 376 casos procedentes de un departamento de policía de una ciudad mediana del medio oeste americano. Estos autores demostraron la existencia, en su muestra, de una relación a nivel bivariado entre la decisión de detener y la naturaleza de la relación entre agresor y víctima.

En este departamento de policía, a medida que aumentaba el grado de intimidad disminuía el riesgo de arresto (18% en caso de violencia familiar, 28% en caso de conocidos y 33% en caso de desconocidos). La relación era estadísticamente significativa y de magnitud moderada. A continuación los autores utilizaron regresión logística para examinar si esta relación subsistía después de controlar el efecto de la naturaleza de la lesión de la víctima, el tipo de arma o fuerza empleada, la presencia del agresor en la escena, la existencia de otros testigos y la preferencia de la víctima en relación a la opción de la detención. Aunque la variable más importante era la presencia del agresor y todas las variables situacionales, con la curiosa excepción de la presencia de testigos[131], representaban un papel en la producción de la detención, la naturaleza de la relación

---

[131]   Curiosa porque en ocasiones se alude a la falta de testigos, medio de prueba cuando la víctima se resiste a cooperar, como un elemento que justifica que se hagan menos detenciones en estos casos. En todo caso, conviene señalar que cuando se realizaban análisis separados dentro de cada categoría de actos violentos, la presencia de testigos sólo era significativa dentro de los casos de violencia familiar. En otras palabras, cuando se piensa solamente en casos de violencia familiar, la posibilidad de la detención es mayor cuando hay otros personas presentes.

también ejercía un efecto significativo y de una magnitud apreciable. Comparados con los actos de violencia familiar, los actos de violencia entre extraños o desconocidos presentaban más del doble de probabilidades de desembocar en el arresto del agresor.

Buzawa y sus colaboradores complementaban estas ecuaciones con un análisis de contenido de 564 informes policiales archivados en el mismo departamento sobre materias diversas. Estos análisis mostraban que los informes contenían menos información en casos de violencia familiar que en otro tipo de situaciones delictivas, lo que, a su juicio, dificulta el éxito de la posterior persecución judicial de estos actos. Las víctimas de violencia doméstica, por otro lado, eran definidas como histéricas y sus versiones de los hechos se presentaban como la versión alegada no como los hechos ocurridos, algo que no ocurría en los casos de violencia entre extraños. Estos autores mantienen que la brevedad y falta de detalle de estos informes muestra el poco interés de los agentes en este tipo de situaciones, escaso interés que puede ser percibido por la víctima y conducirla a no seguir adelante con el procesamiento del caso.

James Fyfe y sus colaboradores (1997) emplearon un diseño similar para analizar 392 expedientes policiales procedentes del departamento de policía de Chester, Pennsylvania. Este estudio es particularmente importante porque es el primero en realizar comparaciones entre casos de malos tratos a la mujer, y no simplemente violencia familiar, y otras formas de violencia y, también, por utilizar, a diferencia de los estudios anteriormente citados, expedientes policiales en casos de delitos y no simples faltas.

Los análisis de este profesor de John Jay College y sus colaboradores revelaban también un trato diferencial de la policía en casos de violencia familiar. Según estos autores, la tasa de detenciones en casos de malos tratos o lesiones a la mujer en el ámbito doméstico era del 13% en comparación con una tasa del 28% en casos de malos tratos o lesiones cuando la naturaleza de la relación era diferente. A continuación, los autores emplearon una regresión logística para controlar variables situacionales relevantes. En este caso, además, el número de controles era mayor que en el estudio de Buzawa y sus colegas. En esta ocasión se introdujeron como variables en el modelo factores legales como el uso de armas, la severidad de la lesión y la existencia de ataques al oficial; así como factores extralegales como el número de agresores, el género del agresor, la raza de los sospechosos y sus víctimas, así como el nivel de pobreza en el área donde residían las víctimas. Este análisis revelaba que la naturaleza de la relación era estadísticamente significativa incluso después de incluir estos controles. El ataque al agente de policía, el uso de armas y el género del agresor y la víctima también ejercían una influencia más importante en la detención, sin embargo, el descubrimiento más relevante es la subsistencia del efecto de la naturaleza de la relación. Fyfe y sus colegas, no obstante, señalan que podría ser que la policía detiene menos a los sospechosos no solo en los casos de malos tratos contra la mujer en la pareja, sino también en otros casos de relaciones de intimidad entre víctima y agresor.

Estos dos estudios, sin duda, invitan a pensar que la policía trata menos seriamente los casos de violencia en la pareja. No obstante, conviene destacar factores que limitan la validez externa de estos estudios. En primer lugar, los dos departamentos de policía estudiados no fueron seleccionados aleatoriamente, sino que fueron estudiados en el contexto de demandas judiciales contra los mismos por discriminación contra mujeres maltratadas y fueron analizados a petición de los fiscales encargados de dichos casos como una parte más de la evidencia. Es cuanto menos discutibles que estos departamentos de policía constituyen una muestra representativa. Fyfe y sus colaboradores, en cambio, se atreven a sugerir que Chester puede ser mucho más representativo que aquellos otros departamentos de policía que de manera habitual colaboran con investigadores universitarios interesados en temas policiales. Estos estudios sugieren que, al menos, en determinadas jurisdicciones se ha actuado de manera discriminatoria contra las víctimas de violencia que tenían una vinculación de intimidad con el agresor.

En segundo lugar, los datos no son muy actuales. Aunque las publicaciones son recientes, ambos estudios empleaban datos de 1986. No cabe duda de que históricamente la policía no ha prestado la debida atención a estos casos. En 1967, la mayor organización policial, la Asociación Internacional de Jefes de Policía, declaraba en su manual de entrenamiento que «cuando se interviene en disputas familiares, la detención debe utilizarse como un último recurso». Sin embargo, desde esa fecha se han producido cambios de relevancia en la manera de explicar y describir la mejor respuesta policial a los malos tratos, por lo que, es posible que el nivel de discriminación sea menor hoy que hace 15 años.

Los problemas sobre la validez externa de estos estudios explican la existencia de estudios con datos más recientes que ofrecen visiones diferentes del problema. Por ejemplo, Feder (1998) analizaba datos procedentes de una jurisdicción en Florida en la que las situaciones de violencia doméstica en comparación con otras situaciones violentas eran más propensas a ser resueltas con una detención (23% vs. 13%), aunque todavía posiblemente en una proporción menor que la que debía deducirse de la vigencia de leyes que obligan a la detención. En todo caso conviene recordar que, incluso hoy, la detención del maltratador en la práctica sigue siendo un evento relativamente raro.

A otros niveles de actuación policial, la trivializacion de los incidentes domésticos también ha tendido a suavizarse con el paso del tiempo. Hoyle

(1998), por ejemplo, en un análisis de las respuestas del personal que recibe las llamadas al 911 al departamento de policía de Thames Valley, en el Reino Unido, documentaba la inexistencia de discriminación policial a este nivel.

Si controvertido es el debate sobre la existencia o inexistencia de discriminación policial en estos casos, igualmente controvertido es el debate sobre las hipotéticas razones sobre porque la policía no actúa con toda su contundencia en estos casos. Las autoras y autores feministas que han criticado la inactividad policial frente a este tipo de situaciones han tendido a explicarla usando conceptos tal y como misoginia policial, sexismo, machismo, la policía como una estructura patriarcal, la cultura policial o la víctima merecedora de atención (Edwards, 1989; Faragher, 1985; Ferraro y Boychuk, 1992; Dobash y Dobash, 1980; Hanmer, Radford y Stanko, 1989). Este argumento ha sido defendido con tanta insistencia que, como Hoyle (1998) ha señalado, ha adquirido el estatus de un hecho. Estos estudios, que han adoptado una perspectiva feminista, sin embargo, han ignorado la relevancia de otros factores estructurales y organizativos que explican el trabajo policial, así como el proceso de decisión de los actores policiales. Los sociólogos y criminólogos que han estudiado estas otras dimensiones que afectan el trabajo policial, sin embargo, no han prestado una atención específica a la violencia doméstica y las cuestiones de género presentes en este tipo de situaciones (Hoyle, 1998). Una vez más nos encontramos con la falta de dialogo que ha existido entre la investigación en violencia doméstica y la criminología general.

Algunos estudiosos de la policía, sin embargo, han tratado de ofrecer explicaciones alternativas o más comprensivas de la falta de una adecuada respuesta policial a este tipo de situaciones. Larry Sherman (1992), por ejemplo, toma el punto de partida de que el verdadero problema no es la inactividad policial frente a situaciones de maltrato, sino la inactividad policial frente a la violencia en general. Aunque Sherman (1992, p. 35) no descarta la relevancia de la desigualdad de géneros en la forma en que la policía se ha desarrollado históricamente, también considera que hoy por hoy:

> «la actitud fundamental de la policía frente a la violencia doméstica no es de simpatía por el maltratador, sino más bien de frustración al sentirse incapaces de hacer nada con el tipo de personas que crónicamente maltrata a sus parejas».

Hoyle (1998) en un estudio sobre la respuesta policial a los malos tratos que llegaron al conocimiento del departamento de policía de Thames Valley trataba de coordinar estas perspectivas: la feminista y la de los expertos policiales. Esta autora argumenta que el hecho de que los agentes de policía dispongan de discrecionalidad no significa que los mismos tengan libertad absoluta para actuar como quieran. Los agentes están condicionados por el marco legal y por factores organizativos y estructurales (p.ej., entrenamiento, recursos, tecnología, estilo y objetivos del departamento, procedimientos internos, etc.). Los agentes, por otro lado, no ejercen su discreción de manera aleatoria, ni se dejan guiar de manera determinante o exclusiva por sus estereotipos y prejuicios de género. Más bien, el ejercicio de la discreción obedece a factores culturales y situacionales (p.ej., presencia de evidencia, lesiones a la víctima, seriedad de la agresión, riesgo de violencia futura) más amplios, pero incluyendo de manera determinante la propia decisión de la víctima. En sus análisis, Hoyle presta especial atención a dos factores: la cultura policial y la decisión de la víctima.

La mayoría de los autores feministas han argumentado que esta cultura policial, en cuanto que refleja valores patriarcales y sexistas, es el factor clave para entender la presunta discriminación policial en contra de las víctimas de malos tratos. Hoyle (1998), sin embargo, cuestiona el concepto de cultura policial manejado por estas autoras. Aunque esta autora reconoce la presencia de temas sexistas en los diálogos policiales, así como una cierta exasperación y, en ocasiones, trivialización de los casos de malos tratos, señala que los mismos agentes que exhiben estas actitudes (aproximadamente un 50% de los agentes en su estudio) no las traducen en prácticas poco responsivas hacia las víctimas, tal y como se deducía de la observación de sus interacciones con las mismas. Este hecho no solamente encuentra expresión en otros estudios sobre actuación policial en casos de malos tratos[132], sino que resulta consistente con la literatura sociopsicológica en la falta de correspondencia absoluta entre actitudes y conducta, así como aquellos que interpretan la idea de cultura policial no como un agente causal, sino como un recurso retórico que permite a los policías comunicarse entre ellos, dotar de sentido a sus experiencias comunes y mantener la solidaridad del grupo. Hoyle también critica a las autoras feministas por utilizar un concepto de cultura policial que es monolítico, universal y que no cambia a medida que cambia el contexto social en que se desarrolla el trabajo policial.

Hoyle (1998), por otra parte, considera esencial en la decisión policial, la preferencia expresada por la víctima. De acuerdo con esta autora la preferencia expresada por la víctima es el factor más determinante que entra en juego en el proceso de decisión por parte del agente de policía sobre como actuar en cada caso de violencia doméstica. Incluso cuando

---

[132] Estos datos son consistentes con los procedentes de un estudio realizado por Stith (1990) en Estados Unidos que documentó como las actitudes de género, así como los problemas familiares de los agentes de policía influenciaban las actitudes de los agentes hacia la violencia doméstica, pero tenían un impacto muy pequeño en la decisión de arrestar a los maltratadores.

existe evidencia de que se ha cometido un delito, e incluso cuando el agente hubiera preferido detener al sospechoso, la hostilidad de la víctima frente a este resultado conduce más a menudo que no a que los agentes desistan de sus esfuerzos de detener a los maltratadores. O como Hoyle explica, la policía usualmente considera la denuncia de la víctima (más que la mera existencia de pruebas) como una condición necesaria para la realización de una detención.

En España, desafortunadamente, no contamos con este tipo de estudios. Solamente un estudio, realizado en Málaga, se ha encargado de analizar la respuesta policial a los malos tratos y éste tenía un carácter fundamentalmente descriptivo y no comparativo (Aguilar et al., 1995). Existen datos anecdóticos, pero en realidad sabemos muy poco sobre la respuesta policial real a este tipo de situaciones. Solo la realización de estudios llevados a cabo por investigadores independientes permitirá conocer la realidad de este fenómeno en nuestro país. Conviene resaltar que tan importante, o incluso más que saber cómo reacciona la policía a estas situaciones lo es el desarrollar un cuerpo de conocimientos que permitan orientar la práctica de la misma. De nuevo, en nuestro país no se han realizado estudios de este tipo, pero en los Estados Unidos existe una larga tradición en la materia y es ésta la que presento en las siguientes secciones.

III.c. *La mediación policial: la aplicación de técnicas de negociación por parte de los policías*

A finales de los 60 dos investigadores policiales se dedicaron al estudio de la violencia doméstica. Dos psicólogos, Morton Bard, entonces en el Centro Psicológico de la Universidad de la Ciudad de Nueva York, y Sydney Berkowitz, empezaron a entrenar a la policía en técnicas de mediación y de intervención de crisis con familias. Su programa influenció de manera significativa los programas policiales educativos del resto de los Estados Unidos (Parnas, 1993) y favoreció el desarrollo del que se ha venido a considerar el modelo tradicional de respuesta a la violencia doméstica en dicho país.

Bard y Berkowitz fundaron con carácter experimental la Unidad de Intervención en Crisis Familiares. Desde la unidad se trataba de promocionar un cambio en la manera en que la policía intervenía en este tipo de situaciones. Si históricamente la respuesta policial consistía en la no respuesta, ahora se trataba de adoptar el papel de pseudo-especialistas en salud mental por medio de la utilización de técnicas psicológicas y de mediación. Este enfoque incluía la selección de especialistas en crisis familiares, entrenamiento intensivo en salud mental, formación continuada durante el servicio y la asignación de todos los casos de conflictos domésticos a unidades de patrulleros especializados.

De acuerdo con los profesionales terapéuticos que promocionaban la intervención de crisis, los oficiales de policía debían convertirse en consejeros y mediadores, entrenados en las habilidades de intervención en situaciones de crisis. Estos oficiales recibían instrucciones para negociar con las partes en el lugar de los hechos con cierta profundidad, tomando el tiempo que fuera necesario. Una vez la intervención de los oficiales había solucionado la situación de crisis, se recomendaba a las parejas que acudieran a la agencia social o psiquiátrica apropiada. La solución no pasaba por la detención o la sanción legal. En lugar de sanciones legales, los oficiales de policía con la ayuda de los psicólogos ayudaban a las familias a buscar alternativas conductuales y promocionaban el funcionamiento saludable de la familia en situaciones de estrés (Dobash y Dobash 1992).

Las técnicas de mediación incluían la separación del hombre y mujer. Cada parte debía ser capaz de dar a los oficiales su versión de los hechos sin ser contradicho por la otra parte, lo que podría conducir a una escalada del conflicto. Después de escuchar las dos versiones los oficiales debían compartir la información entre ellos y discutir las posibles soluciones. El método preferido consistía en calmar a la pareja, sentarse y discutir racionalmente soluciones para el futuro. Si esto no era posible, los agentes de policía debían recomendar a una de las partes que abandonara el domicilio hasta que la situación se calmase. Los policías también debían proporcionar a las partes información sobre los recursos sociales y psiquiátricos disponibles en la comunidad. Los agentes sólo debían proceder al arresto en casos de lesiones graves o en caso de ataques contra la propia policía.

Las primeras evaluaciones de éste y similares programas fueron conducidas por los mismos defensores del modelo de intervención de crisis. La evaluación del programa de Nueva York tuvo lugar a finales de los 60. La evaluación, que posteriormente fue utilizada para justificar la introducción de este programa en otros estados, produjo resultados sorprendentemente modestos. De conformidad con el relato del propio Bard, el programa efectivamente mejoró las habilidades de comunicación interpersonal de los agentes de policía y redujo la repetición de llamadas a la policía. Estos resultados llevaron a Bard a adoptar un mayor compromiso con el modelo de intervención de crisis. Tras la evaluación Bard defendió en numerosos artículos en revistas policiales y charlas la adopción de este modelo (Dobash y Dobash 1992).

El diseño de la evaluación, sin embargo, era muy débil. La evaluación solamente comparó estadísticas criminales generales en el distrito policial donde este modelo se aplicaba con las de un distrito aproximadamente similar en otra parte de Harlem. Además, los análisis estadísticos estaban plagados de errores. Un análisis secundario de los datos realizados por investigadores independientes demostró que el programa fracasó en varios sentidos. Muchas de las conclusiones de Bard no encontraban soporte en los datos y una buena parte de las mismas eran contradichas por los datos. La intervención de crisis no redujo la violencia. De hecho, la violencia se multiplicó por tres, había más instancias de victimización repetida y un aumento en homicidios entre íntimos en el área que recibió la intervención. Un análisis detenido del propio estudio de Bard demuestra que la intervención no tuvo un impacto en la violencia. El único éxito del programa fue que efectivamente produjo un cambio en las actitudes y opiniones de los policías, que parecían estar mejor informados. Por tanto, no existe evidencia de que el modelo de intervención de crisis funcionara para prevenir la violencia doméstica (Dobash y Dobash 1992; Sherman 1992).

Otros aspectos de la intervención tampoco obtuvieron el éxito esperado. De acuerdo con el entrenamiento recibido, los oficiales de policía siguiendo este modelo deberían haber estado más inclinados a poner en contacto a las víctimas con otras agencias sociales que pudieran ayudarlas en caso de que no se realizara una detención. Aunque el 90% de los oficiales declaró conocer agencias sociales con el cometido de ayudar a mujeres víctimas de violencia en la pareja y el 80% señalaba que realizaba dicha labor de puesta en contacto, un estudio de observación directa de los agentes en acción demostró que tan solo el 4% de los mismos estaba realizando este tipo de servicios (Dobash y Dobash, 1992). Sherman (1992), por su parte, ha señalado que este programa tuvo como consecuencia una reducción en el número de detenciones, pero no como consecuencia de una disminución en la violencia, sino como resultado de políticas departamentales orientadas directamente a desincentivar la detención como opción en estas situaciones.

Sherman (1992) ha reconocido que la utilización de técnicas de mediación tiene cierto sentido a corto plazo. Estas técnicas se centran fundamentalmente en la crisis inmediata y no en los patrones continuados de abuso o en el riesgo de abuso en el futuro. El objetivo implícito es reducir el riesgo de daño mientras los oficiales de policía están presentes en la escena. Más discutible, de acuerdo con este autor, es que estas técnicas tengan un mayor alcance. Sin embargo, como el propio Sherman reconoce, nunca se llegó a realizar una verdadera evaluación de este modelo de intervención de acuerdo con criterios de rigor científico.

Aunque, de acuerdo con Parnas (1993), el modelo de intervención de crisis no fue realmente utilizado en Nueva York o en ningún otro sitio después de los primeros años de la década de los 70, en 1974 la LEAA (la agencia que precedió al actual *National Institute of Justice*), designó el modelo de intervención de crisis como un modelo ejemplar adecuado para su introducción a gran escala en todos los Estados Unidos (Dobash y Dobash 1992). Ciudades como Oakland (California) y Lousville (Kentucky) intentaron replicar muchos aspectos de este enfoque; y departamentos alrededor de todo el país, sometidos a la publicidad del programa, incluyeron o aumentaron la carga lectiva en técnicas de intervención en crisis familiares para todos los agentes y, en particular, para los nuevos reclutas (Parnas 1993). Mientras que pocos departamentos crearon sus propias unidades en crisis familiares, muchos departamentos entrenaron a todos sus agentes en el empleo de las técnicas que Bard inventó (Sherman 1992). En 1977, más del 70% de todos los departamentos de policía con más de 100 agentes en plantilla estaban entrenando a sus agentes en técnicas de intervención de crisis (Dobash y Dobash 1992). De alguna manera, el programa de Bard fue uno de los programas policiales más ampliamente promovidos e imitados.

Dobash y Dobash (1992) explican el éxito de este programa en función de varios factores. Estos autores creen que el énfasis en la *no intervención*, más allá de la crisis, era coherente con una mentalidad policial bastante conservadora. Por otro lado, argumentan que el momento de su desarrollo coincidió con la creciente participación de psicólogos y profesionales en el sistema de justicia penal con sus propias ideas sobre como solucionar conflictos interpersonales. Finalmente, este tipo de intervención, o no intervención (para los más críticos), era también coherente con un discurso social que requería soluciones individuales al problema de la violencia doméstica.

III.d. El Experimento de Minneapolis y el «Spouse Abuse Replication Program»

III.d.a. El experimento de Minneapolis

Así, a principios de los 80, básicamente existían tres posturas en el debate sobre la intervención policial en los casos de malos tratos. Por un lado estaban quienes apoyaban la idea de los policías como mediadores en este tipo de conflictos, por otra parte estaban quienes consideraban que ésta era una cuestión que no era competencia de la policía y finalmente la mayoría de los grupos feministas defendían la detención y criminalización de los maltratadores. Siguiendo una tradición prácticamente iniciada la década anterior consistente en la realización de experimentos policiales, la *Police Foundation,* en colaboración con el departamento de policía de Minneapolis, decidió realizar un estudio que evaluara cuál de estos tres enfoques era el más efectivo para prevenir la violencia doméstica (Sherman, 1992).

El Experimento de Minneapolis está considerado aún como uno de los experimentos criminológicos más importantes en la historia de esta joven disciplina por varias razones. Por un lado, fue uno de los primeros experimentos realizado fuera de un laboratorio que evaluaba una determinada opción político criminal. Por otra parte, el experimento pretendía examinar un tema que en aquella época resultaba de candente actualidad en los Estados Unidos. Finalmente, los resultados del experimento tuvieron una influencia dramática y decisiva en la política criminal estadounidense y la manera en que la policía trataba los casos de violencia doméstica en dicho país. De ahí que sea necesario examinar con cierto grado de detalle los procedimientos empleados en dicho estudio, así como sus resultados.

En este experimento, la respuestas de los agentes de policía a los casos de malos tratos fue determinada por una lotería. Así, de manera aleatoria, el maltratador podía recibir una de tres opciones exclusivas: sería detenido, se le ordenaría permanecer alejado de la casa al menos durante ocho horas (separación) o se les proporcionaría algún tipo de consejo o mediación. Conviene destacar que el experimento sólo examinó casos de faltas en los que tanto el agresor como la víctima estaban presentes en el momento de la llegada de los agentes de policía. La restricción a casos de faltas estaba fundamentada en razones de tipo ético. No se consideró posible justificar la no detención de los maltratadores en situaciones susceptibles de ser consideradas legalmente como delito en lugar de como falta (Sherman, 1992).

Sherman y sus colaboradores (1992) condujeron entrevistas con las víctimas y examinaron los ficheros policiales en busca de nuevas llamadas o denuncias seis meses después de la realización del experimento y llegaron a la conclusión que la medida de la detención era la más eficaz de todas. La prevalencia de violencia doméstica subsecuente se redujo un 50% cuando el maltratador fue detenido. Conviene resaltar que ser detenido en Minneapolis lo único que significaba es que el agresor tenía que pasar la noche en la cárcel.

El experimento tuvo un enorme impacto en las políticas policiales sobre el maltrato. Dicho impacto, en parte, se explica por la tremenda publicidad que se dieron a sus resultados. Más de 300 periódicos difundieron estos resultados, tres canales nacionales de televisión los presentaron en las horas de máxima audiencia y varias televisiones prepararon documentales especiales sobre el mismo (Garner y Fagan, 1997). La Unidad Especial de Violencia Doméstica dependiente del equivalente al Ministerio de Justicia en el sistema americano respaldó los resultados y numerosas agencias estatales y locales utilizaron este descubrimiento para justificar la adopción de políticas en favor de la detención de los maltratadores (Garner et al., 1995).

También hay que entender que el estudio coincidió con un momento en el que los departamentos policiales estaban recibiendo una presión muy fuerte para que alterasen la manera en que respondían a la violencia doméstica. En 1978, departamentos de policía en Oakland y Nueva York fueron condenados en procesos civiles de daños a pagar indemnizaciones millonarias por no haber protegido adecuadamente a las mujeres maltratadas. Aunque muchos departamentos de policía trataron de evitar estos procesos por medio del pago de compensaciones extrajudiciales, otros trataron de evitar este tipo de situaciones cambiando sus políticas internas sobre los malos tratos. Quizás el caso más famoso fue el de *Tracey Thurman contra la Ciudad de Torrington* en Connecticut. En este caso un juez condenó a la administración municipal de dicha ciudad a pagar 2.300.000 de dólares a Tracey y su hijo en concepto de daños por la negligencia e incapacidad del departamento de policía de dicha ciudad para protegerla de su violento marido. Los departamentos de policía que se habían resistido al cambio, después de los fallos judiciales en Oakland y Nueva York no tuvieron más remedio que reconsiderar sus políticas internas después de la sentencia a favor de Tracey[133].

Volviendo al experimento, hay que reconocer que, a pesar de su influencia, la comunidad académica recibió el estudio con cierto escepticismo y varios autores criticaron las limitaciones metodológicas del mismo. En primer lugar, el periodo de seguimiento era relativamente corto, tan solo seis meses. Por otro lado, un porcentaje muy importante de las víctimas (51%) no fue entrevistada en las encuestas de seguimiento, mientras que el uso de llamadas a la policía como una medida de reincidencia es cuestionable. También se ha sugerido que los agentes de policía tenían en su poder la posibilidad de alterar los resultados del estudio interfiriendo el proceso de asignación aleatoria. Los agentes, efectivamente, antes de entrar en la escena sabían que tratamiento les tocaba administrar y si determinadas situaciones no les parecían merecedoras de un tratamiento benigno, siempre podían calificarlas legalmente como delito, en lugar de falta (Zorza, 1994). La información cualitativa sobre la implementación y los resultados del estudio era, además, prácticamente inexistente. A pesar de todo el experimento fue

---

[133] Aunque en España aún no se han planteado dichas situaciones, existe cierta base legal para las mismas. El articulo 139 de la Ley de Régimen Jurídico de las Administraciones Publicas y del Procedimiento Administrativo Común reconoce la responsabilidad jurídica de la administración cuando como consecuencia del funcionamiento anormal de la misma se producen situaciones lesivas. El Informe del Defensor del Pueblo sobre Malos Tratos no solamente admitía la posibilidad de este recurso legal, sino que proponía que la nueva regulación penal de los malos tratos hiciera referencia expresa a la responsabilidad civil de la Administración pública cuando las mujeres maltratadas sufrieron lesiones como consecuencia de la inactividad de la Administración pública para prevenir el maltrato.

determinante, como veremos más adelante, en la difusión de políticas de detención obligatorio en casos de malos tratos.

III.d.b. El Spouse Abuse Replication Program

El Experimento de Minneapolis también fue excepcional, no solo por su carácter innovador, su publicidad e influencia, así como por su carácter controvertido, sino también por una razón adicional: es uno de los pocos experimentos criminológicos que han sido replicados a gran escala[134]. Entre 1985 y 1991, varios departamentos de policías trabajando con diversos equipos independientes de criminólogos implementaron en seis jurisdicciones diferentes (Charlotte, Omaha, Metro-Dade, Colorado Springs, Milwaukee, y Atlanta), experimentos similares diseñados para ofrecer pruebas independientes y complementarias de las teorías que informaron el experimento de Minneapolis: el efecto de prevención especial de la detención en la reincidencia de los maltratadores.

Estos experimentos fueron designados con el acrónimo SARP (*Spouse Abuse Replication Programa*). Aunque se habla de replicación lo cierto es que cada uno de estos experimentos ofrecía algunas variaciones en relación con el original. Evidentemente, se adoptaron una serie de reglas para garantizar cierto parecido. Así, por ejemplo, en los seis experimentos de replicación sólo se examinaron casos de falta por malos tratos; la asignación a las diferentes condiciones experimentales tuvo que efectuarse aleatoriamente; uno de los tratamientos tuvo que ser la detención del agresor; y la principal medida para observar el éxito del programa era la reincidencia de los maltratadores medida por datos policiales y encuestas con las víctimas. Sin embargo, más allá de estos rasgos comunes, surgieron numerosas diferencias en el diseño, análisis e interpretación de estos experimentos.

La evidencia arrojada por estos experimentos ha generado nuevas polémicas. Sherman (1992, p.16-17) resume los resultados de estos estudios de la siguiente manera:

> «La mejor manera de comparar los resultados de estos experimentos sigue siendo centrarnos en los efectos de la detención en comparación con la no detención, el tema de mayor interés para los legisladores estatales y las agencias de policía. El descubrimiento más importante es que la detención aumentó la violencia doméstica en Omaha, Charlotte y Milwaukee»

---

[134] Varios autores han empleado métodos cuasiexperimentales para examinar los efectos preventivo especiales del arresto como, por ejemplo, Berk y Newton (1985). Sin embargo, estos estudios no son resumidos aquí, por la sencilla razón de que han tenido una influencia muy pequeña en el debate sobre la respuesta policial a los malos tratos, debate que, sin duda, ha girado de manera muy clara en torno al experimento de Minneapolis y sus replicaciones oficiales.

Sherman (p. 17) también señalaba:

«Hay indicios que prueban que la detención tuvo un efecto preventivo en Minneapolis, Colorado Springs y Metro-Dade, pero la evidencia acumulada es, de alguna manera, confusa»

Basándose en esta interpretación, que se ha convertido en la interpretación más aceptada o más conocida, de los resultados del programa de replicación (ver, por ejemplo, Cerezo, 1998), Sherman realizó varias sugerencias de tipo político criminal. Pero quizás la más destacada y polémica de ellas fue el proponer que todos los Estados abolieran las normas que exigían la detención obligatoria del maltratador en todo caso y devolver el ejercicio de la discrecionalidad a los agentes de policía para que estos emplearan su mejor criterio sobre que hacer en cada caso.

La interpretación de Sherman, sin embargo, no coincidía con la realizada con los autores que realizaron los experimentos en las diversas jurisdicciones. De manera notable, ni Hirschel y sus colaboradores (1992) en Charlotte, ni Dunford y su equipo (1989) en Omaha, en ningún momento destacaron que la detención servía para escalar la violencia, tal y como Sherman interpretaba sus datos.

En parte, esta divergencia en las interpretaciones puede ser comprendida por razones metodológicas. Como Garner y colaboradores (1995) han subrayado existían un conjunto no ilimitado, pero sí muy elevado, de posibles comparaciones estadísticas. Por ejemplo, en materia de prevalencia eran posibles 162 diferentes comparaciones. Sin embargo, las utilizadas en los informes de las replicaciones se podían caracterizar por cuatro rasgos bastante significativos. En primer lugar, ninguna de ellas utilizaba las mismas comparaciones analíticas usadas en el experimento original de Minneapolis donde, por ejemplo, se había considerado el empleo de amenazas como un indicador de reincidencia. En segundo lugar, no existía un consenso entre los diferentes equipos de trabajo sobre cuales eran las comparaciones analíticas más relevantes a priori. Cada uno de los informes solo ofrece algunas de estas comparaciones, sin reconocer la existencia de modos alternativos de examinar los datos. En tercer lugar, hay que tomar en consideración que la realización de comparaciones múltiples plantea un problema adicional: las comparaciones realizadas no son independientes entre sí; lo que tiene que ser tomado en cuenta a la hora de interpretar efectos estadísticos. Finalmente, hay que señalar que ninguno de los informes ofrecía información sobre el poder estadístico de las comparaciones efectuadas, con lo cual es difícil deducir de la simple lectura de estos informes si determinados efectos no estaban presentes, porqué no se daban o porqué no se podían detectar con los métodos empleados.

En todo caso, dado el énfasis en la evaluación de los resultados, más que en la evaluación del proceso, existen muchas diferencias entre los experimentos que no fueron controladas y que podrían de alguna manera justificar las diferencias. No solo existen diferencias entre los experimentos, sino que tampoco fue similar el tratamiento que los detenidos recibían. Una variable que, por ejemplo, variaba era el tiempo que los detenidos permanecían bajo custodia policial. Aunque no se ha encontrado evidencia señalando la relevancia de esta variable en el resultado final de la detención, lo cierto es que esta variable fue muy mal medida. El tratamiento por parte de los fiscales también podía haber sido diferente, así como muchos otros aspectos no medidos de la intervención policial (p.ej., el tamaño de la celda, cuanta gente había en la celda y lo que los otros encarcelados podían o no haber hecho o dicho a los sospechosos, etc.). El estudio tampoco controló si la cohabitación subsistía entre las partes después de la intervención policial y éste era un factor que podía haber variado de localidad a localidad, dependiendo en factores tal y como la cultura local o la existencia de alternativas para mujeres maltratadas. La composición demográfica de las ciudades donde estos experimentos tomaron lugar también variaban. Sherman (1992), de hecho, señala que en aquellas ciudades donde existía un núcleo mayor de población de color la detención parecía funcionar peor.

En un intento de aclarar esta confusión Joel Garner, Jeffrey Fagan y Chris Maxwell (1995) trataron de estandarizar las comparaciones utilizando la información publicada en los diversos informes del experimento original y sus replicaciones. La conclusión principal de estos autores fue de cautela. Hasta que se completara el tipo de análisis común anticipado al diseñar SARP, Garner y sus colegas creían precipitado justificar la adopción de ningún tipo de política criminal en estos resultados. Estos autores sólo encontraron, de las 19 comparaciones posibles en materia de prevalencia, tres efectos que eran estadísticamente significativos: en Minneapolis los datos policiales y las encuestas con las víctimas y en Metro-Dade las encuestas con las víctimas sugerían un efecto preventivo de la detención.

Estos autores señalaban que Sherman estaba equivocado al atribuir un efecto de empeoramiento de la situación a la detención en los experimentos de Charlotte y Omaha. Aunque, efectivamente, la dirección de la relación indicaba tal efecto, éste no era estadísticamente significativo. Por otro lado, ninguna de las comparaciones utilizando medidas de frecuencia o incidencia era significativa, aunque cinco de las comparaciones empleando análisis de supervivencia, y el tiempo hasta el primer incidente de reincidencia como variable dependiente, también mostraban un efecto preventivo especial de la detención.

Christopher Maxwell (1998) combinó las bases de datos de los diferentes experimentos y trató de realizar un análisis conjunto de los mismos para su tesis doctoral. Utilizando una variedad de modelos estadísticos y fuentes de datos, los análisis realizados por Maxwell estimaron los efectos preventivos especiales de la detención controlando el impacto de otros factores experimentales y diferencias individuales entre los maltratadores. Los resultados de su análisis demuestran un efecto preventivo especial consistente, pero moderado, de la detención en niveles generales de agresión cometida por los maltratadores.

Los críticos todavía indican que el experimento de Minneapolis y sus replicaciones presentaban importantes limitaciones. La disuasión a través de la detención solamente fue evaluada de una manera incompleta. En los seis estudios, la opción de la detención era fuerte en comparación con las otras opciones, sin embargo, era relativamente débil si se compara a otras opciones legales. La mayoría de los agresores no fue sometido a juicio tras la detención. La detención, en la mayoría de los casos, tan solo significó que los maltratadores fueron fichados por la policía. Algunos detenidos no fueron esposados, la mayoría solo pasó unas horas bajo la custodia policial y solo una pequeña fracción de los mismos tuvo que pasar la noche en el calabozo.

El hecho de que estos experimentos solo contemplasen casos de faltas, y no de delitos, significa que el experimento no nos dice nada, o muy poco, sobre la eficacia de la detención en los casos más serios. Los experimentos tampoco evaluaron la eficacia de la detención en la mejora del bienestar personal y psicológico de la víctima, ni el efecto preventivo general de la detención. Por otro lado, tampoco se examinó de manera sistemática la violencia de los maltratadores contra otras víctimas y sus potenciales nuevas parejas.

También se ha criticado que ninguno de los experimentos identificó o excluyó aquellos casos en los que el agresor había tenido previos contactos con el sistema de justicia penal por situaciones de malos tratos, lo que complica aun más la interpretación de estos resultados dentro del marco teórico de la prevención especial y concede una relevancia especial al último contacto con la policía por encima de los anteriores. Además, estos experimentos no nos permiten saber si cualquier respuesta policial es mejor que nada en la medida en que no contaban con un grupo de control de mujeres maltratadas que no habían acudido a la policía (Garner y Fagan, 1997; Zorza, 1994).

III.d.c. *Descubrimientos adicionales: «stakes in conformity» y justicia procedimental*

Aunque el objetivo principal de estos experimentos era demostrar, aunque de manera limitada, qué opciones policiales son las más viables para prevenir el maltrato, los investigadores implicados en estos estudios también trataron de examinar si la detención funcionaba mejor con determinados maltratadores o cuando era aplicado en determinadas circunstancias. En esta sección presento los resultados de esta línea de investigación.

En 1953 Jackson Toby, profesor de criminología en Rutgers University, publicó un artículo de apenas cuatro páginas, pero que fue muy influyente en el desarrollo de la criminología por desarrollar la teoría del *interés en la conformidad*. Toby argumentaba en este artículo que las sanciones formales son más efectivas con aquellas personas que tienen algo que perder como consecuencia de las sanciones informales asociadas con las primeras. De acuerdo con Toby las personas y las comunidades varían en el nivel de compromiso con las normas sociales, así como en el grado de intereses invertidos en el orden social. Este artículo tuvo una gran influencia en el desarrollo de las teorías del control y también en la manera de pensar sobre las teorías penales de la prevención general y especial o teorías de la disuasión.

Las teorías del control, cuya versión más conocida fue la expuesta por Travis Hirschi a finales de los 60, argumentan que las inclinaciones a cometer actos delictivos son universales y que lo que distingue a los criminales de los no criminales es el grado de vinculación con instituciones sociales que los mantienen apartados de problemas. Mientras más vínculos sociales un individuo tiene con estas instituciones (empleo, familia, religión, educación, etc.) menos propenso será a cometer actos delictivos.

Aunque los efectos de la detención pueden atribuirse a varios mecanismos, la literatura criminológica en materia de malos tratos ha apuntado a la relevancia de procesos próximos a la teoría de control social. William y Hawkins (1989a y 1989b) destacaron la relevancia de los costes directos e indirectos de la detención en el marco de la teoría del control social en sus análisis de los datos procedentes del estudio de seguimiento de una submuestra de los hombres que participaron en la II Encuesta Nacional sobre Violencia Familiar (1985). Las consecuencias de la detención que estos hombres percibían como más probables incluían la humillación personal y familiar y la disrupción de relaciones con terceros. Estos hombres no percibían la pérdida del trabajo o el ir a la cárcel como muy probable, sin embargo, ambos factores, junto a la humillación social, eran los más importantes para generar un sentimiento general de miedo a la detención.

Sherman y su equipo de colaboradores (1992) decidieron examinar en qué medida las hipótesis planteadas por Toby podían aplicarse al estudio de las sanciones legales contra la violencia doméstica. Aquellos maltratadores que por su posición social tienen más que perder, en teoría son potencialmente más fácil de disuadir por medio de la detención, que aquellos que no tienen nada que perder. Lo mismo podría decirse con relación a comunidades. El estigma de la detención por malos tratos posiblemente es menor en aquellos barrios en los que existe un menor interés en la conformidad o, como Sampson (1999) cuidadosamente matiza, en aquellos barrios con un elevado nivel de cinismo legal.

Sherman y sus colaboradores (1992) publicaban los resultados de su análisis en la *American Sociological Review*. Estos análisis estaban basados en los datos procedentes del experimento de Milwaukee y Omaha. En su libro de 1992 resumiendo el *Spouse Abuse Replication Program*, sin embargo, Sherman complementa estos datos con los obtenidos en Colorado Spring.

Por no extenderme mucho en detalles, baste señalar que el desempleo de los maltratadores era una variable central. Aquellos maltratadores que estaban en el paro respondían peor a la detención, lo que resulta consistente con la teoría de Toby. Otros indicadores de interés en la conformidad tal y como el nivel de educación o el estatus marital, no presentaban una relación tan clara.

El reanalisis realizado por Chris Maxwell (1998) es un poco más crítico de esta teoría. De acuerdo con Maxwell sus análisis tan solo permitían respaldar esta teoría de manera parcial e inconsistente. Solo pudo documentar la existencia de interacciones entre detención y alguno de los indicadores de intereses en la conformidad y, además, la existencia de estas interacciones variaba en función de si se examinaban los datos policiales o los procedentes de encuestas con las víctimas.

Elizabeth Marciniak (1994) trató de analizar esta cuestión desde otra perspectiva. En lugar de analizar el efecto de estas características individuales de los maltratadores, prefirió examinar la dimensión comunitaria de las predicciones de Toby. Marciniak (1994) en este análisis secundario de los datos procedentes de Milwaukee combinados con datos del censo de los Estados Unidos, documentó que aquellos distritos censales con un mayor grado de desempleo y disrupción marital afectaban el resultado de la detención. Aquellos sospechosos detenidos en comunidades más deterioradas eran más propensos a responder peor a la detención.

La teoría sobre el interés en la conformidad no ha sido la única evaluada con la base de datos compilada por Sherman y sus colaboradores. Más recientemente, un grupo de autores liderados por Raymond Paternoster, profesor de la Universidad de Maryland y un experto en teoría de la disuasión, decidieron examinar aspectos de *teorías procedimentales de la justicia* en relación con el caso de la violencia doméstica (Paternoster et al., 1997).

Paternoster piensa que tan importante como examinar un determinado tipo de sanción legal como la detención y los efectos que su imposición tiene, es el examen de la manera en que la detención se impone y las implicaciones que diversas maneras de hacerlo tiene en la conducta posterior del sancionado. Paternoster argumenta que la psicología social ha demostrado que los individuos son más propensos a actuar de conformidad con reglas grupales si creen que estas se aplican de manera justa. Ciertamente numerosos psicólogos sociales defienden que procedimientos justos facilitan resultados justos. Los procesalistas y filósofos del derecho también están familiarizados con esta idea. De acuerdo con esta perspectiva, Paternoster argumenta que aquella persona que cuando es sancionada lo es siguiendo procedimientos que son percibidos como justos será más proclive a comportarse de conformidad con las normas en el futuro.

Paternoster y sus colaboradores, siguiendo a los estudios en el área de la psicología social, identifican varios elementos claves de los procedimientos justos: representación, consistencia, imparcialidad, certeza, posibilidad de corrección y actuación ética. Simplificando mucho, y siempre pensando en este contexto, los individuos tienden a percibir los procedimientos como justos cuando se les da la oportunidad de presentar su versión de los hechos; cuando se les aplica las mismas reglas que a otras personas en la misma situación; cuando se les aplica las mismas reglas en similares circunstancias pero en diferentes ocasiones; cuando las autoridades actúan sin estar basadas en prejuicios; cuando se percibe a las autoridades como capacitadas para la adopción de decisiones competentes y de calidad; cuando existen soluciones sistémicas para corregir resoluciones erróneas o injustas; y cuando se les trata con dignidad y respeto.

Estos autores analizaron los datos del experimento conducido en Milwaukee para examinar varias hipótesis derivadas de este modelo y concluyeron que sus análisis proporcionan un soporte moderado a las mismas.

Aunque desde un punto de vista teórico la noción apuntada por Paternoster y sus colaboradores es sumamente interesante y merece un análisis riguroso, es más discutible aceptar sus conclusiones, así como la idoneidad de sus métodos. La variable dependiente utilizada por estos autores eran las llamadas a la policía realizadas por la víctima. Esta variable, en teoría, mide el grado de violencia, sin embargo, como veremos más adelante también mide la predisposición de la víctima a denunciar. Un test más adecuado de esta teoría requeriría el uso de medidas alternativas de la violencia. Por otro lado, un modelo más comprensivo de la teoría procedimental también debería incorporar a la víctima, la manera en que ella percibe la sanción legal aplicada y de que manera estas percepciones interaccionan con las del agresor. Las medidas de percepción de justicia del procedimiento empleadas por Paternoster también son discutibles y, en cualquier caso, no son las ideales. Por otro lado, no podemos olvidar la teoría de David Matza sobre técnicas de neutralización. Una de las técnicas que según Matza usan los delincuentes para neutralizar los sentimientos de culpa derivados de la violación de reglas sociales es el culpar a la respuesta social como injusta o inadecuada. Puede que exista una variación en el uso de este tipo de técnicas ligadas a factores de personalidad. Ésta es una cuestión que debe ser también analizada si queremos entender mejor el efecto que la detención puede tener. Resumiendo, aunque creo que Paternoster y sus colaboradores no han demostrado la validez de este modelo, creo que como hipótesis merece una mayor atención y la realización de estudios designados específicamente a examinar su validez.

Ya en líneas más generales y de acuerdo con Garner y Fagan (1997), la evidencia que se desprende de estos experimentos sobre la efectividad de la detención sugiere varias conclusiones:

a) La efectividad de la mera detención para prevenir la violencia doméstica es, en el mejor de los casos, marginal.

b) La efectividad de la detención y otras opciones legales depende del contexto en el que se aplican y a quien se aplican.

c) La detención, por sí sola, no es suficiente para prevenir la violencia doméstica.

III.e. La detención obligatoria

Como he destacado en el anterior apartado, el experimento de Minneapolis sirvió para legitimar la adopción de políticas policiales que requerían a los oficiales de policía a detener a los hombres violentos en situaciones de falta. Aunque la evidencia del SARP era cuanto menos ambivalente sobre la eficacia de la detención y el propio Sherman se mostraba en contra de la adopción de leyes favoreciendo la detención obligatoria a finales de 1989 el 80% de los Estados había modificado sus políticas de detención en estos casos. En 1991 quince Estados tenían leyes que consideraban obligatoria la detención de los maltratadores en determinadas circunstancias (Martin, 1997). Antes de la aprobación de estas leyes, los agentes de policía solamente podían detener a los maltratadores si habían sido testigos del abuso o si tenían una orden de arresto.

Esta política es el sujeto de un controvertido debate. Un debate que ya no solo discute si debe detener a estos hombres, sino si la detención debe convertirse en la opción preferente o en la única opción de los agentes de policía. Autores feministas y criminólogos han criticado esta política por diversas razones.

Algunos autores han mostrado cierta preocupación sobre los efectos secundarios de estas políticas. Una de ellas es que algunos agentes de policía han respondido a esta medida deteniendo a las dos partes implicadas en las situaciones de maltrato, la víctima y el agresor. Aunque en la mayoría de los Estados con estas legislaciones la mayoría de los detenidos son solo los hombres y las detenciones de ambos miembros de la pareja constituyen una notable minoría (Martin, 1997). Algunas jurisdicciones, y ocho Estados, han promulgado normas que tratan de evitar este problema, obligando a los agentes de policía a detener al agresor principal, a la parte que no estaba actuando en legítima defensa o a la parte que exhibe una mayor culpabilidad (Martin, 1997). Sin embargo, en otras jurisdicciones se sigue una interpretación estricta de las políticas de detención obligatoria y se deja al juez decidir cuestiones de justificación y culpabilidad.

Por otro lado, hay autores que siguen considerando que la detención obligatoria como política policial es un acierto. Uno de los más convencidos autores de las virtudes de la detención obligatoria es Evan Stark, profesor de ciencia política en Rutgers University. Para Stark (1996) la detención obligatoria cumple funciones que van más allá de sus potenciales efectos disuasorios. En particular, la detención:

(1) Permite fiscalizar mejor la respuesta policial a este fenómeno, así como la existencia de discriminación policial contra las mujeres maltratadas.

(2) Proporciona protección inmediata frente a la violencia y le da tiempo a las víctimas para que consideren sus opciones.

(3) Envía a la sociedad el mensaje de que los malos tratos son intolerables.

(4) Reconoce un interés especial en la situación de las mujeres maltratadas como víctimas históricas de discriminación social, policial y judicial.

(5) Sirve una función redistributiva al reconocer que el servicio policial es un recurso que no estaba al alcance de las mujeres.

(6) Proporciona a las víctimas el acceso a servicios y protección que no son disponibles fuera del sistema de justicia penal.

Por todas estas razones, Stark considera que, con independencia de los resultados de SARP, la detención obligatoria es la medida a emplear en estos casos. Otros autores, como Zorza (1994), han empleado argumentos similares a los de Stark para defender la pertinencia de la detención obligatoria.

Por otra parte, dentro del campo de estudios policiales, existen resistencias a la idea de las detenciones obligatorias. Sherman (1992) ha criticado estas políticas por varias razones:

(1) La evidencia de SARP señala que la detención no siempre previene el maltrato.

(2) La mayoría de estas nuevas leyes todavía dejan mucho margen a la discreción. Para que la detención se produzca tiene que haber causa probable para pensar que se ha producido una agresión (p.ej., signos visibles de una lesión, el testimonio de la víctima o terceras partes, etc.).

(3) En un porcentaje considerable de casos, cerca del 50%, los maltratadores abandonan la escena de los hechos antes de la llegada de la policía, lo que imposibilita en la praxis el uso de la detención.

(4) Muchas de estas leyes restringen su ámbito a una submuestra de los casos de malos tratos (p.ej., casos en los que existe una relación marital, el maltrato se ha producido en las últimas cuatro horas, etc.).

(5) El uso de discreción policial per se no debe ser considerado negativamente. La policía como todo profesional tiene que ser capaz de individualizar la solución más apropiada a cada caso concreto. Lo importante es que en este proceso actúe conforme a criterios de justicia y buena práctica profesional.

(6) Si los mandos y el resto de la estructura policial, no apoyan estas políticas de una manera clara y activa (p.ej., estableciendo recompensas y castigos), las mismas tienen pocas posibilidades de ser aplicadas.

A juicio de Sherman (1992), las leyes que han establecido la detención obligatoria en estos casos deberían ser derogadas, particularmente en aquellas ciudades con un alto nivel de desempleo, pobreza y segregación racial. En lugar de obligar a los agentes de policía a detener a todos los maltratadores, los legisladores deberían obligar a cada agencia de policía a desarrollar una serie de medidas aprobadas que puedan ser discrecionalmente utilizadas por los agentes. Estas medidas, por ejemplo, podrían incluir el permitir que las víctimas decidan si quieren que su pareja sea detenida, el transporte de las víctimas a casas de acogida, el traslado del sospechoso a centros de desintoxicación, así como la detención, incluso sin el requisito de la orden judicial. Los legisladores también podrían obligar a que los agentes de policía reciban una sesión anual de entrenamiento sobre las opciones y programas de intervención más innovadores en esta área.

Otros autores europeos, como por ejemplo, Carolyn Hoyle (1998) también han criticado como *naive* a aquellos que creen que estas reformas van a cambiar radicalmente la manera de actuar de la policía y ha cuestionado la pretensión de estas leyes a anular la discreción policial como condenada al fracaso. Hoyle también ha cuestionado las asunciones sobre el trabajo policial en las que descansan quienes reivindican este tipo de políticas.

Según esta autora es un error asumir que la policía pasa la mayor parte del tiempo combatiendo el delito y arrestando a delincuentes, excepto cuando interviene en disputas domésticas donde solo trata de mantener el orden. Como la práctica totalidad de los expertos policiales vienen destacando desde los 60, y esta autora se encarga de recordar, el papel de la policía consiste precisamente en el mantenimiento del orden (el apaciguamiento de conflictos sin tener que recurrir a la fuerza de la ley) y la provisión de servicios. Como Egon Bittner (1990) señalaba en una de las mejores piezas sobre el trabajo policial, lo que verdaderamente distingue al policía de otros profesionales (incluyendo a los trabajadores sociales) es la capacidad de los agentes para actuar cuando la gente piensa que *«está-pasando-algo-que-no-debería-estar-ocurriendo-y-sobre-lo-que-alguien-debería-estar-haciendo-algo-al-respecto-ahora-mismo»*.

Hoyle (1998), por otro lado, ha señalado que las víctimas no siempre quieren el procesamiento penal del maltratador. Estas víctimas usualmente son tipificadas como hostiles, no cooperativas o poco fiables y se considera que están adoptando una decisión irresponsable que tan solo las va a perjudicar. Hoyle critica esta asunción y señala como muchas intervenciones policiales son consideradas como efectivas por parte de las víctimas incluso cuando la mayoría de las mismas no culminaron en el procesamiento del maltratador. De acuerdo con las entrevistas realizada por esta autora, las víctimas que acuden a la policía fundamentalmente quieren tres cosas:

(1) Estas mujeres quieren protección inmediata. En la mayoría de los casos las mujeres quieren que sus parejas sean detenidas, removidas del domicilio común o calmadas para su protección inmediata. Quieren que la policía solucione el problema inmediato, que pare el episodio de abuso, o que controlen la situación. Aunque algunas mujeres expresaban cierta predilección por la detención (no necesariamente por el procesamiento penal), había muchas que simplemente querían que el hombre fuera removido del hogar.

(2) Algunas mujeres querían que los agentes amenazaran al maltratador para disuadirle del uso de medios violentos en el futuro.

(3) Finalmente, prácticamente todas las mujeres querían consejo e información sobre sus opciones a corto y largo plazo. Querían alguien con quien poder hablar sobre sus problemas, con quien poder compartir sus sentimientos y experiencias, que no las prejuzgase y que no insistiera en adoptar acciones para las que no estaban preparadas.

Esta autora hace alusión al trabajo de David Ford sobre fiscales y violencia doméstica que veremos en el próximo capítulo. Por no anticipar demasiado, baste ahora señalar que para Hoyle, como para Ford, este tipo de políticas que marginan las decisiones de la víctima no son las más adecuadas. En su opinión los recursos penales, incluyendo la detención, deberían ponerse al servicio de las víctimas incluso si al final no se obtiene el resultado de un procesamiento o condena penal.

Éste es un proceso en el que no se debería tomar decisiones por las víctimas, sino con las víctimas. Es también un proceso en el que se debe de proporcionar continuo apoyo e información a las víctimas de malos tratos para que tengan una visión más clara de su situación actual, así como sus opciones. Existe cierta paradoja en combatir el control al que están sometidas estas mujeres por parte de sus maridos por medio del sometimiento y control de estas mujeres al discurso superior del sistema de justicia penal. Para Hoyle, y muchos otros autores, es crucial que las mujeres maltratadas puedan seguir recurriendo a la policía en busca de protección inmediata e información, sin que eso las obligue a tomar un rumbo para el que no están preparadas. Lo que no es obstáculo para que la policía se implique en ese proceso de preparación, sino más bien todo lo contrario. Esa es precisamente una de las cuestiones que nos ocuparán en las próximas secciones.

III.f. Cuaando el maltratador abandona la escena

Como hemos indicado uno de los problemas de preconizar el uso de la detención como la respuesta policial a este tipo de situaciones es que en un porcentaje muy elevado de los casos los maltratadores abandonan la escena antes de que la policía llegue a la escena de los hechos. Dunford y sus colegas (1989), que constituían el equipo de criminólogos ligados al experimento de Omaha, decidieron complementar la replicación de Minneapolis con la inclusión de un componente dirigido a examinar una posible medida en este tipo de situaciones en las que el maltratador huye o simplemente abandona la escena. De esa manera, el estudio de Omaha se convertía en el primero y el único hasta la fecha en examinar esta cuestión.

En Omaha se decidió investigar los efectos que podía tener el que la policía directamente buscara una orden de arresto, de la que se enviaba debida copia a los interesados, con la colaboración del Ministerio Fiscal en aquellas situaciones en que el maltratador estaba ausente. Antes del experimento, si la víctima quería que se detuviese al maltratador que había abandonado la escena tenía que acudir a las oficinas centrales del Ministerio Fiscal, pagar una tasa de 25$ y firmar una orden de arresto. De acuerdo con Sherman (1992), la investigación realizada con víctimas de delitos ha señalado que las mismas encuentran este proceso intimidatorio y que pocas tratan de obtener dicha orden de arresto.

El experimento de Omaha asignó aleatoriamente 111 casos de maltratadores que habían abandonado la escena a esta condición experimental, mientras que 136 fueron incluidos en el grupo de control en el que tan solo se instruía a la víctima en el procedimiento de obtención de dicha orden de arresto. En el 75% de los casos asignados al grupo experimental, el Ministerio Fiscal accedió a conceder dicha orden, mientras que tan solo 7% de las víctimas en el grupo de control consiguieron obtener estas ordenes. Aproximadamente, el 50% de los maltratadores en el grupo experimental que recibieron una orden de arresto, fueron efectivamente detenidos durante los seis meses de seguimiento del estudio (Dunford y Elliot, 1990).

Los resultados del estudio fueron bastante positivos. El grupo de control exhibía una tasa de detenciones por nuevos incidentes mayor del doble que la del grupo experimental seis meses (12% vs. 5%) y doce meses después (21% vs. 11%). Las diferencias en la frecuencia de nuevas detenciones era incluso mayor y, además, estos datos eran consistentes con las entrevistas realizadas con las víctimas (Dunford y Elliot, 1990). Dunford y Elliot señalan que quizás estas órdenes de arresto son como una especie de espada de Damocles que pende sobre la cabeza de estos maltratadores. O como Sherman (1992) señala, quizás la amenaza de un castigo desconocido y no ejecutado funciona mejor que la aplicación de dicho castigo. En palabras de este autor, mientras que la detención se consuma rápidamente, la perspectiva de ser detenido es un peligro continuo que puede permanecer por cierto tiempo.

III.g. La policía como vínculo con los servicios sociales

No todos consideran que la única misión de la policía es puramente represiva, los actuales modelos de actuación policial tienden a subrayar la dimensión proactiva del trabajo policial. Uno de los papeles que la policía puede jugar en la prevención de la violencia doméstica y para servir a las necesidades de las mujeres maltratadas es el de agente capaz de proporcionar información sobre otros recursos sociales. Anteriormente señalaba como esencial que los agentes de policía que acuden a la escena de los hechos lleven con ellos información sobre recursos sociales y, también, que informen detenidamente a la mujer sobre cuales son sus derechos. Este tipo de programas casa muy bien con el actual interés en justicia comunitaria y las iniciativas de cooperación entre diversas agencias.

En Estados Unidos la policía de varias ciudades ha desarrollado un modelo de intervención en estos casos que enfatiza esta función. En realidad estos programas van más allá del mero suministro de información. La idea es que la policía haga llamadas telefónicas o visitas a los domicilios que sirvan como un seguimiento en los días inmediatos al contacto inicial. En estos contactos de seguimiento, la policía trata de obtener una idea sobre la evolución de la situación tras la primera denuncia y proporciona información adicional sobre las diferentes opciones legales. Si el agresor está presente se le indica que su caso está siendo sometido a vigilancia y que en caso de haber nuevas instancias de violencia se adoptarían las sanciones legales adecuadas. Un objetivo principal de este tipo de programas, por tanto, es promover la denuncia de nuevos incidentes de violencia, pero estos programas también pretenden incrementar el uso y conocimiento de recursos legales y sociales por parte de las víctimas.

Robert Davis, un experto en violencia doméstica vinculado al departamento de investigación de Victim Services en Nueva York[135], ha llevado a cabo varios intentos de evaluar este modelo[136]. Esta agencia, en colaboración con la policía de Nueva York, ha desarrollado un programa de seguimiento de casos de violencia doméstica en zonas de alto riesgo, particularmente en proyectos de vivienda pública. Este programa, DVIEP (*Domestic Violence Intervention Education Program*), envía un equipo formado por un trabajador social y un oficial de policía a hacer visitas de seguimiento al domicilio de las víctimas de violencia en la pareja y maltrato de ancianos.

El primero de estos estudios fue interpretado por los autores como evidencia a favor de este modelo (Davis y Taylor, 1997). El estudio, que seguía un diseño experimental clásico y se centraba en el estudio de violencia en la pareja, encontró que las mujeres que habían sido asignadas a recibir las visitas de seguimiento presentaban más denuncias a la policía después de la intervención. Este fenómeno, normalmente, se interpreta como evidencia de un empeoramiento de la situación. Se entiende que más denuncias significa más violencia; al menos ésta fue siempre la línea en el experimento de Minneapolis y sus replicas. Las denuncias o llamadas a la policía se interpretan como una medida de la violencia. Sin embargo, estos autores encontraron que la encuesta realizada con las víctimas, y en la que se les preguntaba sobre el nivel de violencia experimentada, no encontraba diferencias significativas entre el grupo experimental y el grupo de control. Aunque los estudios anteriores habrían interpretado esta inconsistencia como un muestra de los escasos efectos de la intervención, Davis y Taylor sugieren que estos datos pueden interpretarse como un éxito de la intervención. A su juicio, estos datos demuestran que las mujeres maltratadas que recibían la intervención eran más dadas a denunciarlas, como las encuestas mostraban a pesar de que no existían diferencias en los niveles reales de violencia, como los datos policiales mostraban. No obstante, hay que destacar que los autores no pudieron documentar un mejor conocimiento y mayor uso de otros recursos sociales y legales por parte de las víctimas.

Más recientemente Davis, Medina y Avitable (en prensa) analizamos el mismo modelo en situaciones de maltrato de ancianos. Aunque el énfasis de este volumen es la violencia en la pareja, resulta relevante hablar de este estudio porque cuestiona los resultados del estudio citado

---

[135] Robert Davis recientemente dejo Victim Services y se incorporó a la plantilla de investigadores del Vera Institute of Justice.

[136] Victim Services es una organización no lucrativa que ofrece programas a las víctimas de delitos y, de hecho, fue una de las primeras oficinas de atención a las víctimas, que nació como un proyecto experimental del Vera Institute of Justice.

anteriormente. Este estudio no pudo confirmar los descubrimientos del realizado por Davis y Taylor. Durante su realización surgieron dudas sobre las técnicas estadísticas empleadas en el primer estudio (ANOVA), impropias para el análisis de datos que no siguen una distribución normal. Por otro lado, descubrimos que el modelo, a pesar de ser presentado como un modelo de intervención de crisis, no era tal. La falta de recursos y la dificultad para localizar a las víctimas hacía que la mayoría de las visitas no pudieran realizarse durante el mes inmediato al primer contacto con la policía.

Los análisis de este estudio demostraron que la intervención no solamente aumentaba el número de contactos con la policía, sino que también se producía un incremento en el abuso detectado por nuestras encuestas. Sabemos que en situaciones de maltrato en la pareja los agresores pueden adoptar represalias contra las víctimas como consecuencia de sus contactos con la policía. Quizás esto era lo que estaba ocurriendo en este caso. Finalmente, tampoco este estudio pudo documentar un mejor conocimiento y mayor uso de otros recursos sociales y legales por parte de las víctimas (Davis, Medina, Avitable y Taylor, en prensa).

No está del todo claro, por tanto, que este modelo sirve para reducir la violencia o para mejorar el conocimiento y uso de otros recursos sociales y legales. Desafortunadamente, ninguno de estos estudios medía de manera adecuada variables relevantes como, por ejemplo, actitudes hacia la policía y la denuncia y, en mayor o menor medida, todos presentaban problemas metodológicos que podrían haber sido evitados de haberse adoptado un mayor cuidado y cautela en el diseño e implementación de los mismos.

En todo caso, Davis y Taylor de alguna manera acertaron al sugerir que nuevas denuncias no significan necesariamente más violencia, sino que pueden indicar una mayor predisposición a utilizar la policía en estas situaciones. Este hecho complica sobremanera las evaluaciones de programas preventivos y muestra de manera evidente la necesidad de emplear medidas alternativas de la violencia, a través del uso de encuesta, así como la necesidad de adoptar medios que permitan interpretar adecuadamente los cambios y diferencias en estas mediciones de la violencia.

En este sentido, conviene destacar que las encuestas tampoco son idóneas y no pueden ser interpretadas como una medición más adecuada de la violencia. Así, por ejemplo, en el segundo de los estudios citados descubrimos que la mayoría de las víctimas que habían presentado una nueva denuncia a la policía habían dicho a nuestros entrevistadores que no habían sufrido ningún forma de abuso. Este descubrimiento es consistente con estudios realizados por otros autores y, sin duda, invita a una mayor cautela por parte de los investigadores y los lectores de sus resultados.

A pesar de los resultados de estos estudios realizados en Victim Services, o quizás precisamente porque solo los más favorables adquirieron difusión en revistas profesionales, numerosos departamentos de policía dentro y fuera de los Estados Unidos están empleando este modelo o variantes parecidas. En el momento que escribo estas líneas, Rosanne Greenspan y David Weisburd de la Police Foundation están trabajando en la evaluación de un proyecto parecido en Richmond con apoyo financiero del National Institute of Justice. En abril de 1999, el británico Home Office publicaba un informe de un estudio similar realizado en el Reino Unido (Kelly, 1999).

Aunque el estudio británico señalaba que la intervención era un éxito (Kelly, 1999) y, al menos, a nivel de implementación lo fue, los datos ofrecidos en dicho informe y basados en el diseño cuasiexperimental más débil (un simple pre-post con muestras no equilibradas) quedan lejos de apoyar dicha interpretación y, en ocasiones, sugieren más bien todo lo contrario por lo que se refiere a su impacto en las tasas de malos tratos[137].

Los resultados no muy optimistas de estos estudios no quieren decir que este tipo de iniciativas deba dejarse de lado, sino que su cuidadosa evaluación requiere una mayor elaboración. Entre otros aspectos, es importante documentar el proceso, desarrollar una teoría del cambio que nos permita examinar las variables que medían la conexión entre la intervención y el resultado esperado; e igualmente importante y bastante difícil, es preciso un desarrollo más sofisticado de medidas objetivas y estrategias analíticas que nos permitan apreciar la mejora de la situa-

---

[137] Por ejemplo, se nos dice que el 70% de las víctimas que contactan a la policía no habían contactado o hecho uso de otros servicios sociales en relación con el maltrato. Por tanto, la investigadora encargada del estudio deduce que el mandar al trabajador social que trabaja con la policía para que proporcione información sobre estos diversos recursos sociales es un éxito (!). En otras palabras, la existencia del problema se presenta como evidencia del éxito de la solución propuesta. El estudio no documentaba en qué medida las víctimas mejoraban su conocimiento de estos recursos sociales y en qué medida llegaban a utilizarlos, sino que estos resultados de la intervención se dan por hecho. Por otro lado, aunque el *porcentaje* de victimizaciones repetidas (medida basada en llamadas a la policía) aumenta entre el periodo anterior y posterior, la autora nos señala que en realidad eso es un éxito porque el número de casos atendidos durante el periodo de la intervención era mayor que el numero de casos previos a la intervención e incluidos en el análisis. La autora parece olvidar que al calcular los porcentajes está controlando las diferencias en el tamaño de sus muestras.

ción, dadas los problemas asociados con el uso de datos policiales y encuestas con las víctimas.

La colaboración entre la policía y otros servicios sociales también tiene repercusiones para los hijos de las mujeres maltratadas. Uno de los programas de policía comunitaria que mejor prensa ha recibido, a pesar de no haber sido seriamente evaluado, es el *Child Development-Community Policing Project* desarrollado en New Haven en colaboración con el Centro de Estudios Infantiles de Yale University y el departamento de policía de dicha ciudad.

El objetivo fundamental de este programa es asistir a los niños y adolescentes que han sido testigos o víctimas de delitos violentos, incluyendo a los hijos de mujeres maltratadas. Este proyecto trata de cambiar la manera en que la policía y los servicios de salud mental tratan con los niños que se ven expuestos a la violencia en sus hogares o comunidades. Aunque los agentes de policía diariamente tienen contacto con estos niños, su formación y recursos no son los adecuados para tratar los problemas emocionales de los mismos. Por otra parte, los profesionales de la salud mental, aunque tienen la capacidad y recursos para tratar con dichos problemas, no llegan a contactar estos niños y adolescentes hasta que es demasiado tarde.

El programa iniciado en New Haven incluía cinco componentes fundamentales:

(1) Un seminario básico para agentes de policía realizando funciones de patrulla sobre aspectos básicos del desarrollo evolutivo de niños y adolescentes.

(2) Un programa más intensivo de entrenamiento, proporcionado por los profesionales de salud mental directamente implicados en el proyecto y prestación de servicios, que expone a los supervisores directos de estos agentes de policía a los servicios clínicos y sociales.

(3) Un programa intensivo de entrenamiento, proporcionado por los referidos supervisores policiales, que expone a los profesionales de salud mental directamente implicados en el proyecto y prestación de servicios a las prácticas y regulaciones policiales comunes.

(4) Un servicio de consulta de 24 horas que permite a los agentes de policía contactar a uno de los profesionales de salud mental implicados en el proyecto por medio de un *beeper* cuando en el curso de su trabajo se encuentre con niños o adolescentes que han sido víctimas o testigos de violencia.

(5) Reuniones periódicas en las que los agentes de policía y los trabajadores de salud mental discuten las intervenciones clínicas y policiales más adecuadas para tratar con la problemática de los niños y adolescentes víctimas o testigos de violencia.

Este programa está siendo replicado en 7 otras ciudades norteamericanas, aunque el número posiblemente crecerá tras una reciente convocatoria de subvenciones del Departamento de Justicia (*Safe Start Initiative*) orientada a promover evaluaciones del mismo (Marans et al., 1998).

III.h. Prevención policial basada en la noción de victimización repetida

Hasta ahora hemos prestado especial atención a los esfuerzos preventivos desplegados por la policía en los Estados Unidos, sin embargo, la policía de aquel país no es la única preocupada por la prevención de este problema. En el Reino Unido, por ejemplo, también se han experimentado soluciones con el objetivo de mejorar las condiciones de seguridad de las mujeres maltratadas. Uno de estos esfuerzos ha estado ligado al concepto de victimización repetida.

En el Reino Unido, el criminólogo británico Ken Pease y sus colaboradores (Farrell y Pease, 1993; Pease, 1998) han desarrollado el concepto de victimización repetida. Este autor descubrió que la probabilidad de sufrir un delito incrementa cuando ya se ha sido víctima al menos una vez. Pease ha puesto de evidencia que un número considerable de victimizaciones son repetidas. Este hecho invita a concentrar los recursos y esfuerzos preventivos en aquellas personas o propiedades que han sido victimizadas alguna vez dado el mayor riesgo que exhiben. Pease ha demostrado la utilidad de esta estrategia en la prevención de allanamientos de moradas, pero también en el examen de la violencia doméstica.

Para Pease y sus colaboradores la violencia doméstica constituye un ejemplo típico de victimización repetida. En primer lugar, existe un conjunto pequeño de víctimas que sufren un numero desproporcionado de actos de agresión y abuso. Y, en segundo lugar, la aparición de sucesivos incidentes de violencia suele darse sobre todo en los primeros días después de la primera victimización.

Utilizando datos policiales del distrito de Merseyside, el equipo de Pease mostró que, después del primer incidente, el 35% de los hogares sufre un segundo incidente en un periodo de cinco semanas. Después del segundo incidente, el 45% de los hogares sufre un tercer incidente dentro del mismo periodo de cinco semanas. En otras palabras, existe un riesgo desproporcionado de victimización durante las semanas que siguen de manera inmediata al primer incidente (Lloyd et al., 1994). Este segundo fenómeno significa que existe un periodo de especial riesgo que debe ser tomado en cuenta a la hora de distribuir recursos preventivos por parte de la policía. El hecho que la victimización repetida es más probable durante este periodo limitado de tiempo permite concebir precauciones especiales cuyo uso no sería muy realista durante periodos de tiempo más largo.

Datos de otros estudios, por otra parte, han confirmado que las víctimas de violencia doméstica exhiben un riesgo más elevado de victimización repetida. La Encuesta Nacional de Victimización en los Estados Unidos ha documentado que el 32% de las víctimas de violencia doméstica fueron victimizadas de nuevo después de contactar el sistema de justicia penal, mientras que tan solo el 13% de las víctimas de violencia entre extraños fueron victimizadas de nuevo (en ambos casos se habla de un periodo de 6 meses) (Hart, 1996, citando a Langan y Innes, 1986). La policía de Merseyside desarrolló un programa para prevenir la violencia doméstica basándose en la noción de victimización repetida. Este programa incorporaba varios elementos. Así, por ejemplo, la policía desarrolló una base de datos informáticos que permitía obtener información adicional sobre previos incidentes al oficial que envía a los agentes a un domicilio porque se ha producido una llamada por una situación de violencia doméstica. De esta manera, los agentes sabían de antemano la seriedad del caso al que se enfrentaban.

Sin embargo, el elemento más peculiar del programa lo constituía el uso de alarmas portátiles por parte de las mujeres maltratadas. Estas alarmas habían sido desarrolladas por una compañía especializada en el uso de alarmas similares para su uso por ancianos enfermos y el sistema de salud pública. Las alarmas estaban montadas en unos collares que tenían un botón que al ser presionado mandaba una señal a una terminal en la comisaria de policía y que abría comunicación oral con la policía. Las alarmas estaban ligadas a un network celular a través de un FAX. Los agentes podían oír lo que estaba ocurriendo y, a su vez, podían comunicarse con la mujer. Este canal de comunicación permitía detectar la activación de la alarma por accidente evitando el tener que mandar una patrulla cuando no era realmente necesario. Cuando la alarma se activaba el ordenador de la policía recibía de manera automática la dirección y la historia del caso[138].

Estas alarmas fueron experimentadas con una muestra de mujeres maltratadas. De acuerdo con los criterios que se establecieron, se pensó que solo las mujeres que no vivían con sus maltratadores podrían beneficiarse de manera realista de estas alarmas. Las alarmas, de acuerdo con las enseñanzas de la investigación sobre victimización repetida, solamente se cedían a estas mujeres por un periodo limitado de

---

[138] El coste del equipo (con precios de 1992) fue de unas 18,000 libras por el ordenador y 24 alarmas (cada alarma adicional costaba 159 libras) y unas 450 libras adicionales por costes de teléfono.

tiempo. La regla general eran 30 días, sin embargo, existía flexibilidad al respecto para poder atender las necesidades individuales de cada víctima. Ya que las alarmas solo se prestaban por un periodo limitado de tiempo podían ser utilizadas con nuevas víctimas continuamente. El estudio no evalúo con métodos cuantitativos el resultado de este proyecto, pero si recogió las opiniones de las mujeres que se beneficiaron de este proyecto por medio de entrevistas en profundidad. En general, las mujeres, y en algunas instancias sus hijos/as, consideraban las alarmas como una ayuda que les sirvió para mejorar su situación. Las mujeres que recibían las alarmas pensaban que la policía las estaba tomando en serio y se sentían más seguras y menos asustadas al tener las alarmas a su alcance. Algunas mujeres describieron instancias en que el uso de la alarma sirvió para prevenir incidentes de abuso. También se indicó que sería conveniente que la policía informara a los maltratadores de la existencia de estas alarmas, para aumentar su efecto preventivo. A su vez, problemas técnicos menores con los collares fueron reportados. En particular, algunas mujeres criticaban que se activavaban por accidente con demasiada facilidad y que sería preferible tener alarmas con un mayor alcance. No obstante, el tono general indicaba un alto grado de satisfacción con esta iniciativa. En todo caso, no estaba claro en qué medida los agresores eran conocedores de la existencia de estas alarmas, lo que, claramente, debería constituir un elemento central en su uso como mecanismo disuasorio.

En España se han empezado a implantar programas basados en una idea similar en ciudades como Oviedo y Málaga, así como en Cataluña. En Andalucía, la prensa informaba cómo la Diputación Provincial de Málaga estaba dispuesta a entregar teléfonos móviles con conexión directa con la Guardia Civil, la Policía Local y la línea de urgencias de la Diputación a las mujeres residentes de la provincia víctimas de violencia familiar y cuyas circunstancias implicasen una situación de alto riesgo para su vida. De acuerdo con la información difundida por la prensa, un equipo del servicio provincial de la mujer evaluaría los casos en que existiera situación de riesgo y proporcionaría a las afectadas una terminal con el que podrían recibir ayuda inmediata ante una posible agresión. Según se indica, los cuerpos de seguridad conocerán el destino de los teléfonos en cada momento, por lo que las mujeres que lo utilicen no necesitarán identificarse cuando efectúen una llamada de socorro.

Este tipo de medidas parece ser del agrado del gobierno. En junio del 2000, el Ministro de Trabajo y Asuntos Sociales en su evaluación del plan gubernamental sobre malos tratos anunciaba una serie de nuevas medidas, entre las que se recogía la creación de un sistema de alarmas que conectará a las mujeres maltratadas «en situación de riesgo» con las comisarías y los puestos locales de la Policía Nacional y la Guardia Civil.

No se dice en cambio que criterios se emplearán para determinar ese riesgo (ver sección en discrecionalidad informada en el próximo capítulo).

En mayo de 1999, el Home Office publicaba un estudio conducido por Jill Hanmer y sus colegas de Leeds Metropolitan University en colaboración con el departamento de policía de West Yorkshire que discutía y evaluaba la implementación del proyecto más ambicioso y comprensivo de prevención de victimización repetida en casos de violencia doméstica realizado hasta la fecha. Este programa, a diferencia de otras experiencias policiales, pretendía integrar la prestación de atención a ambos miembros de la pareja, la mujer como víctima y el hombre como agresor. Mientras que la experiencia americana ha enfatizado la detención de los agresores o la atención de la víctima, pocos programas han tratado de combinar ambos aspectos.

La estrategia consistía en la aplicación de una serie de medidas de creciente intensidad en función del historial de malos tratos exhibido por el maltratador. Así, los maltratadores que no aparecían en la base de datos de este departamento de policía eran asignados al nivel uno y recibían la intervención más benigna, mientras que los maltratadores que exhibían un historial más serio de malos tratos eran asignados a niveles superiores de intervención y recibían intervenciones más intensas (p.ej., cartas de advertencia más serias que las enviadas a los no reincidentes, permanecía bajo custodia policial por más tiempo, se pedía prisión provisional sin fianza, se incrementaba la presencia policial en su área de residencia durante las semanas inmediatamente posteriores a la llamada a la policía, el Ministerio fiscal presentaba cargos más serios, etc.).

Sin embargo, las víctimas no eran dejadas de lado y también se incrementaba el nivel de intervención con las mismas si existían instancias de victimización repetida. Las intervenciones con las víctimas dependían del grado de convivencia. Medidas incluidas en los diferentes niveles de intervención consistían en cartas informativas, visitas realizadas por agentes de diferente grado de especialización dependiendo del nivel de victimización repetida, sugerencia y establecimiento de programas de *cocoon watch*[139], distribución de alarmas portátiles, cambio de las cerraduras de la casa, etc.

Hanmer, Griffiths y Jerwood (1999) evaluaron este programa con datos cuantitativos y cualitativos. De sus datos se desprende que la

---

[139]   Estos programas requieren la ayuda y apoyo de los vecinos, familiares y otras agencias para que contacten a la policía inmediatamente si sospechan instancias de victimización repetida contra la víctima. Estos programas solo se ponen en funcionamiento con el conocimiento y consentimiento de la víctima.

implementación del programa fue un éxito. Este hecho, por sí solo, merece la pena ser destacado dada la complejidad y prerrequisitos tecnológicos y organizativos que esta intervención supone. Más débiles son los datos en cuanto a la efectividad de la intervención para prevenir la violencia doméstica. Estos autores argumentan, basándose en sus datos, que el estudio consiguió reducir el número de casos de victimización repetida, así como el tiempo entre llamada y llamada a la policía procedente de la misma víctima.

El diseño cuasiexperimental, sin embargo, empleado es de los más débiles (un simple antes/después). Existen numerosas amenazas a la validez de este tipo de diseños y explicaciones alternativas a la existencia de cualquier pauta documentada por los datos. El año de la intervención, por ejemplo, pudo haber sido mejor que el año anterior a la intervención por otros factores (p.ej., mejores servicios sociales a las mujeres maltratadas, mejores condiciones sociales, etc.). Los autores utilizan llamadas a la policía como su única medida cuantitativa del éxito del programa y, como hemos tenido ocasión de ver, ésta es una medida cuestionable y que necesita siempre ser complementada con otras. Las entrevistas cualitativas con las víctimas no fueron complementadas con entrevistas con los maltratadores. Además, las entrevistas con las víctimas cuestionaban el éxito de algunas medidas (p.ej., las mujeres no incrementaban su uso de servicios sociales, las mujeres apenas si podían recordar las visitas de los agentes de policía). En todo caso, este estudio invita un tanto al optimismo y propone un modelo que merece la pena replicar y evaluar con métodos más rigurosos.

III.i. Creación de unidades especializadas y la asignación de mujeres agentes a los casos de malos tratos

Una de las reivindicaciones y soluciones que han sido propuestas para mejorar la respuesta del sistema de justicia penal al problema de los malos tratos consiste en la creación de unidades especializadas. Usualmente, además, se ha argumentado que estas unidades deben estar formadas por mujeres por su mayor sensibilidad sobre estos temas y porque las mujeres maltratadas se sienten mejor discutiendo sus problemas con otras mujeres. Ésta es una medida que ha sido empleada en varios países anglosajones y europeos, incluyendo España, sin embargo, a diferencia de lo ocurrido con otro tipo de experiencias hay muy pocos estudios que hayan examinado las virtudes y defectos de estas unidades en la práctica y, de hecho, tampoco ha existido mucho debate sobre las mismas a nivel teórico. La falta de investigación no ha sido un obstáculo para que, de hecho, algunas organizaciones policiales, como es el caso de la española, presenten a estas unidades como una de las grandes innovaciones para prevenir la violencia.

Si queremos encontrar una discusión detallada sobre las ventajas y desventajas de contar con unidades especializadas dentro de la policía, el acudir a los clásicos es una buena estrategia. O.W. Wilson (1970) en *Police Administration,* el manual que sirvió de inspiración al modelo racional burocrático, dedica una porción de uno de sus capítulos a discutir este tema con el detalle que le caracterizaba. Para Wilson existe una serie de ventajas que se deducen de la creación de unidades especializadas, resumiendo mucho, dichas ventajas son:

(1) *Establecimiento de responsabilidad.* A través de la especialización, la responsabilidad por la realización de una determinada tarea se asigna a una persona o unidad específica.

(2) *Desarrollo de expertos y mejora de la formación.* Se puede contar con personal cualificado y con un entrenamiento especial para la realización de determinadas tareas.

(3) *Promoción de un sentido de orgullo por la realización de las tareas especificadas.* Cuando se crea un unidad especial con una función específica sus componentes tienden a desarrollar una moral y orgullo alto por su pertenencia a dicha unidad con la que se sienten altamente identificados.

(4) *Estimulación de un interés policial especial.* Dada la definición de sus responsabilidades, los miembros de estas unidades desarrollan un interés en las operaciones de la policía que están relacionadas con su campo de actuación, lo que les conduce a participar activamente en las mismas y a presionar por autoridad, personal y material para poder cubrir sus necesidades.

(5) *Estimulación del interés público.* Las unidades especializadas, de manera similar, estimulan el interés público y consiguen apoyo adicional a las actividades de la policía.

Sin embargo, la creación de unidades especializadas, que era, de alguna manera, la forma en que el modelo racional-burocrático respondía a la aparición de nuevas necesidades, no se consideraba exenta de problemas, algunos de los cuales son considerablemente serios. O.W. Wilson tuvo, a pesar de ser el inspirador de este modelo racional-burocrático, la capacidad para vislumbrar algunos de ellos:

(1) *Limitada utilidad.* Todo asunto que es puesto en conocimiento de un agente de policía merece su atención inmediata y usualmente la recibe cuando él es el responsable incuestionable de dicha respuesta. A medida que un departamento de policía se especializa, sin embargo, muchos asuntos policiales no pueden ser resueltos de manera inmediata y directa por el agente que se encuentra en la escena de los hechos o que ha sido consultado, sino que tiene que ser derivado a las unidades especializadas para la realización de dichas tareas. Por otro lado, los especialistas de estas unidades pueden tomar acción fuera de su esfera de responsabilida-

des porque sus habilidades no son comparables. Además, y esto es especialmente importante, la especialización muy a menudo sirve de excusa conveniente para el especialista y el no especialista para no realizar una tarea que puede tomar su tiempo y energía y causar alguna inconveniencia.

(2) *Restricción del interés policial general.* Cuando una determinada actividad pasa a ser competencia de una unidad especial, el resto de los policías pierden interés en esta actividad o materia.

(3) *Complicación de la coordinación.* La creación de nuevas unidades multiplica el número de relaciones internas que son áreas de posible conflicto y fricción.

(4) *Creación de otros problemas administrativos y operativos*[140].

El británico James Sheptycki (1993) es uno de los pocos criminólogos que ha examinado el funcionamiento en la práctica de estas unidades especializadas. Sheptycki estudió, con métodos etnográficos, tres de estas unidades ubicadas en el área metropolitana de Londres. Su estudio identificó alguno de los problemas de estas unidades. En primer lugar, este autor señalaba como, al funcionar con horario de oficina, estas unidades no están abiertas cuando son más necesitadas, ya que los malos tratos no tienen lugar normalmente durante el horario de oficinas. En segundo lugar, estas unidades estaban formadas por oficiales de bajo rango con limitado poder en el establecimiento de procedimientos sobre la manera en que la mayoría de los agentes adscritos a las mismas comisarías trataban con los casos de violencia doméstica.

Cada una de las tres unidades examinadas por este autor adoptaba una filosofía diferente. La primera de ellas estaba basada en un entendimiento de la función policial más coherente con los modelos de policía de proximidad u orientada a la solución de problemas. Una vez los casos eran transferidos a estas unidades especializadas, las agentes adscritas a las mismas podían interrogar detenidamente a la víctima sobre la naturaleza de su victimización, la historia de la relación con el agresor y los servicios que la misma necesitaba. Aunque durante estas entrevistas se trataba

---

[140] Este autor discute una serie de criterios que pueden ser tomados en cuenta a la hora de decidir si es necesario crear una determinada unidad especial. A juicio de este autor, estos factores son diversos, pasando por la calidad del personal (mientras mayor es, menos necesidad), la necesidad de tener habilidades especiales para el desarrollo de determinadas funciones, la importancia de estas funciones, la cantidad de trabajo que suponen, la diferenciación entre ésta y otras funciones, la interferencia con otras funciones del trabajo policial o las actitudes del personal hacia la realización de este tipo de funciones.

también de averiguar si había algún interés por parte de la víctima en presentar cargos contra el agresor, el foco de atención de los agentes se centraba en ayudar a la víctima a decidir sobre la manera más apropiada de garantizar su seguridad y bienestar personal. En estas unidades también se proporcionaba información sobre como documentar la habitualidad del maltrato por medio del establecimiento de registros médicos. Además, estas unidades ofrecían apoyo emocional y compañía a la víctima durante sus diversos contactos con otras instancias del sistema de justicia penal. Sobre todo, a la luz de la descripción de este autor, las agentes adscritas a estas unidades demostraban hacer uso de su discreción de manera imaginativa y comprometida.

Las otras dos unidades seguían esquemas diferentes. En la segunda unidad la respuesta no era muy diferente en relación con el modelo tradicional aunque se ofrecía información sobre las órdenes de alejamiento a las víctimas, mientras que la tercera unidad estaba inspirada en el modelo americano de disuasión y uso del arresto. Aunque Sheptycki consideraba el tipo de actuación de la primera unidad como el más adecuado, en realidad no procedió a evaluar estas alternativas. Sheptycki, en todo caso, reconocía la dificultad de exportar el modelo seguido por la primera unidad, dado que la cantidad de tiempo que cada víctima recibía en las mismas era considerable y que el éxito de esta unidad, así como su filosofía, estaba en buena medida basada en el liderazgo y características personales, por lo demás poco representativas del personal policial, de las agentes que la pusieron en marcha.

Pero no son sólo las dificultades de llevar a la práctica este tipo de esquemas los que llevan a algunos autores a adoptar una posición crítica sobre las mismas, sino que también se suele aludir a cuestiones de mayor calado que tienen que ver con la representación de las mujeres dentro de las estructuras policiales. Como varias autoras han indicado, la creación de programas y unidades especializadas mantenidas por personal exclusiva o prioritariamente femenino corren el peligro de verse marginadas tanto a nivel institucional como personal, a pesar del discurso público que la institución policial realiza sobre las mismas. Este tipo de enfoques parece estar designando áreas *femeninas* de actuación policial como el lugar apropiado de las mujeres policías. Por otro lado, no está del todo claro que la asunción principal de este modelo, que las mujeres están más capacitadas que los hombres para tratar este tipo de situaciones, sea del todo cierta. De hecho, existe evidencia que al menos sirve para cuestionar esta asunción. Así, se ha subrayado que el mero cambio de agentes varones por agentes mujeres no garantiza una mayor sensibilidad hacia los problemas de las mujeres maltratadas (Tomasevski, 1998). Elizabeth Stanko (1998) también ha criticado el uso de estos servicios y en general la actitud frente a la violencia contra la mujer como un mero ejercicio de relaciones públicas por parte de la institución policial[141].

Más recientemente, el Home Office publicaba un estudio sobre las estructuras organizativas de la policía y su impacto en la prevención de la violencia doméstica. Este estudio realizado por Joyce Plotnikoff y Richard Woolfson (1998) analiza las diversas formas organizativas adoptadas en el Reino Unido para combatir la violencia doméstica desde la policía y realiza un estudio crítico de las mismas.

Este estudio identificó una amplia variedad de modelos organizativos para la prestación de servicios en situaciones de violencia doméstica. La mayoría de los 42 departamentos analizados tenían oficiales especializados en violencia doméstica (86%), aunque en 7 de estos departamentos estas unidades también tenían asignadas otras labores y varios de los departamentos sin oficiales especializados estaban considerando la creación de dichas plazas. No obstante, el número de departamentos con oficiales especializados es engañoso dado que solo cinco de los departamentos habían tratado de asignar el número apropiado de agentes en función de las demandas del departamento. Así, el número de domicilios servidos por los agentes especializados varía entre 200 y 286,000 dependiendo del departamento. La mayoría de los agentes integrados en estas unidades son mujeres.

La creación de estas unidades, no obstante, no se puede interpretar simplemente como un progreso. En aquellos departamentos en que tales unidades existían los oficiales no asignados a las mismas tendían a pasar casos y situaciones a los oficiales especializados que ellos debían haber sido capaces de resolver, facilitando, por tanto, el desentendimiento del agente medio de este tipo de situaciones. Por otro lado, los agentes especializados tendían a considerar que su trabajo es considerado como de menor importancia por el resto de sus compañeros, que los ven como trabajadores sociales en lugar de como policías, percepción que, Pltonikoff y Woolfson destacan, está ligada a la escasa prioridad que se da al tratamiento apropiado de los malos tratos en las evaluaciones cotidianas de personal de la policía. Por otro lado, la existencia de estos oficiales, tal y como este estudio revela, no garantiza la existencia de sistemas de información apropiados. La escasa prioridad otorgada a los casos de

---

[141] «...the conscious use of pictures and sketches of women and children in the care of women officers invites women's trust in the police as sensitive interviewers of women reporting rape or sexual assault, as crusaders in child protection, or as dedicated domestic violence workers. Clearly, these images illustrate how the police are using women police as a public relations tool, the acceptable face of police protection, and aim specifically at reassuring women they will be treated sympathetically should they need to contact the police» (Stanko, 1998, p. 62).

violencia doméstica y el papeleo extra asignado a estos casos hace que muchas llamadas por violencia doméstica no se codifiquen apropiadamente, lo que dificulta la labor de los especialistas para crear archivos documentando la historia de abuso en la relación que pueden ser utilizados posteriormente por los agentes que responden a nuevas llamadas.

En todo caso, estos autores evalúan de manera positiva el potencial de estas unidades especializadas. Los mismos sugieren, entre un amplio conjunto de medidas, la realización de estudios que determinen los posibles beneficios de una mayor participación de estos agentes en el proceso de investigación, ya que en la actualidad sus labores se concentran en labores burocráticas, y del establecimiento de contactos con otras agencias y servicios de asistencia a las víctimas.

En general sus conclusiones podrían resumirse de la siguiente manera. La creación de unidades especializadas es un paso adecuado, sin embargo, no debe contemplarse como una panacea, sino que comporta un compromiso continuo por parte de la jerarquía policial con el tratamiento de los malos tratos que, entre otras cosas, supone la obligación de integrar de una manera más coherente estas unidades y las responsabilidades derivadas de un planteamiento más serio de los malos tratos dentro de los departamentos de policía. Ello, por ejemplo, implica un tratamiento más riguroso y eficaz de los datos policiales y una mayor comunicación entre estas unidades, las centrales de recogidas de llamada, las unidades de recepción de denuncias y los agentes enviados a responder estas llamadas. De manera muy especial, estas unidades no pueden convertirse en una excusa para que el resto de los integrantes de las Fuerzas y Cuerpos de Seguridad del Estado se desentiendan del problema de violencia contra la mujer o de sus obligaciones de prestar el debido respeto y consejo a las víctimas del delito en general. Igualmente importante, estas unidades deben recibir la prioridad adecuada y no ser marginadas.

IV. LA SITUACIÓN EN ESPAÑA

En España, circunstancias históricas que no se le escapan a muchos han determinado una historia de la policía particular. La vinculación histórica de la policía española a la institución militar y su implicación en la vida política (López Garrido, 1987), así como los 40 años de dictadura franquista y el papel represivo de las libertades públicas que la policía desempeñó durante la existencia del régimen condicionaron de manera notable la organización de la policía y la función policial en nuestro país. Con la llegada de la democracia se dieron los primeros pasos para cambiar esta situación. La Constitución y la Ley Orgánica de Fuerzas y Cuerpos de Seguridad del Estado fueron importantes pasos en esta dirección.

Escándalos como los del ex-jefe de la guardia civil Luis Roldan y el de las diferentes autoridades el Ministerio de Interior envueltos en la lucha ilegal y terrorista contra el grupo armado ETA no han ayudado, sin embargo, a dar una imagen moderna de la policía española. A pesar de ello, tanto la Policia Nacional como la Guardia Civil reciben puntuaciones excelentes por parte de la sociedad española en las encuestas realizadas por el CIS que miden confianza institucional y valoración de estos cuerpos. La compleja estructura territorial del Estado y su vinculación a la organización policial (Jar, 1995), por otro lado, suponen retos adicionales, no necesariamente insuperables, al desarrollo de una policía moderna y al ejercicio eficaz de la función policial. Los ciudadanos, no obstante, contemplan asombrados los relatos de conflictos de competencia y, en ocasiones, no saben con certeza a quién acudir.

Por otro lado, hasta muy recientemente la comunidad criminológica y científica española había prestado muy escasa atención al fenómeno policial. Resumiendo el estado de los estudios policiales, Diego Torrente (1997, p.11) apuntaba recientemente lo siguiente:

«Los grandes debates policiales actuales en España son de tipo corporativo, están relacionados en especial con aspectos políticos y jurídicos. Preocupa la estructura, competencias y plantillas definitivas de Cuerpos nacionales, autonómicos y locales. Obsesiona lo que se ha bautizado como el modelo policial, así como el diseño del mapa policial del Estado que se inicia con la transición política. También se dan vueltas a las siempre difíciles relaciones entre la administración de Justicia y la Policía. Llama la atención que todo son aspectos estructurales y políticos sobre los que la policía tiene poco control; sin embargo, apenas existen debates sobre lo que sí controla: su trabajo cotidiano. Se echan en falta debates sobre los nuevos problemas sociales, la evolución del delito, la inseguridad, la relación con la población, la eficacia y eficiencia, el control democrático, la seguridad privada o incluso sobre su papel. Curiosamente se utiliza el termino modelo policial en el sentido de grandes estructuras de Cuerpos pero no en el de funcionamiento organizativo, tareas o relación con la población. Se discute el modelo y no la realidad»

Sin embargo, existe un número considerable de expertos y autoridades policiales comprometidos con el ideal de la modernización de la policía española. Aunque a veces esta voluntad ha estado conectada a planes poco planificados y un tanto megalómanos como el de la implementación de la policía de barrio por parte de la Policía Nacional, concepto no siempre bien entendido en nuestro país, también existen otras experiencias que invitan a un optimismo moderado. Existe, además, un conjunto de jóvenes sociólogos y jefes de policía que están tratando de sentar las bases de estudios policiales y desarrollos teóricos serios en nuestro país. Así, existe una creciente literatura en temas policiales con estudios y ensayos como *El aparato policial en España* (1987) de López Garrido, *Inseguridad ciudadana y policía* de Rico y Salas (1988), *La profesión de policía* (1990) y *Mujeres policía* (1994) de Martín Fernández, *Modelo policial español y policías autónomas* (1995) de Gonzalo Jar o *La sociedad policial* (1997) de Diego Torrente. A su vez, los sindicatos policiales no se han inhibido de este proceso y han reivindicado un modelo policial descentralizado, mejor organizado y eliminando todo carácter militar de la misma[142]. Y, por otro lado, las máximas autoridades policiales comienzan a reconocer, como hace Juan Cotino, que la plantilla policial está mal distribuida, hay muchos burócratas, pocos policías dedicados a prevenir la delincuencia y demasiados a vigilar edificios. No obstante, el proceso de modernización de la policía española está aún lejos de terminar y hay quienes, como el gobierno del PP al reservar cuotas para ex-soldados profesionales en estos cuerpos[143], se empeñan en hacer esta transición más difícil.

Las primeras actuaciones adoptadas por la policía española en materia de malos tratos estaban encaminadas a mejorar el conocimiento estadístico sobre los mismos. Así, a partir de abril de 1983 la Dirección General de Policía comenzaba a realizar una estadística mensual de denuncias de malos tratos a mujeres en las 13 Jefaturas Superiores de Policía, que representan el total de las denuncias recogidas por la Policía Nacional, dejando fuera las presentadas ante la Guardia Civil, la Policía Municipal y Autonómica y los Juzgados de Guardia. Dentro del propio Ministerio de Interior, la Guardia Civil a partir de 1987, ha comenzado a registrar denuncias por malos tratos, recogidas en el ámbito que corresponde a las competencias de la Guardia Civil, es decir, el ámbito rural (Comisión de Malos Tratos a Mujeres, 1989).

Desde el punto de vista operativo, la Dirección General de Policía aprobaba en sendas circulares de marzo de 1983 y abril de 1988, las normas de actuación policial que deben mantenerse en estos casos, desde la obligación de tramitar la denuncia dando un resguardo a la denunciante hasta la recomendación taxativa de la recogida de pruebas o *la especificación de evitar la intervención reconciliadora entre los cónyuges*[144]. La última circular añadía la obligación de acompañar a las mujeres que lo soliciten a su domicilio (Comisión de Malos Tratos a Mujeres, 1989).

A nivel organizativo, la Policía Nacional creaba en el último tercio de los 80 unidades de atención a la mujer en varias ciudades, expandiendo

---

[142] Francisco Javier Santaella, antiguo secretario general del Sindicato Profesional de Policía Uniformada, ha sugerido, entre otros, que la estructura militarizada de la Guardia Civil es incongruente con el modelo policial de un país democrático y debería desaparecer, facilitándose a sus miembros la integración en un cuerpo único de policía civil del Estado o en el Ejercito (Primitivo Carbajo, EL PAÍS, 21 de mayo de 1997).

[143] Ver al respecto EL PAÍS 22 y 23 de diciembre de 1997.

[144] Claramente rechazando el modelo de intervención inspirado por Bard y sus seguidores.

posteriormente esta red a nuevas capitales de provincia, con el objetivo de contar con al menos una de cada estas unidades por capital de provincia. La Circular 585 de la Dirección General de Policía fechada en abril de 1986 creaba el Servicio de Atención a la Mujer con la finalidad de ofrecer a la mujer un trato policial acorde con el delito sufrido, salvaguardar en todo caso su intimidad personal, establecer vínculos de comunicación que faciliten su atención y la investigación de los hechos, así como facilitar la denuncia en un local que garantice la privacidad e intimidad de la mujer.

Este servicio inició su andadura en Madrid en 1986 y, como he señalado, posteriormente extendió su red a otras provincias. Sin embargo, el tamaño de estas unidades, la composición de géneros, su estabilidad operativa y el tipo de funciones que realiza varía en cada provincia. Así, hay unidades con una sola funcionaria y otras que cuentan con un nutrido grupo de los mismos, unidades en las que todas las integrantes son mujeres y otras en las que existe una mezcla de agentes de género masculino y femenino, unidades en las que las únicas funciones consisten en la atención de la víctima y otras, una minoría, en las que la unidad asume funciones de investigación (Para más detalles, Comisaria General de Policía Judicial y Jefatura Superior de Policía de Madrid, 1996). Al describirse el tipo de función realizada por este tipo de servicios se hace evidente que la función más importante que realizan es la recogida de la denuncia en condiciones adecuadas y de una manera personalizada.

Un estudio realizado en una de estas unidades especializadas ponía de relieve alguna de las limitaciones en su actuación. El estudio de Ana Gallart y sus colaboradoras (1998) extraía las siguientes conclusiones:

(1) No existen dependencias privadas donde las víctimas de malos tratos puedan formular sus denuncias.

(2) No se estimaba como función policial el acompañar a la víctima al domicilio para que recoja sus efectos personales o el acompañarlas a las casas de refugio.

(3) El consentimiento expresado por la denunciante para la entrada en el domicilio familiar se considera insuficiente si el maltratador se opone.

(4) Solo se tramitan denuncias formuladas por terceros de manera excepcional.

(5) Mantienen una actitud crítica frente a las organizaciones de mujeres por considerar que crean falsas expectativas en torno a la denuncia.

(6) Existe muy poca coordinación con otras instituciones o asociaciones.

La Guardia Civil, siguiendo la recomendación de la Comisión del Senado sobre Derechos Humanos, decidió crear los Equipos Mujer-Menor (EMUME) que en un no muy afortunado uso del lenguaje que equipara la mujer a los menores perpetúa los consabidos prejuicios. En 1995 en la sede de todas las Unidades Orgánicas de Policía Judicial de Comandancia se contaba con una guardia civil especializada en la atención a la mujer (en la actualidad dos e, incluso tres en varias provincias) y en 1998 se anunciaba la iniciación de la formación de estas guardias civiles. El objetivo principal de estas unidades es mejorar la atención a las mujeres víctimas de determinados tipos de delitos, en particular se espera que estas mujeres puedan recibir una atención personalizada y especializada que no solamente facilite el proceso de denuncia, sino que sirva también de vínculo con instituciones específicas de protección de la mujer (Ruano, 1998).

Al margen de la atención a la víctima, se espera que estos equipos asesoren a las unidades de policía judicial de la Guardia Civil sobre la incidencia de los delitos relacionados con la mujer y el menor, además de hacerse cargo de los aspectos relativos a la investigación de dichos delitos y de servir de enlace con otros organismos y asociaciones relacionados con la protección de las víctimas. Existe también un EMUME formado por psicólogos que debe seguir a nivel nacional esta problemática, dando apoyo y asistencia a los restantes equipos en todas sus actuaciones. Este equipo central participa también de las labores de formación y debe elaborar protocolos de actuación especiífica para la problemática de mujeres víctimas (Ruano, 1998).

Más recientemente, la Secretaria de Estado de Seguridad aprobaba una instrucción sobre adopción de medidas relativas a la prevención, investigación y tratamiento de la violencia contra la mujer y asistencia a la misma. Esta instrucción de una manera muy clara refleja la filosofía policial española sobre la problemática de los malos tratos.

Se comienza hablando de actuaciones preventivas. En ese sentido se destaca que la actuación policial no ha de centrarse exclusivamente en la labor de investigación y protección de la víctima, sino que ha de dirigirse, en primer lugar, a la realización de aquellas actuaciones de detección y prevención que impidan que tales conductas violentas lleguen a producirse. A tales efectos, y por lo que se refiere a detección[145], se destaca el papel de las Unidades de Policía de Proximidad del Cuerpo Nacional de Policía, que han adquirido un especie de función simbólica (en el sentido de estar cargada de simbolismos) y casi mítica dentro de este cuerpo, así como los puestos de la Guardia Civil. Esta información, se señala, deberá pasarse a la mayor brevedad posible bien al SAM bien a las EMUMES o, en su ausencia, a las correspondientes unidades de policía judicial, todo ello al objeto de valoración, tratamiento y adopción de medidas preventivas a que hubiere lugar. La prevención, por tanto, pasa a ser responsabilidad

---

[145]   Al menos eso se deduce de manera implícita.

exclusiva de estos organismos especializados. Y, lo que es más interesante, el lenguaje empleado y la ausencia de referencias, sobre todo, lleva a pensar en un concepto de prevención bastante limitado y que poco invita a un modelo policial *orientado a la solución de problemas* a lo Goldstein.

Se presta más atención y se trata con más detalle la recepción, tratamiento e investigación de las denuncias formuladas. En este ámbito se insiste en principios que, por otro lado, bien podrían aplicarse en la atención a cualquier tipo de víctimas. Así, se insiste en que las Fuerzas y Cuerpos de Seguridad del Estado deben facilitar la presentación de este tipo de denuncias, prestar un trato especialmente respetuoso y preferente, ofrecer información sobre derechos, recoger la información con rapidez y exhaustividad, realizar actos de investigación con diligencia, etc. Aunque algunas de estas observaciones parecen obvias, el estudio realizado por Themis con una muestra de 2,430 denuncias de malos tratos en la Comunidad Autónoma de Madrid demostraba que la descripción de la agresión en dichas denuncias es muy somera, que no reflejan todas las circunstancias del caso y que, de manera especialmente grave, no se documenta de manera apropiada la habitualidad del maltrato (Alemany Rojo, 1999).

En tercer lugar, se hace referencia a la protección de la víctima. En ese apartado se señala que los agentes deben adoptar medidas tanto en el lugar de los hechos como durante traslados a hospitales o asistenciales, para garantizar la seguridad de la víctima. Se indica que en las dependencias policiales se evitará que la mujer de malos tratos comparta espacio físico con su agresor. Pero sobre todo se insiste en la necesidad de mantener una comunicación permanente con la víctima desde el momento que la policía llega a conocer los hechos y durante fases posteriores. También en este apartado, de manera encomiable, se reconoce el peligro que supone la existencia de armas en el hogar y, por tanto, se pide a los agentes de policía que se proceda a la entrega voluntaria de las mismas y en caso contrario que se inicien los tramites judiciales y gubernativos para su confiscación.

En materia de colaboración con otros organismos y asociaciones orientados a la protección de la mujer, se habla, pero en un nivel relativamente abstracto, de coordinación de planes de actuación, potenciación de relaciones con los mismos y propiciamiento de la creación de equipos disciplinarios.

Se subraya, además, la necesidad de especialización. Aunque se mantiene que el tratamiento, prevención, investigación y atención de los comportamientos violentos contra las mujeres requiere la colaboración general de los miembros de las Fuerzas y Cuerpos de Seguridad del Estado, se destaca el papel crucial de las unidades especializadas (SAM y EMUMES). De manera específica se señala que estas unidades, en la medida de lo posible, deben estar constituidas por mujeres. A veces se da la sensación que éste es un problema que solo afecta a mujeres policías o que es un tipo de situaciones que debe ser resuelto por mujeres policía. La instrucción termina haciendo una llamada a más formación, en la que por cierto no se hace ninguna referencia al papel que los criminólogos podemos jugar en ella[146], y se destaca la necesidad de crear un modulo estadístico que contenga datos sobre violencia contra la mujer, de nuevo sin pedir consejo a los criminólogos académicos, quienes por formación estamos cualificados en materias de estadística criminal. Por otro lado, se habla de estadísticas en general, sin que se disponga de manera específica medidas para mejorar los sistemas de información computerizados locales y sobre casos individuales que son los que verdaderamente pueden tener un impacto en la práctica policial en este tipo de casos.

Si tenemos en cuenta que la mayoría de los malos tratos son considerados como faltas y en tales situaciones no procede la detención del sospechoso, no nos debe sorprender que en estas instrucciones no se incida en dicha medida. En todo caso, y considerando el proceso de criminalización de los malos tratos experimentado en nuestro país en este ámbito y la investigación comparada al respecto, resulta curiosa la falta de atención prestada a este tema en nuestro país.

V. CONCLUSIONES

Ciertamente el análisis de la institución policial frente al problema de los malos tratos ha adquirido un protagonismo notable en la agenda de los criminólogos que han estudiado el fenómeno de los malos tratos. Quizás no es exagerado decir que los criminólogos han estado más interesados en esta dimensión del problema que en otras quizás más básicas y que se han considerado monopolio de sociólogos, psicólogos o feministas. En todo caso, estos estudios han documentado la experimentación continua de nuevas soluciones por parte de los diversos departamentos policiales para tratar los casos de malos tratos. Fyfe y sus colaboradores (1997) posiblemente están en lo cierto cuando afirman que los departamentos de policía que colaboran con investigadores universitarios en estos experimentos y cuasiexperimentos no son representativos de todos los departamentos de policía. Pero sería exagerado señalar que no se han producido cambios en la manera que la policía conceptualiza y responde al problema de los

---

[146] Quizás ahora que se va a aprobar la licenciatura de Criminología en nuestro país es el momento para exigir a los candidatos a entrar como miembros de las Fuerzas y Cuerpos de Seguridad del Estado el requisito de ser licenciados. Ésta es una medida muy común en el ámbito comparado.

malos tratos. Unos cambios que, como también hemos visto, no pueden entenderse aisladamente, sino que forman parte de las nuevas formas de entender y concebir el papel de la policía en las sociedades democráticas contemporáneas.

Ciertamente, estamos lejos de encontrar la panacea a este problema, entre otras razones porque dicha panacea no existe. Éste es un problema complejo que la policía, por sí sola, no va a ser capaz de resolver. Sin embargo, como creo que ha quedado claro a lo largo de este capítulo, sería erróneo pensar que la policía no puede hacer nada para prevenir el maltrato y para mejorar su respuesta a las víctimas del mismo.

Las claves de una respuesta correcta por parte de la policía al problema de los malos tratos incluyen un mayor contacto con la comunidad, la colaboración con otros servicios públicos y sociales; ponerse radicalmente al servicio de las víctimas en lugar de usar las víctimas en aras del interés público al procesamiento penal; el cambio de actitudes fatalistas sobre el papel de la policía en la prevención de la delincuencia; una especial atención al fenómeno de la victimización repetida; el reconocimiento de capacidad de autodeterminación a las mujeres maltratadas; pero sobre todo acabar con la concepción de la policía como una agencia simplemente encargada de detener delincuentes y ponerlos a disposición del juez, en favor de una concepción más cercana al modelo de policía orientada a la solución de problemas. Es precisamente el acercamiento a este modelo el que lleva a departamentos de policía a experimentar nuevas soluciones y a un proceso de auto-reflexión continuo sobre la mejor manera de realizar el trabajo policial.

Capítulo XII
EL SISTEMA DE JUSTICIA PENAL Y LA VIOLENCIA DOMÉSTICA II

I. INTRODUCCIÓN

La policía constituye tan solo uno del conjunto de actores implicados en la administración de justicia penal. Como he sugerido en el capítulo anterior, el papel desempeñado por fiscales y jueces también es fundamental en la prevención de la violencia doméstica. La policía, con algunas excepciones, se limita a proporcionar una intervención, en muchos sentido limitada, en situaciones de crisis, conformándose así a un modelo reactivo que, por lo demás, está en crisis entre los expertos policiales. En todo caso, numerosos autores han destacado que la labor policial de tipo represivo en los casos de violencia doméstica no puede mantener sus efectos si no cuenta con el respaldo de fiscales y jueces dispuestos a poner todo su empeño en castigar penalmente la violencia doméstica.

Al margen de su labor represiva, los jueces y fiscales representan un papel esencial en el proceso de recuperación de la experiencia de victimización. Linda Holmstrom y Ann Burgess en 1978 publicaban *The Victim of Rape: Institutional Responses* un provocativo y pionero análisis de las respuestas del sistema penal y hospitalario a las víctimas de violación que a pesar del paso del tiempo, desafortunadamente, todavía resulta en muchos sentidos una análisis certero de la respuesta institucional a mujeres víctimas de violencia.

En este análisis en el que Holmstrom y Burgess devolvían la voz a estas mujeres, estas autoras sentaban las bases de un concepto que se hizo pronto popular en el discurso victimológico: victimización secundaria. Por tal se entiende la victimización que experimentan las víctimas de estos delitos como consecuencia de la inadecuada, estresante, despersonalizada e, incluso, insultante respuesta de las instituciones encargadas del control penal y la atención médica. Estudios sobre el proceso de recuperación de la experiencia psicológica de victimización sugieren que el proceso penal puede tener una repercusión en el primero, en particular se ha aludido a la posible existencia de un efecto negativo de procesos excesivamente largos en el bienestar psicológico de la víctima (Resick y Nishith, 1997).

Jueces y fiscales tienen que entender que para la víctima de malos tratos su visita a los juzgados es una experiencia única que puede afectar de manera decisiva su bienestar psicológico, así como su determinación para solucionar los problemas en su relación y su confianza en el sistema de justicia penal como un instrumento que la ayude en ese proceso. El americano James Ptacek, por ejemplo, (1995) en un estudio sobre la experiencia de mujeres maltratadas entrevistó a 80 mujeres que acudieron al Juzgado de Quincy con el propósito de obtener una orden de alejamiento contra su marido. Su estudio reveló que la mayoría de estas mujeres se encontraban asustadas y nerviosas cuando acudieron al juzgado. El 65% de las mismas temían que el maltratador se vengara por su intención de obtener estas órdenes.

Muchas de estas mujeres también se sentían intimidadas por la institución judicial. Para la mayoría de ellas ésta era la primera vez que acudían a un tribunal. Algunas mujeres se sintieron humilladas, degradadas o avergonzadas por tener que narrar en público la historia de sus relaciones privadas y el abuso al que habían sido sometidas por el hombre que amaban y otras temían no ser creídas o ser juzgadas. En todo caso, para estas mujeres el acudir a los juzgados suponía un estrés psicológico añadido al maltrato. En otro estudio similar con una muestra de 50 mujeres maltratadas también en los Estados Unidos, Erez y Belknap (1998) documentaban como todavía muchos jueces realizan comentarios poco apropiados sobre la situación de estas mujeres durante la vista oral y muchas víctimas encontraban poco sentido a los procedimientos, regulaciones y las sentencias.

Los intereses de las mujeres maltratadas, así como los de otras víctimas, no coinciden con los intereses o el funcionamiento del sistema de justicia penal. Así, por ejemplo, las mujeres maltratadas, así como otras víctimas, pueden preferir canales de solución de sus problemas que garanticen su intimidad y privacidad, mientras que el proceso penal es un proceso público abierto a espectadores. Las mujeres maltratadas, así como el resto de los ciudadanos con conflictos judiciales, quieren soluciones inmediatas, rápidas, mientras que el sistema de justicia penal tanto por problemas de organización interna y recursos, como por exigencias de justicia, es lento a la hora de ofrecer soluciones (Hart, 1996). Mientras que un proceso de faltas por malos tratos duran como media unos cinco meses, los procesos ante los juzgados de lo penal llegan a los 21 meses como media (Alemany Rojo, 1999) y parece existir una clara conciencia en el estamento judicial que muchas de estas dilaciones no están justificadas (Consejo General del Poder Judicial, 2001).

Por otra parte, el estamento judicial y fiscal, así como sus respectivos discursos oficiales e informales, durante muchos años ha mantenido una visión muy peculiar sobre las mujeres. Los jueces en nuestro país durante mucho tiempo han hecho gala de claras actitudes machistas. Carlos Pérez Ruiz, en uno de los escasos y, por tanto, doblemente valioso, estudios sobre el tema, dedicaba dos capítulos de su tesis doctoral *La Argumentación Moral del Tribunal Supremo (1940-1975)* a destacar las nociones de género explícitas e implícitas en los pronunciamientos de este órgano jurisdiccional durante un periodo no tan lejano de nuestra historia social, política y jurídica.

Ciertamente las cosas han cambiado considerablemente desde entonces, de hecho una buena parte de los jueces españoles en la actualidad son mujeres, pero la judicatura y la fiscalía continúan exhibiendo en demasiadas ocasiones nociones de género poco adecuadas con la realidad social y el entendimiento pleno del artículo 14 de nuestra Constitución. Ello quizás es una consecuencia del carácter excesivamente dogmático de la formación jurídica en nuestro país, donde todavía, en base a un entendimiento de la neutralidad e imparcialidad excesivamente ortodoxo y poco realista, no se aprecia todo lo que se debiera el acercamiento de los jueces y fiscales a las comunidades en las que desarrollan su trabajo. Seguramente también es una consecuencia de la escasa atención prestada en España a las teorías feministas en el ámbito de las ciencias jurídicas. En este terreno, sin duda, la ciencia del derecho británica y americana se encuentran mucho más adelantadas que en nuestro país. Es bastante común en las Facultades de Derecho de estos países el tener cursos sobre feminismo y derecho, una posibilidad que la rigidez de los programas de estudios universitarios españoles limita en considerable grado.

De la misma forma que en el ámbito policial se ha reivindicado por parte de las asociaciones de mujeres una mayor contundencia en la lucha contra los malos tratos, se ha pedido una mayor dureza en el tratamiento de los maltratadores a nivel judicial. Existe cierto debate en nuestro país, por ejemplo, sobre el tema de las faltas. Es evidente que muchas conductas merecedoras de ser consideradas como delitos son calificadas como simples faltas (Gutierrez Lopez, 1990; Alemany Rojo, 1999). El estudio de Themis, por ejemplo, indica que el 3% de las agresiones físicas y el 30% de las amenazas merecían, dada su entidad, la calificación como faltas. Aunque es sólo un 3% de las agresiones físicas, las que por su resultado, podrían dar lugar a una calificación como delito de lesiones, el estudio destacaba como en el 50% de los casos de falta había una historia de maltrato que de haber sido valorada por el juez y el fiscal podía haber dado lugar a la calificación de delito de malos tratos habituales.

En vista de estos resultados, hay quienes como, por ejemplo, Montserrat Comas, de Jueces para la Democracia, considera que lo que hoy se regula como faltas de malos tratos debería en realidad ser tipificado como delito. El Consejo General del Poder Judicial en su Informe propone la eliminación de las faltas de malos tratos de forma consistente con las recomendaciones del Libro Blanco sobre la Justicia sobre la desaparición de todas las faltas penales. En el seno del Consejo se ha generado cierta polémica entre que sería elevado a la categoría de delito y que actos quedarían simplemente excluidos como ilícitos penales en el caso de que desaparecieran las faltas de malos tratos[147]. El tenor del Informe es bastante ambiguo. Propone el reparto de lo que hoy se califica entre faltas entre un nuevo tipo de delito y una forma de injusto civil que no generaría responsabilidades penales.

En este capítulo veremos que más allá de pedir más contundencia al sistema judicial, existen otras posibilidades de reforma orientadas a mejorar la respuesta dada a las víctimas del maltrato y a hacer la prevención del maltrato más efectiva. Aunque no cabe duda que la falta de sanción legal disfrutada por maltratadores en el pasado, y todavía hoy (Alemany Rojo, 1999), es algo que debe ser corregido, no debemos llevar el péndulo al otro extremo y caer en la promoción de tendencias excesivamente punitivas no solo poco eficaces, sino contraproducentes por estigmatizantes. La cuestión reside en encontrar el punto medio ideal, algo que puede resultar sumamente difícil si nos dejamos llevar por nuestras compartidas antipatías contra los maltratadores.

II. LOS FISCALES

II.a. ¿Discriminación por parte de los fiscales?

De la misma manera que la policía, los fiscales han sido acusados por no haber prestado la suficiente atención a las necesidades de las mujeres maltratadas. Las defensoras de las mujeres maltratadas han criticado a los fiscales por el escaso empeño demostrado en la persecución judicial de la violencia doméstica y por haber desmotivado, en numerosas ocasiones, a las víctimas de seguir adelante con sus casos.

Algunos fiscales se han defendido de estas acusaciones haciendo referencia a las dificultades probatorias presentes en estos casos. Otros fiscales han argumentado que las mujeres maltratadas tienen una tendencia a retirar los cargos una vez que se reconciliaban con sus compañeros. Otros han entendido que no merecía la pena gastar sus esfuerzos en estos casos porque de todas maneras «los jueces son los que no le dan importancia a la violencia doméstica». Incluso alguno he encontrado que defendía una extraña noción del concepto penal del consentimiento para justificar su inhibición en estas situaciones.

---

[147] Las organizaciones de mujeres se han opuesto a esta medida en cuanto que solo cuando las conductas «sean de la entidad suficiente» pasarán a ser reguladas como delito, en los demás caso solo darán lugar a responsabilidades de tipo civil (EL PAIS, 16-2-2001). La publicación del informe del CGPJ se retrasó, de hecho, por las discrepancias internas al respecto. Lopez Barja, en particular, ha criticado el rigor punitivo de algunas de las medidas propuestas (EL PAIS, 8-3-2001).

Ciertamente las mujeres maltratadas en ocasiones no entienden las reglas y peculiaridades del proceso y la ley penal y en ocasiones acuden al sistema de justicia penal con expectativas poco realistas. Pero también es cierto que el sistema de justicia penal no siempre ha entendido a las mujeres maltratadas y, en ocasiones, las ha convertido en ejemplos de victimización secundaria. Cuando, por ejemplo, se le pregunta a la mujer por qué permanece con el marido o si ha pedido el divorcio, estas mujeres pueden sentir que se las está haciendo responsables por la violencia que han sufrido (Ford y Regoli,1993). Estudios realizados durante la década pasada pusieron de relieve que los fiscales en los países anglosajones utilizaban sus poderes discrecionales para mantener fuera del sistema legal los casos de violencia doméstica (Ellis, 1984).Así, se ha subrayado como los fiscales utilizan estereotipos de género para determinar la credibilidad de la víctima y como el objetivo de éxito del procesamiento tomaba preferencia sobre la satisfacción de las necesidades de las víctimas.

En todo caso, en los países anglosajones en la actualidad no existe un consenso entre los autores sobre la existencia de discriminación por parte de los fiscales en estos casos. Mientras que algunos autores sostienen que lo verdaderamente relevante no es el carácter doméstico, sino la relación de intimidad entre agresor y víctima, otros autores creen que tienen datos que demuestran que los fiscales otorgan menor prioridad a los casos de violencia doméstica (Ford y Regoli, 1993).

También hay estudios que sugieren que el proceso de toma de decisiones por parte de los fiscales es más complejo de lo que se había pensado inicialmente. Schmidt y Steury (1989) realizaron uno de los estudios más completos hasta la fecha de este problema. Estos autores analizaron este fenómeno con una muestra de casos por faltas de malos tratos que pasaron por la oficina del Condado de Milwaukee entre el 1 de enero de 1983 y el 30 de junio de 1984.

Estos autores compararon los casos en los que los fiscales se decidieron a presentar cargos y una muestra representativa de los casos en que no se presentaron cargos. Cuando estos autores analizaron los casos en que no se presentaron cargos descubrieron que casi la mitad de ellos (45%) constituían situaciones en las que las víctimas no querían seguir adelante. Uno de los datos más interesantes apuntados por este estudio es que la seriedad de la lesión y el historial delictivo del agresor parecían tener una mayor relevancia en la decisión de presentar cargos que la fuerza de los elementos probatorios. Por otro lado, los fiscales eran especialmente propensos a presentar cargos cuando el acusado se declaraba en rebeldía. Este estudio no pudo documentar la tendencia de los fiscales a no presentar cargos cuando no existían lesiones graves, certificados médicos de la existencia de lesiones o, incluso, cuando la víctima no quería testificar. Los fiscales, en la mayoría de los casos, no se resistían a presentar cargos cuando los elementos probatorios no eran muy fuertes. Entre los factores extra-legales (aquellos no contemplados por la ley) que los fiscales empleaban para tomar sus decisiones se encontraban la implicación de alcohol-drogas, la fuente de apoyo financiero del acusado y la historia del abuso. Los fiscales eran más generosos con acusados que no tenían problemas de alcohol o drogas, que tenían un empleo estable y que no habían maltratado previamente a la víctima.

II.b. Estrategias de los fiscales para atajar el maltrato

Como hemos señalado una de las razones principales que los fiscales emplean para justificar su resistencia a aceptar casos de maltrato es la pérdida de interés de la víctima en el procesamiento. Aunque éste no es un fenómeno exclusivo de los casos de maltrato, ni tampoco un fenómeno nuevo, se ha construido como un problema específico de estos casos.

Es verdad que en los Estados Unidos muchas mujeres maltratadas tratan de retirar su acusación una vez que el proceso comienza. Los estudios realizados hasta la fecha señalan que entre el 50% y el 80% de las mujeres maltratadas retiran sus cargos o su respaldo al procesamiento del acusado bien solicitándolo formalmente o bien ausentándose del proceso en su condición de testigo (Ford y Regoli, 1993). Pero también es verdad, por ejemplo, que cuando se pregunta a los españoles sobre la resolución de conflictos la aplastante mayoría de los mismos prefieren ceder algo que tener que acudir a los tribunales (Fuente: CIS).

Hay autores que insisten en que ésta es una profecía que se autocumple por razón del comportamiento de jueces, fiscales y abogados. Los fiscales, por ejemplo, evalúan la intención de las víctimas preguntándoles si verdaderamente quieren procesar a su marido. En ocasiones incluso le dan razones a la mujer por las que no debe seguir adelante. Las mujeres también pueden decidir la retirada de la acusación porque temen la venganza de su marido. Finalmente, las mujeres pueden retirar los cargos porque quizás no esperaron seguir adelante con el proceso, sino que tan solo pretendían asustar al marido para que frenase su violencia o porque la retirada de los cargos constituía parte de sus compromisos en los acuerdos extrajudiciales, e incluso informales, que puede haber adoptado con su marido para solucionar el problema de la violencia (Ford y Regoli, 1993).

Erez y Belknap (1998) preguntaron a una muestra de mujeres maltratadas que puntuara los factores por los que no cooperaban con el sistema de justicia penal. Miedo al maltratador obtenía la mayor puntuación, seguido por orden de la ineficacia del sistema, preocupación por los niños, falta de confianza en el sistema, dificultades experimentadas con previos procesamientos, dependencia emocional del agresor, dependencia económica del agresor y falta de apoyo familiar. Davis y Smith (1982) han señalado que una vez que se ha producido la detención y se ha obtenido una orden de alejamiento, muchas víctimas de violencia doméstica se sienten más seguras y no se encuentran, por lo tanto, tan motivadas para cooperar en el procesamiento penal del maltratador.

Aunque la retirada de los cargos por parte de la mujer no son exclusivos de las mujeres maltratadas, ni son necesariamente problemáticos, los defensores de las víctimas los han tratado como tales. Varios autores han sugerido la adopción de medidas que eviten este fenómeno. Así, de la misma manera que han existido voces reclamando la restricción de la discrecionalidad policial en estos casos y la adopción de políticas de detenciones obligatorias, en los Estados Unidos un sector de opinión ha reclamado que los fiscales adopten políticas de procesamiento judicial a toda costa. En otras palabras, se ha reivindicado que se reduzca el poder discrecional de los fiscales y que se mantengan lo cargos incluso en situaciones en que las mujeres maltratadas no quieren seguir adelante (Ford y Regoli, 1993).

Otras medidas que también se han sugerido ha sido el promover el uso de *plea-bargaining*, o conformidad, en los casos en que las víctimas pueden sentirse traumatizadas en caso de tener que ir a juicio oral, así como el envío de cartas de advertencia a los maltratadores que no son procesados. Finalmente, también hay quienes han señalado que la aceleración del proceso en estos casos también favorecería una mayor cooperación por parte de las víctimas (Davis, Smith y Nickle, 1998). A pesar de la escasez de estudios sobre estos temas, en particular sobre el procesamiento obligatorio de estos casos, al menos cuatro Estados y un número indefinido de jurisdicciones menores han adoptado este enfoque (Mills, 1998).

Existen, ciertamente, muy pocos estudios que hayan examinado la efectividad de diferentes estrategias fiscales o, incluso, la efectividad del procesamiento. En uno de los escasos estudios sobre la materia, Fagan y sus colaboradores (1984) evaluaron la eficacia del procesamiento por parte de los fiscales en comparación con otro tipo de intervenciones por medio de entrevistas con 270 mujeres maltratadas. El 29% de estas mujeres seguían sufriendo violencia a manos de sus maridos después de la intervención y las mujeres cuyos maridos estaban siendo procesados no se encontraban en mejor situación que las mujeres que recibieron otras intervenciones. Un examen más pormenorizado permitió a Fagan descubrir que el procesamiento del maltratador era más efectivo cuando se aplicaba a maltratadores que exhibían un grado menor de violencia; un descubrimiento similar al realizado por Sherman y sus colaboradores (1992) en relación con la detención.

El estudio más completo hasta la fecha sobre diversas estrategias utilizadas por los fiscales y su repercusión en la violencia doméstica fue realizado por Ford y Regoli (1993). Este estudio, el *Indianapolis Domestic Violence Prosecution Experiment*, examinó las políticas habituales en el procesamiento de casos de falta de maltratos iniciados por detenciones policiales en la escena de los hechos o por denuncias presentadas por las víctimas. Para cada uno de los dos grupos, los fiscales utilizaron tres condiciones experimentales asignadas aleatoriamente. La primera condición consistía en enviar los maltratadores a un programa de tratamiento como una medida de diversión, la segunda condición consistía en procesar a los acusados recomendando que se les enviara a tratamiento como parte de las condiciones de su *probation* y la tercera condición consistía en procesar a los acusados con la sentencia ordenada por la ley penal en cada caso (*presumptive sentencing*). El grupo de acusaciones que había sido iniciadas por las víctimas permitía una cuarta condición experimental. En este cuarto supuesto se permitía a las víctimas retirar la acusación.

El estudio no incluía casos en los que existía procesamiento previo por otro acto de violencia contra la víctima, casos en los que el agresor constaba en los archivos policiales como autor de un delito, o si constituía una amenaza inminente para la víctima. Ford y Regoli entrevistaron a las víctimas seis meses después de la disposición del caso. Como he señalado a algunas víctimas se les permitió retirar los cargos. De hecho el 54% de las mismas, a quienes tal posibilidad se permitió, así lo hicieron. Aunque al resto de las víctimas se les dijo que no podían hacerlo el 20% de los casos iniciados por detención policial y el 10% de los casos iniciados por una denuncia de las víctimas tuvieron que ser abandonados porque las víctimas no prestaron su cooperación.

Este estudio no pudo demostrar que aquellos hombres que eran detenidos y procesados eran menos violentos después de la intervención que aquellos hombres que no habían sido detenidos o habían sido detenidos, pero no procesados. Las víctimas cuyos casos habían sido iniciados por una detención policial y aquellas cuyos casos habían sido iniciados por sus denuncias tampoco exhibían notables diferencias. Por otra parte, no había diferencias significativas entre las tres condiciones experimentales comunes en los dos grupos de casos. Sin embargo, en el grupo de casos iniciados por denuncias de las víctimas, aquellas mujeres a las que se le permitió retirar los cargos exhibían los niveles de violencia más bajos.

El principal descubrimiento de este estudio, por tanto, fue que las mujeres a las que se le permitía retirar los cargos sufrían un grado menor de violencia que las mujeres en las otras condiciones. Conviene señalar, no obstante, que el estudio evaluaba estrategias usadas por los fiscales y no resultados obtenidos por estas estrategias. En otras palabras, permitir a estas mujeres retirar los cargos puede reducir la violencia, pero eso no significa que retirar los cargos ayuda a reducir la violencia. De hecho, los datos de este estudio parecen sugerir que retirar los cargos puede aumentar la violencia. De la misma manera, tampoco significa que los objetivos perseguidos en las otras condiciones experimentales se obtuvieran.

Aunque Ford y Regoli no tienen datos para justificar sus interpretaciones, creen que esta medida, el permitir la retirada de los cargos, ayuda a reducir la violencia porque le da poder a las víctimas para tomar o recuperar el control de su relación. Las mujeres en este grupo pueden negociar con el maltratador el cese de la violencia y pueden utilizar la retirada de la acusación como una condición en estas negociaciones. Las víctimas también pueden experimentar que tienen el control en la medida en que pueden invocar a la policía, fiscales y jueces para prevenir a su pareja de usar la violencia (Ford y Regoli, 1993).

Estos autores recomiendan, por tanto, que se instruya a las víctimas que pueden retirar los cargos si eso es lo más conveniente para ellas. Pero también creen que es importante que se les advierta que el retirarlos puede ser una mala idea y empeora su situación. Estos autores también recomiendan que se les ofrezcan a las víctimas más opciones. Estudios cualitativos basados en entrevistas con mujeres maltratadas también han confirmado que las mismas se oponen a políticas y procedimientos que no les permitan retirar los cargos (Erez y Belknap, 1998).

Más recientemente, Davis, Smith y Nickless (1997) finalizaban la realización de un estudio que trataba de analizar los efectos de diferentes disposiciones adoptadas por los fiscales, pero también por los jueces, en la prevención del maltrato. Como hemos visto en el capítulo anterior, muchos autores piensan que la detención, por sí sola, tiene efectos limitados en la prevención del maltrato. Según los mismos, la detención, para ser verdaderamente eficaz, precisa del respaldo de los fiscales y jueces materializado en el procesamiento y castigo penal de los maltratadores.

Estos autores, empleando un diseño cuasiexperimental, examinaron una muestra de 1133 casos de faltas de violencia doméstica procedentes de la Corte Criminal de Milwaukee entre 1994 y 1995. Davis y sus colaboradores clasificaron estos casos en cuatro categorías: aquellos que el fiscal había decidido no procesar; aquellos que habían sido procesados, pero no habían sido condenados; aquellos que habían recibido una sentencia de *probation* obligándoles a seguir tratamiento; y aquellos que habían sido condenados a pena de prisión. La asignación a estos grupos no fue aleatoria. Se trataba de un estudio realizado tras la decisión adoptada por los operarios del sistema de justicia penal de conformidad con los criterios habitualmente empleados por los mismos. Dada la más que posible existencia de factores asociados con la reincidencia que también están asociados con la asignación a cada una de estas categorías, los autores decidieron controlar estadísticamente dichas variables en el contexto de sus análisis.

Los resultados de dichos análisis demostraron que el único factor relacionado con la reincidencia era el historial delictivo del agresor, sin que ninguno de los tratamientos o condiciones cuasiexperimentales demostrase ser mejor que las otras. Los autores concluyen que el procesamiento penal de los maltratadores añade poco al moderado efecto disuasorio o preventivo del arresto. Otro estudio recientemente publicado (Thistlethwaite et al., 1998), sin embargo, ofrecía evidencia cuasiexperimental sugiriendo el efecto disuasorio de sanciones penales más severas (aunque no necesariamente en su duración).

Otra de las medidas recomendadas para mejorar la atención de los fiscales a este problema ha sido la creación de unidades especializadas de fiscales. En los Estados Unidos, por ejemplo, la creación de fiscales especializados en estos casos ha servido para crear una atmósfera y estructura en las oficinas de fiscalía que proporciona a los casos de violencia doméstica un mayor estatus. Estas unidades crean incentivos para la persecución agresiva sin tener que competir por recursos con otros casos de más visibilidad. En estas unidades especializadas, la selección de los casos puede incluir una gama más amplia de factores que la simple existencia de pruebas o la seriedad de las lesiones de la víctima (Fagan, 1996). Los fiscales en estas unidades pueden considerar factores adicionales tal y como la posibilidad de abuso futuro y el historial de violencia en la relación.

No obstante, incluso con estas reformas, la tasa de persecución judicial de estos casos sigue siendo extremadamente baja, en numerosas jurisdicciones menos del 10% en los casos de faltas denunciadas (Garner y Fagan, 1997). A pesar del desarrollo de estas unidades, muy pocos estudios han tratado de averiguar si ayudan a prevenir la violencia y que otros efectos beneficiosos pueden tener desde un punto de vista procedimental y desde el punto de vista del bienestar general de la víctima.

II.c. La situación en España

En España hasta la fecha han existido muy pocos estudios empíricos. El primero de ellos emplea datos que datan de finales de los 80. El estudio de Gutiérrez López (1990) sugiere que los fiscales españoles, en aquel momento histórico y en la jurisdicción examinada, todavía no se habían tomado en serio el problema de los malos tratos. De los 150 expedientes examinados el fiscal sólo solicitaba la condena cuando la víctima comparecía y el agresor comparecía y confesaba su agresión o cuando este último comparecía y declaraba que los malos tratos eran mutuos. En este último supuesto, además, el fiscal solicitaba la condena de las dos partes. Gutiérrez López destacaba la importancia de la actuación del Ministerio Fiscal ya que en el análisis de los expedientes estudiados las clases de resoluciones judiciales coincidían con las calificaciones y solicitud de sentencias realizadas por el mismo.

Un análisis de sentencias realizado con datos más recientes conducido por Carracedo Bullido (1998) documentaba como la actividad del Ministerio Fiscal en estos casos se limitaba a la concurrencia al acto oral y no se empleaban de manera contundente contra los maltratadores. Mientras que un estudio conducido por Gallart y sus colaboradoras (1998) basado en entrevistas con un pequeño número de fiscales destacaban la ausencia de datos estadísticos completos, el peso del parte de lesiones como elemento de prueba, la creencia en la escasa idoneidad de hacer uso de los hijos como testigos y, sobre todo, la consideración cuasiprivada de estos casos. En la mayoría de las ocasiones, y al margen del marco legal (Vergara Guerra, 1998), los fiscales no sostienen acusación si existe perdón de la víctima, con independencia de que haya otras pruebas. También el Informe del Defensor del Pueblo sobre Violencia Doméstica (1998) contra las Mujeres denunciaba que al no ser obligatoria la presencia de los miembros del Ministerio fiscal en los juicios de falta en numerosas ocasiones se facilita que dichos comportamientos violentos queden sin sancionar.

Más recientemente, la asociación de mujeres juristas Themis presentaba el estudio citado anteriormente y basado en el análisis de 2.430 expedientes judiciales sobre agresiones conyugales ocurridas en la Comunidad de Madrid que criticaba la tendencia, por parte de los fiscales, de calificar estos casos como faltas en lugar de como delitos. De acuerdo con este estudio, una proporción importante de faltas podría fácilmente ser calificada como delito, pero en la práctica no se hace. El estudio también indicaba que en los procedimientos seguidos por malos tratos, el fiscal no siempre ejerce sus funciones con la diligencia deseable.

Las reformas introducidas en junio de 1999 trataban de solucionar algunos de estos problemas y, por ejemplo, hacen ahora posible ejercer de oficio la acción penal en casos de faltas de malos tratos. Igualmente, a finales de octubre de 1998, la Junta de Fiscales, presidida por el Fiscal General del Estado, aprobaba una circular sobre el tema de los malos tratos pidiendo una mayor agresividad a los fiscales (EL PAÍS, 17-10-98). Entre los puntos más novedosos o sobresalientes de esta circular se encontraban los siguientes:

(1) Se alude al uso de la prisión preventiva como un mecanismo a ser empleado contra los maltratadores «si se ve que el sujeto es peligroso y que otras medidas más suaves no serán eficaces».

(2) Se destaca que el fiscal debe ser decidido en esta materia, «supliendo, incluso, sobrevenidos comportamientos abstencionistas de las víctimas que pudieran presentarse por variadas circunstancias».

(3) Se realiza una interpretación flexible del criterio de habitualidad del tipo penal comprendido en el articulo 153 del Código Penal. Así, se alega que será posible «acreditar la habitualidad, pese a la inexistencia de condenas anteriores por los actos que la integran, a través de la declaración de la víctima, por el contenido del parte parcial médico o por cualquier medio probatorio»

(4) Se insiste en la necesidad de perseguir la violencia psicológica.

(5) Se pide la creación de un fichero de las causas de malos tratos, que se alimentará con los datos de interés de cada caso. Este fichero intenta evitar un tratamiento inconexo de las conductas violentas reiteradas atribuibles a una persona.

(6) Se creará en todas las fiscalías un Servicio de Violencia Familiar, con un coordinador al frente.

Todavía es pronto para saber cuales serán las implicaciones de esta medida, así como su nivel de implementación. La reforma del Código Penal y de la Ley de Enjuiciamiento Criminal también posibilitó el ejercicio de oficio de la acción penal en los supuestos de faltas de malos tratos. Ésta, como muchas otras, sigue siendo un área en la que es preciso realizar más estudios en nuestro país.

Un aspecto que parece especialmente problemático es el de la creación de fiscalías especializadas en el tema. Aunque el gobierno inicialmente se mostraba a favor de este tipo de iniciativas (EL PAÍS, 4-10-1998), más recientemente ha mostrado su rechazo a las mismas (EL PAÍS, 22-10-2000). Desde el gobierno se han criticado estas medidas por ser consideradas un despilfarro y por «ya existir un fiscal encargado en cada fiscalía de estos casos» (Concepción Dancausa en EL PAÍS, 24-10-2001).

III. LOS JUECES

II.a. La coordinación de los tribunales de lo civil y de lo penal

La investigación del sistema de justicia penal y la violencia doméstica recuerda la forma de un cono. Así, la actuación policial ha sido sometida a considerable escrutinio por parte de los investigadores, algunos estudios han comenzado a analizar el papel de los fiscales en la persecución de la violencia doméstica, sin embargo, apenas existen estudios que analicen el papel de los jueces en la prevención de este fenómeno. En parte esto se puede explicar porque solo una pequeña minoría de los casos de violencia doméstica llegan a ser examinados por los jueces. A pesar de ello, los escasos estudios existentes ofrecen información muy valiosa.

Una de las cuestiones que más ha preocupado a los investigadores y a los defensores de la mujer maltratada en los Estados Unidos ha sido la coordinación de los tribunales de lo civil y de lo penal. El hecho de que existan dos jurisdicciones con competencia sobre cuestiones que afectan a las mujeres maltratadas ha preocupado a los expertos en el tema. Estas cuestiones se refieren a temas de custodia de los hijos, materias económicas y otras relacionadas con el proceso de separación y divorcio en los Juzgados de lo Civil y a temas de libertad provisional, fianza y condena del maltratador en los Juzgados de lo Penal. En los Estados Unidos la duplicidad de jurisdicciones se complica por el hecho que los jueces de lo civil también pueden ofrecer órdenes de alejamiento como un remedio específico para las mujeres maltratadas que acuden a los mismos y sin necesidad que estén vinculados a ningún proceso civil de separación o divorcio[148].

Varios estudios han puesto de relieve las inconsistencias que a menudo se producen entre los pronunciamientos de los tribunales de lo civil y de lo penal. Así, a veces, un juez de lo criminal puede dictar una orden de alejamiento prohibiendo todo tipo de contacto entre el agresor y la víctima, mientras que el juez de lo civil puede aprobar una orden en la que garantiza al maltratador el derecho de visita a los hijos que la pareja tiene en común. Además, la falta de información sobre, por ejemplo, la habitualidad del abuso establecida en uno de los juzgados puede resultar en decisiones injustas o miopes.

Por otro lado, se ha denunciado que los jueces dada la cantidad de casos que tienen que resolver pueden asignar una menor importancia a los casos de violencia doméstica. No podemos olvidar, por otra parte, que la coexistencia de las dos vías judiciales en ocasiones crea una duplicidad de actuaciones con la consiguiente pérdida de tiempo para todos, las víctimas, que tienen que acudir repetidamente a los juzgados, y los fiscales y jueces, que tienen que repetir investigaciones y audiencias sobre los mismos o similares temas. Finalmente, se ha denunciado que la variedad de vías para plantear estas cuestiones crea oportunidades para que los maltratadores manipulen el sistema y aumenten el grado de ineficiencia del sistema, imponiendo costes adicionales en el sistema de justicia, así como en las víctimas. Así, por ejemplo, hay casos en los que después que la mujer haya obtenido una orden de alejamiento en el Juzgado de lo Penal, el marido ha obtenido una orden de alejamiento contra ella en el Juzgado de lo Civil, donde los requisitos de prueba son menores (O'Sullivan, 1998).

---

[148]   Con ello no sugiero que dicha medida sea inadecuada.

Un estudio realizado por Chris O'Sullivan (1998), una investigadora asociada a Victim Services, puso de manifiesto que en la ciudad de Nueva York aproximadamente el 10% de los casos de malos tratos están siendo procesados de manera paralela en los Juzgados de lo Civil y en los Juzgados de los Penal. En estos casos, la coordinación es realmente importante para evitar decisiones judiciales contradictorias. Además, existe un número sustancial de casos (aproximadamente el 20% de los casos de violencia doméstica) que comienzan bien en los Juzgados de lo Penal bien en los Juzgados de lo Civil y más tarde dan lugar a actuaciones en el otro orden jurisdiccional. En estos casos, el poder contar con los archivos de las actuaciones judiciales relacionadas con el primer procesamiento o decisión por la administración de justicia resulta también muy importante para poder obtener una resolución justa y apropiada en el segundo foro judicial.

Este estudio demostraba que, al menos en Nueva York, existe intercambio de información y algunos esfuerzos de coordinación a través del uso de archivos informatizados, el acceso a los archivos judiciales y comunicaciones específicas entre los fiscales, abogados, jueces y el personal asociado a los juzgados. Sin embargo, O'Sullivan también demostraba que subsistía la necesidad de crear canales más adecuados de comunicación y que, por otra parte, algunos actores judiciales se resisten al intercambio, o al menos a un intercambio total, de la información en los casos en que el procesamiento ocurría de manera paralela.

Quienes se resistían a este intercambio aludían a las siguientes razones:

(1) El mismo puede producir prejuicios y decisiones injustas. Para que la información pueda ser admitida en los Juzgados de lo Penal, algunos jueces argumentaban, tiene que ser durante la fase de determinación, en presencia del abogado del maltratador y demostrando que la información es relevante para la decisión del caso penal

(2) Algunos abogados se oponían por considerar que el testimonio ofrecido en los Juzgados de lo Civil es confidencial y más abierto (tanto por parte de la víctima como por el agresor), lo que resulta consistente con el propósito de encontrar la mejor solución para la familia y por el énfasis en la administración de servicios, más que en el castigo. Estos abogados consideraban que un mayor intercambio de comunicación podría afectar el tipo de testimonios ofrecidos en los Juzgados de lo Civil.

(3) Otros abogados también advertían sobre el riesgo que la comunicación también serviría para difundir las acusaciones falsas y las mentiras de una de las partes en el proceso.

Finalmente, O'Sullivan también documentaba que las víctimas entrevistadas en su estudio se mostraban a favor de tener las dos vías judiciales abiertas y su falta de satisfacción tenía más que ver con problemas con la manera de operar de cada uno de los juzgados. Las víctimas también notaban problemas derivados de la diferencia entre procedimientos en los dos juzgados y, en general, sentían que se podrían beneficiar de una mayor comunicación entre los mismos.

III.b. La creación de juzgados especializados en el procesamiento de la violencia doméstica

En respuesta a este problema y para tratar de proporcionar una solución más efectiva, en varias jurisdicciones de los Estados Unidos, y también en Canadá, se han creado juzgados especializados en el procesamiento de casos de violencia doméstica. También se han tratado de implementar lo que se denominan respuestas sistémicas a la violencia doméstica. Los programas sistémicos tratan de coordinar varios programas legales y comunitarios y que las sanciones legales se implementen en conjunto con una red de controles sociales que tratan de fortalecer la prohibición del uso de la violencia en el contexto de las relaciones de intimidad.

En realidad, estos programas van más allá del mero uso de sanciones y también promueven el tratamiento de los maltratadores, así como el ofrecimiento de diversos servicios a las víctimas. Este modelo de juzgado especializado nace en Estados Unidos tras la experiencia con los juzgados especializados en drogas y se inserta en el movimiento más amplio de justicia comunitaria comentado anteriormente.

Como señalamos anteriormente, los tribunales o juzgados comunitarios forman parte de una nueva manera de concebir las relaciones entre administración de justicia y la comunidad, así como una nueva manera de entender las funciones y posibilidades de actuación de la justicia en la solución de problemas comunitarios. En los Estados Unidos el movimiento de justicia comunitaria, sin embargo, apenas si está empezando a materializarse en iniciativas concretas y éstas, generalmente, han estado asociadas al tratamiento de problemas específicos. Primero fueron los tribunales especializados en drogas, posteriormente los primeros proyectos de tribunales especializados en violencia doméstica y, en la actualidad, existen modelos concretos de tribunales o juzgados comunitarios en un sentido más general como, por ejemplo, la Corte Comunitaria de Midtown Manhattan.

Aunque en realidad los primeros juzgados especializados en violencia doméstica precedieron a los juzgados comunitarios, la experiencia de los mismos sigue canales de retroalimentación. Es por esto último por lo que conviene, si quiera brevemente, describir los principios que guían a las cortes comunitarias, ya que estos principios, de alguna manera, también están penetrando y están relacionados con el funcionamiento de los tribunales especializados en violencia doméstica y que procuran una respuesta comunitaria a este fenómeno.

Feinblatt y Bernan (1998), del Centro para la Innovación de los Tribunales, han enumerado recientemente los principios para la creación de un tribunal comunitario efectivo. En primer lugar, estos tribunales tratan de restaurar la comunidad. Ello implica el reconocimiento de que las comunidades sufren también las consecuencias de inseguridad ciudadana, la utilización de sanciones (p.ej., trabajo en servicio de la comunidad) para compensar a la específica comunidad que ha sido dañada, la participación de representantes de la comunidad en el diseño del contenido de dichas sanciones, la combinación del castigo con ayuda por medio del ofrecimiento de ayuda social y programas de tratamiento a los agresores, así como la apertura de los diversos servicios sociales ubicados en los tribunales a otros miembros de la comunidad, no solo a los delincuentes.

En segundo lugar, estos tribunales tratan de estrechar las relaciones con la comunidad sobre la que ejercen su jurisdicción. Ello ha llevado a estos tribunales a hacer sus actividades más visibles, accesibles y proactivas. Así, los administradores de estos tribunales en colaboración con la comunidad evalúan la evolución de la delincuencia y problemas de seguridad ciudadana en sus jurisdicciones y tratan de desarrollar soluciones proactivas a los mismos. Además, estos tribunales ofrecen una amplia panoplia de servicios a las víctimas que residen en el área.

En tercer lugar, estos tribunales tratan de coordinar mejor la intervención de los diferentes actores del sistema de justicia penal y otros servicios públicos. Un elemento crucial ha sido la utilización de la autoridad de la figura judicial para efectuar esa coordinación y para convencer a diversos actores a dejar de actuar de manera aislada. Se entiende, por otra parte, que los tribunales por sí solos son incapaces de resolver los problemas de la comunidad y que es precisa una mayor colaboración entre diversas agencias sociales y organizaciones de ciudadanos para resolver dichos problemas. Agencias y organizaciones que han desarrollado una notable experiencia en el tratamiento de algunos de estos problemas, pero que en la mayor parte de los casos actuaban de espaldas a la administración de justicia y sin colaborar entre sí. Además, estos tribunales comunitarios tienden a una menor ortodoxia sobre la interpretación de las diferentes jurisdicciones materiales tradicionalmente establecidas en diversos sistemas de justicia. Así, los mismos tienden a procurar resolver en un mismo ámbito problemas con implicaciones y ramificaciones de diversa naturaleza (p.ej., penal, civil, administrativo, etc.) de una manera unitaria y conjunta.

En cuarto lugar, estos tribunales comunitarios subrayan la necesidad de ayudar a los delincuentes a solucionar los problemas que les llevan a adoptar un estilo de vida criminal. Desde esta perspectiva, se insiste en la necesidad de entender cuáles son los problemas de los delincuentes y en el ofrecimiento de sanciones que puedan ayudar a los mismos a cambiar sus vidas. Así, cuando resulta apropiado, se les ofrece la incorporación a programas de rehabilitación de drogas, servicios médicos y educativos, así como orientación psicológica que pueden ir más allá del contenido de la sanción penal. La idea es utilizar estos tribunales para promover a los delincuentes a buscar ayuda por si mismos.

Esta filosofía de acercamiento a la comunidad y provisión de servicios en un sentido amplio se deja traslucir en todos los aspectos de estos tribunales. Así, por ejemplo, existen sistemas de información que hacen ciertamente transparente el funcionamiento de los mismos. Incluso el diseño arquitectónico de estos tribunales, se recomienda, debe estar inspirado por esta filosofía. Ello, entre otras cosas, supone la instalación de los diversos servicios bajo un mismo tejado.

Existen numerosos temas y cuestiones debatidas en la literatura sobre tribunales comunitarios y sobre el movimiento de justicia comunitaria. Por otro lado, la versión americana de justicia comunitaria ni es la única, ni puede presentarse como la más auténtica, como las experiencias de justicia indígena, por ejemplo, demuestran. Ciertamente, aquí no se puede ofrecer una discusión en profundidad de todos estos temas, así como de las implicaciones más amplias de este movimiento o de las posibilidades de un movimiento similar en nuestro país. Aunque desde una perspectiva crítica se puede entender este fenómeno como un paso más en la extensión de las redes sociales, creo que merece la pena detenerse a analizar de manera más detallada esta tendencia. Sin embargo, conviene ahora centrarse en aquellas experiencias judiciales que, como pioneros y, a la vez, seguidores o promotores de esta tendencia, han tratado de responder de manera específica al problema de los malos tratos en la pareja.

Existen muy pocos estudios que hayan examinado el funcionamiento de los tribunales especializados en violencia doméstica. La mayoría de la literatura es puramente descriptiva. El Tribunal de Violencia Doméstica del Condado de Dade ha sido uno de los pocos que ha recibido la atención de los investigadores. Este tribunal, dentro del orden jurisdiccional de lo penal, tiene también competencias civiles y cuenta con un equipo interdisciplinario de profesionales que trabajan en conjunto con el objetivo de la prevención de la violencia. Este tribunal fue creado en noviembre de 1992 y tan solo juzga casos de faltas. Desde la detención hasta el momento de la sentencia, solo jueces con experiencia y conocimientos sobre la violencia doméstica trabajan en el procesamiento de los casos. Los fundadores de este tribunal creen que la combinación de servicios intensivos de atención a la víctima, el tratamiento del maltratador y un papel activo de los jueces en el contexto social de la comunidad pueden servir para prevenir mejor la violencia doméstica.

Otro Tribunal de Violencia Doméstica que ha recibido atención es el establecido en Milwaukee. Esta corte nació con el objetivo específico de acelerar el procesamiento de los casos de violencia doméstica. De acuerdo con los defensores de este modelo, semejante aceleramiento facilitaría la cooperación de las víctimas con el sistema de justicia penal. En una de las secciones anteriores veíamos como muchos conciben como un problema el alto número de mujeres maltratadas que deciden retirar los cargos o no cooperar como testigo. Este tribunal pretendía combatir dicho fenómeno por medio de la aceleración del proceso. En esta corte se creó una unidad de fiscales especializados y también se seleccionaron a jueces con un interés especial en casos de malos tratos. Por otro lado, existía personal cuya función consistía en acompañar, informar y atender a las mujeres maltratadas. Este personal también tenía como función obtener información sobre las expectativas de cada víctima sobre la respuesta judicial a su problema. Se esperaba que cada caso pudiera ser procesado y resuelto en el plazo de 90 días (Davis, Smith y Nickle, 1998).

Davis y sus colaboradoras (1998) compararon casos tratados bajo el anterior sistema con los tratados por el nuevo tribunal. Efectivamente, la duración del proceso se redujo de manera significativa, paso de 166 a 86 días. Además, esta reducción de la duración del proceso no se produjo como una consecuencia del aumento en casos no procesados. Como consecuencia de la reducción del proceso también se produjo una reducción en el número de visitas que las víctimas se vieron obligadas a hacer a los juzgados. De manera consecuente con la lógica dibujada por los defensores de este modelo, el número de maltratadores considerados culpables también aumentó tras la instauración del nuevo tribunal, aunque este aumento solo se detectó en los casos resueltos por *plea-bargaing* (que es casi la totalidad de los casos). No obstante, aunque el número de condenas se incrementó un 25%, también se experimentó una reducción en el número de condenas a prisión, se pasó de un 75% a un 39%. Los autores especulan que es posible que este tipo de concesiones fueran realizadas para acelerar el proceso y obtener admisiones de culpa por parte de los acusados. Por otro lado, sus datos demuestran que las mujeres atendidas por el nuevo tribunal se mostraban menos interesadas en condenas privativas de libertad. Este estudio demostró que las víctimas, paradójicamente, estaban menos satisfechas con la actuación de los fiscales en el nuevo modelo y que eran menos propensas a volver a los tribunales si se les presentaba de nuevo un problema de abuso, lo que los autores atribuyen a diferencias en las poblaciones atendidas. Aparentemente, el nuevo tribunal redujo los requisitos para procesamiento, pasando de un 15% a un 30% de los sujetos detenidos que pasaron a ser considerados merecedores de procesamiento. Con esta ampliación de la red, más mujeres que no estaban interesadas en el procesamiento vieron a sus maridos procesados y de ahí su menor satisfacción con el proceso (Davis, Smith y Nickle, 1998).

El nuevo modelo parecía prevenir mejor instancias de violencia durante el procesamiento, sin embargo, éste no era un efecto consistente, ni duradero. Una vez tomadas en cuenta las diferencias en la duración del proceso, los autores encontraron un menor número de detenciones por nuevos delitos con el nuevo modelo, aunque no pudieron documentar dichas diferencias en el número de detenciones por faltas. Por otra parte, cuando los autores examinaron las tasas de delincuencia durante un periodo de seis meses tras la disposición judicial, no pudieron encontrar diferencias en las tasas de abuso entre los dos grupos (Davis, Smith y Nickle, 1998).

En la actualidad, el Urban Institute está evaluando otro juzgado especializado en Brooklyn que de momento tan solo atiende casos de delitos (no faltas) y el Centro Nacional de las Cortes Estatales está compilando un directorio de estos juzgados y tratando de determinar los diferentes modelos que existen y las percepciones del personal de los mismos sobre su eficacia.

También existen muy pocos estudios que hayan examinado las denominadas respuestas sistémicas. Una de las razones es la dificultad de evaluar estos programas. El establecimiento de condiciones de comparación es muy difícil; con lo que resulta prácticamente imposible discernir los efectos del tratamiento de los maltratadores del efecto de las sanciones legales o la defensa de las mujeres maltratadas (Fagan, 1996).

III.c. Conducta judicial y malos tratos

Un tercer tema que está siendo analizado en relación con la respuesta judicial a los malos tratos es la conducta personal de los jueces en sus encuentros con los maltratadores y sus víctimas. El trabajo de Ptacek (1999) ha sido pionero en esta materia. Este autor realizó una clasificación de los jueces en función de su comportamiento con víctimas y agresores en el contexto de los procesos de petición de órdenes de protección. Ptacek distingue cinco modalidades diferentes de comportamiento judicial, elaborando sobre el trabajo previo de Maureen Mileski: el juez de buena naturaleza (cortés, empático y amable), el burócrata (impersonal, pasivo, distante), el firme o formal (afirmando su autoridad moral), el desagradable (ofensivo, insultante) y el condescendiente o paternalista. Estos tipos no son absolutos, un juez puede presentar una cara a la víctima y otra al agresor.

Los jueces que actuaban de buena fe con las mujeres empleaban su autoridad para hacer que las mujeres se sintieran bienvenidas a los juzgados, para expresar preocupación por su situación y para movilizar recursos en su beneficio. Estos jueces se muestran amables con estas mujeres, lo que se manifestaba en su tono de voz y la adopción de medidas (p.ej., mirándoles a los ojos continuamente) para aminorar la distancia emocional. Estos jueces, además, tratan de obtener una visión realista de su situación por medio de la realización de considerables preguntas al respecto y explican la terminología legal y las implicaciones de su decisión en un lenguaje que las mujeres pueden entender. Estos jueces demuestran un interés en que las mujeres comprendan sus opciones legales civiles y penales, así como los específicos recursos sociales a su disposición.

En contraste los jueces burocráticos se muestran pasivos y distantes. Estos jueces son mínimamente amables y se muestran como emocionalmente planos. En ocasiones también parecen impacientes, aburridos o demasiado ocupados. Además, estos jueces hacen menos preguntas, no explican los términos u opciones legales y parecen menos preocupados sobre la eficacia de la orden de protección. La conducta firme o formal, así como la desagradable era muy infrecuente en las interacciones de los jueces con estas mujeres en esta muestra. Más frecuente, sin embargo, era la adopción de una postura condescendiente o paternalista.

Estos mismos jueces empleaban estrategias interpersonales diferentes con los agresores. Los jueces que actuaban de buena fe con las mujeres tendían a adoptar una conducta firme o formal con los agresores. En este contexto los jueces subrayaban el poder de su autoridad. Aunque saludaban y se dirigían con educación a los agresores, les exigían que reconocieran la seriedad de la orden de protección y la autoridad judicial. Estos jueces a veces sermoneaban a los agresores y les advertían sobre las consecuencias asociadas con la violación de las condiciones establecidas en la orden de protección. Los jueces que se comportaban de manera burocrática con las mujeres tendían a adoptar el mismo tipo de postura con los agresores. Además, Ptacek pudo documentar como aquellos jueces con una actitud más hostil o condescendiente con las mujeres mostraban una mejor actitud con los agresores, demostrando un mayor grado de empatía con los mismos.

El reconocimiento de la relevancia que la conducta judicial puede tener en las mujeres maltratadas ha llevado a algunas coaliciones de defensoras de las mismas a formar lo que se denominan programas de vigilancia judicial. Estos programas no han sido tratados aún en la literatura y se sabe muy poco, por tanto, sobre los mismos y sus efectos. Básicamente, estos programas mandan voluntarios a atender las sesiones judiciales y a observar la conducta del juez tomando notas sobre el proceso y sobre posibles faltas de respeto o de la suficiente atención a las víctimas de malos tratos. Estos programas funcionan con el apoyo de los fiscales y del estamento judicial. En algunas ocasiones, los datos compilados por estos programas han sido instrumentales en la introducción de cambios en el sistema judicial[149].

III.d. La situación en España

En España aunque en los planes de actuación sobre malos tratos y en el Informe del Defensor del Pueblo se hace mención de las implicaciones jurídico civiles de los malos tratos, en cambio no se plantea de manera específica y detallada la articulación de la actuación de los órganos jurídico penales y civiles para ofrecer una solución coherente y coordinada a este tipo de situaciones. Por otro lado, se puede decir que existen pocos, aunque notables, estudios que de una manera sistemática hayan analizado la labor de diferentes órganos jurisdiccionales en casos de malos tratos.

De nuevo, la primera evidencia al respecto procede del análisis de 150 expedientes judiciales procedentes de Juzgados de Distrito madrileños analizados por Purificación Gutiérrez López (1990) a finales de los 80. De acuerdo con esta autora la opinión de los jueces incluidos en dicho estudio frente a los malos tratos se puede resumir en tres puntos (p. 138):

(1) Que las mujeres no se toman en serio las denuncias.

(2) Que el juez poco puede hacer para solucionar este «mal social».

(3) Que las denuncias se ponen como paso previo a una demanda de separación en vía civil, lo cual tiene una consideración negativa ya que en palabras de los jueces, ellos no están «para preconstituir prueba».

Un estudio publicado en 1998 por Gallart y sus colaboradoras documentaba que mientras el Ministerio Fiscal y los jueces de Instrucción reconocen la importancia de los aspectos civiles de los malos tratos, los jueces de familia entrevistados en su estudio ignoraban el análisis de malos tratos durante los procedimientos de ruptura matrimonial. Ni tomaban en cuenta los malos tratos como el desencadenante de la ruptura matrimonial, ni a la hora de regular los efectos de la misma. Además, su estudio documentaba la resistencia judicial al uso de las medidas provisionalísimas y la preferencia por las medidas provisionales. Las

---

[149] En el condado de Bergen en New Jersey, por ejemplo, los datos obtenidos por uno de estos programas documentó que muchas de estas mujeres no tenían con quien dejar sus hijos, en ocasiones bebes y niños muy jóvenes, durante su asistencia a los juzgados, lo que facilitó la creación de un servicio de guardería adjunto a los juzgados que tomaba cuidado de los mismos mientras sus madres atendían al proceso judicial.

entrevistas conducidas con los jueces de Instrucción, por otro lado, documentaban la falta de adopción de medidas cautelares al amparo del artículo 13 de la Ley de Enjuiciamiento Criminal (el estudio fue realizado antes de la reforma de 1999) y como en los casos de violencia doméstica el perdón de la víctima se aplica en la práctica como una causa de exención de la responsabilidad.

Más recientemente, la asociación de juristas mujeres Themis hacía público un estudio sobre 2430 expedientes judiciales sobre agresiones conyugales ocurridas en la Comunidad de Madrid. Este estudio documentaba que en el 90% de los casos la víctima era la mujer y solo en el 10% de los mismos se presentaba el hombre como denunciante. De estos casos, el 51% finalizaba con la absolución del denunciado, el 29% con el sobreseimiento de la causa y solamente el 18% con una condena (EL PAÍS, 7-5-99). Dado que no se comparan los datos con los de otras situaciones similares, resulta difícil saber si estos porcentajes son desproporcionados o simplemente indican una tendencia más o menos general. En todo caso, resulta ciertamente criticable que las sanciones más comúnmente aplicadas en estos casos fueran multas de escasa cuantía o arrestos domiciliarios. Además, el informe final de este estudio documentaba de manera clara que, al margen de que estas situaciones estén o no siendo tratadas de manera discriminatoria, lo cierto es que no reciben la atención que se merecen y no se castigan con la contundencia que el marco legal existente permiten (Alemany Rojo, 1999).

Aunque en los últimos dos años se han barajado en el escenario político español numerosas medidas para afrontar el problema de los malos tratos, muy pocas han tenido que ver directamente con los jueces. Se ha insistido en la necesidad de educar a los jueces en estas cuestiones, pero poco más.

Desde un punto de vista organizativo, quizás la única medida que se ha discutido fue la propuesta por el grupo parlamentario socialista a finales de 1998. Una modificación de la Ley de Enjuiciamiento Criminal que tuvo lugar en octubre de 1998 autoriza a los juzgados a derivar a los jueces de paz las denuncias por amenazas, malos tratos de palabra, coacciones, injurias y vejaciones contempladas en el articulo 620 del Código Penal. Dicha modificación, tramitada a propuesta del Partido Popular como una medida orientada a descongestionar los juzgados, salió adelante con los votos favorables de la oposición, aunque fue criticada por grupos feministas, en particular por la Asociación de Mujeres Juristas Themis. El grupo parlamentario socialista quiso aprovechar la tramitación parlamentaria de las modificaciones del Código Penal propuestas por el gobierno en su plan de acción contra la violencia doméstica para presentar la enmienda y «corregir el error». La justificación presentada por los parlamentarios socialistas reside en la necesidad de contar con jueces profesionales y especializados en la materia. La directora del Instituto de la Mujer, sin embargo, en su día discrepó de la necesidad de dicha enmienda[150] (EL PAÍS, 28-12-98). La redacción del artículo 14 de la Ley de Enjuiciamiento Criminal tras la reforma de junio de 1999 da a entender que en estos casos el juez de paz no es la instancia apropiada.

Algunas experiencias de especialización han tomado lugar en España, pero no existe suficiente información sobre su funcionamiento o posible eficacia. El pleno del Consejo General del Poder Judicial aprobaba a principios de diciembre de 1999 en Valencia la dedicación de tres juzgados de Alicante (uno en la capital; los otros dos en Elche y Orihuela) a delitos y faltas relacionados con la violencia doméstica. La decisión del Consejo fue tomada a instancias de las juntas de jueces de instrucción de las tres ciudades que se beneficiaron de la medida. Las Juntas consideraban que la lucha contra los malos tratos podría mejorar varías dimensiones de su trabajo: el juez podría valorar y castigar la reincidencia de los agresores; su especialización serviría para unificar criterios en las medidas cautelares o castigar las faltas y, al concentrar todas las denuncias, trabajaría con el fiscal adscrito al juzgado, automáticamente, también especializado en la materia. La policía y los servicios sociales municipales o autonómicos también estudian destinar a varios de sus funcionarios a este cometido concreto, lo que crearía un equipo completo y multidisciplinar (EL MUNDO, 2-12-1999).

En otras instancias estas medidas no han sido acogidas con agrado. Por ejemplo, los 19 jueces de instrucción de Valencia rechazaron la implantación de un sistema similar. El presidente del Poder Judicial, Javier Delgado Barrio, también quitó valor al acuerdo, únicamente útil mientras los sistemas informáticos no garanticen que los jueces conocerán con «exactitud» los antecedentes penales de los supuestos delincuentes. Delgado fue más lejos y, personalmente, se mostró contrario a una «especialización con carácter general en esta materia». Los juzgados que asumirán las denuncias en relación con la violencia doméstica no quedarán exentos de investigar otros delitos, aunque sí serán excusados de exhortos e instruir querellas (EL MUNDO, 2-12-1999).

El Informe del Consejo General del Poder Judicial (2001) analiza el problema de la respuesta judicial a los malos tratos y sugiere una serie de reformas al respecto. Basándose en una serie de estudios centrados en un pequeño número de Juzgados el Consejo llegaba a las siguientes conclusiones:

---

[150] «Un juez de paz es un hombre bueno, que en realidad lo que hace es mediar. A mi me consultaron la medida, me llamo el jefe de gabinete de la ministra de Justicia, y me pareció bien. No es una modificación sustancial».

(1) Existen frecuentes e injustificadas dilaciones en la tramitación de los procedimientos por malos tratos.

(2) Es insuficiente la inmediación del Juez y del Ministerio Fiscal en las primeras actuaciones en casos de malos tratos realizadas en dependencias judiciales.

(3) La falta de un sistema informático que permita conocer los antecedentes de agresiones similares dificulta la respuesta eficaz a esta problemática.

(4) No existe un trato adecuado a la víctima.

Con base en estos análisis el Consejo realizó una serie de recomendaciones al Gobierno. En primer lugar, el Consejo, con buen criterio, insiste en la potenciación de la especialización de jueces y juzgados. El Consejo de manera muy clara apoya la idea de a creación de una red de juzgados de violencia doméstica, una medida que de plasmarse en la realidad sería verdaderamente innovadora, en la medida en que, aunque en otros países existen estos juzgados, los mismos tienen en su mayor parte un carácter muy local y excepcional. Otro de los aspectos fundamentales del informe es la articulación debida entre lo civil y lo penal. Así, se debate la eliminación de las faltas penales de malos tratos y la distribución de la regulación de estas conductas entre lo penal (como delitos en sentido técnico cuando de sean de la suficiente entidad) y lo civil (como actos menores generadores de responsabilidades civiles), así como una mejor coordinación de los órganos jurisdiccionales de lo civil y lo penal en casos de malos tratos con repercusiones en ambas esferas. El Consejo subraya la necesidad de articular cauces de comunicación y notificación de decisiones adoptadas entre la jurisdicción civil y penal. También advierte que aunque en la actualidad no hay leyes que requieran esa fluida comunicación, tampoco hay leyes que la impidan, por lo que en la práctica podría darse de existir voluntad judicial al respecto. Otra de las novedades abogadas por el Informe es la creación de un sistema informático judicial que recopile todas las medidas provisionales o definitivas dictadas en cada procedimiento por maltrato doméstico.

IV. ASESORAMIENTO LEGAL Y MUJERES MALTRATADAS: EL PAPEL DE LOS ABOGADOS

Si siguiéramos con la analogía del cono, anteriormente aludida, veríamos que se ha escrito bastante sobre policía, existen algunos estudios sobre los fiscales, se empieza a pensar sobre el papel de los jueces, pero no tenemos ningún estudio sobre el papel de los abogados en este tipo de casos. Lo mismo ocurre en nuestro país donde la figura del abogado y el ejercicio de la abogacía apenas han recibido atención en nuestro país desde un punto de vista sociológico.

El estudio de Themis, sin embargo, destacaba la relevancia del papel del abogado como mecanismo de garantía de los derechos de las víctimas de los malos tratos. La asistencia de letrado no es obligatoria en los casos de falta. Solo desde el entendimiento que la mayoría de las situaciones de malos tratos son canalizadas como tales podemos entender la relevancia de esta situación legal. De acuerdo con el estudio de Themis sólo en el 10% de los procedimientos de faltas por malos tratos, la víctima va asistida de letrada.

No obstante, la figura del abogado en estos casos resulta crucial y, sin embargo, es posible especular que en muchos casos no se encuentran suficientemente preparados, no ya por cuestiones de desconocimiento de la ley, sino por no estar emocionalmente, ni intelectualmente formados para tratar con clientes que han tenido las experiencias de las mujeres maltratadas. No deberíamos escandalizarnos si un buen número de abogados entrevistados sobre estas cuestiones reflejaran actitudes y prejuicios poco adecuados entre quienes se supone deben representar a las mujeres maltratadas. El estudio de Themis demostraba lo que es verdad también en otros casos, que las víctimas que tienen representación legal obtienen resultados más «satisfactorios» (p.ej., mayores solicitudes de condena), que aquellas que no van asistidas de letrado. Sin embargo, el estudio también ponía de relieve algunas deficiencias en la actuación por parte de los abogados en estos casos (para más detalles, Alemany Rojo, 1999).

Algunos autores americanos han reflexionado, al menos desde un punto de vista teórico, sobre la manera más apropiada de responder a las necesidades de representación legal de las mujeres maltratadas. Buena parte del discurso ha girado sobre la manera de entrenar y formar a los estudiantes de derecho que participan en las clínicas legales que existen en las Facultades de Derecho en los Estados Unidos. En estas clínicas los estudiantes, bajo supervisón de docentes y profesionales asisten en la defensa de casos reales.

Joan Meier (1993), por ejemplo, ha desarrollado un método de formación y supervisión de los estudiantes en estas clínicas que se beneficia de la ayuda de un psicólogo. Meier, profesora de derecho, trabaja con un psicólogo para formar a los estudiantes en técnicas de consejo psicológico que pueden ser empleadas en las entrevistas con los clientes. Estas técnicas ayudan a los estudiantes a indagar más allá de la superficie de la narración ofrecida por las mujeres maltratadas, para comprender el texto subliminal y decodificar los mensajes emocionales y culturales subyacentes. Los estudiantes usan la información descifrada para proponer estrategias alternativas con las que la mujer maltratada puede sentirse más cómoda.

Meier defiende este tipo de enfoque para responder de manera más eficaz a las necesidades de estas mujeres y para evitar, por ejemplo, que los estudiantes se queden psicológicamente paralizados tras oír las historias de horror que estas mujeres pueden narrar. No obstante, Meier no propone que el abogado se convierta en un psicólogo de las mujeres maltratadas, sino simplemente que se aproveche de técnicas psicológicas para ser capaz de comunicarse mejor con las mismas.

Margulies (1995), desde una perspectiva que combina nociones feministas y socialistas, parte de una concepción menos limitada del papel del abogado que la empleada por Meier y subraya el contexto estructural y socioeconómico que afecta los malos tratos y que lo hace más predominante entre las mujeres de clase baja. Este autor reconoce la necesidad de desarrollar una *abogacía afectiva* que se basa en los elementos de acceso, conexión y voz. Margulies está particularmente interesado en que este tipo de entendimiento se incorpore a la práctica de los servicios de abogados públicos o gratuitos para pobres.

Para garantizar que las mujeres maltratadas no se queden sin representación legal y tengan *acceso* a sus derechos, Margulies recomienda que la necesidad económica de las mismas sea evaluada de manera más generosa, así como la adopción de otro tipo de medidas para facilitar el acceso al consejo legal gratuito. Margulies también destaca la necesidad de *conexión*. Conexión, en contraste al acceso, hace referencia a conceptos como mutualidad, cuidado y empatía entre el abogado y el cliente, haciendo el trabajo del abogado más comprometido y haciendo a la víctima sentirse más confortable y dispuesta a ofrecer información que ayude en su caso. De acuerdo con este autor, conexión también significa cruzar las barreras profesionales, realizando actividades como ofrecer transporte a las víctimas o dirigirse a las víctimas como si fueran sus terapeutas. Finalmente, Margulies también habla de *voz*, lo que hace referencia a ideas tal y como solidaridad y participación. En este sentido, Margulies recomienda que los abogados ayuden a estas mujeres a participar en organizaciones comunitarias y grupos de iguales que sean capaces de ofrecer ayuda a través del establecimiento de una amplia red de conexiones sociales. Además, Margulies cree que este elemento obliga a los abogados a ofrecer a sus clientes suficiente información sobre sus opciones legales para que la participación de las mujeres en el proceso de toma de decisiones legales y no legales tenga más sentido.

Adoptando otra variante de discurso feminista, Mills (1996), sin embargo, señala que, por progresista que pueda parecer, Margulies no invita a los abogados a reflexionar sobre sus propias experiencias de abuso, ni trata de conseguir una transformación radical de la interacción entre abogado y cliente, de manera que su modelo sigue reflejando la estructura del «yo sé más que tú» típica de incluso las relaciones más progresistas entre abogados y clientes.

Susan Bryant y María Arias (1992) describen sus experiencias en la creación de una Clínica Legal para Mujeres Maltratadas en la Facultad de Derecho de CUNY, una institución interesada en la formación de abogados públicos. Para Bryant y Arias, existen tres elementos centrales en la relación entre abogado y mujer maltratada: reconocimiento de la diversidad, la importancia de potenciar la capacidad de autodeterminación de la mujer, así como el valor de la educación y la implicación social como parte del papel del abogado.

En primer lugar, Bryant y Arias creen que es fundamental que los abogados reconozcan la *heterogeneidad* existente en la población de mujeres maltratadas, diversidad que existe desde el punto de vista de raza, clase social y diferencias culturales. Esta diversidad, y la manera en que puede afectar las soluciones al problema, debe ser reconocida. El abogado, por ejemplo, debe saber cuales son los recursos económicos de las víctimas para poder contemplar que opciones son verdaderamente disponibles. El abogado, otro ejemplo, debe saber también si existe una familia capaz de ayudar y apoyar a la víctima en el proceso de superación de su problema.

En segundo lugar, estas autoras destacan la necesidad de reconocer y potenciar la *agencia*, o capacidad de autodeterminación, de las mujeres maltratadas. Es fundamental que los abogados comprendan qué es lo que las mujeres maltratadas quieren y esperan obtener del sistema de justicia. Los abogados deben ayudar a estas mujeres a tomar sus propias decisiones, a adoptar cualquier acción que consideren como la más adecuada. La idea es desarrollar una visión del abogado como alguien que trabaja con sus clientes para solucionar problemas más que como alguien que toma decisiones por sus clientes.

Finalmente, Bryant y Arias destacan que los abogados que atienden a estas mujeres deben comprender que servir a las mujeres maltratadas supone algo más que litigar en los juzgados y presentar demandas. Estas autoras destacan la necesidad de *implicación social*. Así, consideran que los abogados de las mujeres maltratadas se integren de una manera activa en la causa de estas mujeres, no ya en el caso individual de un cliente, sino en el problema social más amplio del maltrato a través de una activa vida organizativa y la proposición de soluciones legislativas.

El trabajo de Martha Mahoney (1991) también es relevante en este contexto. Mahoney recomienda a las abogadas reflexionar sobre las imágenes legales de las mujeres maltratadas y superar las barreras que se establecen en la comunicación con las mismas al considerar sus experiencias como radicalmente diferentes de las nuestras. El trabajo de Mahoney se orienta a criticar el mito de las mujeres maltratadas como personas diferentes, disfuncionales, dependientes o desesperadas. Estos mitos, de acuerdo con Mahoney, nos impiden identificar nuestras experiencias y a nosotros mismos como parte de un continuo de poder y control que afecta la vida de todas las mujeres.

Linda Mills (1996) ha desarrollado el concepto de abogacía afectiva como un posible método en este tipo de casos. El concepto de abogacía afectiva y su sentido especifico en los casos de violencia doméstica es ofrecido por esta autora en un articulo recientemente publicado en la Cornell Law Review. De acuerdo con esta autora (pp. 1228-1229):

> «La abogacía afectiva supone ser capaz de encontrarse con los clientes en su propio terreno en espacios co-creados por abogada y cliente, y formulados en el reconocimiento mutuo de emociones singularmente similares, pero últimamente diferentes. Es un método que asume que las diferencias entre clientes y abogados pueden ser superadas cuando los abogados reconocen y comparten sus asunciones, miedos y soluciones prefijadas. Aun más importante, es un método que demanda a los abogados que trabajan con personas que acuden al sistema legal asustadas y sin ningún poder político, que se encuentren con las mismas a un nivel interpersonal. Para ello, los abogados afectivos deben comprender que la abogacía progresista depende de su habilidad para sentir su propia impotencia en el texto subliminal de sus propios sistemas de relaciones, y en su capacidad para reconocer su falta de poder en sus relaciones con amantes, jefes, otros abogados o jueces más poderosos o aparentemente más persuasivos que ellas mismas. La abogacía afectiva, por tanto, fuerza a los abogados a comprender su propia transformación política y social, no intelectual o ideológicamente, sino a través de sus experiencias personales de fortaleza y debilidad, pasión y melancolía, distancia y deprivacion en todas las facetas de su vida. Solamente cuando los abogados comienzan a hacer este trabajo de reflexión interna, tendrán las herramientas necesarias para entender a sus clientes y sentir, desde dentro y desde fuera, las opresiones que ni la abogada, ni la cliente pueden vocalizar…. En su aplicación más limitada al abuso entre íntimos, la abogacía afectiva se refiere específicamente a la necesidad de comprender el contorno emocional y la estructura relacional y subjetiva de la violencia para ser capaz de tratar de una manera sensible o afectiva, y, por tanto, concreta y diversa en la práctica. Las abogadas afectivas en el contexto de la violencia doméstica son, por consiguiente, conocedoras de las diferencias entre ellos mismos y sus clientes, entre su propio abuso y el abuso sufrido por sus clientes, pero al mismo tiempo son capaces de encontrar un territorio común, o espacio entre medias, es decir, las similaridades de las violencias que ambas han sufrido, lo que sirve como puente para cruzar las diferencias entre las mismas»

Para Mills, no ya solo abogados, sino médicos y trabajadores sociales, solamente pueden responder a las necesidades de sus clientes si los entiende y aprecian afectivamente. En este sentido, es necesario también que los abogados sean capaces de ponerse a disposición de mujeres maltratadas que todavía no están preparadas para emprender acciones legales u otras acciones formales.

En lugar de adoptar un enfoque normativo, este tipo de método defiende la necesidad de respetar la estructura relacional de las «supervivientes» y de proporcionar el espacio, tiempo y fluidez necesaria para que las mismas adopten sus propias decisiones. Dicho sistema reconoce también que la devolución del control sobre su vida a estas mujeres no se puede obtener a través de la obediencia a las expectativas de los trabajadores sociales o abogados, sino reconociendo que estas mujeres precisan reconsiderar y revaluar por sí mismas el significado de la violencia en un espacio temporal y ambiente que reconoce la complejidad cambiante de sus particulares circunstancias.

Esta estrategia se basa, por tanto, en tres principios. Primero, es necesario que las abogadas reconozcan sus propias experiencias como víctimas de una sociedad patriarcal. Segundo, es preciso que las abogadas apliquen el viejo principio Kantiano de tratar a estas mujeres como a ellas les gustaría ser tratadas. Y, tercero, es preciso que las abogadas no presionen a las mujeres maltratadas, sino que, por el contrario, les permitan tomar sus propias decisiones, sin alienarlas, pero siendo capaces de hacerlas sentir con el control suficiente para salir de su situación, de nuevo la idea de autodeterminación.

Las opciones de formación ofrecidas reflejan una amplia variedad de discursos profesionales y, en particular, de posiciones feministas: el profesionalismo de sesgos psicológicos de Meier, el feminismo socialista de Margulies, el feminismo multicultural de Bryant y Arias, o el feminismo introspectivo y emocional de Mills. Esta variedad de modelos da fe del grado de desarrollo del pensamiento jurisprudencial anglosajón en cuestiones de género y, en particular, en cuestiones de malos tratos.

En España apenas si existe un debate similar. Cuando se plantea el tema de la asistencia legal en nuestro país el punto más debatido ha sido el de proporcionar este tipo de asistencia de forma gratuita a las mujeres maltratadas. La Asociación de Mujeres Juristas Themis, por ejemplo, ha destacado en numerosas ocasiones la necesidad de adoptar esta medida. En otoño del 98, la prensa informaba de un interesante proyecto que el Colegio de Abogados de Barcelona estaba tratando de poner en marcha. La iniciativa, la primera de este tipo en España, pretendía hacer realidad la llamada unidad de defensa, y que un mismo abogado pudiera asistir a la víctima en todos los ámbitos judiciales que se le planteen relacionados con la violencia doméstica. Este programa se presentaba como el fruto de la colaboración entre el Departamento de Justicia de la Generalitat —quien asume el coste de la justicia gratuita— y el Colegio de Abogados de Barcelona. En Madrid el Colegio de Abogados ponía en funcionamiento en la primavera del 2000 un turno de oficio gratuito especializado en malos tratos (EL MUNDO, 30-4-2000) y posteriormente la medida se expandía a otras ciudades con el apoyo del Ministerio de Justicia (EL PAÍS, 21-7-

2000). Juan Carlos Aparicio, el Ministro de Trabajo y Asuntos Sociales, anunciaba en junio del 2000 que el nuevo plan del gobierno sobre los malos tratos incorporaría la creación de un turno de oficio especializado en violencia doméstica formado por abogados gratuitos con educación especial y que comprendan la «importancia que tiene la denuncia» (ABC, 10-6-2000). Como Consuelo Abril, la presidenta de la Comisión de los Malos Tratos a la Mujer, ha destacado, la utilidad de estos turnos de oficio dependerá en gran medida de la formación de los abogados y abogadas participantes (EL PAÍS, 25-10-2000) y, a pesar de la grandilocuencia con que se presentaba el plan (se anunciaba que habría 5000 abogados de oficio especializados), parece que la realidad es un tanto más moderada (EL PAÍS, 22-10-2000). El Ministerio de Justicia, los Colegios de Abogados, las Facultades de Derecho y el Instituto de la Mujer tienen una importante tarea por delante si quieren ser capaces de dotar a estos turnos de oficio de significado. Los modelos de formación y experiencias anglosajonas pueden resultar de cierta utilidad en dicha educación.

V. DISCRECIONALIDAD INFORMADA

En España una de las primeras reivindicaciones laborales de los criminólogos se recogía en la Propuesta de Anteproyecto de Código Penal Español de 1983. Esta propuesta calificada por García-Pablos de Molina (1988) como «hito histórico» obligaba a los jueces a ponderar preceptivamente, aunque no con carácter vinculante, el informe de un criminólogo a la hora de tomar las principales decisiones jurisdiccionales incluyendo la suspensión del fallo, la suspensión de ejecución de la pena, la libertad condicional, la imposición o revocación de medidas de seguridad, la sustitución de una medida de seguridad por otra, etc. La cosa posteriormente quedaría en nada y más que un hito, no pasa de ser curiosidad histórica. Que entonces, como ahora, los criminólogos en nuestro país no se encuentran en condiciones para emitir dichas valoraciones porque en ningún sitio se les proporciona conocimientos adecuados para realizar dichas valoraciones no es sino una de las muchas contradicciones de la joven criminología española.

La elaboración de este tipo de juicios cuenta, sin embargo, con cierta historia en la criminología americana. Uno de los momentos determinantes en el uso de métodos actuariales como base para la toma de criterios en el ámbito de la justicia penal, fue la realización del experimento del *Vera Institute of Justice* sobre alternativas a la prisión provisional que tuvo lugar durante los 60.

El *Vera Institute of Justice*, haciendo gala de su ideario político de corte progresista e innovador, en 1961 inició un proyecto que sugería la aplicación de los casos de prisión preventiva en casos en los que verdaderamente existía riesgo de fuga por parte del presunto sospechoso. El riesgo era calculado por medio de formulas estadísticas basadas fundamentalmente en datos sobre la existencia de vínculos a la comunidad del presunto sospechoso. El éxito de esta experiencia piloto informó la reforma del sistema de fianzas y de prisión preventiva en los Estados Unidos de manera significativa, hasta el punto que hoy en día la realización de estos juicios de riesgo en este contexto se ha convertido en una rutina[150bis]

La ciencia penitenciaria también ha empleado este tipo de métodos y la literatura al respecto es abundante (Tonry, 1987). Incluso en nuestro país este tipo de técnicas se emplea en el ámbito penitenciario, por ejemplo, cuando se trata de conceder permisos penitenciarios. Sin embargo, la abundante investigación sobre la peligrosidad en el campo de la salud mental demuestra que estas cuestiones son difíciles de responder con métodos actuariales y modelos estadísticos (Steadman et al., 1993), aunque hay quienes se muestran más optimistas (Quinsey et al., 1998).

Desde la criminología crítica se cuestionan estas prácticas y la tendencia general de los sistemas de justicia penal a adoptar modelos actuariales. Estas prácticas se descalifican como una manifestación más de lo que aún hoy algunos califican de criminología positivista o administrativa, una categoría que es empleada para englobar representantes tan diversos como los criminólogos ultraconservadores de derecha George Kelling or James Q. Wilson, aquellos que creen que la prevención del delito debe ser el fin último de la criminología (i.e., Ronald Clarke, Ken Pease, Marcus Felson) y que representan en buena medida la opción preferida por *New Labour* en el Reino Unido, pero también a criminólogos que adoptan una ideología más liberal o que incluso se atreven a autodefinirse como realistas de izquierda y que a pesar de apoyar discursos críticos (enfatizar la relevancia de causas sociales en el origen de la delincuencia y las respuestas al mismo), creen que es necesario colaborar en el desarrollo de soluciones a problemas de seguridad ciudadana que sean más eficaces y justos.

En esta línea Feeley y Simon (1992) se refieren al nuevo lenguaje penológico, que no gira ya en torno a la idea del castigo de individuos responsables, sino en torno a prácticas actuariales y de gestión de riesgos asociados con individuos peligrosos, mostrándose críticos de la idea de prognosis. Los argumentos Feeley y Simon son, sin duda, interesantes y desvelan tendencias preocupantes. La industria que se ha generado, por

---

[150bis] Aunque ciertamente se puede discutir el éxito final de este modelo. Ver Kaplan et al. 1991.

ejemplo, en torno a la venta y distribución de algunos de estos instrumentos de valoración del riesgo, demuestra de que forma el delito forma hoy día parte del sistema económico como algo que puede ser capitalizado. Por otro lado, algunos de estos instrumentos no hacen sino legitimar la discriminación institucional contra minorías étnicas, inmigrantes, y desposeídos. Además, estas prácticas, por supuesto, no son panaceas o *magic bullets*. Pero, al mismo tiempo, es mi opinión que hay que valorar los posibles beneficios que algunos de estos instrumentos y prácticas pueden deparar. Por ejemplo, en un país como España donde la tasa de presos preventivos es verdaderamente preocupante, experiencias como la desarrollada por Vera hace 40 años no deben ser descalificadas a priori.

Dentro de la criminología existe un interés en el desarrollo de modelos que permitan predecir el comportamiento violento y, en particular, el comportamiento violento dentro de la pareja. Estos intentos no deben sorprendernos. Un estudio realizado por la Police Foundation en los Estados Unidos a finales de los 70 puso de relieve que aproximadamente en el 90% de los casos en que una mujer había sido asesinada por su marido, la policía había tenido que intervenir previamente por razón del maltrato en los dos años anteriores al homicidio al menos una vez y en el 50% de los casos había tenido que responder a cinco o más llamadas realizadas por la misma mujer (Cfr. Sherman et al., 1991). De ahí que exista un interés en descubrir factores que permitan identificar a la policía y a otros actores sociales cuales son los casos más peligrosos y con una tendencia a la escalada.

En la actualidad, en los Estados Unidos los operarios del sistema de justicia penal, del campo de la salud pública, así como los defensores de las víctimas usan varios instrumentos de valoración del riesgo a la hora de tomar decisiones sobre los maltratadores y sus víctimas. Son varios los objetivos prácticos que se persiguen con este tipo de técnicas:

a) Ofrecer mejor protección y planes de seguridad efectivos para las víctimas.

b) Imponer sanciones e intervenciones adecuadas para los agresores.

c) Distribuir recursos limitados con la mayor eficacia, desde el tiempo de la policía y los fiscales, a las camas en las prisiones y las casas de acogida.

Para facilitar este tipo de tomas de decisiones, se han desarrollado varios instrumentos que compilan factores de riesgo de la violencia doméstica en un intento de facilitar la distinción entre los casos más peligrosos y los menos peligrosos. En la actualidad se utilizan al menos una docena de instrumentos con esta finalidad. Una encuesta reciente, conducida en los Estados Unidos, descubrió que los juzgados de lo penal usan estos instrumentos en al menos seis Estados (Roehl y Guertin, 1998). Los instrumentos mas utilizados son (O'Sullivan, en comunicación personal):

(1) SARA (*Spousal Assault Risk Assessment*), desarrollado por el *British Columbia Institute on Family Violence*, es un lista de 20 factores de riesgo (Kropp et al., 1995), que se emplea en combinación con juicios clínicos basados en entrevistas en profundidad[151].

(2) DVI (*Domestic Violence Inventory*), desarrollado por Herman Lindeman de *Risk and Needs Assessment*, Inc. El DVI contiene 170 items en seis escalas. Este instrumento con soporte informático clasifica a los maltratadores en tres niveles diferentes de necesidad de supervisión cuando se encuentran en *probation*.

(3) K-SID (*Kingston Screening Instrument for Domestic Violence*), desarrollado por Richard Gelles. El K-SID tiene tres partes: carta de pobreza, el índice de severidad y lesiones y 10 factores de riesgo. Las puntuaciones totales en esta escala permiten clasificar a los agresores en cuatro niveles de peligro de reincidencia.

(4) DVSI (*Domestic Violence Screening Instrument*), desarrollado por expertos en violencia doméstica del Estado de Colorado. Este instrumento tiene 12 preguntas.

(5) DA (*Danger Assessment*), desarrollado por Jacquelyn Campbell (Campbell, 1995) para medir el riesgo de violencia severa o letal. El DA contiene un calendario en el que la víctima marca las fechas en que ha sido atacada, la duración del incidente, su seriedad y 15 preguntas adicionales sobre factores de riesgo.

(6) Mosaic-20, desarrollado por Gavin De Becker, Inc. (De Becker, 1997). Este instrumento está basado en el análisis de miles de casos de parricidios. Mosaic-20 contiene 48 preguntas y produce una puntuación de riesgo del 1 al 10 y una puntuación del 1 al 200 basada en la cantidad de información disponible a la hora de asignar la puntuación de riesgo. Gavin De Becker es, sin duda, el capitalista del grupo.

La mayoría de estos instrumentos tienen elementos comunes. Los factores de riesgo que aparecen más frecuentemente incluyen: tenencia o pertenencia de armas, empleo de armas en anteriores incidentes de abuso, amenazas de usar armas, lesiones serias en anteriores incidentes de abuso, amenazas de suicidio, uso de drogas o alcohol, abuso sexual, y determinadas formas de abuso emocional (control, celos, dominación, etc.). Algunos instrumentos (por ejemplo, Mosaic-20) también incluye factores de protección que disminuyen el riesgo de violencia en el futuro. Estos factores incluyen la reputación del maltratador en su comunidad, un empleo estable, etc.

---

[151]   Este instrumento, por ejemplo, se aplica a toda persona que pasa por el sistema penitenciario canadiense, con independencia del delito que haya cometido, para determinar el grado de tratamiento en materia de malos tratos que van a recibir.

Aunque tienen rasgos en común en cuanto a su contenido, también existen diferencias entre los mismos. Por ejemplo, algunos de estos instrumentos están diseñados para su uso con las víctimas y otros para su uso con los maltratadores. De los instrumentos listados anteriormente, el DA, Mosaic-20 y DVSI son empleados con víctimas, mientras que SARA, DVI y K-SID pueden ser administrados a los maltratadores. Estos instrumentos también se diferencian en su pretendida finalidad. Unos analizan el riesgo de reincidencia, otros el riesgo de aumento de la violencia y otros el riesgo de violencia letal. Finalmente, también difieren en el tipo de opciones de respuesta a las preguntas incluidas, así como en el número de preguntas incluidas.

Estos instrumentos son más frecuentemente empleados por las personas que prestan servicios a las víctimas como una manera de mejorar su seguridad. Varias agencias de policía están comenzando a emplear estos instrumentos para distribuir sus recursos. El Departamento de Policía de Seattle, por ejemplo, utiliza una puntuación de letalidad para ayudar en el proceso de asignación de detectives a los casos de faltas de malos tratos más peligrosos.

La valoración del riesgo también es empleada por fiscales y jueces en los procesos civiles y penales. La administración de los instrumentos, no obstante, es realizada por los oficiales de *probation* o por personal de las oficinas de ayuda a las víctimas. Antes de dictar sentencia, estos instrumentos ayudan a tomar decisiones sobre la prisión provisional, el establecimiento y cantidad de la fianza y los términos de la libertad provisional[151bis]. Sin embargo, estos instrumentos son utilizados más frecuentemente después que se haya documentado la culpabilidad del maltratador bien en el juicio oral o por *plea-bargaining*. Rara vez servirán por sí solos para determinar el encarcelamiento del maltratador, aunque pueden jugar un papel en el establecimiento de dicha condena. Sin embargo, estos instrumentos juegan un papel más importante en el establecimiento de las condiciones de la *probation*, incluyendo el nivel de supervisión, su duración, restricciones en el contacto con la víctima y otras intervenciones requeridas como, por ejemplo, el tratamiento educativo del maltratador o su remisión a un programa de tratamiento para alcohólicos o drogadictos.

En teoría estos instrumentos ayudan a disminuir el error humano, garantizando que el entrevistador no olvida preguntar sobre un factor de riesgo de relevancia. Por otro lado, tienen el potencial de respaldar la confianza del entrevistador y la víctima en sus percepciones sobre el grado e inminencia del peligro en el caso concreto. Sin embargo, esta confianza debe estar apoyada en la validación del instrumento.

[151bis] Estos últimos pueden incluir disposiciones sobre visitas a los niños, tenencia y pertenencia de armas y prohibiciones de alejamiento de la víctima.

No obstante, prácticamente ninguno de los instrumentos empleados ha sido evaluado de manera rigurosa hasta la fecha[152]. Por otra parte, se ha señalado que un problema potencial de estos instrumentos es que el usuario menos sofisticado puede depositar demasiada confianza en sus resultados, no comprendiendo que incluso un instrumento validado tan solo ofrece probabilidades, en lugar de valores absolutos. Los operarios del sistema de justicia penal, de los servicios sociales o del sistema de sanidad a veces confunden el descubrimiento de factores de riesgo, predictores y probabilidades y asumen la existencia de factores predictivos. Existe, además, cierto escepticismo sobre la efectividad de estos instrumentos. En todo caso, se suele recomendar que estos instrumentos se empleen tan solo como una ayuda en el proceso de toma de decisiones, así como la utilización de múltiples fuentes de información (agresores, víctimas, archivos policiales).

Algunos autores destacan que debería prestarse más atención a los juicios realizados por los clínicos y las mujeres maltratadas. Según estos autores, existe evidencia que indica que los clínicos pueden realizar predicciones a corto plazo basado en el conocimiento inmediato de las condiciones de casos particulares y en su experiencia:

«Incluso aunque los indicadores más convencionales de la letalidad que son populares en el campo de la violencia doméstica fallan de una manera clara a la hora de distinguir qué casos son peligrosos y cuales no, las mujeres maltratadas y quienes trabajan con ellas realizan juicios cotidianos sobre su seguridad, que en numerosas ocasiones demuestran ser efectivos» (Gondolf, 1997).

Gondolf (1997) sugiere varias direcciones dentro de esta línea de investigación. Por un lado, Gondolf sugiere examinar los juicios clínicos realizados por quienes trabajan con mujeres maltratadas. ¿Cómo se realizan estos juicios, qué criterios implícitos y explícitos son utilizados, y cuál es la utilidad y eficacia de los mismos? Por otra parte, este autor sugiere el estudio de una manera más sistemática del proceso de toma de decisiones por parte de la mujer maltratada. ¿Qué información es utilizada por estas mujeres y cuál es la más útil para evaluar su propia seguridad?

---

[152]   La única excepción es el DA. El DA funciona bien por lo que se refiere a la fiabilidad y a su consistencia interna. Sin embargo, solamente se ha evaluado su validez de convergencia (la correlación con la CTS es.49-.55 y con el *Index of Spouse Abuse* es de.44-.75) y no existe suficiente evidencia sobre su validez discriminante. Varios estudios están tratando de evaluar el DVSI, el K-SID y SARA. Más recientemente, el National Institute of Justice (el instituto de investigación del Departamento de Justicia de los Estados Unidos) ha ofrecido una subvención a Chris O'Sullivan (Victim Services, Inc.) y Jackie Campbell (John Hopkins University) para planificar la evaluación de algunos de estos instrumentos (Mosaic-20, DA y K-SID).

Weisz, Tolman y Saunder (1997) publicaron recientemente un estudio que pretendía examinar esta cuestión. Estos autores entrevistaron a 202 mujeres maltratadas cuyas parejas habían recibido sentencia, preguntándoles cuestiones sobre factores de riesgo, así como sus propias predicciones de que la violencia se fuera a repetir. Weisz y sus colaboradores volvieron a entrevistar estas mujeres cuatro meses más tarde y descubrieron que las predicciones de las mujeres se encontraban asociadas con los niveles de violencia desde la primera entrevista y que mejoraban de manera significativa las predicciones basadas en los factores de riesgo. Sin embargo, las mujeres que habían sido abusadas de manera más seria antes de la primera entrevista tendían a valorar de manera inadecuada el peligro de violencia futura. Basándose en estos resultados, estos autores sugieren que las mujeres que creen que se encuentran en peligro deben ser escuchadas y que las mujeres que piensan que no están en peligro pueden estar equivocadas.

VI. LAS *RESTRAINING ORDERS* O LAS ÓRDENES DE ALEJAMIENTO

VI.a. La experiencia norteamericana

En los Estados Unidos hasta los años 70 las mujeres maltratadas tenían que iniciar el procedimiento para la obtención de divorcio antes de poder solicitar una orden de distanciamiento físico del marido. Este requisito y muchos otros fueron eliminados de las diferentes legislaciones estatales al final de dicha década. Antes de 1976 solamente dos Estados tenían leyes regulando el distanciamiento físico en casos de maltrato marital (Grau et al., 1984).

En 1976, sin embargo, la aprobación de la Ley del Estado de Pensilvania para la Protección Frente al Abuso estimuló la aparición de leyes similares en otros Estados. En la actualidad todos los Estados de la Unión, incluyendo el Distrito de Columbia, tienen normas similares. Al margen de la orden de distanciamiento físico, esta normativa contiene disposiciones relacionadas que tratan de beneficiar a las víctimas del maltrato. En particular, estas normas hacen referencia a la custodia temporal de los niños y al pago de pensiones por parte del marido, pero también facilitan a la mujer el uso temporal y posesión de las propiedades de la pareja. En algunos Estados, los jueces también pueden ordenar a los hombres violentos que comience tratamiento psicológico o educativo (Chaudhuri y Daly, 1992).

En una pequeña proporción de los Estados existe un sistema dual que permite obtener órdenes de distanciamiento físico en los juzgados de lo penal (órdenes de protección) y de lo civil (órdenes de distanciamiento).

En la fase preliminar del proceso penal y como una condición de la libertad condicional, se puede ordenar al agresor que no amenace, acose, asalte o ataque a la víctima. Esta orden puede exigir que el agresor no se acerque al lugar de residencia y trabajo de la víctima. Si el agresor viola esta orden de protección, puede ser traído a los juzgados de nuevo y el juez puede aumentar el coste de la fianza. Las órdenes de distanciamiento, sin embargo, son obtenidas en los juzgados de lo civil (Chaudhuri y Daly, 1992). En la mayoría de los Estados, por tanto, este tipo de disposiciones que imponen un distanciamiento físico entre el maltratador y su víctima se procesan en los juzgados de lo civil (Grau et al., 1985).

Estas órdenes normalmente se conceden a petición de la víctima. Frecuentemente dicha petición debe alegar la existencia de abuso físico. Aunque la regulación de estas órdenes no suele tratar el tema de representación legal, la mayoría de los Estados no requieren la intervención de un abogado para la solicitud de las mismas. Dada las circunstancias de estos casos, en los que se alega la necesidad inmediata de protección, no resulta factible notificar con anterioridad al maltratador, ni es posible la celebración de una audiencia judicial. De ahí que en muchos Estados sea posible obtener con carácter de urgencia órdenes temporales de alejamiento que pueden posteriormente ser convertidas en órdenes permanentes tras la celebración de una audiencia y la notificación del presunto agresor. Aunque a estas últimas se les denomina órdenes permanentes son también temporales, pero de duración mayor, normalmente un año (Grau et al, 1985).

Los problemas y complicaciones ligados al arresto y procesamiento de los maltratadores han hecho que las órdenes de protección y distanciamiento se hayan convertido en una de las sanciones legales más importantes en los casos de maltrato doméstico. De hecho, las órdenes de distanciamiento presentan ciertas ventajas. De acuerdo con Fagan (1996), en contraste con la respuesta tradicional del sistema de justicia penal, las órdenes de protección son emitidas a petición de la víctima y sin retraso. Por otro lado, en el proceso de su obtención se emplea un criterio de prueba muy flexible, su principal cometido es la protección de la víctima y pueden incluir, como ya hemos visto, disposiciones adicionales que beneficien a la víctima.

No obstante, la regulación de estas órdenes y la escasa atención que las autoridades policiales y judiciales prestan a su violación han sido citadas como importantes limitaciones de las mismas. En Estados Unidos, por ejemplo, algunas jurisdicciones omitían el maltrato psicológico como elemento suficiente para justificar una de estas órdenes. En algunos Estados estas disposiciones solo podían concederse a favor de mujeres heterosexuales casadas, sin que las parejas de hecho o homosexuales pudieran beneficiarse de las mismas. El requisito de la residencia conjunta también se mencionaba en algunas normativas locales (Grau et al.,

1985). Aunque en muchas jurisdicciones los problemas inherentes a la regulación de estas disposiciones han sido corregidas, en otras los problemas subsisten y, lo que es más relevante, sigue siendo muy común en la praxis la inexistencia o la falta de aplicación de sanciones legales a los hombres que violan estas órdenes.

A pesar de su popularidad se han conducido muy pocos estudios, con diseños experimentales rigurosos, orientados a evaluar su efectividad. Existen, no obstante, unos cuantos estudios que han tratado de examinar la manera en que son implementadas y los efectos que tienen, aunque ninguna de estas evaluaciones ha seguido un diseño experimental clásico por elementales consideraciones de tipo ético. En las páginas que siguen presento los principales resultados de estos estudios.

Uno de los primeros estudios sobre la efectividad de las órdenes de alejamiento fue realizado por Janice Grau, Jeffrey Fagan y Sandra Wexler (1985). Estos autores realizaron entrevistas en profundidad con 270 mujeres maltratadas que habían recibido algún tipo de intervención federal por causa de su victimización. Aproximadamente la mitad de las mismas había obtenido una orden de alejamiento. Las características de las mujeres que habían solicitado una orden de alejamiento en esta muestra las retrata como jóvenes, empleadas y envueltas en relaciones más cortas y menos violentas que el resto de las mujeres en dicha muestra. Además, estas mujeres eran más propensas a tener niños y a haber intentado separarse del maltratador con anterioridad. Los autores pensaban que estos datos sugieren que las mujeres que buscan este tipo de ayudas lo hacen porque tienen menos lazos emocionales y financieros con los maridos.

En general, aunque la mayoría de las mujeres consideraba las órdenes de alejamiento como algo efectiva (29%) o muy efectiva (43%), los niveles de abuso y violencia tras la obtención de las mismas no parecía verse afectada por dichas órdenes. Análisis más específicos detectaban diferencias según el nivel de violencia sufrido con anterioridad en la relación y el tipo de maltratador en cuestión. Las órdenes de alejamiento, al menos en apariencia, reducen el abuso verbal, acoso y la violencia física, pero solo cuando las lesiones previas no son severas. Por otro lado, estas órdenes son menos efectivas para prevenir la violencia de aquellos maltratadores con tendencias violentas más generales, es decir, aquellos que son violentos no solo en el hogar, sino también fuera del mismo (Grau et al., 1984).

En otro estudio sobre la efectividad de este tipo de órdenes, Chaudhuri y Daly (1992) encontraron que una proporción muy alta de las mujeres habían abandonado a sus maridos por cortos periodos de tiempo y habían recurrido a la policía muchas veces antes de obtener la orden de distanciamiento. Solamente un tercio de las mujeres en su muestra volvieron a sufrir el maltrato por parte de sus compañeros en el periodo de seguimiento de dos meses. Los hombres que violaron las órdenes de protección eran más propensos a estar en el paro o a trabajar con dedicación parcial, y también eran más proclives a tener problemas con el alcohol y las drogas. Finalmente, estos hombres también eran más propensos a tener condenas previas por otros delitos.

Chaudhuri y Daly (1992) argumentan que la respuesta policial a las mujeres maltratadas mejoró después de que éstas obtuvieran las órdenes de protección. Aparentemente, la policía siempre respondió a las llamadas de las mujeres después que estas obtuvieran las órdenes. Además, fueron más propensos a ser rápidos, amables y a prestar su apoyo. Para la mayoría de las mujeres, su experiencia con el proceso legal fue positiva y les ayudó a recuperar su autoestima. No obstante, para otras mujeres la experiencia fue negativa y traumática. El proceso fue positivo cuando los abogados se comunicaron bien con las mujeres, prestándoles tiempo y atención, y cuando los jueces se mostraron comprensivos, ofreciéndoles apoyo y coraje. Para estos autores las declaraciones del juez en esta fase inicial tienen una gran relevancia, en cuanto que contribuyen a explicar cómo la mujer se redefinirá a sí misma y a cómo ella intentará solucionar sus problemas, además también influye en la conducta del hombre. Aunque Chaudhuri y Daly (1992) no creen que las órdenes de distanciamiento sean la panacea al problema del maltrato, consideran que, si las mismas contribuyen a que las mujeres contemplen su sufrimiento desde otra perspectiva, existen razones para ser optimistas.

En un estudio más reciente conducido en el condado de Quincy, con una muestra mayor y un periodo de seguimiento más largo, Klein (1996) ofrece resultados un tanto más negativos. Klein analizó datos procedentes de una muestra de mujeres que habían acudido a los juzgados de lo civil para obtener una orden de distanciamiento contra su pareja. Aunque los maltratadores habían sido traídos a la atención de los juzgados de lo civil, la mayoría de ellos (64%) habían atacado físicamente a sus víctimas.

Como Chaudhuri y Daly (1992), Klein también documentó que un número considerable de estas mujeres habían adoptado soluciones previas para prevenir el abuso antes de acudir a los juzgados de lo civil. Klein encontró que la mayoría de las mujeres (75%) volvía a los juzgados para obtener una orden de distanciamiento permanente. Y, aunque todas las mujeres que la pidieron, obtuvieron dichas órdenes de mayor duración, casi la mitad de estas mujeres volvieron a los juzgados para cancelar dichas órdenes antes de la finalización de su plazo, que es de aproximadamente un año. De acuerdo con Klein, la única diferencia entre las mujeres que cancelaron sus ordenes y aquellas que no es que las segundas eran más propensas a haber disfrutado de anteriores órdenes de distanciamiento.

Cuando Klein observó datos policiales descubrió que casi la mitad de los maltratadores (48%) había atacado a su víctima durante un periodo de seguimiento de dos años tras la obtención de la orden. La mayoría de los hombres que volvieron a maltratar a sus mujeres lo hicieron poco después de la obtención de la orden. Los 30 días posteriores a la obtención de la orden presentaban un riesgo especialmente notable. Los hombres que se mostraron más propensos a maltratar de nuevo a sus mujeres tendían a ser más jóvenes, a tener un mayor historial delictivo y a haber sido ordenados a no mantener ningún tipo de contacto con la víctima.

De acuerdo con este autor, las órdenes de protección en numerosas ocasiones no servirán para prevenir el abuso. Eso se debe, siempre según Klein, a que la mayoría de estos maltratadores tienen un largo historial delictivo (80% de los hombres en su muestra) y la orden de distanciamiento representa una respuesta menor a su conducta aberrante. Incluso si los maltratadores se toman seriamente las órdenes de distanciamiento, el hecho de que muchos de ellos tenga problemas con el alcohol sugiere que los mismos pueden olvidarse de las órdenes y de las consecuencias de su violación cuando se encuentran bajo la influencia del alcohol. Por otro lado, Klein considera que la escasa seriedad con la que el sistema de justicia penal trata a quienes violan estas órdenes es otra posible razón que explica su ineficacia. La mayoría de los maltratadores en su muestra no sufrieron ningún tipo de consecuencia después de violar su orden de distanciamiento.

A pesar de estos resultados, Klein piensa que las órdenes de protección son un elemento esencial en la prevención del maltrato. Klein piensa que estudios como el suyo demuestran que las órdenes de protección no incrementan el riesgo de maltrato. Por otro lado, la mayoría de las víctimas en dicho estudio consideraban que estas órdenes eran positivas. En todo caso, Klein entiende que es necesario cambiar la manera en que estas órdenes se implementan. De acuerdo con este autor se debería diseñar una nueva estrategia de intervención basada en las características de los maltratadores. Haciendo una clara referencia a la *probation* intensiva, Klein afirma que si los maltratadores no son ciudadanos que se muestren responsables y capaces de obedecer las ordenes de distanciamiento, y si se les va a permitir estar en libertad, es preciso que se garantice el mismo nivel de supervisión y escrutinio que se emplea con otros agresores que se encuentran en libertad.

En otro estudio también reciente, Harrell y Smith (1996) analizaron los casos de órdenes de alejamiento en dos jurisdicciones en uno de los Estados de la Unión. Harrell y Smith (1996) comienzan por señalar que las mujeres no usan estas órdenes alegremente. Estas investigadoras documentaron que, efectivamente, la mayoría de las mujeres (56%) que buscan órdenes de alejamiento han sufrido lesiones físicas durante el incidente que las movió a dar dicho paso.

Harrell y Smith también proporcionan información de interés sobre el funcionamiento del sistema de órdenes temporales y permanentes. La mayoría de estas mujeres (60%), a su vez, volvieron a los tribunales para solicitar una orden de alejamiento permanente. Aunque la mayoría de las mujeres que no volvieron señalaron que no lo hicieron porque el marido había dejado de molestarlas, un número considerable de mujeres no lo hicieron por problemas de acceso a los tribunales. El 41% de las mujeres declararon que no volvieron por los problemas que tuvieron en los tribunales para obtener estas órdenes. Aproximadamente, un tercio de las mujeres no solicitaron una orden permanente porque el maltratador las presionó a ello o porque tenían miedo de que su pareja se vengase. Las mujeres más jóvenes y las afroamericanas eran las menos proclives a volver para la obtención de una orden permanente.

A pesar de la existencia de estas órdenes, la mayoría de los maltratadores y sus víctimas tuvieron contactos durante la duración de las mismas. De hecho, el porcentaje de mujeres que tuvo contacto con el maltratador durante la vigencia de la orden permanente no era menor que el 80% de las mujeres sin órdenes permanentes. En algunos casos los contactos reflejaban reuniones o reconciliaciones (el 15% de las mujeres señalaban que sus maridos habían vuelto a casa y el 13% declaraban que se habían reconciliado), en más de la mitad de los casos, sin embargo, se trataba de contactos no deseados por la mujer.

El 60% de las mujeres que pudieron ser entrevistadas declararon haber sido maltratadas por el hombre nombrado en la orden de alejamiento durante la vigencia de la misma. El 29% de estas mujeres fueron víctimas de violencia severa, el 43% fueron víctimas de amenazas y el 57% fueron víctimas de maltrato psicológico. De acuerdo con Harrell y Smith la existencia de una orden permanente solamente redujo la probabilidad de actos de maltrato psicológico en comparación con las mujeres que no la recibieron. Otros factores que estaban asociados con la victimización repetida eran la seriedad del caso y la resistencia exhibida por el maltratador durante los procedimientos judiciales a la orden de alejamiento. Los hombres que manifestaban su oposición a estas ordenes eran de tres a cuatro veces más proclives a no respetarlas. A pesar de que la violación de estas órdenes constituye un delito y las mujeres normalmente llamaban a la policía en estos casos, rara vez se arrestaba al maltratador.

A pesar de estos datos, las mujeres maltratadas consideraban que las órdenes de alejamiento merecían la pena en muchos sentidos. Muchas mujeres, por ejemplo, pensaban que las órdenes temporales de alejamiento servían para documentar la existencia del maltrato. Sin embargo, las mujeres también pensaban que las ordenes podían haber sido más efectivas y útiles si hubieran incluido disposiciones sobre las visitas del padre a sus hijos, el mantenimiento de los niños y similares. A su vez pensaban que hubieran sido más útiles si la policía y los jueces se hubieran tomado más en serio la violación de las mismas.

Más recientemente, el *National Center for State Courts* realizaba otra evaluación de las órdenes de alejamiento financiada por el *National Institute of Justice*. Susan Keilitz y sus colaboradoras (1997) examinaron las órdenes de alejamiento concedidas por los jueces de lo civil en tres jurisdicciones: Wilmington (Delaware), Denver (Colorado) y el Distrito de Columbia. Estas investigadoras pensaban que los diferentes sistemas utilizados en cada una de estas jurisdicciones para atender a las mujeres que acudían a los juzgados para pedir estas órdenes podían estar asociados con el éxito de dichas órdenes. El estudio contaba inicialmente con 554 mujeres maltratadas, sin embargo solo 285 fueron alcanzadas en la entrevista inicial y 177 en la entrevista de seguimiento seis meses después de la obtención de la orden.

Los resultados de este estudio no son muy diferentes de los anteriormente resumidos. La mayoría de las mujeres en esta muestra habían sufrido formas relativamente serias de abuso. Así, aproximadamente el 37% habían sido amenazadas o lesionadas con un arma y el 54% había recibido una paliza. Por otro lado, la mayoría de los maltratadores tenían un historial delictivo que no se limitaba solamente a casos de arrestos por violencia doméstica. En particular, de los 129 maltratadores con una historia de delincuencia violenta, 109 tenían arrestos por delitos violentos que no constituían formas de violencia doméstica. Lo que, de nuevo, nos recuerda la conexión entre violencia general y violencia doméstica.

De acuerdo con Keillitz y sus colaboradoras, las órdenes de alejamiento en estas tres jurisdicciones, sin ser una panacea, servían para «prevenir la repetición del abuso psicológico y físico» (p. ix). Aunque en una minoría de casos el hombre había perseguido a la mujer (7.2%), había acudido al hogar (8.4%) o había llamado por teléfono (17%), muy pocos habían incurrido en nuevos episodios de maltrato psicológico (12.6%) o abuso físico (8.4%). Aquellos con un historial delictivo previo eran los menos inclinados a ser prevenidos de su conducta violenta por la mera existencia de las órdenes de alejamiento. Por otro lado, la mayoría de las mujeres (95%) reconocían que de necesitarlo acudirían de nuevo a pedir una orden de alejamiento, se sentían mejor sobre ellas mismas (90%) o se sentían más seguras (80%). Estas autoras creen que las órdenes de alejamiento pueden ser eficaces incluso si las mujeres no vuelven a los juzgados a pedir una orden de no alejamiento de mayor duración. De hecho, la razón más citada por las mujeres que las movía a no pedir dicha orden era que el maltratador había dejado de molestarlas (35.5%)[153].

---

[153]   Este estudio, sin embargo, presenta importantes limitaciones. Quizás el problema más serio es la correlación entre el desgaste de la muestra y el historial de violencia del agresor. Las mujeres que no pudieron ser entrevistadas seis meses después de la recepción de la orden de protección eran más proclives a estar emparejadas con

Estas investigadoras consideraban que Denver, donde el sistema de obtención de las órdenes de alejamiento estaba más centralizado, donde las mujeres recibían más asistencia por parte del personal judicial a la hora de rellenar las peticiones y donde las mujeres desarrollaban planes de seguridad en colaboración con trabajadores sociales en los juzgados, era el modelo que tenía más éxito en prevenir la violencia y en motivar las mujeres a seguir adelante con los procedimientos judiciales.

Finalmente, Keillitz y sus colaboradoras consideraban que el potencial de las órdenes de alejamiento no está totalmente explotado. Así, por ejemplo, dado el porcentaje de maltratadores con un historial delictivo y problemas de alcohol o drogas, recomiendan que los juzgados obligue a estos a someterse a programas de tratamiento. También sugieren que los formularios e instrucciones para pedir las órdenes de alejamiento se simplifiquen y se enriquezcan con información sobre todos los posibles remedios a disposición de mujeres maltratadas. Por otro lado, estas investigadoras también sugerían que los juzgados ofrezcan más información sobre los recursos y procedimientos existentes cuando el maltratador viola la orden de alejamiento o trata de ponerse en contacto con las mismas. Una mayor y estrecha vinculación con otros servicios y organizaciones sociales y asistenciales a favor de las mujeres maltratadas también se considera esencial para garantizar que las órdenes de alejamiento se integran dentro de un conjunto de medidas orientadas a mejorar la situación de estas mujeres.

Ninguno de estos estudios utilizaba grupos de comparación o control. Por razones elementales, resulta difícil negar a una víctima una orden de alejamiento tan solo para la realización de un experimento. Grau, Fagan y Wexler (1985), no obstante, en un estudio retrospectivo de mujeres que habían hecho uso de diferentes respuestas del sistema de justicia penal al problema de malos tratos no encontraron diferencias en victimización repetida entre mujeres maltratadas que recibían órdenes de protección y mujeres que recibían otro tipo de intervenciones.

Aunque los diseños empleados invitan a cierta cautela, es posible extraer algunas conclusiones de los estudios que han evaluado la eficacia de las órdenes de alejamiento. En primer lugar, parece evidente que *las mujeres que solicitan órdenes civiles de protección constituyen casos serios de maltrato*. Es importante reconocer la severidad del peligro al que se enfrentan estas mujeres y reconocer el hecho de que estas órdenes no se

---

un agresor con un historial delictivo más serio. En la medida que dicho historial suele ser uno de los mejores predictores de criminalidad futura es posible que los resultados de las órdenes de protección parezcan más positivos de lo que realmente fueron.

emplean de manera frívola para ganar ventaja en otras acciones judiciales (Harrell y Smith, 1996).

En segundo lugar, *las órdenes de alejamiento no son la panacea que muchos piensan*. Existe un número muy elevado de violaciones de estas órdenes y resulta demasiado optimista pensar que nuestro sistema de justicia va a ser más eficaz persiguiendo estas violaciones que la violación de otras disposiciones judiciales que benefician a la mujer como es, por ejemplo, el caso de las disposiciones sobre las pensiones compensatorias en casos de divorcio. La órdenes de protección tampoco eliminan la violencia. *Sin embargo, las mujeres maltratadas piensan que las órdenes constituyen un instrumento útil que les ayuda.*

En los Estados Unidos posiblemente los estudios realizados hasta la fecha servirán para generar una nueva generación de iniciativas orientadas a estudiar como diferentes modos de articular las órdenes de alejamiento pueden funcionar mejor variando, por un lado, el nivel de vigilancia del agresor y, por otro, el nivel de asistencia a la víctima y su familia. Por ejemplo, recientemente en el condado de Florida de Palm Beach, el departamento de policía, en colaboración con el Tribunal Especial de Violencia Doméstica de dicha localidad, ponía en marcha un dispositivo de vigilancia electrónica de los maltratadores para asegurar el cumplimiento de las órdenes de alejamiento. Este plan, sin embargo, solo afecta a agresores condenados y la vigilancia electrónica, por tanto, forma parte de la sentencia judicial.

Uno de los problemas de estas órdenes que no ha sido debidamente analizado por la literatura es la contradicción existente entre las órdenes y la noción de *reducción de la exposición*. Hay quienes han señalado que la única manera de prevenir los malos tratos en determinadas circunstancias es por medio de la reducción a cero de la exposición de la víctima al agresor. En teoría, las órdenes de protección o de prohibición de acercamiento del agresor no son sino un ejemplo de lo que desde el paradigma de la prevención situacional del delito se denomina *target removal* o desplazamiento del objetivo. La teoría de las actividades rutinarias, como veíamos anteriormente, reivindica la necesidad de la convergencia en tiempo y en espacio de un objetivo tentador y vulnerable y de un agresor motivado en ausencia de un guardián capaz. Las órdenes de alejamiento lo que hacen es eliminar uno de estos elementos de la ecuación: el objetivo vulnerable y tentador. Sin embargo, es así y no es así. Las órdenes de alejamiento requieren que el agresor sepa donde no puede ir sin vulnerar las condiciones de estas órdenes, en otras palabras las órdenes de alejamiento permiten al agresor saber donde se encuentra la víctima y, por tanto, le permiten localizarla. Esta paradoja de las órdenes de alejamiento hace imposible la idea de la reducción a cero de la exposición, en otras palabras la víctima no puede romper todo contacto con el agresor en la medida en que el agresor tiene el conocimiento necesario para reiniciar ese contacto. No es de extrañar, por tanto, que aquellas víctimas que no quieran volver a tener ningún contacto con el agresor simplemente opten por desaparecer del mapa, en lugar de utilizar las órdenes de protección.

VI.b. La situación España

En España, una de las respuestas que más se ha reivindicado ha sido la adopción de estas órdenes de alejamiento. En junio de 1999 se aprobaba una reforma del Código Penal y de la Ley de Enjuiciamiento Criminal tendente a dar mayor cabida a estas figuras en nuestro ordenamiento jurídico. Antes de la reforma algunas fuentes defendían la posibilidad de aplicar el artículo 13 de la Ley de Enjuiciamiento Criminal en un sentido amplio para facilitar la adopción de estas medidas como una de las primeras diligencias (Carretero González, 1998).

La Ley Orgánica 14/1999 de 9 de junio de Modificación del Código Penal de 1995 en materia de protección de las víctimas de malos tratos y de la ley de enjuiciamiento criminal, contenía varias medidas en este sentido. En primer lugar, se modificaban el Libro I del Código Penal con el objeto de incorporar, dentro de las disposiciones generales de dicho texto legal, la figura de la pena privativa de derecho consistente en la prohibición de acercarse a la víctima en su domicilio o fuera de él, en su doble configuración de pena grave según el tiempo de duración de la prohibición. Incorporada dicha pena al Código Penal, se posibilita que los jueces y tribunales la puedan aplicar con carácter de pena accesoria en los supuestos delictivos previstos en su articulo 57, mediante la puntual modificación de este precepto.

En segundo lugar, se introduce un nuevo artículo en la Ley de Enjuiciamiento Criminal, el 544 bis, que contempla la posibilidad de adoptar diferentes medidas cautelares (prohibición de residencia, prohibición de acceso y prohibición de aproximación) que se dirigen a las víctimas de delitos de malos tratos y otros supuestos de violencia interpersonal. Asimismo, se establece que tales medidas puedan adoptarse al inicio del proceso, como primeras diligencias, de forma que los derechos de los ofendidos o perjudicados por el delito queden protegidos desde el mismo momento en que se tiene conocimiento judicial de la existencia del hecho punible.

En particular, dicho artículo 544 bis queda redactado de la siguiente forma:

> «En los casos en que se investigue un delito de los mencionados en el articulo 57 del Código Penal, el Juez o Tribunal podrá, de forma motivada y cuando resulte estrictamente necesario al fin de protección de la víctima, imponer cautelarmente al inculpado la prohibición de residir en un determinado lugar, barrio, municipio, provincia u otra entidad local, o Comunidad Autónoma.

En las mismas condiciones podrá imponerle cautelarmente la prohibición de acudir a determinados lugares, barrios, municipios, provincias u otras entidades locales, o Comunidades Autónomas o de aproximarse, con la graduación que sea precisa, a determinadas personas.

Para la adopción de estas medidas se tendrá en cuenta la situación económica del imputado y los requerimientos de su salud, situación familiar y actividad laboral. Se atenderá especialmente a la posibilidad de continuidad de esta última, tanto durante la vigencia de la medida como tras su finalización.

El incumplimiento por parte del inculpado de la medida acordada por el Juez o Tribunal podrá originar, teniendo en cuenta la incidencia del incumplimiento, sus motivos, gravedad y circunstancias, la adopción de nuevas medidas cautelares que impliquen una mayor limitación de su libertad personal»

A la luz de lo que sabemos de la experiencia comparada y por aplicación del simple sentido común, la regulación ofrecida en este articulo puede y merece ser criticada por varias razones:

(1) *La redacción de este articulo no presta ninguna atención a las necesidades de la víctima, sino del inculpado, a la hora de tomar en consideración su aplicación.* Resulta sorprendente que entre los criterios a tomar en consideración solamente se tenga en cuenta la situación económica del mismo, así como los requerimientos de su salud, situación familiar y actividad laboral. Para nada se hace referencia a las necesidades de las víctimas en dichas dimensiones. ¿Qué ocurre por ejemplo si la víctima necesita trabajar y el lugar en el que trabaja es el mismo en el que el marido está empleado? ¿Qué ocurre si la no aplicación de esta medida o su aplicación en un sentido restrictivo pone en peligro la salud de la víctima?

(2) *No se entiende por qué entre los criterios a ser valorados no se incluye la peligrosidad del imputado.* Siendo el fundamento de la aprobación legislativa de estas medidas el aumentar la seguridad de las mujeres maltratadas, no se comprende que en este artículo no se mencione de manera expresa la peligrosidad del imputado como criterio a ponderar por el juez a la hora de concederlas. De hecho, la peligrosidad del mismo debería jugar un papel más importante que la propia situación económica del imputado. En tal sentido sería necesario que se reconociera la obligación de realizar una evaluación psicológica y criminológica del imputado.

(3) *Lo que en el ámbito comparado se configura como una medida muy común en la práctica, aquí se aprueba con un tenor literal que sugiere el carácter extraordinario de estas medidas.* Así, se enfatiza que estas medidas han de aplicarse solamente «cuando resulten estrictamente necesarias».

(4) *A pesar de que la experiencia comparada nos demuestra que órdenes de alejamiento generales y ambiguas, como la regulada en este artículo,*

son las menos útiles, éste es el camino asumido por el legislador. Para nada se contemplan disposiciones específicas sobre el régimen de visitas a los niños, en caso de haberlos, aunque se alude a «la situación familiar» del imputado como criterio a ponderar por el juez, dejando abiertas posibles limitaciones de las ordenes de alejamiento cuando haya niños (!). Por otro lado, el interés en proteger la situación económica del imputado no se compensa con el establecimiento de disposiciones que garanticen, ni tan siquiera de forma transitoria, que éste no va a dejar de faltar a sus obligaciones económicas con su pareja o hijos. Se debería, en cambio, regular de manera específica en qué manera estos imputados tendrán que mantener dichas obligaciones. Tampoco se hace referencia a la posesión del domicilio familiar, cuestión que también debería ser mencionada y resuelta de manera específica, sobre todo, teniendo en cuenta la experiencia histórica del caso Orantes. Existe una normativa civil al respecto, pero no está claro como será articulada con la penal. En la actualidad el artículo 1,892 de la Ley de Enjuiciamiento Civil parece impedir al juez penal adoptar estas medidas.

(5) *Nada se dispone sobre un procedimiento de urgencia para obtener este tipo de órdenes*, si acaso con carácter transitorio o temporal, hasta que se den las circunstancias para la celebración de una vista preliminar.

(6) Se debería, a la vez, incluir un párrafo especificando *la necesidad de comunicar esta disposición*, así como los datos de identificación del imputado, inmediatamente a la autoridad policial competente, en su caso la comisaría del distrito donde esta mujer reside, así como la comisaría de la mujer más cercana, donde debería mantenerse con carácter obligatorio un archivo activo de las órdenes en vigor. Igualmente, esta disposición debería comunicarse al juzgado de familia en el que eventualmente se esté tramitando causa de separación o divorcio. Las organizaciones de mujeres españolas también han requerido que las mismas se envíen al centro de trabajo de las mujeres maltratadas para que el empresario facilite su protección[154].

(7) *El último párrafo resulta demasiado débil como sanción a la violación de estas prohibiciones*. De forma expresa, se debería hacer

---

[154] La mayor implicación de los empresarios en la prevención del maltrato es un tema que no debe ignorarse si tenemos en cuenta las consecuencias laborales del mismo. Este tipo de notificaciones, sin embargo, debería ser autorizada por la víctima. No puede olvidarse que, en el contexto de discriminación laboral de la mujer, algunos empresarios tomarán el maltrato, como el embarazo, como un motivo más para pensárselo dos veces antes de contratar a una mujer. Desde la perspectiva del empresario puede ser más facil evitar problema que contribuir a su prevención. El Instituto de la Mujer y las organizaciones de mujeres deberían mantener contactos con las organizaciones de empresarios y cámaras de comercio para cambiar este tipo de actitudes.

referencia a la prisión provisional como una de las posibles limitaciones de libertad personal a adoptar por el juez contra el imputado que viola una orden de alejamiento, así como una referencia al delito de incumplimiento judicial. Si la resistencia judicial a la aplicación de esta figura delictiva se prevé contundente quizás incluso sería recomendable la creación de un tipo específico de incumplimiento judicial de este tipo de órdenes tal y como existe en la legislación norteamericana.

(8) Pero quizás la limitación más evidente de estas medidas cautelares es que no se pueden aplicar en la mayoría de situaciones que llegan a la atención del sistema de justicia penal. La regulación procesal actual impide la adopción de las medidas cautelares del artículo 544 bis en los juicios de falta y, como ya hemos tenido ocasión de ver, la gran mayoría de las situaciones de malos tratos en nuestro país se tramitan como faltas.

Al margen de las críticas de esta medida en el ámbito penal, sorprende que no se haya creado una figura similar en el ámbito civil. En la práctica lo que esto significa es que si las mujeres maltratadas quieren beneficiarse de las mismas no tienen otro remedio que presentar una denuncia penal. El Código Civil y la Ley de Enjuiciamiento Civil contienen una serie de disposiciones que regulan lo que se denominan medidas provisionalísimas y provisionales en casos de separación y divorcio. Estas medidas regulan quien cuidará de los hijos e hijas de manera temporal, así como quien ha de continuar en el uso de la vivienda familiar. Sin embargo, no existe ninguna disposición específica que faculte al juez civil a prohibir al maltratador el acercarse o mantener contactos con la víctima de malos tratos y, por otro lado, también se critica la manera en que los jueces de lo civil restringen la aplicación de estas otras medidas cautelares (Martínez Novo, 1998). La regulación actual fuerza a las mujeres a presentar de manera conjunta la denuncia penal y la petición de separación si quiere beneficiarse de todas estas medidas cautelares. Éstas, y otras carencias, plantean curiosos interrogantes en casos de parejas de hecho o de homosexuales, que como hemos visto presentan una mayor tasa de abuso.

El canadiense *Alberta Law Reform Institute* (1997) ha elaborado un detallado informe sobre la regulación legal de este tipo de órdenes en dicho país. Aunque el ordenamiento jurídico canadiense evidentemente presenta notables diferencias con el español, muchas de las propuestas realizadas por dicho instituto también son pertinentes en nuestro país.

Es fundamental que la obtención de estas órdenes de alejamiento sea fácil, rápida y barata. Todo coste económico ligado a la petición de estas órdenes, incluyendo los costes de representación legal, pueden constituirse en un obstáculo a la efectividad de las mismas. El Instituto también sugiere una amplia gama de medidas que pueden acompañar a la orden de alejamiento para garantizar la seguridad de la mujer y regular, de manera transitoria, la situación en que queda la pareja. En particular, este Instituto sugiere las siguientes medidas:

1. Prohibición de contacto y abuso adicional. El elemento central de estas órdenes es la prohibición de contactos, así como de cualquier forma de abuso, con la víctima. Esta prohibición de contacto no solamente hace referencia a prohibiciones de residencia o acercamiento, sino que también prohibe el establecimiento de comunicación, escrita o telefónica y directa o indirecta, con la víctima, sus familiares u otras terceras personas. Por otro lado, es necesario que específicamente se prohiba al maltratador la realización de actividades que interfieran con el disfrute de la posesión de la residencia familiar por parte de la víctima, por ejemplo, que el maltratador adopte medidas legales para echar a la víctima del hogar o que venda la propiedad a una tercera parte. La única excepción a estas prohibiciones de contacto podrían tener lugar a petición de la víctima y por razones de necesidad práctica.

2. Ayuda económica de emergencia. La víctima que se separa del maltratador puede encontrarse en una situación de necesidad económica. De ahí que se recomiende la necesidad de establecer ayudas económicas de emergencia que protejan a las mujeres en estas situaciones. Por otro lado, también se recomienda que, de alguna manera, y con carácter de urgencia se implique al maltratador en la provisión de fondos para la manutención de los niños y, cuando sea pertinente, que se establezca con carácter transitorio una especie de adelanto de la pensión de divorcio.

3. Contacto con los niños. Cuando el contacto con los niños pueda suponer un riesgo para los mismos o para la mujer, se debe establecer con claridad la prohibición de acercamiento a los mismos. Si el riesgo es mínimo, se podría establecer la posibilidad de visitas supervisadas a los niños. Además, se señala que estas órdenes deben ser de preferente aplicación, al menos hasta que el tribunal pertinente resuelva la cuestión, cuando exista un conflicto de pronunciamientos por parte de los juzgados de familia y los juzgados de lo penal en lo referente a estas cuestiones[155].

4. Propiedad personal, posesión de propiedad personal y protección de propiedades sobre las que la víctima tiene un interés. Se debe regular de manera específica el otorgamiento de la posesión de determinadas propiedades a la víctima, así como una prohibición expresa de los ataques, daños o disposición de dichas propiedades por parte del maltratador.

---

[155] En España las organizaciones de mujeres han reivindicado que se suspenda el régimen de visita a los niños en procesos de separación y divorcio marcados por la violencia, el II Plan de Acción contra la Violencia Doméstica parece que va a fomentar la creación de puntos de encuentro neutrales y supervisados donde el maltratador pueda tener contacto con sus hijos. Aún no está claro en que supuestos se podrá limitar esta facultad a los maltratadores.

5. Revocación de permisos de armas y confiscación de las mismas. De manera expresa debe obligarse a los jueces a revisar si el maltratador tiene un permiso de armas y en caso de ser así asegurarse que dicho permiso es al menos suspendido temporalmente y las armas confiscadas.

6. Establecimiento de un procedimiento de urgencia para la obtención de estas órdenes. Las víctimas deberían ser capaces de obtener estas órdenes, o una versión transitoria de las mismas, con carácter de urgencia y requiriendo un mínimo de requisitos procesales[156].

7. Establecimiento de sanciones penales a la violación de estas ordenes

Al margen de estas recomendaciones más generales, este Instituto también recomienda que las órdenes puedan ser pedidas sin necesidad de abogado, que se informe rápidamente a la policía y al ministerio fiscal de la existencia de estas órdenes, así como otras disposiciones administrativas menores.

Considerando el limitado alcance de las reformas realizadas no es de extrañar las críticas que su aplicación ha recibido. La secretaria general de Asuntos Sociales, Concepción Dancausa, por ejemplo, ha criticado a los jueces por no hacer un uso «masivo» de la medida incorporada a la Ley de Enjuiciamiento Criminal (EL PAÍS, 15-2-2001). Las organizaciones de mujeres son incluso más criticas e indican que la mayoría de las medidas de alejamiento solicitadas ni siquiera son contestadas por los jueces (EL PAÍS, 16-2-2001). Las filtraciones del nuevo Plan de Acción contra la Violencia Doméstica sugieren que va a haber cambios en la materia, pero aún no está claro cuál será el alcance de las mismas. Uno de los aspectos que se ha discutido, por ejemplo, ha sido la posibilidad de facultar a los jueces de guardia para aplicar medidas cautelares de protección.

---

[156] En nuestro país, el Informe del Defensor del Pueblo ha sido uno de los pocos documentos oficiales que reconocía la necesidad de ofrecer estas soluciones de una manera ágil y rápida. Efectivamente, por muy cautelares que estas medidas sean, su enmarque dentro del proceso penal puede complicar su concesión inmediata. De ahí que el Defensor del Pueblo recomendase la coordinación de las medidas cautelares sugeridas en la reforma de la Ley de Enjuiciamiento Criminal con las denominadas medidas provisionalísimas del articulo 104 del Código Civil, de manera que los jueces de guardia pudieran aplicar de forma ágil y rápida las medidas propuestas en la referida reforma.

Este Informe también destacaba la necesidad de coordinar las nuevas reformas procesal-penales con otros aspectos de la legislación civil para ofrecer una protección más coherente de las víctimas de malos tratos. Así, por ejemplo, este Informe recomendaba la inclusión de una previsión legal expresa en los artículos 92 y 103 del Código Civil que concediera a los jueces la facultad de dictar medidas de protección en el cumplimiento del régimen de visitas en supuestos de malos tratos entre cónyuges y, deberíamos añadir, la previsión de prohibir dichas visitas en circunstancias en que el peligro de daño sea evidente.

El Informe del Consejo General del Poder Judicial (2001) también se manifiesta al respecto y recoge una serie de sugerencias en esta materia. En opinión del Consejo, como veremos más adelante, la solución pasa por eliminar las faltas penales y considerar a estas acciones como constitutivas de delito y, por ende, capaces de generar la aplicación del artículo 544 bis. Incluso si las faltas no se elevan a la condición de delito, la argumentación del Consejo puede que tenga la suficiente fuerza como para convencer a los legisladores de la necesidad de extender el régimen del artículo 544 bis a los tipos de falta. En todo caso, el Consejo destaca que el artículo 13 de la Ley de Enjuiciamiento Criminal faculta las autoridades implicadas a adoptar medidas de protección similares a las dispuestas en el artículo 544 bis en los casos de faltas.

El Consejo también sugiere la posibilidad de que los jueces de lo civil conociendo cuestiones de familia puedan resolver cautelarmente los problemas de violencia doméstica a través de la detención del agresor y su puesta a disposición del Juzgado de Guardia. Por otro lado, el Consejo señala que el sistema informático judicial sobre malos tratos abogado por el Informe debería contener también las medidas provisionales adoptadas en casos de malos tratos, lo que evidentemente alude a órdenes de alejamiento y otras medidas cautelares. Una medida de este tipo resulta esencial si queremos que las órdenes de alejamiento aspiren a tener un mínimo de eficacia en la práctica.

Otra de las medidas sugeridas por el Consejo alude a una de las reivindicaciones tradicionales de criminólogos y penalistas, la creación de la figura de un equivalente a lo que en otros países es el *probation officer*. El Consejo, efectivamente, recomienda que se cree una figura encargada de verificar el cumplimiento de efectivo de las medidas contra la violencia doméstica que se hubieran adoptado. Este agente de control tendría la responsabilidad de realizar un seguimiento efectivo de las mismas, al objeto de detectar las irregularidades que en el mismo pudieran producirse para ponerlo en conocimiento de las autoridades judiciales y policiales competentes, así como del Ministerio Fiscal. Aunque el tenor literal parece sugerir que se está pensando en el control de medidas cautelares como las órdenes de alejamiento, lo cierto es que nada impide que esta figura fuera también responsable de vigilar la aplicación efectiva de medidas impuestas en casos de suspensión de la pena privativa de libertad.

VII. REFORMAS DEL DERECHO PENAL MATERIAL

Este volumen de manera intencionada evita una análisis técnico jurídico detenido. El derecho penal en nuestro país detenta, y uso este verbo de manera deliberada, un monopolio sobre los discursos en relación con la delincuencia y la justicia penal que distorsiona la realidad de ambas. Discusiones sobre política criminal acaban convirtiéndose en discusiones sobre la mejor manera de confeccionar tipos penales. Aunque éste es un tema evidentemente importante, no es el único que debería ocupar nuestra atención. En todo caso existen numerosos estudios sobre el tema desde esta perspectiva técnico jurídica en nuestro país.

Sin embargo, es necesario, aunque sea de manera un tanto superficial, aludir a algunas reformas del derecho penal material que han sido debatidas en otros países y en el nuestro. Primero presentaré el debate generado en torno a la figura de *stalking* y seguidamente discutiré de manera muy breve las reformas en materia de faltas sugeridas por el Consejo General del Poder Judicial

VII.a. El delito de stalking (acoso, persecución, o hostigamiento)[157]

El acoso, no solo en el sentido de acoso sexual, se ha convertido en un problema político criminal al que los juristas y criminólogos americanos han prestado notoria atención durante las dos últimas décadas. El acoso se define como el patrón de conductas de persecución u hostigamiento, tal y como el seguir a una persona, presentarse en el lugar de trabajo o domicilio de la misma, realizar llamadas de teléfono molestas, dejar mensajes o regalos o atacar la propiedad de la persona acosada, realizadas de manera repetida por un individuo. Estas acciones pueden o no ser acompañadas de una amenaza creíble de daño severo y pueden o no ser precursores de violencia física e, incluso, homicidio. La Encuesta sobre Violencia Contra la Mujer en los Estados Unidos definía el acoso como «el patrón de conducta dirigido a una persona específica que supone de manera repetida proximidad física o visual, comunicación verbal o escrita no consentida, amenazas implícitas o una combinación de las mismas, *que causaría miedo a una persona razonable*».

Normalmente se distingue entre tres formas de acoso según el grado de intimidad entre la víctima y el delincuente. Así, se habla de acoso entre íntimos (realizado por novios o ex-novios), acoso entre conocidos (el realizado por personas que se conocen e, incluso, han podido salir juntos

---

[157] La mayor parte de la información sobre esta sección procede de los Informes Anuales al Congreso sobre el Delito de Acoso bajo la Ley de Violencia contra la Mujer elaborados por la Oficina de Programas de Justicia del Departamento de Justicia de los Estados Unidos. Hasta la fecha se han publicado tres informes, los correspondientes a 1995, 1996 y 1997, en los que se resumen estadísticas y estudios sobre este delito, pero sobre todo se resume información sobre leyes contra el mismo.

en alguna ocasión) y acoso entre extraños. A pesar del interés creciente en este problema ha existido muy poca investigación empírica sobre el mismo. Estos estudios han estado limitados al análisis de muestras pequeñas y poco representativas de hostigadores conocidos por el sistema de justicia penal.

Recientemente, sin embargo, se publicaban los primeros resultados de una encuesta americana que recogía datos de 8.000 mujeres. Este estudio ha puesto de relieve que el 8% de las mujeres que viven en los Estados Unidos son víctimas de este tipo de conductas. Este estudio demuestra que el hostigamiento o persecución tiene lugar normalmente entre personas que se conocen y han mantenido una relación de intimidad. De hecho, aproximadamente el 50% de los casos de hostigamiento entre íntimos se producen cuando la relación está aún intacta.

A su vez, este estudio pone en evidencia que existe una íntima conexión entre el hostigamiento y la violencia doméstica. El 81% de las mujeres que sufrieron este tipo de conducta por parte de sus parejas fueron a su vez víctimas de agresiones físicas por parte de los mismos y el 31% de las mismas fueron asaltadas sexualmente por ellos. Las negativas repercusiones para la salud de las víctimas de este tipo de conductas también se puso en evidencia en esta encuesta. Aproximadamente, la tercera parte de las mujeres que se reconocieron como víctimas de acoso admitieron haber acudido a un psicólogo para recibir tratamiento como consecuencia de ello. Además, estas mujeres exhiben un mayor nivel de miedo al delito y son más propensas a llevar consigo algún tipo protección personal.

Esta encuesta también trataba de averiguar que detenía a los acosadores. Aproximadamente el 92% de las víctimas ya no estaban sufriendo acoso cuando se realizó la encuesta. El acoso había durado como media 1.8 años, aunque la duración era mayor en los casos de acoso entre íntimos (2.2 años frente a 1.1 en los demás casos). Las tres razones más importantes que las víctimas citaban para explicar la finalización del acoso eran: habían cambiado su dirección para escapar del acosador (19%), el acosador encontró otra persona en la que estaba interesado románticamente (18%) y la policía advirtió al acosador (15%).

Cuando estos casos empezaron a producirse, se hicieron evidentes las limitaciones de la legislación penal vigente para tratar con los mismos. Casos que se hicieron famosos y fueron, incluso, el objeto de telefilmes dramáticos sirvieron para popularizar este problema y para crear la imagen de un sistema legal que no tenía los medios para responder a este tipo de situaciones. Esta situación, por ejemplo, es la que en la actualidad existe en España. Imagínese un señor que de manera continua nos sigue, nos llama por teléfono, se presenta en lugares donde no debería estar, sin realizar en ningún momento una amenaza verbal, a pesar del miedo o molestias que nos pueda generar. Incluso aunque una interpretación forzada de los delitos de amenazas y coacciones podría dar lugar a su calificación como tal, lo más probable es que estas situaciones ni siquiera pasaran el filtro policial.

En 1990 California aprobó la primera ley contra el acoso y desde entonces el movimiento legislativo ha sido sorprendente. En la actualidad todos los Estados de la Unión, así como el Distrito de Columbia, han aprobado leyes penales que han tipificado al acoso como una forma específica de delito. De hecho, en 1996 se aprobaba una Ley Federal que prohibía a los acosadores viajar entre Estados para perseguir a sus víctimas y el Tribunal Supremo se ha negado a admitir recursos de inconstitucionalidad de estas leyes por razón de su alegada ambigüedad. En la medida que estas leyes, en muy buena parte, se fundamentaban en la protección de las mujeres maltratadas, se las ha citado como una medida más que el sistema de justicia penal puede adoptar para mejorar las condiciones de seguridad de las mismas.

Las definiciones legales del delito de acoso varían de Estado a Estado. Aunque la mayoría de los Estados definen el acoso como la persecución o acoso repetido y doloso de una persona, hay Estados que incluyen en sus definiciones actividades tal y como vigilancia, comunicación no consentida, acoso telefónico y vandalismo. Mientras que la mayoría de los Estados requiere que el acosador demuestre un patrón de conductas, no simplemente actos aislados, algunos Estados especifican el número de actos (usualmente dos o más) que son precisos para que la conducta pueda considerarse como acoso. La legislación estatal también varía en los requisitos de miedo y amenazas. La mayoría de estas leyes requiere que el acosador, para cualificar como tal, necesita realizar acciones que manifiesten una amenaza creíble contra la víctima, otras leyes admiten la existencia de estas amenazas contra la familia de la víctima y otras, más amplias, tan solo requieren que el patrón de conducta del acosador desvele una amenaza implícita contra la víctima.

Finalmente, no en todos los Estados el acoso adquiere la categoría legal de delito, sino que se considera una falta. El modelo de delito de acoso propuesto por las autoridades judiciales no requería la existencia de amenaza explícita o implícita, sino simplemente que la víctima experimente un grado considerable y razonable de miedo. Esta definición refleja mejor la realidad criminológica de este problema. Según la Encuesta sobre Violencia contra la Mujer en los Estados Unidos menos de la mitad de las mujeres (45%) que se consideraban víctimas de acoso, al sentir un grado razonable de miedo y estar expuestas a dichas conductas, habían sido amenazadas directamente por el agresor. La Encuesta sobre Seguridad Personal de la Mujer en la España Urbana solo hacía preguntas sobre acoso a las mujeres divorciadas o separadas, pero demostraba una alta prevalencia de esta conducta en este segmento de la población.

VII.b. ¿La eliminación de las faltas penales?

En la introducción a este capítulo me referí a las reformas en materia de faltas sugeridas por el Informe del Consejo General del Poder Judicial. Este volumen es enviado a la editorial para publicación un día después de la emisión del Informe, por lo que no hay tiempo ni elementos para un enjuiciamiento detenido, sin embargo, el debate merece ser presentado. De acuerdo con el Consejo, las faltas penales deberían desaparecer. Esto obviamente nos plantea qué hacer con los aproximadamente 18.000 actos que en la actualidad son calificados como tales. En España la mayoría de los malos tratos son calificados como faltas y esta reforma supondría una medida ciertamente radical de llevarse a la práctica. A grandes males, grandes remedios.

La medida aunque, solo constituye una sugerencia del Consejo General del Poder Judicial al Gobierno, ha generado polémica incluso antes de la publicación del Informe. Las organizaciones de mujeres se han opuesto a la misma argumentando que en la práctica supone la despenalización de un número importante de malos tratos, quienes dan prioridad a las garantías jurídicas y al derecho penal mínimo consideran que esta medida es extremadamente punitiva. Lo cierto es que el tono ambiguo mantenido en el Informe impide en este momento pronunciarse en uno u otro sentido. En qué medida la eliminación de las faltas puede consolidar una tendencia despenalizadora o extremadamente punitiva dependerá de la manera en que esto se articule.

En primer lugar dependerá de la proporción de actos hoy calificados como faltas que pasan a ser calificados como delitos ¿Vamos a tener 18.000 delitos más por malos tratos? ¿O en la práctica va a suponer 9.000 delitos más y 9.000 injustos civiles? ¿O estamos hablando de 3.000 delitos más y 15.000 injustos civiles? La respuesta a estos interrogantes dependerá de dos cosas. En primer lugar, dependerá de la articulación legal de la eliminación de las faltas y de la interpretación dogmática de los nuevos tipos. Una redacción o interpretación restrictiva de los mismos significará en efecto una despenalización masiva de las situaciones que hoy se califican como faltas. Una sanción penal excesivamente elevada para estos tipos facilitará este tipo de interpretaciones restrictivas en función del criterio de proporcionalidad e intervención mínima. Es muy importante, por tanto, que la sanción asignada a estos nuevos tipos no sea percibida como excesiva. En segundo lugar, será importante la actitud de jueces y fiscales ante estos nuevos tipos penales. Si los mismos consideran esta calificación como excesiva, es probable que en la práctica se produzca un efecto de despenalización masiva de la falta de malos tratos. Si hemos de guiarnos por la experiencia con el tipo de malos tratos habituales

(Alemany Rojo, 1999), se podría argumentar que las organizaciones de mujeres tienen buenas razones para preocuparse.

Ciertamente, de hacerse correctamente y con una penalidad adecuada, la elevación de las faltas de malos tratos a la categoría de delitos tiene un número de ventajas. Como el Consejo General del Poder Judicial indica, esto supondría que, por ejemplo, se pudieran aplicar las medidas cautelares del artículo 544 bis (órdenes de alejamiento). Ya hemos visto como uno de los problemas de la regulación actual es que en la mayoría de casos por malos tratos, los que se califican como faltas, no se pueden aplicar las órdenes de alejamiento con respaldo en dicho artículo. Eliminar las faltas también reduciría la complejidad jurisdiccional. El estudio de Themis, por otro lado, destaca una serie de aspectos calificados como positivos sobre el procesamiento en los juzgados de lo penal: mayor actividad probatoria, más clara implicación del fiscal, una actitud más punitiva por parte del fiscal, una mayor implicación de asistencia letrada y un mayor porcentaje de sentencias condenatorias que en los casos de falta. Un número de estos aspectos, sin embargo, no es necesariamente definitorio de la actividad en estos juzgados, sino del procesamiento del tipo de actos que pasan los diversos filtros establecidos por el sistema para garantizar su procesamiento por esta vía. No está claro en qué medida fiscales y jueces mantendrán su actitud punitiva si se amplía la esfera de situaciones que pasarían a procesarse por esta vía una vez las faltas fueran eliminadas. En caso de adoptarse estas medidas será importante realizar estudios que permitan valorar lo que ocurre en la práctica.

Por otro lado, el procesamiento como delito y no como falta, también implica desventajas. La duración de los procesos es más larga, lo que no siempre resultará en beneficio de las víctimas y podría operar como un elemento disuasorio a la hora de presentar la denuncia. La necesidad de asistencia letrada será más obvia en estos casos, lo que no debería tomarse demasiado a la ligera hasta que existan suficientes medios para garantizar a toda mujer maltratada que lo necesite asistencia letrada gratuita. Por otra parte, y al margen de la posición que queramos mantener en torno al tema del perdón y la renuncia de la acción, lo cierto es que se restringiría considerablemente el marco de actuación de la víctima, lo que también se puede convertir en un elemento disuasorio a la hora de presentar denuncias. Si la víctima no quiere o no está interesada en el procesamiento penal, la eliminación de las faltas puede limitar su discrecionalidad. La figura de la conformidad, no obstante, permite una cierta flexibilidad al respecto que también puede acortar considerablemente la duración del proceso.

En este momento, por tanto, es difícil valorar lo que va a ocurrir dado que aún nos encontramos en una fase embrionaria del debate. Si la medida sigue adelante, en todo caso, será importante evaluar su aplicación. Aunque el Consejo va a ser criticado desde ambas perspectivas, por las organizaciones de mujeres y los juristas «garantistas», lo cierto es que bien articulada la medida podría solucionar un número de problemas. Desde una perspectiva pragmática el éxito de esta nueva tipificación creo que pasa por una potenciación de la figura de la conformidad en estos casos. Ello presenta la mayoría de las ventajas de la tipificación, sin imponer demasiados costes adicionales a la víctima. La conformidad, si existe suficiente comunicación entre víctimas y fiscal o si existe acusación particular, puede servir para potenciar la autonomía y la capacidad de determinación de la víctima en el proceso. Por otro lado, procesos en los que existe conformidad, como hemos indicado, deberían ser más cortos que aquellos en los que es preciso acudir al juicio oral. El uso de esta figura podría además reducir la tendencia en la práctica de jueces y fiscales a calificar actos hoy definidos como faltas como meros injustos civiles si entendemos que el proceso facilitando esa desviación hacia el ámbito civil podría ser una consecuencia de falta de medios o creencia en una penalidad excesiva. La conformidad reduce los costos en términos de medios implicados y, por otra parte, implica una penalidad menor que la asociada con el delito castigado en juicio oral. Pero para que la conformidad funcione dos requisitos son necesarios. El acusado debe ser consciente que le conviene admitir los hechos y la penalidad alternativa a aplicársele en estos casos debe ser apropiada a los fines perseguidos en este tipo de procesos. Encontrar ese equilibrio no será fácil pero merece ser intentado. Y, por supuesto, estas consideraciones sobre la conformidad asumen que la mayoría de las 18.000 faltas anuales por malos tratos pasarían por esta vía penal en lugar de ser desviadas al ámbito civil.

VIII. EL TRATAMIENTO DEL MALTRATADOR COMO SANCIÓN ALTERNATIVA

VIII.a. Concepto y tipos de tratamiento: su explosión en los Estados Unidos

Como hemos tenido ocasión de ver durante las dos últimas décadas la respuesta del sistema de justicia penal norteamericano al problema de los malos tratos se ha endurecido de una manera considerable. Este endurecimiento ha significado que los juzgados y tribunales de lo penal han tenido que aplicar sanciones penales a un número considerable de maltratadores. La mayoría de estos sujetos no recibían ningún tipo de sanción penal por su conducta con anterioridad y, en ese sentido, éste es uno de los muchos supuestos en los que se ha producido un aumento de la red del control jurídico penal del tipo analizado por Stanley Cohen en *Visiones de Control Social.*

La sanción de preferencia, en los casos de falta (que son la mayoría), ha sido la orden judicial de seguir tratamiento. En estas situaciones el tratamiento psicológico puede ser requerido por los juzgados de lo penal como una forma de diversión previa a la sentencia, como parte de la sentencia o por las agencias de *probation* como una de las condiciones de la misma. En algunas jurisdicciones, el fiscal no presenta cargos si el maltratador se decide a seguir un programa de tratamiento. Por otro lado, en algunos Estados los juzgados de familia pueden exigir el tratamiento, por ejemplo, como una condición ligada a la custodia de los niños (Davis y Taylor, 1998). La prestación del tratamiento, en cambio, la ejecutan bien los departamentos de *probation*, bien agencias de salud mental, organizaciones de servicios a la familia o de atención a la víctimas públicas o privadas (Chalk y King, 1998).

Existen numerosas razones que explican la popularidad de esta sanción en los Estados Unidos. Incluso en los casos más serios de maltrato, muchas víctimas deciden mantener la relación con sus maltratadores. Estas víctimas están especialmente interesadas en sanciones que puedan prevenir la violencia, no venganza o castigo que pueda poner en peligro la capacidad de ganarse la vida de su pareja. Sanciones alternativas como las multas, trabajo en beneficio de la comunidad o la tradicional *probation* sin condiciones especiales para el maltratador ofrecen muy pocas garantías de éxito (Davis y Taylor, 1998). Además, no podemos olvidar que tarde o temprano los maltratadores pueden comenzar nuevas relaciones íntimas en las que se reproduzcan los mismos problemas. Dobash y Dobash (1992) han aludido también a la tendencia en la sociedad americana de encontrar causas individuales a todos los problemas sociales como uno de los factores que contribuye a la popularidad de esta medida, en parte como consecuencia de la fortaleza de las profesiones de la salud mental en dicho país.

El primer grupo de programas para maltratadores nace a finales de la década de los 70. Activistas feministas y defensores de las víctimas se dieron cuenta de que proporcionar ayuda a las víctimas para que estas volvieran al mismo ambiente doméstico no era la solución al problema de los malos tratos (Healey et al., 1997). Por otro lado, ayudar a la víctima individual no impedía que el maltratador continuara comportándose violentamente en sus futuras relaciones con otras mujeres (Crowell y Burgess, 1996). Así, surgieron programas como EMERGE en Boston y el modelo Duluth que han sido replicados en numerosas localidades (Dobash y Dobash, 1992; Crowell y Burgess, 1996). Estos programas utilizaban terapia de grupo, porque se pensaba que era una manera de expandir las redes sociales de los maltratadores para incluir otros hombres que trataban de solucionar su problema (Crowell y Burgess, 1996). Estos primeros grupos eran de tipo educativo y buscaban promover un mensaje anti-sexista entre los maltratadores (Gondolf, 1995; 1997). A medida que los años pasaban, estos programas incorporaron de manera gradual técnicas terapéuticas de tipo conductual/cognitivo y ejercicios de desarrollo de habilidades sociales (Davis y Taylor, 1998).

En la actualidad existe una amplia gama de modelos de tratamiento. Como hemos visto, diferentes perspectivas teóricas y de investigación consideran que la causa del maltrato es de tipo individual (personalidad o anormalidades psicológicas de los maltratadores), de tipo familiar (p.ej., comunicación disfuncional) o de tipo social (p.ej., actitudes a favor del uso de la violencia). Los modelos de tratamiento existentes reflejan esta variedad de perspectivas teóricas.

Hamberger y Hastings (1993) distinguen cinco tipos ideales de modelos de tratamiento con diferentes orientaciones filosóficas y terapéuticas. El *modelo feminista* está basado en la premisa política que la violencia masculina contra la mujer tiene sus raíces en la sociedad patriarcal que otorga el poder a los hombres y oprime a las mujeres. La violencia doméstica es concebida como una manera de establecer y mantener la dominación masculina en el hogar. Estos programas tratan, sobre todo, de reeducar a los maltratadores sobre los papeles de los hombres y las mujeres en la sociedad actual y sobre lo que constituye conducta apropiada en el contexto de relaciones íntimas.

El *modelo conductual/cognitivo,* basado en la teoría del aprendizaje, concibe a la violencia doméstica como una conducta aprendida. La violencia es entendida como una conducta que es funcional para el maltratador (p.ej., liberación de tensiones, evitar tareas desagradables y mantener la obediencia de la víctima). El tratamiento de los maltratadores basado en este modelo enseña a los maltratadores técnicas para evitar conflictos, habilidades de asertividad y relajación y estrategias cognitivas para re-evaluar y neutralizar pensamientos de enfado.

El *modelo de la ventilación* concibe a la violencia como el producto del enfado no exteriorizado que necesita ser expresado a través de otros medios. Este modelo está basado en la teoría de la dinámica familiar y concibe a ambos miembros de la pareja como responsables por la violencia. Los maltratadores, y a menudos sus parejas, son asignados a grupos que tratan de desarrollar técnicas de comunicación.

El modelo de la *orientación interior* ve a la violencia como el síntoma de problemas subyacentes del pasado del maltratador (p.ej., miedo residual o enfado del abuso experimentado durante la infancia) que de manera inconsciente motiva el comportamiento violento actual. El tratamiento trata de examinar las experiencias de vida interior, experiencias pasadas y las interacciones actuales con otros.

Finalmente, el *modelo sistémico* está basado en la noción de que la violencia doméstica es el producto de la competencia por el control que se produce en las relaciones de pareja, competencia en la que cada miembro de la pareja trata de dominar y controlar al otro. Ambas partes participan en las mismas sesiones de grupos. El grupo trata de ayudar a lar partes a que identifiquen su papel en la violencia y que mejoren sus habilidades de comunicación.

En la práctica el tratamiento del maltratador tiende a mezclar diferentes enfoques teóricos de tratamiento (Healey et al., 1997), aunque la mayoría están basados en el modelo feminista desarrollado en Duluth, Minnesota, e incorporan nociones de la teoría del aprendizaje. Este modelo asume que la violencia es parte de un conjunto de estrategias que los hombres siguen para controlar a sus mujeres. La mayoría de los programas, por tanto, siguen un modelo basado en nociones feministas y técnicas cognitivo/conductuales. Estos programas pretenden que los hombres violentos confronten las consecuencias de su conducta, que se hagan responsables por el abuso infligido, así como eliminar las racionalizaciones y justificaciones que los hombres ofrecen por su conducta. Sin embargo, la mayoría de los programas también incluyen componentes orientados a solucionar las necesidades de control del enfado y el estrés, así como a desarrollar habilidades de comunicación (Davis y Taylor, 1998).

En general se puede hablar de procesos paralelos de convergencia y divergencia. Aunque en la práctica se tiende a integrar diferentes modelos teóricos de tratamiento, siguen existiendo diferencias en el enfoque principal. No solo la orientación filosófica varía, sino que la duración del tratamiento también varía de programa a programa. La duración o número de las sesiones oscila entre un día a 32 semanas (Davis y Taylor, 1998).

Los programas de tratamiento para hombres violentos con sus parejas ha causado un debate interno en las filas feministas. Mientras que algunos grupos feministas fueron responsables por los primeros programas de este tipo y el modelo pro-feminista de tratamiento es todavía el más extendido, hay algunas autoras feministas que critican el tratamiento porque, según argumentan, manda un mensaje erróneo a la sociedad: que el maltrato es un problema de individuos con problemas psicológicos y que estos individuos no son merecedores de sanciones penales severas (Hamby, 1998). Por otro lado, hay quienes temen que éste no es sino otro de los muchos ejemplos en los que el sistema de justicia penal presta más atención a las necesidades de los agresores que a las necesidades de las víctimas y desplaza fondos económicos que podrían ser usados con las víctimas (Dobash y Dobash, 1992). Además, el tratamiento puede enviar a las mujeres maltratadas un falso mensaje de esperanza que teóricamente podría prolongar su calvario.

Muchos de estos argumentos, aunque no todos, tienen fácil respuesta. Para empezar el modelo feminista de tratamiento no asume que todos estos hombres tengan problemas psicológicos y, además, aunque no todos los tienen, algunos, como vimos anteriormente, sí. En segundo lugar, el tratamiento normalmente no se impone como alternativa en casos severos, sino en casos que normalmente serían considerados como faltas y que usualmente no han conllevado ninguna sanción de entidad. El argumento económico es incluso más insostenible. Mantener a una persona en prisión es, con diferencia, mucho más costoso que mandar los maltratadores a un tratamiento y sustrae incluso más fondos del Estado que podrían dedicarse a atender a las víctimas. En todo caso, por el momento, parece que, a pesar de estos riesgos y de la polémica, estos programas seguirán funcionando y extendiéndose en el ámbito comparado.

VIII.b. La polémica en España

La inclusión del tratamiento del maltratador como una de las medidas en el Plan del Gobierno sobre los Malos Tratos generó cierto rechazo por parte de algunas mujeres afiliadas al movimiento de la mujer maltratada en nuestro país, así como cierta crítica por parte de algunos medios periodísticos (EL MUNDO, 9-4-98; EL PAÍS, 20-4-98). Dichas críticas no son exclusivas de nuestro país, sino que también se han podido oír argumentos similares en otros contextos.

Estas críticas son de dos tipos: ideológicas y prácticas. Desde un punto de vista ideológico se argumenta que lo que hay que cambiar es esta sociedad y no a los maltratadores. Desde el punto de vista práctico se señala que semejante tipo de medidas es «tirar el dinero» ya que «no se puede rehabilitar a un maltratador, porque estas personas no reconocen que su conducta sea errónea» (EL MUNDO, 9-4-98; recogiendo la opinión de una psicóloga afiliada a un centro de mujeres maltratadas). «Solo se puede rehabilitar a un mínimo porcentaje de maltratadores» ya que la mayoría de los mismos no son conscientes de la maldad de su conducta (EL MUNDO, 9-4-98; recogiendo la opinión de un profesor de Medicina Legal). «A las asociaciones que trabajan con mujeres les horroriza la idea de que se invierta en culpables» (EL PAÍS, 10-6-2000).

No deja de ser curioso que las únicas evaluaciones de este tipo de medidas realizadas en nuestro país han ofrecido interpretaciones favorables de sus resultados (Echeburua y Del Corral, 1998). En todo caso, el tratamiento de los maltratadores tiene algunos defensores en nuestro país (Echeburua y Del Corral, 1998; Medina de Salustiano, 1991) y, a pesar de las críticas de las agrupaciones de mujeres, ha sido incluido en el plan del gobierno y el de algunas comunidades autónomas como, por ejemplo, la andaluza. Otra cosa es que vayan a recibir el apoyo institucional necesario como para representar en algún momento una posible vía de actuación.

La lectura del plan sugiere que el gobierno pretende promover el tratamiento «como complemento a las sanciones penales», es decir, como un añadido a la sanción legal de prisión que se aplique al maltratador[158]. Esta medida, sin duda, es digna de elogio. Sin embargo, nada en el ordenamiento jurídico español prohibe que también se aplique como alternativa al encarcelamiento del agresor en los casos en que se suspenda la pena privativa de libertad. Más bien todo lo contrario, la Constitución española recoge el principio de rehabilitación como un criterio político criminal básico y es doctrina reconocida entra la mayoría de los penalistas españoles que en la medida de lo posible debe evitarse el enviar personas a prisión si existe una alternativa adecuada. El Informe del Consejo General del Poder Judicial (2001) incluso alude a la posibilidad de emplear el tratamiento del maltratador como una medida cautelar de protección compatible con las órdenes de alejamiento u otras medidas similares. A su vez, las *Conclusiones aprobadas en la primera reunión de fiscales encargados de los servicios de violencia familiar* (CGPJ, 2001) alude a la posibilidad del tratamiento entre las medidas del artículo 83 del Código Penal en caso de que se suspenda la pena.

A su vez, criminólogos españoles tan destacados como Santiago Redondo y Vicente Garrido (Redondo, Garrido y Meca, 1997; Garrido, 1993) han demostrado que es posible una pedagogía social de los delincuentes en general. Del pesimista *nothing works* de los 70 se ha pasado en la actualidad a realizar afirmaciones más matizadas, algunos programas funcionan, sobre todo con determinados tipos de agresores y si cuentan con apoyo institucional y se encuentran bien coordinados con otras respuestas a la delincuencia.

Por otro lado, aunque existen personas afiliadas al movimiento de la mujer maltratada que se oponen frontalmente al tratamiento del maltratador, no se puede ignorar que el tratamiento del maltratador en buena medida surge como respuesta a este problema desde dentro del movimiento de la mujer maltratada y que algunos de los más populares modelos de tratamiento del maltratador están inspirados en una filosofía política y pedagógica feminista. Incluso autores tan destacados dentro del pensamiento feminista sobre los malos tratos como Rebecca y Russell Dobash (1992) reconocen que el tratamiento del maltratador puede ayudar a solucionar este problema. De hecho, estos autores condujeron un estudio en Escocia con un diseño cuasiexperimental que demostraba que

---

[158] El equipo de Echeburua y Del Corral han diseñado un programa a ser implementado por la Administración Penitenciaria española.

así era y en la actualidad colaboran con grupos que tratan de promocionar este tipo de intervenciones (Dobash et al., 1995)[159].

La falta de previsión presupuestaria traducida en la falta de una infraestructura adecuada para ofrecer estos programas, así como la reticencia de los jueces a aplicar este tipo de medidas significa que en España la práctica del tratamiento del maltratador es más una ficción que una realidad. Aunque las filtraciones del informe del Consejo General del Poder Judicial y del II Plan de Acción Contra la Violencia Doméstica sugieren que se legitimará este tipo de medidas, sigue existiendo resistencia por parte de algunas organizaciones de mujeres (EL PAIS, 16-2-2001) y no está del todo claro que se vayan a facilitar los medios necesarios para facilitar este tipo de intervenciones.

Al margen del debate político, conviene realizar un examen pormenorizado de las diferentes evaluaciones de este tipo de tratamientos para señalar en que medida el maltrato funciona. No solo eso, sino que también debe tratar de determinar qué tipo de tratamiento funciona mejor y cuáles son los grupos de maltratadores que obedecen mejor a estos diferentes tipos de tratamiento. Eso es precisamente lo que los investigadores al otro lado del Atlántico han intentado hacer durante las últimas dos décadas.

VIII.c. ¿Funciona el tratamiento?

Durante los últimos años se han realizado numerosos estudios para evaluar los programas de tratamiento. Existen al menos ocho artículos que resumen estos estudios de manera sistemática (Eisikovits y Edleson, 1989; Gondolf, 1991, 1995, 1997a; Rosenfield, 1992; Saunders, 1996a; Tolman y Bennett, 1990; Davis y Taylor, 1998) y diez capítulos de libro que realizan un ejercicio similar (Rosenbaum y O'Leary, 1986; Dutton, 1988, 1995; Saunders y Azar, 1989; Dobash et al., 1995; Hamberger y Hastings, 1993; Tolman y Edleson, 1995; Crowell y Burgess, 1996; Chalk y King, 1998; Hamby, 1998). Además, desde la publicación de estas revisiones de la literatura nuevos y altamente significativos estudios han sido realizados.

Sin embargo, el volumen de la literatura es engañoso. De hecho, existe solo un puñado de estudios que pueden derivar conclusiones de manera legítima sobre diferencias entre maltratadores tratados y no tratados. Los estudios sobre el maltrato, de acuerdo con Davis y Taylor (1998), se pueden clasificar en cuatro grupos. Los tres primeros que son los más antiguos y mayoritarios no incluían grupos de comparación, sino que se

---

[159]   En un congreso internacional sobre feminismo celebrado en Córdoba en Diciembre de 2000 también se enfatizaba la necesidad de desarrollar programas de tratamiento para maltratadores (EL PAIS, 10-12-2000).

limitaban a examinar los maltratadores asignados a los programas. El primero consiste de estudios que evalúan la violencia o algún otro tipo de resultado solamente después del tratamiento. El segundo consiste de estudios que medían la violencia antes y después del tratamiento. El tercero lo constituyen aquellos estudios que comparaban la violencia de los maltratadores asignados a tratamiento con aquellos que fueron asignados, pero no lo atendieron. El cuarto lo constituirían aquellos estudios que han seguido un modelo experimental clásico, con asignación aleatoria de individuos al tratamiento y a un grupo control. Estos son los más recientes y menos numerosos, pero también los que permiten llegar a conclusiones más fiables sobre la eficacia del tratamiento.

La mayoría de estos estudios presentan, por tanto, serios problemas metodológicos en la medida en que emplean diseños cuasiexperimentales bastante débiles. Pero, además, existen limitaciones metodológicas adicionales tal y como bajas tasas de respuesta en las encuestas con las víctimas y agresores, periodos de seguimiento muy cortos, falta de medición de variables de intermediación, ausencia de una «teoría del cambio», exclusión de las evaluaciones de aquellos sujetos que no completan el programa, etc (Gondolf, 1997; Chalk y King, 1998; Davis y Taylor, 1998; Hamby, 1998).

Uno de los problemas más serios a los que se enfrentan estos programas de tratamiento es el alto número de individuos que se da de baja o deja de participar en los mismos. Una encuesta de 30 programas de tratamiento documentó una amplia variedad en lo que se refería a la tasa de graduación, esto es, la tasa de personas que completaban estos programas. Aproximadamente la mitad de estos programas obtenían una tasa de graduación inferior al 50% (Gondolf, 1990). Esta tasa tiene como denominador aquellos individuos que acuden a la primera sesión, si en lugar de utilizar este número, se utilizara el número de maltratadores asignados a los programas las tasas de graduación serían incluso menores (Hamby, 1998). Así, por ejemplo, Cadsky y su equipo (1996) realizaron un estudio de este problema y documentaron que de 526 hombres recomendados a un programa de tratamiento sólo el 41% llegaron a atender al menos una sesión y sólo el 25% se graduaron.

De acuerdo con Cadsky y sus colegas (1996) hay dos categorías generales de variables asociadas con este fenómeno: (1) aquellas relacionadas con el estilo de vida inestable de los maltratadores (mudanzas, desempleo, juventud, etc.) y (b) aquellas que indican la falta de congruencia, a los ojos del maltratador, entre el problema por el que recibe tratamiento y el tratamiento que recibe. Su estudio pudo documentar como aquellos individuos que acudían voluntariamente al tratamiento y que reconocían la existencia de problemas maritales eran más proclives a graduarse. Por otro lado, aquellos con una mayor movilidad residencial eran también menos proclives a graduarse.

Otros estudios han documentado que los individuos que no completan los programas son más propensos a haber sufrido abuso infantil (Grusznki y Carrillo, 1988; Hamberger y Hastings, 1986b), están en el paro (Hamberger y Hastings, 1989; Grusznki y Carrillo, 1988; DeMaris, 1989; Saunders y Azar, 1989; Bodnarchuk et al. 1995), tienen un bajo nivel educativo (Grusznki y Carrillo, 1988; Bodnarchuk et al. 1995;), son jóvenes (Hamberger y Hastings, 1993), presentan más problemas psicológicos (Hamberger y Hastings, 1989; Grusznki y Carrillo, 1988), tienen un historial delictivo más serio (Hamberger y Hastings, 1989) y abusan del alcohol y las drogas (Hamberger y Hastings, 1990). Otros estudios también han documentado la citada relación entre voluntariedad del tratamiento y finalización del mismo (Saunders y Azar, 1989; Gondolf y Foster, 1991; Hamberger y Hastings, 1989). Por otra parte, otros autores han documentado que uno de los factores esenciales es la existencia de control externo, normalmente de tipo judicial, de la asistencia (DeHart et al., 1999).

Cadsky y sus colaboradores (1997) señalan que la tasa de menor graduación por parte de aquellos que siguen y son referidos por parte del sistema de justicia penal no significa que este tipo de tratamiento no funciona con estas poblaciones. Este descubrimiento simplemente implicaría que los hombres que requieren un grado mayor de coerción para comenzar tratamiento son también los que son más difíciles de mantener en el programa. Estos autores sugieren que es necesario investigar de qué manera el sistema de justicia penal podría utilizar sus medios para forzar a estos hombres a completar el tratamiento.

De hecho, existen estudios que han documentado que las bajas tasas de graduación podrían estar relacionadas con el escaso grado de coerción empleado por el sistema de justicia penal con aquellos hombres que incumplen la orden judicial de seguir el tratamiento (Hamby, 1998). Heril (1991) descubrió que ninguno de los hombres asignados al programa que estaba estudiando y que no completaban el programa recibía sanción alguna por dicha conducta. Gondolf (1990), por su parte, ha señalado que el 45% de los programas encuestados en su estudio reconocían que la falta de acción por parte de los juzgados de lo penal en estos casos constituía un serio problema. En un estudio más reciente Gondolf (1997) documentaba por medio del análisis de una experiencia iniciada en Pittsburgh como el seguimiento más estricto de los hombres remitidos a tratamiento por parte de los tribunales disminuía la tasa de falta de participación en estos programas de un 52% a un 35%.

Al margen de un mayor rigor por parte del sistema de justicia penal en estos casos, los expertos en el tema han sugerido otras medidas para incrementar la tasa de graduación. Así, por ejemplo, Cadski y sus colegas (1996) sugieren proporcionar más información sobre los objetivos del programa y centrarse rápidamente en aquellos aspectos que pueden serle de más utilidad al maltratador. Hanson y White (1995) encontraron que la realización de visitas al domicilio del maltratador después de que no se presentara a las sesiones también incrementan la participación.

De acuerdo con las personas a cargo de implementar este tipo de programas hay una serie de medidas que podrían ser eficaces para prevenir este problema. Así, por ejemplo, se hace referencia a la existencia de un enlace con los juzgados de lo penal, utilización de mentores y ayuda en la transición, evaluaciones más profundas de cada caso, gestión de los casos, diversificación del tratamiento de acuerdo con la problemática de cada individuo, etc (Gondolf, 1997). En todo caso, desde el punto de vista del evaluador resulta esencial incluir a estos hombres a la hora de valorar los programas de tratamiento, incluso si no lo recibieron (Davis y Taylor, 1998; Hamby, 1998). No obstante, muchas evaluaciones no han seguido semejante proceder.

Centrándonos ahora en los estudios que evalúan la eficacia del tratamiento habría que señalar que existen al menos cuatro estudios publicados que utilizan grupos de comparación constituido por maltratadores que recibieron otras intervenciones. El primero de ellos fue realizado por Dutton (1986) con una muestra de 100 maltratadores, 50 en cada grupo. El grupo de tratamiento tuvo una tasa de reincidencia del 4% mientras que el grupo de comparación tenía una reincidencia del 40% utilizando datos de la policía. Sin embargo, los dos grupos podrían ser diferentes en importantes medidas, aunque Dutton no las indica, ya que el grupo de comparación estaba formado por maltratadores que el departamento de probation había considerado como intratables. Además, el grupo de tratamiento sólo incluía aquellos que habían culminado el programa (Davis y Taylor, 1998).

Chen y su equipo (1989) realizaron un cuasiexperimento con 120 maltratadores referidos a tratamiento por orden judicial y 101 maltratadores que no fueron enviados a tratamiento. Chen y sus colegas (1989) utilizaron un modelo estadístico para controlar por el sesgo de selección. Este estudio documentó que el 5% de los maltratadores asignados al tratamiento en comparación con el 10% de los asignados al grupo de comparación fueron arrestados de nuevo tras el tratamiento. Sin embargo, el efecto principal de la variable que medía el tratamiento no era significativo desde el punto de vista estadístico.

Heril (1991) estudió 227 maltratadores, de los cuales 115 habían sido asignado a tratamiento. Su grupo experimental estaba constituido por maltratadores que eran más propensos a estar casados, a tener empleo y a no tener previos arrestos. Heril controló estas diferencias estadísticamente en su modelo de reincidencia, pero de manera poco afortunada solo incluyó en su análisis a maltratadores que habían completado el programa. Sorprendentemente, su grupo experimental se mostró como más violento que su grupo de comparación en tres de las cuatro medidas de reincidencia empleadas. Como Davis y Taylor (1998) exponen, aunque su estudio podría estar limitado por no poder diferenciar efectos del sesgo de selección y de la eficacia del programa, vino, sin duda, a añadir polémica a este campo.

Más recientemente Dobash y sus colaboradores (1996) examinaron 256 maltratadores que habían sido enviados a tratamiento o habían recibido otro tipo de condena. Su grupo experimental estaba compuesto de maltratadores que eran más propensos a tener empleo y a ser menos jóvenes. Estos autores notaban una tasa menor de reincidencia entre los maltratadores que recibían el tratamiento, pero también advertían que el grupo de comparación exhibía un peor historial delictivo.

La mejor manera de garantizar que no existen diferencias entre los maltratadores que reciben el tratamiento y los que no que puedan influenciar su posterior reincidencia es realizando experimentos clásicos. Hasta el momento solo se han publicado los resultados de uno de estos experimentos. Sin embargo, uno más está a punto de ser publicado, un tercero ha presentado resultados preliminares en conferencias y un cuarto estudio se encuentra en proceso.

Palmer y su equipo (1992) realizaron el primer experimento. Incluso aunque el tamaño muestral era demasiado pequeño como para garantizar el adecuado poder estadístico, su grupo experimental tan solo mostró un tercio de reincidencia de la exhibida por el grupo de control. Davis, Taylor y Maxwell (en prensa) realizaron el segundo de estos experimentos y documentaron una tasa menor de reincidencia entre los sujetos sometidos a tratamiento.

Dunford (1997), por su parte, ha ofrecido resultados preliminares de su evaluación en la base naval de San Diego. Este estudio utilizo una muestra de 861 militares casados cuyo abuso había sido detectado por las autoridades de la armada estadounidense. Los casos fueron asignados a cuatro condiciones diferentes:

(1) Un programa de tratamiento de 26 semanas para los hombres utilizando terapia de grupo basada en el modelo cognitivo/conductual.

(2) Un programa de 26 semanas de terapia de pareja que incluía, en su fase final, sesiones conjuntas con ambos miembros de la pareja. La fase inicial envolvía sesiones con solo el maltratador.

(3) Vigilancia rigurosa por parte de las autoridades navales incluyendo llamadas mensuales a las víctimas y comunicaciones con la policía para asegurar la ausencia de reincidencia.

(4) Establecimiento de un plan de seguridad para las víctimas. El plan de seguridad también se ofrecía a las víctimas en las otras tres condiciones.

Las víctimas y los agresores fueron entrevistados cada seis meses durante un periodo de dos años. Los análisis preliminares fueron presentados durante la V Conferencia Internacional sobre Violencia Doméstica. Dos sesiones exclusivas se dedicaron a discutir los resultados de éste que se presentaba como el experimento más importante conducido hasta la fecha en este campo, por su complejidad y tamaño muestral.

Los resultados, sin lugar a duda, sirvieron a la polémica, ya que Dunford y su equipo no encontraron ninguna diferencia significativa entre los grupos utilizando una amplia gama de medidas de bienestar psicológico, actitudes hacia la mujer y la violencia, y medidas de reincidencia. No obstante, muchos dudan de la posibilidad de generalizar estos resultados a contextos no militares en la medida en que la militar es una sociedad particular en muchos sentidos. Podría ser que el mero descubrimiento del abuso por las autoridades navales sea un elemento disuasorio lo suficientemente fuerte como para impedir el descubrimiento de diferencias entre diferentes medidas de intervención a posteriori.

Por otro lado, el estudio presentaba algunas importantes limitaciones metodológicas que fueron poco aireadas en las discusiones del mismo. En primer lugar, la intervención no se implementó hasta varios meses después de que se documentara el abuso. Lo que es más serio, parece ser que existía la posibilidad de que algunos maltratadores intercambiaran el tipo de tratamiento durante la realización del experimento.

En la actualidad, un cuarto experimento está siendo realizado por Feder en el Estado de Florida, aunque sus resultados definitivos no han sido aún publicados esta autora también ha presentado resultados preliminares poco esperanzadores.

La valoración global de la literatura también varía entre los autores. Davis y Taylor (1998), por ejemplo, argumentan que los estudios realizados hasta la fecha prueban de manera consistente que el tratamiento de los maltratadores es una medida eficaz en la prevención de la violencia doméstica. Estos autores ponen un énfasis muy especial en el tamaño del efecto documentado por estos estudios. En todo caso, consideran que existen argumentos más que suficientes para afirmar que el tratamiento, basándonos en la totalidad de estudios realizados, parece tener un efecto positivo en este problema (adoptan una perspectiva similar: Crowell y Burgess, 1996).

En el otro extremo, Jacobson y Gottman (1998), en cambio, adoptan una perspectiva más crítica. Estos autores consideran un error la tendencia del sistema de justicia penal americano a utilizar el tratamiento como una medida alternativa al encarcelamiento. Para estos autores esta tendencia sólo sirve para ejemplificar el carácter discriminatorio de la justicia penal en estos casos y la poca seriedad con que se toman. Conviene señalar, como crítica a Jacobson y Gottman, que los casos en los que normalmente se emplea el tratamiento como sanción alternativa son casos de falta, no de delitos en la mayor parte de las jurisdicciones. Es erróneo, por tanto, señalar que el sistema de justicia penal se está inhibiendo en estos casos, por lo contrario, éste es uno de los muchos ejemplos de extensión de las redes penales por medio del empleo de sanciones alternativas.

Sin embargo, todos están de acuerdo en sugerir la necesidad de realizar más estudios. En particular, se comienza a cuestionar el mecanismo por el cual los tratamientos podrían estar teniendo un efecto. Como Gondolf (1997) ha destacado la evidencia existente parece demostrar que los programas de tratamiento tienen una influencia en la cesación de la violencia al menos durante periodos de seguimiento de 6 meses, sin embargo se sabe muy poco sobre el porqué de esta cesación.

El experimento de Davis, Taylor y Maxwell (en prensa) sugiere como una posibilidad que el tratamiento per se no está provocando un cambio en actitudes y conducta, sino que está ejerciendo un efecto meramente supresivo mientras dura el mismo. Podría ser que lo relevante no es el componente terapéutico del tratamiento sino las consecuencias que la realización de actos violentos durante el tratamiento puede acarrear para el maltratador y la impresión que el maltratador puede estar recibiendo de estar siento sometido a una mayor vigilancia durante la administración del tratamiento.

VIII.d. ¿Hay programas que funcionen mejor?

Algunos estudios han tratado de averiguar si algunos programas funcionan mejor que otros. En general estos estudios han empleado diseños que son más fuertes desde el punto de vista metodológico que aquellos que se han limitado a examinar la eficacia del tratamiento. Esto se debe al hecho de que resulta más fácil vender la idea de evaluar diferentes tipos de tratamiento, ya que así todos reciben algún tipo de intervención, que la idea de evaluar la eficacia del tratamiento con un grupo que no recibirá ningún tipo de intervención terapéutica. Si, por ejemplo, uno de los participantes, en el peor de los casos, mata a su mujer, las personas que están a cargo del experimento pueden decir que el maltratador recibió algún tipo de intervención (Davis y Taylor, 1998).

Harris y sus colaboradores (1988) asignaron de manera aleatoria a 58 parejas violentas que se presentaron para recibir terapia marital a dos condiciones: terapia de grupo o terapia de pareja. Los autores señalan que no pudieron documentar diferencias en el grado de reincidencia seis meses y un año después del comienzo del experimento. Sin embargo, esta conclusión está basada en las entrevistas con solo las 28 mujeres que pudieron contactar. Debe notarse que la retención en la terapia fue mucho mejor para las parejas que fueron asignadas a la terapia de grupo (84%) que a la terapia de pareja (33%).

Edleson y Syers (1990) asignaron de manera aleatoria 283 maltratadores a tres grupos diferentes: un programa educativo, un programa de autoayuda y un programa que combinaba ambos elementos. Cada programa consistía de 12 sesiones en 12 semanas o 32 sesiones en 16 semanas. La violencia fue evaluada seis meses después del tratamiento por medio de entrevistas con las víctimas y/o agresores. Edleson y Syers documentaron la inexistencia de diferencias significativas entre las modalidades de tratamiento ni entre las diferentes modalidades de duración en su medida de violencia, pero su programa educativo parecía tener un efecto en la reducción del uso de amenazas verbales. Sin embargo, debido a que su evaluación está basada en tan solo aquellos individuos que finalizaron el tratamiento y aquellos que consintieron a la realización de las entrevistas, su muestra final está compuesta de tan solo 92 de los 283 casos originales.

Saunders (1996b) documentó los resultados de un experimento con 218 maltratadores que fueron asignados aleatoriamente a un modelo feminista-cognitivo o uno psicodinámico. En ambos casos se seguía la modalidad de tratamiento en grupo. Saunders sólo ofrece análisis con sus medidas de violencia obtenidas 18 meses después de la asignación (entrevistas con las víctimas y agresores y medidas del sistema de justicia penal) y solo para aquellos sujetos que completaron el programa. Saunders no encontró diferencias significativas para el efecto principal, aunque sí pudo documentar interesantes interacciones entre la modalidad de tratamiento y el tipo de maltratador.

Goldkamp (1996) asignó aleatoriamente 350 maltratadores que habían sido diagnosticados con un problema de abuso de sustancias tóxicas a dos condiciones: un programa de tratamiento del maltrato seguido de un programa de tratamiento del abuso de sustancias o un programa integrado del maltrato y el abuso de sustancias. La asistencia al programa fue muy diferente para las dos condiciones. El 14% de los maltratadores en el tratamiento integrado no asistieron a las sesiones en comparación con el 44% de los maltratadores en el tratamiento secuencial. El periodo de seguimiento de Goldkamp fue también muy corto, tan solo 7 meses, de ahí que el 42% de los maltratadores en el tratamiento secuencial y el 32% de los maltratadores en el integral aún no hubieran completado el tratamiento. Este estudio documentó una tasa de reincidencia (nuevas detenciones) del 23% para los sujetos en el modelo integrado y del 29% para los sujetos en el modelo secuencial. Sin embargo, este autor no dice si los resultados son significativos y, en todo caso, resulta difícil considerar este un modelo que compara un modelo secuencial con uno integrado, cuando aún no han finalizado las sesiones.

Brannen y Rubin (1996) condujeron otro experimento en el que 49 parejas referidas por los juzgados fueron asignados a dos condiciones. En la primera condición, las parejas atendían juntas un grupo educativo basado en un modelo cognitivo/conductual. En la segunda condición, los maltratadores atendían grupos educativos basados en el modelo Duluth mientras que las víctimas atendían grupos en los que se les pretendía devolver su autoconfianza, control y poder. La reincidencia fue medida por medio de entrevistas, aunque no está claro cuándo se realizaron. Los análisis demostraron ausencia de diferencias en el efecto principal, sin embargo, entre los maltratadores con problemas de alcohol el primer modelo parecía funcionar mejor.

Recientemente, Gondolf (1997a) publicaba los resultados de una comparación de cuatro programas de tratamiento. Los programas variaban en duración y tipo de tratamiento ofrecido. Los cuatro programas consistían en: (1) un programa didáctico de tres meses; (2) un programa procesal de tres meses que ofrecía servicios complementarios a las víctimas; (3) un programa didáctico de cinco meses; y (4) un programa procesal de nueve meses que ofrecía otros servicios complementarios (tratamiento para el abuso de sustancias tóxicas, terapia psicológica y servicios para las mujeres). Los maltratadores y sus víctimas fueron entrevistados cada tres meses durante un periodo de 15 meses y se utilizaron también datos policiales. Gondolf descubrió que la tasa de reincidencia del 30% no variaba entre los diferentes programas, sugiriendo que la modalidad y duración del tratamiento son irrelevantes.

Existe por tanto el sentimiento común de que no existen programas que sean especialmente más eficaces a la hora de prevenir la violencia doméstica (Hamby, 1998; Davis y Taylor, 1998). Sin embargo, al mismo tiempo, existe evidencia que indica que características de los programas pueden tener una influencia relevante en los resultados del tratamiento. Elementos tales como la implementación de los programas; sus relaciones con los juzgados de lo penal, oficinas de atención a la víctima y otros servicios sociales y de salud mental; y los valores y normas comunitarias locales han sido sugeridos como relevantes en los resultados de estos programas (Gondolf, 1997)

VIII.e. ¿Hay hombres que responden mejor?

Aquellas personas que padecen serios desórdenes de personalidad son más difíciles de tratar en el contexto de grupos de terapia. En consecuencia, aquellos hombres que padecen estos desórdenes de personalidad deberían mostrar una menor tasa de éxitos que aquellos que no los padecen. En la medida que dichos diagnósticos sean especialmente elevados entre la población que es remitida a los programas de tratamiento desde el sistema de justicia penal, esta cuestión se convierte en una de gran relevancia (Dutton et al. 1997).

Hamberger y Hastings (1990) compararon 72 hombres que habían completado tratamiento y no habían reincidido con un grupo de 32 hombres que habían completado el mismo tratamiento y habían reincidido. Los reincidentes tendían a exhibir mayores niveles de consumo de sustancias tóxicas antes y después del tratamiento, mayores niveles de narcisismo, así como una menor capacidad de empatía. Dutton y sus colaboradores (1997) también trataron de responder esta cuestión con una muestra de 112 hombres que habían sido sometidos a tratamiento para maltratadores en Canadá. Este estudio demuestra que hombres con diferentes desórdenes de personalidad exhiben un mayor riesgo de recaída después de recibir tratamiento que aquellos que no exhiben dichos desórdenes. Dutton y sus colaboradores (1997) sugieren el empleo de enfoques terapéuticos especiales que se ajusten a las particularidades de los hombres que exhiben diferentes desórdenes de personalidad.

VIII.f. Tendencias actuales

Existe un sentimiento generalizado que reclama tratamientos ajustados a las peculiaridades de cada individuo o tipo de maltratador. Cada vez está más claro que no todos los maltratadores son iguales. De ahí que exista en la actualidad una tendencia a desarrollar programas de tratamiento ajustados a diferentes tipos de maltratadores definidos por su personalidad (Dutton et al., 1997), historia de abuso o problemas con alcohol y drogas.

Otros programas están siendo desarrollados para acomodar diferencias socioculturales entre los maltratadores derivadas de su clase social, etnia y orientación sexual (Davis y Taylor, 1998). Existe en los Estados Unidos una preocupación creciente por la manera de ofrecer programas de tratamientos sensibles a las necesidades de poblaciones especiales y en particular a minorías étnicas. La mayoría de los recipientes de estos programas en las ciudades americanas son personas de color o hispanos, sin embargo, existen muy pocos programas que se ajusten a las necesidades de estos grupos. A pesar de ello parece evidente que existen diferencias relevantes entre grupos étnicos que justifican el desarrollo de programas específicos. Así, hombres de color a menudo perciben, interpretan y justifican su conducta y la reacción del sistema de justicia penal de manera diferente a la de otros hombres. Lo mismo ocurre con hombres de diferentes clases sociales. La manera en que las masculinidades son definidas varía de acuerdo con la posición social, en diferentes dimensiones, de cada individuo. Por otro lado, también se comienza a destacar la necesidad de desarrollar intervenciones que alcancen a la población rural (Gondolf, 1997) y se comienza a sugerir la necesidad de establecer un seguimiento más intensivo de los casos tras la finalización del tratamiento. De lo que se trataría es de ofrecer ayuda y consejo adicional a los maltratadores tras la finalización del tratamiento.

Un problema de los programas de tratamiento es que pueden mandar un mensaje de seguridad falso a las víctimas de maltrato. Un estudio (Gondolf, 1988) descubrió que aquellas mujeres cuyas parejas habían recibido tratamiento eran más propensas a volver con los mismos. En la medida en que los programas no estén siendo eficaces, esto podría ser peligroso. Es importante, por tanto, que se adopten precauciones para garantizar la seguridad de la mujer y se valore este problema.

Una manera de garantizar que el tratamiento no está poniendo en peligro a las víctimas es mediante el desarrollo de criterios de éxito más estrictos. En lugar de considerar la mera asistencia al programa como suficiente, hay quienes defienden el uso de criterios más estrictos. En caso de que los maltratadores no se adapten a estos criterios sus casos deberían ser devueltos a los juzgados de lo penal. Estos criterios incluyen el no acudir bajo la influencia del alcohol, aceptación de la violencia, que demuestren conocer las técnicas enseñadas en los programas, que se comporten de manera apropiada en las sesiones, que participen activamente en las sesiones y que utilicen un lenguaje no sexista y respetuoso (Hamby, 1998).

Por otro lado, se destaca de una manera muy clara la necesidad de emplear diseños metodológico más apropiados para la evolución del éxito de estos programas, diseños que permitan extraer conclusiones que no vengan severamente limitadas por las características de los estudios. En ese sentido, resumiendo la literatura, se recomienda las siguientes decisiones de tipo metodológico:

(1) Deben emplearse diversas medidas de la violencia. La utilización exclusiva de datos policiales o del sistema de justicia penal ha sido criticada porque infraestima la reincidencia. Lo mismo ocurre con aquellos programas que se han limitado a utilizar entrevistas con los agresores. De ahí, que se exija complementar el uso de estos datos con los procedentes de entrevistas con las víctimas y, a ser posible, y siempre con gran cautela, con los agresores. Por otro lado, se ha sugerido la medición del abuso psicológico ante la posibilidad de que el tratamiento no elimine la violencia sino que produzca un desplazamiento hacia otras formas de violencia como el abuso psicológico.

(2) Deben realizarse periodos de seguimiento que sean lo suficientemente largos como para poder estimar la decadencia de los efectos del

programa con el paso del tiempo, pero al mismo tiempo es conveniente obtener medidas de la reincidencia al poco tiempo de la asignación, de manera que sea posible detectar efectos a corto alcance.

(3) Deberían utilizarse, en la medida de lo posible, medidas comunes, estandarizadas y suficientemente validadas a la hora de evaluar los programas.

(4) Deben utilizarse técnicas estadísticas que sean apropiadas. Así, por ejemplo, se critica el uso extensivo de técnicas paramétricas que asumen la distribución normal y tratan el número de actos violentos cometidos tras el tratamiento como si fuera una variable continua. En la actualidad, existen técnicas estadísticas que son más apropiadas para el modelado de variables que cuentan el número de veces que algo ha pasado en un periodo de tiempo. Estas variables, normalmente, siguen una distribución binomial negativa o admiten el uso de Poisson corrigiendo por extra-dispersión. El uso de técnicas de análisis de supervivencia también esta garantizado. También, deberían incluirse diversas variables en estas regresiones al margen de la variable discriminando entre el grupo de tratamiento y el de control.

(5) En la medida de lo posible deberían emplearse diseños experimentales clásicos. Cuando esto no sea posible deberían tomarse las suficientes precauciones para obtener grupos de comparación legítimos y para modelar el sesgo de selección por medio de técnicas estadísticas con tal efecto.

(6) Deberían utilizarse muestras lo suficientemente grandes como para garantizar la existencia de poder estadístico que permita detectar diferencias entre el grupo de tratamiento y el grupo de control.

(7) Existen técnicas que pueden ser empleadas para incrementar la tasa de respuesta en estos estudios. En este sentido. Gondolf (1997), por ejemplo, sugiere la elaboración de planes para no perder a los sujetos por medio de la obtención de números de teléfonos y direcciones de vecinos, parientes y amigos de los mismos.

(8) A la hora de evaluar los programas no se debería excluir de los análisis a aquellos individuos que no completan el programa o que nunca llegan a atenderlo. El criterio decisivo debe ser la asignación al grupo experimental. Lo contrario es una manera de seleccionar a los maltratadores más motivados favoreciendo la obtención de resultados positivos.

(9) Gondolf (1997) ha destacado la necesidad de realizar evaluaciones que no solo observen los resultados finales, sino también el proceso de implementación de los programas. En otras palabras, no solo realizar evaluaciones de resultados sino también evaluaciones de los procesos.

(10) Necesidad de integrar las necesidades de las víctimas, así como las voces de quienes trabajan con mujeres maltratadas.

(11) Finalmente, los investigadores deberían ser conscientes de las limitaciones de las muestras empleadas en cada caso y no ir demasiado lejos en sus conclusiones a la hora de generalizar los resultados. Es importante tomar en consideración las características de los maltratadores, así como el contexto local en el que el programa está siendo implementado.

IX. MEDIACIÓN Y VIOLENCIA DOMÉSTICA

Una de las medidas contempladas en el borrador del *I Plan del Gobierno sobre malos tratos* consistía en la figura de la mediación. La presión de las organizaciones de mujeres hizo que la medida desapareciera del plan. Más recientemente el Informe del Consejo General del Poder Judicial (2001) alude a la deseabilidad de la potenciación de mecanismos alternativos de resolución de conflictos, como la mediación, en aquellos supuestos en los que la escasa gravedad de la agresión y las circunstancias personales, familiares, y sociales concurrentes aconsejen y permitan el mantenimiento de la relación familiar o de pareja.

Ciertamente, existe un movimiento que reclama el uso de la mediación para solucionar conflictos penales. En la actualidad los programas de mediación se han convertido en uno de los esfuerzos más creativos para hacer responsables a los delincuentes por sus actos, enfatizar la dimensión humana del delito, promover la participación de las víctimas y mejorar los sentimientos de justicia de delincuentes y víctimas.

Existen más de 120 programas de mediación entre víctima y delincuente en los Estados Unidos, 26 en Canadá e incluso un número mayor en Europa y los resultados de estas experiencias parecen ser bastante positivos. No obstante, la mayoría de estos programas se centran en solucionar casos de delincuencia juvenil no violenta (Umbreit, 1994). Aunque hay quienes piensan que estos programas también podrían aplicarse en casos de delitos violentos, hay quienes seriamente cuestionan esta posibilidad sobre todo cuando se trata de violencia contra la mujer u otras minorías (Hudson, 1998).

Existe también un movimiento que reivindica el uso de la mediación para la solución de conflictos maritales. La mediación, basada en la asunción de cooperación entre los dos miembros de la pareja, es un proceso de resolución de conflictos maritales en el que una tercera parte imparcial facilita el dialogo y la negociación. Este procedimiento tiene una larga historia que, en Estados Unidos, se remonta a la creación en 1939 de la Corte de Conciliación de los Angeles cuyo objetivo era facilitar la conciliación entre los esposos en casos de conflicto. En la actualidad el objetivo principal de la mediación en el ámbito familiar lo constituye la solución de los problemas ligados a los procesos de divorcio y separación y programas de mediación existen en casi todas las ciudades de los Estados Unidos.

Sin embargo, solo recientemente ha empezado a desarrollarse un interés en las conexiones entre mediación y violencia doméstica. Ciertamente en la medida en que la mediación ha empezado a ser más común en los Estados Unidos y la alta prevalencia de la violencia doméstica se ha hecho más aparente, ha surgido un debate sobre la medida en que la mediación es apropiada en casos de violencia doméstica.

En uno de los primeros ensayos analizando este problema, Lerman criticaba la mediación por ser un mecanismo que no solamente deja sin protección a la mujer, sino que facilita que continúe el maltrato. Lerman considera que los principios de la mediación son responsables de este estado de cosas. En primer lugar, la mediación ignora la conducta marital pasada, incluyendo el abuso. En segundo lugar, la mediación asume que la responsabilidad del maltrato es compartida por la mujer y el hombre. En tercer lugar, la mediación asigna mayor importancia a la facilitación de acuerdos que a la prevención de la violencia. En cuarto lugar, la mediación facilita que se firmen acuerdos entre la víctima y el agresor que legitiman el maltrato. Finalmente, trivializa la violencia al emplear eufemismos para referirse a la violencia en el proceso de negociación y en los acuerdos alcanzados (Ellis, 1993).

Recientemente, el Centro de Estudios Políticos ubicado en Denver (Colorado) y que tiene una agenda activa de investigación sobre el problema de los malos tratos, ha realizado un primer estudio nacional sobre este problema. Este estudio exploratorio trataba de examinar como los mediadores y el personal judicial están haciendo frente a los casos de abuso doméstico en los procesos de mediación. El estudio está basado en 136 encuestas por correo con los responsables de programas públicos de mediación sobre sus políticas internas y procedimientos para identificar y tratar los casos de violencia doméstica que se les presentan. Para profundizar en el tema realizaron entrevistas telefónicas con una submuestra de 30 de los responsables de estos programas y visitaron cinco de los mismos.

El estudio demostraba que la violencia doméstica era un problema frecuente en los programas de mediación en casos de divorcio. La investigadora principal en este estudio, Jessica Pearson (1997), pudo constatar que, de acuerdo con los administradores de estos programas, entre el 50% y el 80% de los casos que llegan a los programas de mediación envuelven situaciones de violencia doméstica. Los programas realizan entrevistas individuales con cada miembro de la pareja para obtener la mayor información posible sobre la dinámica de cada relación incluyendo la posible existencia de violencia doméstica y, por otro lado, también verifican los registros policiales y judiciales para detectar previas demandas, detenciones o condenas por malos tratos. Es así como estos programas aprenden sobre los abusos que se presentan como casos de mediación. Sin embargo, estos casos varían en la severidad, duración y frecuencia del abuso. Los mediadores no consideran la existencia de la violencia doméstica como un indicador de desequilibrios de poder o de la incapacidad de realizar una mediación. Ni tan siquiera la existencia de una orden de alejamiento es considerada suficiente prueba de la imposibilidad de realizar una mediación por quienes gestionan estos programas. De hecho, tan solo un 5% de los casos son excluidos del proceso de mediación por la existencia de violencia doméstica.

Pearson (1997) también pudo destacar que la actitud de los mediadores hacia la violencia doméstica ha cambiado en los últimos años. Aproximadamente el 70% de los programas requiere a sus mediadores un reciclaje continuo que incluye cursillos sobre violencia doméstica. De hecho, para poder obtener la cualificación profesional como mediador las asociaciones profesionales de mediadores en los Estados Unidos y Canadá exige que se tomen cursos sobre la dinámica de la violencia doméstica. Como resultado de esta formación, los mediadores reconocen ahora que la violencia doméstica es un serio problema social y que el proceso de mediación muchas veces tendrá que ser adaptado a las necesidades especiales que se plantean en estos casos.

No solamente la actitud de los mediadores ha cambiado, sino también los procedimientos que se siguen en los procesos de mediación como consecuencia del reconocimiento de la problemática de los malos tratos (Pearson, 1997). Así, la mayoría de los programas de mediación han instaurado procedimientos para mejorar la seguridad de las víctimas durante y después de la mediación. Estos procedimientos incluyen la utilización de: detectores de metales en las oficinas de mediación; guardias de seguridad y servicios de protección; entrevistas en el momento de llegada al programa para identificar la existencia de malos tratos; sesiones de mediación con las dos partes por separado; equipos de mediación mixtos, formados por un hombre y una mujer; salas de espera y sesiones de orientación sobre el proceso de mediación separadas para hombres y mujeres; asistencia por parte de los defensores de las víctimas, abogados y trabajadores sociales; negociación de planes de seguridad detallados incluyendo lugares de intercambio neutrales y programas de visita de los niños bajo supervisión; posibilidad de terminar la mediación a juicio del mediador; y referencia a casas de acogida y programas de tratamiento.

También la definición de éxito por parte de los mediadores ha cambiado como consecuencia del descubrimiento del problema de los malos tratos. Los programas de mediación ya no conceden tanta importancia al hecho de alcanzar acuerdos, al menos en este tipo de situaciones. En casos en los que existen cuestiones de seguridad personal envuelta, los mediadores prefieren terminar la mediación ellos mismos, en lugar de dejar esa carga a los clientes. Los mediadores también alertan a los juzgados y envían determinados casos para que se realice una investigación o evaluación de emergencia.

La reacción de las defensoras de las víctimas y las organizaciones feministas a este tipo de programas es diversa. Hay quienes consideran que estos programas son preferibles al sistema judicial basado en la confrontación entre adversarios o partes porque los mediadores están mejor entrenados que el personal judicial y existen más oportunidades para discutir y atender cuestiones de seguridad personal. Quienes gustan de este tipo de programas normalmente tienen una visión bastante crítica y escéptica sobre las posibilidades del sistema de justicia penal en estos casos. Hay, por otro lado, quien considera que la mediación no es la solución más acertada por varias razones: diluye el mensaje que el maltrato es un delito; hay mediadores que no están capacitados para tratar estos casos; el énfasis en el compromiso y la cooperación es inadecuado cuando existe una víctima clara; y asume que los maltratadores negociaran de buena fe. También es cierto que la reacción de las defensoras de las víctimas y las organizaciones feministas es más positiva cuando existe una mejor comunicación y un espíritu de trabajo conjunto entre los programas de mediación y estos grupos.

Jueces, fiscales y abogados normalmente son favorables a las intervenciones de mediación obligatoria porque creen que los mediadores están mejor entrenados en cuestiones de violencia doméstica y son más sensibles a este tipo de temas que el personal judicial. También creen que para muchas mujeres la experiencia en los juzgados no es fácil y, en numerosas ocasiones, terminan obteniendo peores resultados. Piensan que la mediación garantiza a víctimas sin representantes legales más oportunidades que los procedimientos judiciales para diseñar condiciones de custodia y visita de los niños que garanticen su seguridad personal. Los abogados de oficio que representa a las víctimas de violencia doméstica, sin embargo, no siempre se muestran de acuerdo con estas opiniones y, en cambio, son partidarios de una representación legal y persecución judicial más agresiva. Como argumentos citan la irracionalidad de sus clientes, su tendencia a no proseguir con los casos, así como la incapacidad o falta de voluntad del maltratador para adaptarse a las reglas del juego del proceso de mediación.

Pearson cree que sería erróneo interpretar los cambios experimentados en estos procedimientos y programas como un indicador de que se han resuelto todos los problemas asociados con los mismos y que se han eliminado todos los riesgos. Pearson también considera esencial la realización de estudios que evalúen la experiencia de las mujeres maltratadas que se someten a procesos de mediación para así poder saber en qué medida los riesgos son mayores que los beneficios, en qué medida el proceso de mediación es peor, igual o mejor que la respuesta judicial alternativa y en qué medida las mujeres maltratadas prefieren este tipo de programas a otras alternativas.

Aunque los pocos estudios que han sido conducidos hasta la fecha no encuentran diferencias en satisfacción de las víctimas o reincidencia de los maltratadores, aún no se han realizado estudios con las suficientes salvaguardias metodológicas para extraer conclusiones que sean relevantes desde un punto de vista político criminal. El mensaje final de Pearson, por tanto, es de cautela, pero también un mensaje abierto a la posibilidad que estos programas pueden ofrecer ciertos beneficios que no pueden ser ignorados.

X. LA CUSTODIA DE LOS NIÑOS Y EL RÉGIMEN DE VISITA

Los niños juegan un papel fundamental en las decisiones que las mujeres maltratadas toman por lo que respecta a la finalización de su relación con el maltratador. A menudo, las mujeres maltratadas permanecen con sus maridos por el bienestar de sus hijos, porque saben que la ruptura de la relación en el mejor de los casos supondrá el empeoramiento de sus condiciones económicas y, por tanto, las posibilidades de atención de los niños y, en el peor de los casos, puede significar la perdida de la custodia de los niños. Por otro lado, varios autores han sugerido que las mujeres maltratadas deciden romper la relación, o incluso tomar medidas más drásticas (Browne, 1989), cuando perciben que el maltratador comienza a ser una amenaza seria para el bienestar de sus hijos. Por otro lado, es sabido que el maltrato raramente acaba cuando las mujeres rompen la relación con el marido y que, de hecho, el periodo de separación es una fase de especial riesgo en el que muchas mujeres tratan de evitar todo tipo de contacto con el maltratador por las consecuencias que éste puede tener.

En este contexto, las cuestiones referidas a la custodia de los niños y el régimen de visita de los niños, así como el tratamiento judicial de las mismas, adquieren una relevancia muy importante. Tradicionalmente los juzgados de familia han promovido regímenes de visitas con ningún tipo de supervisión y esto ha proporcionado a los maltratadores oportunidades únicas para mantener el abuso (Geffner y Pagelow, 1990). Esta situación es todavía la predominante en Europa donde se presume que el contacto de los niños con los dos padres resulta en su mejor beneficio (Hester y Radford, 1996).

De manera paradójica, las mujeres, incluyendo a nuestro país, a veces no son creídas cuando se denuncia el abuso porque se piensa que están exagerando incidentes violentos como una manera de manipular a los jueces y muchas mujeres maltratadas que sufren desorden de estrés postraumático son etiquetadas como histéricas o peor (Jaffe y Geffner, 1998; Miller y Barberet, 199). Incluso algunos profesionales del campo de la salud, que quizás deberían tener una mayor sensibilidad hacia estos temas dada su exposición a la investigación sobre violencia doméstica, piensan que las mujeres están exagerando la violencia para beneficiarse de un tratamiento más benigno por los jueces (Johnston y Campbell, 1993).

La Asociación Americana de Psicólogos ha advertido sobre este peligro de etiquetamiento en el contexto de los procesos de separación y custodia de los niños. Cuando dicho etiquetamiento tiene lugar, la violencia masculina puede ser minimizada como una simple reacción emocional a la separación o puede ser completamente ignorada (APA, 1996). El problema según indican algunos puede ser bastante serio (Jaffe y Geffner, 1998, p.379-381):

> «Además, muchos profesionales, jueces y otros actores a menudo creen que las madres están intencionalmente alienando a sus hijos de sus padres en casos de divorcio para ganar una ventaja en casos de custodia. Un autor incluso ha otorgado una etiqueta a este aparente fenómeno: síndrome de alienación del padre. Esta razón y etiqueta ha sido utilizada en muchos casos para remover la custodia de mujeres que han denunciado instancias de violencia doméstica. Así, si los niños hacen alegaciones de abuso (físico o sexual) contra el padre durante el proceso de separación o divorcio, o poco después, y la madre se las cree, puede ser diagnosticada con el síndrome de alienación del padre. Esta etiqueta se convierte en una prueba de su inestabilidad mental e incapacidades como madre, de manera que la custodia puede entonces otorgarse al padre. Este argumento circular ha sido de hecho utilizado en muchos casos de custodia para remover la custodia de una de las partes, usualmente la madre, sobre la base del testimonio de profesionales de la salud mental que intervienen como testigos expertos, sin ninguna otra prueba de que las madres no están criando a los niños de manera adecuada. En algunos casos que hemos estudiado, las madres ni siquiera fueron autorizadas a contactar sus hijos de manera no supervisada por el padre que ha sido acusado por los niños o la madre de uno o más tipos de violencia doméstica... (Aunque) es posible que los padres pueden intentar poner los niños a su favor, el referido síndrome no existe como tal. Es importante evaluar cada caso de manera individualizada, sin prejuicios ni el recurso a etiquetas psicopatológicas sin ninguna base sustancial, y estar alerta al contexto y posible existencia de violencia doméstica antes de llegar a conclusiones o diagnósticos definitivos»

La literatura especializada en este tema, sin embargo, describe como el problema más común que muchos maltratadores buscan la custodia de los niños como una manera de castigar a sus parejas y recuperar el control sobre las mismas. De hecho, hay quien sugiere que los maltratadores son más propensos que otros hombres a pelear por la custodia de los niños (McMahon y Pence, 1993). Por otro lado, los investigadores con experiencia en este tema señalan que las mujeres lejos de alegar alegremente estas situaciones en el contexto de estos procedimientos judiciales tienden a no mencionar estos temas por vergüenza, temor o falta de confianza en el sistema (Pearson, 1997; Jaffe y Geffner, 1998).

También se ha denunciado que muchos jueces no toman en consideración la situación de maltrato marital por considerar que éste es un tema separado de la crianza de los niños y que no nos dice nada sobre las capacidades del hombre como padre. Así, al menos que el padre también maltrate al niños, se considera que la violencia ejercida contra la madre no es relevante (McMahon y Pence, 1993; Jaffe y Geffner, 1998). La investigación sobre los efectos negativos de la exposición a la violencia marital, sin embargo, demuestra que existe una conexión entre maltrato marital y capacidades parentales. El maltratador está ignorando las necesidades del niño, está sirviendo como un mal ejemplo, refleja actitudes negativas hacia las mujeres y enfatiza el uso de la fuerza para la resolución de conflictos.

Además, una situación común se produce en muchos casos de violencia doméstica que pone a las mujeres en un lugar de difícil equilibrio. Aquellas mujeres que han sido maltratadas y tienen hijos pueden ser acusada por haber permitido la exposición de los niños al maltrato que ella ha sufrido o ser acusada de no haber denunciado la situación de victimización directa de los mismos, cuando la violencia marital ha coexistido con el maltrato infantil. En este contexto las agencias de protección de la infancia pueden remover la custodia de la madre e, incluso, algunas han sido procesadas penalmente por comportamiento «negligente» (APA, 1996). Estas situaciones se complican aún más cuando las madres, como consecuencia del abuso, han sufrido un proceso de deterioro psicológico que se ha manifestado, por ejemplo, en problemas con el alcohol o intentos de suicidio.

Los maltratadores normalmente alegan que la mujer no tiene la capacidad para ser una buena madre y piden a los jueces la custodia de los niños. En éste y otros casos el juez normalmente ordena la evaluación psicología de las dos partes. La interpretación de la valoración psicológica frecuentemente adquiere un papel central en las deliberaciones de los jueces y los argumentos de los abogados sobre las cuestiones de custodia, el régimen de visitas y el mejor interés de los niños. De manera no infrecuente, la evaluación psicológica de las mujeres maltratadas indican disfunciones significantes que pueden ser empleadas para justificar que no pueden operar como madres. Sin embargo, estas evaluaciones no toman en consideración que estas mujeres se están recuperando de la violencia o malos tratos sufridos a manos de su pareja. Como sabemos las víctimas de abuso pueden sufrir baja autoestima, depresión y síndrome de estrés postraumático (McMahon y Pence, 1993).

En todo caso, la investigación en esta área señala que cuando no se toma en consideración la situación de violencia doméstica se pone en peligro el bienestar de la mujer y de los niños. Los estudios realizados hasta la fecha demuestran que los maltratadores continúan su abuso aprovechando las oportunidades que les proporciona el régimen de visita a los niños (Hester y Radford, 1996).

Los autores que discuten este tema normalmente recomiendan la siguiente solución: ofrecer la custodia exclusiva de los niños a la madre que ha sufrido los malos tratos; cuando no se trata de casos en los que todo tipo de contacto pueda ser peligroso, desarrollar un programa de visitas a los niños que sea seguro y esté supervisado; y abandonar toda esperanza de conducta parental cooperativa, cuanto menos a corto plazo (Hester y Radford, 1996; Jaffe y Geffner, 1998).

En varias comunidades, tanto en los Estados Unidos como en Canadá, se están estableciendo centros de visita donde se pueden supervisar estos contactos. Ante el peligro que estos centros se conviertan en agencias administrativas que gestionan un mandato judicial donde puede producirse más daño a los niños y sus madres, se ha reivindicado la necesidad de desarrollar directrices que subrayen el objetivo de proteger a la madre y los niños en estos centros (McMahon y Pence, 1993). Uno de los primeros centros de este tipo fue creado como parte de la respuesta comunitaria en Duluth al problema de los malos tratos. En España las organizaciones de mujeres han reivindicado la suspensión del régimen de visita a los niños en procesos de separación y divorcio marcados por la violencia, una medida que el ordenamiento jurídico español admite (Martinez Novo, 1998) Las filtraciones del nuevo Plan de Acción contra la Violencia Doméstica parecen sugerir que se van a estimular importantes cambios normativos. Así, se ha sugerido que se fomente la inhabilitación de la patria potestad del maltratador cuando el interés del menor así lo aconseje. Nada, sin embargo, en el ordenamiento jurídico existente prohíbe estas sanciones. De hecho, el Código Civil en sus artículos 170 y 92 posibilita en la actualidad este tipo de medidas (Martinez Novo, 1998). Si no se aplican no es por falta de marco legal, sino por falta de voluntad judicial. Por otro lado, también se ha anunciado la creación de puntos de encuentro neutrales donde el maltratador pueda continuar el régimen de visita a sus hijos/as (EL PAÍS, 16-2-2001).

XI. CONCLUSIONES

La limitada utilidad de la respuesta penal

Por un lado, estoy de acuerdo con quienes defienden un derecho penal mínimo. Además, no le falta razón a Felson (1998) cuando critica la falacia del sistema de justicia penal. Dicha falacia hace referencia a la tendencia errónea a pensar que el sistema de justicia penal cuenta de los recursos y las posibilidades para hacer frente a la totalidad de los delitos que se cometen.

Aunque no se puede minusvalorar la importancia del sistema de justicia penal como instrumento preventivo y a pocos nos gustaría vivir en una sociedad en la que no se nos garantizase un mínimo de protección penal frente a ataques de nuestros bienes jurídicos, lo cierto es que el sistema de justicia penal tiene un papel limitado por varias circunstancias. En primer lugar, la gran mayoría de los delitos nunca llegan al conocimiento del sistema de justicia penal que, en consecuencia, puede hacer muy poco en relación con los mismos. Y, en segundo lugar, incluso si tuviéramos más policías y recursos materiales y humanos nuestro sistema de justicia penal nunca tendría la capacidad para controlar y dar respuesta a todos los delitos que se cometen en la sociedad o que llegan al conocimiento de la policía. Como Felson (1998) ha señalado doblar el personal del sistema de justicia penal seria como echar dos gotas de agua en lugar de una en un cubo. No podemos olvidar, por otro lado, que en un momento en que se preconizan recortes presupuestarios el sistema de justicia penal no es dejado al margen, ni siquiera en economías neoliberales donde las funciones del Estado se conciben desde una perspectiva minimalista (Morgan y Newburn, 1997).

Por otro lado, la criminalización de la violencia doméstica en particular ofrece especiales problemas. La paradoja de las intervenciones punitivas del sistema penal, así como de respuestas tal y como las órdenes de alejamiento, es que requieren que la mujer termine su relación con el maltratador. Aunque en apariencia este objetivo parece aceptable, e incluso deseable, es precisamente cuando las mujeres tratan de romper la relación cuando el abuso se puede hacer más severo o peligroso (Mills, 1996).

Estos son, sin duda, casos complicados. Las personas envueltas a veces tienen razones fuertes para seguir en contacto: niños en común, dependencia económica, lazos emocionales, etc. Por otro lado, el maltrato como conducta habitual, que es percibida como beneficiosa por el maltratador y que ocurren en un ámbito privado es muy difícil de cambiar del día a la mañana. El sistema de justicia penal es para todos y tiene la obligación de proteger nuestros bienes jurídicos más queridos. No obstante, no debería sorprendernos si el sistema de justicia penal no se revela en todas las circunstancias como el factor más importante en el gobierno de unas relaciones que están influidas por factores muy complejos.

Como he advertido anteriormente llevar el péndulo desde la impunidad a la promoción de tendencias punitivas excesivas puede, además, ser contraproducente por estigmatizante y embrutecedor (Braithwaite, 1989), así como por los efectos más amplios que puede tener en discursos públicos y políticos (Downes y Morgan, 1997) y en la acentuación del fenómeno de la exclusión social (Taylor, 1999;Christie, 1994), tanto de los agresores como de sus comunidades (Rose and Clear, 1998). Existen dudas fundadas en la comunidad criminológica sobre la efectividad de las sanciones penales tanto desde una perspectiva de disuasión o prevención general, tanto como desde la perspectiva de la disuasión o prevención especial (Barberet, 1997).

Estas tendencias punitivas a menudo van acompañadas de esfuerzos para limitar la discrecionalidad de los jueces y fiscales (Tonry,1999). En materia de malos tratos se ha traducido en el ámbito comparado, como hemos visto, en una amplia gama de políticas tendentes a hacer detenciones y procesamientos obligatorios en todo caso. Sin embargo, pretender limitar la discrecionalidad de los jueces y fiscales por medio de la reducción de opciones disponibles en la emisión de sus juicios, por un lado ignora la complejidad del fenómeno de los malos tratos, mientras que, por otra parte, resulta totalmente *naive* en función de la experiencia comparada. Esta experiencia comparada demuestra que por mucho que se pretenda reducir la discrecionalidad de los jueces, los mismos resistirán el uso de medidas punitivas a través de otros mecanismos cuando no están convencidos que dichas medidas punitivas son adecuadas (Tonry, 1999). El uso de causas de justificación y exculpación en los casos de delitos de malos tratos y lesiones en nuestro país presenta numerosos ejemplos de estas resistencias (EL MUNDO, 19-7-2000). El estudio de Themis, de hecho, sugiere que éste ha podido ser el resultado de las reformas introducidas por el Código Penal de 1995 en materia de malos tratos. Además, no está claro en qué medida imponerle soluciones a la víctima de malos tratos es la dirección a seguir.

La necesaria implicación del sistema de justicia penal

Por otra parte, me parece que el sostenimiento de tales planteamientos llevado a un extremo puede llevar a un excesivo conformismo por parte de los operarios del sistema de justicia penal y a facilitar que los mismos no tomen responsabilidad en la solución de problemas que, a juicio de muchos, sigue siendo competencia, al menos parcial, del Derecho Penal y, cuanto menos, del sistema de justicia y de la policía. La situación histórica, y gran medida aún parte de nuestro presente, de falta de sanción legal apropiada para los maltratadores es injustificable.

Los estudios realizados en este campo han demostrado que las actitudes, comentarios, opiniones y prejuicios del personal del sistema de justicia penal puede ser, y a menudo son, dañinas y desmoralizantes. La investigación criminológica ha demostrado, no ya en el caso de la violencia doméstica, sino también en otros ámbitos (ver, p.ej., Sherman et al, 1997; Nuttall, 1998), que la administración de justicia y la policía puede jugar un papel limitado, pero clave en la prevención del fenómeno delictivo. Que estos problemas presentan dimensiones que van mas allá del alcance de estas instituciones, nadie lo duda, pero eso no significa que en las mismas no se pueden estructurar y desarrollar estrategias que las hagan más efectivas y humanas a la hora de tratar con estos problemas.

Argumentar que éste es un problema social que requiere soluciones sociales es correcto. Pero usar dichos argumentos para justificar la falta de debida atención a este problema desde el sistema de justicia penal, al margen de ser demasiado común y, por otra parte, aplicable al resto de situaciones que caen bajo la jurisdicción de las agencias que integran el sistema de justicia penal, no resulta justificado. «*Ownership begets creativity*», solo si el sistema de justicia penal asume su parte de responsabilidad en este problema empezará a concienciarse de la necesidad de desarrollar soluciones más efectivas y humanas al mismo.

En todo caso, incluso si estuviéramos lejos de encontrar las estrategias más adecuadas, seguiría siendo responsabilidad de estas instituciones el tratar de desarrollarlas por medio de la experimentación con soluciones imaginativas y novedosas. En ese sentido, pienso que las organizaciones de mujeres aciertan al pedir una mayor responsabilidad del sistema de justicia penal. Ciertamente, la tendencia de algunas autoras feministas y organizaciones de mujeres a promover una respuesta más eficaz en estos casos en ocasiones se ha traducido en la reivindicación de un sistema de justicia penal más punitivo. Estas reivindicaciones son fáciles de entender en el clima de excesiva tolerancia judicial hacia los malos tratos (Alemany Rojo, 1999). Aunque creo que dicha situación debe ser modificada y que la violencia doméstica merece ser castigada, existe el peligro de la manipulación política de estas reivindicaciones. Una respuesta más eficaz y humana del sistema de justicia penal no necesariamente significa el aumento draconiano de penas que luego en la práctica nunca se aplican, sino que como hemos visto a lo largo de los capítulos anteriores, sobre todo, lo que significa es un constante esfuerzo para mejorar la atención prestada y para desarrollar programas innovadores.

En todo caso, todas las formas de violencia contra la mujer deben ser tratadas por el sistema de justicia penal de manera equitativa y con la seriedad que se merece y debe hacer responsables a los maltratadores por su conducta antijurídica y culpable. Asumidos estos dos principios, la intervención del sistema de justicia penal en este tipo de situaciones debe también tomar en consideración otra serie de criterios que han sido reconocidos por la literatura (ver, p.ej., Malefyt, Littel y Walker, 1998).

Hay que garantizar que las intervenciones para prevenir este problema
estén fundadas en un sólido conocimiento del mismo

En nuestro país, como Rosa Barberet (1999) destacaba recientemente
en un curso del Consejo General del Poder Judicial, se tienden a
implementar políticas primero y a estudiar los problemas que se quieren
resolver después, cuando ya es demasiado tarde. El manifiesto de Per
Stangeland (2000) sobre el estado de la criminología española también
apunta dichas tendencias:

> «...el Estado español tiene poca tradición de análisis y evaluación de su política
> criminal. La actividad preparatoria legislativa transcurre en círculos muy cerrados:
> un par de funcionarios o catedráticos de confianza preparan un proyecto de ley, y
> se presenta a las Cortes. Ni el partido del gobierno ni la oposición realizan estudios
> sobre el impacto social que tendrá la nueva ley, ni saben lo que va a costar llevarla
> a la práctica»

El Código Penal de 1995, la nueva Ley del Menor, y la reforma y
contrarreforma de la Ley de Extranjería son buenos ejemplos de estas
tendencias (Stangeland, 2000). Lo mismo ha ocurrido en el caso de los
malos tratos. Sin embargo, el sistema de justicia penal puede hacer muy
poco para prevenir los malos tratos si los funcionarios y personal no
funcionarial que lo integran no comprenden los problemas envueltos en
este tipo de situaciones. Estos actores necesitan comprender la complejidad de la violencia contra la mujer y deben conocer las mejores prácticas
para tratar con este problema.

Ello, en gran medida, pasa por una potenciación de los estudios
criminológicos, algo que en el contexto actual no se toma suficientemente
en serio. Medidas como la del Consejo de Universidades tendentes a no
aprobar una área de conocimiento en criminología, no sólo demuestra que
los intereses corporativos de las disciplinas que hoy por hoy dominan los
discursos sobre el sistema de justicia penal en España no están dispuestos
a ceder su monopolio, sino que auguran un futuro complicado al desarrollo
de la joven criminología española.

Pero, por otra parte, también es importante que tanto la administración española, como los funcionarios que la integran, adopten conciencia
de la necesidad de evaluar políticas públicas. Mientras que en Inglaterra
y Gales el *Home Office* tiene un presupuesto superior a los 26 millones de
libras, más de 6500 millones de pesetas, dedicados a estudios sobre
problemas delictivos realizados por su unidad de estudios o investigadores académicos y en los Estados Unidos toda intervención pública que se
aprueba consigna un importante partida presupuestaria a evaluación, en
España este tipo de cifras y prácticas son ciencia ficción. Además, la falta
de transparencia pública heredada del anterior régimen todavía se puede
observar en las resistencias de algunos colectivos profesionales implica-

dos en el sistema de justicia penal a ser convertidos en objeto de estudio (Gallart et al., 1998).

El reconocimiento de capacidad de autodeterminación a las mujeres maltratadas

Una cosa es asumir que el sistema de justicia penal debe intervenir en estos casos y otra muy diferente el entender que debe hacerlo desde una perspectiva autoritaria que niegue a las mujeres maltratadas su posibilidad de elección o autodeterminación. Criminólogos y feministas cuestionan que las intervenciones penales sean las más adecuadas para todas las mujeres. Esto es especialmente cierto en el caso de las mujeres que no perciben sus experiencias como violentas. De hecho, al distanciarse tanto de las percepciones que estas mujeres tienen de sus experiencias, las leyes que mandan u obligan a las mujeres maltratadas a seguir adelante en el proceso penal incluso a pesar de su voluntad, pueden alienar a estas mujeres y hacerlas menos proclives a acudir al sistema de justicia penal para resolver su situación (Mahoney, 1991; Ford y Regoli, 1993; Mills, 1996). Las víctimas quieren mantener la posibilidad de elegir y desean ser tratadas como individuos autónomos en sus intentos para solucionar sus problemas (Erez y Belknap, 1998).

Los profesionales de la política, la justicia, la salud y los servicios sociales en nuestro país de pronto parecen saberlo todo sobre el maltrato y sobre la solución al mismo, hasta el punto de que continuamente recomiendan y esperan que estas mujeres acudan automáticamente a ellos cuando el problema del maltrato se presente en una relación. Este tipo de actitudes, llevada a un extremo, se hacía evidente no hace mucho, por ejemplo, en la sentencia de la Audiencia Provincial de Granada condenando a una mujer maltratada a una multa de 5.000 pesetas por haber cambiado la cerradura de su casa por temor a su marido (EL PAÍS, 2-6-99). De acuerdo con la sentencia, si la mujer temía que se repitiera la agresión debía haber acudido al juzgado de familia en busca de amparo en vez de actuar por su cuenta y cambiar el cierre de la puerta. Lo criticable no sólo es que se condene una medida (el cambio de cerradura) que en el ámbito anglosajón forma parte de algunos modelos de intervención policial de crisis o que no se estimaran causas de justificación o exculpación, sino también la presunción de que los Juzgados de Familia o cualquier organismo público hubiera sido realmente capaz de ayudar a esta mujer y que las mujeres en lugar de tratar de buscar soluciones por ellas mismas tienen que abandonarse a lo que los profesionales le recomienden, unos profesionales que históricamente les han dado la espalda y que con actitudes como éstas no hacen sino alienar y victimizar aun más a estas mujeres.

Las *Conclusiones aprobadas en la primera reunión de fiscales encargados de los servicios de violencia familiar* (CGPJ, 2001) también contienen ejemplos de este tipo de actitudes. Así, por ejemplo, se indica que la citación a los testigos en estos casos, y generalmente la única testigo es la víctima, deberá contener como recordatorio el régimen del art. 420 de la Ley de Enjuiciamiento Criminal. Este artículo establece las sanciones a aplicar en casos de testigos que deciden no colaborar o prestar su declaración. Este tipo de comportamiento amenazante y coercitivo es precisamente lo que conduce a una pobre imagen de la justicia y ciertamente resulta del todo inapropiado forzar a las víctimas de malos tratos a hacer algo que no desean.

Las víctimas tienen el derecho a tomar sus propias decisiones. Sin embargo, el énfasis en la idea de que estas mujeres están atrapadas, no son dueñas de su destino, se autoengañan o se encuentran emocionalmente perturbadas nos ha llevado a olvidar este principio fundamental. Insistir en la noción de autonomía no significa que los profesionales deban inhibirse en estos casos o asumir que estas mujeres no se equivocan cuando toma decisiones o que su contexto no limita en gran medida las decisiones que pueden tomar. Por supuesto que la situación de estas mujeres no es fácil y sus elecciones están condicionadas por la dificultad de dicha situación, pero ello no nos da el derecho a decidir por ellas. Las víctimas conocen su propia situación y al maltratador mucho mejor que el personal del sistema de justicia penal u otras agencias. Los colectivos implicados en este problema deben apoyar, pero no sustituir, a la mujer en dicho proceso. El sistema judicial tan solo es una de las herramientas que estas mujeres tienen a su disposición para mejorar su situación.

En lugar de tomar decisiones por ellas lo que el personal del sistema de justicia penal precisa hacer es (Malefyt, Littel y Walker, 1998):

(1) Escuchar a las prioridades definidas por estas mujeres.

(2) Preguntar cuestiones apropiadas que permitan valorar adecuadamente su situación.

(3) Ayudar a la mujer a evaluar la peligrosidad de su pareja.

(4) Respetar el derecho de la víctima a ejercer autoridad sobre su propia vida.

(5) Proporcionar información sobre las opciones disponibles y recursos existentes.

(6) Explicar las consecuencias previsibles derivadas de la adopción de cada opción.

(7) Ayudar a las mujeres a alcanzar sus propios objetivos, en lugar de los del fiscal, el juez, el oficial de policía o el trabajador social.

Se trata, por tanto, no de decidir por ellas, sino de ayudarlas a tomar las decisiones más adecuadas, teniendo en cuenta los factores que limitan este proceso de toma de decisiones en casos de malos tratos (Hoyle y Sanders, 2000).

Valorar la opinión de las víctimas como esencial para una mejor respuesta del sistema de justicia penal a sus necesidades

Las mujeres que han sido capaces de sobrevivir a la violencia de sus parejas pueden aportar conocimiento basado en sus experiencias que puede ser de utilidad para diseñar mejores programas. Los programas de prevención pueden aprovecharse de su liderato y conocimiento.

La seguridad de la víctima como el objetivo fundamental a perseguir

El sistema de justicia penal tradicionalmente se ha centrado en la figura del delincuente. El interés renacido en la figura de la víctima debe también hacerse evidente en las prácticas y procedimientos del sistema de justicia penal en casos de malos tratos. La violencia doméstica se caracteriza por constituir una situación de victimización repetida. El sistema de justicia penal, dada esta situación, debe mostrar un interés prioritario en garantizar la seguridad de la víctima y no simplemente en el procesamiento de los casos denunciados y el castigo del agresor. La parábola de la administración de justicia penal como un sistema compuesto por diversas agencias que comparten un objetivo común (la detención y procesamiento de sospechosos con los fines de disuasión, incapacitación y rehabilitación) ignora una realidad compleja.

Lo principal en estos casos no debe ser el objetivo que dicha imagen falaz proyecta, sino que la seguridad de la víctima debe definir los roles de la policía, los fiscales y los jueces. La justicia penal puede jugar un papel importante en el proceso de asistencia a la víctima, sin embargo ello requiere una reconceptualización de los papeles y responsabilidades de los operarios del mismo. Esta reconceptualización puede ser promovida por la educación, pero quizás también requerirá en el futuro adicionales reformas legales que faciliten estos cambios. A nivel individual, el personal del sistema de justicia penal debe ser capaz de ofrecer protección inmediata, hacer seguimientos periódicos de la seguridad de la víctima y ajustar sus intervenciones a las cambiantes necesidades de seguridad de las víctimas. A nivel sistémico, cada jurisdicción debería evaluar de manera rutinaria su capacidad para ofrecer protección y asistencia a las víctimas (Malefyt, Littel y Walker, 1998).

La necesidad de coordinar las intervenciones penales entre sí y con otros esfuerzos comunitarios para prevenir la violencia doméstica.

«El impacto global de la respuesta del sistema de justicia penal es tan fuerte como su eslabón más débil» (Clark et al., 1996, p. 97).

Por ejemplo, una respuesta policial apropiada sirve de poco si los fiscales no se toman en serio los casos de malos tratos y los jueces no adoptan medidas preventivas e imponen sentencias en estos casos. La respuesta al problema de los malos tratos requiere una mayor coordinación, colaboración y diálogo entre los diversos actores del sistema de justicia penal. El Consejo General del Poder Judicial, el Fiscal General del Estado y el Ministerio del Interior deben adoptar directrices y procedimientos adecuados, pero sobre todo coherentes entre sí, para el tratamiento de los casos de malos tratos.

Además, el sistema de justicia penal debe coordinar de una manera más efectiva su labor con otros actores públicos implicados en la prevención de malos tratos. Entre otras medidas desde el sistema de justicia penal se debería facilitar el contacto entre la víctima y aquellas otras instancias jurídicas con jurisdicción sobre la situación legal de estas mujeres. De hecho, estos otros aspectos jurídicos, incluyendo posible separación o divorcio, tutela y patria potestad sobre hijos, régimen de visitas a los mismos, compensaciones económicas como consecuencia de lesiones sufridas, en numerosas ocasiones pueden ser más relevantes desde la perspectiva de la víctima que los aspectos jurídico penales[160].

Permitir la especialización, pero mejorar también la respuesta general al problema

No todo el mundo está hecho para trabajar en el área de violencia doméstica. Mucha gente se frustra cuando la víctima no desea cooperar o decide permanecer en relaciones abusivas. Es importante que haya personal tratando con estos casos que sean conscientes de esta problemática y sensibles hacia la misma y que no reorienten su frustración hacia las víctimas.

---

[160] El Informe del Defensor del Pueblo sobre Malos Tratos, haciendo gala de un buen conocimiento de la problemática jurídica que afecta a estas mujeres, hace un análisis detallado sobre posibles reformas legales que sirvan para asistir mejor sus necesidades. Así, por ejemplo, este Informe recomendaba la facilitación de los trámites de divorcio en estas situaciones, así como una reforma de la Ley 35/1995, de 11 de diciembre, de ayudas y asistencia a las víctimas de delitos violentos y contra la libertad sexual para facilitar su utilización por estas mujeres. A finales de febrero de 1998, según un informe emitido por el Ministerio de Economía y Hacienda a petición del Defensor del Pueblo, no se había concedido ningún tipo de ayuda, en relación con los delitos violentos y contra la libertad sexual perpetrados en el ámbito familiar. El Instituto Andaluz de la Mujer, también en estas mismas líneas, recientemente sentaba las bases que debían guiar la coordinación de servicios en este ámbito en nuestra comunidad autónoma.

Aunque la especialización puede mejorar en ultima instancia la respuesta a los malos tratos, a menudo no será suficiente. Incluso con la existencia de estas unidades especializadas, otros operarios del sistema tendrán que entrar en contacto con víctimas de malos tratos. La educación y la existencia de normas y directrices deben promover que todos los actores del sistema de justicia penal sean capaces de responder adecuadamente en este tipo de situaciones.

Remover las barreras que limitan el acceso al sistema de justicia penal de segmentos de la sociedad que sufren de marginación

Como vimos en capítulos anteriores, los malos tratos se han definido de una manera demasiado estrecha en nuestro país. Solo recientemente empieza a comprenderse que éste es un problema que afecta de manera especial a determinados segmentos de la población que no han recibido suficiente atención. La violencia entre novios, la violencia en parejas de homosexuales, la violencia en parejas de emigrantes, inmigrantes y minorías étnicas en nuestro país son temas que no han recibido la suficiente atención. Es preciso que seamos capaces de desarrollar programas de prevención ajustados a las necesidades de estos grupos y que sean cultural y lingüísticamente apropiados.

Reconocer la diversidad de situaciones que se engloban bajo la etiqueta de los malos tratos, así como la diversidad de tipos de maltratadores

La investigación criminológica y el sentido común reconocen que los malos tratos engloban situaciones de diversa seriedad y los maltratadores son una población heterogénea. Aplicar soluciones genéricas a situaciones diversas no parece lo más adecuado. Resulta, por tanto, apropiado realizar estudios que, por un lado, valoren la medida en que este problema existe y, por otra parte, permita indagar cuál es la respuesta más ajustada en cada caso.

## Capítulo XIII

ATENCIÓN A LAS VÍCTIMAS: LA RESPUESTA DE OTRAS INSTITUCIONES SOCIALES

I. INTRODUCCIÓN

El sistema de justicia penal ha recibido una atención especial en este volumen porque quien lo escribe es un criminólogo que además recibió su formación inicial como investigador en un departamento de Derecho Penal. Sin embargo, el sistema de justicia penal no es ni mucho menos la única instancia implicada en la prevención de la violencia doméstica y en la asistencia de las mujeres maltratadas. En los Estados Unidos, por ejemplo, de la misma manera que se multiplicaron las respuestas legales a este fenómeno durante la última década, se ha podido observar un desarrollo paralelo en otros ámbitos. Así, por ejemplo, en la actualidad existen más de 1.800 programas sociales para mujeres maltratadas. Estos programas incluyen medidas tal y como las casas de acogida, educación laboral, cuidado de los niños, grupos de apoyo, terapia psicológica, teléfonos de ayuda, etc.

No solo existe un amplio número de programas sociales, sino que también el sistema de salud pública, como hemos tenido ocasión de ver, se ha implicado de manera directa en la prevención de los malos tratos. Una de las intervenciones más comunes en dicho ámbito ha sido el desarrollo de protocolos para doctores y enfermeras orientados a identificar los casos de malos tratos. Numerosos programas se han desarrollado para entrenar al personal médico en la identificación de los casos de malos tratos y para educarles en como tratar con los mismos.

En un país que se define como un Estado Social y Democrático de Derecho este tipo de intervenciones sociales tienen mucho más sentido. Aunque ciertamente España, como el resto de los países Europeos con sistemas sociales fuertes, también se ve influenciada por políticas neoliberales de procedencia anglosajona orientados a recortar todo tipo de servicios sociales y a reducir el papel del Estado en estas cuestiones.

En todo caso, en España, a pesar de la publicidad recibida por las medidas penales, lo cierto es que la mayoría de las actuaciones para tratar con la problemática de las mujeres maltratadas se ha insertado en este plano social y asistencial, lo que resulta, sin duda, digno de elogio. No obstante, como se ha reconocido desde instancias oficiales, la asistencia social no llega a todas las mujeres maltratadas y existe bastante variabilidad entre Comunidades Autónomas (EL PAIS, 24-10-2000). Aun cuando los malos tratos tienen claras implicaciones penales y jurídico civiles, lo cierto es que también conllevan una problemática social, económica y laboral que no debe ser infravalorada, sino que por el contrario debe ocupar un plano central en la prevención de este problema.

II. ASISTENCIA A LAS MUJERES MALTRATADAS

II.a. Introducción: la importancia de considerar la capacidad de autodeterminación de las mujeres maltratadas

Como veíamos en el segundo capítulo, los organismos que responden a las mujeres maltratadas, así como la sociedad en general, han desarrollado una determinada imagen pública de las mismas. En dicho capítulo defendí que dicha imagen estereotipada puede tener efectos negativos en las intervenciones y programas que se diseñan en diferentes ámbitos para tratar el problema de los malos tratos. En el capítulo sobre consecuencias y salud pública hacía referencia a algunas de estas cuestiones y lo mismo ocurría en el capítulo sobre justicia penal. Es pertinente realizar el mismo tipo de advertencias cuando hablamos sobre asistencia social o de asesoramiento a las mujeres maltratadas.

Como apuntaba en el primer capítulo, en los Estados Unidos inicialmente dentro del movimiento de la mujer maltratada dos visiones entraron en conflicto, la de los *profesionales* y la de los *activistas*. Las activistas subrayaban la necesidad de devolver el poder a estas mujeres y se veían a sí mismas como compañeras o amigas de las víctimas (Schechter, 1982; Davies et al., 1998). Las profesionales, en cambio, adoptaban un modelo individual terapéutico, menos igualitario entre profesional y víctima.

Estas diferencias estaban basadas en diferentes imágenes de estas mujeres. Más específicamente, existían diferencias en la percepción sobre las capacidades de estas mujeres para evaluar su situación y para adoptar decisiones. Desde esta perspectiva las consecuencias psicológicas del maltrato, incluyendo la indefensión aprendida o el denominado síndrome de la mujer maltratada, al limitar las capacidades de estas mujeres para tomar decisiones apropiadas, convertía a trabajadores sociales, psicólogos y abogados en agentes mejor capacitados para evaluar la situación de las mismas y para tomar las decisiones más apropiadas para su propio beneficio. La decisión de permanecer en la relación era considerada por parte de las profesionales como evidencia de la incapacidad de estas mujeres para adoptar decisiones en su propio interés.

Las activistas, en cambio, cuestionaban esta visión. Desde su perspectiva, las mujeres maltratadas no aceptan pasivamente el maltrato, sino que continuamente adoptan medidas de autoprotección, aunque no todas tienen éxito, ya que la fuente de la violencia (el maltratador) está fuera de su control. La permanencia en la relación no se interpretaba, en todo caso como un defecto de estas mujeres o como la aceptación de la violencia. Con el paso del tiempo la visión profesional se impuso sobre la visión compartida por las activistas en el discurso público, así como en determinados círculos académicos (Schechter, 1982; Dobash y Dobash, 1992; Loseke, 1992).

Davies y sus colaboradoras (1998) han señalado como este hecho tuvo importantes consecuencias. A medida que la conciencia sobre el problema de los malos tratos creció, el número de mujeres que hacía uso de los recursos existentes también aumentó. Este hecho impuso un grado considerable de presión en dichos recursos que, de alguna manera, se vieron desbordados. En ese contexto aquellas mujeres que se ajustaban de una manera más exacta a la imagen pública de las mujeres maltratadas eran más propensas a recibir la atención de dichos recursos. Además, cuando las mujeres maltratadas eran definidas desde esta perspectiva simplificadora, se tendía a considerar que requerían el mismo tipo de servicios. Davies y sus colaboradoras critican como esto ha generado que la situación de estas mujeres sea reducida a particulares categorías de servicios que pueden o no responder a sus necesidades específicas.

Más recientemente, en cambio, ha comenzado a regenerarse una corriente que reclama una mayor atención hacia la capacidad de autodeterminación de estas mujeres. Si la violencia entre íntimos es fundamentalmente una cuestión de control de estas mujeres por parte de sus agresores, es esencial que la respuesta al problema trate de devolverle a estas mujeres el control sobre sus vidas. Como Davies y sus colaboradoras (1998, 5) han señalado:

«La base de este control es el objetivo del maltratador de ser quién toma las decisiones, quién tiene la razón, quién tiene la autoridad. La mujer es abandonada con poca libertad para tomar sus propias decisiones sobre su vida. En contraste, la respuesta a la violencia doméstica debe edificarse sobre la premisa de que las mujeres tendrán la oportunidad para tomar decisiones sobre dicha respuesta —guiando la dirección y definiendo la defensa. Esto significa que la defensa parte de la perspectiva de la mujer, integra el conocimiento y los recursos de la defensa en el marco de la perspectiva de la mujer, y, en ultima instancia, valora sus pensamientos, sentimientos, opiniones y sueños— ella es quien toma las decisiones, ella es quien tiene la razón, ella es quien tiene el poder».

Esta perspectiva es también la mantenida en este volumen. Resulta esencial considerar a estas mujeres como agentes con la capacidad de decidir sobre su propio futuro y como individuos con diferentes necesidades que no pueden ser agregadas bajo la categoría genérica de mujeres maltratadas. Toda intervención con mujeres maltratadas debería partir de esta asunción, por más que haya situaciones específicas en las que realmente las víctimas de la violencia precisen de ayuda adicional. En todo caso, defender la capacidad de autodeterminación de estas mujeres no significa defender la pasividad del sistema, sino que propone un modelo en el que se trabaja *con* estas mujeres de manera continua en lugar de pretender que respuestas aisladas o esporádicas, genéricas e impuestas son la solución al problema de los malos tratos.

II.b.   El marco asistencial español: prestaciones y actuaciones de las administraciones públicas

Como se apuntaba en el capítulo de introducción, en nuestro país, el Ministerio de Trabajo y Asuntos Sociales, a través del Instituto de la Mujer, ha prestado especial atención a cuestiones de género y, en particular, al problema de los malos tratos. Los diferentes Planes de Igualdad de Oportunidades han servido para desarrollar una serie de actuaciones que de manera directa e indirecta han tratado de paliar la situación de las mujeres maltratadas y de prevenir este fenómeno.

El Instituto de la Mujer, así como organismos similares en diferentes CCAA y ayuntamientos, han articulado estas políticas preventivas y asistenciales a diferentes niveles. Existe, por un lado, una serie de centros de información y asesoramiento donde las mujeres pueden recibir asesoramiento sobre una amplia gama de cuestiones, incluyendo aquellas que están relacionadas con los malos tratos. Existen, a su vez, servicios de atención telefónica, algunos de ellos en funcionamiento 24 horas, a los que se puede llamar gratuitamente para recabar también información sobre diversas cuestiones.

Los organismos públicos de ayuda a la mujer también han participado de manera activa en la educación de la policía y los funcionarios de justicia sobre malos tratos desde el año 1989, aunque como ya señalaba anteriormente no existe información pública que detalle de manera sistemática estas experiencias, ni tampoco se ha evaluado de manera rigurosa la eficacia de estas colaboraciones de tipo educativo. Igualmente importante, estos organismos conceden subvenciones y ayudas económicas a asociaciones orientadas a facilitar la integración social de las mujeres, una buena parte de las cuales se encargan de prestar ayuda a las víctimas de la violencia doméstica (Informe del Defensor del Pueblo, 1998).

Al margen de estas iniciativas también comienza a existir en España una red de oficinas de asistencia a las víctimas de delitos. El interés en la victimología en nuestro país dio lugar a la creación de estas oficinas en algunas comunidades autónomas incluyendo Valencia, el País Vasco y Baleares. La experiencia de estas primeras oficinas sirvió para la creación de otras semejantes en otras comunidades, sobre todo después del espaldarazo más simbólico que material ofrecido por el artículo 16 de la Ley de ayudas y asistencia a las víctimas de delitos violentos y sexuales. Estas oficinas, aunque no solamente se encargan de ofrecer asesoramiento a las víctimas de malos tratos, sino que también cubren las necesidades de otras víctimas, obviamente pueden jugar un papel importante en la asistencia que se presta al colectivo de mujeres maltratadas.

A este nivel de intervención el Informe del Defensor del Pueblo distinguía tres grandes áreas de actuación (sensibilización, prevención y atención a las víctimas) en las que se han desarrollado una serie de medidas en las diferentes comunidades autónomas españolas. Dentro de la primera área se encuadran todas las actuaciones encaminadas a sensibilizar e informar a la opinión pública sobre este problema, incluyendo campañas publicitarias, programas educativos, etc. La segunda área de actuación no se define de manera adecuada y sirve de cajón de sastre donde se incluye cualquier medida que se piensa puede tener una influencia directa o indirecta en la prevalencia de los malos tratos. Finalmente, cuando se habla de atención a las víctimas, aunque el concepto es amplio, sobre todo se insiste en la noción de las casas de acogida, es por ello por lo que me centro en esta cuestión seguidamente.

Pero antes conviene señalar que existen muy pocos estudios que hayan examinado la eficacia preventiva de este tipo de políticas. Una de las pocas excepciones la constituye el trabajo de Laura Dugan, Daniel Nagin y Rick Rosenfeld (1997;1999). Estos autores examinaron la relevancia de estas diversas iniciativas a nivel macro estructural en las tasas de homicidios entre íntimos en una muestra de grandes centros urbanos norteamericanos. Curiosamente, el efecto más claro revelado por estos estudios es que este tipo de políticas sociales han servido para reducir la tasa de varones asesinados por sus mujeres, pero han tenido un efecto prácticamente nulo cuando se examinaban las tasas de mujeres asesinadas por sus maridos. El primer efecto es consistente con una interpretación de los homicidios de varones en estos casos como medidas desesperadas en ausencia de soluciones menos dramáticas, algo reivindicado por la literatura feminista. El segundo efecto es un tanto más sorprendente. Los resultados de este estudio, así como las limitaciones metodológicas[161] del mismo, en todo caso, impiden concluir de manera definitiva que estas políticas no tienen ningún efecto, pero ciertamente ponen en evidencia que diferentes grupos de víctimas en función de su estatus marital, raza

---

[161] No podemos olvidar que el estudio se centra en el análisis de relaciones al nivel macro, que no se contenían medidas adecuadas de la utilización o calidad de recursos, sino solamente de su existencia y que al ser una muestra americana los resultados no se pueden generalizar sin más a nuestro país donde existe un clima político muy diferente.

y género pueden verse afectados de manera diversa por este tipo de políticas.

II.c. Los refugios

El principal servicio comunitario para las víctimas de violencia doméstica lo constituyen los refugios o casas de acogida (Hamby, 1998). Una encuesta recientemente conducida en los Estados Unidos documentó como 1.200 de los 1.800 programas existentes para mujeres maltratadas consistían en casas de acogida (Crowell y Burgess, 1996). El refugio proporciona un espacio físico a la mujer que le permite escapar temporalmente de la violencia, encontrar seguridad y replantearse su vida. El refugio permite que las mujeres maltratadas entren en contacto con otras víctimas, lo que ayuda a superar su sentimiento de aislamiento y de que son las únicas en la misma situación (Dobash y Dobash, 1992). Las casas de acogida también ofrecen toda una gama de servicios adicionales tal y como terapia individual y de grupo, transporte, consejo legal, asistencia social, servicios para los niños de las mujeres maltratadas y formación laboral (Gondolf y Fisher, 1988; Crowell y Burgess, 1996; Hamby, 1998). Los refugios, además, constituyen una pieza elemental del movimiento de la mujer maltratada. En ellos se promueve la educación social y el cambio de normas sociales en relación con el maltrato. Los refugios constituyen un punto de encuentro desde el cual las asociaciones ligadas al movimiento pueden organizarse y generar una acción y filosofía política (Dobash y Dobash, 1992; Crowell y Burgess, 1996).

En Estados Unidos, las primeras casas de acogida, en sentido propio, fueron creadas en 1973 y 1974 en Minnesota (Women's Advocates) y de Boston (Transition House), aunque el amplio reconocimiento público de su labor no se produjo hasta más tarde. En Inglaterra, por otro lado, el movimiento surge de manera muy parecida, e incluso en un momento cronológicamente anterior con la creación de la primera casa de acogida, Chiswick Women's Aid, en 1972 (Dobash y Dobash, 1992). En España existen casas de acogida desde el año 1984 (Corton et al., 1993).

Dobash y Dobash (1992) han ofrecido una tipología de estos centros en el ámbito comparado. De acuerdo con estos autores las casas de acogida normalmente siguen cuatro modelos de actuación: filantrópico, burocrático, terapéutico y activista. El *modelo filantrópico* constituye el precedente histórico del refugio y se identifica con el movimiento de caridad cristiana orientado a paliar las necesidades de los más necesitados. El *modelo burocrático* es el asociado con un modelo de administración pública. Estos refugios burocráticos emplean a personal profesional en varias áreas y su orientación principal es la administración efectiva del refugio y sus servicios. El *modelo terapéutico* otorga una especial prioridad al tratamiento psicológico de las mujeres maltratadas y, del mismo modo que los anteriores, está basado en una organización jerárquica del refugio. Finalmente, el *modelo activista* es el que de una manera más notable conecta con el movimiento de liberación de la mujer. En este modelo se insiste en la necesidad de mantener una organización menos jerárquica y más democrática. Estos refugios, además, subrayan las dimensiones políticas y sociales del problema de los malos tratos, así como la necesidad de promover la autonomía de las mujeres maltratadas más que los anteriores modelos.

No existen en general demasiados datos, al menos publicados por fuentes fiables, sobre cuantas mujeres son atendidas por estas casas de acogida en el ámbito comparado. Parece que, en aquellos países donde existen, son todavía insuficientes para atender a todas las mujeres que los necesitan (Crowell y Burgess, 1996; Hamby, 1996; Chalk y King, 1998). En España desde que se crearon, el número de centros y de mujeres atendidas ha crecido considerablemente, aunque posiblemente la demanda todavía supera la oferta. De acuerdo con el Informe del Defensor del Pueblo, aunque en los últimos años se ha producido un considerable avance y hemos pasado de 43 casas de acogida en 1993 a 129 en 1997, la proporción sigue aún lejos del 1 por cada 10.000 habitantes que recomienda el Parlamento Europeo. Se ha indicado que el Plan de Actuación contra la Violencia Doméstica ha significado un aumento del 53% en el número de casas. De 159 casas a finales de 1997 hemos pasado a 243 en 1999, con un total de 2693 plazas disponibles. Un número que, a pesar de haber aumentado, todavía se queda corto.

Existen algunos datos comparados sobre las mujeres que usan estos servicios. La mayoría tienden a proceder de una clase social baja, posiblemente porque tienen menos recursos alternativos que mujeres de clase social alta (Corton et al., 1993; Crowell y Burgess, 1996; Chalk y King, 1998), aunque posiblemente también por la mayor incidencia de los malos tratos en estas capas sociales. Gondolf y Fisher (1988) han documentado en una encuesta de aproximadamente 2.000 mujeres maltratadas que acudieron en busca de ayuda en el Estado de Tejas que efectivamente las mujeres que buscan ayuda no residencial tienden a ser de capas sociales más elevadas que aquellas que buscan refugio en las casas de acogida. Diversos autores han sugerido que mujeres con más recursos socioeconómicos pueden encontrar refugio temporal alternativo, por ejemplo, en un hotel y que pueden obtener otros servicios, tal y como terapia individual, a través de medios privados.

En los Estados Unidos los refugios normalmente están ubicados en lugares secretos o que no son conocidos por el público. Este carácter secreto se justifica por el temor de que algún maltratador enrabietado, si conociera la localidad del refugio, podría acudir al mismo y atacar a su pareja y quien quiera que se interpusiera en su camino. En un estudio realizado en nuestro país, se puso de relieve que, en cambio, la mayoría de los refugios examinados eran conocidos por los vecinos, aunque las normas de funcionamiento interno de los mismos tendían a procurar que se garantizase el carácter anónimo de la localización y el teléfono.

En los Estados Unidos hay quien ha defendido el carácter abierto de los refugios como una manera más de denuncia de la situación de los malos tratos y de implicación de la comunidad en la prevención de este problema. Sin embargo, casos esporádicos de ataques a estas casas cometidas por maridos despechados, como el dramático caso en que uno de ellos violó a una de las trabajadoras en estas casas, ha llevado a los expertos a recomendar que se tomen, cuanto menos, las medidas de seguridad adecuadas. El estudio español anteriormente citado, curiosamente, destacaba que las comunidades en las que se conocía la existencia del refugio, sobre todo en vecindarios de clase alta, en ocasiones lejos de prestar su apoyo, se quejaban de la ubicación del mismo añadiendo un elemento de conflicto más a la vida de estas mujeres (Cortón et al., 1993).

En los Estados Unidos la financiación a través de subvenciones de estos refugios ha mejorado durante los últimos 15 años. De acuerdo con una encuesta de casas de acogida realizada por el profesor de Trabajo Social de Rutgers University, Albert Roberts, en 1994, el presupuesto de diversos refugios oscilaba entre un mínimo de 50.000 dólares al año a más de un millón al año. Esta financiación, en su mayor parte, procede de subvenciones concedidas por los Estados o condados en que se encuentran ubicados, aunque también complementan esta financiación con donaciones recibidas de grandes corporaciones y fundaciones privadas (Roberts, 1998).

Existen muy pocas evaluaciones de las casas de acogida. La mayor parte de las información existente es puramente descriptiva (Crowell y Burgess, 1996; Chalk y King, 1998). Esta información descriptiva, al menos revela cuales son los problemas principales de las casas de acogida. La encuesta de Roberts citada anteriormente, por ejemplo, ponía en evidencia como un porcentaje importante de refugios (20%) no tienen suficientes medios para desarrollar programas que atiendan las necesidades especiales de los hijos de las mujeres maltratadas. El estudio de Roberts y otros similares conducidos en los Estados Unidos han servido para destacar que los refugios no atienden adecuadamente a mujeres de áreas rurales, al estar ubicados sobre todo en áreas urbanas; no ofrecen servicios específicos a ancianos maltratados; tienen problemas en concebir los casos de agresión sexual dentro del matrimonio como un problema de su incumbencia; no tienen medios para facilitar el hospedaje de las mujeres más allá de un periodo no muy largo de tiempo; no cuentan con suficiente personal, que además se quema muy pronto y no habla varias lenguas; las condiciones arquitectónicas de las casas y su ubicación son pobres muchas veces; y no se recibe suficiente apoyo por parte de la comunidad, la policía, los jueces o los servicios médicos públicos (Roberts, 1998; Bergen, 1996; Weibsdale, 1998).

En nuestro país al menos dos estudios han sido publicados presentando el panorama de las casas de acogida en España. La primera investigación, de carácter pionero, financiada con una subvención del Instituto de la Mujer y surgida como iniciativa de la Coordinadora de Casas de Acogida para Mujeres Maltratadas, fue realizada durante los años 1990 a 1993 y se basó en el análisis observacional y en encuestas con personal y usuarias de 23 casas de acogidas dispersas por toda España (Cortón et al., 1993). Las conclusiones de este estudio no difieren en gran medida de las obtenidas por aquellos conducidos fuera de nuestro país. Más recientemente, el Informe del Defensor del Pueblo sobre Violencia Doméstica contra la Mujer presentaba una visión actualizada de la situación de estas casas en nuestro país.

El estudio de Cortón y sus colaboradoras cuestiona además elementos básicos de la infraestructura de estas casas, aunque dado el aumento en casas de acogida en los últimos años y la fecha de dicho estudio es posible que los datos se hayan quedado algo anticuados. Así, reconocía que la mayoría de las casas carecía de espacios específicos para las mujeres, así como de espacios comunes, privados y específicos para los niños y medidas de seguridad adecuadas. Por otra parte, su ubicación geográfica y su equipamiento no eran adecuadas. Cortón y sus colaboradoras también destacaban las necesidades referentes a personal. Estas autoras enfatizaban la falta de personal especializado y recursos adecuados para atender a los niños; la falta de personal disponible las 24 horas del día; la dificultad de formar un equipo de trabajo debido al escaso número de trabajadoras y al distinto grado de implicación de las mismas; la inestabilidad laboral del personal; y la falta de medios que permitan la capacitación, reciclaje y la supervisión del equipo de trabajo. Finalmente, estas autoras llegaban a señalar que en determinadas casas ni tan siquiera se contaban con los recursos económicos necesarios para cubrir necesidades tan básicas como alimentación, medicinas, pañales, libros de texto y material escolar, artículos de limpieza y perfumería, gastos de guardería, etc.

Cortón y su equipo basándose en los resultados de su estudio elaboraron una propuesta que recogía un modelo de referencia de casa de acogida o refugio. Más de 20 páginas del informe publicado son dedicadas a presentar con sumo detalle las características de este modelo en tres dimensiones básicas: infraestructura, personal y funcionamiento interno. El modelo en muchos sentidos es un retrato en negativo de las deficiencias de los refugios actuales y resulta digno de elogio, sobre todo por haber sido producido en un momento en el que la mayoría de los españoles prestaba muy poca atención a este problema. El grado de detalle del informe, sin embargo, dificulta la elaboración de un resumen que le haga justicia, por lo que el lector interesado debería consultar el documento original.

No obstante, merece la pena señalar algunos rasgos generales de este modelo. En primer lugar, estas autoras se muestran partidarias de establecer refugios suficientemente grandes en los que se concentren los recursos económicos en lugar de establecer una red de pequeñas casas que no alcancen a cubrir los requisitos mínimos indispensables. A juicio de las autoras, las ciudades relativamente grandes (capitales de provincia) pueden garantizar el anonimato necesario a este tipo de servicio, por lo que es ahí donde deberían ubicarse. A su vez, se muestran partidarias de la ubicación de las casas en barrios céntricos, de clase media y bien comunicados. Por otra parte, entienden que el personal debe estar formado por profesionales asalariados y con una cierta estabilidad laboral y vinculación a su puesto, que sean rigurosamente seleccionados, cuenten con una delimitación de funciones claras, sean capaces de trabajar en equipo y se encuentren supervisados por una figura directora capaz. Se distancian, así, de un modelo basado en el uso de voluntarios, que estuvo en la base del movimiento de la mujer maltratada y el establecimiento de refugios en los Estados Unidos.

Quizás los aspectos más polémicos tienen que ver con los criterios de selección de entrada a las casas formulados en esta propuesta. Obviamente, su formulación obedece a razones de tipo pragmático, y no seré yo quien se atreva a plantear la solución más adecuada a estas situaciones, pero sí es necesario reconocer el carácter cuanto menos polémico de estas exclusiones. Por ejemplo, se señala que uno de los criterios es el de *potencialidades de recuperación de la mujer*. Las propias autoras señalan que este es el criterio más complejo «ya que apunta a detectar —más allá del cuadro actual de indefensión— las potencialidades de la mujer para superar el problema de una manera efectiva y duradera» (Cortón et al., p. 114).

Ya veíamos en el primer capitulo como una de las divergencias entre el modelo profesional y el modelo basado en el voluntariado tenia concepciones diferentes sobre las capacidades cognitivas de la mujer maltratada y ofrecían diferentes diagnósticos y definiciones de su problema. En este particular ejemplo se observa de una manera relativamente clara. El profesional tiene que juzgar si la mujer está preparada para dejar definitivamente la relación y solo si su juicio es positivo la mujer tendrá acceso a los servicios. Aunque en un contexto de recursos escasos es necesario el ejercicio de la discreción es, cuanto menos, cuestionable que se restrinja el uso de los refugios a las mujeres que van a dejar a sus maridos «de verdad». Se me antoja sumamente difícil imaginar que tipo de profesional está capacitado para ejercer este tipo de juicios (Cfr., Loseke, 1992).

En este sentido, me siento más próximo al modelo reivindicado, por ejemplo, por Jill Davies y sus colaboradoras que concede a la propia mujer maltratada un peso decisivo en la adopción de decisiones que conciernen su bienestar, de manera que el defensor de las víctimas o el profesional que trabaja con ellas se convierte más bien en un facilitador o en un consejero, más que en la llave de acceso a determinados recursos. Por otro lado, la decisión de romper la relación se adopta de manera gradual y sabemos que la mayoría de las mujeres maltratadas antes de romper definitivamente la relación realizan varios intentos de separarse del marido que sirven de alguna manera como pruebas. Si las puertas se cierran en uno de estos intentos preliminares a la gran fuga porque un profesional los juzga como situaciones en las que no existe la decisión efectiva y duradera de romper la relación poco se está ayudando a las mujeres maltratadas.

Otro criterio especificado es la coexistencia de problemas de alcohol o drogadicción. En este caso entiendo un poco mejor a Cortón y su equipo, que describen los problemas que supone para la convivencia en el centro el dar acogida a estas mujeres. No obstante, también en el capítulo primero hice referencia a la cuestión sobre la imagen pública de la mujer maltratada y a como, en los Estados Unidos, la imagen de víctima pura ha dado lugar a una visión mucho más compleja y a la aparición a las puertas de los servicios de atención a las mujeres maltratadas de mujeres con situaciones multiproblemáticas, incluyendo, por supuesto, el abuso de drogas y alcoholismo. No quiero decir aquí que su sitio sea las casas de acogida con el resto de las mujeres maltratadas, no soy un experto en el tratamiento de alcoholismo o drogadicción y no se si ese sería el lugar idóneo para el tratamiento de su problema. Quizás, la solución propuesta por Cortón y sus colaboradoras de remisión a servicios especializados y seguimiento desde los centros de información de la mujer son la mejor solución. Pero también se me ocurre que esto puede plantear problemas. Si la mujer necesita refugio, nos podemos preguntar si los servicios especializados en el tratamiento de problemas de alcohol o drogadicción están en condiciones y con la disposición de ofrecérselos. Es posible que desde estos servicios también se considere que estamos ante un problema, los malos tratos, que plantea problemas específicos de este tipo de personas que ellos no están en condiciones de atender. Si se piensa que el proporcionar refugio a estas mujeres requiere la adopción de medidas de seguridad, es posible que estos servicios especializados consideren que el ofrecerles alojamiento puede estar poniendo en peligro al resto de los pacientes y a su propio personal. Igualmente se pueden plantear problemas con los hijos de estas mujeres. En este caso la custodia al marido por la dependencia al alcohol o las drogas de estas mujeres no parece una opción.

Poco a poco nos daremos cuenta que, también en España, muchas mujeres maltratadas están lejos de ser víctimas puras y que presentan una problemática social y personal bastante compleja y eso significa que quienes prestan atención a las mismas tendrán que revaluar sus criterios de funcionamiento y desarrollar programas flexibles que respondan mejor a las necesidades de estas mujeres sean prostitutas dispuestas a seguir en la profesión (otros de los criterios de exclusión del modelo de casa de acogida propuesto), negras o marroquíes que no hablan español (también se me ocurre pensar que plantearían problemas para la convivencia, si ni el personal ni las otras mujeres pueden entenderlas), toxicómanas, lesbianas, delincuentes, ancianas o personas que no están casadas. Vivimos en una Europa progresivamente más plural y heterogénea, también posiblemente más desigual, y debemos diseñar soluciones a nuestros problemas sociales que tomen en cuenta esa pluralidad y mayor grado de exclusión social.

La clasificación ofrecida por los Dobash de las casas de acogida creo que debería servir fundamentalmente como una especia de caricatura que nos permita definir un modelo alejado de los vicios más evidentes de los tipos de refugios que Rebecca y Russell critican. Aunque no hay nada esencialmente negativo en tratar de gestionar de una manera eficaz estos centros es evidente que no podemos administrativizarlos demasiado sin diluir su función. Por otro lado, aunque es cierto que existen problemas de tipo psicológico asociados con el maltrato y que las necesidades de asesoramiento psicológico de las mujeres maltratadas deben ser cubiertas, estos centros no pueden configurarse o presentarse públicamente como centros de «rehabilitación» donde se trata de «evitar la recaída» de estas mujeres (ver, p.ej., el uso poco apropiado del lenguaje en el Informe del Defensor del Pueblo, p. 89). Estas mujeres no son alcohólicas o drogadictas, ni todas ellas padecen trastornos psiquiátricos serios (aunque dichos trastornos en ocasiones pueden producirse como consecuencia del maltrato) que precisan ser rescatadas. Es difícil cuestionarse como se puede evitar la recaída de estas mujeres sin atribuirles parte de la culpa por su situación.

II.d. ¿...y después qué?

Las casas de acogida en su mayor parte están concebidas como una solución temporal. La mayoría de los refugios en el ámbito anglosajón no permite estancias superiores a los 90 días (Hamby, 1998). En España, por regla general, las casas de acogida fijan el periodo de permanencia de tres a seis meses, pero éste es flexible y el personal de las casas estudia cuál es el tiempo de permanencia en cada caso y a medida que la mujer va solucionando sus problemas más acuciantes (Cortón et al., 1993).

La cuestión, por tanto, es qué pasa cuando se deja el refugio. La salida, sin duda, constituye uno de los momentos más difíciles que deben afrontar las mujeres maltratadas. Durante su estancia en el refugio tienen resueltos los problemas materiales básicos de alojamiento y comida. Además han vivido en un ambiente solidario y de apoyo afectivo. Es en el momento de abandonar el refugio cuando tienen que enfrentarse solas con su realidad cotidiana, lo que en muchos casos implica la falta de una vivienda y de un puesto de trabajo que garantice unos ingresos económicos suficientes para sobrevivir y mantener a sus hijos o hijas.

En numerosas ocasiones, como hemos señalado, las mujeres vuelven con sus agresores. El estudio de Gallart y sus colegas (1998) basado en entrevistas con el organismo responsable de la Comunidad de Madrid indicaba que, de acuerdo con las estadísticas del mismo, aproximadamente el 50% de las mujeres vuelven con sus parejas tras la estancia en el refugio. Sin embargo, no siempre las mujeres maltratadas desean volver con su pareja y eso crea una amplia gama de problemas.

Como algunas han señalado, una solución sería que la mujer y sus hijas o hijos pudieran volver a su casa y fuera el marido el que tuviera que dejarla. Esta solución, sin embargo, no siempre es viable no solo porque a veces no se falla jurídicamente a favor de la mujer, sino porque la mujer teme que al volver a su anterior domicilio su pareja pueda localizarla y repetir las amenazas y agresiones. Este temor lleva a algunas mujeres a no querer volver a la casa de sus padres ni de ningún familiar donde pudiera ser localizada.

Por otro lado, como hemos visto, una proporción importante de las mujeres que acuden a los refugios proceden de una clase social baja, tienen una educación elemental y una experiencia laboral mínima o inexistente. Con este perfil, y en una España en la que existe una elevada tasa de desempleo, un grado importante de discriminación salarial contra las mujeres y muchos hombres se resisten a pagar puntualmente las pensiones de divorcio (posiblemente más si encima son maltratadores y también se encuentran en una situación económica difícil), las mujeres maltratadas se encuentran en un callejón con pocas salidas.

Quienes trabajan con estas mujeres en España han reivindicado que se les posibilite el acceso a viviendas sociales pagando una renta relacionada con sus ingresos y, cuando esto no fuera posible, que se les proporcione una ayuda económica, al menos durante un periodo de transición de un año, para cubrir los gastos de alquiler. También se ha sugerido que estas mujeres reciban ayudas económicas mensuales, una suerte de salarios sociales, en relación con el número de hijos e hijas, así como una dotación global para enseres y mobiliarios en los casos necesarios. A su vez se ha recomendado que se les ofrezca formación ocupacional adecuada a sus características personales lo que les permitiría ampliar un horizonte laboral de momento limitado al servicio doméstico y que, también, se le facilite educación totalmente gratuita a sus hijos, incluyendo servicios de comedor y transporte si fuera necesario (Cortón et al., 1993).

Algunas CCAA se han hecho eco de estas necesidades y han comenzado a desarrollar programas dignos de elogio y evaluación. Así, por ejemplo, la Consejería de Sanidad y Bienestar Social de Castilla y León ponía en marcha en abril de 1999 un plan (Plan DIKE) para subvencionar a las empresas que contraten a mujeres maltratadas. Las empresas implicadas recibirían a cambio alrededor de 800.000 pesetas de subvención por cada contrato de ocho meses que realicen con mujeres que han sufrido malos tratos. Mientras tanto el gobierno vasco planteaba la concesión de un salario social de 42.000 pesetas al mes[162] a las mujeres maltratadas, aunque residan en el domicilio de familiares con ingresos económicos suficientes. Esta disposición forma parte de la denominada Ley contra la Exclusión Social. Frente a estas iniciativas, el aumento de la desigualdad y exclusión social en nuestro país y el recorte de políticas sociales, por ejemplo, la escandalosa reducción en viviendas de protección oficial, auguran un futuro incierto.

II.e. Planes de seguridad

Uno de los servicios ofrecidos a las mujeres maltratadas consiste en enseñarles lo que se denominan planes de seguridad. Estos planes de seguridad son enseñados no solo en las casas de acogida, sino que forman parte de casi todas las intervenciones que tienen lugar con mujeres maltratadas. Mejorar la seguridad de las víctimas es un objetivo primario de casi todas estas intervenciones, por lo que no debe sorprender la relevancia de este componente. Los planes de seguridad han progresado hasta el punto de convertirse en una técnica relativamente sofisticada que se trata de ajustar lo más posible a la situación individual de cada víctima (Hamby, 1998).

Los planes de seguridad para las víctimas comprenden el desarrollo de planes preconcebidos para garantizar la seguridad de las mujeres maltratadas y sus hijos incluso en situaciones de emergencia. En un sentido más

---

[162] La cuantía del salario social es de 42.000 pesetas al mes por demandante, que son revisables con arreglo al IPC y al salario mínimo. A partir de esa cantidad se conceden complementos de 5.000 pesetas por cada persona que el demandante tenga a su cargo hasta llegar a las 100.000 pesetas mensuales en familias de hasta diez miembros.

amplio los planes de seguridad hacen referencia a (Davies et al., 1998, p. 5):

> «La discusión entre una asesora y una mujer maltratada sobre la violencia física de su pareja que conduce a la elaboración de un plan para separarse de el inmediatamente. Sin embargo, los planes de seguridad de estas mujeres comienzan antes del primer contacto con los asesores, comienza con la primera respuesta por parte de estas mujeres a los riesgos asociados al maltrato de su pareja»

Davies y sus colaboradoras (1998) defienden un modelo de asesoramiento que subraya la capacidad de autodeterminación de estas mujeres. Desde esta perspectiva de lo que se trata es de establecer un proyecto de colaboración entre la mujer maltratada y sus asesoras. A través de esta colaboración se pretende el intercambio de perspectivas, información y conocimientos entre ambas partes. Aunque las estrategias de respuesta han de ser, dentro de este modelo, definidas por la propia mujer maltratada, la asesora es una parte activa en este proceso; una parte que no tiene porque limitarse a aceptar pasivamente las decisiones de las mujeres maltratadas, pero que tampoco puede tomar decisiones por ellas (salvo en circunstancias muy específicas).

Este modelo asume que las asesoras de las mujeres maltratadas deben, en primer lugar, tratar de comprender la perspectiva y las necesidades específicas de cada mujer maltratada con la que tratan y, en segundo lugar, proporcionar a estas mujeres, en función de sus necesidades individuales, sus propios conocimientos y recursos. Aunque las mujeres maltratadas elaboran sus propios planes de seguridad, las asesoras a menudo pueden proporcionar información y detalles cruciales para la elaboración de planes de seguridad más efectivos. En este sentido las asesoras pueden identificar las opciones disponibles, analizarlas con las mujeres maltratadas y desarrollar una estrategia para la implementación del plan (Davies et al., 1998).

Aunque en este texto no se analizan con profundidad los planes de seguridad, este tipo de encuentros entre mujeres maltratadas y sus asesores constituye quizás uno de los puntos más importantes de cualquier modelo de prevención del maltrato. Quienes de manera cotidiana tienen que informar y asesorar a estas mujeres o por la naturaleza de su trabajo entran en contacto cotidiano con las mismas pueden beneficiarse enormemente del estudio del amplio material existente al respecto (p.ej., Davies et al., 1998; Malefyt, Littell y Walker, 1998).

III. COORDINACIÓN DE SERVICIOS

A medida que se multiplica el número de actores implicados en la prevención de la violencia doméstica, se ha hecho más evidente la necesidad de coordinar los esfuerzos de los mismos. Es necesario que las diferentes agencias públicas y privadas que tienen un interés en este problema trabajen de una manera conjunta. La coordinación de los recursos comunitarios puede adoptar múltiples formas, desde una mayor comunicación entre las mismas al desarrollo de planes estratégicos comunes.

En el Reino Unido durante la última década la idea de cooperación entre varias agencias para la prevención del delito se ha convertido en una de las más comentadas y preconizadas desde la comunidad criminológica y las autoridades oficiales (Liddle y Gelsthorpe, 1994a, 1994b, 1994c). La noción de que la prevención del delito no solamente es responsabilidad de la policía y que la policía necesita trabajar de manera coordinada con otras agencias para prevenir el delito se ha hecho bastante popular.

Sin embargo, la colaboración en la práctica es mucho más compleja. Las agencias con un interés en la prevención de la delincuencia en pocas ocasiones comparten los mismos intereses, prácticas de trabajo, definiciones del problema y recursos. Liddle y Gelsthorpe, en su trabajo, han documentado como, aunque estas relaciones pueden ser positivas, en la práctica son difíciles de mantener, cambian continuamente y se encuentran condicionadas por una variedad de factores institucionales, locales, históricos e individuales.

Estos autores han reconocido una amplia gama de modalidades de colaboración:

(1) *El modelo de comunicación.* Las agencias reconocen un interés en la cooperación, pero no van más allá de la comunicación entre ellas. Esta comunicación puede ser bidireccional o no y puede o no suponer el intercambio completo de información.

(2) *El modelo de cooperación.* Las agencias mantienen sus fronteras e identidades, pero deciden colaborar en un problema común. Esta modalidad puede implicar que las dos agencias trabajen juntas, o que una de ellas tome la iniciativa con el consentimiento de la otra.

(3) *El modelo de coordinación.* Las agencias trabajan juntas de manera sistemática. Cada agencia tiene su propia identidad, pero se comparten los recursos para combatir conjuntamente los problemas definidos mutuamente.

(4) *El modelo de federación.* En este modelo las agencias mantienen su identidad organizativa, pero comparten un objetivo común y se operan servicios integrados.

(5) *El modelo de combinación.* En este modelo las agencias acaban combinándose para combatir más eficazmente los problemas comunes.

Liddle y Gelsthorpe consideran que para que este tipo de iniciativas sean más fructíferas es necesario crear estructuras formales que sirvan de foro de discusión y de intercambio de información. En los Estados

Unidos este tipo de colaboraciones y coaliciones también está bastante extendido.

IV. CONCLUSIONES

Las mujeres maltratadas requieren de una amplia gama de soluciones a su disposición y en un Estado Social ello incluye la existencia de medios que le ayuden a sobrevivir o a reintegrarse socialmente cuando se encuentran en el proceso de romper su relación con el agresor. Las casas de acogida constituyen el modelo clásico de respuesta social a las necesidades de estas mujeres. Sin embargo, por valiosa que es la contribución que se realiza desde los refugios, es importante considerar que las mujeres maltratadas requieren mucho más que una vivienda temporal. El establecimiento de salarios sociales, los servicios de asesoría legal y psicológica, la formación laboral, el acceso prioritario a viviendas de financiación pública son algunas de las medidas que se han sugerido como necesarias. Igualmente es importante que los asesores de estas mujeres comprendan la relevancia de elaborar planes de seguridad con las mismas y que las agencias que prestan apoyo a estas mujeres desde diversas plataformas integren su respuesta y trabajen verdaderamente juntas, más allá del establecimiento de esporádicas colaboraciones, para tratar de prevenir este fenómeno.

En un momento en que aumenta la desigualdad y se recortan programas sociales en las sociedades occidentales, la retirada del Estado denunciada por Pierre Bourdie es fundamental que no nos dejemos seducir por el canto de sirenas que de alguna forma representan los discursos sobre el encarcelamiento de los maltratadores. Aunque la criminalización de la violencia doméstica es y debe ser imparable, no podemos olvidar que es fundamental la existencia de un marco asistencial adecuado que cubra las necesidades sociales de las mujeres maltratadas.

BIBLIOGRAFÍA

ADLER, Freda, Gerhard O.W. MUELLER y William S. LAUFER. 1995. **Criminology. The Shorter Version**, New York: McGraw-Hill.

AGNEW, Robert. 1994. The Techniques of Neutralization and Violence. **Criminology**, 32(4): 555-580.

AGNEW, Robert y Peters ARDITH. 1986. The Techniques of Neutralization: An Analysis of Predisposing and Situational Factors. **Criminal Justice and Behavior**, 13(1):81-97.

AGUILAR, Salvador et al. 1995. Actuaciones Policiales en Riñas Domésticas. **Boletín Criminológico**. 9:1-4.

AKERS, Ronald. 1990. Rational Choice, Deterrence, and Social Learning Theory in Criminology: the Path not Taken. **The Journal of Criminal Law and Criminology.** 81: 653-676.

ALBERTA LAW REFORM INSTITUTE. 1997. **Protection Against Domestic Abuse. Report 74**. Edmonton (Canada): Alberta Law Reform Institute.

ALDARONDO, Etiony. 1996. Cessation and Persistence of Wife Assault: A Longitudinal Analysis. **American Journal of Orthopsychiatry**, 66(1): 141-151.

ALDARONDO, Etiony y David B. SUGARMAN. 1996. Risk Marker Analysis of the Cessation and Persistence of Wife Assault. **Journal of Consulting and Clinical Psychology**, 64 (5): 1010-1019.

ALEMANY ROJO, Angela (Coord.). 1999. **Respuesta Penal a la Violencia Familiar**. Madrid: Themis. Asociación de Mujeres Juristas.

ALEXANDER, Pamela C., Sharon MOORE y Elmore R. ALEXANDER III. 1991. What Is Transmitted in the Intergenerational Transmision of Violence. **Journal of Marriage and the Family**, 53:657-668.

ALLEN, Hilary. 1987. **Justice Unbalanced**. Philadelphia: Open University Press.

ALLEN, Kathryn, Donald A. VALSYN, Peter FEHRENBACH y Gary BENTON. 1989. A Study of the Interpersonal Behaviors of Male Batterers. **Journal of Interpersonal Violence**, 4(1):78-89.

ALVAZZI DEL FRATE, Anna y Angela PATRIGNANI. 1995. **Women's Victimisation in Developing Countries.** Roma (Italia): Unicri.

ALVIRA, Francisco y María RUBIO. 1982. Victimización e Inseguridad: La Perspectiva de Las Encuestas de Victimización en España. **Revista Española de Investigaciones Sociológicas**. 18:29-50.

AMATO, Paul y Alan BOOTH. 1995. Changes in Gender Role Attitudes and Perceived Marital Quality. **American Sociological Review**. 60:58-66.

AMERICAN MEDICAL ASSOCIATION. 1992. Physicians and Domestic Violence: Ethical Considerations. **Journal of the American Medical Association**. 267:3190-3193.

AMERICAN PSYCHOLOGICAL ASSOCIATION. 1996. **Potential Problems for Psychologists Working with the Area of Interpersonal Violence**. Washington, DC: APA.

   – 1996. **Professional, Ethical, and Legal Issues Concerning Interpersonal Violence, Maltreatment and Related Trauma**. Wasghinton, DC: APA.

ANDERSON, Elijah. 1990. **Streetwise: Race, Class, and Change in an Urban Community**. Chicago: University of Chicago Press.
–   1994. The Code of the Streets. **The Athlantic Monthly**, 273(5): 80-94.
–   1997. Violence and the Inner-City Street Code. Joan McCord (Ed.). **Violence and Childhood in the Inner City**. Cambridge: Cambridge University Press.

ANDERSON, Kristin. 1997. Gender, Status, and Domestic Violence: An Integration of Feminist and Family Violence Approaches. **Journal of Marriage and the Family**. 59(3): 655-669.

APPEL, A., M. ANGELELLI y G. HOLDEN. 1997. The Co-occurrence of Spouse and Physical Child Abuse: A Review and Appraisal, manuscrito aun no publicado.

ARIAS, Ileana y Steven R.H. BEACH. 1987. Validity of Self-Reports of Marital Violence. **Journal of Family Violence**. 2(2):139-149.

ARIAS, Ileana y Patti JOHNSON. 1989. Evaluations of Physical Agression Among Intimate Dyads. **Journal of Interpersonal Violence**. 4(3):298-307.

ARRIGO, Bruce (Ed). 1999. **Social Justice/Criminal Justice. The Maturation of Critical Theory in Law, Crime, and Deviance**. Belmont, CA: West/Wadsworth.

ARRUBARRENA, M.I. y J. DE PAUL OCHOTORENA. 1994. **Maltrato a los niños en la familia**. Madrid: Ed. Piramide.

ASENCIO, Marysol. 1997. Machos and Sluts: Gender, Sexuality and Violence Among a Cohort of Puerto Rican Adolescents, manuscrito no publicado.

ATTALA, Janice M., Walter HUDSON y Maryellen McSWEENEY. 1994. A Partial Validation of Two Short-Form Partner Abuse Scales. **Women & Health**. 21(2/3): 125-139.

AUBREY, Moss y Charles P. EWING.1989. Student and Voter Subjects: Differences in Attitudes Toward Battered Women. **Journal of Interpersonal Violence**. 3:289-297.

AVAKAME, Edem F. 1995. Explaining Psychological Conjugal Violence: Some Insights From a National Family Violence Survey. Ponencia presentada en la 47 Conferencia Anual de la Sociedad Americana de Criminologia, Boston.

AVNI, Noga. 1991. Battered Wives: The Home as a Total Institution. **Violence and Victims**.6(2):137-149.

ABCOCK, Julia, Jennifer WALTZ, Neil JACOBSON y John GOTTMAN. 1993. Power and Violence: The Relation Between Communication Patterns, Power Discrepancies, and Domestic Violence. **Journal of Consulting and Clinical Psychology**. 61(1): 40-50.

BACHMAN, Ronet. En prensa. A Comparison of Annual Incidence Rates and Contextual Characteristics of Intimate Perpetrated Violence Against Women from the National Crime Victimization Survey (NCVS) and the National Violence Against Women Survey (NVAW). **Violence Against Women**. Sera publicado en enero del 2000.

BACHMAN, Ronet y Dianne C. CARMODY. 1994. Fighting Fire with Fire: The Effects of Victim Resistance in Intimate Versus Stranger Perpetrated Assaults Against Females. **Journal of Family Violence**. 9(4): 317-331.

BACHMAN, Ronet y Bruce M. TAYLOR. 1994. The Measurement of Family Violence and Rape by the Redesigned National Crime Survey. **Justice Quarterly**. 11(3): 499-512.

BACHMAN, Ronet y Ann L. COKER. 1995. Police Involvement in Domestic Violence: The Interactive Effects of Victim Injury, Offender's History of Violence, and Race. **Violence and Victims**.10(2):91-106.

BACHMAN, Ronet y Linda SALTZMAN. 1995. Violence Against Women: Estimates from the Redesigned Survey. **Bureau of Justice Statistics Special Report**. Washington, DC: US Department of Justice.

BAILEY, Trevor y Anthony GATRELL. 1995. **Interactive Spatial Data Analysis**. Harlow (Reino Unido): Longman.

BAILEY, James, Arthur KELLERMAN, Grant SOMES, Joyce BANTON, Frederick RIVERA y Norman RUSHFORTH. 1997. Risk Factors for Violent Death of Women in the Home. **Archives of Internal Medicine**, 157: 777-782.

BAILEY, William. 1984. Poverty, Inequality and City Homicide Rates. **Criminology**. 22(4):531-549.

BAILEY, William y Ruth PETERSON. 1995. AGender Inequality and Violence Against Women@ en John Hagan y Ruth Peterson (Eds.). **Crime and Inequality**. Stanford, CA: Stanford University Press.

BAKEMAN, Roger y John GOTTMAN. 1997. **Observing Interaction. An Introduction to Sequential Analysis**. Cambridge: Cambridge University Press.

BANDURA, Alfred. 1973. **Aggression: a Social Learning Analysis**. Englewood Cliffs, NJ: Prentice Hall.

BARBERET, Rosemary. 1999. La Investigacion Criminologica. Ponencia presentada en el **Curso de Formacion Continuada Politica Criminal** organizado por el Consejo General del Poder Judicial en Madrid del 24 al 26 de Mayo de 1999.
- 1998. Indicators of Crime and the Performance of the Criminal Justice System en Matti Joutsen (Ed.). **Five Issues in European Criminal Justice**. Helsinki: HEUNI.
- 1997. La prevención general y especial. **Cuadernos de Derecho Judicial.**

BARBERET, Rosemary y Elisa GARCÍA-ESPANA.1997. Minorities, Crime, and Criminal Justice in Spain en Ineke Marshall (Ed). **Minorities, Migrants, and Crime: Diversity and Similarity Across Europe and the United States**. Thousand Oaks, CA: Sage.

BARBERET, Rosemary, Cristina RECHEA ALBEROLA y Juan MONTANEZ RODRIGUEZ. 1994. ASelf-Reported Delinquency in Spain@ en Josine Junger-Tas, Gert-Jan Terlouw y Malcolm Klein (Eds.). **Delinquent Behavior Among Young People in the Western World: First Results of the International Self-Report Delinquency Study**. Amsterdam: Kluger Publications.

BARBERET, Rosemory y Juan J. MEDINA. En preparación. Terror en el Hogar: La experiencia de 2000 mujeres españolas.

BARLING, Julian, K. Daniel O'LEARY, Ernest N. JOURILES, Dina VIVIAN y Karyl E. MacEWEN. 1987. Factor Similarity of the Conflict Tactics Scales Across Samples, Spouses, and Sites: Issues and Implications@ **Journal of Family Violence**, 2(1): 37-54.

BARNETT, Ola W., Ronald W. FAGAN, y Jolyne M. BOOKER. 1991. Hostility and Stress as Mediators of Aggresssion in Violent Men. **Journal of Family Violence**. 6(3):217-241.

BARNETT, Ola W. y Ronald W. FAGAN. 1993. Alcohol Use in Male Spouse Abusers and Their Female Partners. **Journal of Family Violence**. 8(1):1-26.

BARNETT, Ola W. y L. K. HAMBERGER. 1992. The Assesment of Maritally Violent Men on the California Psychological Inventory. **Violence and Victims**. 7(1):15-29.

BARNETT, Ola W., Cheok Y. LEE y Rose THELEN. 1997. Gender Differences in Attributions of Self-Defense and Control in Interpartner Aggression. **Violence Against Women**. 3(5): 462-481.

BARNETT, O., E. MARTÍNEZ-TOMAS y M. KEYSON. 1996. The Relationship Between Violence, Social Support, and Self-Blame in Battered Women. **Journal of Interpersonal Violence**. 11(2): 221-233.

BARNETT, Ola, C. MILLER-PERRIN y R. PERRIN. 1997. **Family Violence Across the Lifespan**. Thousand Oaks: Sage.

BARON, Larry y Murray STRAUS. 1989. **Four Theories of Rape in American Society: A State-Level Analysis**. New Haven, CT: Yale University Press.

BARTHOLOMEW, K y L. HOROWITZ. 1991. Attachment Styles Among Young Adults: A Test of a Four Category Model. **Journal of Personality and Social Psychology**. 61(2):226-244.

BASKIN, Deborah y Ira SOMMERS. 1998. **Casualties of Community Disorder: Women=s Careers in Violent Crime**. Boulder, CO: Westview Press.

BAUER, Carol y Lawrence RITT. 1988. The Work of Frances Power Cobbe: A Victorian Indictment of Wife-Beating en Gordon W. Russell (ed.). **Violence in Intimate Relationships**. New York: PMA Publisinh Corporation.

BAUMGARTNER, M. P. 1993. Violent Networks: The Origins and Management of Domestic Conflict. R. Felson y J. Tedeschi (Eds.). **Aggression and Violence: Social Interactionist Perspectives**. Washington, DC: American Psychological Association.

BECH, Per y Marianne MAK (1995), Measurements of Impulsivity and Aggression, E. Hollander & D.J. Stein (Eds.). **Impulsivity and Aggression**. Nueva York (NY): John Wiley & Sons.

BENNET, Larry W, Richard TOLMAN, Carol ROGALSKI y Jagannathan SRINIVASARAGHAVAN. 1994. Domestic Abuse by Male Alcohol and Drug Addicts. **Violence and Victims**. 9(4):359-368.

BERGEN, Raquel. 1996. **Wife Rape. Understanding the Response of Survivors and Service Providers**. Thousand Oaks: Sage.

BERK, Richard y Phyllis NEWTON. 1985. Does Arrest Really Deter Wife Battery? An Effort to Replicate the Findings of the Minneapolis Spouse Abuse Experiment. **American Sociological Review**. 50: 253-262.

BERGMAN, B. y B. BRISMAR. 1991. A 5-Year Follow-Up Study of 117 Battered Women. **American Journal of Public Health**. 81(11):1486-1489.

BERK, Richard, Sarah F. BERK, Donileen R. LOSEKE y David RAUMA. 1983. Mutual Combat and Other Family Violence Myths. David Finkelhor, Richard Gelles, Gerald Hotaling y Murray Straus (Eds.). **The Dark Side of Families. Current Family Violence Research**. Newbury Park: Sage.

BERK, Richard, Sarah BERK, Phyllis NEWTON y Donileen LOSEKE. 1984. Cops on Call: Summoning the Police to the Scene of Spousal Violence. **Law and Society Review**. 18(3):479-484.

BERKOWITZ, Leonard. 1993. **Aggression. Its Causes, Consequences, and Control**. Philadelphia: Temple University Press.

BERNARD, J. y M. BERNARD. 1984. The Abusive Male Seeking Treatment: Jekill and Hyde. **Family Relations**. 33:543-547.

BERSANI, Carl A., Huey T. CHEN, Brian F. PENDLETON y Robert DENTON. 1992. Personality Traits of Convicted Male Batterers. **Journal of Family Violence**. 7(2):123-134.

BEST, Joel. 1999. **Random Violence. How We Talk about New Crimes and New Victims.** Berkeley: University of California Press.

BETTENCOURT, B. Ann y Norman MILLER. 1996. Gender Differences in Aggression as a Function of Provocation: A Meta-Analysis. **Psychological Bulletin**. 119(3):422-447.

BILSKY, Wolfgang, Christian PFEIFFER y Peter WETZELS. 1992. Feeling of Personal Safety Fear of Crime and Violence and the Experience of Victimization Amongst Elderly People. Cuestionario empleado en la encuesta de victimizacion KFN, documento no publicado.

BITTNER, Egon. 1990. **Aspects of Police Work**. Boston: Northeastern University Press.

BLACK, Donald. 1971. The Social Organization of Arrest. **Stanford Law Review**. 23:1087-1111.
- 1993.**The Social Structure of Right and Wrong**. San Diego, CA: Academy Press.

BLAU, Judith y Peter BLAU. 1982. The Cost of Inequality: Metropolitan Structure and Violent Crime. **American Sociological Review**. 47:114-129.

BLOCK, Carolyn. 1987. Lethal Violence in the Chicago Latino Community, 1965 to 1981 en Jess Kraus, Susan Sorenson y Paul Juarez (Eds.). **Proceedings of the Research Conference on Violence and Homicide in Hispanic Communities**. Los Angeles, CA: UCLa Publication Services.

BLOCK, Richard. and Carolyn R. BLOCK. 1992. Homicide Syndromes and Vulnerability: Violence in Chicago Community Areas Over 25 Years. **Studies on Crime and Crime Prevention** 1(1): 61-87.
- 1995. Space, Place and Crime: Hot Spot Areas and Hot Places of Liquor-Related Crime. John Eck y David Weisburd. (Eds.). **Crime and Place. Crime Prevention Studies. Volume 4** Monsey, NY: Criminal Justice Press.

BLOCK, Carolyn Rebecca y Antigone CHRISTAKOS. 1995. Intimate Partner Homicide in Chicago Over 29 Years. **Crime and Delinquency**. 41(4):496-526.

BLUMSTEIN, Alfred. 1988. Specialization and Seriousness During Adult Criminal Careers. **Journal of Quantitative Criminology**. 4(4):303-345.

BLUMSTEIN, Alfred, Jacqueline COHEN, Jeffrey ROTH y Christy VISHER (Eds.). 1986. **Criminal Careers and Career Criminals**. 2 volumenes. Washington, DC: National Academy Press.

BOHANNON, Judy R., David A. DOSSER y S.E. LINDLEY.1995. Using Couple Data to Determine Domestic Violence Rates: An Attempt to Replicate Previous Work. **Violence and Victims**. 10(2):133-141.

BODNARCHUK, M., R. KROPP, J.R.P. OGLOFF, S.D. HART y D. DUTTON. 1995. **Predicting Cessation of Intimate Assaultiveness After Group Treatment**. Ottawa: Health Canada.

BOWKER, Lee H.1983. **Beating Wife-Beating**. Lexington: Lexington Books.

– 1993. A Battered Woman's Problems Are Social, Not Psychological. Richard J. Gelles y Donileen R. Loseke (Eds.). **Current Controversies on Family Violence**. Newbury Park: Sage.

BRAITHWAITE, John. 1989. **Crime, Shame, and Reintegration**. Cambridge: Cambridge University Press.

BRANNEN, S.J. y A. RUBIN. 1996. Comparing the Effectiveness of Gender-Specific and Couples Groups in a Court-Mandated Spouse Abuse Abatement Program. **Research on Social Work Practice**. 6:405-424.

BRANTINGHAM, Paul y Patricia BRANTINGHAM. (Eds.) 1991. **Environmental Criminology** (Second Edition) Prospect Heights, IL: Waveland Press.

BRENNAN, Patricia, Sarnoff MEDNICK y John RICHARD. 1989. Specialization in Violence: Evidence of a Criminal Subgroup. **Criminology** 27(3):437-453.

BREWER, Victoria E. y M. Dwayne SMITH. 1995. Gender Inequality and Rates of Female Homicide Victimization Across US Cities. **Journal of Research in Crime and Delinquency**. 32(2):175-190.

BRINES, Julie y Kara JOYNER. 1999. The Ties that Bind: Principles of Cohesion in Cohabitation and Marriage. **American Sociological Review**. 64:333-355.

BRISSON, Norman J. 1991. Battering Husbands: A Survey of Abusive Men. **Victimology: An International Journal**. 6(1-4):338-344.

BROOKOFF, Daniel. 1997. Drugs, Alcohol, and Domestic Violence in Memphis. Washington (DC): National Institute of Justice.

BROOKS-GUNN, Jeanne, Greg DUNCAN y J.L ABER. (Eds.). 1997. **Neighborhood Poverty. Volume II: Policy Implications in Studying Neighborhoods**. New York: Russell Sage Foundation.

BROWN, Susan y Alan BOOTH. 1996. Cohabitation versus Marriage: A Comparison of Relationship Quality. **Journal of Marriage and the Family**. 58(3):668-678.

BROWNE, Angela. 1987. **When Battered Women Kill**. New York: The Free Press.

BROWNE, Angela y Kirk R. WILLIAMS. 1989. Exploring the Effect of Reseource Availability and the Likelihood of Female Perpetrated Homicides. **Law and Society Review**. 23:75-94.

BROWNE, Angela y Kirk R. WILLIAMS. 1993. Gender, Intimacy, and Lethal Violence: Trends from 1976 through 1987. **Gender & Society**. 7(1):78-98.

BROWNING, James y Donald DUTTON. 1986. Assessment of Wife Assault with the Conflict Tactic Scale: Using Couple Data to Quantify the Differential Reporting Effect. **Journal of Marriage and the Family**. 48: 375-379.

BROWNMILLER, Susan. 1975. **Against Our Will**. New York: Simon and Schuster.

BRUSH, Lisa D. 1993. Violent Acts and Injurious Outcomes in Married Couples: Methodological Issues in the National Survey of Families and Households. Pauline B. Bart y Eileen Geil Moran (Eds.). **Violence Against Women: the Bloody Footprints**. Newbury Park: Sage.

BRYANT, Susan y Maria ARIAS. 1992. Case Study: A Battered Women=s Rights Clinic. Designing a Clinical Program that Encourages a Problem Solving Vision of Lawyering that Empowers Clients and Community. **Journal of Urban and Contemporary Law**. 42.

BRYK, Anthony S. y Stephen W. RAUDENBUSH. 1992. **Hierarchical Linear Models: Applications and Data Analysis Methods**. Newbury Park: Sage.

BUCKNER, John. 1988. The Development of an Instrument to Measure Neighborhood Cohesion. **American Journal of Community Psychology**. 16(6):771-791.

BUMILLER, Kristin. 1990. Fallen Angels: The Representation of Violence Against Women in Legal Culture. **International Journal of the Sociology of Law**. 18:125-142.

BURGESS, Robert L. y Patricia DRAPER. 1989. The Explanation of Family Violence: The Role of Biological, Bahavioral, and Cultural Selection. Lloyd Ohlin y Michael Tonry (Eds.). **Family Violence. Crime and Justice: A Review of Research**. Chicago: The University of Chicago Press.

BURMAN, B., G. MARGOLIN y R. JOHN. 1993. America's Angriest Home Videos: Behavioral Contingencies Observed in Home Renactments of Marital Conflict. **Journal of Counseling and Clinical Psychology**. 61:28-39.

BURMAN, B., R. JOHN y G. MARGOLIN. 1992. Observed Patterns of Conflict in Violent, Nonviolent, and Nondistressed Couples. **Behavioral Assessment**. 14:15-37.

BURSIK, Robert. 1988. Social Disorganization and Theories of Crime and Delinquency: Problems and Prospects. **Criminology**. 26(4):519-552.

— 1989. Political Decision Making and Ecological Models of Delinquency: Conflict and Consensus. Steven Messner, Marvin Krohn y Allen Liska (Eds.). **Theoretical Integration in the Study of Deviance and Crime: Problems and Prospects**. Albany, NY: Suny Press.

— 1997. The Informal Control of Crime Through Neighborhood Networks. Informe final presentado al National Institute of Justice.

BURSIK, Robert y Harold GRASMICK. 1993. **Neighborhoods and Crime: The Dimensions of Effective Community Control**. New York: Lexington Books.

— 1995. Neighborhood-Based Networks and the Control of Crime and Delinquency. Hugh Barlow (Ed.), **Crime and Public Policy: Putting Theory to Work**, Boulder, CO: WestView Press.

BUSS, D. 1989. Conflict Between the Sexes: Strategies Interference and the evocation of anger and Upset. **Journal of Personality and Social Psychology**. 735-747.

BUSS, T.F. y R. ABDU. 1995. Repeat Victims of Violence in an Urban Trauma Center. **Violence and Victims**. 10(3):183-194.

BUSTOS RAMIREZ, Juan y Elena LARRAURI. 1993. **Victimologia: Presente y Futuro**. Barcelona: PPU.

BUZAWA, Eva S. y Carl G. BUZAWA. 1990. **Domestic Violence: The Criminal Justice Response.** Newbury Park: Sage.

— (Eds.). 1992. **Domestic Violence: the Changing Criminal Justice Response**. Westport, CT: Greenwood Publishing.

BUZAWA, Eve, Thomas AUSTIN y Carl BUZAWA. 1996. The Role of Arrest in Domestic Versus Stranger Assault: Is There a Difference?.Eve Buzawa y Carl Buzawa (Eds.). **Do Arrests and Restraining Orders Work?** Thousand Oaks: Sage.

BYRNE, J.M. y R. SAMPSON. 1986. **The Social Ecology of Crime**.New York, NY: Springer-Verlag.

CADSKI, Oto, Karl HANSON, Michael CRAWFORD y Coralie LALONDE. 1996. Attrition From a Male Batterer Treatment Program: Client-treatment Congruence and Lifestyle Instability. **Violence and Victims**. 11(1): 51-64.

CAESAR, P. L. 1988. Exposure to Violence in the Families-of-Origin among Wife-Abusers and Maritally Nonviolent Men. **Violence and Victims**. 3(1):49-63.

CAMPBELL, Anne. 1993. **Men, Women, and Aggression**. Nueva York: Basic Books.

CAMPBELL, Donald y M. Jean RUSSO. 1999. **Social Experimentation**. Thousand Oaks, CA: Sage.

CAMPBELL, Doris Williams, Jacquelyn CAMPBELL, Christine KING, Barbara PARKER y Joseph RYAN. 1994. The Reliability and Factor Structure of the Index of Spouse Abuse With African-American Women. **Violence and Victims**. 9,(3):259-274.

CAMPBELL, Jacquelyn C. 1985. Beating of Wives: A Cross-Cultural Perspective. Victimology. 10:174-185.

– 1992a. 'If I Can't Have You, No One Can': Power and Control in Homicide of Female Partners. Jill Radford y Diana E. H. Russell (Eds.). **Femicide. The Politics of Woman Killing**. Nueva York: Twayne Publishers.

– 1992b. The Danger Assessment Instrument: Risk Factors of and by Battered Women. Rebecca Block y Richard Block (Eds.). **Questions and Answers in Lethal and Non-lethal Violence.** Washington, DC: National Institute of Justice.

– 1995. Prediction of Homicide of and by Battered Women, en Jacquelyn C. Campbell (Ed.). **Assessing Dangerousness. Violence by Sexual Offenders, Batterers, and Child Abusers.** Thousand Oaks: Sage.

CANTER, Philip. 1990. **Baltimore County Police Department Spousal Abuse Study** Towson, MD: Baltimore County Police Department.

CANTOS, Arthur, Peter NEIDIG y K. Daniel O'LEARY. 1994. Injuries of Women and Men in a Treatment Program for Domestic Violence. **Journal of Family Violence**. 9(2):113-124.

CAÑO, Xavier. 1995. **Maltratadas. El infierno de la violencia sobre las mujeres**. Madrid: Ediciones Temas de Hoy, S.A.

CAPALDI, D.M. y S. CLARK. 1998. Prospective Family Predictors of Aggression Toward Female Partner for At-Risk young Men. **Developmental Psychology**. 34(6):1175-1188.

CAPALDI, D.M y G. PATTERSON. 1996. Can Violent Offenders Be Distinguished From Frequent Offenders: Prediction From Childhood to Adolescence. **Journal of Research of Crime and Delinquency** 33(2):206-231.

CAPPELL, Charles y Robert B. HEINER. 1990. The Intergenerational Transmission of Family Aggression. **Journal of Family Violence**. 5(2):135-152.

CARRACERO BULLIDO, Rosario. 1998. La protección jurídica del Derecho Penal frente a la Violencia Doméstica. En Comisión para la Investigación de Malos Tratos para la Mujer **Otra Frontera Rosa (I). Aspectos Jurídicos de la Violencia Doméstica** Madrid:Entinema.

CARLSON, B. 1977. Battered Women and Their Assailants. **Social Work.** 22, 455-460.

CARLSON, Bonnie. 1984. Children's Observations of Interpersonal Violence en A. Roberts (Ed.). **Battered Women and Their Families: Intervention Strategies and Treatment Programs.** New York: Praeger.

– 1990. Adolescents Observers of Marital Violence. **Journal of Family Violence.** 5:285-299.

CARMODI, Dianne Cyr y Kirk R. WILLIAMS. 1987. Wife Assault and Perceptions of Sanctions. **Violence and Victims.** 2(1):25-38.

CARR, John J. 1982. Treating Family Abuse Using a Police Crisis Team Approach, en ROY, Maria (ed.), **The Abusive Partner: An Analysis of Domestic Battering,** New York-Cincinnati-Toronto-London-Melbourne: Van Nostrend Reinhold Company.

CARRETERO GONZÁLEZ, María José. 1998. Valoración de las Medidas Cautelares. En Comisión para la Investigación de Malos Tratos para la Mujer **Otra Frontera Rosa (II). Aspectos Procesales de la Violencia Doméstica** Madrid:Entinema.

CARRINGTON, Kerry. 1994. Postmodernism and Feminist Criminologies: Disconnecting Discourses. **International Journal of the Sociology of Law.** 22:261-277.

CASCARDI, Michele, J. LANGHINRICHSEN y Dina VIVIAN. 1992. Marital Aggression: Impact, Inmjury, and Health Correlates for Husbands and Wives. **Archives of Internal Medicine.** 152:1178-1184.

CASCARDI, Michele y Dina VIVIAN. 1995. Context for Specific Episodes of Marital Violence: Gender and Severity of Violence Differences. **Journal of Family Violence.** 10(3): 253-264.

CASTELLS, Manuel. 1989. **The Information City: Information Technology, Economic Restructuring and Urban and Regional Process.** Oxford: Basil Blackwell.

CAZENAVE, Noel A. y Murray STRAUS. 1990. Race, Class Network Embeddedness, and Family Violence: A Search for Potent Support Systems, en M. Straus y R. Gelles (Eds.), **Physical Violence in American Families. Risk Factors and Adaptations to Violence in 8145 Families,** New Brunswick (NJ): Transaction Publishers.

CEREZO DOMÍNGUEZ, Ana Isabel. 1998. **La Relacion Entre Malos Tratos Domesticos y Homicidios Entre Parejas. Tratamiento Criminologico.** Tesis Doctoral depositada en la Universidad de Malaga el 15 de septiembre de 1998.

CHALK, Rosemary y Patricia KING (Ed.). 1998. **Violence in Families: Assessing Prevention and Treatment Programs.** Washington, DC: National Academy Press.

CHAUDHURI, Molly y Kathleen DALY. 1992. Do Restraining Orders Help? Battered Women's Experience with Male Violence and Legal Process en Eve

Buzawa y Carl Buzawa (Eds.). **Domestic Violence: the Changing Criminal Justice Response**. Westport, CT: Greenwood Publishing.

CHEN, H., C. BERSANI, S. MYERS y R. DENTON. 1989. Evaluating the Effectiveness of a Court-Sponsored Abuser Treatment Program. **Journal of Family Violence**. 4:309-322.

CHESTER, Barbara, Robert W. ROBIN, Mary P. KOSS, Joyce LÓPEZ, y David GOLDMAN. 1994. Grandmother Dishonored: Violence Against Women by Male Partners. **Violence and Victims**. 9(3):249-259.

CHIN, Ko-Lin. 1994. Out-of-Town Brides: International Marriage and Wife Abuse Among Chinese Immigrants. **Journal of Comparative Family Studies**. 25(1):53-70.

CHOI, Alfred y Jeffrey L. EDLESON. 1995. Advocating Legal Intervention in Wife Assaults. Results From a National Survey of Singapore. **Journal of Interpersonal Violence**. 10(3):243-258.

CHOICE, Pamela, Leanne K. LAMKE y Joe F. PITTMAN. 1995. Conflict resolution Strategies and Marital Distress as Mediating Factors in the Link Between Witnessing Interparental Violence and Wife Battering. **Violence and Victims**. 10(2):107-119.

CHRISTIE, Nils. 1994. **Crime Control as Industry. Toward Gulags, Western Style**. London: Routledge.

CLAES, Jacalyn A. & David M. ROSENTHAL. 1990. Men Who Batter Women: A Study in Power. **Journal of Family Violence**. 5(3):215-224.

CLARK, Sandra, Martha BURT, Margaret SCHULTE y Karen MAGUIRE. 1996. **Coordinated Community Responses to Domestic Violence in Six Communities: Beyond the Justice System**. Washington: Urban Institute.

CLARKE, Ronald V. (Ed.). 1997. **Situational Crime Prevention. Successful Case Studies** Second Edition. Guilderland (NY): Harrow and Heston Publishers.

COHEN, Albert. 1955. **Delinquent Boys**. New York: Free Press of Glencoe.

COHEN, Lawrence y Marcus FELSON. 1979. Social Change and Crime Rate Trends: A Routine Activities Approach. **American Sociological Review**. 44(4):588-608.

COHEN, Stanley. 1985. **Visions of Social Control**. Cambridge: Polity Press.

COHEN, Theodore. 1992. Men's Families, Men's Friend's: A Structural Analysis of Constraints on Men's Social Ties en Peter Nardi (ed.). **Men's Friendships**. Newbury Park, CA: Sage.

COHN, Ellen S. 1993. The Prediction of Police Calls for Service: the Influence of Weather and Temporal Variables on Rape and Domestic Violence. **Journal of Environmental Psychology**. 13: 71-83.

COHN, Ellen S. y David SUGARMAN. 1980. Marital Abuse: Abusing The One You Love. **Victimology: An International Journal**. 5(2-4):203-212.

COKER, Ann y Elizabeth STASNY. En Prensa. Adjusting the National Crime Victimization Survey's Estimates of Rape and Domestic Violence for Gag Factors. Informe final presentado al National Institute of Justice.

COLEMAN, Diane H. and Murray A. STRAUS. 1983. Alcohol Abuse and Family Violence, en E. Gottheil, K.A. Druley, T.E. Skoloda, y H.M. Waxman (Eds.), **Alcohol, Drug Abuse, and Aggression**, Springfield: Charles Thomas.

- 1986. Marital Power, Conflict, and Violence in a Nationally Representative Sample of American Couples. **Violence and Victims**. 1(2):141-157.

COLEMAN, Frances. 1997. Stalking Behavior and the Cycle of Domestic Violence. **Journal of Interpersonal Violence**. 12(3): 420-432.

COLES, Catherine y George KELLING. 1996. **Fixing Broken Windows: Restoring Order and Reducing Crime in Our Communities**. New York, NY: Free Press.

COMISARIA GENERAL DE POLICÍA JUDICIAL, SECCIÓN DE ESTUDIOS y JEFATURA SUPERIOR DE POLICÍA DE MADRID, BRIGADA PROVINCIAL DE POLICÍA JUDICIAL. 1996. Los servicios policiales de atencion a la mujer. **Ciencia Policial**. Marzo-Abril:67-83.

CONNELL, Robert. 1987. **Gender and Power. Society, the Person and Sexual Politics**. Stanford: Standford University Press.

- 1995. **Masculinities**. Berkeley: Univeersity of California Press.

CONSEJO GENERAL DEL PODER JUDICIAL. 1997. **Libro Blanco de la Justicia**. Madrid: Consejo General del Poder Judicial.

COOK, Cynthia A. y Richard J. HARRIS. 1995. Attributions About Spouse Abuse in Cases of Bidirectional Battering. **Violence and Victims**. 10(2):143-151.

CORDOVA, James V., Neil JACOBSON, John GOTTMAN, Regina RUSHE y Gary COX.1993. Negative Reciprocity and Communication in Couples with a Violent Husband. **Journal of Abnormal Psychology**. 102(4): 559-564.

CORNISH, D.B. and R.V. CLARKE. 1989. Crime Specialization, Crime Displacement and Rational Choice Theory en H. Wegener, F. Losel y J. Haisch (Eds.). **Criminal Behavior and the justice System. Psychological Perspectives** New York, NY: Springer-Verlag.

CORSI, Jorge. 1992. Un Modelo integrado para la comprensión de la violencia familiar, en Graciela B. Ferreira, **Hombres Violentos, Mujeres Maltratadas. Aportes a la investigación y tratamiento de un problema social**, Buenos Aires: Editorial Sudamericana.

CORTON PALLARES, Lola, Carmen DEL CASTILLO MORLANES, Adela PÉREZ OTAMENDI y Esperanza RIVERO SERRANO. 1993. **Casas de Acogida para mujeres maltratadas. Propuesta de un modelo de referencia**, Madrid: Coordinadora de Casas de Acogida.

COOK, Thomas, Shobha SHAGLE y Serdad DEGIRMENCIOGLU. 1997. Capturing Social Process for Testing Mediational Models of Neighborhood Effects en Jeanne Brookks-Gunn, Greg Duncan y J. L. Aber (Eds.). **Neoghborhood Poverty. Volume II: Policy Implications in Studying Neighborhoods**. New York: Russell Sage Foundation.

COULTON, C., J. KORBIN, M. SU y J. CHOW. 1995. Community Level Factors and Child Maltreatment. **Child Development** 66:1262-1276.

COULTON, C., J. KORBIN y M. SU. 1996. Measuring Neighborhood Context for Young Children in an Urban Area. **American Journal of Community Psychology**. 24(1):5-32.

COX, J.W. y C.D. STOLTENBERG. 1991. Evaluation of a Program Treament for Battered Wives. **Journal of Family Violence**. 6(4):395-413.

CRAVEN, Diane. 1996. **Female Victims of Violent Crime**. Washington (DC): Bureau of Justice Statistics.

- 1997. **Sex Differences in Violent Victimization, 1994**. Washington (DC): Bureau of Justice Statistics.

CRESSEY, N.A.C. 1991. **Statistics for Spatial Data** New York (NY): John Wiley and Sons, Inc.

CRONBACH, Lee J. (1951), Coefficient Alpha and the Internal Structure of Tests. **Psychometrika**. 16(3):297-333.

CROWELL, Nancy A. y Ann BURGESS (Eds.). 1996. **Understanding Violence Against Women** Washington, DC: National Academy Press.

CRUTCHFIELD, Robert y Susan PITCHFORD. 1997. Work and Crime: the Effects of Labor Stratification. **Social Forces**. 76(1):93-118.

CUMMINGS, Mark. 1998. Children Exposed to Marital Conflict and Violence: Conceptual and Theoretical Directions en George Holden, Robert Geffner y Ernest Jouriles (Eds.), **Children Exposed to Marital Violence: Theory, Research, and Applied Issues**, Washington, DC: American Psychological Association.

CURRY, David y Irving SPERGEL. 1988. Gang Homicide, Delinquency, and Community. **Criminology**. 26(3):381-405.

CZAJA, Ronald y Johnny BLAIR. 1995. **Designing Surveys: A Guide to Decisions and Procedures**. Thousand Oaks, CA: Pine Forge Press.

DANIELSON, Kirstie, Terrie MOFFITT, Avshalom CASPI y Phil SILVA. 1998. Comorbidity Between Abuse of an Adult and DSM-III-R Mental Disorders: Evidence from an Epidemiological Study. **The American Journal of Psychiatry**. 155(1):131-133.

DALY, Kathleen. 1992. Women's Pathways to Felony Court. Feminist Theories of Lawbreaking and Problems of representation. **Southern California Review of Law and Women=s Studies**. 2:11-52.

DALY, Kathleen y Lisa MAHER. 1998. Crossroads and Intersections: Building from Feminist Critique en Daly y Maher (Eds.). **Criminology at the Crossroads. Feminist Readings in Crime and Justice**. Oxford: Oxford University Press.

DALY, Martin & Margo WILSON. 1988. **Homicide**. New York: Aldine de Gruyter.

DARLING, Nancy y Laurence STEINBERG. 1997. Community Influences on Adolescent Achievement and Deviance en Jeanne Brookks-Gunn, Greg Duncan y J. L. Aber (Eds.). **Neoghborhood Poverty. Volume II: Policy Implications in Studying Neighborhoods**. New York: Russell Sage Foundation.

DAVIES, Jill, Eleanor LYON y Diane MONTI-CATANIA. 1998. **Safety Planning with Battered Women: Complex Lives/Difficult Choices@**, Thousand Oaks (CA): Sage.

DAVIS, R. J. MEDINA-ARIZA y N. AVITABLE. En prensa. Repeat Victimization, Police Interventions, and Public Housing: An Experiment to Prevent Elder Abuse.

DAVIS, Robert, Barbara SMITH y Laura NICKLES. 1997. The Deterrent Effect of Prosecuting Domestic Violence Misdemeanors. Informe no publicado.

- 1998. Increasing Convictions in Domestic Violence Cases: A Field Test in Milwaukee. Informe no publicado.

DAVIS, Robert y Bruce TAYLOR. 1997. A Proactive Response to Family Violence: the Results of a Randomized Experiment. **Criminology**. 35(2):307-333.

- 1998. Does Batterer Treatment Reduce Violence? A Synthesis of the Literature. **Violence Against Women.**

DAVIS, Robert, Bruce TAYLOR y Christopher MAXWELL. 1998. **Does Batterer Treatment Reduce Violence? A Randomized Experiment in Brooklyn.** Informe final presentado al National Institute of Justice.

DAWSON, John. M. y Patrick A. LANGAN. 1994. **Murder in Families.** Washington, DC: Bureau of Justice Statistics Special Report.

DEARWATER, Stephen, Jeffrey COHEN, Jacquelyn CAMPBELL y Gregoy NAH. 1998. Prevalence of Intimate Partnet Abuse in Women Treated at Community Hospital Emergency Departments. **Journal of the American Medical Association.** 280(5): 433-438.

DEHART, Dana, robert KENNERLY, Leslie BURKE y Dianne FOLLINGSTAD. 1999. Predictors of Attrition in a Treatment Program for Battering Men. **Journal of Family Violence.** 14(1):19-29.

DeKESEREDY, Walter. 1995. Enhacing the Quality of Survey Data on Woman Abuse, **Violence Against Women,** 1(2):158-173.
- 1996. The Canadian National Survey on Woman Abuse in University/College Dating Relationships: Biofeminist Panic Transmission or Critical Inquiry?. **Canadian Journal of Criminology.** January Issue.

DeKESEREDY, Walter y Martin D. SCHWARTZ. 1998. **Woman Abuse on Campus: Results from the Canadian National Survey.** Thousand Oaks: Sage Publications.

DelFRATE, Anna, Ugliesa ZVECIK y Jan VAN DIJK (Eds.) 1993. **Understanding Crime Experiences of Crime and Crime Control.** Roma: UNICRI.

DE MARIS, Alfeed. 1989. Attrition in Batterer's Counseling: The Role of Social and Demographic Factors. **Social Service Review.** 142-154.
- 1997. Elevated Sexual Activity in Violent Marriages— Hypersexuality or Sexual Extortion@ **Journal of Sex Research.** 34(4):361-373.

DE MARIS, Alfred, Meredith D. PUGH y Erika HARMAN. 1992. Sex Differences in the Accuracy of Recall of Witnesses of Portrayed Dyadic Violence. **Journal of Marriage and the Family.** 54:335-345.

DENT, Donna Z. y Ileana ARIAS. 1990. Effects of Alcohol, Gender, and Role of Spouses on Attributions and Evaluations of Marital Violence Scenarios. **Violence and Victims.** 5(3):.

DEVERY, C. 1992. **Domestic Violence in NWS: A Regional Analysis.** Sydney: NSW Bureau of Crime Statistics and Research

DIBBLE, U. y Murray STRAUS. 1990. Some Social Structure Determinants of Inconsistency between Attitudes and Behavior: The Case of Family Violence, en Murray Straus y Richard Gelles (Eds.), **Physical Violence in American Families. Risk Factors and Adaptations to Violence in 8145 Families,** New Brunswick: Transaction Publishers.

DOBASH, R. Emerson y Rusell DOBASH. 1979. **Violence Against Wives. A Case Against the Patriarchy.** New York: Free Press.
- 1983. The Context-Specific Approach, en David Finkelhor, Richard Gelles, Gerald Hotaling y Murray Straus (Eds.), **The Dark Side of Families. Current Family Violence Research,** Newbury Park: Sage.
- 1984. The Nature and Antecedents of Violent Events. **British Journal of Criminology.** 24(3): 269-288.

- 1990a. How Theoretical Definitions and Perspectives Affect Research and Policy, en Douglas J. Besharov (Ed.), **Family Violence. Research and Public Policy Issues,** Washington: AEI Press.
- 1990b. How Research Makes a Difference to Policy and Practice en Douglas J. Besharov (Ed.), **Family Violence. Research and Public Policy Issues,** Washington: AEI Press.
- 1992. **Women, Violence, and Social Change.** Londres: Routledge.
- 1995. Reflections on findings from the Violence Against Women Survey. **Canadian Journal of Criminology.** July: 457-484.
- 1998. Violent Men and Violent Contexts en R. Emerson Dobash y Russell P. Dobash (eds.), **Rethinking Violence Against Women,** Thousand Oaks (CA): Sage.

DOBASH, Russell P., R. Emerson DOBASH, Kate CAVANAGH, y Ruth LEWIS. 1995. Evaluating Criminal Justice Programmes for Violent Men, en R.E. Dobash, R.P. Dobash y Lesley Noaks (Eds.), **Gender and Crime,** Cardiff: University of Wales Press.
- 1998. Separate and Intersecting Realities: A Comparison of Men's and Women's Accounts of Violence Against Women. **Violence Against Women.** 4(4):382-414.

DOBASH, Russell P., R. Emerson DOBASH, Margo WILSON y Martin DALY. 1992. The Myth of Sexual Symmetry in Marital Violence. **Social Problems.** 39(1):71-91.

DOLLARD, J., N. DOOB, N.E. MILLER, O.H. MOWRER y R.R. SEARS. 1939. **Frustration and Aggression.** New Haven, CT: Yale University Press.

DOUMAS, Diana, Gayla MARGOLIN y Richard S. JOHN. 1994. The Intergenerational Transmission of Aggression Across Three Generations. **Journal of Family Violence.** 9(2):157-176.

DOWNES, David y Rod MORGAN. 1997. Dumping the Hostages to Fortune? The Politics of Law and Order in Pst-War Britain. En M. Maguire, R. Morgan y R. Reiner (Eds.). **The Oxford Handbook of Criminology.** Oxford: Clarendon Press.

DUGAN, Laura, Daniel NAGIN y Richard ROSENFELD. 1997. Explaining the Decline in Intimate Partner Homicide: The Effects of Changing Domesticity, Women's Status, and Domestic Violence Resources. Comunicacion presentada en el **49 American Society of Criminology Meeting.**
- 1999. The Impact of Policies, Programs, and Other Exposure Reducing Factors on Intimate Partner Violence. Comunicacion presentada durante el **1999 National Consortium on Violence Research Summer Workshop.**

DUNFORD, Franklin. 1997. The Research Design and Preliminary Outcome Findings from the San Diego Navy Experiment. Ponencia presentada en la **5th Intarnational Family Violence Research Conference,** University of new Hampshire-Durham, verano de 1997.

DUNFORD, Charles, D. HUIZINGA y D. ELLIOTT. 1989. **The Omaha Domestic Violence Experiment: Final Report to the National Institute of Justice.** Boulder: Institute of Behavioral Science.

DUTTON, Donald G. 1986. The Outcome of Court-Mandated Treatment for Wife Assault: A Quasi-Experimental Evaluation. **Violence and Victims.** 1(3):163-175.
– 1988. Profiling of Wife Assaulters: Preliminary Evidence for a Trimodal Analysis. **Violence and Victims.** 3(1): 5-29.
– 1989. The Victimhood of Battered Women: Psychological and Criminal Justice Perspectives, en Ezzat A. Fattah (Ed.), **The Plight of Crime Victims in Modern Society**, New York: St. Martin Press.
– 1994a. Patriarchy and Wife Assault: The Ecological Fallacy. **Violence and Victims.** 9(2):167-182.
– 1994b. Behavioral and Affective Correlates of Borderline Personality Organization in Wife Assaulters. **International Journal of Law and Psychiatry.** 17 (3):265-277.
– 1995a. **The Domestic Assault of Women: Psychological and Criminal Justice Perspective.** Vancouver: UBC Press.
– 1995b. A Scale for Measuring Propensity for Abusiveness. **Journal of Family Violence.** 10(2): 203-222.
– 1998. **The Abusive Personality. Violence and Control in Intimate Relationships.** New York: The Guilford Press.
DUTTON, Donald G. y J.J. BROWNING. 1988. Concern for Power, Fear of Intimacy and Wife Abuse, en G.T. Hotaling, J.T. Kirpatrick y M. Straus (Eds.), **Family Abuse and Its Consequences: New Directions in Research,** Newbury Park: Sage.
DUTTON, Donald, Cynthia VAN GINKEL y Monica LANDOLT. 1996. Jealousy, Intimate Abusiveness, and Intrusiveness. **Journal of Family Violence.** 11(4): 411-423.
DUTTON, Donald G., Cynthia VAN GINKEL y Andrew STARZOMSKI. 1995. The Role of Shame and Guilt in the Intergenerational Transmission of Abusiveness. **Violence and Victims** 10(2):121-131.
DUTTON, Donald G. y Susan K. GOLANT. 1995. **The Batterer. A Psychological Profile.** New York: Harper Collins Publishers.
DUTTON, Donald G. y Stephen D. HART. 1992. Risk Markers for Family Violence in a Federally Incarcerated Population. **International Journal of Law and Psychiatry,** 15: 101-112.
DUTTON, Donald G. y K.J. HEMPHILL. 1992. Patterns of Socially Desirable Responding Among Perpetrators and Victims of Wife Assault. **Violence and Victims.** 7(1):29-39.
DUTTON, Donald G. y Andrew J. STARZOMSKI. 1993. Borderline Personality in Perpetrators of Psychological and Physical Abuse. **Violence and Victims.** 8(4):327-337.
DUTTON, Donald G., K. SAUNDERS, A, STARZOMSKI y K. BARTHOLOMEW. 1994. Intimacy-Anger and Insecure Attachment as Precursors of Abuse in Intimate Relationships. **Journal of Applied Social Psychology.** 24 (15):1367-1386.
DUTTON, Donald G. y Catherine E. STRACHAN. 1987. Motivational Needs for Power and Spouse-Specific Assertiveness in Assaultive and Nonassaultive Men. **Violence and Victims.** 2(3):145-156.
ECHEBURUA, Enrique (Comp.). 1994. **Personalidades Violentas,** Madrid: Ed. Pirámide.

ECHEBURUA, Enrique y Paz DEL CORRAL. 1998. **Manual de Violencia Familiar**. Barcelona: Siglo XXI.

ECHEBURUA, E. P. DEL CORRAL, B. SARASUA, I. ZUBIZARRETA y D. SAUCA. 1996. Tratamiento Cognitivo-Conductual del Trastorno de Estrés Postraumático en Víctimas de Maltrato Doméstico: Un Estudio Piloto. **Análisis y Modificación de Conducta**. 22:627-654.

ECHEBURUA, Enrique y Javier Perez MONTALVO. 1998. Hombres Maltratadores en Enrique Echeburua y Paz del Corral. **Manual de Violencia Familiar**. Barcelona: Siglo XXI.

EDLESON, Jeffrey L., Zvi C. EISIKOVITS, Edna GUTTMANN y Michal SELA-AMIT. 1991. Cognitive and Interpersonal Factors in Woman Abuse. **Journal of Family Violence**. 6(2):167-182.

EDLESON, Jeffrey y M SYERS. 1990. Relative Effectiveness of Group Treatment for Men Who Batter. **Work Research and Abstracts**. 26(2):10-17.

EDWARDS, S.M. 1989. **Policing Domestic Violence: Women, Law and the State**. London: Sage.

EGLEY, Lance C. 1991. What Changes the Societal Prevalence of Domestic Violence?. **Journal of Marriage and the Family**. 53:885-897.

EISIKOVITS, Zvi y Eli BUCHBINDER. 1997. Talking Violent: A Phenomenological Study of Methaphors Battering Men Use. **Violence Against Women**. 3(5):482-498.

EISIKOVITS, Z. y J.L EDLESON. 1989. Interviving with Men who Batter: a Critical Review of the Literature. **Social Service Review**. 37:384-414.

EISIKOVITS, Zvi y Einat PELED. 1990. Qualitative Research on Spouse Abuse en Douglas J. Besharov (Ed.), **Family Violence. Research and Public Policy Issues**, Washington (DC): AEI Press.

EISIKOVITZ, Zvi C., Edna GUTTMANN, Michel SELA-AMIT and Jeffrey L. EDLESON. 1993. Woman Battering in Israel: the Relative Contributions of Interpersonal Factors. **American Journal of Orthopsychiatric**. 63 (2):313-317.

ELLIS, Desmond. 1989. Male Abuse of a Married or Cohabiting Female Partner: The Application of Sociological Theory to Research Findings. **Violence and Victims**. 4(4):235-256.

– 1993. Family Courts, Marital Conflict Mediation, and Wife Assault en Zoe Hilton (Ed.). **Legal Responses to Wife Assault. Current Trends and Evaluation**. Newbury Park: Sage.

ELLIS, J.W. 1984. Prosecutorial Discretion to Charge in Cases of Spousal Assault: a Dialogue. **Journal of Criminal Law and Criminology**. 75:56-102.

ELLIOTT, Delbert. 1989. Criminal Justice Procedures in Family Violence Crimes en Lloyd Ohlin y Michael Tonry (eds.), **Family Violence. Crime and Justice a Review of Research**, Vol. 11, Chicago: Chicago University Press.

ELLIOT, Delbert y Scott MENARD. 1992. Delinquent Friends and Delinquent Behavior: Temporal and Developmental Patterns en David Hawkins (ed.). **Some Current Theories of Crime and Deviance**. Newbury Park, CA: Sage.

ELLIOTT, Delbert, William Julius WILSON, David HUIZINGA, Robert SAMPSON, Amanda ELLIOTT y Bruce RANKIN. 1996. The Effects of

Neighborhood Disadvantage on Adolescent Development. **Journal of Research in Crime and Delinquency**. 33(4):389-427.

ELSE, LaTina, Stephen WONDERLICH, William BEATTY, Donald CHRISTIE y Dennis STATON. 1993. Personality Characteristics of Men Who Physically Abuse Women. **Hospital and Community Psychiatry**. 44(1): 54-61.

EREZ, Edna y Joanne BELKNAP. 1998, In Their Own Words: Battered Women=s Assessment of the Criminal Processing System's Responses. **Violence and Victims**. 13(3): 251- 268.

FAGAN, Jeffrey. 1989. Cessation of Family Violence: Deterrence and Dissuasion, en Lloyd Ohlin y Michael Tonry (Eds.), **Family Violence. Crime and Justice: A Review of Research**, Vol. 11, Chicago: Chicago University Press.

    – 1993a. Social Structure and Spouse Assault en Brian Forst (Ed.) **The Socio-Economics of Crime and Justice**. Armonk, NY: M.E. Sharpe.

    – 1993b. Set and Social Setting Revisited: Influences of Alcohol and Illicit Drugs on the Social Context of Violent Events en Susan Martin (Ed.). **Alcohol and Interpersonal Violence: Fostering Multidisciplinary Perpespectives** Research Monograph 24. Rockville, MD: National Institute on Alcohol Abuse and Alcoholism

    – 1996. **The Criminalization of Domestic Violence: Promises and Limits**. Washington, DC: US National Institute of Justice.

FAGAN, Jeffrey y Angela BROWNE. 1994. Violence Between Spouses and Intimates: Physical Aggression Between Women and Men in Intimate Relationships, en Albert Reiss y Jeffrey Roth (Eds.), **Understanding and Preventing Violence: Social Influences, Vol 3.** Washington, DC: National Academy Press.

FAGAN, Jeffrey, Elizabeth FRIEDMAN, Sandra WEXLER y Virginia LEWIS. 1984. **National Family Violence Evaluation: Final Report. Volume 1. Analytic Findings.** San Francisco: URSA Institute.

FAGAN, Jeffrey, Joel GARNER y Christopher MAXWELL. 1998. **Reducing Injuries to Women in Domestic Assaults**. Informe final de la subvencion R49/CCR210534 enviado al National Center for Injury Control and Prevention.

FAGAN, Jeffrey, Douglas K, STEWART y Karen V. HANSEN. 1983. Violent Men or Violent Husbands? Background Factors and Situational Correlates, en David Finkelhor, Richard Gelles, Gerald Hotaling y Murray Straus (Eds.), **The Dark Side of Families. Current Family Violence Research.** Newbury Park, CA: Sage

FAGAN, Jeffrey y Sandra WEXLER. 1987. Crime at Home and in the Streets: The Relationship between Family and Stranger Violence. **Violence and Victims**. 2(1):5-23.

FAGAN, Jeffrey y Deanna WILKINSON. 1998. Social Contexts and Functions of Adolescent Violence en Delbert Elliott, Beatrix Hamburg y Kirk Williams (Eds.), **Violence in American Schools**, Cambridge: Cambridge University Press.

FAGAN, Jeffrey y Deanna WILKINSON. 1998b. Guns, Youth Violence, and Social Identities in Inner Cities, en Michael Tonry y Mark H. Moore (Eds.). **Youth Violence. Crime and Justice: A Review of Research. Volume 24.** Chicago: Chicago University Press.

FAGOT, Beverly, Rolf LOEBER y John REID. 1988. Developmental Determinants of Male-to-Female Aggression en Gordon Russell (Ed.). **Violence in Intimate Relationships**. New York: PMA Publishing Corp.

FALCON, Lidia. 1991. **Violencia contra la mujer**, Barcelona: Circulo de Lectores.

FANSLOW, J.L., R.N. NORTON y C.G. SPINOLA. 1998. Indicators of Assault-Related Injuries Among Women Presenting to the Emergency Department. **Annals of Emergency Medicine**. 32(3):341-348.

FANSLOW, J.L., R.N. NORTON y C.G. SPINOLA. 1998. Indicators of Assault-Related Injuries Among Women Presenting to the Emergency Department. **Annals of Emergency Medicine**. 32(3-1):341-348.

FANTUZZO, J y C. LINDQUIST. 1989. The Effects of Observing Conjugal Violence on Children: A Review and Analysis of Research Methodology. **Journal of Family Violence**. 4:77-94.

FARAGHER, Tony. 1985. The Police Reponse to Violence Against Women in the Home, en Jan Pahl (ed.), **Private Violence and Public Policy. The needs of battered women and the response of the public services**, London: Routledge & Paul Kegan.

FARNWORTH, Margaret, Terence THORNBERRY y Marvin KROHN. 1994. Measurement in the Study of Class and Delinquency: Integrating Theory and Research. **Journal of Research in Crime and Delinquency**. 31(1):32-61.

FARRELL, Graham y Ken PEASE. 1993. **Once Bitten, Twice Bitten: Repeat Victimisation and Its Implications for Crime Prevention**. London: Police Research Group (UK Home Office).

FARRINGTON, David P (1994). Childhood, Adolescent, and Adult Features of Violent Males en L. Rowell Huesmann (Ed.), **Aggressive Behavior. Current Perspectives**, New York: Plenum Press.

FARRINGTON, David, Robert SAMPSON y Per-Olof WIKSTROM. (Eds.). 1993. **Integrating Individual and Ecological Aspects of Crime**. Estocolmo: National Council for Crime Prevention.

FARRINGTON, Keith. 1986. The Application of Stress Theory to the Study of Family Violence: Principles, Problems, and Prospects. **Journal of Family Violence**. 1(2):131-147.

FEDER, Lynette. Police Handling of Domestic and Nondomestic Assault Calls: Is There a Case for Discrimination?. **Crime and Delinquency**. 44(2):335-349.

FEELEY, Malcolm y Jonathan SIMON. 1992. The new penology: notes on the emerging strategy of corrections and its implications. **Criminology**. 30(4):449-474.

FEINBLATT, John y Greg BERMAN. 1997. Responding to the Community: Principles for Planning and Creating a Community Court en **Bureau of Justice Assistance Bulletin**, November.

FELD, Scott L. y Murray STRAUS. 1990. Escalation and Desistance from Wife Assault in Marriage en M. Straus y R. Gelles (Eds.), **Physical Violence in American Families. Risk Factors and Adaptations to Violence in 8145 Families**, New Brunswick: Transaction Publishers.

FELD, S.L. y D.T. ROBINSON. 1998. Secondary Bystander Effects on Intimate Violence: When Norms of Restraint Reduce Deterrence. **Journal of Social and Personal Relationships**. 15(2):277-285.

FELSON, Marcus. 1998. **Crime and Everyday Life**. Segunda Edicion. Thousand Oaks, CA: Pine Forge Press.

FELSON, Richard. 1992. Kick'em When They're Down: Explanations of the Relationship Between Stress and Interpersonal Aggression and Violence. **Sociological Quarterly**. 33(1):1-16.

– 1996. Big People hit Little People: Sex Differences in Physical Power and Interpersonal Violence. **Criminology**. 34(3):433-452.

FELSON, Richard and Steven MESSNER. 1996. To Kill or Not To Kill: Lethal Outcomes in Injurious Attacks. **Criminology**. 34(4):519-545.

FERRANTE, Anna, Frank MORGAN, David INDERMAUR y Richard HARDING. 1996. **Measuring the Extent of Domestic Violence**. Sydney: The Hawkins Press.

FERRARO, Kathleen J. 1983. Rationalizing Violence: How Battered Women Stay. **Victimology: An International Journal**. 8(3-4):203-212.

FERRARO, Kathleen y Tascha BOYCHUK. 1992. The Court's Response to Interpersonal Violence: a Comparison of Intimate and Nonintimate Assault en Eve Buzawa y Carl Buzawa (Eds.). **Domestic Violence: the Changing Criminal Justice Response**. Westport, CT: Greenwood Publishing.

FERREIRA, Graciela B. 1992. **Hombres violentos, Mujeres maltratadas. Aportes a la investigación y tratamiento de un problema social**. Buenos Aires: Editorial Sudamericana.

FERREIRA DA SILVA, Luisa. 1992. La violence inter-conjugale dans la famille portugaise. **Revue Internationale de Criminologie et de Police Technique**. 1:17-28.

FINKELHOR, David y Kersti YLLO. 1985. **License to Rape. Sexual Abuse of Wives**. New York: Free Press.

FINKELHOR, David, Gerald T. HOTALING y Kersti YLLO. 1988. **Stopping Family Violence. Research Priorities for the Coming Decade**. Newbury Park: Sage Publications.

FISHER, Bonnie, Joanne BELKNAP y Francis CULLEN. 1996. The Extent and Nature of Sexual Victimization of College Women: Pretest Results. Comunicacion presentada en la conferencia anual de la **American Society of Criminology** celebrada en noviembre de 1996 en Chicago.

FLETCHER, George. 1995. **With Justice For Some: Victims' Rights in Criminal Trials**. New York, NY: Addison Wesley (Hay traducción española de Medina Ariza y Muñoz Aunión, publicada en Valencia, editorial Tirant lo Blanch, 1995, con el título «Las víctimas ante el jurado»).

FLOURNOY, Peter S. & Gregory L. WILSON. 1991. Assesment of MMPI Profiles of Male Batterers. **Violence and Victims**. 6(4):309-320.

FOLLINGSTAD, Diane. 1990. Methodological Issues and New Directions for Research on Violence in Relationships, en Douglas J. Besharov(Ed.), **Family Violence. Research and Public Policy Issues**, Washington: AEI Press, Washington.

FOLLINGSTAD, Diane R., Elizabeth S. HAUSE, Larry L. RUTLEDGE y Darlene S. POLEK. 1992. Effects of Battered Women's Early Responses on Later Abuse Patterns. **Violence and Victims**. 7(2), 109-127.

FOLLINGSTAD, Diane R., James E. LAUGHLIN, Darlene S. POLEK, Larry L. RUTLEDGE y Elizabeth S. HAUSE. 1991. Identification of Patterns of Wife Abuse. **Journal of Interpersonal Violence**. 6(2):187-204.

FOLLINGSTAD, Diane R., Larry L. RUTLEDGE, Barbara J. BERG, Elizabeth S. HAUSE y Darlene S. POLEK. 1990. The Role of Emotional Abuse in Phyisically Abusive Relationships. **Journal of Family Violence**. 5(2):107-120.

FORD, David y Mary REGOLI. 1993. The Criminal Prosecution of Wife Assaulters: Process, Problems and Effects en Zoe Hilton (Ed.). **Legal Responses to Wife Assault. Current Trends and Evaluation**. Newbury Park: Sage.

FORD, David, Ruth REICHARD, Stephen GOLDSMITH y Mary REGOLI. 1996. Future Directions for Criminal Justice Policy on Domestic Violence en Eve Buzawa y Carl Buzawa (eds.), **Do Arrests and Restraining Orders Work?**, Thousand Oaks: Sage.

FORJUOH, Samuel, Jeffrey COHEN y Edward GONDOLF. 1998. Correlates of Injury to Women with Partners Enrolled in Batterer Treatment Programs. **American Journal of Public Health**.88(1):1705- 1708.

FOSHEE, Vangie, Karl BAUMAN, Ximena ARRIAGA, Russell HELMS, Gary KOCH y George LINDER. 1998. An Evaluation of safe Dates, an Adolescent Dating Violence Prevention Program. **American Journal of Public Health**. 88(1):45-50.

FOSHEE, Vangie, Karl BAUMAN y George LINDER. 1999. Family Violence and the Perpetration of Adolescence Dating Violence: Examining Social Learning and Social Control Processes. **Journal of Marriage and the Family**. 61(2):331.

FOWLER, Floyd. 1995. **Improving Survey Questions. Design and Evaluation**. Thousand Oaks, CA: Sage.

FRANCES, Ruth. 1995. An Overview of Community-Based Intervention Programmes for Men Who Are Violent or Abusive in the Home, en R.E.Dobash, R.P. Dobash y L. Noaks (Eds.), **Gender and Crime**, Cardiff: University of Wales.

FRIEDMAN, Lucy N. y Minna SHULMAN. 1990. Domestic Violence: The Criminal Justice Response en Arthur J. Lurigio, Wesley G.Skogan y Robert C. Davis (Eds.), **Victims of Crime. Problems, Policies, and Programs**. Newbury Park: Sage.

FRIEZE, Irene y Angela BROWNE. 1989. Violence in Marriage en Lloyd Ohlin y Michael Tonry (eds.), **Family Violence. Crime and Justice: A Review of Research**, Vol. 11, Chicago: Chicago University Press.

FRUDE, Neil. 1994. Marital Violence: An Interactional Perspective en John Archer (ed.), **Male Violence**, London-NYC: Routledge.

FUERTES, Alicia. 1995. Datos Estadísticos de Seguridad Ciudadana. Una Vía de Aproximación en la Búsqueda de un Conocimiento del Fenómeno de la Violencia en la Red Familiar. **Anuario de Psicología Jurídica**. 137-166.

FUNDACIÓN FOESSA. 1994. **V Informe Sociológico sobre la Situación Social en España.** Madrid: Fundación Foessa.

FURSTENBERG, Frank. 1993. How Families Manage Risk and Opportunity in Dangerous Neighborhoods en W.J Wilson (Ed.). **Sociology and the Public Agenda**. Newbury Park, CA: SAGE.

FURSTENBERG, Frank y Mary Elizabeth HUGHES. 1997. The Influence of Neighborhoods on Children's Development: A Theoretical Perspective and Research Agenda en Jeanne Brookks-Gunn, Greg Duncan y J. L. Aber (Eds.). **Neoghborhood Poverty. Volume II: Policy Implications in Studying Neighborhoods**. New York: Russell Sage Foundation.

FYFE, James, David KLINGER y Jeanne FLAVIN. 1997. Differential Police Treatment of Male-on-Female Spousal Violence. **Criminology**. 33(3):455-474.

GALLART, Ana, Celia CABALLERO JURADO, Rosario CARRACEDO y Susana MARTÍNEZ. 1998. Análisis de las entrevistas realizadas a los colectivos implicados en la violencia doméstica. En Comisión para la Investigación de Malos Tratos para la Mujer **Otra Frontera Rota (I). Aspectos Jurídicos de la Violencia Doméstica** Madrid:Entinema.

GANDARA TRUEBA, Esteban. 1996. Análisis estadístico de la criminalidad sexual violenta. **Ciencia Policial**. 35(marzo-abril):101-155.

GARBARINO, J. y D. SHERMAN. 1980. High-Risk Neighborhoods and High-Risk Families: The Human Ecology of Child Maltreatment. **Child Development** 51:188-198.

GARCÍA PABLOS, Antonio. 1988. **Manual de Criminología. Introducción y Teorías de la Criminalidad**. Madrid: Espasa Calpe.

GARDNER, W. E.P. MULVEY y E.C. SHAW. 1995. Regression Analyses of Counts and Rates: Poisson, Overdispersed Poisson, and Negative Binomial Models **Psychological Bulletin** 118(3):392-404.

GARNER, Joel y Jeffrey FAGAN. 1997. Victims of Domestic Violence en Robert Davis, Arthur Lurigio y Wexley Skogan (Eds.), **Victims of Crime**, Segunda Edicion, Thousand Oaks, CA: Sage.

GARNER, Joel, Jeffrey FAGAN y Christopher MAXWELL. 1995. Published Findings from the Spouse Assault Replication Program: A Critical Review. **Journal of Quantitative Criminology**. 11(1):3-28.

GARTNER, Rosemary. 1993. Methodological Issues in Cross-cultural Large-Survey Research on Violence. **Violence and Victims**. 8(3):199-215.

GARTNER, Rosemary, K. BAKER y F. PAMPEL. 1990. Gender Stratification and the Gender Gap in Homicide Victimization. **Social Problems**. 37:593-612.

GARREAU, J. 1991. **Edge City: Life in the New Frontier**. New York: Doubleday.

GARRIDO, Vicente. 1993. **Tecnicas de Tratamiento para Delincuentes**. Madrid: Ramon Areces.

GARRIDO, Vicente y Rafael BERENGUER. 1991. Victimology in Spain: The Empirical Works, en Kaiser, Kury y Albretch (Ed.), **Victims and Criminal Justice**, Friburgo: Max Planck Institute.

GARRIDO, Vicente, Santiago REDONDO y Per STANGELAND. 1998. **Principios de Criminología**. Valencia: Tirant lo Blanch.

GARTNER, Rosemary y Ross MacMILLAN. 1995. The effect of victim-offender relationship on reporting crimes of violence against women. **Canadian Journal of Criminology**. July:393-429.

GARTNER, Rosemary, Kathryn BAKER y Fred C. PAMPEL. 1990. Gender Stratification and the Gender Gap in Homicide Victimization. **Social Problems** 37(4):593-612.

GAYFORD, J. 1975. Wife Battering: A Preliminary Survey of 100 Cases. **British Medical Journal**. 301:194-197.

GEFFNER, R. y M.D. PAGELOW. 1990. Mediation and Child Custody Issues in Abusive Relationships@ **Behavioral Sciences and the Law**. 8:151-159.

GELLES, Richard J. 1983. An exchange/social control theory, en Finkelhor, Gelles, Hotaling y Straus (ed.), **The Dark Side of Families: Current Family Violence Research**, Newbury Park: Sage.

— 1990a. Methodological Issues in the Study of Family Violence, en Murray A. Straus y Richard J.Gelles, **Physical Violence in American Families: Risk Factors and Adaptations to Violence in 8145 Families,** New Brunswick: Transaction Publishers.

— 1990b. Violence and Pregnancy: Are Pregnant women at a Grater Risk of Abuse?,en Murray A. Straus y Richard J.Gelles, **Physical Violence in American Families: Risk Factors and Adaptations to Violence in 8145 Families,** New Brunswick: Transaction Publishers.

— 1991.Physical Violence, Child Abuse and Child Homicide: a Continuum of Violence, or Distinct Behaviors?. **Human Nature.** 2:59-72.

— 1993. Through a Sociological Lens: Social Structure and Family Violence, en Richard Gelles & Donileen R. Loseke (eds.) **Current Controversies on Family Violence.** Newbury Park: Sage.

GELLES, Richard J. y John W. HARROP. 1989. Violence, Battering, and Psychological Distress Among Women. **Journal of Interpersonal Violence,** 4(4):400-420.

GELLES, Richard J. y Donileen R. LOSEKE (Eds.). 1993. **Current Controversies on Family Violence**. Newbury Park: Sage.

GELLES, Richard J. y Murray A. STRAUS. 1989. **Intimate Violence. The Causes and Consequences of Abuse in the American Family**. New York City: Touchstone Books.

— 1990. The Medical and Psychological Costs of Family Violence en Murray A. Straus y Richard J.Gelles, **Physical Violence in American Families: Risk Factors and Adaptations to Violence in 8145 Families,** New Brunswick: Transaction Publishers.

GELSTHORPE, Loraine. 1998. Feminism and Criminology en Mike Maguire, Rod Morgan y Robert Reiner (eds.), **The Oxford Handbook of Criminology**, Oxford: Oxford University Press.

GENTEMANN, Karen M. 1984. Wife Beating: Attitudes of a Non-Clinical Population. **Victimology**. 9(1):109-119.

GIDDENS, Anthony. 1990. **The Consequences of Modernity**. Stanford, CA: Stanford University Press.

— 1992. **The Transformation of Intimacy. Sexuality, Love and Eroticism in Modern Societies**. Stanford, CA: Stanford University Press.

GILBERT, Neil. 1993. Examing the Facts: Advocacy Research Overstates the Incidence of Date and Acquaintance Rape en Richard Gelles y Donileen Loseke (Eds.), **Current Controversies on Family Violence**, Newbury Park: Sage.

GILES-SIMS, J. 1983. **Wife-Battering: A Systems Theory Approach**.New York City: Guilford.

GILLIOZ, Lucienne y Jacqueline DE PUY. 1994. Violence Against Women in Swiss Families. Ponencia presentada en el **XIII Congreso Mundial de Sociologia**, Bielefeld, 18-23 Julio de 1994.

GLASER, Brian A., Thomas V. SAYGER y Arthur M. HORNE. 1993. Three Types of Family Environment Scale Profiles: Functional, Distressed, and Abusive Families. **Journal of Family Violence**. 8(4):303-311.

GOLDBERG, W. y M. TOMLANOVICH. 1984. Domestic Violence Victims in the Emergency Department. **Journal of the American Medical Association**. 251:3259-3264.

GOLDKAMP, J.S. 1996. **The Role of Drug and Alcohol Abuse in Domestic Violence and its Treatment: Dade County's Domestic Violence Court Experiment**. Informe final presentado al National Institute of Justice.

GOLDSTEIN, Harvey. 1995. **Multilevel Statistical Models** Segunda Edicion. London: John Wiley and Sons.

GOLDSTEIN, Herman. 1967. Police Policy Formulation: A Proposal for Improving Police Performance. **Michigan Law Review**. 65:1123-1146

– 1979. Improving Policing: A Problem-Oriented Approach. **Crime and Delinquency**. 25:236-258.

GOLDSTEIN, Joseph. 1960. Police Discretion Not to Invoke the Criminal Process: Low Visibility Decisions in the Administration of Justice. **Yale Law Journal**. 69:543-589.

GOLLEDGE, Reginald y Robert STIMSON. 1997. **Spatial Behavior: A Geographic Perspective**. New York: The Guilford Press.

GONDOLF, Edward. 1988a. Who are Those Guys? Toward a Behavioral Tipology of Batterers. **Violence and Victims**. 3(3):187-203.

– 1988. **Battered Women as Survivors: An Alternative to Treating Learned Helplessness**. New york: Lexington Books.

– An Exploratory Survey of Court-Mandated Batterer Programs. **Response to Victimization of Women and Children**. 13(3):7-11.

– 1991. A Victim-Based Assessment of Court-Mandated Counseling for Batterers **Criminal Justice Review**. 16(2):214-226.

– 1995. Alcohol Abuse, Wife Assault, and Power Needs. **Social Service Review**, 69(2): 274-284.

– 1996. Characteristics of Court-Mandated Batterers in Four Cities Ponencia presentada en el **Annual Meeting of the American Society of Criminology**. Chicago.

– 1997a. Batterer Programs: What We Know and Need to Know. **Journal of Interpersonal Violence**. 12(1):83-98.

– 1997b. **The Impact of Mandatory Court Review on Batterer Program Compliance: an Evaluation of the Pittsburgh Municipal Courts and Domestic Abuse Counseling Center**. Harrisburg, PA: Pennsylvania Commission on Crime and Delinquency.

– 1999. MCMI-III Results for Batterer Program Participants in Four Cities: Less «Pathological» Than Expected. **Journal of Family Violence**. 14(1):1-18.

GONDOLF, Edward, Ellen FISHER, J. Richard McFERRON. 1988. Racial Differences Among Shelter Residents: A Comparison of Anglo, Black, and Hispanic Battered Women. **Journal of Family Violence**. 3(1):39-51.

GONDOLF, E. y E. FISHER. 1991. Preprogam Attrition in Batterer Programs. **Journal of Family Violence**. 6:337-349.

GOODE, William. 1969. Violence Among Intimates, en Donald J. Mulvihill & Melvin M. Tumin (dir.), **Crimes of Violence. A Staff Report Submitted to the National Commission on the Causes & Prevention of Violence**, National Commission on the Causes & Prevention of Violence.

GOODWIN, Robin, 1994. Putting Relationship Aggression in its Place: Contextualizing Some Recent Research, en John Archer (ed.), **Male Violence**, London: Routledge.

GOTTFREDSON, Michael y Travis HIRSCHI. 1990. **A General Theory of Crime**, Stanford: Stanford University Press.

GOTTFREDSON, Michael y Don GOTTFREDSON. 1988. **Decision Making in Criminal Justice: Toward the Rational Exercise of Discretion**. Segunda Edición. New York: Plenum Press.

GOTTMAN, John, Neil JACOBSON, Regina RUSHE, Joann W. SHORTT, Julia BABCOCK, Jaslean LaTAILLADE y Jennifer WALTZ. 1995. The Relationship Between Heart Rate Reactivity, Emotionally Aggressive Behavior, and General Violence in Batterers. **Journal of Family Psychology**. 9(3):227-248.

GRAHAM, Dee L. R., Edna I. RAWLINGS, Kim IHMS, Diane LATIMER, Janet FOLIANO, Alicia THOMPSON, Kelly SUTTMAN, Mary FARRINGTON y Rachel HACKER. 1995. A Scale ofr Identfying 'Stockholm Syndrome' Reactions in young Dating Women: Factor Structure, Reliability, and Validity. **Violence and Victims**. 10(1).

GRAHAM-BERMANN, Sandra. 1998. The Impact of Woman Abuse on Children's Social Development: Research and Theoretical Perspectives en George Holden, Robert Geffner y Ernest Jouriles (Eds.), **Children Exposed to Marital Violence: Theory, Research, and Applied Issues**, Washington, DC: American Psychological Association.

GRASMICK, Harold, Charles TITTLE y Robert BURSIK. 1993. Testing the Core Empirical Implications of Gottfredson and Hirschi's General Theory of Crime. **Journal of Research in Crime and Delinquency**. 30(1):5-29.

GRAU, Janice, Jeffrey FAGAN y Sandra WEXLER. 1985. Restraining Orders for Battered Women: Issues of Access and Efficacy. **Women and Politics**. 4(3):13-28.

GREENBLAT, Cathy Stein. 1983. A Hit is a Hit... Or is It? Approval and Tolerance of the Use of Physical Force by Spouses, en David Finkelhor, Richard Gelles, Gerald Hotaling y Murray Straus (eds.), **The Dark Side of Families. Current Family Violence Research**. Newbury Park: Sage.

– 1985. Don't Hit Your Wife... Unless ...': Preliminary Findings on Normative Support for the Use of Physical Force by Husbands. **Victimology**. 10:221-241.

GREENE, Anthony F., Charlton J. COLES y Ernest H. JOHNSON. 1994. Psychopathology and Anger in Interpersonal Violence. **Journal of Clinical Psychology**. 50(6): 906-912.

GREENFELD, Lawrence. 1998. Alcohol and Crime. An analysis of National Data on the Prevalence of Alcohol Involvement in Crime. Washington (DC): Bureau of Justice Statistics.

GREENFELD, Lawrence, Michael RAND, Diane CRAVEN, Patsy KLAUS, Craig PERKINS, Cheryl RINGEL, Greg WARCHOL, Cathy MASTON y James FOX. 1998. **Violence by Intimates: Analysis of Data on Crimes by Current or Former Spouses, Boyfriends, and Girlfriends**. Washington, DC: Bureau of Justice Statistics.

GREENWOOD, Peter, Karyn MODEL, Peter RYDELL y James CHIESA. 1998. **Diverting Children From a Life of Crime: Measuring Costs and Benefits**. Washington, DC: RAND Corporation.

GRISSO J.A., A.R. WISHNER y D.F. SCHWARZ. 1991. A Population-Based Study of Injuries in Inner-City Women. **American Journal of Epidemiology**. 134:59-68.

GURSZNSKI, R.J. y T.P. CARRILLO. 1988. Who Completes Batterer's Treatment Programs? An Empirical Investigation. **Journal of Family Violence**. 3:141-150.

GUTIÉRREZ LÓPEZ, Purificación. 1990. Violencia Domestica. Respuesta Legal e Institucional, en Virginia MAQUEIRA y Cristina SÁNCHEZ (Comp.). **Violencia y Sociedad Patriarcal**. Madrid: Ed. Pablo Iglesias, Madrid.

HAGAN, John. 1992. The Poverty of a Classless Criminology: The American Society of Criminology 1991 Presidential Address. **Criminology**. 30(1):1-19.
–   1993. The Social Embeddedness of Crime and Unemployment. **Criminology**. 31(4):465-491.

HAGAN, Frank. 1993. **Research Methods in Criminal Justice and Criminology**. Englewoodcliffs: Prentice Hall.

HAGEDORN, John. 1998. **People and Folks: Gangs, Crime and the Underclass in a Rustbelt City**. Segunda Edicion. Chicago, IL: Lake View Press.

HAIMOVICH, Perla. 1990. El concepto de malos tratos. Ideologia y representaciones sociales, en Virginia Maqueira y Cristina Sanchez (eds.). **Violencia y Sociedad Patriarcal**. Madrid: Ed. Pablo Iglesias.

HAMBERGER, Kevin. 1997. Female Offenders in Domestic Violence: a Look at Actions in Their Context. **Journal of Aggression, Maltreatment, and Trauma**. 1(1):117-130.

HAMBERGER, L. Kevin y James E. HASTINGS. 1986. Personality Correlates of Men Who Abuse Their Partners: A Cross-Validation Study. **Journal of Family Violence**. 1(4): 323-341.
–   1986. Characteristics of Spouse Abusers: Predictors of Treatment Acceptance. **Journal of Interpersonal Violence**. 1(3):363-373.
–   1988. Personality Characteristics of Spouse Abusers: A Controlled Comparison. **Violence and Victims**. 3(1):31-47.
–   1989. Counseling Male Spouse Abusers: Characteristics of Treatment Completers and Dropouts. **Violence and Victims**. 4(4):275-286.
–   1990. Recidivism Following Spouse Abuse Abatement Counseling: Treatment Program Implications. **Violence and Victims**. 5(3):157-170.
–   1991. Personality Correlates of Men Who Batter and Nonviolent Men: Some Continuities and Discontinuities. **Journal of Family Violence**. 6(2):131-147.
–   1993. Court-Mandated Treatment of Men Who Assault Their Partners: Issues, Controversies and Outcomes en Zoe Hilton (Ed.). **Legal Responses to Wife Assault. Current Trends and Evaluation**. Newbury Park: Sage.

HAMBERGER, kevin, J.M. LOHR y D. BONGE. 1994. The Intended Function of Domestic Violence is Different for Arrested Male and Female Perpetrators. **Family Violence and Sexual Assault**. 10:40-44.

HAMBERGER, Kevin, Jeffrey LOHR, Dennis BONGE, Dvid TOLIN. 1996. A large sample empirical typology of male spouse abusers and its relationship to dimensions of abuse. **Violence and Victims**. 11(4):277-292.

HAMBY, Sherry. 1998. Partner Violence: Prevention and Intervention en Jana Jasinski y Linda Williams (Eds.). **Partner Violence: A Comprehensive Review of 20 Years of Research**. Newbury Park: Sage.

HAMBY, Sherry, Valerie C. POINDEXTER y Bernadette GRAY-LITTLE. 1996. Four Measures of Partner Violence: Construct Similarity and Classification Differences. **Journal of Marriage and the Family**. 58:127-139.

HAMLIN, John. 1988. The Misplaced Role of Rational Choice in Neutralization Theory. **Criminology**. 26(3):425-438.

HAMPTON, Robert L. y Richard GELLES. 1994. Violence Toward Black Women in a Nationally Representative Sample of Black Families. **Journal of Comparative Family Studies**. 25(1):105-120.

HANLEY, Joan y Patrick O'NEILL. 1997. Violence and Commitment: A Study of Dating Couples. **Journal of Interpersonal Violence**. 12(5): 685-703.

HANMER, Jalna, Sue GRIFFITHS y David JERWOOD. 1999. **Arresting Evidence: Domestic Violence and Repeat Victimisation**. London: Police Research Series 104.

HANMER, Jalna, Jill RADFORD y Elizabeth STANKO. (Eds.) 1989. **Women, Policing and Male Violence: International Perspectives**. London: Routledge.

HARER, Miles y Darrell STEFFENSMEIER. 1992. The Differing Effects of Economic Inequality on Black and White Rates of Violence. **Social Forces**. 70(4):1035-1054.

HARRELL, Adele, Barbara SMITH y Lisa NEWMARK. 1993. Court Processing and the Effects of Restraining Orders for Domestic Violence Victims. Informe no publicado.

HARRELL, Adele y Barbara SMITH. 1996. Effects of Restraining Orders on Domestic Violence Victims, en Eve Buzawa y Carl Buzawa (eds.). **Do Arrests and Restraining Orders Work?** Thousand Oaks: Sage.

HARRIS, Richard y Roslyn W. BOLOGH. 1985. The Dark Side of Love: Blue and White Collar Wife Abuse. **Victimology: An International Journal**. 10(1-40):242-252.

HARRIS, R. S. SAVAGE, T. JONES y W. BROOKE. 1988. A Comparison of Treatments for Abusive Men and Their Partners Within a Family-Service Agency. **Canadian Journal of Community Mental Health**. 7(2):147-155.

HARRIES, Keith. 1990. **Serious Violence: Patterns of Homicide and Assault in America** Springfield: Charles Thomas.

– The Ecology of Homicide and Assault: Baltimore City and County, 1989-1991. **Studies on Crime and Crime Prevention** 4(1):44-60.

HART, Barbara. 1996. Battered Women and the Criminal Justice System, en Eve Buzawa y Carl Buzawa (eds.). **Do Arrests and Restraining Orders Work?** Thousand Oaks: Sage.

HART, S.D., D.G. DUTTON, & T. NEWLOVE. 1993. The Prevalence of Personality Disorder Among Wife Assaulters. **Journal of Personality Disorders**. 7(4):329-341.

HARWELL, T.S., R.J. CASTEN, K.A. ARMSTRONG, S. DEMPSEY, H.L COONS y M. DAVIS. 1998. Results of a Domestic Violence Training Program Offered to the Staff of Urban Community Health Centers. **American Journal of Preventive Medicine**.15(3):235-242.

HEALEY, K., C. SMITH y C. O'SULLIVAN. 1997. **Batterer Interventions: Program Approaches and Criminal Justice Strategies**. Informe final de ABT para el National Institute of Justice.

HEARN, Jeff. 1993. How Men Talk About Men's Violences to Known Women en **Masculinities and Crime: Issues of Theory and Practice**, Informe de la conferencia internacional celebrada en el Centre for Criminal Justice Research, Brunel the University of West London, 14-15 Sept. 26-53.

    – 1996.Men's Violence to Known Women: Men's Accounts and Men's Policy Developments, en B. Fawcett, B. Featherstone, J. Hearn y C. Toft (eds.). **Violence and Gender Relations. Theories and Interventions**. London: Sage.

    – 1998. **The Violences of Men**. Thousand Oaks: Sage.

HECKERT, Alex y Edward GONDOLF. 1997. Assessing Patterns of Agreement on Assault Among Batterer Program Participants and Their Partners. Ponencia presentada en la **V Conferencia Internacional sobre Investigacion en Violencia Familar**, Universidad de New Hampshire, Durham, NH, June 29-July 2, 1997.

HEISE, Lori. 1997. La Violencia Contra la Mujer: Organizacion Global para el Cambio en Jeffrey Edleson y Zvi Eisikovitz (Eds.). **La Mujer Golpeada y la Familia**. Buenos Aires: Ediciones Granica.

HEISKANEN, Markku y Minna PISPA. 1998. **Faith, Hope, Battering. A Survey of Men's Violence Against Women in Finland**. Helsinki: Statistics Finland.

HELFER, Ray y Henry KEMPE (Eds.). 1968. **The Battered Child**. Chicago: University of Chicago Press.

HERBERT, Tracy B. Roxane C. SILVER y John H. ELLARD. 1991. Coping with an Abusive Relationship. How and Why Do Women Stay?. **Journal of Marriage and the Family**. 53:311-325.

HERRENKOHL, Ellen C., Roy C. HERRENKOHL y Lori J. TOEDTER. 1983. Perspectives on the Intergenerational Transmission of Abuse, en David Finkelhor, Richard Gelles, Gerald Hotaling y Murray Straus (eds.). **The Dark side of Families. Current Family Violence Research**. Newbury Park: Sage.

HERRNSTEIN, Richard y Charles MURRAY. 1994. **The Bell Curve**. New York: Free Press.

HERSHORN, Michael y Alan ROSENBAUM. 1991. Over- vs. Undercontrolled Hostility: Application of the Construct to the Classification of Maritally Violent Men. **Violence and Victims**. 6(2):151-158.

HERZBERGER, Sharon D. 1983. Social Cognition and the Transmission of Abuse, en David Finkelhor, Richard Gelles, Gerald Hotaling y Murray Straus (eds.).

The Dark side of Families. Current Family Violence Research. Newbury Park: Sage.

HESTER, Marianne y Lorraine RADFORD. 1996. **Domestic Violence and Child Contact Arrangements in England and Denmark**. Bristol (UK): Policy Press.

HEYMAN, R.E., K.D. O'LEARY y E.N. JOURILES. 1995. Alcohol and Aggressive Personality Styles: Potentiators of Serious Physical Aggression Against Wives?. **Journal of Family Psychology**. 9:44-57.

HINSHAW, Lana M. y Goron B FORBES. 1993. Attitudes Toward Women and Approaches to Conflict Resolution in College Students in Spain and the United States. **The Journal of Social Psychology**. 133(6):865-867.

HIRSCHEL, David, Ira W. HUTCHISON y Charles DEAN. 1992. The Failure of Arrest to Deter Spouse Abuse. **Journal of Research in Crime and Delinquency**. 29(1) 7-33.

HIRSCHEL David y Ira HUTCHISON. 1996. Realities and Implication of the Charlotte Spousal Abuse Experiment, en Eve Buzawa y Carl Buzawa (eds.). **Do Arrests and Restraining Orders Work?** Thousand Oaks: Sage.

HIRSCHI, Travis. 1969. **Causes of Delinquency**. Berkeley: University of California Press.

HOFF, Lee Ann. **Battered Women as Survivors**. London: Routledge.

HOFFMAN, Kristi L., David H. DEMO y John N. EDWARDS. 1994. Physical Wife Abuse in a Non-Western Society: An Integrated Theoretical Approach. **Journal of Marriage and the Family**. 56:131-146.

HOLDEN, George. 1998. Introduction: The Development of Research Into Another Consequence of Family Violence, en George Holden, Robert Geffner y Ernest Jouriles (eds.), **Children Exposed to Marital Violence: Theory, Research, and Applied Issues**, Washington, DC: American Psychological Association.

HOLDEN, George y Kathy RITCHIE. 1991. Linking Extreme Marital Discord, Child Rearing, and Child Behavior Problems: Evidence From Battered Women. **Child Development**.62:311-327.

HOLDEN, George, Joshua STEIN, Kathy RITCHIE, Susan HARRIES y Ernest JOURILES. 1998. Parenting Behavior and Beliefs of Battered Women, en George Holden, Robert Geffner y Ernest Jouriles (Eds.). **Children Exposed to Marital Violence: Theory, Research, and Applied Issues**. Washington, DC: American Psychological Association.

HOLLANDER, Eric y Dan STEIN. 1995. **Impulsivity and Aggression**. Chichester, GB: John Wiley and Sons.

HOLLINGER, Richard. 1991. Neutralizing in the Workplace: An Empirical Analysis of Property Theft and Production Deviance. **Deviant Behavior**. 12(2):169-202.

HOLMSTROM, Linda Lytle y Ann Wolbert BURGESS. 1978. **The Victim of Rape. Institutional Reactions.** New York: John Wiley and Sons.

HOLTZWORTH-MUNROE, Amy y Kimberley ANGLIN. 1991 The Competency of Responses Given by Maritally Violent Versus Nonviolent Men to Problematic Marital Situations. **Violence and Victims**. 6(4):257-269.

HOLTZWORTH-MUNROE, Amy, Leonard BATES, Natalie SMUTZLER y Elizabeth SANDIN. 1997. A Brief Review of the Research on Husband Violence. **Aggression and Behavior** 2(1): 66-99.

HOLTZWORTH-MUNROE, Amy, Natalie SMUTZLER y Gregory STUART. 1998. Demand and Withdraw Communication Among Couples Experiencing Husband Violence. **Journal of Consulting and Clinical Psychology.** 66(5):731-743.

HOLZWORTH-MUNROE, Amy y Gregory L. STUART. 1994. Typologies of Male Betterers: Three Subtypes and the Differences Among Them. **Psychollogical Bulletin.** 116(3): 476-407.

HOPE, Tim. 1995. Community Crime Prevention en Michael Tonry y David Farrington (Eds.). **Building a Safer Society. Crime and Justice: A Review of Research. Volume 19.** Chicago, Il: university of Chicago Press.

HORNEY, Julie y Ineke Haen MARSHALL. 1991. Measuring Lambda Through Self-Reports. **Criminology.** 29(3):471-495.

HORNUNG, C.A., McCULLOUGH, B.C., y SUGIMOTO, T. 1981. Status Relationships in Marriage: Risk Factors in Spouse Abuse. **Journal of Marriage and Family.** 7:675-692.

HORTON, Anne, Kyriacos SIMONIDIS y Luci SIMONIDIS. 1987. Legal Remedies for Spousal Abuse: Victim Characteristics, Expectations, and Satisfaction. **Journal of Family Violence.** 2(3): 265-279.

HOTALING, Gerald, Murray STRAUS y Alan J. LINCOLN. 1989. Intrafamily Violence, and Crime and Violence outside the Family, en Lloyd Ohlin y Michael Tonry (eds.), **Family Violence. Crime and Justice: A Review of Research**, Vol. 11, Chicago: Chicago University Press.

HOTALING, Gerald T. y David B. SUGARMAN. 1986. An Analysis of Risk Markers in Husband to Wife Violence: the Current State of Knowledge. **Violence and Victims.** 1(2):101-124.

— 1990. A Risk Marker Analysis of Assaulted Wives. **Journal of Family Violence.** 5(1).

HOYLE, Carolyn. 1998. **Negotiating Domestic Violence: Police, Criminal Justice and Victims.** Oxford: Clarendon Press.

HOYLE, Carolyn y Andrew SANDERS. 2000. Police Response to Domestic Violence: From Victim Choice to Victim Empowerment? **British Journal of Criminology** 40(1): 14-36.

HOWELL, Marilyn J. y Karen L. PUGLIESI. 1988. Husbands Who Harm: Predicting Spousal Violence by Men. **Journal of Family Violence.** 3(1):15-27.

HUDSON, B. 1998. Restorative Justice: the Challenge of Sexual and Racial Violence. **Journal of Law and Society**, Vol. 25, No. 2, 237-256.

HUDSON, Walter y Sally Rau McINTOSH. 1981. The Assessment of Spouse Abuse: Two Quantifiable Dimensions. **Journal of Marriage and the Family.** November Issue, 873-888.

HUESMANN, L. Rowell, Leonard ERON, Monroe LEFKOWITZ y Leopold WALDER. 1984. Stability of Aggression Over Time and Generations. **Developmental Psychology.** 20(6):1120-1134.

HUGHES, Honore y Douglas LUKE. 1998. Heterogeneity in Adjustment Among Children of Battered Women, en George Holden, Robert Geffner y Ernest Jouriles (eds.). **Children Exposed to Marital Violence: Theory, Research, and Applied Issues.** Washington, DC: American Psychological Association.

HUTCHISON, Ira y David HIRSCHEL. 1996. Spouse Abuse: Do Children Make a Difference. Comunicacion presentada en la reunion anual de la **American Society of Criminology**, noviembre de 1996, Chicago.
 – 1998. Abused Women: Help-Seeking Strategies and Police Utilization. **Violence Against Women**. 8(4):436-456.
HYDEN, Margareta. 1994. **Woman Battering as Marital Act. The Construction of a Violent Marriage.** Oslo: Scandinavian University Press.
 – 1995.Verbal Aggression as Prehistory of Woman Battering, en **Journal of Family Violence**. 10(1):55-72.
INFORME DE LA COMISIÓN DE RELACIONES CON EL DEFENSOR DEL PUEBLO Y DE LOS DERECHOS HUMANOS ENCARGADOS DEL ESTU-DIO DE LA MUJER MALTRATADA, en BOCG, Senado III Legislatura, Serie I: Boletín General, 12 de mayo de 1989, n, 313.
INNER. 1988. **Los hombres españoles**. Madrid: Instituto de la Mujer.
INSTITUTO ANDALUZ DE LA MUJER. 1993. Datos relativos a denuncias y consultas. Sevilla: Junta de Andalucía.
JACOBS, Jane. 1961. **The Death and Life of Great American Cities**. New York: Random House.
JACOBSON, Neil S. y John M. GOTTMAN. 1998. **When Men Batter Women. New Insights into Ending Abusive Relationships**. New York: Simon and Schuster.
JACOBSON, Neil, John GOTTMAN, Eric GORTNER, Sara BERNS y Joann W. SHORTT. 1996. Psychological Factors in the Longitudinal Course of Battering: When Do the Couples Split Up? When Does the Abuse Decrease?. **Violence and Victims**. 11(4)371-392.
JACOBSON, Neil S., Johnn M GOTTMAN, Jennifer WALTZ, Regina RUSHE, Julia BABCOCK, & Amy HOLTZWORTH-MUNROE. 1994. Affect, Verbal Content, and Psychophysiology in the Arguments of Couples With a Violent Husband. **Journal of Consulting and Clinical Psychology**. 62(5): 982-988.
JAFFE, Peter y Robert GEFFNER. 1998. Child Custody Disputes and Domestic Violence: Critical Issues for Mental Health, Social Services, and Legal Professionals en George Holden, Robert Geffner y Ernest Jouriles (Eds.), **Children Exposed to Marital Violence: Theory, Research, and Applied Issues**, Washington, DC: American Psychological Association.
JAFFE, Peter, D. WOLFE y S. WILSON. 1990. **Children of Battered Women**. Newbury Park, CA: Sage.
JAR, Gonzalo. 1995. **Modelo Policial Español y Policías Autónomas**. Madrid: Dykinson.
JARGOWSKY, Paul. 1997. **Poverty and Place: Ghettos, Barrios, and the American City**. New York: Russell Sage Foundation.
JARRETT, Robin. 1997. Bringing Families Back In: Neighborhood Effects on Child Development en Jeanne Brookks-Gunn, Greg Duncan y J. L. Aber (Eds.). **Neighborhood Poverty. Volume II: Policy Implications in Studying Neighborhoods**. New York: Russell Sage Foundation.
JASINSKI, Jana, Nancy ASDIGIAN y Glean K. KANTOR. 1997. Ethnic Adaptions to Occupational Strain: Work-Related Stress, Drinking, and Wife Assault

Among Anglo and Hispanic Husbands. **Journal of Interpersonal Violence**. 12(6): 814-831.

JASINSKI, Jana L. y Linda M. WILLIAMS (Eds.). 1998. **Partner Violence: A Comprehensive Review of 20 Years of Research**. Thousand Oaks: Sage Publications.

JEFFERSON, Tony. 1998. Masculinities and Crime en Mike Maguire, Rod Morgan y Robert Reiner (Eds.). **The Oxford Handbook of Criminology**. Oxford: Oxford University Press.

JEWELL, Dolores A.. 1986. **Social Networks, Conflict Resolution Tactics, and the Personality Charactheristics of Abused and Nonabused Women**. UMI Dissertation Services, Ann Arbor.

JIMÉNEZ CASADO, Carmen. 1995. **Malos tratos conyugales a mujeres en el área de Sevilla**. Sevilla: Instituto Andaluz de la Mujer.

JOE, Karen y Meda CHESNEY-LIND. 1995. Just Every Mother's Angel: An Analysis of Gender and Ethnic Variations in Youth Gang Membership. **Gender and Society**. 9(2):408-430.

JOHNSON, Holly. 1996. **Dangerous Domains. Violence Against Women in Canada**, Toronto: Nelson Canada.

JOHNSON, Ida. 1990. A Loglinear Analysis of Abused Wives= Decisions to Call the Police in Domestic-Violence Disputes. **Journal of Criminal Justice**. 18(2):147-159.

JOHNSON, Michael P. 1995. Patriarchal Terrorism and Common Couple Violence: Two Forms of Violence Against Women. **Journal of Marriage and the Family**. 57:283-294.

JOHNSTON, J.R. y L.E.G. CAMPBELL. 1993. Parent-Child Relations in Domestic Violence Families Disputing Custody. **Family and Conciliation Courts Review**. 31:282-298.

JOURILES, Ernest N., Renee McDONALD, Nanette STEPHENS, William NORWOOD, Laura SPILLER y Holly WARE. 1998. Breaking the Cycle of Violence: Helping Families Departing From Battered Women=s Shelters en George Holden, Robert Geffner y Ernest Jouriles (Eds.), **Children Exposed to Marital Violence: Theory, Research, and Applied Issues**, Washington, DC: American Psychological Association.

JOURILES, Ernest N. y William NORWOOD. 1995. Physical Aggression Toward Boys and Girls in Families Characterized by the Battering of Women. **Journal of Family Psychology**. 9:69-78.

JOURILES, Ernest N. y K. D. O'LEARY. 1985. Interspousal Reliability of Reports of Marital Violence. **Journal of Consulting and Clinical Psychology**. 53(3): 419-421.

JULIAN, Teresa W. and Patrick C. McKENRY. 1993. Mediators of Male Violence Toward Female. **Journal of Family Violence**. 8(1):39-56.

JUPP, Victor. 1989. **Methods of Criminological Research**. London: Unwin Hyman.

JURIK, Nancy C. y Russ WINN. 1990. Gender and Homicide: A Comparison of Men and Women Who Kill. **Violence and Victims**. 5(4): 227-242.

JUSTICE RESEARCH AND STATISTICS ASSOCIATION. 1996. **Domestic and Sexual Violence Data Collection**. Washington, DC: National Institute of Justice and the Bureau of Justice Statistics.

KALMUS, Debra. 1984. The Intergenerational Transmission of Marital Aggression. **Journal of Marriage and the Family**. 46:11-19.

KALMUS, Debra y J.A. SELTZER. Continuity of Marital Behavior in Remarriage: The Case of Spouse Abuse. **Journal of Marriage and the Family**. 48:113-120.

KALMUS, Debra S. y Murray STRAUS. 1990. Wife's Marital Dependency and Wife Abuse, en M. Straus y R. Gelles (Eds.). **Physical Violence in American Families. Risk Factors and Adaptations to Violence in 8145 Families**. New Brunswick: Transaction Publishers.

KANTOR, Glenda K. 1993. Refining the Brushstrokes in Portraits of Alcohol and Wife Assault en Susan Martin (Ed.). **Alcohol and Interpersonal Violence: Fostering Multidisciplinary Perpespectives.** Research Monograph 24. Rockville, MD: National Institute on Alcohol Abuse and Alcoholism.

KANTOR, Glenda K., L. JASINSKI y E. ALDARONDO. 1994. Sociocultural Status and Incidence of Marital Violence in Hispanic Families **Violence and Victims** 9(3):207-222.

KANTOR, Glenda K. y Murray A. STRAUS. 1987. The 'Drunken Bum' Theory of Wife Beating. **Social Problems**. 34(3):213-230.

– 1990. Response of Victims and the Police to Assaulst on Wives, en M. Straus y R. Gelles (Eds.), **Physical Violence in American Families. Risk Factors and Adaptations in 8145 Families,** New Brunswick, NJ: Transaction Publishers.

KAPLAN, John, Jerome SKOLNICK y Malcolm FEELEY. 1991. **Criminal Justice. Introductory Cases and Materials.** New York: The Foundation Press.

KATZ, Jack. 1988. **Seductions of Crime. Moral and Sensual Attractions in Doing Evil** NY: Basic Books.

KEENAN, Kate, Rolf LOEBER, Quanwu ZHANG, Magda STOUTHAMER-LOEBER y Welmoet VAN KAMMEN. 1995. The Influence of Deviant Peers on the Development of Boy's Disruptive and Delinquent Behavior: a Temporal Analysis. **Development and Psychopathology**. 7:715-726.

KEILITZ, Susan, Paula HANNAFORD y Hillery EFKEMAN. 1997. **Civil Protection Orders: The Benefits and Limitations for Victims of Domestic Violence**. Williamsburg (VA): National Center for State Courts Research.

KELLEY, Barbara T., Terence P. THORNBERRY & Carolyn A. SMITH. 1997. In the Wake of Childhood Maltreatment. **Juvenile Justice Bulletin**, Agosto.

KELLING, George y Mark MOORE. 1988. The Evolving Strategy of Policing. **Perspectives on Policing**. 4:1-15.

KELLY, Debra Sue. 1994. **Family Victimization: An Application of Lifestyle and Routine Activity Theory.** Ann Arbor: UMI Dissertation Services.

KELLY, Liz. 1997. Conflictos y Posibilidades: Mejorar la Respuesta Informal a la Violencia Domestica en Jeffrey Edleson y Zvi Eisikovitz (Eds.). **La Mujer Golpeada y la Familia**. Buenos Aires: Ediciones Granica.

– 1999. **Domestic Violence Matters: an Evaluation of a Development Project**. London: Home Office Research Study 193.

KENNEDY, Leslie y Vincent SACCO. 1998. **Crime Victims in Context**. Los Angeles, CA: Roxbury Publishing Company.

KESNER, John, Teresa JULIAN y Patrick McKENRY. 1997. Application of Attachment Theory to Male Violence Toward Female Intimates. **Journal of Family Violence**. 12 (2): 211-228.

KILLIAS, Martin. 1993. International Correlations Between Gun Ownership and Rates of Homicide and Suicide. **Journal of the Canadian Medical Association**. 148(10):1721-1725.

KINDERMANN, Charles, James LYNCH y David CANTOR. 1997. **Effects of the Redesign on Victimization Estimates**. Washington, DC: US Bureau of Justice Statistics.

KLEIN, Andrew. 1996. Re-Abuse in a Population of Court Restrained Male Batterers Why Restraining Orders Don'tWork? en Eve Buzawa y Carl Buzawa (eds.). **Do Arrests and Restraining Orders Work?** Thousand Oaks: Sage.

KLEIN, David y James WHITE. 1996. **Family Theories. An Introduction**. Thousand Oaks: Sage.

KLINGER, David A. y George BRIDGES. 1997. Measurement Error in Calls-For-Service as an Indicator of Crime. **Criminology** 35(4):705-726.

KNIGHT, Rosemary y Suzanne HATTY. 1986. Methodological Perspectives on Domestic Violence, en HATTY, Suzanne (ed.). **National Conference on Domestic Violence**. Canbera: Australian Institute of Criminology.

KORBIN, Jill y Claudia COULTON. 1997. Understanding The Neithborghood Context for Children and Families: Combining Epidemiological and Ethnographic Approaches en Jeanne Brookks-Gunn, Greg Duncan y J. L. Aber (Eds.). **Neighborhood Poverty. Volume II: Policy Implications in Studying Neighborhoods**. New York: Russell Sage Foundation.

KOSKI, Patricia R. y William D. MANGOLD. 1988. Gender Effects in Attitudes About Family Violence. **Journal of Family Violence**. 3(3):225-237.

KREFT, Ita y Jan DE LEEUW. 1998. **Introducing Multilevel Modeling**. London: Sage.

KRUTTSCHNITT, Candance y Maude DORNFELD. 1992. Will They Tell? Assessing Preadolescents' Reports of Family Violence. **Journal of Research in Crime and Delinquency**. 29(2):136-147.

KUHL, Anna F. 1984. Personality Traits of Abused Women: Masochism Myth Refuted» **Victimology: An International Journal**. 9(3-4):450-463.

LABELL, Linda S. 1979. Wife Abuse: A Sociological Study of Battered Women and Their Mates. **Victimology: An International Journal**. 4(2):258-267.

LACKEY, Chad y Kirk WILLIAMS. 1995. Social Bonding and the Cessation of Partner Violence Across Generations. **Journal of Marriage and the Family**. 57:295-305.

LAND, Kenneth, Patricia McCALL and L. COHEN. 1990. Structural covariates of Homicide Rates: Are There Any Variances Across Time and Social Space. **American Journal of Sociology.** 95:922-963.

LAND, Kenneth C., Patricia McCALL y Daniel NAGIN. 1996. A Comparison of Poisson, Negative Binomial, and Semiparametric Mixed Poisson Regression Models. **Sociological Methods and Research** 24(4):387-442.

LANGAN, Patrick y Christopher INNES. 1986. **Preventing Domestic Violence Against Women**. Washington, DC: US Bureau of Justice Statistics.

LANGHINRICHSEN-ROHLING, Jennifer, Peter NEIDIG, and George THORN. 1995. Violent Marriages: Gender Differences in Levels of Current Violence in Past Abuse. **Journal of Family Violence.** 10(2):159-176.

LANGHINRICHSEN-ROHLING, Jennifer y Dina VIVIAN. 1994. The Correlates of Spouses' Incongruent Reports of Marital Aggression. **Journal of Family Violence.** 9(3):265-284.

LANGLEY, John, Judy MARTÍN y Shyamala NADA-RAJA. 1997. Physical Assault Among 21-Year-Olds by Partners. **Journal of Interpersonal Violence.** 12(5):675-684.

LAPSLEY, Hilary. 1993. **The Measurement of Family Violence: A Critical Review of the Literature.** Wellington (Nueva Zelanda): Social Policy Agency.

LARZELERE, Robert y Gerald PATTERSON. 1990. Parental Management: Mediator of the Effect of Socioeconomic Status on Delinquency. **Criminology.** 28(2):301-324.

LATTIMORE, Pamela K., C.A. VISHER y R.L. LINSTER. 1994. Specialization in Juvenile Careers: Markov Results for a California Cohort. **Journal of Quantitative Criminology** 10(4):291-316.

LAUMAKIS, Mark, Gayla MARGOLIN y Richard JOHN. 1998. The Emotional, Cognitive, and Coping Responses of Preadolescent Children to Different Dimensions of Marital Conflict en George Holden, Robert Geffner y Ernest Jouriles (Eds.), **Children Exposed to Marital Violence: Theory, Research, and Applied Issues**, Washington, DC: American Psychological Association.

LAUNIUS, Margaret y Carol Ummel LINDQUIST. 1988. Learned Helplessness, External Locus of Control, and Passivity in Battered Women. **Journal of Interpersonal Violence.** 3(3):307-318.

LeBEAU, James. 1994. The Temporal Ecology of Calls for Police Service en Diane Zhan y Paul Cromwell (Eds.). **Proceedings of the International Seminar on Environmental Criminology and Crime Analysis** Miami: Florida Criminal Justice Executive Institute.

LeBLANC, Marc, Richard TREMBLAY, David FARRINGTON et al. 1997. Crime Prevention by Early Intervention. **European Journal on Criminal Policy and Research.** 5(2):5-114.

LEIBRICH, Julie, Judy PAULIN y Robin RANSOM. 1995. **Hitting Home. Men Speak About Abuse of Women Partners**. Wellington: Department of Justice New Zealand, Special Edition Criminal Justice Quarterly.

LEMERT, Charles. 1997. **Postmodernism is Not What You Think**. Oxford: Blackwell.

LENTON, Rhonda L. 1995. Power versus feminist theories of wife abuse» **Canadian Journal of Criminology**. July:305-330.

LENTZNER, H.R. y M.M. DEBERRY. 1980. **Intimate Victims: A Study of Violence Among Friends and Relatives**. Washington, DC: US Bureau of Justice Statistics.

LEONARD, Kenneth. 1993. Drinking Patterns and Intoxication in Marital Violence: Review, Critique, and Future Directions for Research enn Susan Martin (Ed.). **Alcohol and Interpersonal Violence: Fostering Multidisciplinary Perpespectives** Research Monograph 24. Rockville, MD: National Institute on Alcohol Abuse and Alcoholism.

LEONARD, K.E., BROMMET, E.J., PARKINSON, D.K., DAY, N.L. y RYAN, C.M., Patterns of Alcohol Abuse and Physically Aggressive Behavior in Men. **Journal of Studies on Alcohol**. 46:279-282.

LEONARD, Kenneth E. y Howard T. BLANE. 1991. Alcohol and Marital Aggression in a National Sample of Young Men. **Journal of Interpersonal Violence**. 7(1):19-30.

LEVINSON, David. 1989. **Family Violence in Cross Cultural Perspective**. Newbury Park, CA: Sage.

LEWIS, Bonnie Yegidis. 1987. Psychosocial Factors Related to Wife Abuse. **Journal of Family Violence**. 2(1):1-10.

LIMA MALVIDO, Rosa. 1988. **Criminalidad Femenina: Teorias y Reaccion Social**. Mexico: Porrua.

LIMANDRI, Barbara J. y Daniel J. SHERIDAN. 1995. Prediction of Intentional Interpersonal Violence: An Introduction, en Jacquelyn C. Campbell (ed.). **Assessing Dangerousness. Violence by Sexual Offenders, Batterers, and Child Abusers**. Thousand Oaks: Sage.

LINK, Bruce, John MONAHAN, Ann STUEVE y Francis CULLEN. 1999. Real in Their Consequences: A Sociological Approach to Understanding the Association Between Psychotic Symptoms and Violence. **American Sociological Review**. 64:316-332.

LINSKY, Arnold S., Ronet BACHMAN y Murray STRAUS. 1995. **Stress, Culture, & Aggression**. New Haven: Yale University Press.

LISKA, Allen y Paul BELLAIR. 1995. Violent Crime Rate and Racial Composition: Convergence Over Time. **American Journal of Sociology**. 101(3):578-610.

LISKA, Allen y Mitchell CHAMLIN. 1984. Social Structure and Crime Control Among Macro-Social Units. **American Journal of Sociology**. 90(2):383-395.

LISKA, Allen, John LOGAN y Paul BELLAIR. 1998. Race and Violent Crime in the Suburbs. **American Sociological Review**. 63(1):27-38.

LLOYD, Sally A. 1990. Asking the Right Questions about the Future of Marital Violence Research, en Douglas J. Besharov (Ed.). **Family Violence**. Washington: AEI Press.

   – 1990. Conflict Types and Strategies in Violent Marriages. **Journal of Family Violence**. 5(4):269-284.

LLOYD, Sam, Graham FARRELL y Ken PEASE. 1994. Preventing Repeated Domestic Violence: A Demonstration Project on Merseyside. **Crime Prevention Unit Series**. 49. London: Home Office Police Department.

LOCKHART, Lettie y Barbara WHITE. 1989. Understanding Marital Violence in the Black Community. **Journal of Interpersonal Violence.** 4(4):421-436.

LOCHART, Lettie L., Barbara W. WHITE, Vicki CAUSBY y Alicia ISAAC,. 1994. Letting Out the Secret: Violence in Lesbian Relationships. **Journal of Interpersonal Violence**. 9(4):469-492.

LOEBER, Rolf y Magda SOUTHAMER-LOEBER.1998. Juvenile Aggression at Home and at School, en Delbert Elliott, Beatrix Hamburg y Kirk Williams (Eds.), **Violence in American Schools**, Cambridge: Cambridge University Press.

LOGAN, J.R. y Steven MESSNER. 1987. Racial Residential Segregation and Suburban Violent Crime. **Social Science Quarterly** 68:510-527.

LÓPEZ, Felix. 1994. **Abusos sexuales a menores**. Madrid: Ministerio de Asuntos Sociales.

LÓPEZ GARRIDO, Diego. 1987. **El aparato policial en Espana**. Barcelona: Ariel.

LORENTE ACOSTA, Miguel y Jose Antonio LORENTE ACOSTA. 1998. **Agresion a la Mujer: Maltrato, Violación y Acoso**. Granada: Comares.

LOSEKE, Donileen. 1992. **The Battered Women and Shelters. The Social Construction of Wife Abuse**. Albany, NY: State University of New York Press.

LOVING, Nancy. 1982. Developing Operational Procedures for Police Use, en Maria Roy (ed), **The Abusive Partner. An Analysis of Domestic Battering**. New York: Van Nostrand Reinhold Company.

LUCKENBILL, D.F. 1977. Criminal Homicide as a Situated Transaction. **Social Problems**. 25:176-186.

LYNCH, James. 1996. Clarifying Divergent Estimates of Rape from Two National Surveys. **Public Opinion Quarterly**. 60:410-430.

MacEWEN, Karyl E. 1994. Refining the Intergenerational Transmission Hypothesis. **Journal of Interpersonal Violence**. 9(3):350-365.

MacEWEN, Karyl E. y Julian BARLING. 1988. Multiple Stressors, Violence in the Family of Origin, and Marital Aggression. **Journal of Family Violence**. 3(1):73-87.

MACMILLAN, R. y R. GARTNER. 1996. Labour Force Participation and Risk of Spousal Violence among Women: Examining the Complexities of Employment in a National Sample. Comunicacion presentada en el **48th American Society of Criminology**.

MAGDOL, Lynn, Terrie e. MOFFITT, Avshalom CASPI, Denise L. NEWMAN, Jeffrey FAGAN, y Phil A. SILVA (1997). Gender Differences in Partner Violence in a Birth Cohort of 21-Year-Olds: Bridging the Gap Between Clinical and Epidemiological Approaches. **Journal of Consulting and Clinical Psychology**. 65(1): 68-78.

MAGDOL, Lynn, Terrie MOFFITT, Avshalom CASPI y Phil SILVA. 1998a. Hitting Without a License: Testing Explanations for Differences in Partner Abuse Between Young Adult Daters and Cohabitors. **Journal of Marriage and the Family**. 60(1):41-55.

   − 1998b. Developmental Antecedents of Partner Abuse: a Prospective-Longitudinal Study. **Journal of Abnormal Psychology**. 107(3):375-389.

MAHER, Lisa y Richard CURTIS. 1992. Women on the Edge of Crime: Crack Cocaine and the Changing Context of Street-Level Sex Work in New York City. **Crime, Law and Social Change**. 18:221-258.

MAHONEY, Martha (1991). Legal Images of Battered Women: Redefining the Issue of Separation. **Michigan Law Review**. 90(1): 165-94.

MAIURO, Roland, Travis LAXTON, Peter VITALIANO y Steven WRIGHT. 1997. Psychosocial Profiles of Sexually Abusive and Nonsexually Abusive Domesticaly Violent Men: a Comparative Study. Ponencia presentada en la **5th International Family Violence Research Conference**, University of New Hamphsire-Durham.

MAIURO, Roland D., Timothy S. CAHN y Peter P. VITALIANO. 1986. Assertiveness Deficits and Hostility in Domestically Violent Men. **Violence and Victims**. 1(4):

MAIURO, R.D., T.S. CAHN, P.P. VITALIANO, B.C. WAGNER y J.B. ZEGREE. 1988. Anger, Hostility and Depression in Domestically Violent Versus Generally Assaultive Men and Nonviolent Control subjects. **Journal of Consulting and Clinical Psychology**. 56(1): 17-23.

MAKEPEACE, James. 1986. Gender Differences in Courtship Violence Victimization. **Family Relations: Journal of Applied Family and Child Studies**. 35(3):383-388.

MALAMUTH, Neil., Robert SOCKLOSKIE, Mary KOSS y J.S. TANAKA. 1991. Characteristics of Aggresors Against Women: Testing a Model Using a National Sample of College Students. **Journal of Consulting and Clinical Psychology**. 59(5):670-681.

MALONE, Jean, Andrea TYREE y K. Daniel O'LEARY. 1989. Generalization and Containment: Different Effects of Past Aggression for Wives and Husbands. **Journal of Marriage and the Family**. 51:687-697.

MALQUIST, Carl P. (1995). Depression and Homicidal Violence. **International Journal of Law and Psychiatry**. 18(2):145-162.

MANN, Coramae R. 1996. **When Women Kill**. Albany, NY: State University of New York Press.

MANNING, Peter. 1996. The Preventive Conceit: The Black Box in Market Context, en Eve Buzawa y Carl Buzawa (eds.). **Do Arrests and Restraining Orders Work?** Thousand Oaks: Sage.

MARANS, Steven, Steven BERKOWITZ y Donald COHEN. 1998. Police and Mental Health Professionals: Collaborative Responses to the Impact of Violence in Children and Families. **The Child Psychiatrist in the Comunity**. 7(3):635-651.

MARCINIAK, Elizabeth. 1994. **Community Policing of Domestic Violence: Neighborhood Differences in the Effect of Arrest**. Ann Arbor: UMI Dissertation Service.

MARCUS, Isabel. 1994. Reframing 'Domestic Violence': Terrorism in the Home, en Martha Fineman y Roxanne Mykitiuk. (ed.). **The Public Nature of Private Violence. The Discovery of Domestic Abuse**. London:Routlledge.

MARGOLIN, G., B. BURMAN, R.S. JOHN y M. O'BRIEN. 1990. **The Domestic Conflict Instrument**. Los Angeles: Southern University of California.

MARGOLIN, G., R. JOHN y L. GLEBERMAN. 1988. Affective Responses to Conflictual Discussions in Violent and Nonviolent Couples. **Journal of Consulting and Clinical Psychology**. 56:24-33.

MARGOLIN, Leslie, Patricia B. MORAN y Melody MILLER. 1989. Social Approval for Violations of Sexual Consent in Marriage and Dating. **Violence and Victims**. 4(1):45-55.

MARGULIES, Peter. 1995. Representation of Domestic Violence Survivors as a New Paradigm of Poverty Law: In Search of Access, Connection, and Voice. **George Washington Law Review**. 63(6):1071-1104

MARIN, N. A. CABA, B. ORTIZ, E. PÉREZ, L. MARTÍNEZ, M. LÓPEZ, H. FORNIELES y M. DELGADO. 1997. Determinantes socioeconomicos y uso de los servicios hospitalarios de urgencia. **Medicina Clinica**.108(19):726-729.

MARSHALL, Ineke (Ed.). 1997. **Minorities, Migrants, and Crime: Diversity and Similarity Across Europe and the United States**. Thousand Oaks, CA: Sage.

MARSHALL, Linda L. 1992. Development of the Severity of Violence Against Women Scales. **Journal of Family Violence**. 7(2):103-121.

MARTÍN, Margaret. 1997. Double Your Trouble: Dual Arrest in Family Violence. **Journal of Family Violence**. 12(2): 139-157.

MARTÍN FERNÁNDEZ, Manuel. 1990. **La profesion de policia**. Madrid: CIS-Siglo XXI.

– 1994. **Mujeres policia**. Madrid: CIS-Siglo XXI.

MARTÍNEZ, Ramiro. 1996. Latinos and Lethal Violence: The Impact of Poverty and Inequality. **Social Problems**. 43(2):131-147.

MARTÍNEZ-GARCÍA, Theresa. 1987. Culture and Wife-Battering Among Hispanics in New Mexico en Jess Kraus, Susan Sorenson y Paul Juarez (Eds.). **Proceedings of the Research Conference on Violence and Homicide in Hispanic Communities**. Los Angeles, CA: UCLa Publication Services.

MARTÍNEZ ROIG, A. y J. DE PAUL OCHOTORENA. 1993. **Maltrato y abandono en la infancia**. Madrid: Martinez Roca.

MARTÍNEZ NOVO, Susana. 1998. Aspectos Jurídicos de la Violencia Doméstica en el Ambito Civil. En Comisión para la Investigación de Malos Tratos para la Mujer **Otra Frontera Rosa (I). Aspectos Jurídicos de la Violencia Doméstica** Madrid:Entinema.

MASAMURA, Wilfred. 1979. Wife Abuse and Others Forms of Aggression. **Victimology: An International Journal**. 4(1):46-59.

MASON, Avonne y Virginia BLANKENSHIP. 1987. Power and Affiliation Motivation, Stress, and Abuse in Intimate Relationships. **Journal of Personality and Social Psychology**. 52(1):203-210.

MASSEY, Douglas y Nancy DENTON. 1993. **American Apartheid. Segregation and the Making of the Underclass**.Cambridge: Harvard University Press.

MASSEY, Douglas y Kumiko SHIBUYA. 1995. Unraveling the Tangle of Pathology: The Effect of Spatially Concentrated Joblessness on the Well-Being of African Americans. **Social Science Research**.24(4):352-366.

MATSUEDA, Ross y Kathleen ANDERSON. 1998. The Dynamics of Delinquent Peers and Delinquent Behavior. **Criminology**. 36(2):269-309.

MATZA, David. 1964. **Delinquency and Drift**. New York: John Wiley.

MAXFIELD, Michael. 1989. Circumstances in Supplementary Homicide Reports: Variety and Validity. **Criminology** 27(4):671-695.

MAXFIELD, Michael G. y Cathy S. WIDOM. 1996. The Cycle of Violence. Revisited y Years Later. **Archive of Pediatry and Adolescent Medicine**. 150: 390-395.

MAXWELL, Christopher. 1998. **The Specific Deterrent Effect of Arrest on Aggression Between Intimates and Spouses**. Tesis doctoral presentada en la Escuela de Justicia Criminal de Rutgers University el 30 de abril de 1998.

MAYHEW, Pat. 1994. Comment on Victimization Surveys, **European Journal on Criminal Policy and Research**. 2(4):36-47.

MAYHEW, Pat y Jan VAM DIJK. 1997. **Criminal Victimisation in Eleven Industrialized Countries: Key Findings from the 1996 International Crime Victims Survey**. Amsterdam: Netherlands Ministry of Justice.

McCAULEY, J., R.A. YURK, M.W. JENCKES y D.E. FORD. 1998. Inside Pandora's Box: Abused Women's Experiences With Clinicians and Health Services. **Journal of General Internal Medicine**. 13(8):549-555.

McCLOSKEY, Laura Ann. 1996. Socioeconomic and Coercive Power Within the Family. **Gender and Society**. 10(4):449-463.

McCORD, Joan. 1997. Placing American Urban Violence in Context en Joan McCord (Ed.). **Violence and Childhood in the Inner City**. Cambridge: Cambridge University Press.

McFARLANE, Judith, Barbara PARKER, Karen SOEKEN y Linda BULLOCK. 1992. Assessing for Abuse During Pregnancy: Severity and Frequency of Injuries and Associated Entry Into Prenatal Care. **Journal of American Medical Association**. 267(23):3176-3178.

McFARLANE, Judith, Barbara PARKER y Karen SOEKEN. 1996. Abuse During Pregnancy: Associations With Maternal Health And Infant Birth Weight. **Nursing Research**. 45(1):37-42.

McHUGH, Maureen. 1993. Studying Battered Women and Batterers: Feminist Perspectives on Methodology, en Hansen y Harway (Ed.). **Battering and Feminist Theory**. Newbury Park: Sage.

McCLOSKEY, L.A, FIGUEREDO, A.J. y M. KOSS. 1995. The Effects of Systemic Family Violence on Children's Mental Health@ **Child Development**. 66:1239-1261.

McDONALD, R. y E. JOURILES. 1991. Marital Aggression and Child Behavior Problems: Research Findings, Mechanisms and Intervention Strategies. **Behavior Therapist**. 14:189-192.

McLEER, S. y R. ANWAR (1989). A Study of Women Presenting in an Emergency Department. **American Journal of Public Health**. 79:65-67.

McLEOD, Maureen. 1984. Women Against Men: An Examination of Domestic Violence Based on an Analysis of Official Data and National Victimization Data. **Justice Quarterly**.1:171-193.

McMAHON, M. y E. PENCE. 1993. Doing More Harm than Good? Some Cautions on Visitation Centers en E. Peled, PG. Jaffe y J.L Edleson (Eds.). **Ending the Cycle of Violence: Community Responses to Children of Battered Women**. Newbury Park: SAGE.

MEDINA ARIZA, Juan José. 1994 Criminalidad Violenta, Sociedad, y Mujer. **Ciencia Jurídica**. 60:
    — 1995. Willingness to Report Domestic Violence to the Police. Comunicacion presentada en el **V Congreso Internacional sobre Violencia Familiar** celebrado en el Family Research Laboratory, University of New Hampshire.
    — 1997a. El Control Social a traves de la Prevencion Situacional de la Prevencion Situacional del Delito, en Per Stangeland (Ed.). **Cuadernos de Derecho Judicial: La Criminologia Aplicada**. Madrid: Consejo General del Poder Judicial.
    — 1997b. An Ethnographic Comparison of African-American and Hispanic Male Batterers. Ponencia presentada en el **49 Congreso Anual de la Sociedad Americana de Criminologia**, San diego, noviembre de 1997.
    — 1998. **PSA-2 Experiment: Internal Technical Report**. Informe interno no publicado.

- 1999. Commentaries on Women and Criminal Justice by Katarina Tomasevski en Matti Joutsen (ed.). **Five Issues in European Criminal Justice: Corruption, Women in the Criminal Justice System, Criminal Policy Indicators, Community Crime Prevention, and Computer Crime**. Helsinki: HEUNI.

MEDINA ARIZA, Juan Jose y Angela TAYLOR. 1997. Examining Violence Against Women in a Cross-National Context. Ponencia presentada en el **49 Congreso Anual de la Sociedad Americana de Criminologia**, San Diego, noviembre de 1997.

MEDINA DE SALUSTIANO, Javier. 1991. Programa de prevención de la violencia familiar. La intervención psicológica como alternativa a las medidas penales. **Papeles del Psicólogo**. 48.

MEIER, Joan. 1993. Notes from the Underground: Integrating Psychological and Legal Perspectives on Domestic Violence in Theory and Practice. **Hofstra Law Review**. 21. 59-60.

MENARD, Scott. 1991. **Longitudinal Research**. Newbury Park: Sage.

MENARD, Scott, Sharon MIHALIC, Barbara J. MORSE y Byron BURTON. 1994. **The National Youth Survey: an Overview and Description of Recent Findings**. National Youth Survey Project Report Number 57, University of Colorado.

MESSERSCHMIDT, James. 1993. **Masculinities and Crime: Critique and Reconceptualization of Theory**. Lanham, MD: Rowman and Littlefield.

MIETHE, Terance y Richard McCORKLE. 1998. **The Anatomy of Dangerous Persons, Places, and Situations**. Los Angeles, CA: Roxbury Publishing Company.

MIHALIC, Sharon y Delbert ELLIOTT. 1997a. A Social Learning Theory Model of Marital Violence. **Journal of Family Violence**. 12(1): 21-47

- 1997b. If Violence is Domestic, Does it Really Count? **Journal of Family Violence**. 12(3):293-311.

MIHALIC, Sharon, Delbert ELLIOT, and Scott MENARD. Continuities in Marital Violence. **Journal of Family Violence**. 9(3):195-226.

MILES-DOAN, R. y S. KELLY. 1997. Geographic Concentration of Violence Between Intimate Partners. **Public Health Reports**. 112:135-141.

MILES-DOAN, Rebecca. 1998. Violence Between Spouses and Intimates: Does Neigborhood Context Matter?. **Social Forces**. 77(2):623-645.

MILLER, Susan Lynn. 1992. **The Deterrent and General Preventive Effects of Sanction Threats on Violence Between Intimates**. Ann Arbor: UMI Dissertation Services.

MILLER, Susan y Rosemary BARBERET. 1994. A Cross-Cultural Comparison of Social Reform: The Growing Pains of the Battered Women's Movements in Washington, D.C., and Madrid, Spain. **Law & Social Inquiry. Journal of the American Bar Foundation**. 19(4):

MILLER, Susan y Cynthia BURAK. 1999. A Critique of Gottfredson and Hirschi=s General Theory of Crime: Selective (In)attention to Gender and Power Positions. **Women and Criminal Justice**. 4:115-134.

MILLER, Susan L. y Sally S. SIMPSON. 1991. Courtship Violence and Social Control: Does Gender Matter?. **Law and Society Review**. 25(2): 335-363.

– 1994. Expanding the Boundaries: Toward a More Inclusive and Integrated Study of Intimate Violence. **Violence and Victims**. 9(2):183-195.

MILLS, Linda. 1996. On the Other Side of Silence: Affective Lawyering for Intimate Abuse. **Cornell Law Review**. 81:225-1263.

MILLS, Trudy. 1984. Victimization and Self-Esteem: On Equating Husband Abuse and Wife Abuse. **Victimology: An International Journal**. 9(2):254-261.

MINOR, Williams. 1981. Techniques of Neutralization: A Reconceptualization and Empirical Examination. **Journal of Research in Crime and Delinquency**. 18(2):295-318.

MIRANDE, Alfredo. 1997. **Hombres y Machos: Masculinity and Latino Culture**. Boulder, CO: Westview Press.

MIRLEES-BLACK, Catriona. 1999. **Domestic Violence: Findings from a New british Crime Survey Self-Completion Questionnaire**. London: Home Office Research Study 191.

MIRLEES-BLACK, Catriona, Pat MAYHEW y Andrew PERCY. 1996. The 1996 British Crime Survey. England and Wales. **Home Office Statistical Bulletin**. 19/96.

MOFFIT, Terrie. 1997. Adolescent-Limited and Life-Course-Persistent Offending: A Complementary Pair of Developmental Theories, en Terence Thornberry (Ed.). **Developmental Theories of Crime and Delinquency. Advances in Criminological Theory, Vol. 7.** New Brunswick (NJ): Transaction Publishers.

MOFFITT, Terrie y Avshalom CASPI. 1999. **Findings About Partner Violence From the Dunedin Multidisciplinary Health and Development Study**. Washington, DC: National Institute of Justice: Research on Brief.

MOFFIT, T., A. CASPI, R. KRUEGER, L. MAGDOL, G. MARGOLIN, P.A. SILVA y R. SYDNEY. 1997. Do Partners Agree About Abuse in Their Relationship? A Psychometric Evaluation of Interpartner Agreement. **Psychological Assessment**. 9:47-56.

MOFFIT, Terrie E., Sarnoff MEDNICK y William GABRIELLI. 1989. Predicting Careers of Criminal Violence: Descriptive Data and Predispositional Factors en David A. Brizer y Martha L. Crowner (Eds.). **Current Approaches to the Prediction of Violence**. Washington, DC: American Psychiatric Press.

MOFFIT, Terrie E. y Phil SILVA. 1988. IQ and Delinquency: a Direct Test of the Differential Detection Hypothesis. **Journal of Abnormal Psychology**. 97(3):330-333.

MOLLENKOPF, John y Manuel CASTELLS (Eds.) 1992. **The Dual City. Restructuring New York**. New York: Russell Sage Foundation.

MONAHAN, John. 1996. Mental Illness and Violent Crime. Washington (DC): Bureau of Justice Statistics.

MONSON, Candice y Jennifer LANGHINRICHSEN-ROHLING. 1997. Sexual and Nonsexual Marital Aggression: Legal Considerations, Epidemiology, and an Integrated Typology of Perpetrators. Comunicacion presentada en el **V Congreso Internacional sobre Violencia Familiar** celebrado en el Family Research Laboratory, University of New Hampshire.

MONTBACH. 1988. The Screening and Diversion of Battered Women in the NYC Emergency Housing System. Informe final depositado en Victim Services.

MOONEY, Jayne. 1993. **The Hidden Figure: Domestic Violence in North London**. Centre for Criminology, School of Sociology and Social Policy, Middlesex University.

    –   1995. **Violence, Space and Gender: The social and spatial Parameters of Violence Against Women**. Centre for Criminology, School of Sociology and Social Policy, Middlesex University.

MOORE, Angela. 1997. AIntimate Violence: Does Socioeconomic Status Matter?@ en Albert Cardarelli (Ed.). **Violence Between Intimate Partners. Patterns, Causes and Effects**. Boston: Allyn and Bacon.

MOORE, Angela M. y Abraham N. TENNENBAUM. 1994. Why is there an Exceptional Sex Ratio of Spousal Homicide in the United States? A Replication and Extension of Wilson and Daly. **Journal of Contemporary Criminal Justice**. 10(3):164-183.

MOORE, Timothy y Debra PEPLER. 1998. Correlates of Adjustment in Children at Risk en George Holden, Robert Geffner y Ernest Jouriles (Eds.). **Children Exposed to Marital Violence: Theory, Research, and Applied Issues**. Washington, DC: American Psychological Association.

MOORE, Joan y Raquel PINDEHUGHES. 1993. **In the Barrios. Latinos and the Underclass Debate**. New York, NY: Russell Sage Foundation.

MOORE, Mark. 1995. Public Health and Criminal Justice Approaches to Prevention en Michael Tonry and David Farrington (Eds.). **Building a Safer Society. Crime and Justice: A Review of Research. Volume 19**. Chicago: University of Chicago Press.

MORENOFF, Jeffrey y Robert SAMPSON. 1997. Violent Crime and the Spatial Dynamics of Neighborhood Transition: Chicago, 1970-1990. **Social Forces**. 76(1):31-64.

MORENOFF, Jeffrey y Marta TIENDA. 1997. Underclass Neighborhoods in Temporal and Ecological Perspective. **Annals American Academy of Political Sciences**. 551, May 1997: 59-72.

MORGAN, Rod y Tim NEWBURN. 1997. **The Future of Policing**. Oxford: Oxford University Press.

MORLEY, Rebecca. 1994. Wife Beating and Modernization: The Case of Papua New Guinea. **Journal of Comparative Family Studies**. 25(1):25-52.

MORLEY, Rebecca y Audrey MULLENDE. 1994. Preventing Domestic Violence to Women. **Crime Prevention Unit Series**. Paper No. 48. London: Home Office Police Department.

MORRIS, Alison. 1997. **Women=s Safety Survey 1996**. Wellington (Nueva Zelanda): Victimization Survey Committee.

MORSE, Barbara J. 1995. Beyond the Conflict Tactics Scale: Assessing Gender Differences in Partner Violence. **Violence and Victims**. 10(4):251-272.

MOWRER, Ernest R. 1927. **Family Disorganization. An Introduction to the Sociological Analysis**. Chicago: Chicago University Press.

MUELLEMAN, R.L., P.A. LENAGHAN y R.A. PAKIESER. 1998. Nonbattering Presentations to the ED of Women in Physically Abusive Relationships. **American Journal of Emergency Medicine**. 16(2):128-131.

MURPHY, Christopher, Shannon MEYER y Daniel O'LEARY. 1994. Dependency Characteristics of Partner Assaultive Men. **Journal of Abnormal Psychology**. 103(4):729-735.

MURPHY, Christopher M. y Daniel O'LEARY. 1994. Research Paradigms, Values, and Spouse Abuse. **Journal of Interpersonal Violence**. 9(2):207-223.

NAFFINE, Ngaire. **Feminism and Criminology**. Philadelphia: Temple University Press.

NAGIN, Daniel, David FARRINGTON y Terrie MOFFIT. 1995. Life-Course Trajectories of Different Types of Offenders. **Criminology**. 33(1):111-140.

NARDI, Peter (ed.).1992. **Men's Friendships**. Newbury Park, CA: Sage.

NATIONAL CRIME PREVENTION. 1998. **Pathways to Prevention: Early Intervention.** National Crime Prevention, Commonwealth Attorney's-General Department.

   - 1999a. **Working with Adolescents to Prevent Domestic Violence: Rural Town Model.** National Crime Prevention, Commonwealth Attorney's-General Department.
   - 1999b. **Working with Adolescents to Prevent Domestic Violence: Indigenous Rural Model.** National Crime Prevention, Commonwealth Attorney's-General Department.

NATIONAL RESEARCH COUNCIL. 1993. **Understanding and Preventing Violence**. **Volume One**. National Academy Press, Washington DC.

NEAPOLITAN, Jerome L. 1996. Cross-National Crime Data: Some Unaddressed Problems. **Journal of Crime and Justice**. 29(1):95-112.

NEDEGARD, Randall, Tracy SBROCCO, Stephen BRANNEN, Jerome SINGER y Michael FEUERSTEIN. 1997. Deciding to be Violent: The Perceived Utility of Abusive Behavior in Marriage. Comunicacion presentada en la **V Conferencia Internacional de Violencia Familiar**, New Hampshire University.

NEFF, James A., Bruce HOLAMAN y Tracy D. SCHLUTER. 1995. Spousal Violence Among Anglos, Blacks, and Mexican Americans: The Role of Demographic Variables, Psychosocial Predictors, and Alcohol consumption. **Journal of Family Violence.** 10(1): 1-22.

NEIDIG, Peter, Dale H. FRIEDMAN y Barbara S. COLLINS. 1986. Attitudinal Characteristics of Males Who Have Engaged in Spouse Abuse. **Journal of Family Violence**. 1(3):223-233.

NEWBURN, Tim Y Elizabeth STANKO. (Eds.) 1994. **Just Boys Doing Business? Men, Masculinities, and Crime**. London: Routledge.

NEWMAN, K. 1993. Giving Up: Shelter Experiences of Battered Women. **Public Health Nursing**. 10:108-113.

NEWMAN, Oscar. 1972. **Defensible Space: Crime Prevention Through Urban Design**. New York: Macmillan.

NUTTALL, Christopher (Dir.). 1998. **Reducing Offending: an Assessment of Research Evidence on Ways of Dealing With Offending Behaviour**. London: Home Office.

O'BRIEN, J. 1974. Violence in Divorce Prone Families. **Journal of Marriage and Family**. 33:692-698.

O'BRIEN, Robert. 1991. Sex Ratios and Rape Rates: A Power-Control Theory. **Criminology**. 29(1);99-114.

OGLE, Robbin, Daniel MAIER-KATKIN y Thomas BERNARD. 1995. A Theory of Homicidal Behavior Among Women **Criminology**. 33(2):173-193.

O'HEARN, Robin y Keith DAVIS. 1997. Women's Experience of Giving and Receiving Emotional Abuse: An Attachment Perspective. **Journal of Interpersonal Violence**. 12(3):375-391.

O'KEEFE, M. 1994. Adjustment of Children From Maritally Violent Homes. **Families in Society**. 75:403-415.

O'LEARY, K. Daniel. 1993. Through a Psychological Lens: Personality Traits, Personality Disorders, and Levels of Violence en Richard J. Gelles y Donileen R. Loseke (Eds.). **Current Controversies on Family Violence**. Newbury Park: Sage.

O'LEARY, K. Daniel y Ileana ARIAS. 1987. Assessing Agreeement of Reports of Spouse Abuse, en Gerald Hotaling. (Ed.). **Proceedings of the Second National Conference for Family Violence Researchers**. Beverly Hills: Sage.

—   1985. Prevalence, Correlates and Development of Spouse Abuse en J. McHahon (Ed.). **Marriage and Families: Behavioral Treatments and Processes**. New York: Brunner-Mazel.

O'LEARY, K.D., R.E. HEYMAN y P.H. NEIDIG. 1989. Prevalence and Stability of Violence Between Spouses: A Longitudinal Study. **Journal of Consulting and Clinical Psychology**. 57:263-268.

O'LEARY, K.D., J. MALONE y A. TYREE. 1994. Physical Aggression in Early Marriage: Prerelationship and Relationship Effects. **Journal of Consulting and Clinical Psychology**. 62:3, 594-602.

O'LEARY, K.D., D. VIVIAN y J. MALONE. 1992. Assessment of Physical Aggression Against Women in Marriage: the Need for Multimodal Assessment. **Behavior Assessment**. 14:5-14.

OLSON, L., C. ANTIL, L. FULLERTON, J. BRILLMAN, J. ARBUCKLE y D. SKLAR. 1996. Increasing Emergency Physician Recognition of Domestic Violence. **Annals of Emergency Medicine**. 27(6):741-746.

OLWEUS, Dan. 1979. AStability of Aggressive Reaction Patterns in Males: A Review@. **Psychological Bulletin**. 86:852-875.

—   1993. **Bullying at School. What We Know and What We Can Do**. Oxford: Blacwell.

O'NEIL, Michael. 1979. A Little Help From Our Friends: Citizen Predisposition to Intervene in Spouse Abuse. **Law and Policy Quarterly**. 1(2):177-206.

OPPELANDER, Nan. 1982. Coping In or Coping Out. **Criminology**. 20:449-465.

OSGOOD, D. Wayne y Janet K. WILSON. 1996. Violence, Routine Activities, and the Transition From Adolescence to Adulthood. Comunicacion presentada en la reunion anual de la **American Society of Criminology**, Chicago, noviembre de 1996.

OSOFKSY, Joy. 1998. Children as Invisible Victims of Domestic and Community Violence en George Holden, Robert Geffner y Ernest Jouriles (Eds.). **Children Exposed to Marital Violence: Theory, Research, and Applied Issues**. Washington, DC: American Psychological Association.

O'SULLIVAN, Chris. 1998. **Coordination of Domestic Violence Cases in Criminal and Family Court: An Inquiry and Recommendations**. New York: Victim Services, Inc.

O'TOOLE, Richard. 1988. Differentiation of Family Mistreatment: Similarities and Differences by Status of the Victim. **Deviant Behavior**. 347-368.

PADILLA, Felix. 1992. **The Gang as an American Enterprise: Puerto Rican Youth and the American Dream**. New Brunswick, NJ: Rutgers University Press.

PAGELOW, Mildred. 1984. **Family Violence**. New York: Prager.

PAINTER, Kate y David FARRINGTON. 1998. Marital Violence in Great Britain and its Relationship to Marital and Non-Marital Rape. **International Review of Victimology**. 5(3/4):257-276.

PALLONE, Nathaniel y James HENNESSY. 1996. **Tinder-Box Criminal Aggression: Neuropsychology, Demography, Phenomenology**. New Brunswick, NJ: Transaction Publishers.

PALMER, S., R. BROWN y M. BARRERA. 1992. Group Treatment Program for Abusive Husbands: Long Term Evaluation. **American Journal of Orthopsychiatry**. 62(2):276-283.

PAN, Helen S., Peter H NEIDIG y K. Daniel O'LEARY. 1994a. Male-Female and Aggressor-Victim Differences in the Factor Structure of the Modified Conflict Tactics Scale. **Journal of Interpersonal Violence**. 9(3):366-382.
     – 1994b. Predicting Mild and Severe Husband-to-Wife Physical Aggression. **Journal of Consulting and Clinical Psychology**. 62:975-981.

PAQUIN, Gary W. 1994. A Statewide Survey of Reactions to Neighbors' Domestic Violence. **Journal of Interpersonal Violence**. 9(4):493-502.

PARKER, Robert Nash y Allison M. TOTH. 1990. Family, Intimacy, and Homicide: A Macro-Social Approach. **Violence and Victims**. 5(3):195-210.

PARNAS, Raymond. 1993. Criminal Justice Responses to Domestic Violence en Lloyd Ohlin y Frank Remington (Eds.). **Discretion in Criminal Justice. The Tension Between Individualization and Uniformity**. Albany, NY: State University of New York Press.

PATERNOSTER, Raymond, Ronet BACHMAN, Robert BRANE y Lawrence W. SHERMAN. 1997. Do Fair Procedures Matter? The Effect of Procedural Justice on Spouse Assault. **Law and Society Review**. 31(1):163-204.

PATTERSON, E.B. Poverty, Income Inequality, and Community Crime Rates. **Criminology**. 29(4):701-724.

PEARSON, Jessica. 1997. **Divorce Mediation and Domestic Violence**. Denver (CO): Center for Policy Research.

PEASE, Ken. 1998. **Repeat Victimisation: Taking Stocks**. London: Police Research Group (UK Home Office).

PELED, E. y D. DAVIS. 1995. **Groupwork with Children of Battered Women: A Practitioner=s Manual**. Thousand Oaks, CA: Sage.

PELED, E. Peter JAFFE y J. EDLESON (Eds.). 1995. **Ending the Cycle of Violence: Community Responses to Children of Battered Women**. Thousand Oaks, CA: Sage.

PÉREZ DEL CAMPO, Ana Maria. 1996. La violencia contra la mujer en el ambito familiar. **Ciencia Policial**. marzo-abril:9-28.

PÉREZ RUIZ, Carlos. 1987. **La argumentacion moral del Tribunal Supremo (1940-1975)**. Madrid: Tecnos

PERILLA, Julia. 1999. Domestic Violence as a Human Rights Issue: The Case of Immigrant Latinos **Hispanic Journal of Behavioral Sciences**. 21(2):107-133.

PERILLA, Julia L., Roger BAKEMAN y Fran H. NORRIS. 1994. Culture and Domestic Violence: The Ecology of Abused Latinas. **Violence and Victims**. 9(4):325-340.

PERRONE, Reynaldo y Martine NANNINI. 1998. **Violencia y Abusos Sexuales en la Familia. Un Abordaje Sistemico y Comunicacional**. Barcelona: Paidos.

PERNANEN, Kai. 1991. **Alcohol in Human Violence**. New York: Gilford.
 –   1993. Alcohol-Related Violence: Conceptual Models and Methodological Issues en Susan Martin (Ed.). **Alcohol and Interpersonal Violence: Fostering Multidisciplinary Perspectives**. Rockville, MD: US Department of Health and Human Services.

PETERSON, David. 1991. Physically Violent Husbands of the 1890s and Their Resources. **Journal of Family Violence**. 6(1):1-15.

PETERSON, Ruth y William BAYLEY. 1992. Rape and Dimensions of Gender Socioeconomic Inequality in US Metropolitan Areas. **Journal of Research in Crime and Delinquency**. 29(2):162-177.

PETERSON, Ruth y Lauren KRIVO. 1993. Racial Segregation and Black Urban Homicide. **Social Forces**. 71(4):1001-1026.

PIERCE, Glenn y Susan SPAR. 1992. Identifying Households at Risk for Domestic Violence en Eve Buzawa y Carl Buzawa (Eds.). **Domestic Violence: The Changing Criminal Justice Response**. Westport, CT: Greenwood Publishing.

PIROG-GOOD, Maureen y Jan STETS (Eds.). 1989. **Violence in Dating Relationships: Emerging Social Issues**. New York: Praeger.

PLECK, Elizabeth. 1989. Criminal Approaches to Family Violence en Lloyd Ohlin y Michael Tonry (eds.). **Family Violence. Crime and Justice: A Review of Research. Volume 11**. Chigago: University of Chicago Press.

PLOTNIKOFF, Joyce y Richard WOOLFSON. 1998. Policing Domestic Violence: Effective Organisational Structures. **Police Research Series**. Paper 100. London: Home Office.

POLK, Kenneth. 1994. **When Men Kill. Scenarios of Masculine Violence**. Cambridge: Cambridge University Press.

POLK, Kenneth y David RANSON. 1991. The Role of Gender in Intimate Homicide. **Australian and New Zealand Journal of Criminology**. 24:15-24.

PORTES, Alejandro. 1998. Social Capital: Its Origins and Applications in Modern Sociology. **Annual Review of Sociology**. 24:1-24.

POSTMAN, Neil. 1986. **Amusing Ourselves to Death**. London: Mathuen.

POWER, Robert J. 1986. Aggression and Violence in the Family en Anne Campbell y John Gibbs (Eds.). **Violent Transactions. the Limits of Personality**. Oxford: Basil Blackwell.

PROSS, Harry. 1983. **La Violencia de los Simbolos Sociales**. Madrid: Anthropos.

PTACEK, James. 1995. Women's Experience Seeking Restraining Orders: The Impact of Judicial Demeanor. Comunicacion presentada en la **IV Conferencia Internacional sobre Investigacion en Violencia Familiar**, Universidad de New Hampshire.
 –   1999. **Battered Women in the Courtroom**. Boston: Northeastern University Press.

PUDDIFOOT, John. 1996. Some Initial Considerations in the Measurement of Community Identity. **Journal of Community Psychology**. 24(4):327-336.

QUIGLEY, Brian y Kenneth LEONARD. 1996. Desistance of Husband Aggression in the Early Years of Marriage. **Violence and Victims**. 11(4):355-370.

QUINSEY, Vernon, Grant HARRIS, Marnie RICE y Catherine CORMIER. 1998. **Violent Offenders: Appraising and Managing Risk**. Wasghington, DC: American Psychological Association.

RADFORD, Jill y Elizabeth STANKO. 1991. Violence Against Women and Children: The Contradictions of Crime Control Under Patriarchy en Kevin Stenson & David Cowell (eds.). **The Politics of Crime Control**. London: Sage.

RAINE, Adrian. 1993. **The Psychopathology of Crime. Criminal Behavior as a Clinical Disorder**. San Diego: Academic Press.

RAND, Michael y Kevin STROM. 1997. **Violence-Related Injuries Treated in Hospital Emergency Departments**. Washington, DC: US Department of Justice.

RAPHAEL, Jody y Richard TOLMAN. 1997. **Trapped by Poverty, Trapped by Abuse: New Evidence Documenting the Relationship Between Domestic Violence and Welfare**. Chicago: Taylor Institute.

RASCHE, Christine. 1993. Given Reasons for Violence in Intimate Relationships en Anna Vitoria Wilson (Ed.). **Homicide. The Victim/Offender Connection**. Cincinnati: Anderson Publishing.

RATNER, Pamela. 1998. AModeling Acts of Aggression and Dominance as Wife Abuse and Exploring Their Adverse Health Effects. **Journal of Marriage and the Family**. 60(2):453-465.

REBOVITCH, Donald. 1996. A Prosecution Response to Domestic Violence: Results of a Survey of Large Jurisdictions en Eve Buzawa y Carl Buzawa (Eds.). **Do Arrests and Restraining Orders Work?** Thousand Oaks: Sage.

REDONDO, S., V. GARRIDO y J. SÁNCHEZ MECA. 1997. What Works in Correctional Rehabilitation in Europe en S. Radondo, V. Garrido, J. Perez y R. Barberet (Eds.). **Advances in Psychology and Law. International Contributions**. Berlin: De Gruyter.

REILLY, Mary Ellen, Bernice LOTT, Donna CALDWELL y Luisa DeLUCA (1992). Tolerance for Sexual Harassment Related to Self-Reported Sexual Victimization. **Gender & Society**. 6(1):122-138.

REINER, Robert. 2000. **The politics of the police**. Segunda Edición. Oxford: Oxford University Press.

REISS, Albert y Michael TONRY. (Eds.). 1986. **Communities and Crime. Crime and Justice: A Review of Research. Volume 8**. Chicago, IL: University of Chicago Press.

RENGERT, George F. 1995. More Than Just a Pretty Map: How Can Spatial Analysis Support Police Decisions? en C. Block, M. Dabdoub y S. Fregly. (Eds.) **Crime Analysis Through Computer Mapping** Washington, DC: Police Executive Research Forum.

RENZETTI, Claire M.. 1992. **Violent Betrayal: Partner Abuse in Lesbian Relationships**. Newbury Park, CA: Sage.

– 1994. On Dancing With a Bear: Reflections on Some of the Current Debates Among Domestic Violence Theorists. **Violence and Victims**. 9(2):195-200.

REISCK, Patricia y Pallavi NISHIT. 1997. Sexual Assault en Robert Davis, Arthur Lurigio y Wesley Skogan. (Eds.). **Victims of Crime**. Segunda Edición. Thousand Oaks: Sage.

RESICK, Patricia A. y Donnis REESE. 1986. Perception of Family Social Climate and Physical Aggression in the Home. **Journal of Family Violence**. 1(1):71-83.

RHODES, Nancy. 1992. The Assessment of Spousal Abuse: An Alternative to the Conflict Tactics Scale en Emilio Viano (Ed.). **Intimate Violence: Interdisciplinary Perspectives**. Washington: Hemisphere Publishing Corporation.

RHODES, Nancy y Eva MCKENZIE. 1998. Why Do Battered Women Stay?: Three Decades of Research. **Aggression and Violent Behavior**. 3(4):391-406.

RICHIE, Beth. 1996. **Compelled to Crime. The Gender Entrapment of Battered Black Women**. New York: Routledge.

RICO, Jose Maria y Luis SALAS. 1988. **Inseguridad ciudadana y policia**. Madrid: Tecnos.

RIGGS, David y Marie CAULFIELD. 1997. Expected Consequences of Male Violence Against Their Female Dating Partners. **Journal of Interpersonal Violence**. 12(2):229-240.

RIGGS, David S., Christopher M. MURPHY y K. Daniel O'LEARY. 1989. Intentional Falsification in Reports of Interpartner Aggression. **Journal of Interpersonal Violence**, 4(2):220-232.

RITCHERS, John. E. y Pedro MARTÍNEZ. 1993. Children as victims of and Witnesses to Violence in a Washington, DC, en Lewis S. Leavitt y Nathan Fox (Eds.). **The Psychological Effects of War and Violence on Children**. Hillsdale: Lawrence Erlbaum Associates.

ROBERTS, Albert R. 1988. Substance Abuse Among Men Who Batter Their Mates: The Dangerous Mix. **Journal of Substance Abuse Treatment**. 5:83-87.

  – 1998. The Organizational Structure and Function of Shelters for Battered Women and Their Children: A National Survey, en Albert Roberts (Ed.), **Battered Women and Their Families: Intervention Strategies and Treatment Programs**, 2 edicion, Springer Publishing Company.

  – Battered Women Who Kill: A Comparative Study of Incarcerated Participants with a Community Sample of Battered Women, **Journal of Family Violence**, 11(3): 291-304.

RODENBURG, Frances A. and John W. FANTUZZO. 1993. The Measure of Wife Abuse: Steps Toward the Development of A Comprehensive Assesment Technique. **Journal of Family Violence**, 8(3):203-228.

ROIZEN, Judith. 1993. Issues in the Epidemiology of Alcohol and Violence en Susan Martin (Ed.). **Alcohol and Interpersonal Violence: Fostering Multidisciplinary Perspectives**. Rockville, MD: US Department of Health and Human Services.

ROMKENS, Renee. 1997. Prevalence of Wife Abuse in the Netherlands. Combining Quantitative and Qualitative Methods in Survey Research. **Journal of Interpersonal Violence**.

RONCEK, Dennis y Pamela MAIER. 1991. Bar, Blocks and Crimes Revisited: Linking the Theory of Routine Activities to the Empiricism of Hot Spots. **Criminology**. 29(4):725-753.

RONFELDT, Heidi, Rachel KIMMERLING y Ileana ARIAS. 1998. Satisfaction with Relationship Power and the Perpetration of Dating Violence. **Journal of Marriage and the Family**. 60(1):70-78.

ROSE, Dina y Todd CLEAR. 1998. Incarceration, Social Capital, and Crime: Implications for Social Disorganization Theory. **Criminology**. 36(3):441-480.

ROSEBY, V. y J.R. JOHNSTON. 1997. **High Conflict, Violent and Separating Families: A Group Treatment for School-Age Children**. New York: Free Press.

ROSENBAUM, Alan. 1986. Of Men, Macho, and Marital Violence. **Journal of Family Violence**. 1(2):121-129.

– 1998. Methodological Issues in Marital Violence. **Journal of Familiy Violence**. 3(2):91-104.

ROSENBAUM, A. y K.D. O'LEARY. 1981. Marital Violence: Characteristics of Abusive Couples. **Journal of Consulting and Clinical Psychology**. 49:63-76.

ROSENFELD, B.D. 1992. Court-Ordered Treatment of Spouse Abuse. **Clinical Psychology Review**. 12:205-226.

ROSENFELD, Richard. 1997. Changing Relationships Between Men and Women. A Note on the Decline in Intimate Partner Homicide. **Homicide Studies. An Interdisciplinary and International Journal**. 1(1):72-83.

ROSCHELLE, Anne. R. 1997. **No More Kin. Exploring Race, Class, and Gender in Family Networks**. Newbury Park: Sage

ROSS, Susan M. y Murray STRAUS. 1995. The Social Integration Scale. Ponencia presentada en la **Cuarta Conferencia Internacional sobre Investigacion en Violencia Familiar** organizada por laUniversidad de New Hampshire en julio de 1995 en Durham (NH).

ROSSMAN, Robbie. 1998. Descartes's Error and Posttraumatic Stress Disorder: cognition and Emotion in Children Who Are Exposed to Parental Violence en George Holden, Robert Geffner y Ernest Jouriles (Eds.), **Children Exposed to Marital Violence: Theory, Research, and Applied Issues**, Washington, DC: American Psychological Association.

ROUNSAVILLE, B. 1981. Theories in Marital Violence: Evidence From a Study of Battered Women. **Victimology: An International Journal**. 3(1-2):11-31.

ROUNTREE, P. W., K. LAND y T. MIETHE. 1994. Macro-Micro Integration in the Study of Victimization: A Hierarchical Logistic Model Analysis Across Seattle Neighborhoods. **Criminology**. 32(3):387-414.

ROUSE, Linda P. 1984. AModels, Self-Esteem, And Locus Of Control As Factors Contributing To Spouse Abuse@. **Victimology: An International Journal** .9(1):130-141.

ROY, Maria. 1982. Four Thousand Partners in Violence: A Trend Analysis en Maria Roy (Ed.). **The Abusive Partner: An Analysis of Domestic Battering**. New York City: Van Nostrand Reinhold Company.

RUANO, Ana Maria. 1998. Los Equipos Mujer-Menor contra la violencia. **Guardia Civil**. Ejemplar de abril, 8-13.

RUSSELL, Diana E. H. 1990. **Rape in Marriage**. Bloomington: Indiana University Press.

RUSSELL, Mary. 1988. Wife Assault Theory, Research, and Treatment: A Literature Review. **Journal of Family Violence**. 3(3).

RUSSELL, Mary Nomme. 1995. **Confronting Abusive Beliefs. Group Treatment for Abusive Men**. Newbury Park: Sage.

RYBARIK, Mary Fran, Margaret F. DOSCH, Gary D. GILMORE, & Sandra S. KRAJEWSI. 1995. Violence in Relationships: A Seventh Grade Inventory of Knowledge and Attitudes. **Journal of Family Violence**. 10(2):223-251.

SABOURIN, Teresa Chandler. 1991. Perceptions of Verbal Aggression in Interspousal Violence en Dean D. Knudsen y Joann L. Miller (Eds.). **Abused and Battered. Social and Legal Responses to Family Violence**. New York: Aldine de Gruyter.

SALTZMAN, Linda. 1995. Brief Comment on Our Ability to Compare Lethal and Non-Lethal Violence in the Domestic Context en C. Block y R. Block (Eds.). **Trends, Risks, and Interventions in Lethal Violence: Proceedings of the Third Annual Spring Symposium of the Homicide research Working Group**.Washington, DC: US National Institute of Justice.

SALTZMAN, Linda E., James A. MERCY, Mark L. ROSENBERG, William R. ELSEA, George NAPPER, R. K. SIKES, Richard J. WAXWEITER y The Collaborative Working Group for the Study of Family Violence and Intimate Assaults in Atlanta. 1990. AMagnitude and Patterns of Family and Intimate Assault in Atlanta, Georgia, 1984". **Violence and Victims**. 5(1)

SAMPSON, Robert. 1985. Neigborhood and Crime: The Structural Determinants of Personal Victimization. **Journal of Research in Crime and Delinquency**. 22:7-40.

– 1986. Effects of Socioeconomic Context on Official Reaction to Delinquency. **American Sociological Review**. 51:876-885.

– 1992. Family Management and Child Development: Insights from Social Disorganization Theory en Joan McCord (Ed.). **Facts, Frameworks, and Forecastas: Advances in Criminological Theory, Vol. 3**. New Brunswick, NJ: Transaction Publishers.

– 1995. The Community en James Wilson y Joan Petersillia (Eds.). **Crime**. San Francisco, CA: ICS Press.

– 1997. The Embeddedness of Child and Adolescent Development: A Community-Level Perspective on Urban Violence en Joan McCord (Ed.). **Violence and Childhood in the Inner City**. Cambridge: Cambridge University Press.

SAMPSON, Robert y Dawn J. BARTUSCH. 1998. Legal Cynism and (Subcultural?) Tolerance of Deviace: The Neighborhood Context of Racial Differences **Law and Society Review**. 32(4):777-805.

SAMPSON, Robert y W. GROVES. 1989. Community Structure and Crime: Testing Social-Disorganization Theory. **American Journal of Sociology**. 94:774-802.

SAMPSON, Robert y John LAUB. 1993a. Structural Variation in Juvenile Court Processing: Inequality, the Underclass and Social Control. **Law and Society Review**. 27(2):285-311.

– 1993b. **Crime in the Making. Pathways and Turning Points Through Life**. Harvard: Harvard University Press.

SAMPSON, Robert J. y Janet L. LAURITSEN. 1994. Violent Victimization and Offending: Individual-, Situational-, and Community-Level Risk Factors en Albert Reiss y Jeffrey Roth (Eds.). **Understanding and Preventing Violence:**

Social Influences. National Research Council. Washington, DC: National Academy Press.

SAMPSON, Robert, Stephen RAUDENBUSH y Felton EARLS. 1997. Neighborhoods and Violent Crime: A Multilevel Study of Collective Efficacy. **Science**. 277: 918-924.

SAMPSON, Robert y William J. WILSON. 1995. Toward a Theory of Race, Crime, and Urban Inequality en John Hagan y Ruth Peterson (Eds.). **Crime and Inequality**. Stanford, CT: Stanford University Press.

SÁNCHEZ, María. 1992. Los malos tratos a la mujer y a la infancia: correlato de la violencia patriarcal en VVAA. **Otras lecciones de Psicología**. Bilbao: Ed. Maite Canal.

SAUNDERS, Daniel. 1988. Wife Abuse, Husband Abuse, or Mutual Combat? A Feminist Perspective on the Empirical Findings en Kersti Yllo and Michele Bograd (Eds.). **Feminist Perspectives on Wife Abuse**. Newbury Park, CA: Sage.

– 1991. Procedures for Adjusting Self-Reports of Violence for Social Desirability Bias. **Journal of Interpersonal Violence**. 6(3):336-344.

– 1992a. Woman Battering en Robert T. Ammerman y Michel Hersen (Eds.). **Assessment of Family Violence. A Clinical & Legal Sourcebook**. New York: John Wiley and Sons.

– 1992b. A Tipology of Men Who Batter: Three Types Drived From Cluster Analysis. **American Journal of Orthopsychiatry**. 62(2):264-275.

– 1993. Husbands Who Assault: Multiple Profiles Requiring Multiple Responses en Zoe Hilton (Ed.). **Legal Responses to Wife Assault. Current Trends and Evaluation**. Newbury Park: Sage.

– 1995. Prediction of Wife Assault en Jacquelyn Campbell (Ed.). **Assessing Dangerousness. Violence by Sexual Offenders, Batterers, and Child Abusers**. Thousand Oaks: Sage.

– 1995. The Tendency to Arrest Victims of Domestic Violence: a Preliminary Analysis of Officer Characteristics. **Journal of interpersonal Violence**.10(2):147-158.

– 1996a. Interventions for Men Who Batter? Do We Know What Works?. **Psychotherapy in Practice**. 2(3):81-93.

– 1996b. Feminist-Cognitive-Behavioral and Process-Psychodinamic Treatments for Men Who Batter: Interaction of Abuser Traits and Treatment Models. **Violence and Victims**.

SAUNDERS, Daniel y Sandra AZAR. 1989. Treatment Programs for Family Violence en Lloyd Ohlin y Michael Tonry (eds.). **Family Violence. Crime and Justice: A Review of Research**. Vol. 11. Chicago: Chicago University Press.

SAUNDERS, Daniel, Ann B. LYNCH, Marcia GRAYSON y Daniel LINZ. 1987. The Inventory of Beliefs about Wife Beating: The Construction and Initial Validation of a Measure of Beliefs and Attitudes. **Violence and Victims**. 2(1): 39-57.

SCHAFER, John, Raul CAETANO y Catherine CLARK. 1997. Methodological Issues Related to Measuring Spousal Violence with a Modified Version of the CTS: Results from a Sample of US Couples. Ponencia presentada en la **V**

Conferencia Internacional sobre Investigacion en Violencia Familiar, Universidad de New Hamphsire, Durham, NH.

— 1998. Rates of Intimate Partner Violence in the United States. **American Journal of Public Health**. 88(11):1702-1704.

SCHMIDT, Janell y Ellen H. STEURY. 1989. Prosecutorial Discretion in Filing Charges in Domestic Violence Cases. **Criminology**. 27(3): 487-510.

SCHMIDT, Janell y Lawrence SHERMAN. 1996. Does Arrest Deter Domestic Violence? en Eve Buzawa y Carl Buzawa (eds.). **Do Arrests and Restraining Orders Work?** Thousand Oaks: Sage.

SCHNEIDER, Elizabeth. 1980. Equal Rights to Trial for Women: Sex Bias in the Law of Self-Defense. **Harvard Civil Rights Liberties Law Review**, 15(3): 623-647.

SCHUERMAN Leo y Solomon KOBRIN. 1986. Community Careers in Crime en Albert Reiss y Michael Tonry. (Eds.). **Communities and Crime. Crime and Justice: A Review of research. Volume 8**. Chicago: University of Chicago Press.

SCHWARTZ, Martin D. 1988. Marital Status and Woman Abuse Theory. **Journal of Family Violence**. 3(3).

— (Ed.). 1997. **Researching Sexual Violence Against Women. Methodological and Personal Perspectives**. Thousand Oaks, CA: Sage.

SCHECHTER, Susan. 1982. **Women and Male Violence. The Visions and Struggles of the Battered Women's Movement**. Boston: South End Press.

SCHINKE, Steven P., Robert F. SCHILLING II, Richard P. BARTH, Lewayne D. GILCHRIST y Josie S. MAXWELL. 1986. Stress-Management Intervention to Prevent Family Violence. **Journal of Family Violence**. 1(1):13-26.

SCHUERGER, J.M. y N. REIGLE. 1988. Personality and Biographic Data that Characterize Men Who Abuse Their Wives. **Journal of Clinical Psychology**. 75-81.

SCHWARTZ, Martin y Walter DeKESEREDY. 1997. **Sexual Assault on the College Campus: The Role of Male Peer Support**. Thousand Oaks, CA: Sage.

SCOTT, Marvin y Stanford LYMAN. 1968 . Accounts. **American Sociological Review**. 46-62

SELLERS, Christine. 1999. Self-Control and Intimate Violence: an Examination of the Scope and Specification of the General Theory of Crime. **Criminology**. 37(2):375-405.

SELTZER, Judith A. y Debra KALMUS. 1988. Socialization and Stress Explanations for Spouse Abuse. **Social Forces**. 473-491.

SENCHAK, Marilyn y Kenneth E. LEONARD. 1995. Attribution for Episodes of Marital Aggression: The Effects of Aggression Severity and Alcohol Use. **Journal of Family Violence**. 9(4):371-382.

SHAW, Clifford y Henry McKAY. 1969. **Juvenile Delinquency and Urban Areas**. Edicion Revisada. Chicago, IL: University of Chicago Press.

SHEPARD, Melanie. 1992. Predicting Batterer Recidivism five Years After Community Intervention. **Journal of Family Violence**. 7(3):167-178.

SHEPARD, Melanie F. y James A. CAMPBELL. 1992. The Abusive Behavior Inventory. A Measure of Psychological and Physical Abuse. **Journal of Interpersonal Violence**. 7(3): 291-305.

SHEPERD, Jonathan y Cathy LISLES. 1998. Towards Multi-Agency Violence Prevention and Victim Support: An Investigation of Police-Accident and Emergency Service Liaison. **British Journal of Criminology**. 38(3):351-370.

SHEPTYCKI, J.W.E. 1993. **Innovations in Policing Domestic Violence. Evidence from Metropolitan London**. Brookfield: Ed. Avebury.

SHERMAN, Lawrence. 1992. **Policing Domestic Violence: Experiments and Dilemmas**. New York: The Free Press.

— .1995. Hot Spots of Crime and Criminal Careers of Places en John Eck y David Weisburd (Eds.). **Crime and Place** Monsey, NY: Criminal Justice Press.

SHERMAN, Lawrence W., Janell D. SCHMIDT, Dennis ROGAN y Christine DeRISO. 1991. Predicting Domestic Homicide: Prior Police Contact and Gun Threats en Michael Steinman (Ed.). **Woman Battering: Policy Responses**. Cincinnati (OH): Anderson Publishing.

SHERMAN, Lawrence, Douglas SMITH, Janell SCHMIDT y Dennis ROGAN. 1992. Crime, Punishment and Stake in Conformity: Legal and Extralegal Control of Domestic Violence. **American Sociological Review**. 57(4):

SHIELDS, Nancy, George J. McCALL, Christine R. HANNEKE. 1988. Patterns of Family and Nonfamily Violence: Violent Husbands and Violent Men. **Violence and Victims**. 3(2):83-97.

SHIHADE, Edward y Michael MAUME. 1997. Segregation and Crime. The Relationship Between Black Centralization and Urban Black Homicide. **Homicide Studies** 1(3):254-280.

SHIHADE, Edward y Darrell STEFFENSMEIER. 1994. Economic Inequality, Family Disruption, and Urban Black Violence: Cities as Units of Stratification and Social Control. **Social Forces**. 73(2):729-751.

SHORT, James F. 1997. **Poverty, Ethnicity, and Violent Crime.** Boulder: Westview Press.

SIGLER, Rober T. 1989. **Domestic Violence in Context. An Assessment of Community Attitudes**. Lexington: Lexington Books.

SILVERMAN, Eli. 1999. **NYPD Battles Crime. Innovative Strategies in Policing.** Boston: Northeastern University Press.

SILVERN, L., J. KARYL, L. WAELDE, W.F. ODGES, J. STAREK, E. HEIDT Y K. MIN. 1995. Retrospective Reports of Parental Partner Abuse: Relationships to Depression, Trauma Symptoms and Self-Esteem Among College Students. **Journal of Family Violence**. 10:177-202.

SIMCHA-FAGAN, O. y J, SCHWARTZ. 1986. Neigborhoods and Delinquency: An Assessment of Contextual Effects. **Criminology**. 94:774-802.

SIMON, Leonore M. 1997. Do Criminal Offenders Specialize in Crime Types?. **Journal of Applied and Preventive Psychology**. 6:35-53.

SIMONS, Ronald L., Chyi-In WU, Christine JOHNSON y Rand D. CONGER. 1995. A Test of Various Perspectives on the Intergenerational Transmission of Domestic Violence. **Criminology**. 33(1): 141-171.

SKJAEVELAND, Oddvar, Tommy GARLING y John Gunnar MAELAND. 1996. A Multidimensional Measure of Neighboring. **American Journal of Community Psychology**. 24(3):413-435.

SKOGAN, Wesley. 1990. **Disorder and Decline: Crime and the Spiral of Decay in American Neighborhoods**. New York, NY: Free Press.

SMART, Carol. 1992. The Woman of Legal Discourse. **Social and Legal Studies**. 1:29-44.

SMITH, Christine. 1988. Status Discrepancies and Husband-To-Wife Violence. Comunicacion presentada en la **Conferencia Anual de la Sociedad Sociologica del Este**.

SMITH, D.A. 1986. The Neighborhood Context of Police Behavior. In A.J. Reiss and M. Tonry (Eds.). **Communities and Crime.** Chicago: University of Chicago.
– Police Response to Interpersonal Violence: Defining the Parameters of Legal Control. **Social Forces**. 65:762-782.

SMITH, Michael D. 1987. The Incidence and Prevalence of Woman Abuse in Toronto. **Violence and Victims**. 2(3): 173-187.
– 1989. Woman Abuse. The Case for Surveys by Telephone. **Journal of Interpersonal Violence**. 4(3): 308-324.
– 1990. Patriarcahl Ideology and Wife Beating: a Test of a Feminist Hypothesis. **Violence and Victims**. 5(4):257-274.
– 1994. Enhancing the Quality of Survey Data on Violence Against Women: A Feminist Approach. **Gender & Society**. 8(1):109-127.

SNIDER, Lureen. 1997. Feminism, Punishment, and the Potential of Empowerment. **Canadian Journal of Law and Society**. 9(1):75-104.

SOMMERS, Ira, Jeffrey FAGAN y Deborah BASKIN. 1993. Sociocultural Influences on the Explanation of Delinquency for Puerto Rican Youths. **Hispanic Journal of Behavioral Sciences**. 15(1):36-62.

SORENSON, Susan, Dawn UPCHURCH & Haikang SHEN. 1996. Violence and Injury in Marital Arguments: Risk Patterns and Gender Differences. **American Journal of Public Health**. 86(1):35-40.

SORENSON, Susan y Cynthia TELLES. 1991. Self-Reports of Spousal Violence in a Mexican-American and Non-Hispanic White Population. **Violence and Victims**. 6(1):3-15.

SPACCARELLI, S., I. SANDLER y M. ROOSA. 1994. History of Spouse Violence Against Mother: Correlated and Unique Effects in Child Mental Health. **Journal of Family Violence**. 9:79-98.

SPAIN, Daphne. 1992. The Spatial Foundations of Men's Friendships and Men's Power en Peter Nardi (ed.). **Men's Friendships**. Newbury Park, CA: Sage.

SPARKS, Richard. 1997. Recent Social Theory and the Study of Crime and Punishment en Mike Maguire, Rod Morgan y Robert Reiner (Eds.). **The Oxford Handbook of Criminology**. Oxford: Oxford University Press.

STACEY, William A. y Anson, SHUPE. 1983. **The Family Secret. Domestic Violence in America**. Boston: Beacon Press.

STACEY, William A., Lannie R. HAZLEWOOD y Andon SHUPE. 1994. **The Violent Couple.** Westport: Praeger Publishers.

STANKO, Elizabeth. 1998. Warnings to Women: Police Advice and Women's Safety in Britain en Susan Miller (Ed.). **Crime Control and Women. Feminist Implications of Criminal Justice Policy**. Thousand Oaks: Sage.

STALANS, Loretta y Mary A. FINN. 1995. How Novice and Experienced Officers Interpret Wife Assaults; Normative and Efficiency Frames. **Law & Society Review**. 29(2): 287-321.

STANGELAND, Per. 1995a. ¿Es España un pais violento?. **Cuadernos de Politica Criminal**.55:219-237.

- 1995b. La delincuencia en Espana. Un analisis critico de las estadisticas judiciales y policiales **Revista de Derecho Penal y Criminologia**.

- 1995c. **The Crime Puzzle. Crime Patterns and Crime Displacement in southern Spain**. Malaga: Miguel Gomez Publicaciones.

- 1996. The Effect of Interview Method and Response Rate on Victim Survey Crime Rates en Chris Sumner, Mark Israel, Michael O'Connell y Rick Sarre (Eds.). **International Victimology: Selected Papers from the 8th International Symposium**. Canberra, ACT: Australian Institute of Criminology.

- 2000. La investigación criminológica en España **Boletín Criminológico**. n. 50.

STARK, Evan. 1996. Mandatory Arrest of Batterers: A Reply ti Its Critics en Eve Buzawa y Carl Buzawa (eds.). **Do Arrests and Restraining Orders Work?** Thousand Oaks: Sage.

STARK, Evan y Anne FLITCRAFT. 1996. **Women at Risk: Domestic Violence and Women'sHealth**. Thousand Oaks: Sage.

STARK, E. A. FLITCRAFT, D. ZUCKERMAN, A. GREY, J. ROBINSON y W. FRAZIER. 1981. **Domestic Violence: Wife Abuse in the Medical Setting**. Washington, DC: Office of Domestic Violence.

STEELE, C.M y L. SOUTHWICK. 1985. Alcohol and Social Behavior: The Psychology of Drunken Excess. **Journal of Personality and Social Psychology**. 48:18-34.

STEFFENSMEIR, Darrell, Edward SHIHADEH, Dana HAYNIE y James CAMERON. 1997. Hyperdeprivation and Violent Crime Rates: The Effects of Spatially-Concentrated Social Pathology on Female and Male Violence. Comunicacion presentada en la **49 Conferencia Anual de la Sociedad Americana de Criminologia**, San Diego.

STEINFELD, George J. 1989. Spouse Abuse: An Integrative-Interactional Model. **Journal of Family Violence**. 4(1):1-23.

STERNBERG, Kathleen, Michael LAMB, C. GREENBAUM, D. CICCHETTI, Samia DAWUD, R. CORTES, O. KRISPIN y F. LOREY. 1993. Effects of Domestic Violence on Children's Behavior Problems and Depression. **Developmental Psychology**. 29:44-52.

STERNBERG, Kathleen, Michael LAMB y Samia DAWUD-NOURSI. 1998. Using Multiple Informants to Understand Domestic Violence and Its Effects en George Holden, Robert Geffner y Ernest Jouriles (Eds.). **Children Exposed to Marital Violence: Theory, Research, and Applied Issues**. Washington, DC: American Psychological Association.

STETS, Jan E. 1990. Verbal and Physical Aggression in Marriage. **Journal of Marriage and the Family**. 52:501-514.

- 1991. Cohabiting and Marital Aggression: The Role of Social Isolation. **Journal of Marriage and the Family**. 53:669-680.

STETS, Jan E. y Murray A. STRAUS. 1989. The Marriage License as a Hitting License: A Comparison of Assaults in Dating, Cohabiting, and Married Couples. **Journal of Family Violence**. 4(2):161-180.

— 1990. Gender Differences in Reporting Marital Violence and Its Medical and Psychological Consequences en Murray Straus y Richard Gelles (Eds.). **Physical Violence in American Families. Risk Factors and Adaptations to Violence in 8145 Families**. New Brunswick: Transaction Publishers.

STITH, Sandra M. 1990. The Relationship Between the Male Police Officer's Response to Victims of Domestic Violence and His Personal and Family Experiences en Emilio Viano (Ed.). **The Victimology Handbook. Research, Findings, Tratment, and Public Policy**. New York: Garland Publishing.

STITH, Sandra y Sarah C. FARLEY. 1993. A Predictive Model of Spousal Violence. **Journal of Family Violence**. 8(2):183-201.

STRAUS, Murray A. 1973. A General Systems Theory Approach to a Theory of Violence Between Family Members. **Social Science Information**. 12(3):105-125.

— 1983. Ordinary Violence, Child Abuse, and Wife Beating. What Do They Have in Common? en David Finkelhor, Richard Gelles, Gerald Hotaling y Murray Straus (Eds.). **The Dark Side of Families. Current Family Violence Research**. Newbury Park: Sage.

— 1990a. Measuring Intrafamily Conflict and Violence: The Conflict Tactics (CT) Scales en Murray Straus y Richard Gelles (Eds.). **Physical Violence in American Families: Risk Factors and Adaptations To Violence in 8145 Families**. New Brunswick: Transaction Publishers.

— 1990b. The Conflict Tactic Scales and Its Critics: An Evaluation and New Data on Validity and Reliability en Murray Straus y Richard Gelles (Eds.). **Physical Violence in American Families: Risk Factors and Adaptations To Violence in 8145 Families**. New Brunswick: Transaction Publishers.

— 1990c. Injury and Frequency of Assault and the 'Representative Sample Fallacy' in Measuring Wife Beating and Child Abuse en Murray Straus y Richard Gelles (Eds.). **Physical Violence in American Families: Risk Factors and Adaptations To Violence in 8145 Families**. New Brunswick: Transaction Publishers.

— 1990d. Social Stress and Marital Violence in a Natonal Sample of American Families en Murray Straus y Richard Gelles (Eds.). **Physical Violence in American Families: Risk Factors and Adaptations To Violence in 8145 Families**. New Brunswick: Transaction Publishers.

— 1990e. New Scoring Methods for Violence and New Norms for the Conflict Tactic Scale en Murray Straus y Richard Gelles (Eds.). **Physical Violence in American Families: Risk Factors and Adaptations To Violence in 8145 Families**. New Brunswick: Transaction Publishers.

— 1993a. Identifying Offenders in Criminal Justice Research on Domestic Assault. **American Behavioral Scientist**. 36(5):587-600.

— 1993b. Physical Assaults by Wives: A Major Social Problem en Richard Gelles y Donileen Loseke (Eds.). **Current Controversies on Family Violence**. Newbury Park, CA: Sage.

- 1994. **Beating the Devil Out of Them. Corporal Punishment in American Families**. New York: Lexington Books.
- 1995. **Manual for the Conflict Tactics Scales (CTS) and Test Forms for the Revised Conflic Tactics Scales**. Durham: Family Research Laboratory, University of New Hampshire.
- 1998. Characteristics of the National Violence Against Women Study that Might Explain the Low Assault Rate for Both Sexes and the Even Lower Rate for Women, Manuscrito no publicado.
- 1999.The Controversy Over Domestic Violence By Women: A Methodological, Theoretical, and Sociology of Science Analysis, en X. Arriaga y S. Oskamp (Eds.), **Violence in Intimate Relationships**, Thousand Oaks: Sage.

STRAUS, Murray A. y Richard J. GELLES. 1986. Societal Change and Change in Family Violence form 1975 to 1985 As Revealed by Two National Surveys. **Journal of Marriage and the Family**. 48:465-479.

- 1988. How Violent Are American Families? Estimates from the National Family Violence Resurvey and Other Studies, en Gerald Hotaling, David Finkelhor, John T. Kirpatirck y Murray Straus (Eds.). **Family Abuse and Its Consequences: New Directions in Research**. Newbury Park: Sage.
- 1994. State-To-State Differences in Social Inequality and Social Bonds in Relation to Assaults on Wives in the United States. **Journal of Comparative Family Studies**. 25(1):7-24.

STRAUS, Murray A., Richard J. GELLES y Suzanne K. STEINMMETZ. 1981. **Behind Closed Doors. Violence in the American Family**. New York: Anchor Press.

STRAUS, Murray, Sherry HAMBY, Sue BONEY-McCOY y David SUGARMAN. 1995a. The Revised Conflict Tactics Scale and Preliminary Psychometric Data. Ponencia presentada en la **IV Conferencia Internacional en Investigacion sobre Violencia Familiar**, Universidad de New Hampshire, Durham, NH, 1995.

- 1995b. The Personal and Relationship Profile (PRP): A Package of Instruments for Research and Clinical Screening of Couple Violence. Ponencia presentada en la **IV Conferencia Internacional en Investigacion sobre Violencia Familiar**, Universidad de New Hampshire, Durham, NH, 1995.

STRAUS, Murray y Glenda Kantor KAUFMAN. 1994. Change in Spouse Assault Rates From 1975 to 1992: A Comparison of Three National Surveys in the United States. Ponencia presentada en el 13th **Congreso Internacional de Sociologia**, Bielefeld, Germany, July 19, 1994.

STRAUS, Murray, Glenda Kantor KAUFMAN y David MOORE. 1994. Change in Cultural Norms Approving Marital Violence From 1968 to 1994. Comunicacion presentada en la **Reunion Anual de la Asociacion Americana de Sociologia**, Los Angeles, August 7, 1994.

STRAUS, Murray & Christine SMITH. 1990. Violence in Hispanic Families in the United States: Incidence Rates and Structural Interpretations en Murray Straus y Richard Gelles (Eds.). **Physical Violence in American Families: Risk Factors and Adaptations To Violence in 8145 Families**. New Brunswick: Transaction Publishers.

STRAUS, Murray y Stephen SWEET. 1994. Verbal/Symbolic Aggression in Couples: Incidence Rates and Relationships to Personal Characteristics. **Journal of Marriage and the Family**. 54:346-357.

STRUBE, Michael y Linda BARBOUR. 1984. Factors Related to the Decision to Leave and Abusive Relationship@. **Journal of Marriage and the Family**. 46(4):837-844.

STRUBE, Michael. 1988. The Decision to Leave and Abusive Relationship: empirical Evidence and Theoretical Issues. **Psychological Bulletin**. 104:236-250.

SUDMAN, Seymour. 1976. **Applied Sampling**. San Diego: Academic Press.

SUDMAN, Seymour y Norman M. BRADBURN. 1982. **Asking Questions. A Practical Guide to Questionnaire Design**. San Francisco: Jossey-Bass Publishers.

SUGARMAN, David, Etiony ALDARONDO y Sue BONEY-McCOY.1996. Risk Marker Analysis of Husband-to-Wife Violence: A Continuum of Aggression. **Journal of Applied Social Psychology**. 26(4):313-337.

SUGARMAN, David y Gerald HOTALING. 1989. Violent Men in Intimate Relationships: An Analysis of Risk Markers. **Journal of Applied Social Psychology**. 19(12):1034-1048.

– 1997. Intimate Violence and Social Desirability: A Meta-Analytic Review. **Journal of Interpersonal Violence**. 12(2):275-291.

SUGARMAN, David, Corie MALONEY y Sue BONEY-McCOY. 1997. Psychometrics of the Revised Conflict Tactic Scales: Reliabilities and Interpartner Agreement Using Couple Data, Ponencia presentada en la **V Conferencia Internacional Sobre Investigacion en Violencia Familiar,** University of New Hampshire, Durham, NH.

SUGARMAN, David y Susan L. FRANKEL. Patriarchal Ideology and Wife-Assault: A Meta-Analytic Review. **Journal of Family Violence**. 11(1):13-39.

SUGG, N.K. y T. INUI. 1992. Primary Care Physicians' Responses to Domestic Violence: Opening Pandora's Box. **Journal of the American Medical Association**. 267:3157-3160.

SUITOR, J.J., Karl PILLEMER y Murray STRAUS. 1990. Marital Violence in a a Life Course Perspective en Murray Straus y Richard Gelles (Eds.). **Physical Violence in American Families: Risk Factors and Adaptations To Violence in 8145 Families**. New Brunswick: Transaction Publishers.

SULLIVAN, Mercer. 1989. **Getting Paid: Youth Crime and Work in the Inner City**, Ithaca, NY: Cornell University Press.

– 1993. Culture and Class as Determinants of Out-of-Wedlock Childbearing and Poverty During Late Adolescence. **Journal of Research on Adolescence**. 3(3):295-316.

– En Prensa. Hyperghettos and Hypermasculinity: The Phenomenology of Exclusion. A ser publicado como un capitulo en Alan Booth y Nan Crouter (Eds.). **Does It Take A Village?**

SUTHERLAND, Edwin y Donald CRESSEY. 1966. **Principles of Criminology**. Philadelphia: J.B. Lippincott.

SWAIN, Scott. 1992. Men's Friendships with Women: Intimacy, Sexual Boundaries, and the Informant Role en Peter Nardi (ed.). **Men's Friendships**. Newbury Park, CA: Sage.

SYKES, G. y D. MATZA. 1957. Techniques of Neutralization: A Theory of Delinquency. **American Sociological Review**. 22:664-670.

SZINOVACZ, Maximiliane.E. 1983. Using Couple Data as a Methodological Tool: The Case of Marital Violence. **Journal of Marriage and the Family**. 45: 633-644.

TANG, Catherine. 1999. Marital Power and Aggression in a Community Sample of Hong Kong Chinese Families. **Journal of Interpersonal Violence**. 14(6):586-602.

TAYLOR, Ian. 1999. **Crime in Context. A Critical Criminology of Market Societies.** Cambridge: Polity Press.

TAYLOR, Ralph y Jeanette COVINGTON. 1988. Neighborhood Changes in Ecology and Violence. **Criminology** 26(4):553-589.

TAYLOR, Stuart. 1983. Alcohol and Human Aggression en E. Gottheil (Ed.). **Alcohol, Drug Abuse and Aggression.** Springfield: C. Thomas.

TEDESCHI, James y Richard B. FELSON. 1994. **Violence, Aggression, & Coercive Actions.** Washington, DC: American Psychological Association.

TEICHMAN, Meir y Yona TEICHMAN. 1989. Violence in the Family: An Analysis in Terms of Interpersonal Resource-Exchange. **Journal of Family Violence**. 4(2):127-142.

THISTLEWAITE, Amy, John WOOLDREDGE y David GIBBS. 1998. Severity of Dispositions and Domestic Violence Recidivism. **Crime and Delinquency**. 44(3):388-398.

THORNBERRY, Terence (Ed.). 1997. **Developmental Theories of Crime and Delinquency, Advances in Criminological Theory, Vol. 7.** New Brunswick (NJ): Transaction Publishers.

THORNBERRY, Terence, Alan LIZOTTE, Marvin KROHN, Margaret FARNWORTH y Sung J. JANG. 1994. ADelinquent Peers, Beliefs, and Delinquent Behavior: a Longitudinal Test of Interactional Theory@. **Criminology**. 32(1)47-83.

THRELFALL, Monica. 1996. Feminist Politics and Social Change in Spain en Monica Threlfall y Sheila Rowbotham (eds.). **Mapping the Women's Movement. Feminist Politics and Social Transformation in the North.** Londres: Verso.

TILDEN, V.P. y P. SHEPARD. 1987. Increasing the Rate of Identification of Battered Women in an Emergency Department: Use of a Nursing Protocol. **Research in Nursing and Health**. 10:209-215.

TILDEN, V.P., T.A. SCHMIDT, B.J. LIMANDRI, G.T. CHIODO, M.J. GARLAND y P.A. LOVELESS. 1994. Factors that Influence Clinicians' Assessment and Management of Family Violence. **American Journal of Public Health**. 84(4):628-633.

TITTLE, Charles y Robert MEIER. 1990. Specifying the SES/Delinquency Relationship. **Criminology**. 28(2):271-299.

TJADEN, Patricia y Nancy THOENNES. 1996. Violence Against Women: Preliminary Findings from the Violence and Threats of Violence Against Women in America Survey. Comunicacion presentada en la **48 Conferencia Anual de la Sociedad Americana de Criminologia** (Chicago).

–   1996. Stalking in America: How Big is the Problem.Comunicacion presentada en la **48 Conferencia Anual de la Sociedad Americana de Criminologia** (Chicago).

TOBY, Jackson. 1957. Social Disorganization and Stakes in Conformity: Complementary Factors in the Predatory Behavior of Hoodlums. **Journal of Criminal Law, Criminology and Police Science**. 48:12-17.

TOCH, Hans. 1969. **Violent Men: An Inquiry Into the Psychology of Violence**. Aldine Publishing Company.

–   1985. The Catalyc Situation in the Violence Equation. **Journal of Applied Social Psychology**. 15(2):105-123.

–   1993. Good Violence and Bad Violence: Self-Presentations of Aggressors Through Accounts and War Stories en Richard Felson y James Tedeschi (Eds.). **Aggression and Violence: Social Interactionist Perspectives**. Washington, DC: American Psychological Association.

TOLMAN, Richard M. 1989. The Development of a Measure of Psychological Maltreatment of Women by Their Male Partners. **Violence and Victims**. 4(3):159-177.

TOLMAN, Richard y Larry W. BENNETT. 1990. A Review of the Quantitative Research on Men Who Batter. **Journal of Interpersonal Violence**. 5(1): 87-118.

TOLMAN, Richard y J. EDLESON. 1995. Interventions for Men who Batter: A Review of Research en S. Stith y M. Straus (Eds.). **Understanding Partner Violence: Prevalence, Causes, Consequences, and solutions**. Minneapolis: National Council on Family Relations.

TOMASEVSKI, Katarina. 1999. Women and Criminal Justice en Matti Joutsen (ed.). **Five Issues in European Criminal Justice**. Helsinki, HEUNI.

TONRY, Michael. (Ed.). 1987. **Prediction and Classification: Legal and Ethical Issues. Crime and Justice Review**. Chicago: University of Chicago Press..

–   1995. **Malign Neglect: Race, Crime, and Punishment in America**. New York, NY: Oxford University Press.

–   1997. Ethnicity, Crime, and Immigration en Michael Tonry (Ed.). **Ethnicity, Crime, and Immigration:Comparative and Cross-National Perspectives. Crime and Justice: A Review of Research. Volume 21**. Chicago, IL: University of Chicago Press.

–   1999. **Sentencing Matters**. Oxford: Oxford University Press.

TORRENTE, Diego. 1997. **La sociedad policial. Poder, trabajo y cultura en una organizacion local de policia**. Madrid: Centro de Investigaciones Sociologicas.

TORRES, Sara. 1991. A Comparison of Wife Abuse Between Two Cultures: Perceptions, Attitudes, Nature, and Extent. **Issues in Mental Health Nursing**. 113-131.

TRAVIS, Gail, Sandra EGGER y Brian O'TOOLE. 1995. The International Crime Surveys: Some Methodological Concerns. **Current Issues in Criminal Justice**. 6(3):346-361.

TUCKER, M.B. y C. MITCHELL-KERNAN. 1995. **The Decline of Marriage Among African Americans**. New York: Russell Sage Foundation.

TUNNELL, Kenneth. 1992. **Choosing Crime: The Criminal Calculus of Property Offenders**. Chicago, IL: Nelson-Hall.

TWEED, Roger y Donald Dutton. 1998. A Comparison of Impulsive and Instrumental Subgroups of Batterers. **Violence and Victims**. 13(3):217-229.

UMBERSON, Debra, Kristin ANDERSON, Jennifer GLICK y Adam SHAPIRO. 1998. Domestic Violence, personal control, and gender. **Journal of Marriage and the Family**. 60(2):442-452.

UMBREIT, Mark S. 1994. **Victim Meets Offender. The Impact of Restorative Justice and Mediation**. Monsey (NY): Willow Tree Press, Inc.

UNGER, Amy, Kenneth LAND, Patricia McCALL y Daniel NAGIN. 1998. How Many Latent Classes of Delinquent/Criminal Careers? Results from Mixed Poisson Regression Analysis. **American Journal of Sociology**. 103(6):1593-1630.

UNITED NATIONS DEVELOPMENT PROGRAMME (UNDP). 1996. **Human Development Report 1996**. New York: Oxford University Press.

VALIENTE FERNÁNDEZ, Celia. 1996. Politicas contra la violencia sobre la mujer en Espana (1975-1995). **Ciencia Policial**, marzo-abril, 29-46.

VAN DIJK, Jan, Pat MAYHEW y Martin KILLIAS. 1990. **Experiences of Crime Across the World: Key Findings of the 1989 International Crime Survey**. Boston, MA: Kluwer Law and Taxation Publishers.

VAN HASSELT, V., MORRISON, R. y BELLACK, A. 1985. Alcohol Use in Wife Abusers And Theirs Spouses. **Addictive Behaviors**. 10:127-135.

VENKATESH, Sudhir A. 1997. The Social Organization of Street Gang Activity in an Urban Ghetto. **American Journal of Sociology**. 103(1):82-111.

VERA INSTITUTE OF JUSTICE. 1977. **Felony Arrests: The Prosecution and Disposition in New York City Courts**. New York: Vera Institute of Justice.

VITANZA, Stephanie, Laura C.M. VOGEL y Linda L MARSHALL. 1995. Distress and Symptoms of Posttraumatic Disorder in Abused Women. **Violence and Victims**. 10(1).

VIVIAN, Dina y J. LANGHINRICHSEN-ROHLING. 1994. Are Bi-Directionally Violent Couples Mutually Victimzed? A Gender-Sensitive Comparison. **Violence and Victims**. 9:107-124.

VIVIAN, Dina y Jean MALONE. 1997. Relationship Factors and Depressive Symptomatology Associated with Mild and Severe Husband-to-Wife Physicial Aggression. **Violence and Victims**. 12(1):3-18.

VOLD, George, Thomas BERNARD y Jeffrey SNIPES. 1998. **Theoretical Criminology**. Cuarta Edición. New York: Oxford University Press.

VON HENTIG, H. 1948. **The Criminal and His Victim**. New Haven, CT: Yale University Press.

WAKEFIELD, W. y P. KAUTT. 1997. Spatial Analysis of Urban Intimate Violence. Comunicacion presentada en la **49 Conferencia Anual de la Sociedad Americana de Criminologia**.

WALDMAN, Peter. 1993. Concepto de Violencia y sus Formas: Rasgos Tipicos de la Violencia como Recurso del Poder (Formas Privadas y Estatales de Violencia). Ponencia presentada en el **Curso sobre Racionalidad e Irracionalidad en la Experiencia Politico-Juridica Contemporanea** organizado por el IAIC y el Departamento de Filosofia del Derecho, Moral y Politica de la Universidad de Sevilla.

WALDNER-HAUGRUD, Lisa K. y Brian MAGRUDER. 1995. Male and Female Sexual Victimization in Dating Relationships: Gender Differences in Coercion Techniques and Outcomes. **Violence and Victims**. 10(3):203-215.

WALDNER-HAUGRUD, Lisa, Linda VADEN y Brian MAGRUDER. 1997. Victimization and Perpetration Rates of Violence in Gay and Lesbian Relationships: Gender Issues Explored. **Violence and victims**. 12(2):173-184.

WALKER, Lenore E. 1980. **The Battered Woman**. New York: Harper & Row Publishers.

– 1984. **The Battered Woman Syndrome**. New York: Springer Publishing Company.

– 1989. **Terrifying Love. Why Battered Women Kill and How Society Responds**. New York: Harper Collins Publishers.

WALLACE, R. 1991. Expanding Coupled Schock Fronts of Urban Decay and Criminal Behavior: How US Cities are Becoming Hollowed Out. **Journal of Quantitative Criminology**. 7(4):333-357.

WALLACE, R y D. WALLACE. 1990. Origins of Public Health Collapse in New York City: The Dynamics of Planned Shrinkage, Contagious Urban Decay and Social Disintegration. **Bulletin of the New York Academy of Medicine**. 66(5):391-434.

WARD, David y Charles TITTLE. 1994. IQ and Delinquency: a Test of Two Competing Explanations. **Journal of Quantitative Criminology**. 10(3):189-210.

WARREN, Jane y Wayne LANNING. 1992. Sex Role Beliefs, Control, and Social Isolation of Battered Women. **Journal of Family Violence**. 7(1):1-8.

WEBSTER, Stephen W. 1991. Variations in Defining Family Mistreatment: A Community Survey, en Dean D. Knudsen y Joann L. Miller (Eds.). **Abused and Battered. Social and Legal Responses to Family Violence**. New York: Aldine de Gruyter.

WEINER, Neil Alan, Margaret E. ZAHN, and Rita J. SAGI (Ed.). **Violence. Patterns, Causes, Public Policy**. San Diego: Hartcout Brace Jokanovich Publishers.

WEIS, Joseph G. 1989. Family Violence Research Methodology and Design@ en Michael Tonry y Norval Morris (Eds.). **Family Violence. Crime and Justice: A Review of Research**. Chicago: Chicago University Press.

WEISBURD, D., L. MAHER, L. SHERMAN, M. BUERGER, E. COHN y A. PETROSINO.1992. Contrasting Crime General and Crime Specific Theory: the case of Hot Spots of Crime en Freda Adler y W.S. Laufer (Eds.). **Advances in Criminological Theory Vol. 4**. New Brunswick, NJ: Transaction Publishers.

WETZELS, Peter, Thomas OHLEMACHER, Christian PFEIFFER y Rainer STROBL. 1994. Victimization Surveys: Recent Developments and Perspectives. **European Journal on Criminal Policy and Research**. 2(4):14-35.

WHATLEY, Mark A. 1993. For Better or Worse: The Case of Marital Rape. **Violence and Victims**. 8(1):29-40.

WHITE, Jennifer, Terrie MOFFIT, Avshalom CASPI, Dawn J. BARTUSCH, Douglas NEEDLES y Magda STOUTHAMER-LOEBER. 1994. Measuring Impulsivity and Examining its Relationship to Delinquency. **Journal of Abnormal Psychology**. 103(2):192-205.

WHYTE, William F. 1943. **Street Corner Society**. Chicago: University of Chicago Press.

WIDOM, Cathy Spatz. 1988. The Cycle of Violence. **Science**. 160-166.

WIKSTROM, Per-Olof. 1991. **Urban Crime, Criminals, and Victims. The Swedish Experience in an Anglo-american Comparative Perspective**. New York: Springer-Verlag.

WILLIAMS, K.R. 1992. Social Sources of Marital Violence and Deterrence: Testing an Integrated Theory of Assaults Between Spouses. **Journal of Marriage and the Family**. 54:620-629.

WILLIAMS, Kirk y Robert FLEWELLING. 1988. The Social Production of Criminal Homicide: A Comparative Study of Disaggregated Rates in American Cities. **American Sociological Review**. 53: 421-431.

WILLIAMS, Kirk R. y Richar HAWKINS. 1989a. Controlling Male Aggression in Intimate Relationships. **Law and Society Review**. 23(4):591-612.
  – 1989b. The meaning of arrest for wife assault. **Criminology**. 27(1):163-181.
  – 1992. Wife Assault, Cost of Arrest, and the Deterrence Process. **Journal of Research in Crime and Delinquency**. 29:292-310.

WILSON, James Q. y Richard J. HERRNSTEIN. 1985. **Crime and Human Nature. The Definitive Study of the Causes of Crime**. New York City: Simon & Schuster.

WILSON, James y George KELLING. 1982. Broken Windows. **Athlantic Monthly**. 249(3):29-38.

WILSON, Margo y Martin DALY. 1993. Apousal Homicide Risk and Estrangement. **Violence and Victims**. 8(1):3-16.

WILSON, Margo, Holly JOHNSON y Martin DALY. 1995. Lethal and nonlethal violence against wives. **Canadian Journal of Criminology**. July:331-361.

WILSON, Orlando. 1956. Basic Police Policies. **The Police Chief**. 33(6):28-29.
  – 1963. **Police Administration**. Segunda Edicion. New York: McGraw-Hill.

WILSON, William J. 1997. **When Work Disappears. The World of the New Urban Poor** New York: vintage Books.

WINKLER, A.E. 1994. The Determinants of a Mother Choice of Family Structure: Labor Market Conditions, AFDC Policy or Community Mores. **Population Research and Policy Review** 13(3):283-303.

WOLFE, D., P. JAFFE, S. WILSON y L. ZAK. 1985. Children of Battered Women: The Relation of Child Behavior to Family Violence and Maternal Stress. **Journal of Consulting and Clinical Psychology**. 53:657-665.

WOLFGANG, Marvin. 1958. **Patterns in Criminal Homicide**. Philadelphia: University of Pennsylvania Press.

WOLFGANG, Marvin y Franco FERRACUTTI. 1971. **La subcultura de la violencia**. Mexico: Fondo de Cultura Economica.

WRIGHT, B.R.E., A. CASPI, T. MOFFITT, R. MIECH y P. SILVA. 1999. Reconsidering the Relationship Between SES and Delinquency: Causation But Not Correlatio@. **Criminology**. 37(1):175-195.

WUEST, Judith y Marilyn MERRITT-GRAY. 1999. Not Going Back: Sustaining the Separation in the Process of Leaving Abusive Relationships. **Violence Against Women**. 5(2):110-133.

YLLÖ, Kersti A. 1983. Using a Feminst Approach in Quantitative Research. A Case Study en David Finkelhor, Richard Gelles, Gerald Hotaling y Murray Straus (Eds.). **The Dark Side of Families. Current Family Violence Research**. Newbury Park: Sage.

– 1993. Through a Feminist Lens: Gender, Power and Violence en Richard J. Gelles y Donileen Loseke (Eds.). **Current Controversies on Family Violence**. Newbury Park: Sage.

YLLÖ, Kersti A. y Murray STRAUS. 1990. Patriarchy and Violence Against Wives: The Impact of Structural and Normative Factors en Murray Straus y Richard Gelles (Eds.). **Physical Violence in American Families: Risk Factors and Adaptations To Violence in 8145 Families**. New Brunswick: Transaction Publishers.

YOSHIHAMA, Mieko y Susan B. SORENSON. 1994. Physical, Sexual, and Emotional Abuse by Male Intimates: Experiences of Women in Japan. **Violence and Victims**. 9(1):63-79.

YOUNG, Jock. 1998. Left Realist Criminology: Radical in its Analysis, Realist in its Policy en Mike Maguire, Rod Morgan y Robert Reiner (Eds.). **The Oxford Handbook of Criminology**. Oxford: Oxford University Press.

ZAHN, Margaret. 1987. Homicide in Nine American Cities en Jess Kraus, Susan Sorenson y Paul Juarez (Eds.). **Proceedings of the Research Conference on Violence and Homicide in Hispanic Communities**. Los Angeles, CA: UCLa Publication Services.

ZIMRING, Franklin. 1989. Toward a Jurisprudence of Family Violence en Lloyd Ohlin y Michael Tonry (Eds.). **Family Violence. Crime and Justice: A Review of Research. Vol. 11**. Chicago: Chicago University Press.

ZIMRING, F. y G. HAWKINS. 1997. **Crime is not the problem. Lethal violence in America** NY: Oxford University Press.

ZLOTNICK, Caron, Robert KOHN, Johan PETERSON. 1998. Partner Physical Victimization in a National Sample of American Families: Relationship to Psychological Functioning, Psychosocial Factors, and Gender. **Journal of Interpersonal Violence**. 13(1):156-166.

ZORZA, J. 1994. Must we stop arresting batterers? Analysis and policy implications of new police domestic violence studies en **New England Law Review**, 28, 920-990.

ZURAVIN, S.J. 1989. The Ecology of Child Abuse and Neglect: Review of the Literature and Presentation of Data. **Violence and Victims** 4:101-120.

APÉNDICES

Tabla 1. Encuestas sobre malos tratos realizadas en varios países

Estudio	National Family Violence Survey	National Family Violence Survey	National Crime Victimization Survey	British Crime Survey 1996 (DV Supplement)
Porcentaje de hombres víctimas (12 meses)	11.6% (4.6%)	12.1% (4.4%)	- - - - -	0,7%
Porcentaje de hombres víctimas (12 meses)	12.1% (3.8%)	11.3% (3%)	2.4%	1.3%
Edades de entrevistados	18-70	18 y mayores	12 y mayores	16-59
Sexo de entrevistados	Ambos	Ambos	Ambos	Ambos
Tipo de muestra	Nacional	Nacional	Nacional	Nacional
País	Estados Unidos	Estados Unidos	Estados Unidos	Inglaterra y Gales
Fecha del estudio	1975	1985	1996	1996
Tema general de la encuesta	Violencia Familiar	Violencia Familiar	Victimización	Victimización
# items	CTS I (8 y 5)	CTS I (8 y 5)	- - - - -*	1
Método	Cara a cara	Teléfono	Teléfono/Cara a cara	Cara a cara (Autoadministrado en ordenador portátil)
Tasa de respuesta	65%	85%	No Aplicable	83%
# de entrevistas	2,143	6,002	94	16,348
Abuso medido y expresado en% en esta tabla	Físico cometido por la pareja (total y serio)	Físico cometido por la pareja (total y serio)	Físico cometido por la pareja	Físico cometido por por la pareja u otros familiares

Estudio	National Youth Survey	National Violence Against Women Survey	Threats and Violence Against Women Survey	Men=s Violence Against Women in Finland
Porcentaje de hombres víctimas (12 meses)	48% a 27.9% (22.4% a 13.8%)	- - - - -	0.9%	- - - - -
Porcentaje de mujeres víctimas (12 meses)	36.5% a 20.2% (10.15 a 5.7%)	5%	1.3%	7.0%
Edad de entrevistados	17 a 33	18 y mayores de 18	18 y mayores de 18	18-74
Sexo de entrevistados	Ambos	Mujeres	Ambos	Mujeres
Tipo de muestra	Nacional	Nacional	Nacional	Nacional
País	Estados Unidos	Canadá	Estados Unidos	Finlandia
Fecha del estudio	1983, 1986, 1989, 1992	1993	1996	1997
Tema general de la encuesta	Evolución y delincuencia	Violencia contra la mujer	Violencia contra la mujer	Violencia contra la mujer
# items	CTS (8 y 5)	10	12	7
Método	Cara a cara	Teléfono	Teléfono	Correo
Tasa de respuesta	- - - - -		- - - - -	70.3%
# Entrevistas	Entre 1436 y 1496	12,300	8.000 con hombres y 8.000 con mujeres	4,955
Abuso medido y expresado en % en esta tabla	1983 y 1992 físico cometido por la pareja total y serio	Físico cometido por maridos, novios y exmaridos	Físico cometido por la pareja	Físico cometido por la pareja

Estudio	Canadian National Survey	Vaw in Swiss Families	Women=s Safety Survey	KFN
Porcentaje de hombres víctimas (12 meses)	- - - - -	- - - - -	- - - - -	12.38% (3%)
Porcentaje de mujeres víctimas (12 meses)	35%	5.6%	15%	10.71% (4.2%)
Edad de entrevistados	Universitarios	20 a 60	17 y mayores	16 y mayores
Sexo de entrevistados	Ambos	Mujeres	Mujeres	Ambos
Tipo de muestra	Universitarios nacional	Nacional	Nacional	Nacional
País	Canadá	Suiza	Nueva Zelanda	Alemania
Fecha del estudio	1992	1994	1996	1992
Tema general de la encuesta	Violencia entre novios universitarios	Violencia contra la mujer en la pareja	Violencia contra la mujer	Victimización
# items	10	10	22	13
Método	Autoadministración en clase	Teléfono	53% cara a cara y 47% por teléfono	Cara a cara (autoadministrado)
Tasa de respuesta	- - - - -	- - - - -	79%	97.6%
# Entrevistas	1307 h. y 1835 mujeres	1,5	500	5711
Abuso medido y expresado en esta tabla	Físico entre novios	Físico por la pareja	Físico, amenazas y sexual en la pareja	Físico por la pareja: CTS y ítem general

Estudio	Dunedin Study	Dutch Survey of Wife Abuse	National Survey on Families & Households	National Survey of Wives in England
Porcentaje de hombres víctimas (12 meses)	37,2%	- - - - -	3,4%	- - - - -
Porcentaje de mujeres víctimas (12 meses)	21,8%	20,8%(6,3%)	2,9%	27%
Edad de entrevistados	21	20-60	19 y mayores	18-54
Sexo de entrevistados	Ambos	Mujeres	Ambos	Mujeres
Tipo de muestra	Local representativa	Nacional	Nacional	Nacional por cuotas
País	Nueva Zelanda	Holanda	Estados Unidos	Inglaterra
Fecha del estudio	1994	1986	1987 y 1993	1989
Tema general de la encuesta	Salud, continuidad y cambio	Violencia doméstica	Vida familiar	Vida familiar
# items	13	2	1	1
Método	Cara a cara	Cara a cara	Cara a cara	Cara a cara
Tasa de respuesta	- - - - -	35%	90%	- - - - -
# entrevistas	941	1016	13007	1007
Abuso medido y expresado en esta tabla	Físico cometido por la pareja	Físico y sexual	Físico cometido por la pareja en 1987	Físico leve cometido por el marido

Estudio	Alcohol National Study	Malos Tratos en la España Urbana
Porcentaje de hombres víctimas (12 meses)	6.22% a 18.21%	- - - - -
Porcentaje de mujeres víctimas (12 meses)	5.21% a 13.61%	7%(4.6%)
Edad de entrevistados	- - - - -	Mayores de 16
Sexo de entrevistados	Ambos	Mujeres
Tipo de muestra	Nacional	Nacional
País	Estados Unidos	España
Fecha del estudio	1995	1999
Tema general de la encuesta	Consumo de alcohol	Seguridad de la mujer
# de items	CTS (11)	CTSII ()
Método	Cara a cara	Cara a cara
Tasa de respuesta	85%	- - - - -
# de entrevistas	1599	200
Abuso medido y expresado en esta tabla	Físico (intervalos)	CTS físico total y serio (en paréntesis)

* La NCVS incluye varias preguntas sobre agresiones en general, primero especificando particulares lugares (8) y luego señalando particulares medios de ataque (7). Justo después de estas preguntas genéricas incluye una pregunta sobre agresiones cometidas por personas conocidas, incluyendo familiares. Si los entrevistados responden que si a algunas de estas preguntas a continuación durante el cuestionario detallado se les interroga sobre la relación con el agresor.

Referencias
National Family Violencia Survey I-1976 (Straus, Gelles y Steinmmetz, 1981)
National Family Violencia Survey II-1985 (Gelles y Straus, 1989)
Redesigned National Crime Victimization Survey (Bureau of Justice Statistics, 1996)
1996 Brittish Crime Survey (Domestic Violencia Supplement) (Mirlees-Black, 1999)

National Youth Survey (Morse, 1996; Menard et al., 1994)
1992 National Violence Against Women Survey (Johnson, 1996)
Threats of Violence and Violence Against American Women Survey (Tjaden y Thoennes, 1996a y 1996b)
Men=s Violence Against Women in Finland (Heiskanen y Piispa, 1998)

Canadian National Survey of Dating Violence (DeKeseredy y Schwartz, 1998)
Violence Against Women in Swiss Families (Gillioz y De Puy, 1994)
Women=s Safety Survey (Morris, 1996)
KFN (Wetzels, Olhemacher y Pfeiffer, 1994)

Dunedin Multidisciplinary Study (Moffit y Caspi, 1999)
Alcohol and Family Violence Survey (Kantor, Jasinski y Aldarondo, 1994)
National Survey on Families and Households (Brush, 1993)
National Survey of Wives in England (Painter y Farrington, 1998)

Dutch Survey of Wife Abuse (Romkens, 1997)
Alcohol National Study (Schafer, Caetano y Clark, 1997; 1998)

Tabla 2. Factores de riesgo de tipo evolutivo identificados por Farrington (1994)

Factores de riesgo a la edad de 8-10 años.
Separación de uno de los padres (por razones diferentes de muerte o hospitalización)
Abandono físico
Impopularidad entre iguales
Baja clase social e ingresos de sus familias
Factores de riesgo a la edad de 12-14 años.
Padres desempleado
Niveles altos de delincuencia juvenil y tener amigos delincuentes
Inteligencia no verbal baja
Hostilidad elevada hacia la policía
Mentiras frecuentes
Falta de concentración
Factores de riesgo a la edad de 18 años.
Haber recibido una sanción penal
Participación en trabajos que no requieren cualificaciones e historia laboral inestable
Viven independientemente de sus padres
Comportamiento antisocial
Consumo excesivo de alcohol y conducción bajo la influencia de alcohol
Consumo frecuente de tabaco
Factores de riesgo a la edad de 32 años.
Desempleo
Consumo de marihuana
Consumo excesivo de alcohol y conducción bajo la influencia de alcohol
Haber recibido una sanción penal
Participación en otras actividades delictivas
Tener un tatú
Residencia en barrios problemáticos (ruidosos, sucios, violentos)

**Tabla 3. Clasificación de los modelos de prevención comunitaria del delito
(adaptada de Hope, 1995)**

Organización de las comunidades	
Origen	Escuela de Chicago
Estrategia	Liderazgo de los vecinos en la coordinación de instituciones, grupos y agencias locales dentro de un programa unificado para el barrio
Tácticas	Programas recreativos para los niños, campanas para mejorar las condiciones de los barrios, consejo a los delincuentes
Implicación de los residentes	
Origen	Expansión de proyectos de vivienda pública en Gran Bretaña
Estrategia	Descentralización de la gestión de los proyectos y consulta de los residentes sobre todos los aspectos de la gestión de los mismos
Tácticas	Intentos de mejorar la calidad del alojamiento y los servicios recibidos por las personas viviendo en proyectos de vivienda pública, programas de seguridad para los edificios, proyectos de limpieza
Movilización de recursos	
Origen	El programa de Guerra a la Pobreza en los Estados Unidos durante los anos 60
Estrategia	Transferencia de recursos a las comunidades y provisión de oportunidades legitimas para el desarrollo individual
Tácticas	Prestación de servicios sociales, formación laboral y educativa, intentos de movilizar políticamente a las comunidades para pedir recursos para el desarrollo

Organización intencional de la vigilancia comunitaria	
Origen	Olas de la delincuencia de los anos 70 y creciente miedo al delito
Estrategia	Organizar a los vecinos para que vigilen los barrios favoreciendo así la reducción del delito y el miedo al mismo, así como el fortalecimiento de lazos de solidaridad entre los vecinos
Tácticas	Vigilancia de los barrios, encuestas de seguridad, operaciones de marcado de la propiedad, cooperación con la policía
Modificación del espacio	
Origen	Problemas de delincuencia en los proyectos de vivienda pública en Nueva York
Estrategia	Diseñar el entorno urbano de manera que se facilite el desarrollo de la vigilancia natural de los espacios públicos y que la gente se identifique con dichos espacios

Tácticas	Mejorar las condiciones de seguridad de los edificios, mejora del alumbrado, embellecimiento y limpieza, instalación de tecnologías de vigilancia, diseño arquitectónico
Mantenimiento del orden público	
Origen	Teoría de los cristales rotos
Estrategia	Ayudar a los residentes a mantener niveles apropiados de orden público de acuerdo con los estándares de cada comunidad
Tácticas	Programas de reparación inmediata del vandalismo, policía de proximidad, fiscales de proximidad, implicación de las organizaciones de comerciantes y vecinos en la preservación del orden, programas de restauración física de las comunidades, persecución de las incivilidades, uso de remedios civiles para atajar problemas criminales, mediación
Protección de los vulnerables	
Origen	Descrubrimiento de los pobres y las minorías como víctimas vulnerables y del concepto de victimización repetida
Estrategia	Centrar los esfuerzos preventivos en las áreas más vulnerables al delito
Tácticas	Técnicas de prevención situacional del delito, policía orientada a la solución de problemas, uso de remedios civiles para atajar problemas criminales, integración de las víctimas en grupos de autoayuda y en redes sociales
La reducción del daño	
Origen	Descrubrimiento de las limitaciones de un enfoque puramente punitivo contra las drogas
Estrategia	Compensar el proceso de deterioro que esta asociado con la adopción de estilos de vidas desviados de vagabundos, drogadictos, prostitutas, etc., tratar de favorecer la reintegración de los mismos y ayudar a las comunidades a convivir con estos colectivos
Tácticas	Programas de servicios sociales para este tipo de colectivos en comunidades donde se encuentran, así como para sus familiares y las comunidades en las que se encuentran

Tabla 4. Prevalencia de diferentes medidas de abuso material durante los últimos doce meses de acuerdo con medidas basadas en la CTS-II y autodefinición como mujer maltratada

Abuso verbal o psicológico (total)	41.1%
Abuso verbal o psicológico severo	14.6%
Abuso físico	7.6%
Abuso físico severo	4.7%
Coacciones sexuales	10.8%
Violación marital	4.4%
Lesiones (total)	5.5%
Lesiones severas	2.1%
Autodefinición como mujer maltratada	4.3%

Tabla 5. Prevalencia de abuso físico y psicológico en la relación con medidas generales alternativas a la CTS-II.

Abuso físico	7.5%
Abuso físico frecuente	1.0%
Abuso psicológico	10.6%
Abuso psicológico frecuente	2.7%

MEDIDAS DE LOS MALOS TRATOS INCLUIDAS EN LA ENCUESTA SOBRE SEGURIDAD, FAMILIA Y SALUD DE LA MUJER

ESCALAS DE ABUSO BASADAS EN LA CTS-II[*]
Cuando la mujer respondia que alguna de estas conductas ocurría al menos una vez durante los 12 meses anteriores a la realización de la entrevista su caso se computaba para generar las tasas de abuso. Cada escala de la CTS (fisico, psicológico, sexual y lesiones) se divide en una medida general que engloba todos los items en cada escala y una medida de abuso severo que solo cuenta los items subrayados.

ESCALA DE ABUSO FISICO (CTS-II)
Mi marido/pareja/exmarido me agarró
Mi marido/pareja/exmarido me tiró algo que pudo hacerme daño
Mi marido/pareja/exmarido me dio una bofetada
Mi marido/pareja/exmarido me dio un empujón
Mi marido/pareja/exmarido me retorció el brazo o me tiró de los pelos
Mi marido / pareja / exmarido me lanzó contra una pared
Mi marido / pareja / exmarido me dio un puñetazo o me golpeó con algo que pudo hacerme daño

---

[*] En cursiva las sub-escalas de abuso severo.

Mi marido / pareja / exmarido me agarró por el cuello
Mi marido / pareja / exmarido me dio una patada
Mi marido / pareja / exmarido me provocó quemaduras o me arrojó un líquido hirviendo
Mi marido / pareja / exmarido me dio una paliza
Mi marido / pareja / exmarido me amenazó o atacó con un cuchillo o un arma de fuego

ESCALA DE ABUSO PSICOLÓGICO (CTS-II)

Mi marido/pareja/exmarido me gritó o chilló
Mi marido/pareja/exmarido se fue rabiando de la habitación, la casa o el patio durante una riña
Mi marido/pareja/exmarido hizo algo para fastidiarme
Mi marido/pareja/exmarido destrozó algo que me pertenecía
Mi marido / pareja / exmarido me acusó de ser muy mala en la cama o como amante
Mi marido / pareja / exmarido me insultó llamándome, por ejemplo gorda
Mi marido / pareja / exmarido me dijo una palabrota
Mi marido / pareja / exmarido me amenazó con darme un golpe o arrojarme algo

ESCALA DE LESIONES (CTS-II)

Yo todavía tenía dolores el día después de haberme peleado con mi marido/pareja/exmarido
Mi marido/pareja/exmarido me hizo una torcedura, pequeño corte o cardenal
Mi marido/pareja/exmarido me rompió un hueso durante una pelea
Hubiera necesitado ver a un médico como consecuencia de una pelea con mi marido / pareja / exmarido, pero no lo vi
Perdí el conocimiento después de que mi marido / pareja / exmarido me golpeara en la cabeza durante una pelea
Tuve que ir al médico como consecuencia de una pelea con mi marido / pareja / exmarido

ESCALA DE ABUSOS SEXUALES (CTS-II)

Mi marido/pareja/exmarido insistió (pero no usó la fuerza física) en tener relaciones sexuales aunque yo no quería
Mi marido/pareja/exmarido insistió (pero no usó la fuerza) en que tuviera sexo oral o anal con él
Mi marido/pareja/exmarido me obligó a tener relaciones sexuales sin un condón
Mi marido / pareja / exmarido usó amenazas para hacerme tener relaciones sexuales
Mi marido / pareja / exmarido me amenazó para que tuviera sexo oral o anal con él
Mi marido / pareja / exmarido usó la fuerza (golpeando, agarrando o usando un arma) para obligarme a tener relaciones sexuales
Mi marido / pareja / exmarido usó la fuerza (golpeando, agarrando, o usando un arma) para obligarme a tener sexo oral o anal

AUTODEFINICIÓN COMO MALTRATADA

¿Se considera usted una víctima de malos tratos por parte de su compañero/marido/exmarido?

MEDIDAS GENÉRICAS DE MALOS TRATOS

¿Con qué frecuencia ha tenido discusiones en las que su pareja o expareja le ha arrojado algo, le ha golpeado con algo, le ha dado una bofetada, puñetazo o patada o de alguna manera ha usado la fuerza contra usted?

¿Con qué frecuencia su pareja o expareja la maltrata psicológicamente, por ejemplo, insultándola, amenazando con pegarle, o diciéndole continuamente lo que puede y no puede hacer hasta el punto que usted se siente bastante molesta, asustada u ofendida?

MEDIDAS DE CONDUCTAS DE CONTROL

Responde que ocurren frecuente o muy frecuentemente a los siguientes items:

Le cuesta trabajo ver las cosas desde su punto de vista
Es celoso y no le gusta que usted hable o se relacione con otros hombres
Intenta provocar discusiones
Intenta que usted tenga menos contactos con su familia, amigas o amigos
Insiste todo el rato en saber con quién o dónde está usted
Está asustado de usted o de que le deje
Intenta tener control del dinero de la familia
A veces le dice cosas que le hacen sentir mal
No quiere que usted trabaje fuera de casa

MEDIDAS DE ABUSO CONTENIDAS EN LA MACROENCUESTA DEL INSTITUTO DE LA MUJER

MALOS TRATOS TÉCNICO O TIPO «A»

Responde «a veces» o «frecuentemente» a al menos una de estas conductas:

Le impide ver a la familia o tener relaciones con amigos o vecinos
Le quita dinero que usted gana o no le da lo suficiente que necesita para mantenerse
Le insulta o amenaza
Decide las cosas que usted puede o no hacer
Insiste en tener relaciones sexuales aunque sepa que usted no tiene ganas
No tiene en cuenta las necesidades de usted (le deja el peor sitio de la casa, lo peor de la comida...)
En ciertas ocasiones le produce miedo
Cuando se enfada llega a empujar o golpear
Le dice que a donde va a ir sin el/ella (que no es capaz de hacer nada por si sola)
Le dice que todas las cosas que hace estan mal, que es torpe
Ironiza o no valora sus creencias (ir a la iglesia, votar a algún partido, pertenecer a alguna organización...)
No valora el trabajo que realiza
Delante de sus hijos dice cosas para no dejarle a usted en buen lugar

MALOS TRATOS TIPO «B» O «AUTODEFINICIÓN COMO MUJER MALTRATADA»

¿Ha sufrido alguna situación por la que usted se haya sentido maltratada por algún familiar, por su novio o alguna persona de las que conviven con usted, durante el último año?